JUÍZO E PRISÃO:

ATIVISMO JUDICIAL NO BRASIL E NOS EUA

2018

Juízo e prisão: ativismo judicial no Brasil e nos EUA

1ª edição: 2018

AUTOR:
Rodrigo Moraes de Oliveira

REVISÃO ORTOGRÁFICA:
Renato Deitos

DIAGRAMAÇÃO:
Dharana Rivas

DADOS INTERNACIONAIS DE CATALOGAÇÃO NA PUBLICAÇÃO (CIP)

O48 Oliveira, Rodrigo Moraes de

Juízo e prisão: ativismo judicial no Brasil e nos EUA / Rodrigo Moraes de Oliveira. – Porto Alegre : Boutique Jurídica, 2018.

512 p.

ISBN: 978-85-68014-70-7

1. Direito penal – Brasil. 2. Direito penal – Estados Unidos. 3. Direitos fundamentais. 4. Justiciabilidade. 5. Presidiários. I. Título.

CDD – 341.43

PRODUÇÃO EDITORIAL E DISTRIBUIÇÃO:

contato@boutiquejuridicaeditora.com.br
www.boutiquejuridicaeditora.com.br

RODRIGO MORAES DE OLIVEIRA

JUÍZO E PRISÃO:

ATIVISMO JUDICIAL NO BRASIL E NOS EUA

2018

AGRADECIMENTOS

Não existem palavras que possam exprimir o agradecimento que devo à minha esposa, Alessandra, e aos meus filhos, Lorenzo e Nicole. Sem o amor e a compreensão de vocês este escrito jamais teria sido possível. Muito e muito obrigado.

Agradeço igualmente aos meus pais, sogros e irmãs pelo apoio fundamental.

Agradeço ao meu pai, Lourenço Pires, que nos caminhos do direito, com humildade, me fez enxergar as razões dos mais fracos.

Pela amizade e a honestidade em pressionar os pontos mais sensíveis à discussão, agradeço especialmente ao professor doutor Luciano Feldens, cuja orientação me indicou o rumo dos EUA e da literatura de referência, as quais, afinal, definiram a identidade da tese.

Ao meu irmão espiritual, professor doutor Fabio D'Avila, pela amizade incondicional e o otimismo inabalável, agradeço pelo extenso apoio e o incentivo.

Agradeço à professora doutora Ruth Gauer pela amizade, o permanente incentivo e pela condução ao pensamento crítico sobre as soluções às vezes autocráticas do direito, mostrando a sua insuficiência e a necessidade de um olhar transdisciplinar para o fenômeno social.

Aos professores doutores Fabrício Pozzebon, digníssimo Decano da Escola de Direito da PUCRS, e Alexandre Wunderlich, então digníssimo coordenador do Departamento de Penal e Processual Penal, agradeço pela amizade, o incentivo e todo o apoio recebido, sem os quais não teria sido possível concluir a escrita deste trabalho.

A todos os professores do Programa de Pós-Graduação em Ciências Criminais, Doutorado em Ciências Criminais, agradeço por todas as aulas e os debates que, ao fim e ao cabo, fizeram as costuras da tese.

Também registro um especial agradecimento aos digníssimos integrantes da comissão examinadora desta tese, os Professores Doutores Luciano Feldens, Fabrício Dreyer de Ávila Pozzebon, Nereu José Giacomolli, Tupinambá Pinto de Azevedo e Miguel Wedy.

Por fim, agradeço aos membros do Instituto Transdisciplinar de Estudos Criminais ainda não mencionados, pela amizade e a parceria acadêmica de tantos anos, com especial obrigado aos professores Paulo Vinícius Sporleder de Souza, Giovani Saavedra, Felipe Moreira de Oliveira, Andrei Schmidt, Salo de Carvalho, Marcelo Bertoluci e Marcelo Peruchin, com quem pude dialogar, em algum momento, sobre as angústias do trabalho.

APRESENTAÇÃO

A presente obra, com pequenas alterações, sob o título "Justiciabilidade das Violações de Direitos Fundamentais das Pessoas Privadas de Liberdade (Uma aproximação Brasil e EUA)", foi apresentada como tese para obtenção do título de Doutor em Ciências Criminais no Programa de Pós-Graduação em Ciências Criminais da Escola de Direito da Pontifícia Universidade Católica do Rio Grande do Sul. Foi aprovada, com voto de louvor, em 24 de agosto de 2015. A comissão examinadora foi composta pelos Professores Doutores Luciano Feldens, Fabrício Dreyer de Ávila Pozzebon, Nereu José Giacomolli, Tupinambá Pinto de Azevedo e Miguel Wedy.

Os dados referidos e a literatura de base utilizados no presente escrito representam, assim, o estado da matéria até meados de 2015.

Agosto de 2018

"A humanidade inteira assume uma garantia solidária quanto ao caráter humano do modo de se conduzir o Estado em cada nação."

RADBRUCH (1948)

ABREVIATURAS

ACP	–	Ação Civil Pública
ADPF	–	Arguição de Descumprimento de Preceito Fundamental
CDCR	–	Departamento Correcional e de Reabilitação da Califórnia (California Department of Corrections and Rehabilitation)
CF	–	Constituição Federal
CIDH	–	Comissão Interamericana de Direitos Humanos
CJF	–	Conselho da Justiça Federal
CNJ	–	Conselho Nacional de Justiça
CP	–	Código Penal
DEPEN	–	Departamento Penitenciário Nacional
EUA	–	Estados Unidos da América
HC	–	*Habeas Corpus*
IBCCRIM	–	Instituto Brasileiro de Ciências Criminais
ITEC/!TEC	–	Instituto Transdisciplinar de Estudos Criminais
LEP	–	Lei de Execução Penal
MJ	–	Ministério da Justiça
MS	–	Mandado de Segurança (individual)
OEA	–	Organização dos Estados Americanos
ONU	–	Organização das Nações Unidas
PLRA	–	Ato de Reforma de Litigância Prisional (Prison Litigation Reform Act)
STF	–	Supremo Tribunal Federal
STJ	–	Superior Tribunal de Justiça
TEDH	–	Tribunal Europeu de Direitos Humanos
USC	–	Código dos Estados Unidos (U.S.Code)

SUMÁRIO

INTRODUÇÃO 19

CAPÍTULO 1
A ATUAÇÃO ESTATAL NO MARCO DA VALIDADE (E SEUS IMPACTOS NO SISTEMA PENAL)

1.1 SISTEMA PENAL, POLÍTICA CRIMINAL E ATUAÇÕES ESTATAIS REFERENTES: EXCURSO SOBRE A ORIGEM DAS CATEGORIAS, SUAS CARGAS IDEOLÓGICAS E CONSEQUÊNCIAS NO ESPAÇO BRASILEIRO 23

1.2 ATUAÇÃO ESTATAL E CONFORMAÇÃO NECESSÁRIA AOS DIREITOS FUNDAMENTAIS 41

1.2.1 Atuação estatal no marco da validade 41

1.2.1.1 Atuação estatal normativa com impacto no sistema penal 41

1.2.1.2 Vácuo normativo e a demanda por atuação válida 44

1.2.1.3 Normas válidas e o imperativo de atuação conforme 45

1.3 ESPÉCIES DE (DESVI)AÇÃO ESTATAL 47

1.3.1 Atuação estatal a partir de legislação inconstitucional 47

1.3.2 Atuação estatal sem previsão normativa e inconstitucional: o caso das ações policiais de extermínio 57

1.3.3 Legislação constitucional aplicada inconstitucionalmente: a LEP e a omissão estatal penitenciária 66

1.4 RELEVÂNCIA EM SE INVESTIGAR AS POSSIBILIDADES E OS LIMITES DA INTERVENÇÃO JUDICIÁRIA NO DESUMANO SISTEMA PRISIONAL BRASILEIRO 72

CAPÍTULO 2
JUSTICIABILIDADE DA ATUAÇÃO ESTATAL VIOLADORA DE DIREITOS FUNDAMENTAIS: REVISÃO JUDICIAL E ATIVISMO NOS EUA

2.1 DIREITOS FUNDAMENTAIS, PRODUÇÃO NORMATIVA E JUSTICIABILIDADE 75

2.2 CONTORNOS DA INTERVENÇÃO JUDICIAL NOS EUA: A *JUDICIAL REVIEW* NORTE-AMERICANA 77

2.2.1 As origens históricas da *judicial review*: o caso *Marbury* vs. *Madison* 78

2.2.2 A *judicial review* na Suprema Corte dos EUA a partir do século XX 85

2.2.2.1 As intervenções judiciais na legislação do *New Deal* (1934) 85

2.2.2.1.1 As transformações constitucionais do embate FDR *vs.* Suprema Corte 111

2.2.2.1.2 A evolução da Velha Corte e a consolidação (na Nova Corte) das chamadas *decisões transformativas* (emenda-análogas) 113

2.2.2.2 Ativismo judicial em direitos fundamentais na Suprema Corte da segunda parte do século XX e início do século XXI. 120

2.2.2.2.1 A expansão nos direitos dos acusados na Corte Hughes dos anos 1930 127

2.2.2.2.2 Afirmação das liberdades de discurso e de imprensa no final dos anos 1930 e início dos anos 1940, nas Cortes Hughes e Stone 133

2.2.2.2.3 Condenação do racismo na Corte Stone pela afirmação dos direitos políticos dos cidadãos negros nos anos 1940 137

2.2.2.2.4 O banimento da segregação nas escolas nos anos 1950. Condenação do racismo e outros avanços na Corte Warren 140

2.2.2.2.5 Expressão, religião, aborto, pena de morte e devido processo na Corte Burger 154

2.2.2.2.6 Inconstitucionalidade da criminalização da sodomia, afirmação dos direitos de presos na Guerra ao Terror, constitucionalidade de ações afirmativas na admissão de universidades e definição da Presidência da República na Corte Rehnquist 160

2.2.2.2.7 A *judicial review* na Corte Roberts 165

a) Mitigação da raça nas estratégias desegregacionistas em escolas públicas no século XXI: limite constitucional nas ações inclusivas 166

b) Constitucionalidade do novo sistema de saúde (*Obamacare*) 169

c) Inconstitucionalidade das restrições ao financiamento de campanhas 174

d) Inconstitucionalidade da proibição (com aumento da extensão) do direito de ter e portar armas 178

e) Inconstitucionalidade em regras do processo eleitoral para evitar a exclusão racista do direito ao voto 180

f) Atenuando a regra da exclusão de provas e clausulando o exercício do direito ao silêncio: o estreitamento de garantias processuais do acusado...... 182

g) Dignidade humana e superpopulação carcerária: constitucionalidade de ordem judiciária para redução de contingente prisional 188

2.2.2.3 Síntese em torno à ideia de ativismo judicial: medições, outras formas de manifestação e considerações críticas 188

2.2.2.3.1 A frequência da anulação de leis como índice de ativismo judicial . 189

2.2.2.3.2 O ativismo judicial por outros indicadores 195

a) Majoritarismo e falta de deferência aos outros atores governamentais como manifestações ativistas 195

b) Ativismo por instabilidade de precedentes e infidelidade legal 196

c) Engrandecimento institucional ativista 197

d) Ativismo em julgamentos resultado-orientados 202

CAPÍTULO 3

DIREITOS FUNDAMENTAIS DAS PESSOAS PRIVADAS DE LIBERDADE NO BRASIL E A EXEQUIBILIDADE HUMANITÁRIA DO ENCARCERAMENTO COMO CONDIÇÃO (MATERIAL) DE SUA POSSIBILIDADE

3.1 DIREITOS FUNDAMENTAIS DAS PESSOAS PRIVADAS DE LIBERDADE NO BRASIL 205

3.1.1 Pessoas privadas de liberdade: conceito e delimitação dos interesses da investigação 205

3.1.2 Direitos fundamentais das pessoas privadas de liberdade 213

3.1.2.1 Por um conceito de direitos fundamentais 213

3.1.2.2 Classificação dos direitos fundamentais das pessoas privadas de liberdade 223

3.1.2.2.1 Direitos fundamentais suprimidos pelo estado de privação de liberdade 230

3.1.2.2.2 Direitos fundamentais ativados pelo estado de privação de liberdade 235

a) Direito fundamental à pessoalidade (ou à intranscendência) da pena 237

b) Direito fundamental à individualização da pena 238

c) Direito fundamental à humanidade das penas 241

d) Direito fundamental à ressocialização 245

e) Direitos fundamentais instrumentais ativados para as pessoas privadas de liberdade por força do devido processo legal 269

3.1.2.2.3 Direitos fundamentais restringidos pelo estado de privação de liberdade (restringibilidade de direitos fundamentais, conteúdo essencial e mínimo existencial) 275

3.1.2.2.4 Direitos fundamentais mantidos a pleno durante a privação de liberdade 289

3.2 EXEQUIBILIDADE HUMANITÁRIA DO ENCARCERAMENTO COMO CONDIÇÃO (MATERIAL) DE SUA POSSIBILIDADE 290

3.2.1 Hipóteses de encarceramento no País e requisitos incidentes: exclusiva análise formal 290

3.2.2 Superação constitucional do olhar exclusivamente formalista: análise, como requisito material, da *exequibilidade humanitária do encarceramento* 293

3.2.2.1 A posição de sujeição da pessoa privada de liberdade e o Estado garantidor: discutindo (a natureza jurídica) da relação 293

3.2.2.2 A *exequibilidade humanitária do encarceramento* como condição material de sua possibilidade (ou, como suporte fático na proporcionalidade em sentido estrito e índice na proibição de insuficiência) 303

3.2.2.2.1 Aplicando as parciais da proporcionalidade como proibição de excesso (*reprovação I*) 307

a) A adequação (ou idoneidade) 309

b) A necessidade (ou exigibilidade) 312

c) A proporcionalidade em sentido estrito (a exequibilidade humanitária do encarceramento como suporte fático da análise) 314

3.2.2.2.2 A *exequibilidade humanitária do encarceramento* e a proporcionalidade como proibição da proteção deficiente (*reprovação II*) 322

3.3 SÍNTESE E CONCLUSÕES PARCIAIS 327

CAPÍTULO 4
JUSTICIABILIDADE DAS VIOLAÇÕES DE DIREITOS FUNDAMENTAIS DAS PESSOAS PRIVADAS DE LIBERDADE (APROXIMAÇÃO BRASIL E EUA)

4.1 QUANDO O ÓBVIO JÁ NÃO É: UMA PALAVRA SOBRE O NÚCLEO DA INVESTIGAÇÃO 329

4.2 APRISONAMENTO EM MASSA E INTERVENÇÃO JUDICIAL: A EXPERIÊNCIA NORTE-AMERICANA 331

4.2.1 Superpopulação carcerária: convergência EUA e Brasil e o caos prisional na Califórnia 331

4.2.2 Limitação judicial de presos no estado da Califórnia: a decisão da Suprema Corte dos EUA no julgamento conjunto de *Brown vs. Plata e Coleman vs. Brown* 349

4.2.2.1 Entendendo a moldura legal 349

4.2.2.2 Antecedentes processuais em *Coleman vs. Brown e Plata vs. Brown* 361

4.2.2.3 Limite judicial à população carcerária: do apelo da Califórnia à opinião da Suprema Corte 366

4.2.2.3.1 A apelação do estado da Califórnia 366

4.2.2.3.2 A opinião do Tribunal pelo juiz Kennedy (e a afirmação da ordem da Corte de Três-Juízes): a Oitava Emenda e as posições do preso, do estado e do juiz em caso de violação 368

4.2.2.3.3 A opinião da dissidência: federalismo, separação dos poderes e ativismo judicial 380

4.2.3 Afinal, *Brown vs. Plata* é uma decisão ativista? 389

4.2.3.1 *Brown vs. Plata* pode ser uma decisão ativista 389

4.2.3.2 *Brown vs. Plata* não é uma decisão ativista 393

4.3 JUSTICIABILIDADE DA VIOLAÇÃO ESTATAL DE DIREITOS FUNDAMENTAIS DAS PESSOAS PRIVADAS DE LIBERDADE NO BRASIL 404

4.3.1 Um julgamento como o de *Brown* pode ter lugar no Brasil? 404

4.3.1.1 Diferenças e semelhanças em justiciabilidade nos EUA e no Brasil 405

4.3.1.1.1 A *exequibilidade humanitária do encarceramento* como ponto de convergência dos países no compromisso com direitos fundamentais dos presos 405

4.3.1.1.2 O Poder Judiciário como garante dos direitos fundamentais: direito fundamental à proteção judicial efetiva nos EUA e no Brasil 409

4.3.1.1.3 A busca de proteção judicial efetiva em viés coletivo: Brown e as possibilidades de equivalência no quadro brasileiro 415

4.3.1.2 Uma versão de *Brown*, à brasileira, é possível? 427

4.3.2 Há justiciabilidade individual na ausência de exequibilidade humanitária do encarceramento? 435

4.3.3 Temos juízes em Berlim? Ainda uma nota sobre justiciabilidade, ativismo e reserva do possível 439

CONCLUSÕES 459

REFERÊNCIAS 465

INTRODUÇÃO

Com foco, principalmente, na aproximação das realidades carcerárias e de acesso à Justiça no Brasil e nos Estados Unidos da América (EUA), a presente investigação, em termos metodológicos, se vale das abordagens dedutiva, indutiva e de direito comparado.

Partimos da constatação de que o Brasil possui hoje (2015) mais de 600 mil presos, figurando como o quarto país do mundo com maior população carcerária. Na última década praticamente dobrou o número de presos, e segue aumentando o efetivo em cerca de 10% a cada ano. Faltam, porém, mais de 350 mil vagas no sistema penitenciário.

Vivemos, por conseguinte, o auge do encarceramento em massa e experimentamos o seu efeito mais nefasto, que é a superpopulação prisional.

Curiosamente, as pessoas privadas de liberdade no Brasil, mais até, *v.g.*, que nos EUA, gozam de uma das mais densas proteções normativas possíveis em âmbito interno, com específicos direitos ativados pelo estado de privação de liberdade (de extração constitucional, na forma de direitos fundamentais), acompanhados de outras configurações detalhadas em estatuto próprio (a Lei de Execução Penal). E isso para além das proteções internacionais pelos tratados e convenções de direitos humanos aplicáveis.

Entretanto, a despeito disso, é provável que estejamos diante de uma das áreas com menor índice de concretização de direitos. Em nossas prisões falta quase tudo que a lei determina que seja oferecido. Desde a ausência de espaço para dormir, ou de alimentação suficiente, ou de segurança interna nos estabelecimentos por meio de controle efetivo pelo Estado, ou de cuidados de saúde, ou de trabalho, ou de educação, falta, falta e falta.

O efeito é um rosário de violações aos direitos dos presos, que simplesmente desintegra a noção de dignidade da pessoa humana.

O contexto é mais grave, porém, quando nos damos conta da relação que se estabelece entre os presos e o Estado. Ao privar a liberdade de um cidadão, o Estado também o priva de buscar diretamente, no meio livre, os itens para o sustento básico da vida de qualquer ser humano. Logo, precisa – de modo irrenunciável e inadiável – fornecer-lhe os meios de subsistência com dignidade. Os presos, portanto, encontram-se em uma especial relação de sujeição com o Estado. E este, por seu turno, figura como garantidor daqueles.

A par disso, a dura realidade da falta de controle interno em grande parte das penitenciárias brasileiras acabou levando ao loteamento dos seus espaços entre facções criminosas, em invejável programa de fomento conduzido pelo Estado (alguém dirá que é a ação de fomento de maior sucesso no País nos últimos muitos anos). Em troca do apaziguamento interno das unidades, que, de outra forma, dada a superlotação, o Estado não conseguiria obter, criou-se um ambiente medieval e criminógeno. Mas, é crucial que percebamos, criou-se não só para dentro da instituição, mas, igualmente, para fora, porque as repercussões sociais são sentidas nas ruas do País todos os dias, sob a forma de crimes vários, engendrados, então, nas próprias entranhas do Estado, sob o seu ostensivo beneplácito. É violência, pois, a gerar mais violência.

É preciso quebrar esse ciclo! Presos são pessoas, e precisam ser respeitados como tal. As pessoas em liberdade precisam ser livres, de fato, para viverem as suas vidas sem o temor de uma agressão criminosa. Portanto, a solução da questão prisional, de maneira comprometida com os direitos fundamentais – único caminho, aliás, possível –, é algo que já não comporta tergiversações. Precisa ser feito, agora!

Mas como fazê-lo? O cenário é tão desolador que a tarefa parece impossível. Governantes se revezam no poder e pouco ou nada fazem para enfrentar o problema. Pode ser dito o mesmo do parlamento, que nos últimos 30 anos fez mais para piorar o caos do que qualquer outra coisa (por leis e mais leis penais, com crimes novos, aumentos de pena etc., no fiel cumprimento de promessas de campanha por ações certeiras para redução da violência criminal, que, por evidente, não se cumpriram em medida alguma).

É nessa moldura que o Poder Judiciário é lembrado como uma alternativa de acesso à reforma. Diante de ilegalidade/inconstitucionalidade das normas, verifica-se uma consolidada práxis jurisprudencial no País para a respectiva detecção e o sancionamento. Mas, e diante de ilegalidade/inconstitucionalidade em um plano concreto/material, ao nível mundano, por ações/omissões, como fica? Vale notar que, partindo de uma realidade normativa que atende aos parâmetros democráticos de encarceramento, em estrita observância dos *standards* internacionais de direitos humanos, a governar a mão do juiz, é razoável o questionamento sobre se as violações dos direitos das pessoas privadas de liberdade não seriam, então, justiciáveis[1]. Ou, perguntando de modo direto: pode, o preso, buscar no Judiciário um remédio para que seja garantido o respeito a sua dignidade humana? Por que meio processual faria isso? O juiz a quem tocasse decidir o caso poderia interceder? Se sim, quais seriam os provimentos possíveis sem ativismo judicial?

As respostas a estes interrogantes constituem, assim, o cerne da presente investigação.

O percurso, que parte da identificação, no capítulo 1, do porquê chegamos ao caos penitenciário dos nossos dias, segue por meio da aproximação proposta com os EUA. Estando a justiciabilidade no centro da discussão, e tendo claro, desde o início, que qualquer intervenção judicial precisa ocorrer dentro do seu espaço legítimo de atuação, sem ativismos (*i.e.*, sem invadir atribuições do Legislativo e do Executivo), o estudo, então, no capítulo 2, se valeu dos mais de 200 anos de experiência ininterrupta dos norte-americanos na prática da chamada revisão judicial (*judicial review*). Averiguou a sua origem e os desenvolvimentos que teve ao longo do século XX até os nossos dias, com atenção para as eventuais manifestações de *ativismo judicial*. Sobre este, também buscou isolar os seus traços mais característicos, não sem alguma crítica, para instrumentalizar a necessária percepção, entre nós, de eventual decisão judicial ativista.

De outra parte, no capítulo 3, a investigação seguiu para a identificação e a sistematização dos direitos fundamentais das pessoas privadas de liberdade

---

[1]Empregamos no presente trabalho o termo *justiciabilidade* (com suas derivações, *justiciável, justiciáveis*) por entender que comunica melhor aquilo que se quer discutir, isto é, a possibilidade de levar à *Justiça* e, por consequência, de obter como resultado um provimento *justo*, capaz de remediar a violação dos direitos fundamentais das pessoas privadas de liberdade. O termo alternativo existente, *judiciabilidade*, embora pudesse ter sido utilizado, parece fazer remissão primária ao Judiciário e, em seguida, à Justiça. Optamos, então, por saltar a mediação e ir diretamente para o segundo sentido. Acreditamos que o termo, de origem espanhola, pode-se dizer incorporado à língua portuguesa (no Brasil, *v.g.*, é utilizado por Virgílio Afonso da Silva, e, em Portugal, *v.g.*, é usado por Cristina Queiroz – cf. SILVA, Virgílio Afonso da. *Direitos Fundamentais*. Conteúdo essencial, restrições e eficácia. 2.ed. São Paulo: Malheiros, 2009, p.240-244; e cf. QUEIROZ, Cristina. *Direitos Fundamentais Sociais*. Funções, Âmbito, Conteúdo, Questões Interpretativas e Problemas de Justiciabilidade. Coimbra: Almedina, 2006).

no Brasil, avançando para o que nomeou como *exequibilidade humanitária do encarceramento* e as suas consequências.

Por fim, no capítulo 4, o estudo retornou à aproximação com os EUA, fundamentada nos fatos de que este é o primeiro país no mundo em taxa de encarceramento (mais de 700 presos por 100 mil habitantes), também o é em número absoluto de presos (mais de 2 milhões) e apresenta problemas dramáticos em matéria de superlotação carcerária – tudo, pois, guardadas as proporções, muito semelhante ao Brasil. Nessa altura, o exame dos EUA focou-se em decisão emitida pelo Judiciário norte-americano, recentemente, em última instância (ou seja, pela Suprema Corte dos Estados Unidos), na qual restou confirmada uma ordem de soltura de 46 mil prisioneiros em desfavor do Estado da Califórnia (que havia chegado a operar com quase 200% da sua capacidade projetada).

Feito o contato, avaliada a decisão no quadro norte-americano e refletindo sobre as possibilidades de algo semelhante por aqui, a investigação se encerra recolocando o tema da justiciabilidade da violação de direitos fundamentais das pessoas privadas de liberdade no Brasil, com o enfrentamento de todas as questões propostas.

O objetivo da investigação, assim, é importante que reste frisado, descansa na avaliação de possível contributo, obtenível pela via do Poder Judiciário, nos limites democráticos de qualquer pronunciamento seu, para o acesso a modificações urgentes no sistema penitenciário brasileiro (mas que só poderá ter lugar mediante a adesão de todos). Em nenhum momento, portanto, a abordagem é desenvolvida com a ideia de arrancar uma (impossível e antidemocrática) reforma do sistema prisional a golpes de sentença (isto é, por meio de juízes que se substituam aos legisladores e administradores).

CAPÍTULO 1
A ATUAÇÃO ESTATAL NO MARCO DA VALIDADE (E SEUS IMPACTOS NO SISTEMA PENAL)

1.1 SISTEMA PENAL, POLÍTICA CRIMINAL E ATUAÇÕES ESTATAIS REFERENTES: EXCURSO SOBRE A ORIGEM DAS CATEGORIAS, SUAS CARGAS IDEOLÓGICAS E CONSEQUÊNCIAS NO ESPAÇO BRASILEIRO

Desde que pretendemos discutir sobre a validade das ações perpetradas pelo Estado e a possibilidade de submetê-las à auditoria judicial, é pressuposto que estabeleçamos uma gramática mínima no que toca às principais estruturas que serão manejadas. É preciso dizer, portanto, já à partida, o que entendemos por sistema penal e por política criminal.

Compreendido como "*controle social punitivo institucionalizado*"[2], o sistema penal abrange diversas instituições oficiais, cada uma responsável por uma fase da intervenção penal. Essas instituições, ou agências, podem ser divididas em duas classes: as agências de criminalização primária e as de criminalização secundária. Ao passo que aquelas desempenham seu papel na formulação do arcabouço normativo penal (na criação das leis penais e processuais penais) – aí se podendo incluir as *agências políticas* do sistema, ou seja, o Poder Legislativo e o Poder Executivo –, estas agências são responsáveis pela efetivação (sobre pessoas concretas) do programa criminalizante abstratamente estabelecido pelas primeiras – incluindo-se nesse rol as agências policial, judicial, e penitenciária[3].

---

[2] Cf. ZAFFARONI, Eugenio Raúl; PIERANGELI, José Henrique. *Manual de Direito Penal Brasileiro*. Parte Geral. 2. ed. São Paulo: RT, 1999, p. 70.

[3] Esta divisão tem em conta um sentido mais estrito de Sistema Penal (cf. ZAFFARONI, Eugenio Raúl; BATISTA, Nilo et al. *Direito Penal Brasileiro*. 2. ed. Rio de Janeiro: Ed. Revan, 2003, p. 43-44). Em sentido mais *lato*, o Sistema Penal ainda pode albergar as agências de comunicação social

Interessa à presente discussão a dinâmica destas instituições, em si e entre si[4], no que se refere as suas ações sobre os alvos selecionados/selecionáveis (em regra pessoas em situação de vulnerabilidade social, que já passaram pelo sistema ou que ainda podem sofrer a sua influência, direta ou indiretamente)[5]. Interessa, ainda, e sobremaneira, o debate sobre as políticas criminais que orientam as ditas ações criminalizantes das agências do sistema, uma vez que a justiciabilidade das mesmas constitui o ponto central desta investigação.

Daí a importância em se observar as origens da noção de política criminal, a bem de compreendê-la. Uma visita a LISZT, a esta altura, é mandatória. Ele sustentava que "[a]o passo que à *política social* toca suprimir ou limitar as condições sociais do crime, à *política criminal* só tem que ver com o delinquente individualmente considerado"[6], reservando dois papéis essenciais à política cri-

---

(imprensa em geral, por suas diversas mídias), as agências de reprodução ideológica (universidades, institutos de pesquisa jurídica e criminológica), agências internacionais (por organismos vinculados à ONU, à OEA, a fundações de pesquisa) (cf. ZAFFARONI, Eugenio Raúl; BATISTA, Nilo et al., op. cit., p. 60-61), e, inclusive, instâncias não oficiais que, em alguma medida, também colaboram no processo de controle social punitivo do Estado (assim, *v.g.*, as instituições responsáveis pelo isolamento dos idosos, ou dos doentes mentais, que embora tentem – com grande sucesso – se subtrair à lógica do discurso penal – e às garantias que implica –, escudados sob o formato de discursos assistenciais ou terapêuticos, na realidade selecionam e sancionam determinados grupos marginalizados em vista da "falta de produtividade e de docilidade aos padrões de consumo veiculados pelos meios de massa") (cf. ZAFFARONI, Eugenio Raúl; PIERANGELI, José Henrique, op. cit., p. 68-71).

[4] Anotando-se, desde já, que o sistema penal não opera de modo orgânico, coordenado, sempre convergindo da melhor forma ao alcance de um propósito comum (como se observa entre os vários órgãos de um sistema biológico). Entre as instituições do sistema penal serão observadas divergências, que aparecem mesmo dentro de cada uma delas quando observadas em seus diversos níveis estruturais (cf. ZAFFARONI, Eugenio Raúl; BATISTA, Nilo et al., idem, p. 60).

[5] Cujas características principais são sumariadas por ZAFFARONI, Eugenio Raúl; BATISTA, Nilo et al.: "**a)** suas características pessoais se enquadram nos estereótipos criminais; **b)** sua educação só lhes permite realizar ações ilícitas toscas e, por conseguinte, de fácil detecção e **c)** porque a etiquetagem suscita a assunção do papel correspondente ao estereótipo, com o qual seu comportamento acaba correspondente ao mesmo (a profecia que se autorealiza). Em suma, *as agências acabam selecionando aqueles que circulam pelos espaços públicos com o figurino social dos delinquentes, prestando-se a criminalização – mediante suas obras toscas – como seu inesgotável combustível*" (cf. ZAFFARONI, Eugenio Raúl; BATISTA, Nilo et al., idem, p. 47).

[6] Cf. LISZT, Franz Von. *Tratado de Direito Penal Alemão. Tomo I.* Trad. José Hygino Duarte Pereira.

minal, um de crítica ao direito vigente e outro de referencial para a elaboração legislativa do porvir[7].

Essa compreensão das missões da Política Criminal ainda hoje permanece[8]. Contudo, é razoável afirmar que ela diz muito pouco – ou nada, praticamente – sobre a *ideologia* que deve animar a dita crítica do direito posto, e que orientará a formulação das leis do amanhã. Tanto é assim que esse vácuo de conteúdo, desde o final do século XIX até os dias de hoje, foi preenchido dos mais variados modos (autoritários, totalitários, democráticos – e, neste, em graus diversos), sendo irrenunciável uma revisão que explique o atual estado da arte.

De fato, muito antes de se divisar, do ponto de vista teórico, a existência de uma política criminal assim reconhecida, é possível identificar a sua ação – como conselheira do poder punitivo – em várias fases da história.

E para entender esse fenômeno é importante observar a lógica que acompanha, historicamente, o poder de punir: ele é exercido na tutela dos interesses constituídos (que podem, ou não, representar os interesses da maioria) contra aqueles que escapam ao modelo esperado de conduta (*conduta conforme*, portanto, aos interesses postos).

Esse opositor, estabelecido como alvo do poder punitivo dominante, já foi o inferior incorrigível da Antiguidade[9], ou o estranho ban(d)ido do direito penal

---

Rio de Janeiro: Briguiet, 1899, p. 112.

[7] Ou, nas exatas considerações de LISZT: "[a] política criminal exige, em geral, que a pena, como meio, seja adequada ao fim (§12), isto é, seja determinada quanto ao gênero e à medida segundo a natureza do delinquente, a quem inflige um mal (lesa nos seus bens jurídicos – a vida, a liberdade, a honra e patrimônio) para impedir que no futuro ele cometa novos crimes. Nesta exigência encontra-se, de um lado, o seguro critério para a crítica do direito vigente, e, de outro, o ponto de partida para o desenvolvimento do programa da legislação futura" (cf. LISZT, Franz Von, op. cit., p. 112-113).

[8] Cf. ZAFFARONI e PIERANGELI: "Política Criminal seria a arte ou a ciência de governo com respeito ao fenômeno criminal". E os autores ainda acrescentam:"[a] política criminal guia as decisões tomadas pelo poder político ou proporciona os argumentos para criticar estas decisões. Cumpre, portanto, uma função de guia e de crítica. Podemos afirmar que a política criminal é a ciência ou a arte de selecionar os bens (ou direitos) que devem ser tutelados jurídica e penalmente e escolher os caminhos para efetivar tal tutela, o que iniludivelmente implica a crítica dos valores e caminhos já eleitos" (cf. ZAFFARONI, Eugenio Raúl; PIERANGELI, José Henrique, idem, p. 132).

[9] A pregação de um tratamento punitivo diferenciado a determinados indivíduos verifica-se já em PLATÃO e PROTÁGORAS, pelas noções de que o infrator é antes de mais nada um inferior

germânico antigo[10], ou o servo ou judeu no direito penal visigótico do século VII[11], ou o herege do Oriente durante as cruzadas, ou o herege doméstico da Santa Inquisição até meados do século XVIII – em foco principalmente as mulheres, que, entre outras façanhas, copulavam com o demônio[12].

Mais recentemente, e com imenso impacto até os dias atuais em matéria de política criminal, merecem atenção as elaborações cunhadas no chamado positivismo criminológico. Impressiona, de fato, o pensamento inaugurado no curso do período científico da história do direito penal, pelos autores que vieram a compor a chamada escola positiva[13].

---

e, se for incorrigível, deve ser eliminado (cf. ZAFFARONI, Eugenio Raúl. *O Inimigo no Direito Penal.* Trad. Sérgio Lamarão. Rio de Janeiro: Revan, 2007, p. 83).

[10] "Todos esses estavam fora do âmbito de proteção jurídica do *Bund*, banidos do igualitarismo da *ewa*. Pensamos em chamá-los de ban(d)idos, se não nos ocorresse a palavra estranhos. O Estranho, ou seja, aquele que não é conhecido, que não integra as estruturas familiares e grupais da organização social germânica ou foi delas removido, é o grande alvo de suas práticas penais. Nada mais coerente para uma sociedade cuja paz se turbava precisamente pela ruptura das rotinas cotidianamente cumpridas e celebradas: o desconhecido/externo subverte e amedronta, impede que hoje seja como ontem e anteontem" (Cf. BATISTA, Nilo. *Matrizes Ibéricas do Sistema Penal Brasileiro – I.* Rio de Janeiro: Instituto Carioca de Criminologia: Freitas Bastos, 2000, p. 30-37).

[11] Servos faltosos podiam ser executados pelos seus donos bastando que houvesse comunicação à autoridade local (juiz, duque, conde etc.). Judeus levados à renúncia do judaísmo eram obrigados, por previsão legal,em norma "destinada a punir a maldade dos judeus (*puniendam perfidiam iudaeroum*)", a executar pelas próprias mãos a "morte por lapidação ou vivicombustão" de outros judeus que tivessem violado quaisquer das leis até ali previstas contra eles. "[n]a hipótese de graça, a pena capital seria substituída por escravização pública perpétua, e os bens do condenado seriam distribuídos a outros judeus" (cf. BATISTA, Nilo, op. cit., p. 89-91).

[12] Mulheres que até ali detinham, *v.g.*, o conhecimento médico necessário à realização de partos, a manipulação de ervas medicinais, e que se organizavam (coisa muito perigosa) em verdadeiras confrarias para a troca desses conhecimentos, os quais se queria expropriar para o exclusivo domínio masculino que já se organizava nas primeiras universidades aparecidas no interior do sistema feudal. Em consequência morreram, pelo mínimo, 100 mil mulheres queimadas na estaca. Trata-se do primeiro genocídio sistemático, "cientificamente" orquestrado, de um adversário bem determinado, de que se tem notícia (cf. MURARO, Rosemarie. Breve Introdução Histórica. In: *Malleus Maleficarum. O Martelo das Feiticeiras.* Trad. Paulo Fróes. 14. ed. Rio de Janeiro: Rosa dos Tempos, 2001, p. 5-17).

[13] A referência à nomenclatura Escola Positiva é feita não sem nos rendermos à crítica de ZAFFARONI, BATISTA et al., quem sustenta tratar-se de mera invencionice de ENRICO FERRI (a maior das

Como é consabido, a partir de conhecimentos oriundos do progresso obtido nas ciências naturais, notadamente a partir dos postulados da Teoria da Evolução das Espécies[14], identificam-se três fases principais no positivismo criminológico: a antropológica, a jurídica e a sociológica[15].

Na primeira fase destacam-se as construções de LOMBROSO, médico italiano tido como fundador da antropologia criminal[16]. Valendo-se de anos de observação de presos, loucos, crianças e *pessoas honestas*, com o auxílio da estatística, sistematizou as características físicas e psicológicas mais comuns entre delinquentes[17], concluindo pela "existência de seres humanos já marcados, desde seu nascimento, por irresistível predisposição para a prática de crimes. Seriam os criminosos natos. A estes acresceria os habituais, os ocasionais e os loucos"[18].

GARÓFALO insere-se na aludida fase jurídica e, sem distanciamento maior às teses lombrosianas, propondo uma definição de *delito natural* como ofensa aos sentimentos altruístas que compõe *a moralidade elementar de um povo civilizado*[19], procurou teorizar a respeito das consequências jurídicas aplicáveis aos criminosos. Chegou a elaborar um *sistema racional de penalidade*, no qual a pena de morte é

---

suas invenções, aliás, se considerada em termos de longevidade) a suposta existência de *Escolas de Direito Penal* (cf. ZAFFARONI, Eugenio Raúl; BATISTA, Nilo et al., idem, p. 576).

[14] Cf. LUISI, Luiz. Prefácio à edição brasileira. In: FERRI, Enrico. *Os Criminosos na Arte e na Literatura*. Trad. Dagma Zimmermann. Porto Alegre: Ricardo Lenz, 2001, p. 7-14. A teoria em questão, da autoria de CHARLES DARWIN, veio a lume pela primeira vez em 1859, por meio da obra *Na Origem das Espécies Pelos Meios de Seleção Natural, Ou a Preservação das Raças Favorecidas na Luta pela Vida*. Disponível em: <http://darwin-online.org.uk/content/frameset?itemID=F373&-viewtype=text&pageseq=1>. Acesso em: 30 de out. de 2010.

[15] Cf. BITENCOURT, Cezar Roberto. *Tratado de Direito Penal*. Parte Geral 1. 17. ed. São Paulo: Saraiva, 2012, p. 101-105.

[16] Cf. LUISI, Luiz, op. cit., p. 9; e, cf. BITENCOURT, Cezar Roberto, op. cit., p. 56.

[17] LOMBROSO examinou crânios (383), cérebros, vísceras, esqueletos, realizando diversas medições (antropometria) aferindo peso, altura, amplitude toráxica, tamanho dos pés, mãos, zigomas, mandíbula, face etc. Fisionomicamente observou tipos de cabelo, iris, nariz, orelhas, dentes, genitais, assim como a eventual presença de tatuagens, inclusive desenhando ou fotografando os seus achados para registro (cf. LOMBROSO, Cesare. *O Homem Delinquente*. Trad. e notas Maristela Bleggi Tomasini e Oscar Antonio Corbo Garcia. Porto Alegre: Ricardo Lenz, 2001).

[18] Cf. LUISI, Luiz, idem, p. 9.

[19] G GARÓFALO, Raffaelle. *Criminologia*. Trad. Julio de Mattos. Porto: Magalhães & Figueiredo, 1908, p. 25-31; 59-60; e 74-75.

sustentada como primeira alternativa, seguida de exílio, relegação, deportação, reparação, internação em manicômio judicial, sendo o encarceramento cogitado apenas como última hipótese[20]. Sua contribuição mais duradoura, porém, está na elaboração do conceito de *temibilidade*, que oferecia como elemento modulador da medida da pena[21], e que hoje ainda, sob a designação de *periculosidade*, aparece como referencial para a aplicação e manutenção da chamada medida de segurança no Brasil[22].

Por fim, FERRI acrescentou a existência de fatores pessoais (*v.g.*, a profissão, o estado civil, a classe social etc.), sociais (*v.g.*, a família, a opinião pública, os costumes, a religião etc.) e físicos (ou *cosmotelúricos*, como o clima, a temperatura anual, as condições meteorológicas, o dia e a noite, a natureza do solo etc.), para além dos já aceitos fatores biopsicológicos (anomalias do crânio, da sensibilidade, a raça, o sexo, a idade etc.), como elementos determinantes à prática de delitos[23]. Sustentava que a "*temibilidade* tem de preferência um alcance para a polícia de segurança, enquanto que a *readaptabilidade* se atém mais estreitamente às finalidades práticas da justiça penal"[24], e insistia em dizer que a consideração da *temibilidade* não tinha o potencial de afetar a liberdade do cidadão, posto que "tal critério – na justiça penal – não tem função jurídica se não *depois do crime*"[25].

Do conjunto da obra dos positivistas restaram, então, os seguintes postulados: emprego do método experimental no estudo da delinquência; crença

---

[20] Cf. GARÓFALO, Raffaelle, op. cit., p. 471-504. O autor chega a escrever sobre uma classe de criminosos que intitula *crianças sanguinárias*, propondo como possíveis sanções, além da internação em manicômio e da segregação perpétua, também a eventual *deportação com abandono* (ainda cf. GARÓFALO, Raffaelle, idem, p. 489-490).

[21] Sobre a graduação da pena sustenta que basta "adaptar o meio preventivo ao grau de temibilidade", sendo que "se a temibilidade falta, a necessidade de repressão desaparece" (cf. GARÓFALO, Raffaelle, idem, p. 344 e 366).

[22] Cf. BRASIL. Decreto-Lei n. 2.848 de 7 de dez. de 1940. Institui o Código Penal brasileiro. *Diário Oficial da União*, Rio de Janeiro, 31 de dez. de 1940, arts. 96 a 99.

[23] Cf. LUISI, Luiz, idem, p. 11.

[24] Cf. FERRI, Enrico. *Princípios de Direito Criminal.* O Criminoso e o Crime. Trad. Luiz de Lemos D'Oliveira. São Paulo: Saraiva, 1931, p. 279.

[25] Cf. FERRI, Enrico, op. cit., p. 280. Entretanto, ainda que negado pelo autor, é preciso observar que a *temibilidade* (periculosidade) tem potencial para funcionar como guia da intervenção penal do Estado, tanto antes como depois da prática do crime (naturalmente que em uma lógica antidemocrática, de Estado de Polícia).

na responsabilidade social derivada do determinismo e da temibilidade do delinquente; compreendendo-se o delito como um fenômeno natural e social produzido pelo homem; que leva a justificação da pena não como castigo, mas como meio de defesa social[26].

Este último traço do positivismo, a ideia de defesa social, vai aparecer na obra de LISZT (em seu Programa de Marburgo, de 1882) quando sustenta uma concepção eclética de *pena-defesa*, posto que informada, ao mesmo tempo, por princípios de *defesa social*, de *incapacitação* (para os irrecuperáveis), da *emenda* (para os necessitados de ressocialização), da *intimidação especial e geral* (para a generalidade ou para os delinquentes ocasionais), e, ainda, o da *retribuição* (que deve ser justa no caso particular)[27].

Partindo da afirmação de que a "proteção de interesses é a essência do direito, a ideia finalística é a força que o produz"[28], e advogando a "utilização consciente da pena como arma da ordem jurídica na luta contra o delinquente"[29], o defensivismo lisztiano não vai esconder quem é o antagonista eleito como alvo do sistema penal: é o *proletariado*; são os *mendigos*; os *vagabundos*; os *degenerados física e espiritualmente*; estes que seriam os *inimigos capitais da ordem social*[30].

---

[26] Cf. JIMÉNEZ DE ASÚA, Luis. *Tratado de Derecho Penal. Tomo II. Filosofía y Ley Penal.* Buenos Aires: Losada, 1950, p. 62-64.

[27] Cf. FERRAJOLI, Luigi. *Derecho y Razón. Teoría Del Garantismo Penal.* Trad. Perfecto Andrés Ibáñez et al. Madrid: Trotta, 1997, p. 268. FERRAJOLI ainda acrescenta: "O resultado prático desta doutrina é sem embargo substancialmente convergente com o das orientações positivistas da defesa social, concretando-se em uma tendencial subjetivação dos tipos delitivos e na proposta, que tanta fortuna terá na cultura e na prática penal deste século, da diferenciação da pena segundo a personalidade dos réus. Que um resultado semelhante contradiga o princípio da certeza e da estrita legalidade penal, do qual Liszt se proclamou sempre acirrado defensor, não é senão um signo mais do ecleticismo teórico desta orientação" (cf. FERRAJOLI, Luigi, idem).

[28] Cf. LISZT, Franz Von, idem, p. 93.

[29] Cf. LISZT, Franz Von, idem, p. 104.

[30] Ou, nas precisas lições de LISZT: "[a] luta contra a delinquência habitual pressupõe um conhecimento exato dela. E isto falta até agora. Se trata, ainda que seja de um membro, do mais importante e perigoso daquela cadeia de sintomas de enfermidades sociais que nós costumamos reunir na denominação global do proletariado. Mendigos e vagabundos, prostituídos de ambos os sexos e alcoólicos, rufiães e cortesãs, no sentido mais amplo degenerados espirituais e corporais, todos eles conformam o exército de inimigos fundamentais da ordem social, em cujas tropas mais distintas se reconhecem filas destes delinquentes" (cf. LISZT, Franz Von. *La Idea de Fin en*

Essa linha de discurso liberal-conservador identificada em LIZST, com lastro na estrutura de classes de então (e de sorte a mantê-la)[31], e em geral todo o discurso do positivismo criminológico – verdadeira "mixórdia pós-darwiniana do século XIX"[32]–, projeta-se para o século XX como substrato ideológico fundador do fascismo e do nazismo, movimentos de cunho "triunfantemente antiliberal"[33].

Em nada surpreende, portanto, a escolha do *inimigo da vez* do sistema penal a partir da doentia ideia de tutela da *raça superior*, com a formulação de políticas criminais de seleção e eliminação dos estranhos contaminadores, tais como os judeus, os ciganos e os negros[34].

---

el Derecho Penal. [O Programa de Marburgo (1882)]. Estudo preliminar de Luis Jimenez de Asúa. Prólogo de Manuel de Rivacoba y Rivacoba.Valparaíso: Edeval, 1994, p. 116).

[31] Cf. FERRAJOLI, Luigi, idem.

[32] Na feliz expressão de HOBSBAWM (cf. HOBSBAWM, Eric J. *A Era dos Extremos. O Breve Século XX. 1914-1991.* São Paulo: Companhia das Letras, 1995, p. 121-122).

[33] Cf. HOBSBAWM, Eric J., op. cit., p. 122. A despeito desse fato, e ironicamente, LISZT é nominalmente criticado pelo próprio HITLER, em discurso intitulado "O *Führer* protege o direito do pior abuso, quando ele no instante do perigo cria o direito sem mediações, por força da sua liderança [Führertum] e enquanto juiz supremo.", proferido no *Reichstag*, em 13 de jul. de 1934: "[n]essa hora fui responsável pelo destino da nação alemã e com isso juiz supremo do povo alemão. O verdadeiro líder [Führer] sempre é também juiz. Da liderança [Führertum] emana a judicatura [Richtertum]. Quem quiser separar ambas, ou mesmo opô-las ou transforma o juiz no contra-líder [Gegenführer] ou em instrumento do contra-líder e procura paralisar [aus den Angeln heben] o Estado com ajuda do Judiciário. Eis um método, muitas vezes experimentado, da destruição não apenas do Estado, mas também do direito. A tentativa de transformar o Direito Penal na grande carta branca, na 'Magna carta do criminoso' (F. von Liszt) foi muito característica para a cegueira jurídica do pensamento legalista liberal. Da mesma forma o Direito Constitucional tornou-se, nessa corrente de pensamento, a Magna Carta dos que cometem alta traição e traem a pátria" (cf. MACEDO JR., Ronaldo Porto. *Carl Schmitt e a Fundamentação do Direito.* São Paulo: Max Limonad, 2001, p. 220-221). Como se vê, e embora talvez não tenha podido antecipar (posto que de fato houve alguma cegueira – mas que era no sentido da provável liquidação das conquistas do liberalismo a partir do discurso racista proposto), LISZT ajudou a abrir a caixa de pandora. Sobre a influência da obra de LISZT nas origens do projeto nacional-socialista sobre o tratamento dos *estranhos à comunidade*, ver em MUÑOZ CONDE (cf. MUÑOZ CONDE, Francisco. *Edmund Mezger e o Direito Penal de Seu Tempo. Estudos Sobre o Direito Penal no Nacional-Socialismo.* Trad. Paulo Sésar Busato. Rio de Janeiro: Lumen Juris, 2005, p. 101-168).

[34] Cf. ZAFFARONI, Eugenio Raúl; PIERANGELI, José Henrique. *Manual de Direito Penal Brasileiro*, idem, p. 332-336. HOBSBAWM ainda esclarece, explicando o antissemitismo a partir

Finda a Segunda Grande Guerra, a autointitulada *nova defesa social*, cujo maior representante foi ANCEL[35], aparece como herdeira do pensamento defensivista lisztiano. Contudo, em vez de nominar abertamente os adversários, preferiu um cômodo (prudente e estratégico) regresso à fórmula geral da periculosidade para, sob um discurso de pretensa política criminal humanista, voltar as atenções do sistema contra o ser *perigoso* aos fins de reformar a sua personalidade de modo a adequá-la aos "valores morais, comumente aceitos, e sobre os quais a defesa social baseia cada vez mais a sua política de ressocialização"[36].

do último quarto do século XIX, baseado na *xenofobia de massa*: "Os judeus estavam presentes em quase todo lugar e podiam simbolizar com facilidade tudo o que havia de mais odioso num mundo injusto, inclusive seu compromisso com as idéias do iluminismo e da Revolução Francesa que os tinha emancipado e, ao fazê-lo, os haviam tornado mais visíveis. Eles poderiam servir como símbolos do odiado capitalista/financista; do agitador revolucionário; da corrosiva influência dos 'intelectuais sem raízes' e dos novos meios de comunicação; da competição – como poderia ela ser outra coisa que não 'injusta'? – que lhes dava uma fatia desproporcional dos empregos em certas profissões que exigiam educação; e do estrangeiro e forasteiro como tal. Para não falar da visão aceita entre os cristãos antiquados de que eles tinham matado Jesus" (cf. HOBSBAWM, Eric J., idem, p. 122-123). Por tudo que a política criminal nazista conseguiu produzir, absurdamente, imperiosa a leitura de MUÑOZ CONDE (cf. MUÑOZ CONDE, Francisco, op. cit.), especialmente dos valiosos documentos recuperados do período e reproduzidos pelo autor.

[35] Embora a inauguração dessa segunda etapa da defesa social deva ser atribuída a FILIPPO GRAMATICA, jurista italiano, e a partir da fundação por ele, em Gênova, ao cabo da Segunda Guerra, do *Centro de Estudos de Defesa Social*. Propunha, em posição radical, bem mais além de ANCEL – que jamais concordara com ela –, a eliminação do Direito Penal: "[p]ara ele a Defesa Social consistia na ação do Estado destinada a garantir a ordem social, mediante meios que importassem a própria abolição do direito penal e dos sistemas penitenciários vigentes" (cf. SILVA, Evandro Lins. De Beccaria a Filippo Gramatica. In: *Sistema Penal Para o Terceiro Milênio. Atos do Colóquio Marc Ancel*. Org. João Marcello de Araújo Jr. Rio de Janeiro: Revan, 1991, p. 30-31).

[36] Cf. ANCEL, Marc. *A Nova Defesa Social. Um Movimento de Política Criminal Humanista*. Trad. Osvaldo Melo. Prefácio de Heleno Cláudio Fragoso. Rio de Janeiro: Forense, 1979, p. 281-282. JIMÉNEZ DE ASÚA, na mesma lógica, chegou a escrever sobre os horizontes do direito penal, afirmando que no "[d]ireito penal do futuro, o delito nada valerá em si, e só haverá de atender-se ao estado perigoso do sujeito; a pena desaparecerá, para ser substituída por meios tutelares e assecuratórios; os novos juízes, verdadeiros 'médicos sociais', gozarão do mais absoluto arbítrio na aplicação dessas medidas, e os estabelecimentos penitenciários se demolirão, para construir em seu posto Reformatórios, Instituições pedagógicas e tutelares e Asilos curativos." (cf. JIMÉNEZ DE ASÚA, Luis. *Psicoanálisis Criminal*. 5. ed. Buenos Aires: Losada, 1959, p. 352). Embora mais adiante no tempo, como que em restrição dessa postura (sem, porém, abandoná-la), ao comentar

De modo contundente, CARVALHO afirma que o "movimento da Nova Defesa Social constitui-se, desde a década de quarenta, como um dos principais aglutinadores do pensamento antigarantista sobre o fenômeno delitivo, estabelecendo como finalidade precípua a negação dos sistemas penalógicos de retribuição característicos das doutrinas penais 'clássicas' do final do século XVIII. Representaria, pois, uma 'nova concepção de luta contra a delinqüência' a partir da reconstrução integrada entre direito e processo penal, criminologia e política criminal"[37].

A nova teoria chega ao Brasil oficialmente a partir de 1979, quando a obra fundamental de ANCEL é traduzida para o português[38]. Ainda sob o jugo de uma ditadura militar (que só findaria sete anos mais tarde), a difusão das ideias defensivistas foi imediata e ecoou por muitos anos a seguir[39].

Entre nós a estruturação da nova defesa social em um programa político criminal de ressocialização coativa baseado nos *valores morais comumente aceitos* permitiu a manutenção do compromisso histórico do direito penal brasileiro com a elite dominante. Não houve, pois, qualquer tipo de ruptura no curso da sua missão de tutela principalmente de natureza patrimonial, servindo, portanto, à continuidade do direcionamento da ação do sistema penal contra os antagonistas de sempre: o jovem, pobre, de baixa instrução, autor de crimes toscos[40].

---

uma sentença que havia declarado um cidadão perigoso (ordenando que as autoridades tomassem medidas de vigilância especial contra o condenado), sob o título *Perigos da Periculosidade*, o autor tenha dito que sem uma adequada *peritagem* não concordava com a afirmação judicial da periculosidade de uma pessoa (cf. JIMÉNEZ DE ASÚA, Luis. *Crónica del crimen*. 5. ed. Buenos Aires: Pannedille, 1970, p. 227).

[37] Cf. CARVALHO, Salo de. *Pena e garantias*. 3. ed. Rio de Janeiro: Lumen Juris, 2008, p. 71.

[38] Cf. ANCEL, Marc, op. cit.

[39] Sendo que até 1990 (pelo menos) se prestava tributo ao autor, como faz prova a realização neste ano (entre 29 de set. e 2 de out.), no Rio de Janeiro, do *Colóquio Marc Ancel – Sistema Penal para o Terceiro Milênio*, organizado pela Secretaria de Estado de Justiça, pela Universidade do Estado do Rio de Janeiro e pelo Grupo Brasileiro da Associação Internacional de Direito Penal (Cf. ARAUJO JR., João Marcello de. Apresentação. In: *Sistema Penal Para o Terceiro Milênio. Atos do Colóquio Marc Ancel*. Org. João Marcello de Araújo Jr. Rio de Janeiro: Revan, 1991, p. 13).

[40] Atualmente 311.116 presos custodiados no sistema penitenciário (excluídos os custodiados em unidades policiais), de um total geral de 626.083, ou seja, quase a metade do efetivo prisional inteiro (talvez mais se forem considerados os presos em unidades policiais) têm até 34 anos de idade; 312.970 (mais uma vez quase 50% do total, ou mais porque outra vez o número só se refere

Mesmo por um olhar mais abrangente, mais globalizado, sobre o funcionamento desta seleção punitivista, parece incontornável a dramática constatação de que o perfil do ser temido e, pois, perseguido pelos sistemas penais mundo afora é (e talvez sempre tenha sido) mais ou menos o mesmo.

A globalização de um determinado *life style* desde os países completamente industrializados (imposto a todos os periféricos numa verdadeira invasão cultural) no qual predomina o consumo como *condição-de-ser-no-mundo*[41], que vem dilapidando todo o planeta com uma voracidade sem par aos fins de produzir bens cuja duração cada vez é mais efêmera (seja por uma propositada maneira de confecção, seja pela intensiva propaganda geradora da permanente sensação de insuficiência)[42], coloca um mal-estar quase (ou mesmo completamente, para muitos) insuportável.

É a intensificação de um paradoxo que não é novo: para mais consumo faz-se mais propaganda, cujo sucesso produz não apenas mais consumidores como também mais criminosos[43]. Apelos indistintamente dirigidos são indistintamente

a presos custodiados no sistema penitenciário) estão condenados por crimes de entorpecentes, estatuto do desarmamento, furto, roubo, receptação e estelionato, ou seja, delitos de matiz essencialmente patrimonial (os demais cumprem pena por homicídio, costumes, latrocínio e outros – de propósito separamos o latrocínio pois, pluriofensivo que é, não lesa apenas o patrimônio). Também no universo dos presos no sistema penitenciário constatamos que 254.152 têm, no máximo, ensino fundamental incompleto, os quais, se forem somados aos que concluíram o ensino fundamental, totalizam 321.533, portanto mais da metade do número total de presos brasileiros. Todos os dados são atualizados até dezembro de 2009 (cf. BRASIL. MINISTÉRIO DA JUSTIÇA. DEPARTAMENTO PENITENCIÁRIO NACIONAL. *Sistema Penitenciário no Brasil. Dados Consolidados (2008-2009)*, p. 43, 41, 44, respectivamente. Disponível em: <http://portal.mj.gov.br/data/Pages/MJD574E9CEITEMIDC37B2AE94C6840068B1624D28407509CPTBRNN.htm>. Acesso em: 20 de out. de 2010). Ainda sobre o perfil do alvo do sistema penal brasileiro, ver nota 30, precedente. E, para dados mais recentes, ver, *infra*, Capítulo 4, subitem 4.2.1.

[41] Nunca, aliás, o pronome *ninguém* foi tão claramente preenchido como na pós-modernidade!

[42] Ou, na arguta percepção de BAUMAN: "[s]e o consumo é a medida de uma vida bem-sucedida, da felicidade e mesmo da decência humana, então foi retirada a tampa dos desejos humanos: nenhuma quantidade de aquisições e sensações emocionantes tem qualquer probabilidade de trazer satisfação da maneira como o 'manter-se ao nível dos padrões' outrora prometeu: não há padrões a cujo nível se manter – a linha de chegada avança junto com o corredor, e as metas permanecem continuamente distantes, enquanto se tenta alcançá-las" (cf. BAUMAN, Zygmunt. *O mal-estar da pós*-Modernidade. Rio de Janeiro: Jorge Zahar, 1997, p. 56).

[43] A dinâmica em questão é apropriadamente denunciada por BAUMAN: "[q]uanto mais elevada

respondidos: de uma parte regozijam-se os governos pelos seus órgãos de gestão da economia, festejando o bom nível da atividade econômica; dos efeitos colaterais, como expurgos indesejáveis, trata um outro departamento seu, o sempre receptivo sistema penal[44][45].

E os consumidores capazes de atender ao *modus agendi* esperado, como que em um maciço processo de lavagem cerebral produzido desde os meios de comunicação (os mesmos, por muito óbvio, que veiculam os apelos de consumo), são expostos a uma nítida campanha de medo[46], não apenas pelo vislumbre da

a 'procura do consumidor' (isto é, quanto mais eficaz a sedução do mercado), mais a sociedade de consumidores é segura e próspera. Todavia, simultaneamente, mais amplo e mais profundo é o hiato entre os que desejam e os que podem satisfazer os seus desejos, ou entre os que foram seduzidos e passam a agir do modo como essa condição os leva a agir e os que foram seduzidos mas se mostram impossibilitados de agir do modo como se espera agirem os seduzidos. A sedução do mercado é, simultaneamente, a grande igualadora e a grande divisora" (cf. BAUMAN, Zygmunt, op. cit., p. 55).

[44] O processo é bem observado por GAUER: "[a]o lado destas questões inquietantes temos um mundo monetário que auxiliou em muito a implementação de um ritmo social quase alucinatório o qual precisa ser examinado em sua relação com a violência e o direito. Esse mundo se amplia graças ao consumo desenfreado, principalmente do supérfluo" (cf. GAUER, Ruth. A Ilusão Totalizadora e a Violência da Fragmentação. In: *Sistema Penal e Violência*. Org. Ruth Gauer. Rio de Janeiro: Lumen Juris, 2006, p. 14).

[45] Conforme lição de FELDENS: "[s]egmentos sociais tradicionalmente marginalizados, à diferença dos demais, têm aqui marcado seu (único) encontro com o Direito: precisamente com o Direito Penal. Essa constatação aponta para uma necessária revisão crítica de suas bases de produção e aplicação" (cf. FELDENS, Luciano. *Direitos Fundamentais e Direito Penal*. Garantismo, Deveres de Proteção, Princípio da Proporcionalidade, Jurisprudência Constitucional Penal, Jurisprudência dos Tribunais Superiores. Porto Alegre: Livraria do Advogado, 2008, p. 14).

[46] Nesse sentido ver GLASSNER Barry. *Cultura do Medo*. Trad. Laura Knapp. São Paulo: Francis, 2003, p. 73-112; GARLAND. David. *A Cultura do Controle. Crime e Ordem Social na Sociedade Contemporânea*. Trad. André Nascimento. Rio de Janeiro: Revan, 2008, p. 266-267, 329-348; FAYET JR. Ney; MARINHO JR., Inezil Penna. Complexidade, Insegurança e Globalização: Repercussões no Sistema Penal Contemporâneo. In: *Ciências Penais e Sociedade Complexa II*. Orgs.: Ney Fayet Jr. e André Machado Maya. Porto Alegre: Nuria Fabris, 2009, p. 301-307; PASTANA, Débora Regina. *Cultura do Medo. Reflexões Sobre Violência Criminal, Controle Social e Cidadania no Brasil*. São Paulo: Método, 2003; NATALINO, Marco Antonio Carvalho. *O Discurso do Telejornalismo de Referência: Criminalidade Violenta e Controle Punitivo*. São Paulo: Método, 2007, p. 65-70; ALMEIDA, Gevan. *Modernos Movimentos de Política Criminal e Seus Reflexos na Legislação Brasileira*. 2. ed. Rio de Janeiro: Lumen Juris, 2004, p.98.

figura do criminoso (ainda pintada com todas as tintas positivistas[47]) como pela perspectiva de serem sequestradas da própria condição consumerista em que (sempre tão precariamente) se encontram[48].

Sobre as oportunidades que essa campanha proporciona, BAUMAN observa que "[o]s medos são muito diferentes, mas eles alimentam uns aos outros. A combinação desses medos cria um estado na mente e nos sentimentos que só pode ser descrito como ambiente de insegurança. Nós nos sentimos inseguros, ameaçados, e não sabemos exatamente de onde vem essa ansiedade nem como proceder. Os medos não têm raiz. Essa característica líquida do medo faz com que ele seja explorado política e comercialmente. Os políticos e os vendedores de bens de consumo acabam transformando esse aspecto em um mercado lucrativo. O comum é tentar reagir, fazer alguma coisa, buscar desvendar as causas da ansiedade e lutar contra as ameaças invisíveis. Isso é conveniente do ponto de vista político e comercial. Tal atitude não vai curar a ansiedade, mas alimentar essa indústria do medo. Adquirir bens para obter segurança só alivia uma parte da tensão e, mesmo assim, por um breve tempo"[49].

[47] Na forma do atávico referido (cf. LOMBROSO, Cesare, idem, p. 288-289, 354-356 e 466; e, também, cf. GARÓFALO, Raffaelle, idem, p. 132-159), ou seja, algum *ninguém* com déficits não apenas na visão, audição, olfato, tato, sensibilidade moral mas, sobretudo, um sujeito feio – características que também colocam elementos de diferenciação – para além dos aspectos econômicos – entre os *alguéns* e os *ninguéns*.

[48] Destacável, nesse sentido, pergunta feita a BAUMAN, e a resposta oferecida pelo autor: "Estamos em uma época em que as medidas de segurança que adotamos só geram mais insegurança. Somos diariamente perseguidos pelos mais diferentes tipos de medo. Entre as ameaças, está a de ficar para trás, ser substituído, não acompanhar o ritmo das mudanças. Estudar os medos contemporâneos é tocar num dos pontos centrais da modernidade líquida? BAUMAN: Os medos agora são difusos, eles se espalharam. É difícil definir e localizar as raízes desses medos, já que os sentimos, mas não os vemos. É isso que faz com que os medos contemporâneos sejam tão terrivelmente fortes, e os seus efeitos sejam tão difíceis de amenizar. Eles emanam virtualmente em todos os lugares. Há os trabalhos instáveis; as constantes mudanças nos estágios da vida; a fragilidade das parcerias; o reconhecimento social dado só 'até segunda ordem' e sujeito a ser retirado sem aviso prévio; as ameaças tóxicas, a comida venenosa ou com possíveis elementos cancerígenos; a possibilidade de falhar num mercado competitivo por causa de um momento de fraqueza ou de uma temporária falta de atenção; o risco que as pessoas correm nas ruas; a constante possibilidade de perda dos bens materiais etc." (cf. BAUMAN, Zygmunt. *Capitalismo Parasitário.* Rio de Janeiro: Jorge Zahar, 2009, p. 73-74).

[49] Cf. BAUMAN, Zygmunt, op. cit., p. 74.

No que toca, pois, aos efeitos no sistema penal, o roteiro desse processo é bem conhecido: dramatização da violência – medo – terror – pânico – flexibilização de garantias – maximalização da resposta penal.

O fenômeno é, aliás, mundial: como o *desenvolvimento* na era da globalização gesta um exército de *ninguéns*[50], que, em razão do encolhimento (nos países do centro) ou da não realização (nos países da periferia) do *welfare state*, o Estado não consegue amparar por meio de políticas sociais, cresce o *penal state*, como suposto meio de contenção dos índices de criminalidade[51].

Para os excluídos (que o são, sobretudo, devido "à sua suposta falta de empenho, às suas escolhas equivocadas, à sua cultura específica e à sua conduta atual[52]") surge o previdenciarismo penal por meio da criminalização de novas condutas, aumento de penas abstratas em delitos já previstos, ampliação das espécies e das hipóteses de cabimento das prisões processuais, endurecimento na forma de executar as penas privativas de liberdade (seja pela vedação da progressividade entre regimes prisionais, seja pela imposição de regime inicial mais severo com maiores lapsos temporais a cumprir para progressão, seja pela determinação de cumprimento da pena sob a forma de isolamento), propostas de redução da idade para a imputabilidade penal etc. (todas, sublinhamos, formas de concretização desse Estado Penal que o Brasil vem experimentando desde a década de 1980[53]).

---

[50] Cf. ZAFFARONI, "estar excluído não é o mesmo que ser explorado. Ser explorado é uma dialética; sem explorado, não existe explorador, sem dúvida. Mas, o excluído não é necessário para o incluído. O incluído não necessita do excluído. O excluído perturba; é alguém que está demais, alguém que nasceu errado, que é descartável." (cf. ZAFFARONI, Eugenio Raúl. Globalização, Sistema Penal e Ameaças ao Estado Democrático de Direito. In: *Globalização, Sistema Penal e Ameaças ao Estado Democrático de Direito*. Org. Maria Lúcia Karam. Rio de Janeiro: Lumen Juris, 2005, p. 22-23).

[51] Cf. WACQUANT "[n]o decorrer das três últimas décadas, ou seja, depois dos confrontos raciais que abalaram os grandes guetos de suas metrópoles, a América lançou-se numa experiência social e política sem precedentes nem paralelos entre as sociedades ocidentais do pós-guerra: a substituição progressiva de um (semi) Estado-providência por um Estado penal e policial, no seio do que a criminalização da marginalidade e a 'contenção punitiva' das categorias deserdadas faz as vezes de política social" (cf. WACQUANT, Loïc. *Punir os Pobres.* A Nova Gestão da Miséria nos Estados Unidos. [a onda punitiva]. 3. ed. Rio de Janeiro: Instituto Carioca de Criminologia: Revan, 2007, p. 85-87).

[52] Cf. GARLAND. David, op. cit., p. 417.

[53] Como a lei brasileira de crimes hediondos (Lei n. 8.072/90), brilhantemente desconstruída

Contudo, em torno da formulação, e sobre a materialização, dessa política criminal maximalista, há um *gap* evidente entre as agências do sistema penal, e entre estas e a academia: o político (de esquerda, centro ou direita, há muito já não importa a orientação), agindo na criminalização primária, divisa a obtenção de mais votos se, em explorando o pânico inculcado a partir da diária exposição de ações criminosas pelos noticiários, endurecer o tratamento penal a determinada conduta/tipo de agente; em atos subsequentes, propõe/aprova a lei, anuncia da forma mais ostensiva possível a paternidade (melhor ainda se a lei vier a ser conhecida pelo seu nome) e colhe os louros políticos na forma de mais um mandato: tudo sem se importar, assim, em qualquer medida, acerca de como farão, na criminalização secundária, as agências executivas para concretizar a *lagislatio*: se, proporcionalmente, existem menos policiais hoje do que há 20 anos (e investigando, portanto, muito menos, mesmo os fatos mais graves), se o Judiciário está superlotado de processos, se não há vagas no sistema penitenciário,

---

por FRANCO, permite ver em toda a sua inteireza (cf. FRANCO, Alberto Silva, op. cit., p. 553-583). Para um vislumbre de realidade idêntica nos EUA, ver GARLAND. David, idem, p. 315-319. Ainda sobre a evolução legislativa penal no Brasil ver AZEVEDO, Rodrigo Ghiringhelli de. AZEVEDO, Tupinambá Pinto de. Política Criminal e Legislação Penal no Brasil: Histórico e Tendências Contemporâneas. In: *Política Criminal Contemporânea. Criminologia, Direito Penal e Direito Processual Penal.* Org. Alexandre Wunderlich. Porto Alegre: Livraria do Advogado, 2008, p. 49-62. Sobre a resistência garantista ao fenômeno identificado ver WUNDERLICH, Alexandre. OLIVEIRA, Rodrigo Moraes de. Resistência, Prática de Transformação Social e Limitação do Poder Punitivo a partir do Sistema de Garantias: pela (Re)Afirmação do Garantismo Penal na Contemporaneidade. In: *Política Criminal Contemporânea. Criminologia, Direito Penal e Direito Processual Penal.* Org. Alexandre Wunderlich. Porto Alegre: Livraria do Advogado, 2008, p. 63-72. Nessa linha ver também a Carta de Princípios do Movimento Antiterror (editada com o apoio dos institutos IBCCRIM, !TEC/RS e ICC): "O Movimento Antiterror pretende, com a sensibilidade e a consciência de cidadãos que há muitos anos se dedicam ao estudo dos problemas da violência e da criminalidade e também com o entusiasmo e o coração dos estudantes que sempre advogam a causa da dignidade do ser humano, proporcionar ao país e à nação um material de reflexão para a adoção de novos caminhos em favor da segurança popular e da eficiência na administração da justiça." (Carta de Princípios do Movimento Antiterror, *Revista de Estudos Criminais*, n. 10, !TEC/PUCRS, 2003, p. 07-19). Por fim, sobre a mais completa ineficácia do maior símbolo normativo do punitivismo no Brasil, ver: Instituto Latino-americano das Nações Unidas para Prevenção do Delito e Tratamento do Delinquente (ILANUD). *A Lei de Crimes Hediondos Como Instrumento de Política Criminal.* São Paulo: Ilanud, 2005. Disponível em: <http://www. prsp.mpf.gov.br/prdc/area-de-atuacao/torviolpolsist/RelILANUD.pdf>. Acesso em: 1 de set. de 2010.

se toda a produção acadêmica aponta para uma hipertrofia paralisante do direito penal, nada disso se lhe apresenta como interdito razoável. Razoabilidade, aliás, já não há em medida alguma[54].

E a conformação do *penal state* brasileiro dos últimos anos (nas suas notas expansionista e endurecedora) parece ter emergido das circunstâncias históricas referidas, sem que se identifique a influência de uma dada teoria especialmente elaborada para tanto. É fruto de um difuso *movimento de lei e ordem*, que até o presente momento não está associado, ao menos em nível teórico, com qualquer autor nacional no âmbito das ciências sociais aplicadas (embora, assinalamos, existam diversos *bustos falantes* ocupando com grande desenvoltura o lugar da fala autorizada, científica, sobre o fenômeno da violência[55]).

Porém, já há algum tempo diversas formulações teóricas têm chegado ao Brasil com capacidade suficiente para confirmar todas as crenças de alguns operativos agentes do sistema penal – dando-lhes o lastro "*científico*" até então em falta entre nós – acerca da legitimidade e da eficiência da trilha punitivista das últimas décadas, como forma de endereçar soluções para o problema da violência criminal[56]. Pois bem, estamos a falar da *teoria das janelas*

---

[54] Cf. GARLAND: "[s]urgiu uma nova relação entre políticos, o público e os especialistas do sistema penal, segundo o qual os políticos têm mais autoridade, os especialistas têm menos influência e a opinião pública constitui o ponto de referência para determinar as posições. A justiça criminal está mais sensível às mudanças no humor público e à reação política. Novas leis e políticas são rapidamente instituídas sem consulta prévia aos profissionais do sistema penal e o controle da agenda política por tais profissionais foi consideravelmente reduzido por um estilo populista de fazer política. A corrente populista na política criminal contemporânea é, em certa medida, uma postura ou tática política, adotada para a obtenção de dividendos políticos de curto prazo" (cf. GARLAND. David, idem, p. 372).

[55] Cf. FRANCO, Alberto, idem, p. 583.

[56] Se disse propositadamente "confirmar todas as crenças" pois a maioria já estava convencida, convicta, como às sobras demonstra, a título exemplificativo, a pesquisa conduzida por Rodrigo Ghiringhelli de Azevedo (cf. BRASIL. MINISTÉRIO PÚBLICO DO RIO GRANDE DO SUL. *Ministério Público Gaúcho: Quem São e o Que Pensam os Promotores e Procuradores de Justiça Sobre os Desafios da Política Criminal.* Porto Alegre: MPRS, 2005, p. 37-51), especialmente onde evidenciou, entre os membros da classe pesquisada e ao serem questionados sobre a expansão do Direito Penal, que 82% acreditam que o Direito Penal deve servir para a proteção de bens jurídicos ameaçados, ampliando seu raio de abrangência frente aos novos riscos sociais; e, que 80,1% acreditam que a lei de crimes hediondos – o marco referencial do maximalismo pátrio – contribui

quebradas (*broken windows theory*)[57], do *direito penal do inimigo*[58] e do *di-*

para a prevenção geral e especial.

[57] É teoria que nasce nos anos 1980, nos EUA, da autoria de James Q. Wilson e George L. Kelling, segundo a qual a melhor maneira de se evitar a prática de delitos graves é punindo muito severamente já os menores desvios, no caso a desordem representada pelos chamados *atos atentatórios à qualidade de vida* (como o dormir na rua, o catar papel, o beber em público, a prostituição, os pequenos atos de vandalismo como a pichação etc.) pois, segundo a tese, desordem invariavelmente gera violência que, por seu turno, invariavelmente gera crime. Só uma intervenção punitiva enérgica sobre os desordeiros (que são, ainda cf. os teóricos, e entre outros, "os bêbados fedorentos" ou "os pedintes indesejáveis"), baseada em práticas de policiamento de proximidade, policiamento comunitário (com ampla discricionaridade aos agentes da lei – na lógica sintetizada no célebre slogan, tolerância zero –, a quem – dado o seu *bom senso inerente* – é cometida a tarefa de separar os bons cidadãos, os ordeiros, que estão dentro do prédio, dos forasteiros e desordeiros que, de fora, teimam em quebrar as vidraças, estes que serão alvo da seleção criminalizante), pode conter a escalada dos índices de criminalidade (tudo cf. COUTINHO, Jacinto. CARVALHO, Edward. Teoria das Janelas Quebradas: e Se a Pedra Vem de Dentro? In: *Revista de Estudos Criminais,* n. 11. !TEC/PUCRS, 2003, p. 23-29). Para mais informações sobre o pensamento de WILSON ver WILSON, James Q. Penalties and Opportunities. In: *A Reader On Punishment.* Orgs. Antony Duff e David Garland. New York: Oxford, 1994, p. 174-209. Para uma contextualização histórica sobre o aparecimento e consolidação dessa orientação punitiva nos EUA e na Grã-Bretanha, ver GARLAND, David, idem, p. 215-221. Para uma crítica ácida aos pressupostos da aludida teoria, ver WACQUANT, Loïc. *As Prisões da Miséria.* Rio de Janeiro: Jorge Zahar, 2001, p. 17-76; e, LOPES JR., Aury. *Direito Processual Penal* e sua Conformidade Constitucional. Vol. I. 3. ed. Rio de Janeiro: Lumen Juris, 2008, p. 14-21.

[58] Trata-se de formulação de JAKOBS segundo a qual para um combate eficiente ao terrorismo é preciso reconhecer a insuficiência de um Direito Penal do Estado de Direito, com todas as garantias que lhe são inerentes. Em suma, sustenta, é de se tratar o terrorista como não pessoa, alguém que se excluiu da cidadania e, pois, para ele é de se aplicar um Direito Penal do inimigo. Sustenta, ainda, que reconhecer desde logo o Direito Penal do inimigo é a única forma de salvaguardar o Direito Penal do Estado de Direito de possíveis contaminações provenientes daquele modelo. (cf. JAKOBS, Günther. CANCIO MELIÁ, Manuel. *Direito Penal do Inimigo.* Noções e Críticas. Trad. André Luís Callegari e Nereu José Giacomolli. Porto Alegre: Livraria do Advogado, 2005). Em linha de desconstrução ver: CANCIO MELIÁ, Manuel. "Direito Penal" do Inimigo? In: *Direito Penal do Inimigo. Noções e Críticas.* Trad. André Luís Callegari e Nereu José Giacomolli. Porto Alegre: Livraria do Advogado, 2005, p. 51-81;PRITTWITZ, Cornelius. O Direito Penal entre Direito Penal do Risco e Direito Penal do Inimigo: Tendências Atuais Em Direito Penal e Política Criminal. In: *Revista Brasileira de Ciências Criminais,* n. 47, p. 31 e segs.; BUSATO, Paulo César. Quem é o Inimigo, Quem é Você? In: *Revista Brasileira de Ciências Criminais,* n. 66, p. 315 e segs.; BUNG, Jochen. Direito Penal do Inimigo como Teoria da Vigência da Norma e da Pessoa.

reito penal de velocidades[59], sobre as quais concordamos com D'AVILA, em crítica endereçada à segunda teoria, mas que pode ser estendida às demais:

> "Uma proposta nestes termos que, após os já seculares esforços para reconhecimento e sedimentação de direitos e garantias fundamentais inerentes à condição humana, e da sua ressonância fundamentadora no atual estado de desenvolvimento das ciências jurídico penais, ao buscar (re)estabelecer um já conhecido modelo de direito penal do agente, direcionado à punição de atos meramente preparatórios, no qual o objetivo da pena é tão só inocuizar uma 'inaceitável' fonte de perigo, e no qual o processo se assume como instrumento de facilitação na obtenção de fins político-criminais acentuadamente demagógicos, como é o caso v.g., da denominada 'guerra contra o terrorismo', deveria, de imediato, ser jogada no espaço crítico da indiferença e do absurdo, no espaço das idéias surreais às quais não é concedida qualquer pretensão de concretude. Contudo não é isso que se observa. Aos elementos teóricos que visam justificar um uso segregacionista do direito penal, soma-se o pragmatismo da política criminal pós 11 de setembro que, principalmente nos Estados Unidos, mas não só, sob o pretexto da luta contra o terror, sob a alegação de zelar pela democracia, pelos direitos e pela liberdade, subverte-se o princípio democrático e violam-se manifestamente esses mesmos direitos e essa mesma liberdade"[60].

In: *Revista Brasileira de Ciências Criminais*, n. 62, p. 107 e segs.

[59] A ideia de um direito penal de mais de uma velocidade se deve a SILVA SÁNCHEZ. Para ele a velocidade tradicional do Direito Penal, com todas as garantias que costuma implicar, deve ser mantida para os crimes apenados com prisão. Contudo, para delitos punidos mais levemente (segunda velocidade), sem a imposição da pena carcerária, seria admissível diminuir a intensidade das garantias tradicionais. Já para o inimigo, onde o autor e JAKOBS se encontram, é possível punir com pena de prisão, relativizando-se de forma bem mais intensa o quadro das garantias, em uma terceira velocidade do Direito Penal (cf. SILVA SÁNCHEZ, Jesús-María. *A expansão do direito penal.* São Paulo: RT, 2002). Para a crítica correspondente ver: NEVES, Sheila Maria da Graça Coitinho. A Criminalidade na Sociedade Pós-Moderna: Globalização e Tendências Expansionistas do Direito Penal. In: *Revista Brasileira de Ciências Criminais*, n. 5, p. 284 e segs.

[60] Cf. D'AVILA, Fabio Roberto. O Inimigo no Direito Penal Contemporâneo. Algumas Reflexões sobre o Contributo Crítico de um Direito Penal de Base Onto-Antropológica. In: *Sistema Penal e Violência*. Org. Ruth Gauer. Rio de Janeiro: Lumen Juris, 2006, p. 97.

A política criminal no quadro brasileiro, então, embora o maior substrato "acadêmico" auferido desde as mencionadas (e repudiadas) teorias, permanece sem alterações de rumo: a legislação penal continua se expandindo, as garantias (penais e processuais penais – enfim, enquanto direitos fundamentais que são) vivem um processo contínuo de relativização, e a agência penitenciária, na ponta, regurgita seres humanos que, logo a seguir, é obrigada a engolir novamente, sempre com outros mais que nela acabam internados.

Segue, portanto, a produção de inconstitucionalidades a partir desse modelo político criminal de direito penal máximo, e que são perceptíveis em dois planos principais: (a) em nível normativo: na produção de normas cuja inconstitucionalidade emerge da simples leitura do texto editado em confronto com a Constituição (e quando a aplicação, por via de consequência, também será inconstitucional); (b) no plano concreto, seja (b1) quando a inconstitucionalidade resulta de determinada *praxis* estatal que, embora identificável e comprovável, não possui uma norma que lhe corresponda; seja (b2) onde a inconstitucionalidade exsurge de uma realidade (inconstitucional) que desafia uma norma reguladora formalmente constitucional.

1.2 ATUAÇÃO ESTATAL E CONFORMAÇÃO NECESSÁRIA AOS DIREITOS FUNDAMENTAIS

1.2.1 Atuação estatal no marco da validade

1.2.1.1 Atuação estatal normativa com impacto no sistema penal

Podemos afirmar, em linhas gerais, que a aferição da validade de uma norma remete ao sistema jurídico em que ela se insere, resultando válida aquela que estiver conforme as respectivas condições estabelecidas no sistema[61]. E em nossos dias sabemos que as condições de validade habitam dois grandes espaços: o do

[61] Segundo PRIETO SANCHÍS, "[d]izemos, pois, que uma norma é válida quando pode ser identificada como pertencente a um sistema jurídico porque cumpre com as condições prescritas nesse sistema para este tipo de normas (dado que as normas de um sistema complexo não são todas de uma só classe e as condições podem ser e de fato são distintas para cada uma delas. Assim, portanto, uma norma é válida quando existe de acordo com o Direito" (cf. PRIETO SANCHÍS, Luis. *Apuntes de teoria del Derecho*. 6. ed. Madrid: Trotta, 2011, p. 74).

controle de forma (ou formal, que envolve a análise de três condições formais: a competência formal; o procedimento; e a competência material)[62] e o controle de conteúdo (ou material, que implica saber se a norma está, ou não, contraposta ao determinado em uma norma superior – o que envolve uma dupla interpretação, das normas inferior e superior)[63].

Esta última dimensão de controle representa já uma importante superação daquilo que FERRAJOLI chama de paleopositivismo, isto é, a posição sustentada pelos positivistas clássicos (*v.g.*, Kelsen, Hart e Bobbio) segundo a qual a existência (vinculada só ao atendimento dos controles de forma) e a validade de uma norma se confundiriam[64]. Essa superação é produto do "paradigma do Estado constitucional de direito – ou seja, o modelo garantista – [que] não é outra coisa que esta dupla sujeição do direito ao direito"[65]. Neste marco, isso significa que ambas as dimensões de todo fenômeno normativo são afetadas: "a vigência e a validade, a forma e a substância, os signos e os significados, a legitimação formal e a legitimação substancial ou, se se quiser, a 'racionalidade formal' e a 'racionalidade material' weberianas"[66]. Assim, para além da forma, no

---

[62] A competência formal corresponde à exigência de que a norma tenha sido criada por órgão com competência para fazê-lo. Também se exige que o procedimento prescrito para sua elaboração e aprovação tenha sido observado. Além dessas vinculações, a um sujeito e a um procedimento, a validade da norma ainda demanda uma análise de competência material, isto é, é preciso que o objeto regulado pela norma seja efetivamente regulável por ela (cf. PRIETO SANCHÍS, Luis, op. cit., p. 76-77).

[63] "Se as condições formais de validez são três, a condição material somente é uma; mas muito mais difícil de comprovar ou, dito tecnicamente, muito mais dependente da interpretação. O motivo é que o juízo sobre as condições formais se fixa somente no ato normativo e no procedimento e isto é algo que (com reservas que acabam de se fazer) não requer examinar o conteúdo da norma, dado que propriamente não tem que ver com a norma em si; portanto, sua constatação não requer interpretar a disposição normativa. Não sucede assim com a comprovação de um vício material: para saber si uma norma é contraditória com o estabelecido em uma norma superior é preciso fazer não uma, senão duas interpretações: da norma superior e da inferior" (cf. PRIETO SANCHÍS, Luis, idem, p. 77-78).

[64] Cf. FERRAJOLI, Luigi. *Derechos y garantias. La ley del más débil.* Trad. Perfecto Andrés Ibáñez e Andrea Greppi. Madrid: Trotta, 1999, p. 20.

[65] Cf. FERRAJOLI, Luigi, op. cit., p. 22.

[66] Cf. FERRAJOLI, Luigi, idem.

Estado constitucional de direito os direitos fundamentais figuram como vínculos substanciais dispostos para aferição da validade substancial das normas[67].

No âmbito das leis penais, a Constituição aparece, então, como uma "síntese *a priori*, pré-constituída ao legislador penal"[68], no magistério de FELDENS, e isso tanto por estrita decorrência da garantia da legalidade, ou da reserva legal, insculpida, no caso brasileiro, no art. 5º, inc. XXXIX da Carta Política da República, que comete ao legislador ordinário a definição dos crimes e das penas, como pela necessidade deste orientar-se, no desempenho deste *munus* especial, segundo o quadro dos valores fundamentais assegurados constitucionalmente, isto é, "a Constituição figura como um *quadro referencial obrigatório* da atividade punitiva, contendo as decisões valorativas fundamentais para a elaboração de um conceito de bem jurídico *prévio* à legislação penal e ao mesmo tempo *obrigatório* para ela"[69].

Isso significa, em termos mais precisos, que a Constituição irradia efeitos para o direito penal como *(i)* limite material (proscrevendo a intervenção penal em determinadas áreas, ou seja, definindo o que não pode ser criminalizado – equivalendo a um limite normativo superior), *(ii)* fonte axiológica, ou valorativa (demarcando os valores a serem considerados para identificação dos bens jurídico-penais a serem protegidos) e *(iii)* fundamento normativo (prescrevendo a obrigatória intervenção penal em certos âmbitos – equivalendo a um limite normativo inferior)[70].

---

[67] Ou, nas exatas palavras de FERRAJOLI: "[t]odos os direitos fundamentais – não somente os direitos sociais e as obrigações positivas que impõem ao Estado, senão também os direitos de liberdade e os correspondentes deveres negativos que limitam suas intervenções – equivalem a vínculos de *substância* e não de forma, que condicionam a validade substancial das normas produzidas e expressam, ao mesmo tempo, os *fins* a que está orientado esse moderno artifício que é o estado constitucional de direito" (cf. FERRAJOLI, Luigi, idem).

[68] Cf. FELDENS, Luciano. *Direitos Fundamentais e Direito Penal.* A Constituição Penal. 2. ed. Porto Alegre: Livraria do Advogado, 2012, p. 60.

[69] Cf. FELDENS, Luciano, op. cit., p. 60-61. Em suma, trata-se de um "*enfoque constitucionalista do Direito Penal*", pelo qual "a atividade do legislador penal encontra seu *objeto premeditado* por uma *ordem de valores* ditada pela Constituição, que se faz, por essa razão mesma, *pré-constituída ao legislador*" (cf. FELDENS, Luciano, idem).

[70] Cf. FELDENS, Luciano, idem, p. 65.

A validade da norma legislada, portanto, depende da sua aderência ao projeto constitucional: no rol de bens jurídicos contemplados na Constituição, deve versar sobre aqueles cuja intervenção penal seja mandatória ou, ao menos, em relação aos quais não esteja proibida.

Enquanto estes últimos balizes se vinculam, não há dúvida, à atividade estatal legislativa criminalizadora e descriminalizadora, e, pois, à validade do seu produto, é igualmente importante questionar sobre a validade da atuação legislativa em tema de direito penal instrumental, ou mesmo de direito administrativo, com repercussões na seara do sistema penal (assim, *v.g.*, quando o Estado legisla sobre normas de processo penal, de execução penal, estruturantes das estratégias de segurança e sobre as próprias forças de segurança pública etc.).

Na esteira do que já se disse sobre as normas estritamente penais, também a validade dessas outras normas só será atestada em caso de conformação, formal e material, com o programa constitucional. Em termos instrumentais, *v.g.*, LOPES JR. observa que "não basta qualquer processo, ou a mera legalidade, senão que somente um processo penal que esteja conforme as regras constitucionais do jogo (devido processo)" e sublinha, acerca desta conformidade, que ela deve se dar "na dimensão formal, mas principalmente, substancial", provando que "resiste à filtragem constitucional imposta"[71].

1.2.1.2 Vácuo normativo e a demanda por atuação válida

É dramática a situação quando inexiste um regramento específico a guiar a atuação do Estado. Como efeito, "quando a lei não ofereç[e] nenhum princípio regulativo, a total falta de legitimação formal pode comprometer, inclusive em matéria não penal, a mesma legitimação substancial"[72].

Portanto, não há como deixar de reconhecer, exatamente pela falta de um parâmetro normativo de referência, que se adentra numa zona cinzenta de ação estatal, muito mais fluída e, portanto, sujeita a invalidade. Como aqui aos agentes do Estado só resta pautar as suas intervenções, em geral, pelo sistema de direitos fundamentais, observamos que a efetiva presença deste marco/guia é tão mais

---

[71] Cf. LOPES JR., Aury. *Direito Processual Penal e sua Conformidade Constitucional*. 9. ed. São Paulo: Saraiva, 2012, p. 73.

[72] Cf. FERRAJOLI, Luigi. *Derecho y razón*. Teoría del garantismo penal. Trad. Perfecto Andrés Ibáñez et al. 2. ed. Madrid: Trotta, p. 919.

mediata quanto menor for o nível de cultura democrática do país, isto é, ações inválidas serão tão mais frequentes, nestes casos de vazio normativo, quanto mais "fraca" (leia-se, meramente formal) for a democracia do país.

De qualquer forma, como espaços lacunosos sempre existirão em qualquer sistema jurídico democrático, é importante a consolidação de uma genuína cultura democrática que instrumentalize as eventuais ações estatais que lhes correspondam. Entretanto, é também de crucial importância que esses espaços sejam reduzidos o mais possível, o que demanda um novo movimento em defesa das codificações. Sem, pois, falsas expectativas de suficiência, não se pode prescindir de um sistema normativo no qual possa estar lastreada a tutela dos direitos fundamentais[73].

1.2.1.3 Normas válidas e o imperativo de atuação conforme

Deixando os extremos recém-tratados, isto é, a existência de norma inconstitucional de um lado e, de outro, a total ausência de normatização, ao trabalho interessa especialmente a análise das ações estatais levadas a cabo a partir de normas válidas (pressuposto). Por muito certo que também essas ações devem submeter-se à prova da sua validade, que só irá confirmar-se mediante a adesão comprovada aos parâmetros normativos que lhe correspondam.

Entretanto, o que deveria ser mera consequência, a realidade mostra de um outro modo, revela um descompasso. Se, afinal, se tem um volume majoritário de normas válidas, por que elas não se materializam, sempre, validamente?

---

[73] Neste rumo, o magistério de FERRAJOLI: "[p]or isso hoje é o tempo de uma nova ciência da legislação. Se fala com resignação de descodificação, de deslegislação e de desregulação, como se se tratasse de fenômenos naturais e imparáveis. Se trata, pelo contrário, de fenômenos políticos que apelam a responsabilidade tanto dos homens políticos como dos juristas. Somente um relançamento do papel da lei, sustentado por uma renovada e atualizada ciência da legislação, pode restaurar e em muitos casos *in-staurar* uma legalidade garantista, ancorando-a solidamente na tutela dos direitos fundamentais. Obviamente, isto não significa exumar antigas ilusões ilustradas de racionalidade perfeita. Ao contrário, deve assistir-nos a plena consciência da imperfeição inevitável de qualquer sistema jurídico e, todavia, mais daqueles sistemas, como os estados democráticos de direito, que têm incorporado a suas Constituições valores e expectativas atlas e inclusive utópicas, nunca realizáveis de todo. Mas é precisamente esta consciência a que deve assistir tanto a legislação como a cultura jurídica na transformação e na ideação do direito" (cf. FERRAJOLI, Luigi, op. cit., p. 920).

A discussão, no ponto, acaba nos remetendo ao tema da democracia formal e substancial. FERRAJOLI observa que um dos mais importantes aportes introduzidos pelo modelo garantista em relação ao positivismo tradicional, já referido, está na compreensão de que uma dimensão substancial do estado de direito implica uma correspondente dimensão substancial da democracia. Isto é, a rígida constitucionalização dos direitos fundamentais "serve para injetar uma dimensão substancial não somente no direito senão também na democracia"[74]. Isso significa que as mesmas duas dimensões referentes à produção jurídica já antes analisadas (ou seja, a *formal* – que condiciona a vigência das normas – e, a *substancial* – condicionante da validade das normas) aplicam-se e garantem várias outras dimensões da própria democracia[75].

Assim, por este sistema de filtros, quando uma norma formal e substancialmente válida não encontra aplicação, ou a aplicação devida, é correto dizer que se está diante de um déficit de efetividade, e a ação/omissão estatal a ela vinculada será inválida.

Cabe observar, em linha de consequência, que o caráter substancial de uma democracia está diretamente vinculado ao grau de adesão ao sistema jurídico de garantias que consegue materializar: será tão mais formal uma democracia quanto menos os direitos fundamentais, garantidos constitucionalmente, encontrarem aplicação efetiva; pelo contrário, uma democracia será tão mais substancial quanto mais alta for a taxa de eficácia concreta dos direitos fundamentais[76].

---

[74] Cf. FERRAJOLI, Luigi. *Derechos y garantias.* La ley del más débil. Trad. Perfecto Andrés Ibáñez e Andrea Greppi. Madrid: Trotta, 1999, p. 23.

[75] Cf. FERRAJOLI, Luigi, op. cit., p. 23. Ou, nas palavras do autor, sobre as dimensões da democracia garantidas pela consideração dos planos formal e substancial no estado de direito: "a dimensão formal da 'democracia política', que faz referência ao *quem* e ao *como* das decisões e que se faz garantida pelas normas formais que disciplinam as *formas* das decisões, assegurando com elas a expressão da vontade da maioria; e a dimensão material, que bem poderia chamar-se 'democracia substancial', posto que se refere ao *quê é* o que não pode decidir-se ou deve ser decidido por qualquer maioria, e que está garantido pelas normas substanciais que regulam a *substância* ou o *significado* das mesmas decisões, vinculando-as, sob pena de invalidez, ao respeito dos direitos fundamentais e dos demais princípios axiológicos estabelecidos por aquela" (cf. FERRAJOLI, Luigi, idem).

[76] Ainda, na lição de FERRAJOLI: "o garantismo de um sistema jurídico é uma questão de *grau*, que depende da precisão dos vínculos positivos ou negativos impostos aos poderes públicos pelas normas constitucionais e pelo sistema de garantias que asseguram uma taxa mais ou menos elevada de eficácia a tais vínculos" (cf. FERRAJOLI, Luigi, idem, p. 25).

Em suma, quando uma norma constitucionalmente válida não encontra o imperativo da atuação conforme, *i.e.*, quando não encontra aplicação prática, ou quando se materializa em menor medida do que deveria, o que se constata é a existência de uma democracia "*fraca*", ou meramente formal. Do tipo que até prevê o direito fundamental, mas não consegue assegurar o seu atendimento na prática. É o caso, *v.g.*, da Itália, por vários aspectos do seu direito penal e Processual Penal – a indicar uma virada no próprio sistema penal daquele país[77] –, e, não há dúvida, também é o caso do Brasil (como adiante se terá a ocasião de demonstrar).

1.3 ESPÉCIES DE (DESVI)AÇÃO ESTATAL

Acabamos de ver, em síntese, que uma das notas mais pronunciadas do moderno estado de direito é exatamente a incorporação institucional (na Constituição) "dos direitos fundamentais dos cidadãos como vínculos funcionais que condicionam a validade jurídica de toda a atividade de estado"[78].

Tendo presente essa ideia-força, passamos à análise de algumas espécies de ação estatal relevantes para o foco do trabalho.

1.3.1 Atuação estatal a partir de legislação inconstitucional

No que toca à atuação do Estado a partir de normas inconstitucionais (hipótese cogitada mais cedo, em nível normativo), merece referência, já à abertura, o nefasto regime integral fechado previsto na lei dos crimes hediondos[79].

---

[77] Na leitura de FERRAJOLI [FERRAJOLI, Luigi. *Derecho y razón.* Teoría del garantismo penal. Trad. Perfecto Andrés Ibáñez et al. 2. ed. Madrid: Trotta, p. 700-703 (âmbito penal); 737-750 (âmbito processual penal); 750-752 (virada no sistema penal)].

[78] Cf. FERRAJOLI, Luigi, idem, p. 905.

[79] Cujo texto legal, na sua versão de origem, assim dispunha quanto ao ponto: "Art. 2º Os crimes hediondos, a prática da tortura, o tráfico ilícito de entorpecentes e drogas afins e o terrorismo são insuscetíveis de: (...) §1º A pena por crime previsto neste artigo será cumprida integralmente em regime fechado" (cf. BRASIL. Lei n. 8.072 de 25 de jul. de 1990. Dispõe sobre os crimes hediondos, nos termos do art. 5º, XLIII, da Constituição Federal, e determina outras providências. *Diário Oficial da União*, Brasília, 26 de jul. de 1990).

A referida lei, que emergiu em um Brasil já impactado por índices criminais preocupantes[80], em cumprimento a um mandado constitucional de criminalização[81], mas, sobretudo, como resposta política a determinados fatos criminosos que tinham repercutido na mídia naqueles últimos anos da década de 1980[82], veio como declaração de guerra[83] do movimento de lei e de ordem[84] contra as "duas novas damas do direito criminal brasileiro" apontadas como culpadas pela violência, quais sejam, "justiça morosa e legislação liberal"[85]. Embora nada tenha resolvido em matéria de redução dos índices de violência criminal no Brasil[86], a dita lei contribuiu, de modo indiscutível, para um contínuo desprestígio do nosso sistema de garantias e, assim, para uma menor substancialização dos direitos fundamentais no âmbito do sistema penal do País.

Sobre o dito regime, como o próprio nome trata de iluminar, pretendeu dispor aos autores de crimes hediondos ou equiparados uma forma mais severa de execução da pena, diversa daquela assentada no Código Penal e na Lei de Execuções Penais. Enquanto por esses diplomas os regimes dispostos para o início do cumprimento das penas privativas de liberdade eram o fechado, o

---

[80] Como se pode conferir em diversos quadros estatísticos trabalhados por FRANCO (cf. FRANCO, Alberto Silva. *Crimes hediondos*. 6. ed. São Paulo: RT, 2007, p. 573-583).

[81] Cf. FELDENS, Luciano. *Direitos Fundamentais e Direito Penal.* A Constituição Penal. 2. ed. Porto Alegre: Livraria do Advogado, 2012, p. 76-78. Eis o texto Constitucional: "Art. 5º (...) XLIII – a lei considerará crimes inafiançáveis e insuscetíveis de graça ou anistia a prática da tortura, o tráfico ilícito de entorpecentes e drogas afins, o terrorismo e os definidos como crimes hediondos, por eles respondendo os mandantes, os executores e os que, podendo evitá-los, se omitirem;" (cf. BRASIL. Constituição da República Federativa do Brasil de 1988. *Diário Oficial da União*, 05 de out. de 1988).

[82] As extorsões mediante sequestro "de figuras importantes da elite econômica e social do País (caso Martinez, caso Salles, caso Diniz, Caso Medina etc.)" (cf. FRANCO, Alberto Silva, op. cit., p. 93).

[83] Cf. FRANCO, Alberto Silva, idem, p. 86.

[84] Orientação político criminal já debatida no item 1.1, supra, que forneceu o substrato ideológico para os termos da lei em questão.

[85] Cf. FRANCO, Alberto Silva, idem, p. 91.

[86] Como já apontado no item 1.1, *supra*, principalmente desde a seguinte pesquisa: Instituto Latino-americano das Nações Unidas para Prevenção do Delito e Tratamento do Delinquente (ILANUD). *A Lei de Crimes Hediondos Como Instrumento de Política Criminal.* São Paulo: ILANUD, 2005. Disponível em: <http://www.prsp.mpf.gov.br/prdc/area-de-atuacao/torviolpolsist/RelILANUD.pdf>. Acesso em: 1 de set. de 2010.

semiaberto e o aberto[87], com possível progressão ao regime imediatamente mais favorável mediante o cumprimento de condições objetiva e subjetiva[88], a lei dos crimes hediondos pretendia a execução da pena no regime fechado somente, sem possibilidade de progressão[89].

A medida, que de efetivo só conseguiu proporcionar, nos anos que se seguiram a sua introdução, um aumento brutal das taxas de aprisionamento no Brasil[90], mostrou-se de inequívoca inconstitucionalidade por agressão, principalmente, à garantia da individualização da pena (embora também possam ser mencionados outros valores fundamentais ofendidos, tais como a legalidade, a humanidade das penas etc.)[91].

A individualização da pena é compreendida como uma garantia fundamental que se projeta sobre três momentos distintos na abordagem ao delito: na definição do sancionamento legislativo – na quantidade de privação de liberdade mínima e máxima que é disposta junto a cada tipo penal e em vista do bem jurídico nele tutelado; na definição do sancionamento judiciário –; na sentença condenatória, onde a pena será fixada entre o mínimo e o máximo cominados; e, na fase da execução penal, na possibilidade de evolução entre os regimes prisionais, conforme o tempo de pena cumprida e o bom comportamento carcerário. E este individualizar, com assento constitucional no caso brasileiro[92], de fato somente ocorrerá em toda a sua extensão pela via da mediação judicial, que se inicia na fase da sentença, mas somente se exaure na apreciação dos incidentes

---

[87] Cf. BRASIL. Decreto-Lei n. 2.848 de 7 de dez. de 1940. Institui o Código Penal brasileiro. *Diário Oficial da União*, Rio de Janeiro, 31 de dez. de 1940, art. 33, caput, §§1º e 4º.

[88] Cf. BRASIL. Lei n. 7.210 de 11 de jul. de 1984. Institui a Lei de Execução Penal. *Diário Oficial da União*, Brasília, 13 de jul. de 1984, Art. 112, caput, §§ 1º e 2º. O requisito objetivo previsto: cumprimento de 1/6 da pena no regime anterior; o requisito subjetivo: bom comportamento carcerário.

[89] Para o texto da lei, ver nota 79, supra.

[90] Cf. FRANCO, Alberto Silva, idem, p. 571.

[91] Neste sentido, *v.g.*: FRANCO, Alberto Silva, idem, p. 207; e, DELMANTO, Celso et al.*Código Penal comentado:* acompanhado de comentários, jurisprudência, súmulas em matéria penal e legislação complementar. 8. ed. São Paulo: Saraiva, 2010, p. 218.

[92] Observemos: "Art. 5º (...) XLVI – a lei regulará a individualização da pena e adotará, entre outras, as seguintes: a) privação ou restrição da liberdade; b) perda de bens; c) multa; d) prestação social alternativa; e) suspensão ou interdição de direitos;" (cf. BRASIL. Constituição da República Federativa do Brasil. *Diário Oficial da União*, Brasília, 5 de out. de 1988).

da execução penal (momento, aliás, em que o Estado efetivamente terá diante de si, de maneira concreta – diversa, pois, do efêmero ato da sentença –, o indivíduo condenado; instante em que a materialização da pena não pode se dar de forma idêntica, estereotipada, para todos, portem-se bem, ou mal, mas precisa considerar o desempenho de cada um em particular).

Por fim, é preciso dizer que, embora por 16 anos o Supremo Tribunal Federal brasileiro tenha entendido que a garantia fundamental da individualização da pena não envolvia a fase da sua execução, dando por conforme a Constituição o regime fechado integral da lei de crimes hediondos, em julgamento ocorrido em 23 de fevereiro de 2006, no *Habeas Corpus* n. 82.959, isso se modificou. Nessa ação foi pronunciada a inconstitucionalidade do aludido regime sob o argumento de que a garantia da individualização da pena compreende sim as três fases já referidas e, portanto, o contínuo individualizar da reprimenda na fase da sua execução está insculpido no Inc. XLVI, do Art. 5º da Constituição, e não poderia ter sido renunciado pelo legislador ordinário[93].

Como epílogo dessa discussão o Legislativo aprovou a Lei n. 11.464/2007, pela qual alterou a lei de crimes hediondos de modo a estabelecer o regime fechado como inicial para o cumprimento da pena desses delitos e dos seus equiparados[94]. Com isso se restabeleceu normativamente a progressividade na execução da pena desses crimes (com frações a cumprir no regime anterior mais rigorosas que a prevista na Lei de Execução Penal), alinhando-se a lei à mencionada decisão do STF. Entretanto, a mudança representa uma nova agressão à exata mesma garantia da individualização da pena: agora é o juiz da sentença quem estaria amarrado, quem não poderia tomar as regras infraconstitucionais aplicáveis a todos os demais delitos para individualizar o regime inicial para o cumprimento da sanção (estaria obrigado, embora tais vetores estivessem a

---

[93] Cf. BRASIL. SUPREMO TRIBUNAL FEDERAL. *Habeas Corpus* n. 82.959, J. 23 de fev. de 2006. *Diário da Justiça Eletrônico*, Brasília, 1 de set. de 2006.

[94] Eis o texto atual: "Art. 2º (...) §1º A pena por crime previsto neste artigo será cumprida inicialmente em regime fechado. §2º A progressão de regime, no caso dos condenados aos crimes previstos neste artigo, dar-se-á após o cumprimento de 2/5 (dois quintos) da pena, se o apenado for primário, e de 3/5 (três quintos), se reincidente. (...)" (cf. BRASIL. Lei n. 11.464 de 28 de mar. de 2007. Dá nova redação ao art. 2º da Lei n. 8.072, de 25 de julho de 1990, que dispõe sobre os crimes hediondos, nos termos do inciso XLIII do art. 5º da Constituição Federal. *Diário Oficial da União*, Brasília, 29 de mar. de 2007).

indicar um regime aberto, ou semiaberto como inicial, a fixar o regime fechado). Tal constatação, primeiro avançada em nível doutrinário[95], também foi feita pelo STF no *Habeas Corpus* n. 111.840, julgado em 27 de junho de 2012, que pronunciou a inconstitucionalidade da previsão de um regime inicial fechado automático, por violação da garantia da individualização[96].

Afora esse primeiro exemplo, também a chamada execução penal provisória pode ser trazida para ilustrar mais uma hipótese de ação estatal a partir de legislação inconstitucional. Partindo do texto de uma lei geral (aplicável a processos

---

[95] Nesse sentido os posicionamentos de DELMANTO, Celso et al., op. cit., p. 218; e, KARAM, Maria Lúcia. A Privação da Liberdade: o violento, danoso, doloroso e inútil sofrimento da pena. In: *Coleção Escritos sobre a Liberdade*, v. 7, Rio de Janeiro: Lumen Juris, 2009, p. 34.

[96] Eis a ementa do julgado referido: "Habeas corpus. Penal. Tráfico de entorpecentes. Crime praticado durante a vigência da Lei n. 11.464/07. Pena inferior a 8 anos de reclusão. Obrigatoriedade de imposição do regime inicial fechado. Declaração incidental de inconstitucionalidade do § 1º do art. 2º da Lei n. 8.072/90. Ofensa à garantia constitucional da individualização da pena (inciso XLVI do art. 5º da CF/88). Fundamentação necessária (CP, art. 33, § 3º, c/c o art. 59). Possibilidade de fixação, no caso em exame, do regime semiaberto para o início de cumprimento da pena privativa de liberdade. Ordem concedida. 1. Verifica-se que o delito foi praticado em 10/10/09, já na vigência da Lei n. 11.464/07, a qual instituiu a obrigatoriedade da imposição do regime inicialmente fechado aos crimes hediondos e assemelhados. 2. Se a Constituição Federal menciona que a lei regulará a individualização da pena, é natural que ela exista. Do mesmo modo, os critérios para a fixação do regime prisional inicial devem-se harmonizar com as garantias constitucionais, sendo necessário exigir-se sempre a fundamentação do regime imposto, ainda que se trate de crime hediondo ou equiparado. 3. Na situação em análise, em que o paciente, condenado a cumprir pena de seis (6) anos de reclusão, ostenta circunstâncias subjetivas favoráveis, o regime prisional, à luz do art. 33, § 2º, alínea b, deve ser o semiaberto. 4. Tais circunstâncias não elidem a possibilidade de o magistrado, em eventual apreciação das condições subjetivas desfavoráveis, vir a estabelecer regime prisional mais severo, desde que o faça em razão de elementos concretos e individualizados, aptos a demonstrar a necessidade de maior rigor da medida privativa de liberdade do indivíduo, nos termos do § 3º do art. 33, c/c o art. 59, do Código Penal. 5. Ordem concedida tão somente para remover o óbice constante do § 1º do art. 2º da Lei n. 8.072/90, com a redação dada pela Lei n. 11.464/07, o qual determina que "[a] pena por crime previsto neste artigo será cumprida inicialmente em regime fechado". Declaração incidental de inconstitucionalidade, com efeito ex nunc, da obrigatoriedade de fixação do regime fechado para início do cumprimento de pena decorrente da condenação por crime hediondo ou equiparado" (cf. BRASIL. SUPREMO TRIBUNAL FEDERAL. *Habeas Corpus* n. 111.840, J. 27 de jun. de 2012. *Diário da Justiça Eletrônico*, Brasília, 16 de dez. de 2013).

de natureza civil e penal), destinada a regular o processamento dos recursos e das ações originárias perante os tribunais superiores[97], e especificamente do que ela dispunha sobre em que efeitos seriam recebidos os recursos especial e extraordinário (somente no efeito devolutivo, e não, também, no efeito suspensivo, como no recurso de apelação)[98], floresceu uma *interpretatio* totalmente desconforme à garantia constitucional da presunção da inocência[99]: muitos tribunais inferiores passaram a entender em favor da execução imediata das suas decisões condenatórias, embora pendentes de confirmação perante os tribunais superiores porque interposto recurso especial e/ou extraordinário pelo réu. Assim nascia a execução penal "provisória".

A par da indigência da construção em si mesmo (como pode uma execução de pena privativa de liberdade ser provisória? Se é revertida a condenação, como se repara aquela liberdade sobre a qual se avançou indevidamente? Como se apaga aquilo que nunca deveria ter acontecido? etc.), também aqui o Supremo Tribunal Federal teve que decidir. O fez, porém, apenas em 2010 (sendo que a indigitada lei é de 1990!), por meio do *Habeas Corpus* n. 84.078, julgado em 25 de fevereiro de 2010[100], quando repugnou a figura em debate proscrevendo a sua prática por agressiva à dita garantia constitucional da presunção de inocência.

Mais recentemente, outro exemplo de ação estatal a partir de lei inconstitucional pode ser encontrado na proibição inserida na lei de drogas quanto a

---

[97] Cf. BRASIL. Lei n. 8.038 de 28 de maio de 1990. Institui normas procedimentais para os processos que especifica, perante o Superior Tribunal de Justiça e o Supremo Tribunal Federal. *Diário Oficial da União*, Brasília, 26 de jul. de 1990.

[98] Cujo texto ainda hoje permanece o mesmo: "Art. 27. Recebida a petição pela Secretaria do Tribunal e aí protocolada, será intimado o recorrido, abrindo-se-lhe vista pelo prazo de 15 (quinze) dias para apresentar contra-razões. (...) §2º Os recursos extraordinário e especial serão recebidos no efeito devolutivo" (cf. BRASIL. Lei n. 8.038 de 28 de maio de 1990. Institui normas procedimentais para os processos que especifica, perante o Superior Tribunal de Justiça e o Supremo Tribunal Federal. *Diário Oficial da União*, Brasília, 26 de jul. de 1990).

[99] Eis a garantia: "Art. 5º (...) LVII – ninguém será considerado culpado até o trânsito em julgado de sentença penal condenatória;" (cf. BRASIL. Constituição da República Federativa do Brasil. *Diário Oficial da União*, Brasília, 5 de out. de 1988)

[100] Cf. BRASIL. SUPREMO TRIBUNAL FEDERAL. *Habeas Corpus* n. 84.078, J. 05 de fev. de 2009. *Diário da Justiça Eletrônico*, Brasília, 25 de fev. de 2010.

substituição da pena privativa de liberdade por sanções restritivas de direitos (ou seja, por penas alternativas)[101].

Embora o réu pudesse ser condenado, nos parâmetros de apenamento da aludida lei, à menor pena pelo delito de tráfico (o que corresponde a 1 ano e 8 meses de reclusão), e mesmo que preenchesse os requisitos legais para a substituição desta pena por sanções alternativas, ainda assim a lei de drogas proibia o movimento. Ou seja, a norma impedia o juiz de fazer a adequada individualização da pena no ato da sentença: mesmo aplicando uma pena diminuta (inferior a 4 anos), em crime sem violência ou grave ameaça, a condenado, segundo a própria lei, que "seja primário, de bons antecedentes, não se dedique às atividades criminosas nem integre organização criminosa", tudo a demonstrar que a medida é socialmente recomendável[102], deveria aplicar ao réu o regime inicial fechado (?!).

Para este caso, portanto, igualmente valem as considerações críticas feitas a propósito do regime integral fechado da velha lei de crimes hediondos, e mesmo do regime inicial fechado nela previsto hoje: em resumo, está-se diante de nítida violação da garantia da individualização da pena, fato já reconhecido e pronunciado pelo Supremo Tribunal Federal em 1º de setembro de 2010, no

---

[101] Cf. o texto o seguinte: "(...)Art. 33. Importar, exportar, remeter, preparar, produzir, fabricar, adquirir, vender, expor à venda, oferecer, ter em depósito, transportar, trazer consigo, guardar, prescrever, ministrar, entregar a consumo ou fornecer drogas, ainda que gratuitamente, sem autorização ou em desacordo com determinação legal ou regulamentar: (...) § 4º Nos delitos definidos no caput e no § 1º deste artigo, as penas poderão ser reduzidas de um sexto a dois terços, vedada a conversão em penas restritivas de direitos, desde que o agente seja primário, de bons antecedentes, não se dedique às atividades criminosas nem integre organização criminosa. (...) Art. 44. Os crimes previstos nos arts. 33, caput e § 1º, e 34 a 37 desta Lei são inafiançáveis e insuscetíveis de sursis, graça, indulto, anistia e liberdade provisória, vedada a conversão de suas penas em restritivas de direitos." (cf. BRASIL. Lei n. 11.343 de 23 de ago. de 2006. Institui o Sistema Nacional de Políticas Públicas sobre Drogas – Sisnad; prescreve medidas para prevenção do uso indevido, atenção e reinserção social de usuários e dependentes de drogas; estabelece normas para repressão à produção não autorizada e ao tráfico ilícito de drogas; define crimes e dá outras providências. *Diário Oficial da União*, Brasília, 24 de ago. de 2006).

[102] Já em termos que compõem a gramática dos requisitos para a substituição das penas privativas de liberdade por restritivas de direito, segundo o regramento aplicável (cf. os Arts. 44 e segs. do Código Penal Brasileiro).

julgamento do *Habeas Corpus* n. 97.256, a partir do qual se devolveu ao magistrado a possibilidade de aplicação de pena alternativa no delito de tráfico de drogas[103].

Ainda na lei de drogas merece referência a proibição nela estabelecida de que os presos em flagrante pudessem obter a chamada liberdade provisória[104]. Assim, os flagrados deveriam permanecer presos sem que fosse preciso fazer um juízo de necessidade sobre a manutenção das suas prisões (sob a forma de prisão preventiva). Em julgamento realizado em 10 de maio de 2012, no *Habeas Corpus* n. 104.339, o Supremo Tribunal Federal pronunciou a inconstitucionalidade de parte do Art. 44 da lei, na porção do dispositivo que previa a aludida proibição da liberdade provisória, principalmente por agressão às garantias da presunção de inocência e do devido processo legal[105 106].

Outros exemplos, a nosso juízo, de inconstitucionalidade, mas que ainda não foi reconhecida pelo Judiciário, podem ser identificados: *(i)* na Lei n. 7.960/89[107]: na chamada prisão temporária, espécie de prisão provisória que se estabelece sem que seja preciso comprovar a necessidade da segregação para a tutela da ordem pública, econômica, da instrução criminal ou da aplicação da lei penal[108], por agressão às garantias da presunção da inocência, do devido processo legal e da

---

[103] Cf. BRASIL. SUPREMO TRIBUNAL FEDERAL. *Habeas Corpus* n. 97.256, J. 01 de set. de 2010. *Diário da Justiça Eletrônico*, Brasília, 16 de dez. de 2010.

[104] V. nota 101, acima, para o texto do Art. 44 da Lei n. 11.343/06.

[105] Garantias previstas nos Incs. LVII e LIV, respectivamente, do Art. 5º da Constituição Federal (cf. BRASIL. Constituição da República Federativa do Brasil. *Diário Oficial da União*, Brasília, 5 de out. de 1988).

[106] Cf. BRASIL. SUPREMO TRIBUNAL FEDERAL. *Habeas Corpus* n. 104.339, J. 10 de maio de 2012. *Diário da Justiça Eletrônico*, Brasília, 6 de dez. de 2012.

[107] Cf. BRASIL. Lei n. 7.960 de 21 de dez. de 1989. Dispõe sobre prisão temporária. *Diário Oficial da União*, Brasília, 22 de dez. de 1989.

[108] Que (juntamente com o chamado o *fumus commissi delicti*, isto é, da prova da materialidade e dos indícios suficientes de autoria de um crime) constituem as hipóteses autorizadoras da decretação da prisão preventiva de alguém (outra espécie de prisão processual) e, portanto, representam o chamado *juízo de necessidade* desta cautelar. A prisão preventiva, assim, por este duplo juízo, é a única cautelar capaz de excepcionar a garantia da liberdade, constitucionalmente assegurada no Brasil no Art. 5º, Inc. LXI e LXV. Sobre a "extração constitucional" da garantia da liberdade ver: BRASIL. SUPREMO TRIBUNAL FEDERAL. *Habeas Corpus* n. 80.719, J. 26 de jun. de 2001. *Diário da Justiça*, Brasília, 28 de set. de 2001.

legalidade[109]; *(ii)* na Lei de Execução Penal[110]: no chamado regime disciplinar diferenciado (o RDD)[111] – que atrita com o princípio da dignidade da pessoa humana e, nele, também do princípio da proibição de tratamento cruel desumano

---

[109] Garantias insculpidas no Art. 5º, Incs. LVII, LIV e XXXIX, e Art. 2º, respectivamente, da Constituição Federal (cf. BRASIL. Constituição da República Federativa do Brasil. *Diário Oficial da União*, Brasília, 5 de out. de 1988). Quanto às garantias da legalidade e da separação dos poderes, a agressão se dá por defeito formal, na gênese da aludida lei, por violação ao devido procedimento legislativo: isso ocorre porque a Lei n. 7.960/89 é fruto de uma medida provisória (MP n. 111/89 – leia-se, fruto da vontade do presidente da República então em exercício), posteriormente convertida em lei, e não de um projeto de lei (este a única fonte reconhecida para a produção legislativa em matéria penal no Brasil, ao tempo da sua edição por maciça doutrina e, atualmente, pelo próprio texto Constitucional – Art. 62, §1º, Inc. I, Alínea "b" –; e, também, porque o procedimento para aprovação de um projeto de lei prestigia o legislativo e, assim, garante a materialização do compromisso constitucional da separação dos poderes). Nesta linha ver: FRANCO, Alberto Silva et al.*Código Penal e sua Interpretação Jurisprudencial.* 4. ed. São Paulo: RT, 1993, p. 22-25; e, GOMES, Luiz Flávio. *A Lei Formal como Fonte Única*do Direito Penal (Incriminador) In: *Revista dos Tribunais*, n. 656, Junho de 1990, p. 257-268.

[110] Cf. BRASIL. Lei n. 7.210 de 11 de jul. de 1984. Institui a Lei de Execução Penal. *Diário Oficial da União*,Brasília, 13 de jul. de 1984.

[111] O instituto está previsto com o seguinte teor, introduzido na LEP pela Lei n. 10.792/2003, e simplesmente permite – face à proposital generosidade do texto – a inclusão de qualquer um que se queira no aludido regime: "Art. 52. A prática de fato previsto como crime doloso constitui falta grave e, quando ocasione subversão da ordem ou disciplina internas, sujeita o preso provisório, ou condenado, sem prejuízo da sanção penal, ao regime disciplinar diferenciado, com as seguintes características: I – duração máxima de trezentos e sessenta dias, sem prejuízo de repetição da sanção por nova falta grave de mesma espécie, até o limite de um sexto da pena aplicada; II – recolhimento em cela individual; III – visitas semanais de duas pessoas, sem contar as crianças, com duração de duas horas; IV – o preso terá direito à saída da cela por 2 horas diárias para banho de sol. §1º O regime disciplinar diferenciado também poderá abrigar presos provisórios ou condenados, nacionais ou estrangeiros, que apresentem alto risco para a ordem e a segurança do estabelecimento penal ou da sociedade. §2º Estará igualmente sujeito ao regime disciplinar diferenciado o preso provisório ou o condenado sob o qual recaiam fundadas suspeitas de envolvimento ou participação, a qualquer título, em organizações criminosas, quadrilha ou bando." (cf. BRASIL. Lei n. 7.210 de 11 de jul. de 1984. Institui a Lei de Execução Penal. *Diário Oficial da União*, Brasília, 13 de jul. de 1984).

e degradante[112]; *(iii)* na perda de dias remidos em vista de falta grave cometida[113] (embora a existência de súmula vinculante dizendo, absurdamente, o contrário[114]), em vista da explícita violação do princípio da coisa julgada[115].

Certamente existirão outras hipóteses de ações estatais baseadas em lei inconstitucional, mas esses exemplos parecem suficientes a dimensionar o grau do dano causado pelos movimentos de lei e de ordem no plano legislativo brasileiro dos últimos anos e, em consequência, o aumento da demanda jurisdicional na busca do pronunciamento das respectivas inconstitucionalidades.

---

[112] Garantias previstas no Art. 5º, Incs. III, XLVI, XLVII, XLIX, da Constituição Federal (BRASIL. Constituição da República Federativa do Brasil. *Diário Oficial da União*, Brasília, 5 de out. de 1988). Sobre a completa inconstitucionalidade do RDD por agressão a estas garantias: BRASIL. MINISTÉRIO DA JUSTIÇA. CONSELHO NACIONAL DE POLÍTICA CRIMINAL E PENITENCIÁRIA. *PARECER–RDD*. Brasília, 10 de ago. de 2004. Disponível em: <http://www.mj.gov.br/cnpcp/legislacao/pareceres/Parecer%20RDD%20_ final_.pdf>. Acesso em: 8 de set. de 2005.

[113] A problemática em torno da perda dos dias remidos ainda permanece, embora o texto do Art. 127 da LEP tenha sido recentemente alterado pela Lei n. 12.433, em vigor desde o dia 30 de jun. de 2011, passando a ostentar o seguinte teor: "Art. 127. Em caso de falta grave, o juiz poderá revogar até 1/3 (um terço) do tempo remido, observado o disposto no art. 57, recomeçando a contagem a partir da data da infração disciplinar." (cf. BRASIL. Lei n. 7.210 de 11 de jul. de 1984. Institui a Lei de Execução Penal. *Diário Oficial da União*, Brasília, 13 de jul. de 1984). O texto, portanto, já não prevê a perda de todos os dias remidos, como no original da LEP.

[114] Trata-se da súmula vinculante n. 9, que assim enuncia: "O disposto no artigo 127 da Lei n. 7.210/1984 (Lei de Execução Penal) foi recebido pela ordem constitucional vigente, e não se lhe aplica o limite temporal previsto no caput do artigo 58." (cf. BRASIL. SUPREMO TRIBUNAL FEDERAL. Súmula Vinculante n. 9. J. 12 de jun. de 2008. *Diário da Justiça Eletrônico*, Brasília, 12 de set. de 2008). É esclarecedora a leitura dos debates para a aprovação do aludido verbete, especialmente nas razões expostas no único voto vencido, proferido pelo ministro Marco Aurélio. Disponível em: <http://www.stf.jus.br/arquivo/cms/jurisprudenciaSumula Vinculante/anexo/DJe_172_2008.pdf>. Acesso em: 10 de ago. de 2010. Observamos, finalmente, que essa súmula ainda deve manter-se por algum tempo, uma vez que o novo texto do Art. 127 da LEP, já referido, parece se inserir na linha de raciocínio expressa no enunciado (pela pretensa adequação constitucional da perda de dias remidos).

[115] Garantia insculpida no Art. 5º, Inc. XXXVI da Constituição Federal. (BRASIL. Constituição da República Federativa do Brasil. *Diário Oficial da União*, Brasília, 5 de out. de 1988).

1.3.2 Atuação estatal sem previsão normativa e inconstitucional: o caso das ações policiais de extermínio

Como já dissemos com FERRAJOLI, todas as atividades de Estado têm a sua validade condicionada pela estrita sujeição aos direitos fundamentais, inclusive, portanto, aquelas que não estão imediatamente parametrizadas do ponto de vista normativo[116].

Este é o caso, em geral, das ações de polícia ostensiva no Brasil, área de atuação estatal que merece ser iluminada de modo a se evidenciar a mais absoluta ausência de legislação federal que a regule, e as respectivas inconstitucionalidades que diariamente produz.

Assim, um primeiro aspecto que merece anotação diz com o formato do sistema de segurança pública na Carta Política brasileira. Tratada como dever do Estado, mas também como direito e responsabilidade de todos os cidadãos, à segurança pública são assinadas as metas de preservação da ordem pública e das incolumidades pessoal e patrimonial, a serem consecutidas pela polícia federal, polícias rodoviária e ferroviária federais, polícias civis, policias militares e corpos de bombeiros[117].

A Constituição também define duas atribuições que importa assinalar aqui: as atividades de polícia judiciária e de polícia ostensiva[118]. A primeira, consistente no trabalho de investigação policial voltado à elucidação das infrações penais, é cometida às polícias federal e civil (nos âmbitos de suas respectivas atribuições). A segunda, voltada à repressão da prática de crimes (ao policiamento de rua), deve ser realizada pelas polícias militares dos estados.

Enquanto a regulamentação constitucional termina nesses termos, no âmbito das leis ordinárias federais poderia se esperar maior detalhamento, *v.g.*, no que toca à proporção do uso da força pelas polícias. Isso, porém, não ocorre. Aliás, a adesão brasileira aos parâmetros da ONU a respeito, plasmados no "Código de

---

[116] Cf. FERRAJOLI, Luigi. *Derecho y razón.* Teoría del garantismo penal. Trad. Perfecto Andrés Ibáñez et al. 2. ed. Madrid: Trotta, p. 905.

[117] Cf. o Art. 144, Incs. I a V da Constituição Federal (cf. BRASIL. Constituição da República Federativa do Brasil. *Diário Oficial da União*, Brasília, 5 de out. de 1988).

[118] Cf. o Art. 144, §§1º a 6º da Constituição Federal (cf. BRASIL. Constituição da República Federativa do Brasil. *Diário Oficial da União*, Brasília, 5 de out. de 1988).

Conduta para Funcionários Encarregados de Fazer Cumprir a Lei"[119] (que é um documento de 1979) e nos "Princípios Básicos sobre o Uso da Força e Armas de Fogo pelos Funcionários Responsáveis pela Aplicação da Lei"[120] (que é um

---

[119] Cf. ORGANIZAÇÃO DAS NAÇÕES UNIDAS (ONU). Resolução 34/169. *Código de Conduta para Funcionários Encarregados de Fazer Cumprir a Lei*. Aprovado na 106.ª sessão plenária, em 17 de dezembro de 1979. Disponível em: <http://daccess-dds-ny.un.org/doc/RESOLUTION/GEN/NR0/384/98/IMG/NR038498 .pdf?OpenElement>. Acesso em: 10 de jan. de 2013. Entre outras disposições, o documento prevê: "Art. 2. No desempenho de suas tarefas, os funcionários encarregados de fazer cumprir a lei respeitarão e protegerão a dignidade humana e manterão e defenderão os direitos humanos de todas as pessoas; Art. 3. Os funcionários encarregados de fazer cumprir a lei poderão usar a força somente quando seja estritamente necessário e na medida em que o requeira o desempenho de suas tarefas". Este artigo é acompanhado do seguinte comentário: "[n]esta disposição se sublinha que o uso da força pelos funcionários encarregados de fazer cumprir a lei deve ser excepcional; se bem implica que os funcionários encarregados de fazer cumprir a lei podem ser autorizados a usar a força na medida em que razoavelmente seja necessária, segundo as circunstâncias, para a prevenção de um delito, para efetuar a detenção legal de delinquentes ou presumidos delinquentes ou para ajudar a efetuá-la, não poderá usar-se a força na medida em que exceda estes limites.". Ainda merecem destaque: "Art. 5. Nenhum funcionário encarregado de fazer cumprir a lei poderá infligir, instigar ou tolerar nenhum ato de tortura ou outros tratos ou penas cruéis, inumanos ou degradantes, nem invocar a ordem de um superior ou circunstâncias especiais, como estado de guerra ou ameaça de guerra, ameaça à segurança nacional, instabilidade política interna, ou qualquer outra emergência pública, como justificação da tortura ou outros tratos ou penas cruéis, inumanos ou degradantes; Art. 6. Os funcionários encarregados de fazer cumprir a lei assegurarão a plena proteção da saúde das pessoas sob sua custódia e, em particular, tomarão medidas imediatas para proporcionar atenção médica quando se precise".

[120] Cf. ORGANIZAÇÃO DAS NAÇÕES UNIDAS (ONU). *Princípios Básicos sobre o Uso da Força e Armas de Fogo pelos Funcionários Responsáveis pela Aplicação da Lei*, adotados por consenso em 7 de setembro de 1990, por ocasião do Oitavo Congresso das Nações Unidas sobre a Prevenção do Crime e o Tratamento dos Delinquentes. Disponível em: <http://www.unodc.org/ pdf/compendium/compendium_2006_part_04_01.pdf>. Acesso em: 10 de jan. de 2013. No último considerando deste documento se lê o compromisso dos governos em torno da normatização dos padrões de uso da força: "Os Princípios Básicos enunciados a seguir, que foram formulados com o propósito de assistir os Estados membros na tarefa de assegurar e promover a adequada missão dos funcionários responsáveis pela aplicação da lei, devem ser tomados em consideração e respeitados pelos governos no âmbito da legislação e da prática nacionais, e levados ao conhecimento dos funcionários responsáveis pela aplicação da lei e de outras pessoas, tais como juízes, agentes do Ministério Público, advogados, membros do Executivo e do Legislativo, bem como do público em geral.". E, adiante, pela relevância para este trabalho, vejamos estas outras disposições: "4. No

documento de 1990), é absolutamente tardia e tímida: só veio a ocorrer por meio de uma portaria interministerial com publicação efetiva em janeiro de 2011[121].

Parâmetros muito gerais, embora sob o formato de garantia fundamental albergada na Constituição, tendem, infelizmente, em democracias aspirantes como a nossa, a não encontrar a ressonância prática desejada. Aliás, já ao tempo da aprovação do referido "Código de Conduta para Funcionários Encarregados de Fazer Cumprir a Lei", a própria ONU tinha isso muito claro. Não por outra razão a mensagem do documento consignou "(...) Que as normas, enquanto tais, carecem de valor prático, a menos que o seu conteúdo e significado seja inculcado em todos os funcionários responsáveis pela aplicação da lei, mediante educação, formação e controle", recomendando aos governos "que encarem favoravelmente a sua utilização no quadro da legislação e prática nacionais como conjunto de princípios que deverão ser observados pelos funcionários responsáveis pela aplicação da lei" (ou seja, a recomendação não olvidava a importância da lei na ancoragem dos parâmetros oferecidos).

E se a normatividade das ações em foco é baixa, como visto, na prática das instituições a transmissão do paradigma humanitário não haveria de ser melhor (até por direta consequência da aludida subnormatização). No ponto ainda há que se observar que os comandantes-em-chefe das polícias militares no Brasil são os respectivos governadores de cada estado[122], o que, de imediato, dá a ver o quanto as ações concretas das polícias militares no País estão sujeitas aos influxos

cumprimento das suas funções, os responsáveis pela aplicação da lei devem, na medida do possível, aplicar meios não-violentos antes de recorrer ao uso da força e armas de fogo. O recurso às mesmas só é aceitável quando os outros meios se revelarem ineficazes ou incapazes de produzirem o resultado pretendido. (...) 9. Os responsáveis pela aplicação da lei não usarão armas de fogo contra pessoas, exceto em casos de legítima defesa própria ou de outrem contra ameaça iminente de morte ou ferimento grave; para impedir a perpetração de crime particularmente grave que envolva séria ameaça à vida; para efetuar a prisão de alguém que represente tal risco e resista à autoridade; ou para impedir a fuga de tal indivíduo, e isso apenas nos casos em que outros meios menos extremados revelem-se insuficientes para atingir tais objetivos. Em qualquer caso, o uso letal intencional de armas de fogo só poderá ser feito quando estritamente inevitável à proteção da vida".

[121] Cf. BRASIL. Portaria Interministerial n. 4.226, de 31 de dezembro de 2010. Estabelece Diretrizes sobre o Uso da Força pelos Agentes de Segurança Pública. *Diário Oficial da União*, Brasília, 3 de jan. de 2011.

[122] Cf. o Art. 144, §6º da Constituição Federal (BRASIL. Constituição da República Federativa do Brasil. *Diário Oficial da União*, Brasília, 5 de out. de 1988).

políticos: se o governador ostenta um discurso por mais "dureza", ou de "guerra" ao crime, o reflexo na ponta (na rua) será de um tipo (mais letal, evidentemente); ao contrário, se o governador discursa numa linha de enfrentamento da criminalidade conforme aos direitos humanos (ou ao menos sem inserir em sua fala elementos que flertem com o avesso disso[123]), a ação, na ponta, tende a ser outra, menos ofensiva.

Para que se tenha uma noção mais concreta do que estamos a tratar, tomemos a estatística entre os anos de 2003 até o mês de setembro de 2009, referente ao número de óbitos produzidos por intervenções policiais nos estados do Rio de Janeiro e de São Paulo: contam-se 11.010 pessoas mortas em ações das forças de segurança nessas unidades da Federação (em números oficiais), em ações registradas sob os dizeres "autos de resistência" e "resistência seguida de morte", respectivamente[124]. Ou seja, todos óbitos que teriam se dado ao abrigo da causa de justificação da legítima defesa (!?)[125].

Por outro lado, entre 2004 e 2008, enquanto a ROTA (Rondas Ostensivas Tobias de Aguiar, órgão do Comando de Policiamento de Choque de São Paulo) matou 305 pessoas e feriu 20, registrou-se a morte de um policial apenas. No Rio de Janeiro, no ano 2008, em 10 zonas específicas de policiamento militar, foram mortas 825 pessoas, contra um número de 12 policiais mortos no mesmo período[126].

---

[123] Elementos tais como "tolerância zero", "guerra", "batalha", "combate", ou com designações do crime como "doença", "epidemia", "surto", algo que, portanto, precisa ser "erradicado", juntamente com os "agentes patológicos" que induzem o mal etc.

[124] Cf. HUMAN RIGHTS WATCH. *Força Letal. Violência Policial e Segurança Pública no Rio de Janeiro e em São Paulo.* New York: HRW, 2009, p. 22. Disponível em: <http://www.hrw.org/en/reports/2009/12/08/letal-0>. Acesso em: 8 de set. de 2010.

[125] Na esteira da referida influência política sobre a ação da polícia ostensiva, e a demonstrar que a recíproca também é verdadeira, observemos a frase do governador de São Paulo proferida em resposta a questionamento sobre mais uma *resistência seguida de morte* verificada: "quem não reagiu, está vivo" (Cf. INSTITUTO BRASILEIRO DE CIÊNCIAS CRIMINAIS – IBCCRIM – Editorial. Na guerra entre a polícia e o crime a vítima é o povo pobre. *Boletim IBCCRIM*, São Paulo, Ano 20, n. 241, p. 1, dez. 2012).

[126] Cf. HUMAN RIGHTS WATCH. *Força Letal. Violência Policial e Segurança Pública no Rio de Janeiro e em São Paulo.* New York: HRW, 2009, p. 4. Disponível em: <http://www.hrw.org/en/reports/2009/12/08/letal-0>. Acesso em: 8 de set. de 2010.

Em São Paulo, no terceiro trimestre de 2012, a cada 5 indivíduos assassinados um foi morto pela polícia militar, sendo que o número de policiais feridos no mesmo período (o menor da última década) é 57% menor que no terceiro trimestre de 2011. Na capital do estado, o número de mortos por policiais em serviço foi 86% maior no terceiro trimestre de 2012 em comparação com o mesmo período de 2011.[127] Este cenário levou o IBCCRIM a se pronunciar em dezembro de 2012, por meio de editorial do boletim intitulado "Na guerra entre a polícia e o crime, a vítima é o povo pobre", anotando que sob "o sempre conveniente pálio da guerra contra organizações criminosas, está em curso um genocídio que atinge membros das classes subalternizadas que vivem nas zonas periféricas da Grande São Paulo"[128].

Embora o choque provocado pelos números pudesse indicar alguma mudança em nível legislativo no Brasil que legitimasse normativamente uma ação policial com tamanha violência, o que se constata é que sempre estivemos sob a égide de uma mesma Constituição, com interditos muito claros às ações de polícia desse jaez. No plano infraconstitucional, se bem que as mudanças legislativas em nível ordinário estejam a evidenciar um constante endurecimento do sistema penal nas últimas décadas[129] – como já observado, em contributo sub-reptício inegável ao fenômeno em tela –, não há uma única lei que valide explicitamente essa política criminal de extermínio verificada.

Observemos, ainda, pesquisa sobre ações policiais com morte realizada a partir de dados colhidos em São Paulo (em 1999) e Rio de Janeiro (entre 1993-1996). Ela apurou os seguintes resultados: o número de 13,1 civis mortos para cada policial morto em São Paulo, enquanto no Rio de Janeiro a relação foi de 37,4 por um; média de perfurações por arma de fogo por cadáver na ordem de 3,2 em São Paulo e de 4,3 no Rio de Janeiro; disparos na parte posterior do corpo (nas costas) em 51% dos cadáveres em São Paulo e 65% no Rio de Janeiro; disparos na cabeça em 36% dos cadáveres em São Paulo e 61% no Rio de Janeiro; 44%

---

[127] Cf. SOU DA PAZ. SDP ANALISA. NÚCLEO DE ANÁLISE DE DADOS DO INSTITUTO SOU DA PAZ. Dados divulgados pela Secretaria da Segurança Pública de São Paulo. 3º Trimestre de 2012. Disponível em: <http://www.soudapaz.org/Portals/0/Downloads/Conhecimento-SDP-RELATORIO-terceiro-trimestre-2012_07_11_2012_baixa.pdf>. Acesso em: 15 de jan. de 2013.

[128] Cf. IBCCRIM (editorial). Na guerra entre a polícia e o crime a vítima é o povo pobre. *Boletim IBCCRIM*, São Paulo, Ano 20, n. 241, p. 1, dez. 2012.

[129] Cf. FRANCO, Alberto Silva, idem, p. 570.

dos casos em São Paulo e 83% no Rio de Janeiro não tinham testemunha, ou não tinham testemunha civil; 73% das vítimas em São Paulo e 78% no Rio de Janeiro morreram no hospital; sendo que 54% dos mortos em São Paulo e 65% no Rio de Janeiro eram pretos ou pardos[130].

Realmente os números descortinam um tipo de ação estatal sistemática, levada a cabo ao longo de vários anos, a plasmar, como dito, genuína política criminal (ou, deveríamos dizer, *criminosa*) de polícia. Estarrecem pela metodologia que desnudam: mata-se, e muito, nos dois estados, e encobre-se, seja pela simulação de socorro à vítima (esvaziando um possível conteúdo probatório da cena do crime), seja, é claro, pela óbvia ausência de testemunhas dispostas a depor contra policiais.

Notemos o complexo conjunto de ações em foco, que envolvem: recrutamento, treinamento, ação concreta, encobrimento, atingimento "com sucesso" do objetivo visado (redução do número de "criminosos" pela sumária aplicação da pena de morte, numa lógica perversa, por certo, de fins que justificam os meios, grotescamente inconstitucional).

Não fosse apenas isso, constatamos uma cumplicidade muito evidente de parte do órgão constitucionalmente responsável pela fiscalização das polícias, que diante dos já mencionados casos de "autos de resistência" ou de "resistência seguida de morte", promove pelo arquivamento em vista de legítima defesa no curso do estrito cumprimento do dever legal, *interpretatio* que, se não encontrar um magistrado igualmente colaborativo para o lacônico carimbo de "arquive-se", há de encontrar o devido suporte na pena do procurador-geral[131].

---

[130] Cf. CANO, Ignacio. Execuções Sumárias no Brasil: o uso da força pelos agentes do Estado. In: CENTRO DE JUSTIÇA GLOBAL e NÚCLEO DE ESTUDOS NEGROS. *Execuções Sumárias no Brasil – 1997/2003.* Org.: Sandra Carvalho. Rio de Janeiro: CJG: NEN, 2003, p. 11-21. Disponível em: <*www.ovp-sp.org/relatorio_just_global_exec_97_03.pdf*> Acesso em: 2 de set. de 2010.

[131] Considerado o procedimento estatuído para a hipótese: "Art. 28. Se o órgão do Ministério Público, em vez de apresentar a denúncia, requerer o arquivamento do inquérito policial ou de quaisquer peças de informação, o juiz, no caso de considerar improcedentes as razões invocadas, fará remessa do inquérito ou peças de informação ao procurador-geral, e este oferecerá a denúncia, designará outro órgão do Ministério Público para oferecê-la, ou insistirá no pedido de arquivamento, ao qual só então estará o juiz obrigado a atender" (cf. BRASIL. Decreto-Lei n. 3.689, de 3 de out. de 1941. Institui o Código de Processo Penal. *Diário Oficial da União*, Brasília, 13 de out. de 1941). Ou, cf. CANO: "Em suma, a autoridade policial começa muitas vezes o procedimento

E embora se viva em um ambiente de completa liberdade de imprensa, a grande mídia tem sido uma peça-chave na perpetuação dessa verdadeira chacina social, o que até o menos avisado pode perceber se considerar a ampla cobertura concedida às ações policiais na maioria dos veículos de comunicação (jornal/revista/rádio/tv/internet), e inclusive pela formatação de programas inteiramente calcados no acompanhamento (físico, até; e transmitidos ao vivo, muitas vezes) das intervenções policiais de periferia, valendo acrescer também as produções ao estilo "*linha direta*", verdadeiras telenovelas.

A mídia hegemônica, assim, quando não busca substituir a polícia na investigação de fatos penais da sua agenda[132], incentiva o agir violento-homicida policial pela supercobertura que dedica ao tema da violência criminal, quase sempre enaltecendo as ações duras/enérgicas das forças de segurança pública, com o que lhes conferem o selo da *boa prática policial* (que, ao fim e ao cabo, significa apenas *tratar bandido como bandido* – algo muito "*justo*" e de acordo com o respectivo senso comum[133]).

---

apuratório omitindo a morte como fato a ser apurado e, com a anuência do Ministério Público e do Judiciário, os fatos conseguem muitas vezes completar o percurso de uma impunidade total. Trata-se de uma impunidade por invisibilidade, já que o "homicídio" desaparece desde o ponto de vista processual e legal" (cf. CANO, Ignacio, op. cit., p. 19).

[132] Em um processo de executivização a partir das agências de comunicação social, assim como identificado por BATISTA, pelo qual a mídia vem procurando pautar as agências do sistema penal ou, até, tomar o lugar de algumas delas, para apurar fatos e "*condenar*" culpados, entregando os resultados, após, às agências do sistema verdadeiramente responsáveis por estas atuações. Procuram, assim, demonstrar "como a justiça deveria ser feita", ainda que para tanto violem sistematicamente direitos constitucionais básicos, como a presunção de inocência, o devido processo legal, a ampla defesa, o contraditório etc. (cf. BATISTA, Nilo. *Mídia e Sistema Penal no Capitalismo Tardio.* Rio de Janeiro, 2003, p. 01-20. Disponível em: <http://www.bocc.ubi.pt /_esp/autor.php ?codautor=734>. Acesso em: 3 de out. de 2006). Ou, na percepção de Sylvia Moretszohn, em uma atuação de *vigilantismo* da imprensa(cf. MORETSZOHN, Sylvia. *O Caso Tim Lopes:* o Mito da Mídia Cidadã. Rio de Janeiro, 2003, p. 01-28. Disponível em: <http://www.bocc.ubi.pt/pag/moretzsohn-sylvia-tim-lopes.pdf>. Acesso em: 3 de out. de 2006).

[133] Sobre a sistemática ação da mídia construindo a figura do inimigo (preto e pobre) e definindo o *locus* do mal (a favela, a periferia), sobre os quais, então, se orientará *legitimamente* a ação de polícia, ver MORETSZOHN, Sylvia. *Imprensa e Criminologia:* o papel do jornalismo nas políticas de exclusão social. Rio de Janeiro, 2003, p. 1-38. Disponível em: <http://www.bocc.ubi.pt/pag/moretzsohn-sylvia-imprensa-criminologia.pdf>. Acesso em: 3 de out. de 2006.

Contudo, a letalidade da ação policial é um fenômeno complexo, porquanto não é tributário, evidentemente, apenas da sua interação com a mídia. Há uma programação político-criminal (espécie de restolho autoritário) que molda o comportamento homicida em foco. Acreditamos que ela deflui, principalmente, da formação militarizada tradicional das nossas polícias ostensivas, que ainda trabalha com a ideia de que respeitar direitos humanos implica que "a polícia será menos eficiente"[134].

Em tese os cursos de formação ensinam que a lógica da guerra não pode ser aplicada ao policiamento urbano, que não se está a lidar com inimigos (quem se deve neutralizar), mas com cidadãos (quem se deve, se for o caso, prender). Daí o importante aprendizado da proporção do uso da força, tudo resultando em uma polícia ciosa da necessidade de observância estrita aos direitos humanos[135].

Na prática, porém, a política criminal é outra, identificável enfaticamente no treinamento dos grupos militares especiais que, via de regra, são os responsáveis pelas incursões armadas nos bairros da periferia, ou, no dizer de um coronel carioca ao definir a PM, ela "é o melhor inseticida social"[136]. Ou ainda, na sensibilidade de BATISTA:

---

[134] Cf. SOARES, Luiz Eduardo; BILL, MV; ATHAYDE, Celso. *Cabeça de Porco*. Rio de Janeiro: Objetiva, 2005, p. 266-270.

[135] Cf. SOARES, Luiz Eduardo; BILL, MV; ATHAYDE, Celso, op. cit.

[136] A frase foi proferida pelo coronel Marcus Jardim, então comandante de Policiamento da Capital do Estado do Rio de Janeiro, em 15 de abr. de 2008, dia da morte de nove "traficantes" durante uma intervenção do BOPE em um morro carioca. Dada a profundidade do raciocínio, cabe reproduzi-lo: "*[a]manhã o pau na vagabundagem continua. A PM é o melhor inseticida contra a dengue. Conhece aquele produto, [inseticida] SBP? Tem o SBPM. Não fica mosquito nenhum em pé. A PM é o melhor inseticida social*" (UNIVERSO ONLINE – UOL. *"Para coronel, Polícia Militar é o 'melhor inseticida social' no Rio de Janeiro"*. Disponível em: <http://www1.folha.uol.com.br/folha/ cotidiano/ult95u392620.shtml>. Acesso em: 12 de ago. de 2009. Ainda sobre a natureza do treinamento do BOPE, vejamos as considerações de SOARES, BATISTA e PIMENTEL: "O BOPE não foi preparado para enfrentar os desafios da segurança pública. Foi concebido e adestrado para ser máquina de guerra. Não foi treinado para lidar com cidadãos e controlar infratores, mas para invadir territórios inimigos. Tropas similares servem-se de profissionais maduros. O BOPE acelerava meninos de 20 e poucos anos até a velocidade de cruzeiro do combate bélico. Vamos cobrar a loucura da guerra a quem foi treinado para matar? Nos exercícios diários, os soldados do BOPE aprendem a entoar seus cantos de guerra: 'Homem de preto / qual é sua missão / É invadir favela / e deixar corpo no chão'; 'Você sabe quem eu sou? / Sou o maldito cão de guerra /

"Assim, por exemplo, quando a polícia mensalmente executa (valendo-se de expedientes encobridores os mais diversos, da simulação de confronto ao chamamento à autoria de gangues rivais) um número constante de pessoas, verificando-se ademais que essas pessoas têm a mesma extração social, faixa etária e etnia, não se pode deixar de reconhecer que a política criminal formulada para e por essa polícia contempla o extermínio como tática de aterrorização e controle do grupo social vitimizado – mesmo que a Constituição proclame coisa diferente.[137]"

E essa proclamação de coisa diversa pela ação policial homicida, em nítida política criminal que se coloca no plano concreto em frontal colisão, insistimos, com os direitos fundamentais albergados em nossa Constituição, sem, portanto, qualquer parâmetro normativo que lhe dê sustentação, enfatiza a relevância e a necessidade do debate em torno do problema. Embora esse registro, observamos que os aprofundamentos necessários excederiam os limites propostos para a presente investigação, que circunscreve o seu olhar, com veremos a seguir, à realidade do sistema penitenciário brasileiro e às suas implicações.

Sou treinado para matar / Mesmo que custe minha vida / a missão será cumprida / seja ela onde for / – espalhando a violência, a morte e o terror'; 'Sou aquele combatente, / que tem o rosto mascarado; / uma tarja negra e amarela / que ostento em meus braços / me faz ser incomum: / um mensageiro da morte. / Posso provar que sou um forte, / isso se você viver. / Eu sou ... herói da nação'; 'Alegria, alegria / sinto no meu coração, / pois já raiou um novo dia, / já vou cumprir minha missão. / Vou me infiltrar na favela / com meu fuzil na mão / vou combater o inimigo, / provocar destruição'; 'Se perguntas de onde venho / e qual é minha missão: / trago a morte o desespero, / e a total destruição'; 'Sangue frio em minhas veias, / congelou meu coração, / nós não temos sentimentos, / nem tampouco compaixão / nós amamos os cursados / e odiamos pés-de--cão' [obs.: cursados=BOPE; pés-de-cão=tropa comum)]; 'Comandos, comandos / e o que mais vocês são? / Somos apenas / malditos cães de guerra / somos apenas / selvagens cães de guerra.'." (cf. SOARES, Luiz Eduardo; BATISTA, André; PIMENTEL, Rodrigo. *Elite da Tropa*. Rio de Janeiro: Objetiva, 2006, p. 08-11).

[137] Cf. BATISTA, Nilo. Política Criminal com Derramamento de Sangue.*Revista Brasileira de Ciências Criminais*, São Paulo, v. 20, 1997, p. 129.

1.3.3 Legislação constitucional aplicada inconstitucionalmente: a LEP e a omissão estatal penitenciária

Se é indesejável que o Estado aja dando aplicação a uma lei inconstitucional, embora se saiba que ele o fará, em regra, até o correspondente decreto dessa inconstitucionalidade pelo Poder Judiciário, e menos desejável ainda que ele atue sem parâmetros normativos imediatos, é extremamente indesejável, insidiosa até, a ação estatal em sentido inconstitucional, mas a partir de lei conforme, que simplesmente ignora, desrespeita.

Embora com traços de inconstitucionalidade (alguns recém-apontados), a Lei de Execução Penal brasileira contém várias disposições orientadas à promoção de garantias fundamentais como a dignidade da pessoa humana, a proibição da tortura ou qualquer outro tratamento desumano ou degradante, o respeito à integridade física e moral dos presos, a pessoalidade/intranscendência da pena, a individualização da pena – inclusive pela classificação dos reclusos, e, inclusive, os direitos sociais de toda a pessoa condenada etc[138].

No âmbito do sistema penitenciário nacional, entretanto, com um efetivo carcerário na casa de 574.027 presos até junho de 2013 (com uma taxa de 300,96

---

[138] Assim, *v.g*, vejamos os seguintes dispositivos, emblemáticos, da LEP: "Art. 10. A assistência ao preso e ao internado é dever do Estado, objetivando prevenir o crime e orientar o retorno à convivência em sociedade. Parágrafo único. A assistência estende-se ao egresso. Art. 11. A assistência será: I – material; II – à saúde; III -jurídica; IV – educacional; V – social; VI – religiosa. (...) Art. 88. O condenado será alojado em cela individual que conterá dormitório, aparelho sanitário e lavatório. Parágrafo único. São requisitos básicos da unidade celular: a) salubridade do ambiente pela concorrência dos fatores de aeração, insolação e condicionamento térmico adequado à existência humana; b) área mínima de 6,00m^2 (seis metros quadrados). Art. 89. Além dos requisitos referidos no art. 88, a penitenciária de mulheres será dotada de seção para gestante e parturiente e de creche para abrigar crianças maiores de 6 (seis) meses e menores de 7 (sete) anos, com a finalidade de assistir a criança desamparada cuja responsável estiver presa. Parágrafo único. São requisitos básicos da seção e da creche referidas neste artigo: I – atendimento por pessoal qualificado, de acordo com as diretrizes adotadas pela legislação educacional e em unidades autônomas; II – horário de funcionamento que garanta a melhor assistência à criança e à sua responsável" (cf. BRASIL. Lei n. 7.210 de 11 de jul. de 1984. Institui a Lei de Execução Penal. *Diário Oficial da União*, Brasília, 13 de jul. de 1984).

presos por 100 mil habitantes)[139] e um déficit de vagas que em 2007 já era da ordem de 147.179[140] e, atualmente, saltou para 256.294[141], a realidade expõem a nu a diária violação de direitos fundamentais em marcha no País.

Realidade que não é diversa no âmbito da infância e da juventude, especialmente nas instituições que executam as medidas socioeducativas de internação de adolescentes autores de atos infracionais[142], sendo que, em 2009, o Brasil já contava com uma população de 16.940 internos[143] nessa situação. Cenário

---

[139] Cf. BRASIL. MINISTÉRIO DA JUSTIÇA. DEPARTAMENTO PENITENCIÁRIO NACIONAL. Sistema Integrado de Informações Penitenciárias – INFOPEN. *Formulário Categoria e Indicadores Preenchidos. Todas UF's. Jun. 2013.* Disponível em: <http://www.justica.gov.br/seus-direitos/politica-penal/ transparencia-institucional/estatisticas-prisional/anexos-sistema-prisional/total-brasil-junho-2013.pdf>. Acesso em: 5 de jan. de 2013. Participando da estatística no quesito do total de presos no sistema penitenciário brasileiro, merece referência o número de presos provisórios no Brasil. Em 2011 (último dado disponível), andava na cifra de 173.818 pessoas recolhidas: a comprovar, de maneira muito eloquente, o abuso das prisões processuais no País, em detrimento da já referida garantia da liberdade (cf. FÓRUM BRASILEIRO DE SEGURANÇA PÚBLICA. *Anuário Brasileiro de Segurança Pública 2012,* p. 57. Disponível em: <http://www2.forumseguranca.org.br/node/32131>. Acesso em: 7 de jan. de 2013).

[140] Cf. BRASIL. MINISTÉRIO DA JUSTIÇA. DEPARTAMENTO PENITENCIÁRIO NACIONAL. COMISSÃO DE MONITORAMENTO E AVALIAÇÃO. *População Carcerária Brasileira (Quinquênio 2003-2007). Evolução e Prognósticos,* p. 31. Disponível em: <http://portal.mj.gov.br/data/Pages/MJE7CD13 B5ITEMID2FEEC93 DDE6345B4B1E45071A0091908PTBRNN.htm>. Acesso em: 20 de out. de 2010.

[141] Cf. BRASIL. MINISTÉRIO DA JUSTIÇA. DEPARTAMENTO PENITENCIÁRIO NACIONAL. Sistema Integrado de Informações Penitenciárias – INFOPEN. *Formulário Categoria e Indicadores Preenchidos. Todas UF's. Jun. 2013,* op. cit.

[142] Nesse rumo, *v.g.*: HUMAN RIGHTS WATCH. *Na Escuridão. Abusos Ocultos Contra Jovens Internos no Rio de Janeiro.* New York: HRW, 2005. Disponível em: <http://www.hrw.org/en/reports/2005/06/08/dark-0>. Acesso em: 30 de out. de 2010; e, RAMOS, Maria Augusta. *Juízo. O maior exige do menor.* Documentário. São Paulo: VideoFilmes, 2007.

[143] Cf. PRESIDÊNCIA DA REPÚBLICA. Secretaria Especial dos Direitos Humanos da Presidência da República. – SEDH/PR/Subsecretaria de Promoção dos Direitos da Criança e do Adolescente – SPDCA. *Levantamento nacional do atendimento socioeducativo ao adolescente em conflito com a lei 2008 e 2009; Fórum Brasileiro de Segurança Pública.* Disponível em: <http://www2.forumseguranca.org.br/lista/estatisticas>. Acesso em: 7 de jan. de 2013.

idêntico também pode ser verificado, Brasil afora, nos institutos responsáveis pela execução das medidas de segurança[144].

Em todas as três áreas, do ingresso à saída, a carestia é total. Sobrevive-se em um contexto de estúpida superlotação, onde faltam as mínimas condições de habitação e sanitárias: sobram prédios em ruínas, sem estrutura sanitária ou de prevenção a incêndio, onde presos provisórios encontram-se misturados aos definitivos e, todos, em contato com os portadores de doenças infectocontagiosas etc. Quanto à assistência material, na maioria das vezes os colchões, as cobertas, as roupas, e boa parte (senão a maior parte) dos alimentos e dos remédios, em vez de serem fornecidos pelo Estado, são trazidos pelos familiares. Assistências médica, odontológica, psicológica, social, educacional e jurídica, então, são verdadeiros artigos de luxo no sistema: morre-se de causas banais por falta de tratamento adequado e proliferam doenças desde há muito já controladas no meio livre, como a tuberculose. Nas maiores penitenciárias, sequer o Estado governa o interior dos estabelecimentos, cuja gestão é entregue a "plantões de galeria", ou a "chaveiros", ou a "prefeitos", que nada mais são que lideranças criminosas encarregadas de conter a massa carcerária. O Estado não guarda mais que o muro e alguns espaços administrativos dessas grandes unidades: no interior é livre o comércio ilegal de drogas, telefones, armas, espaço físico, alimentos inflacionados etc., além de funcionar como um verdadeiro centro de operações para o lançamento de diversas ações criminosas no exterior. Soa até pleonástico dizer, neste contexto, que o Estado não garante a saúde, a integridade física e a vida de quem quer que seja no sistema, nem mesmo dos funcionários e dos visitantes (estes últimos, aliás, que cumprem a pena junto com o familiar preso, e isso não só porque o sustentam em suas necessidades materiais básicas – como dito acima –, mas porque são submetidos, a cada ingresso, a revistas degradantes cujo constrangimento é difícil descrever em palavras.

---

[144] É recente a compilação de dados estatísticos em nível nacional no tema das medidas de segurança. Encontramos dados informando a existência de 4.250 pessoas em medida de segurança em 2010 (3.370 internas e 880 em tratamento ambulatorial) e 3.938 pessoas em 2011 (3.247 internas e 691 em tratamento ambulatorial) – cf. FÓRUM BRASILEIRO DE SEGURANÇA PÚBLICA. *Anuário Brasileiro de Segurança Pública 2012*, p. 56. Disponível em: <http://www2.forumseguranca.org.br/node/32131>. Acesso em: 7 de jan. de 2013. Sobre a triste realidade dos manicômios judiciários brasileiros vale assistir ao documentário de DINIZ, Debora. *A Casa dos Mortos*. Documentário. Brasília: ImagensLivres, 2009.

Falar, portanto, a alguém desse círculo (preso, familiar ou funcionário) em intranscendência da pena, na proibição da tortura ou qualquer outro tratamento desumano ou degradante, no respeito à integridade física e moral, em individualização da pena, ou, em resumo, em dignidade da pessoa humana, não é mais que tecer uma lista de boas intenções, sem concretude alguma, porém.

Esse nefasto panorama, é importante referir, foi objeto de um louvável trabalho de diagnóstico empreendido pela Câmara Federal dos Deputados, por meio da Comissão Parlamentar de Inquérito do Sistema Carcerário, encerrada em 2009. O seu relatório final, com 620 páginas, debulha um rosário de atrocidades perpetradas em presídios, penitenciárias e cadeias públicas do norte ao sul do Brasil, instituindo-se como genuíno marco referencial a orientar as urgentes ações devidas pelo Estado neste segmento[145].

Igualmente merece referência aqui, também para ilustração da realidade prisional exposta, a recente representação por "[v]iolação dos direitos humanos no Presídio Central de Porto Alegre (PCPA)"[146], endereçada à Comissão Interamericana de Direitos Humanos da Organização dos Estados Americanos. Neste trabalho, que já foi recebido e se encontra atualmente em fase de processamento perante a CIDH[147], está radiografada aquela

---

[145] Cf. BRASIL. CONGRESSO NACIONAL. CÂMARA DOS DEPUTADOS. CPI DO SISTEMA CARCERÁRIO. Comissão Parlamentar de Inquérito com a finalidade de investigar a realidade do Sistema Carcerário Brasileiro, com destaque para a superlotação dos presídios, custos sociais e econômicos desses estabelecimentos, a permanência de encarcerados que já cumpriram a pena, a violência dentro das instituições do sistema carcerário, corrupção, crime organizado e suas ramificações nos presídios e buscar soluções para o efetivo cumprimento da Lei de Execução Penal – LEP. Brasília: Câmara dos Deputados, Edições Câmara, 2009.

[146] Cf. BRASIL. FÓRUM DA QUESTÃO PENITENCIÁRIA (Associação dos Juízes do Rio Grande do Sul – Ajuris, Instituto Transdisciplinar de Estudos Criminais – !TEC, Conselho Regional de Medicina do Estado do Rio Grande do Sul – Cremers, Associação dos Defensores Públicos do Estado do Rio Grande do Sul – ADPERGS, Conselho da Comunidade para Assistência aos Apenados das Casas Prisionais de Porto Alegre, Themis Assessoria de Jurídica e Estudos de Gênero, Instituto Brasileiro de Avaliações e Perícias de Engenharia – Ibape, Ordem dos Advogados do Brasil Seção do Estado do Rio Grande do Sul – OABRS, Associação do Ministério Público do Estado do Rio Grande do Sul – AMPRS). *Representação*: *Pessoas Privadas de Liberdade no 'Presídio Central de Porto Alegre' – PCPA* – MC-8-13). Disponível em: <http://www.ajuris.org.br/ images/banners/ representacao-pcpa-oea-internet-08-01-2013.pdf>. Acesso em: 17 de fev. de 2013.

[147] O Brasil, inicialmente, foi notificado a prestar as seguintes informações sobre o Presídio Central

de Porto Alegre – PCPA: "1. as medidas de controle que as autoridades pertinentes desenvolvem no interior do estabelecimento prisional, com o objetivo de proteger a vida e a integridade pessoal de todas as pessoas privadas de liberdade no PCPA; 2. detalhes sobre a assistência médica que é proporcionada às pessoas privadas de liberdade no presídio. Em particular, às pessoas com doenças infectocontagiosas; 3. se estão sendo adotadas medidas (e em caso afirmativo, quais) destinadas a reduzir, num curto prazo, a superpopulação do PCPA; 4. se existem planos de emergência contra incêndios no estabelecimento; 5. quaisquer outras informações que julgar relevantes para a análise sobre o pedido de medidas cautelares.". Cf. ORGANIZAÇÃO DOS ESTADOS AMERICANOS (OEA). COMISSÃO INTERAMERICANA DE DIREITOS HUMANOS (CIDH). Ofício da OEA na MC-8-13, datado de 11 de fev. de 2013. Disponível em: <http://www.itecrs.org/mc8-13_reCIDH.pdf>. Acesso em: 17 de fev. de 2013. Posteriormente, em 30 de dezembro de 2013, em vista das informações oferecidas pelo Brasil, a Comissão Interamericana de Direitos Humanos – CIDH concedeu medidas cautelares em favor dos presos do PCPA. Disse a Comissão: "[l]evando em consideração a informação fornecida, avaliada em seu conjunto, e à luz do critério de apreciação *prima facie* próprio do mecanismo de medidas cautelares, a Comissão considera que os direitos à vida e integridade pessoal dos internos do Presídio Central de Porto Alegre se encontram em grave risco (...) a CIDH observa que não recebeu informação substancial orientada a desvirtuar os elementos centrais de possível risco que configuram o presente assunto. Em particular, a respeito dos esforços das autoridades estatais para obter um controle efetivo de certas áreas do centro penitenciário – em estrio apego aos direitos humanos, das pessoas privadas de liberdade –, eliminar os altos índices de superlotação que poderiam propiciar atos de violência e adotar medidas orientadas a dotar o centro penitenciário de pessoal de custódia suficiente, entre outras ações. Nesse sentido, dadas as particularidades específicas do PCPA, a Comissão considera necessária a adoção de medidas suficientes e efetivas para responder as diversas situações de risco descritas pelos solicitantes. (...) Quanto ao requisito de irreparabilidade, a Comissão a comissão considera que foi cumprido, na medida em que a possível violação do direito à vida e integridade pessoal constitui a máxima situação de irreparabilidade. (...) Em consequência, a Comissão solicita ao governo do Brasil que: a) adote as medidas necessárias para salvaguardar a vida e a integridade pessoal dos internos do Presídio Central de Porto Alegre; b) assegure condições de higiene no recinto e proporcione tratamentos médicos adequados para os internos, de acordo com as patologias que estes apresentem; c) implemente medidas afim de recuperar o controle de segurança em todas as áreas do PCPA, seguindo os padrões internacionais de direitos humanos e resguardando a vida e integridade pessoal de todos os internos e, em particular, garantindo que sejam os agentes das forças de segurança do estado os encarregados das funções de segurança interna e assegurando que não sejam conferidas funções disciplinares, de controle ou de segurança aos internos; d) implemente um plano de contingência e disponibilize extintores de incêndio e outras ferramentas necessárias; e) tome ações imediatas para reduzir substancialmente a lotação do interior do PCPA" (cf. ORGANIZAÇÃO DOS ESTADOS AMERICANOS (OEA). COMISSÃO INTERAMERICANA

que é tida como a pior unidade prisional brasileira[148], uma verdadeira "masmorra do século XXI"[149].

Isso tudo enquanto o governo brasileiro comemorava a saúde e a arrecadação recorde do Fundo Penitenciário Nacional (Funpen)[150], cuja finalidade é proporcionar recursos e meios para financiar e apoiar as atividades de modernização e aprimoramento do Sistema Penitenciário Brasileiro[151]: o fundo coletou 393 milhões de reais em 2011, com previsão de um aporte de mais de 350 milhões de reais para 2012, tendo acumulado desde a sua criação (de 1994 até 2011) uma arrecadação total de quase 3 bilhões de reais[152].

Daí, não poderia ser mais adequada a taxação feita à abertura deste item, de insidiosa, pérfida, a ação estatal que propositadamente desrespeita norma (em gênero) constitucional como a LEP, optando pela materialização de uma realidade completamente inconstitucional.

DE DIREITOS HUMANOS (CIDH). *Resolução* n. 14/2013. Medida Cautelar n. 8-13, de 30 de dez. de 2013. Disponível em: <http://www.ajuris.org.br/sitenovo/wp-content/uploads/2014/01/Medida-Cautelar-Pres%C3%ADdio-Central-30-12-2013.pdf>. Acesso em: 9 de maio de 2015).

[148] Cf. o *ranking* elaborado pela aludida CPI do Sistema Carcerário em seu relatório (cf. BRASIL. CONGRESSO NACIONAL. CÂMARA DOS DEPUTADOS. CPI DO SISTEMA CARCERÁRIO, op. cit., p. 488).

[149] Ainda cf. o relatório da mesma CPI (cf. BRASIL. CONGRESSO NACIONAL. CÂMARA DOS DEPUTADOS. CPI DO SISTEMA CARCERÁRIO, idem, p. 170).

[150] Cf. BRASIL. MINISTÉRIO DA JUSTIÇA. *Fundo Penitenciário Nacional bate recorde de arrecadação e dotação*. Disponível em: <http://portal.mj.gov.br/main.asp?View={FB3ADAA8-2180-4AC8-BF99-544D4 CC507EA}&BrowserType=NN&LangID=pt-br¶ms=itemID%3D{680F516A-336D-431D-8F1A-864D70 1E53BA}%3B&UIPartUID={2218FAF9-5230-431C-A9E3-E780D3E67DFE}>. Acesso em: 4 de jan. de 2013.

[151] Cf. BRASIL. Lei Complementar n. 79, de 7 de janeiro de 1994. Cria o Fundo Penitenciário Nacional – Funpen, e dá outras providências. *Diário Oficial da União*, Brasília, 10 de jan. de 1994.

[152] Cf. BRASIL. MINISTÉRIO DA JUSTIÇA. DEPARTAMENTO PENITENCIÁRIO NACIONAL. *Fundo Penitenciáro Nacional*. Funpen em números. 6 ed. 2012, p. 13. Disponível em <http://portal.mj.gov.br/services/documentManagement/Fial Download EZTSvc.asp?DocumentID=%7B02FC11$$-2B63-4415-BCE3-50A5211B1FEE%7D&ServiceInstUID=%7B6DFDC-062-4-4B57-4A53-827E-EA26823373399%7D>. Acesso em: 13 de mar. de 2015.

1.4 RELEVÂNCIA EM SE INVESTIGAR AS POSSIBILIDADES E OS LIMITES DA INTERVENÇÃO JUDICIÁRIA NO DESUMANO SISTEMA PRISIONAL BRASILEIRO

Vivemos, como dito, uma espécie de estado de anestesia da população, de normalização do absurdo, de esquecimento de valores fundantes da vida comunitária. Ou, tomando a lição de FARIA COSTA, parecemos olvidar que a "comunidade humana realiza-se e forma-se por meio de uma teia de cuidados". Tudo indica que nos tem escapado a percepção de que "o cuidado individual, isto é, o cuidado do 'eu' sobre si mesmo, só tem sentido se se abrir aos cuidados para com os outros, porque também unicamente desse jeito, unicamente nessa reciprocidade, se encontra a segurança"[153].

Nesta leitura, de base ontoantropológica, vivemos sob a ideia de *responsabilidade do ser social*[154], ou seja, de *todos os seres* em sociedade. Logo, quando esta responsabilidade não é observada, como não o é quando da violação da aludida matricial relação ontológica de cuidado-de-perigo representada pelo delito[155],

---

[153] Cf. FARIA COSTA, José Francisco de. *O Perigo em Direito Penal.* (Contributo para a sua fundamentação e compreensão dogmáticas). Coimbra: Coimbra Editora, 1992, p. 319. Ou ainda, como ensina D'ÁVILA: "Esta relação ontológica de cuidado-de-perigo que atira o eu para fora de si mesmo, para o encontro com o outro, no qual e pelo qual o ser-no-mundo se desvela e se conhece, confere existência, como dizíamos, a uma teia de cuidados recíprocos que estrutura o ser comunitário" (cf. D'AVILA, Fabio Roberto. *Ofensividade em Direito Penal.* Escritos sobre a teoria do crime como ofensa a bens jurídicos. Porto Alegre: Livraria do Advogado Editora, 2009, p. 49).

[154] Cf. FARIA COSTA, José Francisco de, op. cit., p. 319.

[155] Observemos a explicação de FARIA COSTA: "[t]al conflitualidade e ruptura violadora são expressões fenomênicas da perversão em que mergulha o nosso primevo modo-de-ser. A uma relação de cuidado-de-perigo de fundamento onto-antropológico – que é aquela que é matricial ao nosso modo-de-ser com os outros – corresponde, no patamar da dimensão fenomênica, pura e dura, a relação ético-existencial de um ´eu´ concreto, de carne e osso, que, precisamente, pela sua condição, só pode ser se tiver o ´outro´, cuidar do outro, cuidar de si cuidando do ´outro´ e cuidando este cuidar de si. Só que essa relação de cuidado pode romper-se. E tantas vezes se rompe. Mais. De certa maneira a relação só tem sentido se admitir a ruptura (...) [e] a ruptura dessa relação primeva constitui também uma perversão, uma inversão, um passar, um exceder, uma desconformidade, uma desmedida. Ora, é este lado negativo da relação que constitui o elemento ou segmento fundante para a existência de um crime" (cf. FARIA COSTA, José Francisco de. *Linhas de Direito Penal e de Filosofia*: alguns cruzamentos reflexivos. Coimbra: Coimbra, 2005, p. 223).

torna-se legítima a imposição de uma pena ao seu autor (exatamente em reconhecimento da sua responsabilidade e da sua igualdade)[156]. Entretanto, diante da violação à mesmíssima relação de cuidado-de-perigo representada pelo tratamento cruel, desumano e degradante impingido nos cárceres brasileiros, o que surge é a letargia à qual nos referimos. Parece não haver legitimidade para qualquer consequência. É como se o sistema fosse o responsável (este ser etéreo), e não as pessoas que o fazem operar, e o fato é que não têm existido consequências para esse tipo de violação.

Como estimular uma vivência comunitária nas bases da responsabilidade, da igualdade, da solidariedade, como, enfim, estabilizar os conflitos[157], se as pessoas encarceradas experimentam no Brasil muito mais do que apenas a privação de liberdade prevista em suas sentenças? A quebra da mencionada *responsabilidade social*, nesse contexto, é uma evidência, tanto quanto a necessidade de recuperá-la.

É preciso reconhecer, porém, que esse resgate (que talvez esteja mais para uma inauguração no País) é complexo. Defrontamo-nos com uma sucessão de governos, de todos os partidos, e o combate ao caos penitenciário figura, sempre, em último dentre as prioridades, mas em primeiro quando se trata de cortes de investimento sob a alegação de falta de recursos.

---

[156] Mais uma vez, vejamos com FARIA COSTA: "E esse momento de ruptura, de fractura de convulsão no cuidado genésico só se refaz com a pena. A aplicação da pena, nesta compreensão fundante, repõe o sentido primevo da relação de cuidado-de-perigo. (...) [É preciso] de uma pena para que o equilíbrio se refaça. Porque também só desse jeito ´eu´ posso ver, olhar e amar o 'outro'. Porque se não houver pena é impossível reconstruir a primitiva relação de cuidado-de-perigo. A pena, se quisermos, assume, assim, o papel da reposição, da repristinação e, por conseguinte, da eficácia de um bem. Ou, se ousarmos ser ainda mais radiciais, ela é um *bem*". Essa arquitetura representa a justificação da pena defendida pelo autor português como "neo-retribuição de fundamentação onto-antropológica", por ele considerada "a maneira mais consistente e sólida de dar sentido à pena criminal, porquanto é, outrossim, por seu meio que também a *responsabilidade* e a *igualdade* material se realizam" (cf. FARIA COSTA, José Francisco de, op. cit., p. 224, 230-231).

[157] Esta que seria a missão do Direito Penal em particular: pois o seu caminho avança e recua pelo choque de valores, pela ruptura, pelo conflito, pela violação "de valores comunitariamente assumidos como mínimo ético". Por esta razão "O direito penal constrói-se, pois, entre outras coisas, pela resposta legislativa, historicamente legitimada, à conflitualidade e à ruptura violadora", visando, em seu seguimento principal, com dito, à estabilização de conflitos (cf. FARIA COSTA, José Francisco de, idem, p. 223).

Consideremos, também, a falta, quase completa, de condições de representação dos encarcerados no processo político (presos definitivos não votam, como se sabe, no Brasil, e aos provisórios é pouco frequente a viabilização do direito ao voto), que se soma aos efeitos da linha editorial de muitos veículos de comunicação no País, que fazem da cobertura criminal sensacionalista o combustível para a sua audiência. O senso comum[158] construído por este "jornalismo", e há pouco abordado, no que toca aos presos, favorece a compreensão de que eles têm que sofrer no processo de cumprimento da pena (que é vista, portanto, não só como a perda da liberdade), em excesso que seria algo "legítimo", "merecido"[159].

Embora as dificuldades em romper com esse estado de coisas, que ainda poderia ser ilustrado com tantos outros detalhes terríveis em matéria de violações de direitos fundamentais dos presos brasileiros, acreditamos estar justificado o interesse da presente investigação. Afinal, sem acesso a um cumprimento de pena/prisão processual em condições humanas mínimas, seria possível/admissível buscar a intercessão do Judiciário para um remédio? Ou isso configuraria um atuar ativista? Se possível, qual seria a via processual para se buscar o socorro? Que remédios seriam admissíveis sem ativismo?

Aí, em síntese, o problema e algumas questões adicionais, os quais, doravante, passamos a investigar.

---

[158] Ver, *supra*, nota 133.

[159] Percepção que, aliás, não é nada nova. Observemos, a propósito, o magistério de BENTHAN: "O horror de uma prisão não deve recair sobre a ideia do trabalho senão sobre a severidade da disciplina, sobre uma vestimenta humilhante, sobre um alimento grosseiro, sobre a privação da liberdade" (cf. BENTHAM, Jeremias. *El Panoptico*. Madrid: Las Ediciones de La Piqueta, 1979, p. 61). Sobre esta postura do autor, BITENCOURT observa que fica demonstrada "a ideia de que, dentro de certos limites, a prisão deve impor uma vida de privações e limitações, buscando, dessa forma, alcançar uma correção mediante o castigo" (cf. BITENCOURT, Cezar Roberto. *Falência da Pena de Prisão*. Causas e Alternativas. São Paulo: RT, 1993, p. 56).

CAPÍTULO 2
JUSTICIABILIDADE DA ATUAÇÃO ESTATAL VIOLADORA DE DIREITOS FUNDAMENTAIS: REVISÃO JUDICIAL E ATIVISMO NOS EUA

2.1 DIREITOS FUNDAMENTAIS, PRODUÇÃO NORMATIVA E JUSTICIABILIDADE

Partindo do conceito de que um direito fundamental é, antes de tudo, um direito frente ao legislador[160], JIMÉNEZ CAMPO se pergunta sobre em que medida essa noção deva mesmo "ser integrada ou complementada por aqueles atributos desse tipo de direito que são – se diz – sua aplicabilidade ou eficácia imediatas ou sua virtualidade para afirmar fatos, a partir da Constituição somente, frente aos tribunais de justiça"[161], isto é, a sua justiciabilidade.

O autor destaca que o Tribunal Constitucional espanhol reconhece, desde sempre, como características particulares dos direitos fundamentais a aplicabilidade e a justiciabilidade imediatas, o que também é professado por boa parte da doutrina, mas assinala que essa ideia não diz outra coisa senão que o legislador está plenamente vinculado ao direito fundamental[162].

---

[160] Embora reconheça que isso pode ser problemático, insuficiente e necessitado de complementações: problemático porque permanece em discussão a noção mesma de direito – de direito subjetivo; insuficiente porque se pode dizer o mesmo (que também tem primazia ou prevalência frente ao legislador) em relação a qualquer outro direito, não apenas aos fundamentais; e, carente de complementações porque para diferenciar os direitos fundamentais de outros direitos lhe atribuem as características da aplicabilidade ou eficácia imediatas e, unido a elas, a da justiciabilidade também direta. (Cf. JIMÉNEZ CAMPO, Javier. *Derechos fundamentales*. Concepto y garantias. Madrid: Trotta, 1999, p. 21)

[161] Cf. JIMÉNEZ CAMPO, Javier, op. cit., p. 21.

[162] Cf. JIMÉNEZ CAMPO, Javier, idem, p. 21-22.

É importante reconhecer que a dita aplicabilidade imediata do direito fundamental não é igual à autossuficiência ou plenitude: na singela e estrita medida em que a sua materialização vai sempre depender do restante ordenamento jurídico, sobre o qual a própria Constituição se projeta[163]. Em outras palavras, pode-se dizer que a concretização do direito fundamental sempre será mediada por outras normas: "e que isto seja assim não significa senão que o direito fundamental – todo direito fundamental – vive através e por meio de uma legalidade à falta da qual resulta impraticável (salvo, acaso, os direitos estritamente defensivos)"[164]. Disso resulta que aplicabilidade imediata não significa autossuficiência para alcançar sua própria eficácia, mas apenas "preexistência do direito mesmo à intervenção do legislador", uma "precedência de ordem lógica" que se pode chamar de "eficácia direta do direito fundamental" para "distingui-la da ilusória eficácia 'imediata'"[165].

Quanto à justiciabilidade, todo o direito criado pela Constituição, fundamental ou não, é justiciável, de modo que este não é um traço exclusivo dos direitos fundamentais. É importante diferenciar, assim, conteúdo de traço próprio: a justiciabilidade integra o conteúdo/essência de todos os direitos, embora não seja um traço exclusivo dos direitos fundamentais[166]. Já a preexistência em relação ao momento de sua configuração, ou delimitação, legislativa, é um traço próprio dos direitos fundamentais[167].

Portanto, é direito fundamental aquele cujo conteúdo essencial a lei não pode quebrar. Ou, dito por outro modo, é aquele "preexistente à lei", cujo conteúdo essencial "não poderá ser desfigurado por esta sem incorrer em inconstitucionalidade"[168]. Disso decorre a essência de direito contramajoritário do direito fundamental: um direito de resistência frente ao legislador, que preclui o uso

---

[163] Cf. JIMÉNEZ CAMPO, Javier, idem, p. 22.

[164] Cf. JIMÉNEZ CAMPO, Javier, idem, p. 22 e 23. Ou, como disse noutro ponto: "os direitos fundamentais haverão de conceber-se sempre integrados pelo conjunto das vias e remédios processuais que preexistem, acompanham e seguem a entrada em vigor da norma constitucional", vias instrumentais que, assim, servirão – e se limitarão – a enunciar os direitos fundamentais (cf. JIMÉNEZ CAMPO, Javier, idem, p. 23).

[165] Cf. JIMÉNEZ CAMPO, Javier, idem, p. 23.

[166] Cf. JIMÉNEZ CAMPO, Javier, idem.

[167] Cf. JIMÉNEZ CAMPO, Javier, idem, p. 24.

[168] Cf. JIMÉNEZ CAMPO, Javier, idem, p. 25.

exclusivo de argumentos ditos comunitários (*v.g.*, bem comum, utilidade pública, interesse coletivo etc.) como guia para a configuração legislativa.

Em síntese, atuando como limitadores do fundamento comunitário[169], os direitos fundamentais "são direitos resistentes, em seu conteúdo essencial, a ação legislativa"[170], característica que também ilumina a conexão, assegurada pela Constituição, entre a aplicação dos direitos fundamentais e a jurisdição, pois é no âmbito desta que se dará a "defesa da integridade do direito frente a lei"[171].

2.2 CONTORNOS DA INTERVENÇÃO JUDICIAL NOS EUA: A *JUDICIAL REVIEW* NORTE-AMERICANA

Considerando os propósitos da presente tese, é mandatória a investigação da doutrina constitucional norte-americana, que há mais de 200 anos debate em torno do poder de revisão judicial, sob a Constituição, de atos de outros poderes, sua justificação e alcance.

Como iremos demonstrar, o tema encontra uma divergência apaixonada nos EUA, havendo farta literatura tanto no sentido da legitimidade da intervenção judicial quanto, em linha oposta, a denunciar um indevido ativismo, com incursões de matiz evidentemente político, em apropriação de funções legislativas e executivas, que estaria a materializar um anômalo governo pelo Judiciário.

Nesse cenário, iniciando pelos antecedentes históricos, passamos à apresentação e à análise dos argumentos de ambos os lados.

---

[169] Cf. JIMÉNEZ CAMPO, Javier, idem, p. 26.

[170] Cf. JIMÉNEZ CAMPO, Javier, idem, p. 27. Isso não significa dizer que os fundamentos comunitários não devam ser considerados em nível legislativo, mas sim que os direitos fundamentais garantem que não sejam eles apenas a serem considerados: "[n]aturalmente que legislar sobre estes direitos fundamentais, dotados de conteúdo essencial, supõe sempre integrar ou equilibrar imperativos de ordem comunitária e interesses a cujo serviço o direito existe; ... o próprio do direito constitucional ou fundamental está na pretensão, que a Constituição garante, de que esse equilíbrio se mantenha ou, em outras palavras, que a delimitação normativa do direito não seja o simples resultado da valoração legislativa sobre o que resulte apropriado para a preservação do chamado 'interesse geral'." (cf. JIMÉNEZ CAMPO, Javier, idem, p. 27).

[171] Cf. JIMÉNEZ CAMPO, Javier, idem, p. 26.

2.2.1 – As origens históricas da *judicial review*: o caso *Marbury vs. Madison*

O aludido debate acerca da possibilidade, ou não, de invalidação judicial de atos de outros poderes remete, no caso norte-americano, ao início do século XIX. Mais precisamente, remonta ao ano de 1803, no julgamento pela Suprema Corte do multicitado caso *Marbury vs. Madison*[172].

A controvérsia se estabelecera uma vez que William Marbury e outros, que haviam sido nomeados juízes de paz no apagar das luzes da gestão do presidente John Adams, não tinham recebido, no governo seguinte, de Thomas Jefferson, o documento de investidura na função ("*commission*"), sem o qual não poderiam exercê-la[173].

O juiz John Marshall, então juiz chefe do Tribunal, foi o responsável por entregar a "opinião da Corte" no caso. Curiosamente, ele havia sido indicado ao posto por John Adams (em 1801), e, sob a gestão de Thomas Jefferson, na qual houve uma intensiva campanha contra a independência do Judiciário, Marshall foi o artífice da chamada "estratégia do comportamento judicial", com vistas à consolidação da aludida independência[174]. Aliás, foi sob a Presidência de Marshall que a Suprema Corte dos EUA adotou o costume, até hoje mantido, de se apresentar a opinião de um juiz como a decisão de todo o Tribunal, garantindo uma força pela unidade até então inexistente[175].

Pois bem, no caso *Marbury vs. Madison* estava posto um dilema para a Suprema Corte, somente compreensível à luz dos acontecimentos históricos que o cercaram.

---

[172] Cf. BICKEL, Alexander M. *The Least Dangerous Branch*. The Supreme Court at the bar os politics. 2. ed. New Haven: Yale University Press, 1962, p. 1.

[173] Cf. BICKEL, Alexander M., op. cit., p. 2-3. O documento ("*commission*") havia sido assinado e selado, duas fases indispensáveis para validade do ato, mas, a última etapa, isto é, a sua efetiva entrega a Marbury, para que pudesse exercer o cargo, não havia ocorrido.

[174] Cf. McCLOSKEY, Robert G. *The American Supreme Court*. 5. ed. Chicago: The University of Chicago Press, 2010, eBook Kindle, p. 24.

[175] Cf. McCLOSKEY, Robert G., op. cit., p. 24. O autor ainda refere que este costume, de a opinião de um juiz ser tomada como a opinião de toda a Corte, normalmente significava a adoção da opinião do próprio Marshall. Cabe observar, ainda, que o aludido costume convive com as chamadas opiniões dissidentes (*dissenting opinions*). Isto é, a par da opinião da Corte ser oferecida por um juiz que representa a visão da maioria dos juízes, aqueles discordantes podem registrar em separado a sua opinião, que fica fazendo parte integrante do *decisum*.

Marbury e os demais autores da ação eram federalistas, apoiadores de John Adams, nomeados à última hora por ele como membros do Judiciário federal, em postos vitalícios de juízes[176]. Não houve tempo, porém, para a entrega das respectivas investiduras, o que teria de ocorrer no governo seguinte. Entretanto, Thomas Jefferson, o sucessor de Adams, por seu secretário de Estado, James Madison, não tinha a menor intenção de fazê-lo. O novo mandatário representava a ascensão dos republicanos ao Executivo, os quais também haviam vencido no Legislativo, e o projeto de poder passava pela neutralização do Judiciário, único ramo sobre o qual os federalistas ainda mantinham domínio[177].

Neste quadro, se o Tribunal decidisse que Marbury tinha razão e, portanto, que Madison tinha de entregar as investiduras pleiteadas, este simplesmente ignoraria a decisão. Ao fazê-lo, enfatizaria a impotência do Judiciário em fazer cumprir as suas decisões, em evidente – e indesejável – prejuízo ao prestígio deste ramo[178].

A saída encontrada por Marshall revelou-o como m estrategista singular: enquanto, de um lado, a Suprema Corte decidiu que, embora Marbury e os demais autores do *writ* estivessem devidamente titulados como juízes, ela não tinha poder para ordenar que Madison (então secretário de Estado) lhes entregasse os respetivos documentos[179]; de outro lado, no corpo da sentença, tratou de assentar a possibilidade de o Tribunal rever atos repugnantes à Constituição.

De modo mais exato, registrou que a administração jeffersoniana retivera ilegalmente a documentação das investiduras, reconheceu o direito dos autores de manejar o *writ* em casos tais, de falta no cumprimento do dever, e inaugurou a doutrina da *judicial review* ao negar a jurisdição da Suprema Corte no caso[180]. Neste ponto, justificou que a norma vigente a propósito, que parecia garantir ao Tribunal a competência para julgar *writs* do tipo (a Seção 13, do Ato Judiciário de

---

[176] Estes atos administrativos são conhecidos como as "indicações da meia-noite", ou "*midnight appointments*" (Cf. McCLOSKEY, Robert G., idem, p. 23).

[177] Cf. McCLOSKEY, Robert G.,idem.

[178] Cf. McCLOSKEY, Robert G.,idem.

[179] Cf. BICKEL, Alexander M., idem.

[180] Cf. McCLOSKEY, Robert G., idem, p. 25. No mesmo ponto o autor, que designa o raciocínio como "hábil série de esquivas e farpas" que "seria difícil de imaginar", adjetiva o gesto de Marshall, ao introduzir a doutrina da "*judicial review*" no corpo da decisão, como "toque de gênio", "um brilhante exemplo da capacidade de Marshall de contornar o perigo enquanto parece cortejá-lo, de avançar em uma direção enquanto seus oponentes estão olhando em outra".

1789), era, em si, inválida, porque acrescentara hipótese de jurisdição originária além da prevista na Constituição[181]. Ou seja, tratava-se de uma lei inferior que havia alterado a Constituição, por isso uma norma inconstitucional e inválida que não poderia ser observada pela Suprema Corte.

No foco do nosso interesse, *Marbury vs. Madison* fundou a possibilidade de revisão judiciária de atos dos outros ramos do Estado nos seguintes argumentos centrais: *(i)* a Constituição está acima das leis ordinárias; *(ii)* sempre que estas contrariarem aquela, compete às Cortes dar aplicação à lei primordial[182]; *(ii)* ao fazê-lo, cabe ao Judiciário interpretar as leis e, embora a Constituição não diga expressamente que este departamento possa fazer tal sorte de pronunciamentos, isso deflui do seu texto, principalmente das atribuições por ela cometidas a ele[183].

---

[181] Cf. WELLINGTON, "O Tribunal leu a Lei como lhe concedendo competência originária, mas leu a Constituição como negando ao Congresso a autoridade para fazer tal concessão." (WELLINGTON, Harry H.. New Haven: Yale University Press, 1990, p. 22). Também cf. McCLOSKEY, Robert G., idem.

[182] Cf. o próprio MARSHALL, na decisão do caso: "[s]e, então, as Cortes devem considerar a Constituição, e a Constituição é superior a qualquer ato ordinário do Legislativo, a Constituição, e não estes atos ordinários, devem governar o caso ao qual ambos se aplicam" (cf. ESTADOS UNIDOS DA AMÉRICA. SUPREMA CORTE DOS ESTADOS UNIDOS. *Marbury vs. Madison*. 5 U.S. 137. In: 50 Most Cited US *Supreme Court Decisions*. Historic Decisions of the US Supreme Court. US: Landmark Publications, 2011, eBook Kindle, pos. 4966).

[183] Ou, mais uma vez nas palavras de MARSHALL: "[d]izer o que a lei é, esta, enfaticamente, é a província e o dever do Departamento Judiciário. Aqueles que aplicam a lei a casos particulares devem, por necessidade, expor e interpretar essa lei. Se duas leis conflitam entre si, as Cortes devem decidir sobre o funcionamento de cada uma delas." (...) "Assim, a fraseologia particular da Constituição dos Estados Unidos confirma e reforça o princípio, que deveria ser essencial a todas as constituições escritas, de que uma lei repugnante à Constituição é nula, e que os tribunais, bem como outros departamentos, estão vinculados por esse instrumento." (cf. ESTADOS UNIDOS DA AMÉRICA. SUPREMA CORTE DOS ESTADOS UNIDOS. *Marbury vs. Madison*, op. cit., pos. 4966 e 5015). Vale anotar a origem doutrinária de muitos destes fundamentos, que remetem aos escritos de HAMILTON: "É muito mais racional supor que as cortes foram projetadas para ser um corpo intermediário entre o povo e o legislativo em ordem, entre outras coisas, a manter o último dentro dos limites assinados a sua autoridade. A interpretação das leis é a própria e peculiar província das cortes. Uma constituição é, em fato, e precisa ser considerada pelos juízes, como uma lei fundamental. Isso, portanto, pertence a eles para ajustar seu significado tão bem quanto o significado de qualquer ato particular procedente do corpo legislativo. (...) Nem esta conclusão, por qualquer meio, supõe uma superioridade do judiciário sobre o poder legislativo. Isso apenas

Outro aspecto relevante das reflexões de Marshall está na fixação do momento a partir do qual a omissão de um ato pelo Executivo, cometido por lei, deixa de ser apenas politicamente examinável e passa a ser objeto de auditoria pelo Judiciário: sempre que a concretização dos direitos individuais depender da prática deste ato, o indivíduo tem o direito de buscar um remédio para tanto[184].

Contudo, não passou sem resistência o poder revisional assumido pelo Judiciário em *Marbury vs. Madison*. Até a efetiva consolidação da doutrina da independência do Judiciário algumas ameaças imediatas, brandidas pelos republicanos, teriam de ser enfrentadas, tais como a possibilidade de abertura de um processo de *impeachment* contra o próprio Marshall, ou o estabelecimento de uma jurisdição de apelação ao Congresso, relativamente às decisões da Suprema Corte[185].

---

supõe que o poder do povo é superior a ambos; e que, quando a vontade do legislativo declarada em seus estatutos permanece em oposição àquilo que o povo declarou por meio da Constituição, os juízes deveriam ser regidos pela última em lugar da primeira." (cf. HAMILTON, Alexander. The Judiciary Department, *Federalist*, New York, n. 78, 1788. Disponível em: <http://thomas.loc.gov/home/histdox/fed_78.html>. Acesso em: 26 de ago. de 2014). Cf. HAND "É interessante observar quanto próximas as razões de Marshall em *Marbury vs. Madison* seguiram as de Hamilton." (cf. HAND, Learned. *The Bill of Rights*. New York: Atheneum, 1964, p. 7-8).

[184] Ainda, cf. MARSHALL: "[m]as quando o Legislativo passa a impor a esse oficial outros deveres; quando ele é dirigido peremptoriamente à prática de determinados atos; quando os direitos dos indivíduos são dependentes da prática de tais atos; ele é, até então, o oficial da lei, é favorável às leis por sua conduta, e não pode, a seu critério, alijar os direitos adquiridos dos outros. A conclusão deste raciocínio é que, quando os chefes de departamentos são os agentes políticos ou confidenciais do Executivo, apenas para executar a vontade do Presidente, ou melhor, para agir em casos em que o Executivo possui uma discricionariedade constitucional ou legal, nada pode ser mais perfeitamente claro do que seus atos são apenas politicamente examináveis. Mas onde um dever específico é atribuído por lei, e os direitos individuais dependem da realização deste dever, parece igualmente claro que o indivíduo que se considera lesado tem o direito de recorrer às leis de seu país para um remédio" (cf. ESTADOS UNIDOS DA AMÉRICA. SUPREMA CORTE DOS ESTADOS UNIDOS. *Marbury vs. Madison*, idem, pos. 4817).

[185] Cf. McCLOSKEY, Robert G., idem, p. 29-31. Ainda conforme o autor, a ameaça de *impeachment* a Marshall fez-se clara quando o juiz Samuel Chase fora alvo de tal processo (baseado em confusas acusações de crime ou mera divergência com decisões que ele pronunciara). Embora Chase (único juiz da Suprema Corte submetido a tal processo em toda a História) tenha sido, posteriormente, absolvido pelo Senado, estava claro que algo semelhante poderia voltar a acontecer.

Este embate, contudo, resolveu-se de modo favorável ao Judiciário, que soube evitar tais retaliações. E isso se deu pela adoção de uma política de paciência, várias vezes repetida posteriormente, pela qual o Tribunal, em ordem a ganhar poder, em vez de perder, mostrou uma formidável capacidade de autocontenção (*self-restraint*) ao não pronunciar (mesmo quando fosse o caso de fazê-lo) aquelas inconstitucionalidades capazes de produzir atrito com o Legislativo e o Executivo[186]. Para que se tenha uma ideia, somente quase uma década após *Marbury vs. Madison* é que a Suprema Corte veio a declarar a inconstitucionalidade de uma lei estadual[187].

Dentre os argumentos contrários à *judicial review* surgidos ao longo dos anos podem ser referidos: *(i)* o fato de que a Constituição, ao prever a chamada cláusula de supremacia[188], não disse em lugar algum que os demais ramos não teriam um

---

[186] Como na ocasião em que deixou de pronunciar a inconstitucionalidade do Ato Judiciário de 1802, que repeliu o Ato Judiciário de 1801 (aquele que, no epílogo da administração Adams, criou novos postos de juiz e os preencheu com leais federalistas, entre os quais o próprio William Marbury, nos já mencionados *midnight appointments* discutidos em *Marbury vs. Madison*). Segundo todos os bons federalistas, o Ato Judiciário de 1802 representava "o ápice da maldade republicana", e ainda assim não fora julgado inconstitucional pela Suprema Corte (Cf. McCLOSKEY, Robert G., idem, p. 29).

[187] Em *Fletcher vs. Peck* (1810), no qual a Suprema Corte pronunciou a inconstitucionalidade de uma lei aprovada pelo Congresso do estado da Georgia. Esta lei anulava a venda, feita por este mesmo estado, de um vasto trecho do seu próprio território. A venda, por seu turno, havia sido realizada com a aprovação do Congresso local, mediante o suborno de quase todos os parlamentares que votaram a seu favor (apenas um deles votou sem nada receber em troca). Como o fato se deu ao apagar das luzes desta legislatura, e o suborno tornou-se amplamente conhecido, os novos parlamentares – em reação ao escândalo posto – aprovaram uma lei anulando a venda e retomando toda a área, ainda que em prejuízo dos vários terceiros de boa-fé que já haviam adquirido partes da terra dos compradores originais. A Suprema Corte entendeu que a lei violava: *(i)* a regra da obrigação dos contratos (prevista no Art. 1º, Seção 10 da Constituição); *(ii)* a cláusula *ex post facto* (Art. 1º, Seções 9 e 10 da Constituição), por se tratar de lei posterior a um fato já consumado(embora esta só tivesse sido aplicada em casos criminais); e, porque a lesão aos compradores inocentes também contrariava a natureza da sociedade e do governo, em clara invocação do *direito natural* (cf. McCLOSKEY, Robert G., idem, p. 31; cf. ESTADOS UNIDOS DA AMÉRICA. SUPREMA CORTE DOS ESTADOS UNIDOS. *Fletcher vs. Peck*, 10 U.S. 87 (1810). Disponível em: <htps://supreme.justia.com/cases/federal/us/10/87/case.html>. Acesso em: 26 de ago. de 2014).

[188] A cláusula está prevista no seguinte dispositivo: "Art VI – (...) [2] Esta Constituição e as Leis dos Estados Unidos que devam ser feitas em sua execução; e todos os Tratados feitos, ou que devam

espaço constitucional de atuação e autoridade (como o exercido pelo Legislativo ao estabelecer novas hipóteses de competência originária para a Suprema Corte no Ato Judiciário de 1789, o qual fora descartado pelo Tribunal no *leading case* em debate)[189], de modo que "[n]ão há nada na Constituição dos Estados Unidos que dê às Cortes qualquer autoridade para rever as decisões do Congresso"[190]; *(ii)* a circunstância de que a invalidação, pelo Judiciário, de atos emanados dos outros departamentos agride a separação dos poderes, isto é, "a condição de todo governo livre"[191], o que também pode ser designado por dificuldade contramajoritária da revisão judicial[192]; *(iii)* o fato de que as decisões do Judiciário não estão sujeitas ao controle eleitoral (verdadeira prestação de contas que, em última análise, desenha os limites das decisões do Legislativo e do Executivo)[193].

Tais argumentos inspiraram tréplicas igualmente interessantes, em favor da *judicial review*: *(i)* à falta do poder revisional do Judiciário, uma alternativa seria admitir uma completa liberdade entre os departamentos, no que toca à interpretação da Constituição, de modo a que cada um pudesse decidir como lhe parecesse melhor, independentemente de já haver decisão anterior no mesmo tema, emitida por outro ramo. Tal sistema, porém, colocaria os poderes em conflito e, por decorrência, não teria como funcionar[194]; *(ii)* à falta do poder revisional do

---

ser feitos, sob a Autoridade dos Estados Unidos, serão a Lei suprema do País; e os juízes em cada estado serão por meio disso limitados, não obstante qualquer Coisa em contrário na Constituição ou Leis de qualquer Estado." (cf. ESTADOS UNIDOS DA AMÉRICA. *The Constitution of the United States*. Washington: Senado Federal, 1789. Disponível em: <http://www.law.cornell.edu/constitution>. Acesso em: 26 de ago. de 2014).

[189] Cf. WELLINGTON, Harry H., idem, p. 22.

[190] Cf. HAND, Learned, op cit., p. 10.

[191] Cf. HAND, Learned, idem, p. 11.

[192] Cf. BICKEL, Alexander M., idem, p. 16 a 18. Segundo o autor, explicando o que chamou de *dificuldade contramajoritária* da revisão judicial: "[a] raíz da dificuldade é que a revisão judicialé uma força contramajoritária em nosso sistema. (...) [a realidade está em que] quando a Suprema Corte declara inconstitucional um ato legislativo de um executivo eleito, ela frustra a vontade dos representantes do povo atual, daquei e de agora; ela excerce controle, não em benefício da maioria prevalescente, mas contra ela. Isto, sem harmonias místicas, é o que realmente acontece. Este é peixe totalmente diferente, e esta é a razão pela qual a acusação pode ser feita, de que a revisão judicial não é democrática (...) é uma instituição desviante na democracia Americana".

[193] Cf. BICKEL, Alexander M., idem, p. 4.

[194] Ou, segundo HAND: "[a]ssim, teria sido privilégio do Presidente, e de fato o seu dever, para

Judiciário, outra alternativa seria admitir que caberia ao departamento ao qual determinado assunto se apresentasse pela primeira vez a realização da interpretação da Constituição que lhe parecesse necessária, o que, entretanto, também inauguraria um sistema de funcionamento impossível[195]; *(iii)* à falta do poder revisional do Judiciário, e a garantir-se o sistema de interpretação da Constituição referido no item precedente, o Legislativo tenderia a absorver os demais poderes[196], uma vez que as mais diversas questões se apresentam primeiro para ele e, assim, sempre acabariam deliberadas, à partida, de modo conclusivo. Isso faria o "Congresso substancialmente onipotente"[197]; *(iv)* ainda sobre o Legislativo,

---

executar apenas as leis que lhe parecessem ser constitucionais, independentemente até mesmo de uma decisão da Suprema Corte. Os tribunais teriam oferecido tais julgamentos como lhes parecesse consoante com a Constituição; mas nem o Presidente, nem o Congresso, teriam sido obrigados a aplicá-las, se ele ou ela discordasse, e sem a sua ajuda os julgamentos teriam sido desperdício de papel" (Cf. HAND, Learned, idem, p. 14).

[195] Ainda conforme HAND: "... e um sistema desse tipo teria sido tão caprichoso em operação, e tão diferente do que se projetou, que não poderia ter sobrevivido" (Cf. HAND, Learned, idem, p. 13-14).

[196] Cf. HAMILTON: "[a] mesma regra que ensina a propriedade da divisão entre os vários ramos do poder, nos ensina também que esta partição deve ser feita de forma a tornar um independente do outro. Para que finalidade separar o executivo ou o judiciário do legislativo, se ambos, o Executivo e o Judiciário, são assim constituídos para ter devoção absoluta ao legislativo? Tal separação pode ser apenas nominal, e incapaz de produzir os fins para os quais foi estabelecida. É uma coisa ser subordinado às leis, e outra é ser dependente do corpo legislativo. A primeira comporta com, a última viola, os princípios fundamentais de um bom governo; e, quaisquer que sejam as formas da Constituição, une todo o poder nas mesmas mãos. A tendência da autoridade legislativa para absorver todas as outras, foi totalmente exibida e ilustrada por exemplos em alguns números precedentes. Nos governos puramente republicanos, esta é uma tendência quase irresistível. Os representantes do povo, em uma assembleia popular, parecem, por vezes, a fantasiar que eles são as próprias pessoas, e evidenciar fortes sintomas de impaciência e desgosto ao menor sinal de oposição de qualquer outra quadra; como se o exercício dos seus direitos, quer pelo executivo ou judiciário, fossem uma brecha do seu privilégio e uma afronta à sua dignidade. Eles geralmente aparecem dispostos a exercer um controle autoritário sobre os outros departamentos; e como eles geralmente têm as pessoas do seu lado, eles sempre agem com tanto ímpeto a tornar muito difícil para os outros membros do governo o manter o equilíbrio da Constituição" (HAMILTON, Alexander. The Duration in Office of the Executive, *Federalist*, New York, n. 71, 1788. Disponível em: <http://thomas.loc.gov/ home/histdox/fed_71.html>. Acesso em: 2 de set. de 2014).

[197] Cf. HAND, Learned, idem.

é fundamental perceber que está sob constante pressão de vários grupos, o que dificulta a não adoção de medidas por eles desejadas, mesmo quando elas sejam inconstitucionais[198].

Embora os argumentos contrários, é correto dizer, do ponto de vista histórico, que a legitimação do Judiciário (da sua independência e do seu poder de revisão) se estabeleceu por esses antecedentes fáticos e, ainda, de forma coerente com o processo de aquiescência, consentimento, ou aceitação, pelas futuras gerações, de que o poder de revisão está implícito na Constituição[199].

A despeito disso, como já observado, o fato é que o tema permanece no foco de um intenso debate no espaço constitucional norte-americano, com olhares e fundamentações bastante distintos. Em vista disso, e já traçado o panorama geral em torno da controvérsia, parece relevante a análise mais detida dessa produção, com ênfase nos julgamentos históricos e obras de maior destaque no período, em ordem a delimitar se é legítima a intervenção judicial e, em caso positivo, em que situações ela pode acontecer.

2.2.2 A *judicial review* na Suprema Corte dos EUA a partir do século XX

2.2.2.1 As intervenções judiciais na legislação do *New Deal* (1934)

Mais de um século já havia se passado desde *Marbury vs. Madison* quando a Suprema Corte dos Estados Unidos foi acionada para interpretar diversas normas integrantes do chamado *New Deal*, conhecido pacote de medidas do Executivo e do Legislativo em reação à crise econômica por que passava o país desde o colapso financeiro de 1929[200].

---

[198] Cf. HAND, Learned, idem, p. 12.

[199] Cf. BICKEL, Alexander M., idem, p. 21.

[200] Na realidade a promessa de um – Novo Acordo" (*New Deal*) para recuperação da economia dos Estados Unidos foi o mote da vitoriosa campanha à Presidência de Franklin Delano Roosevelt, em 1932. A grande depressão que se sucedeu à quebra da Bolsa de NY, em 1929, colocou emergências sociais e econômicas de toda a ordem, que foram respondidas com ações mais interventivas do Estado no mercado: "[c]om o New Deal, portanto, iniciou-se a tensa construção do pacto entre Estado, trabalho organizado e capital, ou regulação fordista keynesiana do capitalismo que, no pós-guerra, fundamentaria o peculiar Estado de Bem-Estar americano e o longo período de

Nesse meio tempo já haviam sido emitidas várias decisões em sede de controle de constitucionalidade, em temas diversos, dando origem a doutrinas consolidadas sobre impostos (*tax doctrines*), comércio (*commerce doctrines*) e devido processo (*due process doctrines*), todas aplicáveis a supervisão judicial da relação negócios-governo[201]. Foram invalidadas leis que pretendiam fixar salários e carga horária de trabalho[202], lei federal que pretendia proibir o comércio interestadual de produtos aviados com trabalho infantil[203], lei que taxava o lucro de empresas que se utilizavam de trabalho infantil (*Child Labor Tax Law*, de 1919)[204], em

prosperidade que se estenderia até fins dos anos 1960. A regulação fordista keynesiana baseava-se em um pacto segundo o qual o Estado assumia papéis keynesianos, de forma a tornar-se um demandador da indústria privada e um fornecedor de salários indiretos, com o objetivo de universalizar o consumo; o capital repassava ganhos de produtividade do trabalho aos salários (relação salarial fordista), buscando assim assegurar a estabilidade do sistema e, por fim, os sindicatos aceitavam a ordem capitalista, em troca de sua incorporação ao mundo do consumo" (Cf. LIMONCIC, Flávio. *Os Inventores do New Deal.* Estado e sindicato nos Estados Unidos dos anos 1930. Disponível em: <http://www1.capes.gov.br/teses/pt/2003_dout_ufrj_flavio_ limoncic. pdf>. Acesso em: 6 de jan. de 2015).

201 Cf. McCLOSKEY, Robert G., idem, p. 107.

202 Em *Lochner vs. New York* (1905) e, mais tarde, em *Adkins vs. Children's Hospital* (1923). Embora em *Bunting vs. Oregon*, em 1917, a Corte tenha assentado uma exceção para a doutrina *Lochner*, ao afirmar a constitucionalidade de uma lei que limitava as horas de trabalho de mulheres, tendo em vista as suas características físicas e sociais (cf. McCLOSKEY, Robert G., idem, p. 102, 106 e 103; cf. ESTADOS UNIDOS DA AMÉRICA. SUPREMA CORTE DOS ESTADOS UNIDOS. *Lochner vs. New York*, 198 U.S. 45 (1905). Disponível em: <https://supreme.justia.com/cases/federal/us/198/45/case.html>. Acesso em: 26 de ago. de 2014; cf. ESTADOS UNIDOS DA AMÉRICA. SUPREMA CORTE DOS ESTADOS UNIDOS. *Adkins vs. Children's Hospital*, 261 U.S. 525 (1923). Disponível em: <https://supreme.justia.com/cases/federal/us/261/525/ case.html>. Acesso em: 26 de ago. de 2014; e, cf. ESTADOS UNIDOS DA AMÉRICA. SUPREMA CORTE DOS ESTADOS UNIDOS. *Bunting vs. Oregon*, 243 U.S. 426 (1917). Disponível em: <https://supreme.justia.com/cases/federal/us/243/426/>. Acesso em: 26 de ago. de 2014).

203 Em *Hamer vs. Dagenhart* (1918) (cf. McCLOSKEY, Robert G., idem, p. 96 e 97; e, cf. ESTADOS UNIDOS DA AMÉRICA. SUPREMA CORTE DOS ESTADOS UNIDOS. *Hamer vs. Dagenhart,* 247 U.S. 251 (1918). Disponível em: <https://supreme.justia.com/cases/federal/us/247/251/case.html>. Acesso em: 26 de ago. de 2014).

204 Cf. McCLOSKEY, Robert G., idem, p. 95. A decisão da Suprema Corte se deu no caso *Bailey vs. Drexel Furniture Co.* (1922) (cf. ESTADOS UNIDOS DA AMÉRICA. SUPREMA CORTE DOS ESTADOS UNIDOS. *Bailey vs. Drexel Furniture Co.*, 259 U.S. 20 (1922). Disponível em: <https://supreme.justia.com /cases/federal/us/259/20/>. Acesso em: 26 de ago. de 2014).

nítida leitura constitucional à luz do liberalismo de livre mercado (*laissez-faire*) e, pois, em resistência à ideia de Estado de bem-estar social (*welfare state*), mais tolerante a intervenções governamentais na atividade econômica. Noutros temas, como no caso das leis antitruste, de forma aparentemente contraditória, a Suprema Corte evoluiu de uma posição em defesa da livre iniciativa para uma posição mais intervencionista[205].

A verdade é que, a partir dos anos 1920, o Tribunal tinha a sua disposição precedentes tanto para dar suporte quanto para vetar leis ou atos, estaduais ou federais. E a Corte também parecia abraçar "a ideia de que o Judiciário podia e devia decidir por simples decreto as grandes questões do controle econômico"[206].

Curiosamente, ao início das medidas encetadas pelo governo no âmbito do *New Deal*, com impacto na produção, nas relações de trabalho etc., a Suprema Corte mostrou-se contida, apoiando as normas questionadas. Assim, *v.g.*, em *Home Bldg. & Loan Ass'n vs. Blaisdell* (1934), que discutia a constitucionalidade de uma lei que concedeu moratória ao pagamento de hipotecas. No caso a opinião da Corte foi no sentido de que "o estatuto de Minnesota como aqui aplicado não viola a cláusula de contrato da Constituição Federal. Se a legislação é sábia ou não, como um assunto de política, é uma questão com a qual nós não estamos preocupados"[207].

---

[205]Portanto, de uma posição *laissez-faire* em prol de outra mais *welfare state*. O primeiro pronunciamento de veto/pela inconstitucionalidade nos casos de *truste* deu-se em *United States vs. E. C. Knight Co.*, 1895. Depois, em *Swift & Co. vs. United States*, 1905, evoluiu para afirmação da sua constitucionalidade (cf. McCLOSKEY, Robert G., idem, p. 84 e 97; cf. ESTADOS UNIDOS DA AMÉRICA. SUPREMA CORTE DOS ESTADOS UNIDOS. *United States vs. E. C. Knight Co.*, 156 U.S. 1 (1895). Disponível em: <https://supreme.justia.com/ cases/federal/us/156/1/case.html>. Acesso em: 26 de ago. de 2014; e, cf. ESTADOS UNIDOS DA AMÉRICA. SUPREMA CORTE DOS ESTADOS UNIDOS. *Swift & Co. vs. United States*, 286 U.S. 106 (1932). Disponível em: <https://supreme.justia.com/cases/federal/us/286/106/>. Acesso em: 26 de ago. de 2014).

[206] Cf. McCLOSKEY, Robert G., idem, p. 106.

[207] Cf. McCLOSKEY, Robert G., idem, p. 108. E a Corte, no caso, ainda assentou: "[a] emergência existente em Minnesota forneceu uma ocasião adequada para o exercício do poder reservado do Estado para proteger os interesses vitais da comunidade. As declarações da existência desta emergência pelo Legislativo e pelo Supremo Tribunal de Minnesota não pode ser considerada como um subterfúgio ou como em falta de uma base adequada ... A legislação foi endereçada para um fim legítimo; isto é, a legislação não foi para mera vantagem de indivíduos particulares mas para a proteção de um interesse básico da sociedade. Em vista da natureza dos contratos em questão

No mesmo rumo foi o entendimento versado em *Nebbia vs. New York* (1934), quando a Corte manteve decisão que julgara improcedente a reclamação de um lojista revendedor de leite (que sustentava que a Lei de Agricultura e Mercados estaria violando a regra da igual proteção, prevista na décima quarta emenda, ao estabelecer controle de preços)[208]. Neste julgamento o Tribunal assentou que o Legislativo não tinha poder constitucional para fixar preços de venda de *commodities*, serviços e propriedade, "a menos que os negócios ou propriedade envolvidos estejam 'afetados pelo interesse público'.", que era exatamente a hipótese do caso, como restou proclamado[209].

Contudo, essas decisões se deram pelo apertado placar de cinco votos contra quatro, a sinalizar que a postura da Corte no tema não estava assentada e ainda

---

– hipotecas de inquestionável validade – a moratória suportada e justificada pela emergência, em ordem a não ser uma contravenção a provisão constitucional, somente pode ser de um tipo apropriado à emergência, e pode ser concedida somente sobre condições razoáveis" (cf. ESTADOS UNIDOS DA AMÉRICA. SUPREMA CORTE DOS ESTADOS UNIDOS. *Home Bldg. & Loan Ass'n vs. Blaisdell*, 290 U.S. 398 (1934). Disponível em: <http://caselaw.lp.findlaw.com/scripts/getcase.pl?court=US&vol=290&invol=398>. Acesso em: 26 de ago. de 2014).

[208] Cf. McCLOSKEY, Robert G., idem, p. 108.

[209] No mesmo julgado o Tribunal ainda disse: "[o]nde foi considerado que o interesse público está a exigir a fixação de preços mínimos, o expediente tem sido sustentado. (...) A Constituição não assegura a qualquer pessoa a liberdade para conduzir seus negócios de tal forma a infligir danos sobre o púbico em geral, ou sobre qualquer grupo substancial de pessoas. Controle de preços, como qualquer outra forma de regulação, é inconstitucional somente se arbitrário, discriminatório, ou demonstravelmente irrelevante para a política que o Legislativo é livre para adotar, e, a partir daí, uma desnecessária e desgarantida interferência com a liberdade individual. Testado por essas considerações, nós não encontramos nenhuma base na cláusula do devido processo da Décima Quarta Emenda para condenar as disposições da Lei de Agricultura e Mercados aqui apresentadas em causa" (cf. ESTADOS UNIDOS DA AMÉRICA. SUPREMA CORTE DOS ESTADOS UNIDOS. *Nebbia vs. New York*, 291 U.S. 502 (1934). Disponível em: <https://supreme.justia.com/cases/federal/us/291/502/>. Acesso em: 26 de ago. de 2014). Como WOLFE observou, em *Nebbia* "a Corte (por meio do Juiz Roberts) não apenas sustentou a lei, mas escreveu uma ampla opinião sustentando o poder regulatório de preços do Estado ... Onde direitos públicos e privados conflitam, o privado precisa falar mais alto que o público, disse a Corte" (cf. WOLFE, Christopher. *The Rise of Modern Judicial Review*. From Judicial Interpretation to Judge-Made Law. US: Rowman & Littlefield Publishers, 1994, eBook Kindle, pos. 3240).

poderia se modificar. E isso foi exatamente o que ocorreu, como demonstram algumas decisões emitidas entre 1935 e 1936[210].

Na ocasião a Corte era formada por nove juízes, quatro mais conservadores, pró *laissez-faire* (Sutherland, Butler, Van Devanter e McReynolds – apelidados de "os quatro cavaleiros"), três mais liberais, pró *welfare state* (Stone, Bradeis e Cardozo), o juiz chefe Hughes (que se não era claramente liberal era "tampouco teimosamente conservador", "e parecia estar mais preocupado com a própria dignidade da Corte e era mais provável que pendesse para uma maioria conservadora para evitar a crítica que poderia seguir a uma decisão de cinco a quatro") e, por fim, um novato (Roberts), o último indicado, que acabou alternando a sua posição mais liberal expressa em *Nebbia vs. New York* (1933) – na qual entregara a opinião do Tribunal –, em prol de uma postura mais conservadora nas decisões subsequentes de 1935 e 1936[211].

Em *Panama Refining Co. vs. Ryan* (1935) estavam em questão duas ordens executivas e regulamentos correspondentes, de autoria do secretário do Interior, que tinham por base um dispositivo do Ato de Recuperação da Indústria Nacional (*National Industrial Recovery Act*, parte nuclear das medidas do *New Deal*). Pela norma o Congresso delegava poderes ao presidente para interditar o transporte em comércio interestadual e estrangeiro do chamado "óleo quente" (*hot oil*), isto é, petróleo e derivados, produzidos ou retirados de estoques em excesso às quantidades permitidas pela autoridade estatal. A Suprema Corte decidiu por cassar as ordens e os regulamentos questionados, por carentes de autoridade constitucional, uma vez que "a tentativa de delegação é manifestamente nula, porque o poder que se procurou delegar é poder legislativo" e, ainda, porque "em nenhum lugar do estatuto o Congresso declarou ou indicou qualquer política ou padrão para guiar ou limitar o presidente quando em atuação sob essa delegação". Portanto, "[a] questão não se refere tanto à importância intrínseca do particular estatuto envolvido, mas ao processo constitucional legislativo, o qual é uma parte essencial do nosso sistema de governo"[212]. Os pontos centrais

---

[210] Cf. McCLOSKEY, Robert G., idem, p. 109 e 110.

[211] Cf. McCLOSKEY, Robert G., idem, p. 109 e 110. Ainda, cf. REHNQUIST, William H. *The Supreme Court*. New York: Vintage Books, 2002, eBook Kindle, pos. 2068-2098.

[212] o mesmo julgado a Corte destacou os riscos de expansão do ato discutido em outras frentes: "[s]e o Congresso pode investir tal poder legislativo ao Presidente, ele pode investir em qualquer conselho ou oficial de sua escolha, e o poder investido pode se referir não meramente ao transporte

decididos (na opinião entregue pelo chefe de Justiça Hughes), assim, passaram pela reafirmação (na linha de precedentes) do princípio de que o Congresso está proibido de abdicar, ou transferir a outros, as suas funções legislativas essenciais; que o Congresso deve prescrever suas políticas (*declarations of policy*) e fazer delegações dentro dessa moldura política (isto é, deve estabelecer os padrões e instrumentos selecionados pelos quais serão editadas regras subordinadas, tudo dentro de limites previstos, a permitir a determinação dos fatos aos quais a sua política deve ser aplicada); que as políticas declaradas e as delegações atinentes a sua implementação, postas pelo Congresso, colocam a forma de se averiguar o exercício apropriado da autoridade delegada (ou seja, se as ações do delegatário – presidente, conselho ou oficial – evidenciam a sua adesão, ou não, ao parâmetros dados) e, também, são exigência da cláusula do devido processo (*due process clause*), na medida em que um cidadão só pode ser punido por violar uma ordem legislativa de um oficial executivo, conselho ou comissão, se restar demonstrado que a ordem está dentro dos limites da autoridade exercida[213].

Neste julgado o juiz Cardozo registrou uma opinião dissidente, assentada nas seguintes premissas básicas: (*i*) é certo que uma delegação só pode ser sustentada se houver um padrão, estabelecido nos termos da lei, pelo qual a discricionariedade deve ser governada, sendo que a lei em debate não apresenta a alegada falta deste padrão (cuja definição, aliás, se coloca como a questão fundamental); (*ii*) os padrões são encontrados no conjunto do ato questionado (*v.g.*, as ações do presidente devem visar a eliminação de práticas competitivas injustas, devem garantir a conservação dos recursos naturais – para que não sejam exauridas as reservas nacionais de petróleo –, devem promover a mais completa utilização possível da capacidade produtiva das indústrias, ainda que alguma exceção possa

---

de óleo, ou óleo produzido em excesso ao que os Estados podem permitir; isso pode se estender ao transporte em comércio estadual de qualquer *commodity*..." Mais: assentou que o debate não se resolve pelo motivo de que o presidente, segundo se deve presumir, sempre agiu ou agirá com base no que acredita ser o bem público, posto que nem o melhor dos motivos substitui a autorização constitucional, que é o centro da discussão (cf. ESTADOS UNIDOS DA AMÉRICA. SUPREMA CORTE DOS ESTADOS UNIDOS. *Panama Refining Co. vs. Ryan*, 293 U.S. 388 (1935). Disponível em: <https://supreme.justia.com/cases/federal/us/293/388/case.html>. Acesso em: 12 de jan. de 2015).

[213] Cf. ESTADOS UNIDOS DA AMÉRICA. SUPREMA CORTE DOS ESTADOS UNIDOS. *Panama Refining Co. vs. Ryan*, op. cit.

ser necessária para evitar, no longo prazo, restrição indevida da produção etc., tudo, em suma, para modificar as condições prevalentes na indústria do óleo, que levaram a preços desmoralizantes e desemprego); (*iii*) por fim, o acertamento desse objetivos é tarefa intrincada em qualquer tempo ou lugar, e não pode ser preestabelecida pelo Congresso em termos gerais e em antecipação aos eventos (que devem ser enfrentados no dia a dia, confrontados com a plenitude da compreensão atingível apenas "pelo homem sobre a cena", sendo que "[o] Presidente foi escolhido para atender à necessidade instantânea.")[214].

Em *Railroad Retirement Board vs. Alton Railroad Co.* (1935) entrou em julgamento o Ato de Aposentadoria das Ferrovias (*Railroad Retirement Act*), de 27 de junho de 1934, que estabelecia aposentadoria compulsória e um sistema de pensão para todas as carreiras interestaduais de ferroviários[215]. No caso a Corte decidiu, considerando que o poder do Congresso para a regulação do comércio interestadual estava sujeito à garantia do devido processo, prevista na Quinta Emenda à Constituição, que o Ato sob análise era inconstitucional porque continha várias previsões violadoras dessa garantia e, ainda, porque não se mostrava como uma genuína regulação de comércio interestadual. Também restou assentado que o Tribunal não poderia reescrever o ato, sob pena de produzir efeito diverso do esperado pelo Congresso, razão pela qual o anulava em sua totalidade[216].

---

[214] Cf. ESTADOS UNIDOS DA AMÉRICA. SUPREMA CORTE DOS ESTADOS UNIDOS. *Panama Refining Co. vs. Ryan*, idem.

[215] Cf. ESTADOS UNIDOS DA AMÉRICA. SUPREMA CORTE DOS ESTADOS UNIDOS. *Railroad Retirement Board vs. Alton Railroad Co*, 295 U.S. 330 (1935). Disponível em: <https://supreme.justia.com/ cases/federal/us/295/330/>. Acesso em: 21 de jan. de 2015.

[216] Nesta última parte, como se extrai da opinião da Corte, a discussão se estabeleceu porque o Ato em foco continha um dispositivo que assegurava a sua validade como um todo, ainda que partes suas fossem consideradas inválidas. Embora tal previsão (que coloca uma presunção de divisibilidade do ato – excetuadas as partes inválidas, portanto – para fins da sua sobrevivência), quando existente, facilite a determinação do intento legislativo, o Tribunal decidiu que não se trata de um comando inexorável. Na hipótese, como os dispositivos derrubados afetavam o próprio objetivo predominante do estatuto (criação de um sistema de pensões, que não poderia se instrumentalizar sem eles), a declaração de inconstitucionalidade contaminou todo o Ato (cf. ESTADOS UNIDOS DA AMÉRICA. SUPREMA CORTE DOS ESTADOS UNIDOS. *Railroad Retirement Board vs. Alton Railroad Co*, op. cit.). Vale observar, com LEUTCHEMBURG, que em *Railroad* a Corte atingiu, pela primeira vez, um público organizado (milhares de trabalhadores das ferrovias) capaz de alinhar-se a Roosevelt em futura proposta de contenção do Tribunal (cf. LEUCHTENBURG,

Logo adiante (no curso do mesmo mês em que julgado o caso anterior), sucedeu o episódio conhecido como "Black Monday", isto é, um péssimo dia na Corte para o *New Deal*, em 27 de maio de 1935, uma segunda-feira. Nele foram a julgamento três casos relativos ao programa – *A. L. A. Schechter Poultry Corp. vs. United States* (1935), *Louisville Joint Stock Land Bank vs. Radford* (1935) e *Humphrey's Executor vs. United States* (1935) – e em todos a decisão se deu por unanimidade[217].

Em *A. L. A. Schechter Poultry Corp. vs. United States* (1935), mais uma vez o Ato de Recuperação da Indústria Nacional (*National Industrial Recovery Act*) estava sendo desafiado, dessa feita por vários outros dispositivos. Agora *Panama Refining Co. vs. Ryan* (1935) já fora invocado como caso precedente, e a Corte enfatizou que "[c]ondições extraordinárias, como uma crise econômica, podem clamar por remédios extraordinários, mas não podem criar ou alargar poder constitucional"[218]. Ou seja, assentou que "os esforços recuperadores do governo federal precisam ser feitos de uma forma consistente com a autoridade concedida pela Constituição"[219]. Assim, foram consideradas inconstitucionais as tentativas de delegar poder legislativo ao presidente[220] e, também, as de regular transações

William E. *The Supreme Court Reborn*. The Constitutional Revolution in the Age of Roosevelt. New York: Oxford University Press, 1995, eBook Kindle, p. 87).

[217] Cf. LEUCHTENBURG, William E., op cit., p. 88. Ainda, cf. REHNQUIST, William H., op. cit., pos. 2008. E, cf. ESTADOS UNIDOS DA AMÉRICA. SUPREMA CORTE DOS ESTADOS UNIDOS. A. L. A. *Schechter Poultry Corp. vs. United States*, 295 U.S. 495 (1935). Disponível em: <https://supreme.justia.com/cases/ federal/us/295/495/case.html>. Acesso em: 21 de jan. de 2015; e, cf. ESTADOS UNIDOS DA AMÉRICA. SUPREMA CORTE DOS ESTADOS UNIDOS. *Louisville Joint Stock Land Bank vs. Radford*, 295 U.S. 555 (1935). Disponível em: <https://supreme.justia.com/cases/federal/us/295/555/case.html>. Acesso em: 21 de jan. de 2015; cf. ESTADOS UNIDOS DA AMÉRICA. SUPREMA CORTE DOS ESTADOS UNIDOS. *Humphrey's Executor vs. United States*, 295 U.S. 602 (1935). Disponível em: <https://supreme.justia.com/cases/federal/ us/295/602/case.html>. Acesso em: 21 de jan. de 2015.

[218] Cf. ESTADOS UNIDOS DA AMÉRICA. SUPREMA CORTE DOS ESTADOS UNIDOS. A. L. A. *Schechter Poultry Corp. vs. United States*, op. cit.

[219] Cf. ESTADOS UNIDOS DA AMÉRICA. SUPREMA CORTE DOS ESTADOS UNIDOS. A. L. A. *Schechter Poultry Corp. vs. United States*, idem.

[220] Nesse sentido: "[c]ongresso não pode delegar poder legislativo ao presidente para exercer uma discricionariedade irrestrita para fazer quaisquer leis que ele ache que possam ser necessárias ou aconselháveis para a reabilitação e expansão do comércio e da indústria" (cf. ESTADOS UNIDOS

intraestaduais (*v.g.*, por meio da fixação de salários e carga horária de trabalho para os empregados da recorrente nos seus negócios intraestaduais etc.) com efeitos apenas indiretos no comércio interestadual (em violação do poder dos estados[221]). Neste caso, em que a opinião da Corte novamente foi entregue pelo chefe de Justiça Hughes, o juiz Cardozo, embora tenha apresentado opinião dissidente em *Panama Refining Co. vs. Ryan* (1935), registrou posição concordante com todos os demais.

Em *Louisville Joint Stock Land Bank vs. Radford* (1935) estava em questão o Ato de Falência, alterado pelo Ato Frazier-Lemke (de 28 de junho de 1934). Dentre os propósitos da lei estava "o de preservar ao devedor hipotecário a propriedade e o gozo de sua fazenda"[222]. A Corte assentou que, embora todas as leis nacionais de falência tenham sido aprovadas em face de um maior ou menor cenário de depressão, nenhuma tinha obrigado, antes do Ato Frazier-Lemke, o credor hipotecário a entregar ao falido o título de propriedade, ou mesmo a posse da propriedade hipotecada, enquanto alguma parte da dívida remanescesse sem pagamento. Tampouco lei anterior obrigava o credor a fornecer ao falido capital para ele empreender em futuros negócios, ou a desconstituir hipotecas sobre

---

DA AMÉRICA. SUPREMA CORTE DOS ESTADOS UNIDOS. A. L. A. *Schechter Poultry Corp. vs. United States*, idem).

[221] No ponto, disse o julgado: "[a] aparente implicação é que a autoridade federal sob a cláusula de comércio deveria ser considerada como ampliada para o estabelecimento de regras para governar os salários e horas no comércio intraestadual e indústria geralmente em todo o país, substituindo, assim, a autoridade dos Estados para lidar com problemas domésticos decorrentes de condições de trabalho em seu comércio interno. Não é da competência do Tribunal considerar as vantagens econômicas ou desvantagem de um tal sistema centralizado. É suficiente dizer que a Constituição Federal não prevê isso. O nosso crescimento e desenvolvimento têm clamado pela ampla utilização do poder de comércio do governo federal em seu controle sobre as atividades expandidas de comércio interestadual, e na proteção deste comércio de fardos, interferências, e conspirações para retê-lo e monopolizá-lo. Mas a autoridade do governo federal não pode ser levada a tal extremo como a destruir a distinção, que a própria cláusula de comércio estabelece, entre o comércio 'entre os vários Estados' e as preocupações internas de um Estado." (cf. ESTADOS UNIDOS DA AMÉRICA. SUPREMA CORTE DOS ESTADOS UNIDOS. A. L. A. *Schechter Poultry Corp. vs. United States*, idem).

[222] Cf. ESTADOS UNIDOS DA AMÉRICA. SUPREMA CORTE DOS ESTADOS UNIDOS. *Louisville Joint Stock Land Bank vs. Radford*, op. cit.

propriedades consideradas isentas[223]. Considerando, segundo o Tribunal, que "o poder de falência, como todos os grandes poderes substantivos do Congresso, está sujeito à Quinta Emenda", que "[a] Quinta Emenda determina que, não importando quão grande seja a necessidade da Nação, a propriedade privada não deve ser tomada mesmo para um uso totalmente público sem justa indenização", e, ainda, que a norma permite "tirar valiosos direitos em propriedade específica de uma pessoa e dar-lhes a outra" sem previsão de novos direitos em lugar dos direitos afastados, resulta que o ato está "em violação à Constituição"[224].

Já em *Humphrey's Executor vs. United States* (1935) o Tribunal debateu os limites do poder presidencial de remover membros de comissões regulatórias independentes[225]. Ao fazê-lo, estabeleceu que, nas ocasiões em que o Congresso comete ao Executivo a indicação de oficiais com funções de qualidade mais legislativa e judicial do que exclusivamente executiva, o presidente só tem poder constitucional para destituir o nomeado dentro das hipóteses também preestabelecidas pelo Congresso[226].

Diante dessa sequência de julgamentos, uma ideia já corrente entre liberais antes mesmo da posse de Roosevelt, isto é, de que se tinha uma Suprema Corte altamente conservadora (leia-se, republicana)[227] e que seria necessário restringir

---

[223] Cf. ESTADOS UNIDOS DA AMÉRICA. SUPREMA CORTE DOS ESTADOS UNIDOS. *Louisville Joint Stock Land Bank vs. Radford*, idem. No mesmo sentido, e ainda deste julgado: "[n]enhum outro ato de falência se comprometeu a modificar no interesse do devedor ou de outros credores qualquer direito substantivo do titular de qualquer hipoteca válida nos termos da lei federal".

[224] Cf. ESTADOS UNIDOS DA AMÉRICA. SUPREMA CORTE DOS ESTADOS UNIDOS. *Louisville Joint Stock Land Bank vs. Radford*, idem.

[225] Cf. LEUCHTENBURG, William E., idem, p. 88.

[226] Cf. ESTADOS UNIDOS DA AMÉRICA. SUPREMA CORTE DOS ESTADOS UNIDOS. *Humphrey's Executor vs. United States*, op. cit.. Nos exatos termos deste julgado: "[q]uando o Congresso prevê a nomeação de oficiais cujas funções, como aquelas dos comissários de Comércio Federal, são de qualidade mais Legislativa e judicial, em vez de Executiva, e limita as bases sobre as quais eles podem ser removidos do cargo, o Presidente não tem poder constitucional para removê-los por outras razões que não aquelas a tanto especificadas". No caso a Comissão consistia em um corpo de especialistas independentes e sem partido, "com funções nem políticas ou executivas, mas predominantemente quasi-judiciais e quasi-legislativas", que só poderiam ser removidos pelo Presidente por ineficiência, negligência ou improbidade no cargo, a demonstrar que o Congresso efetivamente restringiu as possibilidades de destituição a uma ou mais dessas hipóteses.

[227] Nesse sentido: "[c]ada vez mais, liberais acreditavam que a maioria dos Juízes falava pelos

as suas interferências nas políticas de recuperação do país, voltou a linha de considerações. LEUCHTEMBURG menciona um encontro entre o senador William G. McAdoo e o futuro procurador-geral do governo Roosevelt, Homer Cummings, em janeiro de 1933, onde o congressista colocou o desenho de um projeto, que teria gosto em apresentar, segundo o qual os juízes da Suprema Corte se tornariam eméritos a partir dos 70 ou 72 anos, mantendo os seus salários, com a possibilidade de serem chamados pelo juiz chefe para decidir determinadas matérias, mas não mais que um por vez. Um projeto com tais características poderia ser considerado constitucional e, mais, seria a forma de se livrarem de alguns juízes mais antiquados[228].

Nos anos a seguir houve idas e vindas nas discussões sobre o se e o como restringir a atuação da Corte. Em um primeiro momento (ainda em 1934), as decisões favoráveis ao *New Deal* editadas em *Blaisdell* e *Nebbia* sinalizaram, mesmo que por um placar de cinco a quatro, que a situação de emergência poderia colocar a oportunidade para o governo alterar direitos de propriedade com o apoio do Tribunal. Mas o fato é que tais precedentes serviram apenas momentaneamente "para dispersar a convicção de que a colisão entre Roosevelt e o Judiciário era inevitável e que medidas teriam que ser tomadas para renovar a Suprema Corte"[229].

Já à abertura do ano de 1935, porém, as provisões do Ato de Recuperação da Indústria Nacional (*National Industrial Recovery Act*) voltadas ao controle do "óleo quente" (*hot oil* – petróleo e derivados excedentes às autorizações estatais), como analisado, foram derrubadas em *Panama Refining Co. vs. Ryan*. Este julgamento se deu no dia 7 de janeiro, e no dia 11 do mesmo mês o gabinete do governo já estava reunido para debater as alternativas, estando claro que se a mudança persistisse o número de juízes deveria ser aumentado logo de uma vez, de sorte a garantir uma maioria favorável no Tribunal[230].

A certeza sobre a necessidade de agir sobre a Corte aumentou em 6 de maio, em *Railroad Retirement Board vs. Alton Railroad Co.*, com a invalidação do Ato

---

interesses dos ricos e bem-nascidos, e FDR [Franklin Delano Roosevelt] concordava com esta crítica" (cf. LEUCHTENBURG, William E., idem, p. 83).

[228] Cf. LEUCHTENBURG, William E., idem, p. 83 e 84.

[229] Cf. LEUCHTENBURG, William E., idem, p. 83.

[230] Cf. LEUCHTENBURG, William E., idem, p. 85.

de Aposentadoria das Ferrovias (*Railroad Retirement Act*), atingindo o seu ápice na referida "*Black Monday*" (em 27 de maio de 1935), com a cassação, por inconstitucionais, do Ato Frazier-Lemke (uma medida de socorro a fazendeiros em risco de ver as suas propriedades fechadas, em *Louisville Joint Stock Land Bank vs. Radford*), do ato presidencial de remoção de membro da Comissão Federal de Comércio (*Federal Trade Commission*, em *Humphrey's Executor vs. United States*, decisão em especial afronta pessoal ao presidente) e, por fim, de parte do Ato de Recuperação da Indústria Nacional (*National Industrial Recovery Act*, no ponto onde o Congresso delegava poder legislativo ao chefe do Executivo, em *A. L. A. Schechter Poultry Corp. vs. United States*)[231].

Em 31 de maio, em entrevista coletiva na Casa Branca, Roosevelt abordou "as implicações da opinião da Corte em *Schechter*. Manuseando uma cópia dela enquanto falava, o presidente argumentou que a Corte despiu o governo nacional do seu poder de lidar com problemas críticos"[232]. Após aduzir que, no caso, a Corte havia relegado a todos uma definição "cavalo-e-charrete" (*horse--and-buggy*) de comércio interestadual, acrescentou que o país estava diante de "uma grande, muito grande questão nacional não-partidária", sobre a qual "vamos ter que decidir, de uma forma ou de outra... se, por algum caminho, nós iremos... restaurar ao governo nacional os poderes que existem em Governos de todas as outras Nações no mundo"[233]. Estava oficializado, assim, o repúdio do Executivo ao recente superativismo do Judiciário. Ao mesmo tempo, formalmente admitia-se a percepção de que os argumentos utilizados para fundamentar as decisões contrárias ao governo indicavam que várias outras medidas do *New Deal* provavelmente seriam cassadas pelo Tribunal, além de alertar para a inviabilidade de se concretizar outras políticas em gestação[234].

Contudo, era preciso definir a direção que o Executivo tomaria para confrontar os reveses judiciários sofridos. O presidente poderia, mostrando observância à crítica constitucional da Corte, recuar e decretar "um novo e mais modesto programa legislativo". Também poderia, ao contrário, enfrentar a Corte por meio

---

[231] Cf. REHNQUIST, William H., idem, pos. 2008.

[232] Cf. LEUCHTENBURG, William E., idem, p. 89.

[233] Cf. LEUCHTENBURG, William E., idem, p. 89.

[234] Cf. LEUCHTENBURG, William E., idem, p. 89; e, ACKERMAN, Bruce. *We The People*. Vol. 2.Transformations. Cambridge: The Belknap Press of Harvard University Press, 1998, p. 297.

da reedição de algo semelhante ao Ato de Recuperação da Indústria Nacional (*National Industrial Recovery Act*), seguido de pedido à população (em 1936) por um novo mandato para implementá-lo em seus termos. Ainda, o presidente poderia escolher uma saída intermediária, pela qual "não recua nem reedita, mas repensa o *New Deal.* O estilo centralizador do corporativismo presidencial era realmente o melhor caminho para controlar os abusos e injustiças da economia de livre mercado?"[235].

A entrevista de 31 de maio, que durara uma hora e meia, é tida como um raro momento de densa reflexão constitucional entregue diretamente por um presidente. As considerações feitas informam que ele estava menos preocupado com a questão da delegação de poderes legislativos (na medida em que a Corte disse que isso poderia ocorrer mediante padrões estatutários melhor especificados no Ato). Afinando as suas prioridades constitucionais a partir de *Schechter*, o ponto fundamental para Roosevelt estava em descobrir se o governo federal tinha, ou não, o direito de tomar alguma parte na tentativa de melhorar nacionalmente as condições sociais (como o emprego de todos os tipos etc.). "Tais observações já introduziam a possibilidade de que uma virada judicial no tempo poderia servir como alternativa a uma emenda constitucional formal", sendo que, ao menos naquele momento, modificar a constituição ainda parecia não ser a via prioritária[236].

Seguiu-se um completo silêncio de Roosevelt até o final do seu primeiro mandato, indicando que estava a repensar o Ato de Recuperação da Indústria Nacional (*National Industrial Recovery Act*), que não fora reeditado por qualquer forma. Também não houve movimento no sentido de avançar no Congresso propostas de emenda constitucional (ou outras medidas inconvencionais), que poderiam ser taxadas de prematuras. A estratégia foi a elaboração de um segundo *New Deal* e a busca de mais um mandato que legitimasse a sua concretização[237].

Nesse rumo, houve um esforço conjunto do Executivo e do Congresso nos meses subsequentes à *Black Monday*, que resultou em marcos legislativos como o Ato Wagner de Trabalho (*Wagner Labor Act*, de 5 de julho de 1935), o Ato do Seguro Social (*Social Security Act*, de 14 de agosto de 1935) e o Ato de Utilidade

---

[235] Cf. ACKERMAN, Bruce, op. cit., p. 296.

[236] Cf. ACKERMAN, Bruce, idem, p. 297 e 298.

[237] Cf. ACKERMAN, Bruce, idem, p. 301.

Pública das Companhias-Mãe (*Public Utility Holding Company Act*, de 26 de agosto de 1935), todos integrantes do chamado *Segundo New Deal*. Deixava-se de lado, assim, a abordagem centralizadora corporativista (que pretendera levar a cabo mudanças nessas áreas a partir do Ato de Recuperação da Indústria Nacional – *National Industrial Recovery Act*) em prol de várias instâncias regulatórias do mercado, criadas "para corrigir abusos e injustiças definidos por meio do processo democrático"[238].

Embora esses movimentos, ainda em 1935, sinalizassem para uma atenção imediata ao Legislativo e não ao Judiciário, os discursos de campanha indicavam a conduta que o candidato, se reeleito, adotaria: "[e]le prometeu endereçar 'problemas nacionais prementes... por meio de legislação nos limites da Constituição'". Porém, "[s]e isso falhasse, ele prometeu buscar uma 'emenda esclarecedora... para regular o comércio, proteger a segurança e a saúde pública e salvaguardar a seguridade da economia'"[239].

Nos bastidores, no final de 1935, em reunião de gabinete, o próprio Roosevelt deixara clara a sua já convicção de que, em algum momento, a Suprema Corte iria pronunciar a inconstitucionalidade das medidas aprovadas, dispondo-se de três caminhos para o seu enfrentamento: "empacotando" a Corte, o que era uma ideia amarga; aprovando um certo número de emendas à Constituição para fazer frente às variadas situações com risco de serem tomadas por inconstitucionais sob os termos atuais; e, por uma forma que requereria maiores estudos, consistente em conferir de modo ostensivo na Constituição o poder à Suprema Corte para declarar inconstitucionais os atos do Congresso (poder até então apenas presumido), acompanhado da previsão de poder ao Congresso para, mediante votação, reaprovar a lei declarada inconstitucional, quando essa declaração (judiciária) ficaria afastada e a lei se tornaria válida[240].

Enquanto esses caminhos eram maturados, o presidente seguiu sem ver dias melhores no Tribunal em 1936. Nesse ano, em *United States vs. Butler*, a Suprema Corte julgou inconstitucional o Ato de Ajuste da Agricultura (*Agricultural Adjustment Act*), outro pilar do *New Deal*[241]. O objetivo do governo por esta lei

[238] Cf. ACKERMAN, Bruce, idem, p. 302.

[239] Cf. ACKERMAN, Bruce, idem, p. 301 e 308.

[240] Cf. LEUCHTENBURG, William E., idem, p. 94.

[241] No caso a opinião da Corte foi entregue por Roberts (acompanhado por Hughes, Butler,

era o de aumentar preços de certos produtos dos agricultores mediante o decréscimo, por parte destes, das quantidades de área plantada e colhida. Os produtores que concordassem com isso, via acordo com o secretário da Agricultura, seriam compensados em dinheiro, e a fonte de custeio seria a taxação daqueles que primeiro processassem as *commodities*. Nesse julgamento estava justamente sendo questionada a constitucionalidade dessa taxação, que acabou sendo repudiada pelos seguintes argumentos principais: (*i*) o ato invade a reserva de Poderes dos Estados, uma vez que a regulação e o controle da produção agrícola estão além dos poderes delegados ao governo federal pela Constituição; (*ii*) a taxação, a apropriação dos recursos levantados e o direcionamento para o seu desembolso são apenas partes do plano de meios para um fim inconstitucional; (*iii*) o ato, a pretexto de regular a atividade dos produtores rurais, se apresenta como uma forma de coerção por meio de pressão econômica, onde o direito de escolha destes é ilusório. E, ainda que fosse efetivo o direito de escolha em aderir, ou não, ao programa, ele se revela como uma forma de compra, com recursos federais, da submissão a regulação federal em assunto reservado a normatização pelos estados; (*iv*) assim como o Congresso não tem poder para impor a taxação debatida, também não tem poder para ratificar os respectivos atos de implementação de um oficial executivo[242]; (*v*) a existência de uma situação de preocupação nacional, resultante de condições locais semelhantes e difundidas, não autoriza o Congresso a ignorar as limitações constitucionais sobre os seus próprios poderes e a usurpar aqueles reservados aos estados[243].

Sutherland, Van Devanter, McReynolds), com o dissenso de Stone, Brandeis e Cardozo (cf. ESTADOS UNIDOS DA AMÉRICA. SUPREMA CORTE DOS ESTADOS UNIDOS. *United States vs. Butler*, 297 U.S. 1 (1936). Disponível em: <https://supreme.justia.com/cases/federal/us/297/1/>. Acesso em: 13 de jan. de 2015).

[242] Cf. ESTADOS UNIDOS DA AMÉRICA. SUPREMA CORTE DOS ESTADOS UNIDOS. *United States vs. Butler*, op. cit.

[243] No mesmo sentido: "[s]e a nova forma de ver a cláusula geral de bem-estar [General Welfare Clause] agora avançada em apoio à taxa for aceita, aquela cláusula não só permitiria ao Congresso suplantar os estados na regulação da agricultura e de todas as outras indústrias também, mas iria fornecer os meios pelos quais todas as demais disposições da Constituição, laboriosamente enquadradas para definir e limitar o poder dos Estados Unidos e preservar os poderes dos estados, poderia ser quebrado, a independência dos estados individuais obliterada, e os Estados Unidos convertido em um governo central exercendo um descontrolado poder de polícia em toda a União, substituindo todo o controle local sobre as preocupações locais". (Cf. ESTADOS UNIDOS DA

A essa altura já estava amplamente desgastada a relação do Judiciário com os demais poderes e, inclusive, com a própria opinião pública, uma vez que as inconstitucionalidades reconhecidas nesses últimos casos haviam impactado notavelmente os planos de ação aprovados pelo Congresso e em fase de implantação pelo Executivo. Vale lembrar que Roosevelt fora eleito com maciço apoio popular em 1932, e que a intervenção judiciária, assim, frustrara, em boa parte, o esperado socorro à economia em grave crise[244].

Nesse contexto, interessantíssimas foram as considerações – nitidamente defensivas – ainda articuladas pela Corte em *United States vs. Butler*. Constam no corpo do julgado, *v.g.*, as seguintes máximas: "[a] Constituição é a suprema lei do país, ordenada e estabelecida pelo povo, e toda legislação precisa se conformar com os princípios que ela prescreve"; "[é] uma má compreensão dizer que em declarando um Ato do Congresso Inconstitucional a Corte assume o poder de revogar ou controlar a ação dos representantes do povo"; "[q]uando um Ato do Congresso é propriamente desafiado em uma Corte é dever da Corte compará-lo com o artigo da Constituição que é invocado e decidir se está em conformidade com aquele artigo"; "[t]udo o que a Corte faz ou pode fazer em tais casos é anunciar seu considerado julgamento sobre a questão"; "...ela não pode aprovar ou condenar qualquer política legislativa; ela pode meramente verificar e declarar se a legislação está em acordo com, ou em contravenção, as provisões da Constituição"; "[a] questão em casos tais não é sobre quais poderes o governo federal deveria ter, mas quais poderes têm, em fato, sido dados a ele pelo povo"; etc. Como se vê, é ostensivo o esforço do Tribunal (frente às intensas críticas às suas intervenções sobre medidas nucleares do *New Deal*, pechadas de inconstitucionais) na tentativa de demonstrar a legitimidade da sua atuação, em linhas que procuram ser didáticas em informar sobre a posição da Constituição no quadro normativo, sobre o papel e o método de trabalho da Corte, e, principalmente, sobre o não julgamento da conveniência política das normas questionadas, mas

---

AMÉRICA. SUPREMA CORTE DOS ESTADOS UNIDOS. *United States vs. Butler*, idem).

[244] "Foi assim que a candidatura Democrata, a oposição, ganhou o apoio de 22.809.638 votantes (57,41%), a maior votação já lançada para um candidato para a Presidência (...) Hoover, na derrota, obteve 15.758.901 votos (39,66%) (...) ele levou somente seis Estados e assegurou somente 59 votos eleitorais". (Cf. ROBINSON, Edgar Eugene. *The Presidential Vote*. 1896-1932. Stanford University Press: Palo Alto, 1934, p. 29).

só a respeito da sua conformação constitucional, no que não haveria usurpação das atribuições do Legislativo.

Assentadas essas premissas, a Suprema Corte seguiu decotando o *New Deal* em *Morehead vs. New York ex rel Tipaldo* (1936), no qual a opinião do Tribunal foi entregue por Butler (com o acompanhamento de Roberts, Sutherland, Van Devanter e McReynolds e o dissenso de Hughes, Stone, Brandeis e Cardozo)[245]. Na hipótese foi vetada uma lei de *New York* que fixava salário mínimo para mulheres. O argumento da maioria fez ecoar a visão *laissez-faire* assentada em precedentes como *Lochner* e *Adkins*, repudiando a intervenção do Estado por atentar contra a cláusula do devido processo prevista na décima quarta emenda à Constituição dos Estados Unidos[246].

Morehead vs. New York ex rel Tipaldo é tido como a gota d'água. O ponto a partir do qual mesmo os liberais mais contidos não puderam manter a esperança na evitação de um confronto com o Judiciário. O caso, enfim, "produziu um clamor nacional contra a Corte"[247].

A par desse ambiente judiciário hostil, em novembro de 1936 Roosevelt foi reeleito com esmagador apoio popular (16 milhões de votos contra os 9 milhões obtidos pelo candidato Republicano, Alfred M. Landon – que só obteve votos para o Colégio Eleitoral em dois estados)[248]. O significado do evento estava claro: "[a] vitória de Roosevelt no inverno de 1936 foi impressionante o suficiente para convencer a todos menos aqueles que não iriam ouvir que o povo americano queria o *New Deal*"[249]. E o enfrentamento com o Judiciário, com o aval da opinião pública, não tardou. Ele veio a lume em 5 de fevereiro de 1937, pelo projeto que ficou conhecido como Plano de Empacotamento da Corte, ou "*Court-Packing*

---

[245] Cf. ESTADOS UNIDOS DA AMÉRICA. SUPREMA CORTE DOS ESTADOS UNIDOS. *Morehead vs. New York ex rel Tipaldo*, 298 U.S. 587 (1936). Disponível em: <https://supreme.justia.com/cases/federal/us/298/ 587/>. Acesso em: 8 de jan. de 2015.

[246] Cf. WOLFE, Christopher, op. cit., pos. 3252.

[247] Cf. LEUCHTENBURG, William E., idem, p. 94. Ainda segundo o autor: "[c]omo Alpheus T. Mason tinha observado: 'Em qualquer momento até 1 de junho de 1936 a Corte poderia ter recuado e assim evitado o confronto. A opinião sobre o salário mínimo de Nova Iorque, proferida naquele dia, convenceu até o mais reverente de que cinco velhos teimosos tinham-se firmemente plantado no caminho do progresso'.".

[248] Cf. REHNQUIST, William H., idem, pos. 2037.

[249] Cf. McCLOSKEY, Robert G., idem, p. 116.

Plan". Apresentado por mais de uma hora pelo próprio presidente às lideranças democratas do Congresso, aos presidentes dos Comitês Judiciários da Câmara e do Senado e a membros do seu próprio gabinete, em reunião na Casa Branca, o projeto recomendava "que o ramo judiciário do governo fosse 'reorganizado'", tendo em vista que a Suprema Corte, ao derrubar, uma após a outra, medidas essenciais do *New Deal*, havia erguido uma barreira às "reformas progressistas que o país, na eleição de novembro, esmagadoramente indicou que queria"[250].

Se por meio do "*Court-Packing Plan*" Roosevelt pretendia a nomeação de mais seis juízes para a Suprema Corte, de modo a obter uma maioria que se manifestasse favorável à constitucionalidade dos projetos do *New Deal* (inclusive, e principalmente, daqueles integrantes da sua segunda versão)[251], a verdade é que o seu movimento agressivo junto ao Congresso também passava por outra mudança na Constituição, especificamente do seu Artigo Quinto, para garantir ao Congresso poderes para legislar em matérias como comércio, indústria e agricultura, isto é, em assuntos de bem-estar geral, quando os estados não conseguissem fazê-lo de modo eficaz[252] (suprimindo, assim, o fundamento de várias decisões *Anti-New Deal* pronunciadas pela Suprema Corte).

Ambas as ações, entretanto, não foram bem recebidas no Congresso. No caso do "*Court-Packing Plan*", o projeto nascera no núcleo duro do Executivo, em desenho que permaneceu em segredo até o seu anúncio pelo presidente, o que, já por isso, em nada agradou os congressistas[253]. Mas, para além da forma como fora concebido, o problema estava no conteúdo, "que surpreendeu não só o país, mas igualmente as lideranças democratas no Congresso"[254]. De pronto o presidente do Comitê Judiciário da Câmara, Hatton Sumners, se opôs à proposta. Influente, ele poderia não levar o tema a votação, motivo pelo qual o projeto

---

[250] Cf. REHNQUIST, William H., idem, pos. 2039.

[251] Cf. LEUCHTENBURG, William E. FDR's Court-Packing Plan: A Second Life, a Second Death, *Duke Law Journal* 673-689 (1985), p. 673. Disponível em: <http://scholarship.law.duke.edu/ dlj/vol34/iss3/4>. Acesso em: 17 de jan. de 2015.

[252] Cf. ACKERMAN, Bruce, idem, p. 338.

[253] Cf. REHNQUIST, William H., idem, pos. 2039. Além do presidente, somente Homer Cummings (procurador-geral) e um ou dois assistentes de confiança do Departamento de Justiça tinham trabalhado na formatação do projeto.

[254] Cf. REHNQUIST, William H., idem, pos. 2039.

chegou ao Legislativo pelo Senado, onde tramitou do início de fevereiro ao final do mês de julho de 1937[255].

Embora a resistência mencionada, o presidente em pessoa estava à frente da iniciativa, como chefe estrategista. E acreditava muito bem fundamentado o seu caso, seja pelo argumento de que o reduzido número de juízes já não era suficiente para dar conta da grande carga de trabalho na Suprema Corte[256], resultando em uma enorme lista de casos pendentes de julgamento, seja pela alegação de que a vitaliciedade dos juízes era um problema que precisava ser discutido de maneira franca (não só porque a idade avançada era parte da explicação do alegado atraso na apreciação dos processos, mas também porque a agudeza necessária ao ofício tendia a reduzir-se com o avanço dos anos – déficit nem sempre percebido pelo seu portador)[257].

Em 22 de março de 1937, perante o Comitê Judiciário do Senado, que já tinha ouvido o testemunho do procurador-geral, Homer Cummings, atestando a inabilidade da Suprema Corte em manter em dia o seu rol de processos, e do procurador-geral assistente, Robert H. Jackson, que elevou o tom político ao repercutir a alegação do presidente de que o Tribunal (ao fazer interpretações irrazoáveis e de má-vontade da Constituição) estava a negar ao povo norte-americano o direito de se governar, foi ouvido, na abertura da segunda semana de

---

[255] Cf. REHNQUIST, William H., idem, pos. 2039.

[256] Cf. REHNQUIST, William H., idem, pos. 2039-2068.

[257] Ou, nas palavras (bem mais duras) do próprio Roosevelt em mensagem especial ao Congresso enviada por ocasião da apresentação do *Court-Packing Plan*: "[u]ma parte do problema de se obter um número suficiente de juízes para dispor dos casos é a capacidade dos próprios juízes ... Isso traz à frente a questão dos juízes envelhecidos ou enfermos – um assunto delicado e ainda assim um que requer franca discussão... Em casos excepcionais, é claro, juízes, como outros homens, mantém até uma idade avançada pleno vigor físico e mental. Aqueles não tão afortunados são frequentemente incapazes de perceber suas próprias enfermidades... Um vigor físico ou mental reduzido conduz homens a evitar a investigação de condições complicadas e modificadas. Pouco a pouco, novos fatos se tornam turvos através de óculos antigos, por assim dizer, para as necessidades de uma outra geração; homens mais velhos, considerando que a cena é a mesma que era no passado, cessam de explorar ou investigar o presente ou o futuro... [a vitaliciedade para os juízes] não se destinava a criar um judiciário estático. Uma constante e sistemática adição de sangue novo irá vitalizar as cortes". (Cf. LEUCHTENBURG, William E. *The Supreme Court Reborn*. The Constitutional Revolution in the Age of Roosevelt. New York: Oxford University Press, 1995, eBook Kindle, p. 133).

trabalhos, e na qualidade de primeira testemunha em oposição ao projeto de lei, o senador Wheeler[258]. Quatro dias antes, Wheller havia chefiado uma comitiva – em companhia do também democrata senador William King (o segundo membro do partido em importância no Comitê Judiciário), e do graduado republicano senador Warren Austin – que convidara o chefe de Justiça Hughes para depor como testemunha perante a Comissão. A ideia era causar o máximo impacto possível e comprovar a desnecessidade das reformas pretendidas.

Entretanto, ao mesmo tempo em que negara o convite, Hughes prometera uma manifestação por carta, abordando a razão central do projeto. No domingo logo anterior à oitiva, Wheeler apanhou a carta com o chefe de Justiça, que também colhera as assinaturas dos colegas Brandeis e Van Devanter, e na abertura de sua fala disse que diligenciara junto "à única fonte neste país que poderia saber exatamente como eram os fatos". Após uma pausa dramática, deu início a leitura da carta, que abria afirmando: "[a] Suprema Corte está totalmente em dia com o seu trabalho". E seguia: "[q]uando nós saímos em 15 de março (do presente recesso) nós tínhamos ouvido os argumentos em casos nos quais a distribuição tinha sido concedida somente quatro semanas antes – 15 de fevereiro". O documento concluía dizendo que "não há congestionamento de casos sobre o nosso calendário", e que "[e]sta gratificante condição tem sido obtida por vários anos. Nós temos sido capazes por várias sessões a entrar em recesso após a disposição de todos os casos que estejam prontos para serem ouvidos". Noutro *front*, a carta também afirmava que à parte das questões políticas, sobre as quais nada discutiria, um aumento do número de juízes no Tribunal não promoveria a sua eficiência, uma vez que seriam mais juízes a serem ouvidos, revisados, a discutirem, a se convencer e a decidir, porquanto "O número presente de juízes é pensado para ser largo o suficiente, na medida em que estiver em consideração a prontidão, adequação e conduta eficiente do trabalho da Corte"[259].

Posta a divergência, dos dezoito membros do Comitê Judiciário do Senado contavam-se oito apoiadores do projeto contra outros oito contrários, com dois senadores ainda indecisos[260]. Antes que se procedesse a qualquer votação, porém, o impensável aconteceu. Logo em 29 de março de 1937, em *West Coast Hotel*

---

[258] Cf. REHNQUIST, William H., idem, pos. 2150-2180.

[259] Cf. REHNQUIST, William H., idem, pos. 2180.

[260] Cf. REHNQUIST, William H., idem, pos. 2150.

vs. Parrish, no qual mais uma vez a Corte era consultada sobre a possibilidade de o Estado fixar salário mínimo para mulheres, o Tribunal mudou de opinião, estabelecendo a constitucionalidade da norma questionada[261]. Ou seja, decidiu de maneira favorável ao Executivo e em sentido diametralmente oposto sobre tema já equacionado, havia pouco mais de nove meses, em *Morehead vs. New York ex rel Tipaldo* (que endossara caso precedente – *Adkins vs. Children's Hospital*, 1923 –, firmando posição pela invalidade da fixação de salário mínimo para mulheres por afronta à cláusula do devido processo prevista na Décima Quarta Emenda da Constituição)[262].

Em *West Coast Hotel vs. Parrish* o Tribunal estava a julgar o apelo de um hotel contra decisão favorável a uma ex-camareira sua, prolatada pela Suprema Corte de Washington. A mulher tinha conseguido convencer a Corte local acerca do seu direito a perceber a diferença entre o que lhe foi efetivamente pago por contrato e àquela quantia maior que o Estado fixara como salário mínimo. O apelante, então, desafiava este *decisum* com esteio na segurança das opiniões precedentes da Suprema Corte, emitidas exatamente em *Adkins vs. Children's Hospital* (1923) e em *Morehead vs. New York ex rel Tipaldo* (1936).

Como dito, entretanto, a Suprema Corte abandonou ambos os precedentes em sua decisão, revogando *Adkins vs. Children's Hospital* e afirmando que a situação em *Morehead vs. New York ex rel Tipaldo* era distinta (e, assim, inaplicável).

---

[261] Cf. ESTADOS UNIDOS DA AMÉRICA. SUPREMA CORTE DOS ESTADOS UNIDOS. *West Cost Hotel vs. Parrish*, 300 U.S. 379 (1937). Disponível em: <https://supreme.justia.com/cases/federal/us/300/379/ case.html>. Acesso em: 10 de fev. de 2015.

[262] Veja-se, ainda da decisão proferida em *Morehead vs. New York ex rel Tipaldo* (1936): "[o]s homens em maior número do que as mulheres sustentam a si próprios e seus dependentes e, por causa da necessidade, irão trabalhar por quaisquer salários que puderem obter, sem levar em conta o valor do serviço e mesmo que o salário seja menor do que o mínimo prescrito em conformidade com este ato. É claro que, em circunstâncias como as que estão retratadas no 'fundo factual', a prescrição de salários mínimos para as mulheres sozinha iria irrazoavelmente contê-las na competição com os homens e tenderia arbitrariamente a privá-las de emprego e de uma oportunidade justa para encontrar trabalho. (...) A decisão do tribunal de Nova York está em conformidade com a nossa no Caso Adkins. (...) E, em cada caso, sendo clara a opinião de que nenhuma discussão foi necessária para mostrar isso, tendo em conta os princípios aplicados no Caso Adkins, a legislação estadual que fixa os salários para mulheres era repugnante para a cláusula do devido processo da Décima Quarta Emenda..." (Cf. ESTADOS UNIDOS DA AMÉRICA. SUPREMA CORTE DOS ESTADOS UNIDOS. *Morehead vs. New York ex rel Tipaldo*, op. cit.).

O Tribunal, em opinião entregue pelo chefe de Justiça Hughes, justificou a mudança de rumo explicando que o apelante em *Morehead* não estava a questionar os princípios a partir dos quais *Adkins* deveria ser revogado, mas apenas sustentava que *Adkins* deveria ser considerado distinto e, pois, afastado como guia para aquele julgamento. Ao considerar (pela diferença de um voto) que *Adkins* não era distinto do caso em apreciação (*Morehead*), e como a parte interessada não havia pedido a referida análise de fundo, a Corte não pode fazê-la, restando indeferido o recurso e mantido o precedente (formado em *Adkins*).

Como em *West Coast Hotel vs. Parrish* estava em questão o pilar em que baseado o caso *Adkins*, isto é, a possibilidade de restrição da liberdade de contrato somente mediante o devido processo legal (tudo no marco de interpretação da Décima Quarta Emenda à Constituição), colocou-se a oportunidade para mudar a compreensão do Tribunal precisamente a respeito do parâmetro de atendimento ao devido processo. Se antes (em *Adkins*, um precedente, aliás, pré-depressão) o Tribunal pronunciou a inconstitucionalidade da tentativa do legislador de fixar salário mínimo e carga horária de trabalho, agora, à luz do sofrível estado da economia do país (e, talvez sobretudo, do movimento de reforma do Judiciário engendrado pelo Executivo), a Suprema Corte assentou que a restrição e a regulação da liberdade de contrato "se razoável em relação com o seu objeto e se adotada para a proteção da comunidade contra ameaças perversas à saúde, segurança, moral e bem-estar do povo, é devido processo".

Duas semanas mais tarde, nova boa notícia para o governo emergiu em *National Labor Relations Board vs. Jones & Laughlin Steel Corp.* Julgado em 12 de abril de 1937, e mais uma vez com a opinião da Corte entregue por Hughes, no caso restou afirmada a constitucionalidade do Ato Nacional das Relações de Trabalho, mais conhecido como Ato Wagner do Trabalho, aprovado em 1935 e de grande relevo para o *New Deal*[263]. Ajustando a sua compreensão sobre comércio interestadual (e, pois, se distanciando de *A. L. A. Schechter Poultry Corp. vs. United States*, 1935), a Corte passou a reconhecer a autoridade do Congresso para protegê-lo, legislando contra atos que o oprimam ou obstruam, o que incluía atos – que tenham este efeito – oriundos de disputas trabalhistas[264]. E mais:

---

[263] Cf. REHNQUIST, William H., idem, pos. 2180.

[264] No sentido da ampliação da sua anterior compreensão de comércio interestadual, disse a Corte: "Embora as atividades possam ser intraestaduais em caráter, quando consideradas isoladamente,

refutou que a cláusula do devido processo – como alegava o apelado – estivesse a indicar a inconstitucionalidade do Ato Wagner; e assentou, em formidável regresso a uma postura de autocontenção (*self-restraint*), que "[u]ma interpretação que conforme um estatuto com a Constituição deve ter preferência à outra que o tornaria inconstitucional ou de validade duvidosa"[265].

Em fins de abril de 1937 as audiências do Comitê Judiciário se encerraram, e o sentimento geral apontava para uma maioria contrária ao projeto, que exporia as suas razões em relatório. De toda sorte, uma derrota nessa arena não significava o fim, uma vez que o plano seguiria para votação em plenário de qualquer forma. E nesse espaço o governo ainda estimava uma possível aprovação, que estaria a depender do convencimento de vinte por cento dos senadores (contados como indecisos)[266].

Em 18 de maio de 1937, à abertura da sessão do Comitê Judiciário do Senado designada para votação do projeto, uma notícia de impacto chegava ao conhecimento dos parlamentares. O juiz Willis Van Devanter, no início daquela manhã, havia remetido ao presidente a sua carta de resignação[267]. Isto é, pela primeira vez, e já em seu segundo mandato, Roosevelt conseguiria fazer a nomeação de um substituto de sua escolha para a Suprema Corte, justamente em lugar de um magistrado conservador.

Já o momento do anúncio de aposentadoria, porém, milimetricamente programado, não há dúvidas, não poderia ser pior para as pretensões do Executivo. De fato, a notícia da saída de Van Devanter aprofundou a certeza da maioria

---

se elas têm uma relação tão estreita e substancial para o comércio interestadual que o seu controle é essencial, ou apropriado, para proteger o comércio de encargos e obstruções o Congresso tem o poder de exercer esse controle." (...) "[p]ortanto, o Congresso tem autoridade constitucional, para a proteção do comércio interestadual, para salvaguardar o direito de empregados em plantas manufatureiras à auto-organização e livre escolha dos seus representantes para negociações coletivas" (cf. ESTADOS UNIDOS DA AMÉRICA. SUPREMA CORTE DOS ESTADOS UNIDOS. *National Labor Relations Board vs. Jones & Laughlin Steel Corp.*, 301 U.S. 1 (1937). Disponível em: <https://supreme.justia.com/cases/federal/us/301/1/case.html>. Acesso em: 16 de fev. de 2015).

[265] Cf. ESTADOS UNIDOS DA AMÉRICA. SUPREMA CORTE DOS ESTADOS UNIDOS. *National Labor Relations Board vs. Jones & Laughlin Steel Corp.*, op. cit.

[266] Cf. REHNQUIST, William H., idem, pos. 2210.

[267] Cf. LEUCHTENBURG, William E. *The Supreme Court Reborn.* The Constitutional Revolution in the Age of Roosevelt. New York: Oxford University Press, 1995, eBook Kindle, p. 143.

no sentido da desnecessidade do plano e, ainda naquela sessão, o *Court-Packing* amargou quatro derrotas sucessivas nos pontos levados a votação (em emenda proposta para o fim de reduzir as novas cadeiras na Suprema Corte de seis para duas – por dez votos a oito –, em moção para relatar o projeto favoravelmente ao plenário do Senado – em novo dez a oito –, em moção para relatar o projeto como "sem recomendação" – com perda pelo mesmo placar –, e, por fim, em votação para relatar o projeto desfavoravelmente, a qual restou aprovada pelos mesmos dez votos contra oito)[268].

Antes que o relatório saísse, sobreveio, em 24 de maio, o julgamento da constitucionalidade do Ato do Seguro Social[269], em dois casos, ambos com discussão sobre a constitucionalidade de taxações impostas na aludida norma, para fins de custeio dos auxílios que previa. Em *Helvering vs. Davis* o Tribunal assentou que "[o] Congresso pode gastar dinheiro em auxílio do 'bem-estar geral'", de modo que "[q]uando dinheiro é gasto para promover o bem-estar geral, o conceito de bem-estar, ou o oposto, é moldado pelo Congresso, não pelos estados", e, assim sendo, "[e]m desenhando a linha entre o que é bem-estar 'geral', e o que é particular, a determinação do Congresso precisa ser respeitada pelas Cortes, a menos que seja claramente arbitrária". Também disse que "[o] conceito de 'bem-estar geral' não é estático, mas se adapta ele próprio às crises e necessidades dos tempos"[270]. Já em *Steward Machine Co. vs. Davis*, a Corte disse, sobre a taxa em discussão, que "não é nula por envolver uma tentativa inconstitucional de coagir os estados a adotar a legislação de compensação ao desemprego aprovada pelo Governo Federal", posto que "[o] problema do desemprego é nacional tanto quanto local, e na promoção do bem-estar geral o dinheiro da Nação pode ser usado para aliviar os desempregados e os seus dependentes em depressões econômicas e para proteger contra tais desastres"[271]. Portanto, agora em mais dois

---

[268] Cf. MCKENNA, Marian C. *Franklin Roosevelt and the Great Constitutional War*: The Court-packing Crisis of 1937. New York: Fordham University Press, 2002, p. 460-461.

[269] Cf. LEUCHTENBURG, William E., op. cit., p. 141.

[270] Cf. ESTADOS UNIDOS DA AMÉRICA. SUPREMA CORTE DOS ESTADOS UNIDOS. *Helvering vs. Davis*, 301 U.S. 619 (1937). Disponível em: <https://supreme.justia.com/cases/federal/us/301/619/>. Acesso em: 18 de fev. de 2015.

[271] Cf. ESTADOS UNIDOS DA AMÉRICA. SUPREMA CORTE DOS ESTADOS UNIDOS. *Steward Machine Co. vs. Davis*, 301 U.S. 548 (1937). Disponível em: <https://supreme.justia.com/cases/federal/us/301/548/ case.html>. Acesso em: 18 de fev. de 2015.

casos na mesma linha dos julgados de março e abril referidos, a Suprema Corte indicava a consistência da mudança de rumos do seu pensamento em favor do *New Deal*[272], impondo mais baixas em meio aos apoiadores de Roosevelt no Senado[273].

Em 14 de junho foi entregue o relatório do Comitê Judiciário, que já se sabia desfavorável[274]. Assinado por dez senadores, a peça não mostrou qualquer piedade com o presidente, ainda que sete deles fossem democratas como ele. O projeto, segundo o relatório, era "uma proposta sem precedente e sem justificação", "apresentada ao Congresso na forma mais intrincada para razões que obscurecem o seu real propósito", cuja aprovação "iria subjugar as Cortes à vontade do Congresso e do presidente, destruindo, por meio disso, a independência do Judiciário, o único escudo certo dos direitos individuais". No corpo do relatório, considerações ainda mais duras foram feitas: "[e]rgue-se agora ante ao país, reconhecida por seus proponentes como um plano para forçar a interpretação judicial da Constituição, uma proposta que viola toda a sagrada tradição da democracia americana"; "sobre a forma da constituição procura fazer o que é inconstitucional"; "[s]ua operação final faria deste um governo de homens, em vez de um de direito"; seu funcionamento faria "da Constituição o que os departamentos executivo ou legislativo do governo escolhessem dizer que ela é – uma interpretação para ser modificada com cada mudança de administração"; "[e]sta é uma medida que deve ser tão enfaticamente rejeitada para que algo paralelo nunca venha a ser apresentado aos representantes livres do povo livre da América"; "[n]ós recomendamos a rejeição deste projeto enquanto desnecessário, fútil e completamente perigoso abandono do princípio constitucional"[275].

---

[272] Embora as decisões em todos os quatro casos (*West Coast Hotel vs. Parrish, National Labor Relations Board vs. Jones & Laughlin Steel Corp., Helvering vs. Davis e Steward Machine Co. vs. Davis.*) tenham sido tomadas por cinco votos contra quatro (Cf. REHNQUIST, William H., idem, pos. 2176 e 2180), sempre vencidos os "quatro cavaleiros" (Sutherland, Van Devanter, McReynolds e Butler).

[273] Cf. LEUCHTENBURG, William E., idem, p. 142.

[274] Cf. MCKENNA, Marian C., op. cit., p. 480-487.

[275] Cf. ESTADOS UNIDOS DA AMÉRICA. CONGRESSO DOS ESTADOS UNIDOS. SENADO. Committee on the Judiciary. *Reorganization of the Federal Judiciary. Adverse Report.* Disponível em: <http://newdeal.feri. org/court/king.htm#1>. Acesso em: 18 de fevereiro de 2015. É relevante, ainda, o resumo contido no relatório acerca das razões primárias para rejeição do projeto: "I. O Projeto não alcança qualquer um dos objetivos para os quais ele foi originalmente

Na opinião de LEUCHTEMBURG, os senadores indiretamente compararam o presidente a Hitler, ao sustentarem que bastaria um olhar sobre as condições do mundo no exterior para perceber que toda e qualquer tentativa de prejudicar a independência do Judiciário levaria à dominação autocrática. Ainda segundo o autor, houve quem dissesse na imprensa, a respeito da aspereza do relatório, que parecia mais uma moção de *impeachment*[276].

O *Court-Packing* ainda teria uma sobrevida, na forma de uma versão revisada que pouco alterava os propósitos presidenciais de renovação da Suprema Corte[277], que foi combativamente advogada pelo senador Joe Robinson (a quem Roosevelt há muito havia prometido nomear para o Tribunal na primeira vaga disponível). Robinson, que era o líder da maioria no Senado, chegou a contar um placar favorável à aprovação do projeto em plenário, nos últimos dias de junho (mais explicável pelo seu próprio prestígio, do que por outra razão). Um acaso do destino, entretanto, selou esse breve suspiro do projeto. Em 14 de julho, exatamente um mês após a divulgação do relatório do Comitê Judiciário, Robinson fora encontrado morto em seu apartamento, fulminado por um infarto do coração. A discórdia em meio aos democratas se aprofundou, e o projeto foi reapresentado para votação (já em derrota do Executivo, que pretendia que o projeto ficasse em aberto no calendário do Senado, sem ser votado). Em sessão de 22 de julho de 1937, o plenário do Senado rejeitou o projeto, devolvendo-o ao Comitê Judiciário, como de praxe, tornando explícita a derrota de Roosevelt[278].

oferecido. II. Ele aplica força ao judiciário e o seu inicial e último efeito será arruinar a independência das cortes. III. Ele viola todos os precedentes na história do nosso Governo e em si próprio será um perigoso precedente para o futuro. IV. A teoria do projeto está em direta violação com o espírito da Constituição Americana e o seu emprego irá permitir a alteração da Constituição sem o consentimento ou aprovação do povo. Ele arruína a proteção que o nosso sistema constitucional concede a minorias e é subversivo aos direitos dos indivíduos. V. Ele tende a centralizar o distrito judiciário Federal pelo poder de designar juízes de um distrito para outro à vontade; VI. Ele tende a expandir o controle político sobre o departamento judiciário pela adição de poderes aos departamentos legislativo e executivo com respeito ao judiciário".

[276] Cf. LEUCHTENBURG, William E., idem, p. 146.

[277] A nova redação dava ao presidente o direito de nomear um novo membro da Suprema Corte por ano, para cada magistrado da ativa que tivesse 75 anos ou mais. A diferença está em que a versão original permitia a nomeação de todos os novos juízes de uma só vez, para cada juiz associado que atingisse 70 ou mais anos (cf. LEUCHTENBURG, William E., idem, p. 147).

[278] Cf. LEUCHTENBURG, William E., idem, p. 152.

2.2.2.1.1 As transformações constitucionais do embate FDR *vs.* Suprema Corte

Embora em defesa do presidente ainda se ouça que estava procurando não marionetes sem espinha, mas juízes que agissem como tal, e não como legisladores, porquanto não estaria tentando "empacotar" a Suprema Corte[279], a história parece enfatizar a leitura oposta (no sentido do relatório do Comitê Judiciário do Senado, que reconheceu o projeto como uma manobra para simplesmente enquadrar e punir o Tribunal pelas decisões contrárias aos planos do Executivo[280]).

A Corte também pagou o preço pela alternância de posições recém-narrada. Inicialmente favorável, depois contrário, e, ao fim, novamente a favor do *New Deal*, o Tribunal passou a ideia de capitulação, de subserviência, principalmente diante da ameaça de reconfiguração pelo projeto de reforma dos procedimentos judiciários (o *Court-Packing*).

No que diz com as decisões contrárias ao *New Deal*, entre 1935 e 1936, que dispararam uma "tempestade de criticismo antijudiciário", se muito da crítica se deve a "má e velha propensão americana de difamar o direito sempre que ele conflite com interesses imediatos", de fato o que sempre esteve no âmago do debate foi o desafio "do direito e competência da Corte de obstruir a vontade

---

[279] Cf. BLACK, Conrad. *Franklin Delano Roosevelt*. Champion of Freedom. New York: Publicaffairs, 2003, p. 411.

[280] A propósito, veja-se mais um trecho forte do Relatório: "[p]ermita-nos, pelo propósito do argumento, conceder que a Corte tem estado errada, errada não somente no sentido de que tem entregue opiniões equivocadas, mas errada em um sentido muito mais sério, de que tem substituído sua vontade em lugar da vontade congressional em matéria de legislação. Devemos nós, ainda assim, punir com segurança a Corte? Hoje pode ser a Corte que está sendo acusada de esquecer seus deveres constitucionais. Amanhã pode ser o Congresso. No dia seguinte pode ser o Executivo. Se nós respondermos a tentação agora para descer o laço sobre a Corte, nós estaremos apenas ensinando a outros como aplicar isso para nós mesmos e ao povo quando a ocasião parecer garantir. Manifestamente, se nós devemos forçar a mão da Corte para assegurar nossa interpretação da Constituição, então algum Congresso subsequente poderá repetir o processo para assegurar outra e diferente interpretação, e uma que pode não soar tão agradável aos nossos ouvidos como esta pela qual nós agora debatemos" (cf. ESTADOS UNIDOS DA AMÉRICA. CONGRESSO DOS ESTADOS UNIDOS. SENADO. Committee on the Judiciary. *Reorganization of the Federal Judiciary. Adverse Report*. Disponível em: <http://newdeal.feri.org/court/king.htm#1>. Acesso em: 18 de fevereiro de 2015).

democrática, especialmente no campo econômico". Se, de um lado, é natural que os juízes emitissem opinião entendendo-se legitimado a fazê-lo (dada a jurisprudência ativista consolidada sem qualquer resistência havia mais de 50 anos, que posicionava o Judiciário como um dos atores legítimos na definição do relacionamento governo-negócios), de outro, a antiga tradição de autocontenção (*self-restraint*) fora completamente esquecida. O Tribunal não apenas mexeu com assuntos econômicos, mas o fez "em um nível muito alto para a governança judiciária, e impôs restrições tão rígidas que nenhum governo popular poderia tolerá-las". Isto é, em vez de moderar o movimento regulatório, acabou por tentar destruí-lo; em lugar de empurrar e aconselhar a democracia, terminou por frustrá-la[281].

O regresso a um perfil de atuação mais reservado nas decisões subsequentes, em benefício do *New Deal*, se deveu à troca de posição do juiz Owen Roberts, que deixou os "quatro cavaleiros" do *laissez-faire* e retornou à companhia dos liberais na Corte. O gesto ficou conhecido como a "virada no tempo que salvou nove" ("*switch in time who saves nine*"), em alusão ao papel desempenhado por este movimento em relação à futura rejeição do projeto de reforma em trâmite no Senado[282]. O *slogan*, não resta dúvida, reforça a ideia de uma desonrosa mudança de postura por parte da Suprema Corte.

Entretanto, esta visão pode não ser necessariamente uma verdade. Ainda que não seja exagero "dizer que a ambígua e delicada tradição americana balanceada de governo limitado estava mortalmente ameaçada por este projeto" (o *Court-Packing*), tendo em conta que a sua aprovação poderia definir um precedente "do qual a instituição da *judicial review* poderia nunca se recuperar"[283], a virada de posição do Tribunal pode ser lida como um movimento explicável e consistente do ponto de vista jurídico e constitucional, apesar de eclético.

---

[281] Cf. McCLOSKEY, Robert G., idem, p. 111-112.

[282] Cf. LEUCHTENBURG, William E. FDR's Court-Packing Plan: A Second Life, a Second Death, *Duke Law Journal* 673-689 (1985), p. 673. Disponível em: <http://scholarship.law.duke.edu/ dlj/vol34/iss3/4>. Acesso em: 17 de jan. de 2015.

[283] Cf. McCLOSKEY, Robert G., idem, p. 112.

2.2.2.1.2 A evolução da Velha Corte e a consolidação (na Nova Corte) das chamadas *decisões transformativas* (emenda-análogas)

O entendimento modificado da Velha Corte no tratamento da nova legislação econômica e social veio a firmar-se nos anos seguintes. Embora não tenha sido possível a via imediatista do *Court-Packing*, no longo prazo Roosevelt (que serviu por mais de doze anos como presidente dos Estados Unidos), ironicamente, foi aquele que mais fez nomeações de juízes para a Suprema Corte desde George Washington[284]. Com seis indicações, aí incluída uma para o posto de juiz-Chefe, Roosevelt garantiu o perfil liberal dos julgadores, de modo que "[d]esde 1937 a Corte não derrubou uma única peça de legislação Congressional restringindo negócios"[285].

A consolidação pode ser demonstrada por três casos destacados: *United States vs. Carolene Products Co.* (1938); *Erie Railroad vs. Tompkins* (1938); e *Coleman vs. Miller* (1939), com diferentes contribuições para a organização de novas bases para abordagem constitucional de casos pela Suprema Corte.

Em *United States vs. Carolene Products Co.*[286], o Tribunal assentou que uma lei não deve ser considerada arbitrária (e nunca mais outra lei foi assim julgada pela Corte) se "descansa sobre alguma base racional entre o conhecimento e a experiência dos legisladores"[287]. O caso inseriu uma estrela fixa no universo constitucional moderno, uma vez que o teste da "base racional" de *Carolene* colocou-se com importância não menor que fórmulas como a da "igual proteção", que deriva diretamente do texto constitucional. Este precedente, portanto, estabeleceu

---

[284] Cf. REHNQUIST, William H., idem, pos. 2272.

[285] Cf. LEUCHTENBURG, William E. *The Supreme Court Reborn.* The Constitutional Revolution in the Age of Roosevelt. New York: Oxford University Press, 1995, eBook Kindle, p. 154. E o autor ainda complementa: "Embora antes de 1937 o realismo legal tenha influenciado apenas alguns juízes, depois disso as velhas doutrinas do fundamentalismo constitucional perderam".

[286] O caso colocava em discussão a constitucionalidade de lei federal que proibia, visando à proteção do público de possíveis danos à saúde, o embarque interestadual de *leite preenchido* (isto é, leite, leite desnatado, creme, condensado ou em pó) ao qual fora adicionada outra gordura que não a do próprio leite (cf. ESTADOS UNIDOS DA AMÉRICA. SUPREMA CORTE DOS ESTADOS UNIDOS. *United States vs. Carolene Products. Co.*, 304 U.S. 144 (1938). Disponível em: <https://supreme.justia.com/cases/federal/us/304/144/case.html>. Acesso em: 25 de fev. de 2015).

[287] Cf. ACKERMAN, Bruce, idem, p. 369. Cf. ESTADOS UNIDOS DA AMÉRICA. SUPREMA CORTE DOS ESTADOS UNIDOS. *United States vs. Carolene Products. Co.*, op. cit.

mais uma *fórmula operacional fixa*, "que desempenha um papel crucial na vida do direito". Contudo, o desenvolvimento de uma abordagem operacional, isto é, de uma ampla linha de orientação para outros desenvolvimentos legais, só se forma pela jurisprudência e, em linha de fomento, *Carolene* plantou uma nota de rodapé de projeção fundamental (a número quatro)[288], na qual alertou para a possibilidade de ter-se que restringir a operação de presunção de constitucionalidade "quando a legislação aparenta estar dentro de uma específica proibição da Constituição, tais como aquelas das dez primeiras emendas"[289]. Sendo assim, "[e]nquanto juízes devem deferir à legislatura em disputas econômicas ordinárias, 'um escrutínio judicial mais exigente' pode ser requerido quando o processo democrático apresentar-se defeituoso", como, *v.g.*, "quando a maioria negar direitos políticos cruciais aos oponentes, ou quando a lei estiver motivada em preconceito contra 'minorias discretas e insulares'". Este *porém*, que não mereceu espaço maior que o necessário para uma nota de pé de página, ainda teria as suas aplicações afirmativas consideradas em futuras "opiniões totalmente desabrochadas da Corte"[290]. *Carolene*, por tudo isso, marca o início do preenchimento do vazio deixado pela desintegração de princípios tradicionais como contrato, direitos dos estados, propriedade etc., oferecendo uma teoria da Democracia do *New Deal* como um quadro organizado[291].

Já em *Erie Railroad vs. Tompkins*[292] a Corte destruiu as fundações da jurisprudência *Lochneriana* pela desmistificação da *common law*. Não caberia ao Judiciário, daí por diante, para a invalidação de uma lei, invocar a *common law*

---

288 Cf. ACKERMAN, Bruce, idem, p. 369.

289 Cf. ESTADOS UNIDOS DA AMÉRICA. SUPREMA CORTE DOS ESTADOS UNIDOS. *United States vs. Carolene Products. Co.*, idem.

290 Cf. ACKERMAN, Bruce, idem, p. 369.

291 Cf. ACKERMAN, Bruce, idem, p. 369.

292 Nele a Corte debatia a solução dada para um caso de acidente ferroviário com danos pessoais a um pedestre, julgado pela Suprema Corte da Pennsylvania, à falta de lei específica, segundo "a chamada lei geral" (*common law*). Como resultado afirmou-se a inexistência de uma *common law* geral federal e, daí, a impossibilidade de julgamento por uma Corte Federal que não aplicasse "o direito estadual como declarado pela mais alta corte estadual" (cf. ESTADOS UNIDOS DA AMÉRICA. SUPREMA CORTE DOS ESTADOS UNIDOS. *Erie Railroad Co. vs. Tompkins*, 304 U.S. 64 (1938). Disponível em: <https://supreme.justia.com/cases/federal/ us/304/64/case.html>. Acesso em: 25 de fev. de 2015).

da propriedade, dano, contrato etc., vistas como fantasias racionalistas, ou, ainda, como um nome diverso para o puro exercício de vontade política. Assim, "[e] stes parâmetros organizados da *common law* eram meros expedientes judiciais que poderiam ser revisados à vontade pelas legislaturas democráticas", e uma vez que o fossem, não caberia a nove homens velhos em Washington qualquer tipo de intervenção[293].

Em lugar de prestar homenagens à *common law* (e à velha jurisprudência, doravante abandonada), *Erie* erigiu dois pilares construtivos para uma nova jurisprudência: resgatou o federalismo (pois, embora reconhecida a liberdade para o Congresso legislar em tema de economia, restou afirmado o direito dos estados de buscar perante as Cortes, em temas ainda não definidos em lei federal, o julgamento – legítimo, portanto – pelos juízes locais segundo os parâmetros da *common law*); e fixou ferramentas metodológicas para construção de novas fundações constitucionais, inaugurando um notável ato de transvaloração (reposicionando a importância de julgados do passado, valorizando votos vencidos e demonizando os julgados ativistas pré-1937, contrários ao *New Deal*)[294].

Finalmente, em *Coleman vs. Miller* (1939)[295], a Corte fez o avanço final em relação ao Artigo Quinto[296], e o reconheceu como de conteúdo político, de

---

[293] Cf. ACKERMAN, Bruce, idem, p. 371-372.

[294] Cf. ACKERMAN, Bruce, idem, p. 372.

[295] No caso alguns parlamentares do estado do Kansas recorriam do fato de o governador ter ratificado uma emenda à Constituição, conhecida como Emenda do Trabalho Infantil, proposta pelo Congresso em 1924 e rejeitada pelo estado do Kansas em 1925. Em 1937, entretanto, deu entrada no Senado Estadual uma resolução para concordância com a emenda, a qual, em votação, obteve vinte votos favoráveis e vinte votos contrários, com desempate proferido pelo governador (como presidente do Senado). Posteriormente, em votação pela Casa dos Representantes, a maioria dos deputados estaduais votou pela aprovação da resolução. Em sede de *mandamus* impetrado perante a Suprema Corte do Kansas, este Tribunal afirmou, denegando a ordem: *(i.)* que embora o transcurso de tempo entre a proposta de emenda à Constituição e a sua ratificação pelo Kansas (treze anos), a proposta mantinha a sua vitalidade; e, *(ii.)* que, do ponto de vista do procedimento legislativo adotado pelo Senado Estadual para chegar a resolução discutida, nada havia a reparar (uma vez que a ratificação havia sido final e completa) (cf. ESTADOS UNIDOS DA AMÉRICA. SUPREMA CORTE DOS ESTADOS UNIDOS. *Coleman vs. Miller*, 307 U.S. 433 (1939). Disponível em: <https://www.law.cornell.edu/supremecourt/ text/307/433>. Acesso em: 25 de fev. de 2015).

[296] Eis o texto do dispositivo: "[s]empre que dois terços dos membros de ambas as Câmaras julgarem necessário, o Congresso proporá emendas a esta Constituição, ou, se as legislaturas de dois

modo que as modificações nos temas nele previstos devem se dar a partir dos "departamentos políticos", sob a autoridade última do Congresso[297].

Posto, assim, o conjunto de decisões, anteriores e posteriores ao *switch in time*, pode-se dizer, em favor da velha Corte e, em particular, das suas opiniões contrárias ao *New Deal*, embora o mito reinante (que as desacredita por inteiro), que na realidade elas informaram e conscientizaram o povo americano acerca das pretensões do Executivo de mudar as bases da sua democracia (arredando, *v.g.*, a ideia de economia de livre mercado, impassível de intervenção legítima/constitucional por parte do Estado). Em outras palavras, o Tribunal advertiu, em alto e bom tom, que o *New Deal* propunha o abandono da propriedade privada e da liberdade de contrato enquanto princípios do *laissez-faire* trabalhados desde a Guerra Civil pelos juízes norte-americanos como limitadores da operação do

---

terços dos Estados o pedirem, convocará uma convenção para propor emendas, que, em um e outro caso, serão válidas para todos os efeitos como parte desta Constituição, se forem ratificadas pelas legislaturas de três quartos dos Estados ou por convenções reunidas para este fim em três quartos deles, propondo o Congresso uma ou outra dessas maneiras de ratificação. Nenhuma emenda poderá, antes do ano de 1808, afetar de qualquer forma as cláusulas primeira e quarta da Seção 9, do Artigo I, e nenhum Estado poderá ser privado, sem seu consentimento, de sua igualdade de sufrágio no Senado" (cf. ESTADOS UNIDOS DA AMÉRICA. *The Constitution of the United States*. Washington: Senado Federal, 1789. Disponível em: <http://www.law.cornell.edu/constitution>. Acesso em: 26 de ago. de 2014).

[297] Cf. ACKERMAN, Bruce, idem, p. 264. No específico à decisão assentou: "Esta decisão pelos departamentos políticos do Governo como a da validade da adoção da Décima Quarta Emenda tem sido aceita. Nós pensamos que, em acordo com este precedente histórico a questão da eficácia de ratificações pelas legislaturas estaduais, à luz de uma prévia rejeição ou tentativa de retirada, deve ser tratada como uma questão política, pertencente aos departamentos políticos, sob a autoridade última do Congresso no exercício do seu controle sobre a promulgação da adoção da emenda. (...) Nossa decisão de que o Congresso tem o poder sob o Artigo V para fixar um limite razoável de tempo para ratificação em emenda proposta procede sobre a presunção de que a questão, o que é um tempo razoável, descansa nos limites da província congressional. Se for considerado que tal questão é uma questão em aberto quando o limite não foi fixado antecipadamente, nós pensamos que ela também deve ser considerada como uma questão aberta à consideração do Congresso quando, na presença de ratificações certificadas por três -quartos dos Estados, chega o tempo para a promulgação da adoção da emenda. A decisão do Congresso, no seu controle da ação do Secretário de Estado, da questão de saber se a alteração tivesse sido adoptada num prazo razoável não seria sujeita a decisão pelas Cortes" (cf. ESTADOS UNIDOS DA AMÉRICA. SUPREMA CORTE DOS ESTADOS UNIDOS. *Coleman vs. Miller*, op. cit.).

governo em todos os seus níveis, verdadeiros "baluartes da liberdade individual contra a tirania da maioria" [298]. Em suma, a Corte – ainda que sob a crítica de estar emitindo decisões '*quaselegislativas*'[299] – levou o público a uma visão mais criteriosa dos projetos propostos pelo governo, ampliando o debate e melhorando as condições para a decisão popular sobre a conveniência da sua continuidade[300].

E, como visto, por duas eloquentes reconduções de Roosevelt à Presidência, a população queria a mudança, e obteve a mudança, inclusive no âmbito da própria Suprema Corte. Afinal, "[s]e os partidários do *laissez-faire* perderam a sua batalha no Legislativo, eles não poderiam mais esperar que as Cortes pudessem reverter a vitória dos seus oponentes"[301]. Portanto, de uma combinação de fatores (sucessos eleitorais do *New Deal*, ameaça inconvencional – o *Court-Packing* –, mudança de postura judicial no tempo – o *switch in time* –, e *indicações transformativas* – apontamento de juízes liberais para seis postos na Suprema Corte), emergiu uma nova teoria da democracia do *New Deal*[302]. Sessenta anos de jurisprudência foram revisados em menos de dez, reconhecendo-se a constitucionalidade de leis voltadas à melhoria na distribuição da renda, à defesa da saúde dos consumidores, do meio ambiente e da dignidade dos trabalhadores – todos valores fundamentais ameaçados pelo capitalismo desregulado. Abriu-se espaço para a adoção de ferramentas flexíveis de política macroeconômica, definindo-se as três áreas básicas de intervenção legítima para o ativismo governamental de quase todas as administrações que se seguiram, isto é, a busca pela justiça distributiva, a correção das falhas do mercado e a garantia da prosperidade geral[303].

Por tudo isso, também pode afirmar-se, em reconhecimento de uma mudança (não vexatória, mas) altiva de posição pela Suprema Corte, que "[a] chamada virada no tempo não foi produto da política, mas o resultado do direito se depurando"[304].

---

[298] Cf. ACKERMAN, Bruce, idem, p. 303.

[299] Cf. McCLOSKEY, Robert G., idem, p. 100.

[300] Cf. ACKERMAN, Bruce, idem, p. 303.

[301] Cf. ACKERMAN, Bruce, idem, p. 257.

[302] Cf. ACKERMAN, Bruce, idem, p. 368-369.

[303] Cf. ACKERMAN, Bruce, idem, p. 256. Daí que "[a]o final da era Roosevelt, *Lochner* se tornou o símbolo de uma era repudiada de jurisprudência *laissez-faire*. Daqui para frente, as Cortes irão manter a autoridade do governo americano para agir contra todas as formas de exploração social ou econômica que são condenadas pela maioria democraticamente eleita" (cf. ACKERMAN, Bruce, idem, p. 257).

[304] Cf. ACKERMAN, Bruce, idem, p. 291.

E essa depuração resultou no que se pode chamar de *decisões transformativas*, ou *emenda-análogas*, na leitura de ACKERMAN. Ele afirma a existência de um sem-número de outras decisões em que as opiniões judiciais se substituíram a textos legislativos formais, e refere que a nota mais distintiva do sistema legal anglo-americano, em comparação com aqueles dominantes na Europa, está em que, usualmente, as Cortes da *common law* nos Estados Unidos apelam para casos da *common law* sempre que encontram uma lacuna no esquema legal. No caso particular do *New Deal*, o avanço criativo que merece ser destacado é o da adaptação dessa ideia (o uso da *common law* na falta de leis) para novos propósitos constitucionais: o uso da *common law* na falta de emendas formais à Constituição.

O exemplo por excelência desse fenômeno é a quebra do Artigo Quinto da Constituição, que prevê, como já visto, o procedimento para a aprovação de emendas. Considerando que os Congressistas do *New Deal* tinham um presidente forte, faltou-lhes o incentivo necessário para propor emendas formais que reescrevessem a Constituição no sentido desejado (o que chegou a cogitar-se, como já observado, ao início da crise constitucional com o Judiciário). Em lugar disso, deixaram à cota do presidente a iniciativa para propor projetos de lei, posteriormente aprovados, que testavam (ou ultrapassavam) os limites conhecidos da interpretação constitucional em vigor. Ao fim e ao cabo, pelo controle reformista conjunto (por Executivo e Congresso) das indicações de juízes para a Suprema Corte, obteve-se a consolidação[305] da reforma da jurisprudência e, assim, a *aprovação* de virtuais emendas à Carta Política (em decisões realmente transformativas, ou emenda-análogas)[306].

---

[305] Diga-se, expressamente, *consolidação*, no caso específico do *New Deal*, tendo em conta que a reforma da jurisprudência ocorrera em sede de convencimento próprio acerca da possibilidade e razoabilidade da mudança de interpretação constitucional nos temas *sub judice* (isto é, maturada pelo próprio Tribunal e revelada pelo *switch in time*), antes, portanto, das indicações de novos juízes liberais para a Suprema Corte. Daí por diante é preciso reconhecer que a Nova Corte representou a "mudança institucional subjacente que deu à Democracia do *New Deal* um novo grau de maior liberdade de legislar" (cf. ACKERMAN, Bruce, idem, p. 272).

[306] Cf. ACKERMAN, Bruce, idem, p. 272. Ou, ainda conforme o autor, nestes casos: "as opiniões da Suprema Corte podem servir como os equivalentes funcionais de emendas formais – dramaticamente e autoritariamente mudando os termos do desenvolvimento doutrinário por gerações a porvir" (cf. ACKERMAN, Bruce, idem, p. 273).

ACKERMAN ainda reflete que a substituição de emendas formais por decisões transformativas no período do *New Deal* não deve ser vista como uma falha inexplicável no atendimento ao disposto no Artigo Quinto, mas sim como um processo, que já ocorrera antes (no período da Reconstrução – ao término da guerra civil), que levou "o Presidente, o Congresso e a Corte a desenvolver novos procedimentos legislativos mais elevados, mais de acordo com a vontade constitutiva do Nós o Povo dos Estados Unidos"[307]. Quanto ao ecleticismo dessa dinâmica, anota que "[e]nquanto essa adaptação inconvencional desafia a teoria constitucional, este é o tipo de desafio que tem permitido ao povo Americano sustentar uma contínua identidade constitucional pelos últimos dois séculos"[308].

Por derradeiro, em atenção aos ímpetos ativistas da Suprema Corte, considerando que "[d]esde 1937 nenhuma regulação econômica (apartada de preocupações com liberdades-civis ou igual-proteção) tem sido derrubada sob a cláusula do devido processo"[309], pode-se dizer que o Tribunal apenas modulou a sua autocontenção. Isto é, se é verdade que a Corte abdicou do poder de rever medidas econômicas, também é verdade que o fez em prol de uma intervenção maior em casos envolvendo liberdades civis e igualdade, de modo que "o ativismo judicial não desapareceu, ele simplesmente assumiu uma nova forma"[310]. E, nessa outra fase, os norte-americanos valeram-se dos padrões de legitimação constitucional, dos paradigmas constitucionais, construídos durante a Revolução do *New Deal*

---

[307] Cf. ACKERMAN, Bruce, idem, p. 273. Nós O Povo (*We The People*) é uma referência ao preâmbulo da Constituição norte-americana, que apresenta o seguinte texto: "[n]**ós**, o Povo dos Estados Unidos, a fim de formar uma União mais perfeita, estabelecer a Justiça, assegurar a tranquilidade interna, prover a defesa comum, promover o bem-estar geral, e garantir para nós e para os nossos descendentes os benefícios da Liberdade, promulgamos e estabelecemos esta Constituição para os Estados Unidos da América" (cf. ESTADOS UNIDOS DA AMÉRICA. *The Constitution of the United States*. Washington: Senado Federal, 1789. Disponível em: <http://www.law.cornell.edu/constitution>. Acesso em: 26 de ago. de 2014).

[308] Cf. ACKERMAN, Bruce, idem, p. 270-271.

[309] Cf. WOLFE, Christopher, idem, pos. 3242. No mesmo sentido, o autor afirma noutro ponto que "[p]arecem não haver mais limites constitucionais no poder do governo federal para regular assuntos econômicos, exceto em casos infrequentes nos quais tal regulação colida, não com os poderes reservados dos estados, mas com prerrogativas essenciais do estado, ou com garantias constitucionais de direitos civis ou igualdade" (cf. WOLFE, Christopher, idem, pos. 3591).

[310] Cf. WOLFE, Christopher, idem, pos. 3268.

para alavancar a luta de toda uma geração em tema de direitos civis, orientando os debates e guiando as decisões que seriam prolatadas[311].

2.2.2.2 Ativismo judicial em direitos fundamentais na Suprema Corte da segunda parte do século XX e início do século XXI

Remonta à fundação dos Estados Unidos da América a bondade em torno à ideia de contenção, e a condenação da sua inobservância pelos juízes no desempenho do seu ofício. Isto é, o agir incontido, embora ainda não intitulado como ativismo, está associado à usurpação do poder político de outros ramos eleitos do governo por decisões do Poder Judiciário[312]. E até hoje, esse inverso de contenção parece ser a primeira significação associada ao ativismo. Isto é, como algo que seria mau, enquanto a contenção seria algo bom[313].

A locução *ativismo judicial*, porém, só aparece em 1947, em artigo publicado por SCHLESINGER, um historiador, no qual analisou a posição dos juízes

---

[311] Cf. ACKERMAN, Bruce. *We The People*. Vol. 3. The civil rigths revolution. Cambridge: The Belknap Press of Harvard University Press, 2014, p. 63. No mesmo rumo, LEUCHTEMBURG afirma que a leitura mais expansiva da cláusula de comércio feita pela Suprema Corte ao fim da Era Roosevelt, tornou possível ao governo dizer, nos anos 1960, "à mais obscura barraca de frango frito que ela não poderia discriminar clientes Africano-Americanos porque, aos olhos do judiciário, a sua operação fora de estrada e sem valor era um empreendimento em comércio interestadual" (cf. LEUCHTENBURG, William E., op. cit., p. 162).

[312] Cf. LINDQUIST, Stefanie A.; CROSS, Frank B. *Measuring judicial activism*. New York: Oxford University Press, 2009, p. 1. ALEXANDER HAMILTON já advertia para esse sentido em 1788: "[p]ode ser de nenhum peso dizer que os tribunais, sob o pretexto de repugnância, podem substituir o seu próprio prazer às intenções constitucionais do Legislativo. Isto pode bem acontecer no caso de dois estatutos contraditórios; ou pode muito bem acontecer em cada julgamento sobre qualquer estatuto único. Os tribunais devem declarar o sentido da lei; e se eles devem estar dispostos a exercer VONTADE em vez de JULGAMENTO, a consequência seria igualmente a substituição do seu prazer pelo do corpo legislativo." (cf. HAMILTON, Alexander. The Judiciary Department, *Federalist*, New York, n. 78, 1788. Disponível em: <http://thomas.loc.gov/home/histdox/fed_78.html>. Acesso em: 26 de ago. de 2014).

[313] Cf. EASTERBROOK, Frank H. Do Liberal and Conservatives Differs in Judicial Activism? *73 University of Colorado Law Review* 1403-1416 (2002), p. 1401. Disponível em: <http://chicagounbound.uchicago.edu/cgi/ viewcontent.cgi?article=2135&context=journal_articles>. Acesso em: 16 de mar. de 2015.

integrantes da Suprema Corte[314]. Segundo o autor, enquanto Frankfurter, Jackson e Burton constituíam os "campeões da autocontenção", Black, Douglas, Murphy e Rutledge seriam os "ativistas judiciais", com Reed e o chefe de Justiça Vinson situados em um grupo intermediário[315].

O autor também descreve que os ativistas (com vínculos na Escola de Direito de Yale) acreditavam que em muitos casos nos quais surgia uma razoável diferença de interpretação, e considerando a ambiguidade dos precedentes e o alcance das doutrinas aplicáveis, ao final o juiz poderia sair em favor de qualquer dos lados sem "esticar o tecido da lógica jurídica". Portanto, como não havia respostas certas inatacáveis, concordavam que preocupações políticas acabavam se sobressaindo: "[u]m juiz sábio sabe que escolhas políticas são inevitáveis, não faz falsa pretensão de objetividade e conscientemente exercita o poder judicial com um olho nos resultados sociais"[316]. O ativismo, então, reconhecendo a inseparabilidade de direito e política (e, logo, que autocontenção judicial é "no máximo uma miragem"), pregava decisões "resultado-orientadas", visando a "fins sociais saudáveis"[317].

---

[314] Cf. KMIEC, Keenan D. The Origin and Current Meanings of "Judicial Activism". *California Law Review*, 92, 1441-1478 (2004), p. 1445-1446. Disponível em: <http://scholarship.law.berkeley.edu/cgi/viewcontent.cgi ?article=1324&context=californialawreview>. Acesso em: 16 de mar. de 2015.

[315] Cf. SCHLESINGER JR., Arthur M. The Supreme Court: 1947, XXXV *Fortune* 73, 201-208 (Jan. 1947). O autor ainda anotou, sobre o embate de posições entre os membros: "[e]ste conflito pode ser descrito de várias maneiras. O grupo Black-Douglas acredita que a Suprema Corte pode desempenhar um papel afirmativo na promoção do bem-estar social; o grupo Frankfurter-Jackson advoga uma política de autocontenção judicial. Um grupo é mais preocupado com o emprego do poder judicial para sua própria concepção do bem social; o outro com a ampliação do alcance dos julgamentos permitidos às legislaturas, mesmo que isso signifique apoiar conclusões que eles privadamente condenam. Um grupo relaciona a Corte como um instrumento para atingir resultados sociais desejados; o segundo como um instrumento para permitir aos outros ramos do governo o atingimento dos resultados que o povo quer, para o melhor ou pior. Em resumo, a ala Black-Douglas parece estar mais preocupada em acomodar casos particulares em acordo com as suas próprias preconcepções sociais; e a ala Frankfurter-Jackson em preservar o Jjudiciário em seu estabelecido porém limitado lugar no sistema Americano" (cf. SCHLESINGER JR., Arthur M., op. cit., p. 201.

[316] Cf. SCHLESINGER JR., Arthur M., idem, p. 201.

[317] Cf. SCHLESINGER JR., Arthur M., idem, p. 202.

Na exposição do pensar da ala dos autocontidos, SCHLESINGER os apresenta como céticos a respeito da noção individual de justiça dos juízes, e, sobretudo, como convictos de que as significações contidas nas normas não admitem que o Judiciário se desvie, não importando em benefício de quem o faça:

> "Se a legislatura comete erros, cabe à legislatura remediá-los. Qualquer outro curso irá minar o vigor da nossa democracia pelo encorajamento das legislaturas em uma base irresponsável de expectativa de que os tribunais vão refrear seus passos selvagens."[318]

Logo, é preciso "resistir à supremacia judiciária, da direita ou da esquerda, em nome da deferência à vontade do Legislativo" [319].

Daí para diante o termo ganhou os EUA. No final dos anos 1990 impressionantes três mil oitocentos e quinze artigos de jornal e revistas de direito haviam publicado matérias com as locuções "ativismo judicial" e "ativista judicial". Nos quatro primeiros anos do novo milênio foram mil oitocentos e dezessete artigos, uma média de mais de quatrocentos e cinquenta por ano. O termo também foi apropriado fora do âmbito jurídico, em editoriais, *blogs* de internet, debates públicos etc. No espaço das decisões judiciais, enquanto, nos anos 1950, o termo apareceu duas vezes, houve quarenta inserções nos anos 1960 e duzentas e sessenta e duas nos anos 1990, demonstrando que os próprios juízes estão cada vez mais dispostos a acusar seus colegas de estarem agindo de forma ativista[320].

Atualmente, é correto dizer que *ativismo judicial* (*judicial activism*) é uma designação notoriamente escorregadia, desprezada por todos, um termo de

---

[318] Cf. SCHLESINGER JR., Arthur M., idem, p. 204.

[319] Cf. SCHLESINGER JR., Arthur M., idem, p. 204. O autor ainda escreve um diálogo imaginado entre os oponentes, designando a ala Frankfurter-Jackson como "autonegação" (*self-denial*): "[a] utonegação tem assim dito: a legislatura dá a lei; deixe a legislatura retirá-la. A resposta do ativismo judicial é: na prática atual a legislatura não irá retirá-la – ao menos até que dano, possivelmente irreparável, seja feito a pessoas indefesas. Portanto, a própria Corte precisa agir. Autonegação replica: você está fazendo o que nós todos costumávamos condenar a Velha Corte por fazer; você está praticando usurpação judicial. Ativismo responde: nós não podemos contar com um crescente eleitorado conservador para proteger os oprimidos ou salvaguardar direitos humanos básicos; nós traímos o próprio espírito e o propósito da Constituição se nós mesmos não interviermos." (cf. SCHLESINGER JR., Arthur M., idem, p. 204).

[320] Cf. KMIEC, Keenan D., op. cit., p. 1442-1443.

abjeção. Desde o início, como observado, se colocou como o oposto de contenção (*restraint*). Vazio, entretanto, ou uma espécie de máscara, porque utilizável, e efetivamente utilizado tanto por liberais como por conservadores, conforme o momento histórico em que um, ou outro, prevaleceu, para criticar as decisões ("ativistas") proferidas pela contraparte no ciclo precedente e pedir a sua "contenção" no ciclo atual[321]. Dito por outra forma, "a maioria das acusações de ativismo judicial podem ser reduzidas a uma acusação de que o Judiciário invalidou um estatuto que favorecia ao acusador"[322].

Considerada a rotulação de SCHLESINGER (tomada em seu primeiro sentido), dos anos da Revolução do *New Deal* e pelos que se seguiram até os nossos dias, todas as formações da Suprema Corte dos EUA foram taxadas como ativistas.

E isso parece estar relacionado com a compreensão de poder judicial que acabou prevalecendo na Corte do *switch in time*, e que introduziu uma mudança radical no papel do juiz no pensamento político norte-americano[323]. Tal compreensão pode ser ilustrada com CARDOZO (ainda em 1921, isto é, bem antes de ele se tornar juiz da Suprema Corte), segundo o qual o poder exercido pelos juízes é também legislativo[324], ainda que dentro de certos limites, ao darem conteúdo específico a certas previsões constitucionais vagas. E os limites seriam informados pela máxima objetividade, por uma variação de considerações de

---

[321] Cf. EASTERBROOK, op. cit., p. 1401. Segundo o autor, no mesmo ponto: "[q]uando liberais ascenderam à Suprema Corte, conservadores pregaram contenção e denunciaram ativismo. Isso significa que eles queriam juízes liberais para seguir as posições de ontem em lugar de engajados em análises independentes, as quais poderiam levar a uma conclusão diversa. Quando conservadores ascenderam à Corte, liberais pregaram contenção – pelo que eles quiseram dizer sigam todas aquelas decisões liberais ativistas do ciclo anterior – e denunciaram o 'ativismo judicial conservador'.".

[322] Cf. SHERRY, Suzanna. Why We Need More Judicial Activism. Vanderbilt University Law School. Public Law and Legal Theory. *Working Paper Number* 13-3 (2014), p. 3. Disponível em: <http://ssrn.com/abstract=2213372>. Acesso em: 16 de mar. de 2015.

[323] Cf. WOLFE, Christopher, idem, pos. 4767.

[324] No específico: "[o]s fins para os quais os tribunais se endereçaram, as razões e motivos que os guiaram, têm sido muitas vezes vagamente sentidos, intuitivamente ou quase intuitivamente apreendidos, raramente explicitamente declarados. Tem havido pouco de introspecção deliberada, de dissecção, de análise, de filosofia. O resultado tem sido um amálgama no qual os ingredientes são desconhecidos ou esquecidos. Por isso há algo como um choque na descoberta de que a política legislativa tem fabricado o composto do que ele é" (cf. CARDOZO, Benjamin N. *The Nature of the Judicial Process.* New Orleans: Quid Pro Books, 2010, p. 73).

analogia, lógica, utilidade, equidade, buscando a promoção do bem-estar social. Não, portanto, à luz das convicções pessoais do juiz (embora o autor reconheça que os juízes não são infensos às forças "sob a consciência"[325]), mas em vista dos padrões morais da comunidade, ou do atencioso julgamento da comunidade[326]. Contudo, embora seja dever do juiz reforçar em sua decisão a aderência a tais padrões, isso não significa que não possa decidir, em áreas de incerteza, de modo diverso, de forma a "elevar o nível de conduta vigente"[327].

---

[325] Cf. CARDOZO, Benjamin N., op. cit., p. 92. Forças, segundo o autor no mesmo ponto, como "os gostos e desgostos, as predileções e os preconceitos, o complexo de instintos, emoções, hábitos e convicções, os quais fazem o homem, seja ele litigante ou juiz (...) As grandes marés e correntes que engolfam o restante dos homens não se desviam em seu curso e ultrapassam os juízes".

[326] Cf. CARDOZO, Benjamin N., idem, p. 70. No mesmo rumo o autor refere que: "[o]s critérios ou padrões de utilidade e moral serão encontrados pelo juiz na vida da comunidade"; também que "[m]inha análise do processo judicial chega, então, a isso e a algo mais: lógica, e história, e costume, e utilidade, e padrões aceitáveis de conduta correta, são as forças que sozinhas ou em combinação moldam o progresso do direito. Qual dessas forças deve dominar em cada caso tem que depender grandemente sobre a importância comparativa ou o valor dos interesses sociais que serão daqui por diante impelidos ou debilitados"; e, por fim, que "[m]eu dever como juiz deve ser o de objetivar no direito não minhas próprias aspirações e convicções e filosofias, mas as aspirações e convicções e filosofias do homens e mulheres do meu tempo". (cf. CARDOZO, Benjamin N., idem, p. 69, 71 e 94).

[327] Cf. CARDOZO, Benjamin N., idem, p. 70 e 71. Disse o autor, no específico: "[e]staria ele agindo bem se, em um campo em que o estado do Direito ainda estava indefinido, permitisse que a sua convicção, embora sabidamente em conflito com o padrão dominante de conduta correta, governasse a sua decisão? Minha própria opinião é a de que ele deve estar sob o dever de se conformar com os padrões aceitos da comunidade, aos costumes da época. Isso não significa, entretanto, que um juiz está sem poder de levantar o nível da conduta prevalecente. Em um campo ou outro de atividade, práticas em oposição aos sentimentos e padrões da época podem crescer e ameaçar se entrincheirar neles próprios se não forem desalojados. Apesar da sua retenção temporária, eles não resistem a comparação com normas morais aceitas. Indolência e passividade tem tolerado o que o atencioso julgamento da comunidade condena. Em tais casos, uma das mais altas funções do juiz é a de estabelecer a verdadeira relação entre conduta e profissão. Existem inclusive tempos, para falar de alguma forma paradoxalmente, nos quais nada menos que uma medida subjetiva irá satisfazer padrões objetivos. Algumas relações na vida impõe um dever de agir em acordo com a moral costumeira e nada mais (...) Se novas situações estão a ser trazidas dentro de uma classe de relações ou dentro de outra, isso precisa ser determinado, à medida que surgem, por considerações de analogia, de conveniência, de aptidão e de justiça."

Essa concepção do poder judicial, que abandona o ancoramento na ideia de uma constituição fixa e se proclama o especificador de uma constituição viva e em evolução, no entanto, precisa buscar novas âncoras. Daí a preocupação de CARDOZO em introduzir a objetividade conformada pelo espírito do tempo como parâmetro. O problema é que isso leva a outra questão inevitável: "como determinar esse espírito?", ou "[m]ais importante, ele também conduz a possibilidade de que juízes viessem a agir de acordo com o espírito da era vindoura, e também ajudassem em seu nascimento"[328]. E esse possível voluntarismo, notadamente ativista, é explicitamente flagrado no autor, quando reflete sobre a evolução do processo judicial, de um período onde a uniformidade, a rigidez, eram os pontos altos, com a eliminação de todo elemento pessoal, até a conquista de um ajuste, sob a forma de um sistema mais flexível, onde as ficções jurídicas desempenharam um papel de ligação entre o velho e o novo. Entretanto: "[h]oje o uso de ficções tem declinado; e a primavera das ações está descortinada onde outrora elas eram ocultas"[329]. Por isso é evidente que esse pensamento está comprometido com a ideia de expansão do poder judicial[330].

E, de fato, a Suprema Corte atuou na moldagem do espírito do novo tempo. De uma origem remota, em que o foco das decisões esteve na relação União e estados, passando por opiniões versando sobre o relacionamento entre governo e negócios, o Tribunal vai se deter, no pós-guerra, à análise da relação entre indivíduos e Estado. E chega reforçado a esse ponto, uma vez que a população esteve

---

[328] Cf. WOLFE, Christopher, idem, pos. 4787.

[329] Cf. CARDOZO, Benjamin N., idem, p. 73. É preciso anotar, por relevante, que os problemas referidos por WOLFE eram claros para o próprio CARDOZO: "[e]u não tenho nenhuma objeção, portanto, com a doutrina de que os juízes devem estar em sintonia com o espírito de sua época. Infelizmente, concordar com tal generalidade não nos leva muito longe na estrada para a verdade. Em cada tribunal é provável que existam tantas estimativas do 'Zeitgeist' quanto existam juízes em sua bancada. Do poder de favorecer ou prejudicar, em qualquer sentido sórdido, ou vulgar, ou mal, não tenho encontrado qualquer vestígio, nem mesmo o mais fraco dentre os juízes que conheci. Mas a cada dia nasce em mim uma nova convicção acerca da inescapável relação entre a verdade sem nós e a verdade dentro de nós. O espírito do tempo, tal como é revelado a cada um de nós, é muito frequentemente o espírito do grupo no qual os acidentes do nascimento, ou educação, ou ocupação, ou companheirismo, nos tem dado um lugar. Nenhum esforço ou revolução do pensamento irá superar absolutamente e de uma vez por todas o império destas lealdades subconscientes" (cf. CARDOZO, Benjamin N., idem, p. 94).

[330] Cf. WOLFE, Christopher, idem, pos. 4599.

ao seu lado contra o *court-packing*, de modo que a *judicial review* vai atingir um amplo desenvolvimento nessa nova quadra[331].

A Corte do início da era moderna (aquela analisada por SCHLESINGER) fora quase que integralmente moldada por Roosevelt, pela via constitucional ordinária (porquanto, de certa forma, conseguiu o seu intento de empacotar a Corte). O Tribunal resultante, como já observado, caracterizou-se "por uma aceitação mais explícita de um papel legislativo para o judiciário na vida política da América"[332]. Assim, em lugar de uma postura mais deferente aos julgamentos legislativos, os novos tempos conseguiram ultrapassar a velha jurisprudência do *laissez-faire* "em anular as legislaturas pelo uso da revisão judicial como um instrumento autoconsciente de ampla reforma social. Liberdades civis e igualdade seriam os objetos de sua especial solicitude"[333].

E algo semelhante pode ser dito em relação às Cortes subsequentes[334], de modo que merecem análise algumas situações emblemáticas que enfatizam essa forma de intervenção judiciária até os nossos dias.

[331] Cf. McCLOSKEY, Robert G., idem, p. 120.

[332] Cf. WOLFE, Christopher, idem, pos. 4794. Ainda segundo o autor: "Roosevelt fez indicações para a Corte em 1937 (Black), 1938 (Reed), 1939 (Frankfurter e Douglas), 1940 (Murphy), 1941 (Stone como Chefe de Justiça, Byrnes, e Jackson), 1943 (Rutledge substituindo Byrnes). Somente Roberts 'sobreviveu' à Presidência de Rossevelt, e dos juízes do *laissez-faire* o último a ir foi McReynolds em 1940. A nova 'Corte Roosevelt' foi escolhida especialmente por sua disposição em apoiar amplas regulações governamentais de assuntos econômicos, e não desapontou seu criador" (cf. WOLFE, Christopher, idem, pos. 4794). Vale observar que essa formação se manteve até 1949, quando faleceram Murphy e Rutledge, com nova alteração em 1953, a partir da morte do chefe de Justiça Vinson, quando Warren ingressou na Corte como chefe de Justiça (cf. REHNQUIST, William H., idem, pos. 3293). Em lugar dos dois falecidos em 1949, nas cadeiras onze e cinco, respectivamente, ingressaram os juízes Clark e Minton (cf. IIT CHICAGO-KENT COLLEGE OF LAW. *Oyez Project. U.S. Supreme Court Media*. Disponível em: <http://www.oyez.org/justices/frank_murphy>; <http://www.oyez.org/ justices/tom_c_clark>; <http://www.oyez.org/justices/wiley_b_rutledge>; <http://www.oyez.org/justices/ sherman_minton>. Acesso em: 1 de mar. de 2015).

[333] Cf. WOLFE, Christopher, idem, pos. 4794.

[334] V.*g*., da Corte Warren: "[o] que a Corte esperava atingir não era tanto a vindicação de liberdades individuais concretas (embora elas estivessem envolvidas), mas o dispor em movimento de uma vasta reforma social" (cf. WOLFE, Christopher, idem, pos. 5191); ou da Corte Burger: "anulou mais leis nacionais sob a Primeira Emenda e em termos de igual proteção do que qualquer predecessor" [cf. DIONISOPOULOS, P. Allan. New Patterns of Judicial Control of the Presidency:

2.2.2.2.1 A expansão nos direitos dos acusados na Corte Hughes dos anos 1930

Ainda sob a Presidência de Hughes, em 1936, a Suprema Corte enfrentou o problema da violência policial de "terceiro grau", revelada por uma investigação do Congresso de 1931 e presente em todo o país. Tratava-se, em suma, de saber se a obtenção de confissões forçadas (mediante brutalidade policial ou outras formas de crueldade) poderiam basear condenações de forma legítima[335]. Em *Brown vs. Missisipi* (1936) o Tribunal afirmou a violação da cláusula do devido processo em condenações lastreadas em tais confissões, repudiando-as por inteiro[336].

1950's to 1970's. *Akron Law Review*, 1, 1-38 (1976), p. 30. Disponível em: <https://www.uakron.edu/dotAsset/59cdd1b3-1b95-4070-83db-340c1c925929.pdf>. Acesso em: 1 de mar. de 2015]; e, "de fato, em muitos assuntos, avançou bem além das linhas estabelecidas em 1969" (cf. CHOPER, Jesse H. *Judicial Review and The National Political Process: A Functional Reconsideration of The Role of The Supreme Court*. New Orleans: Quid Pro Books, 2013, eBook Kindle, pos. 2473); ou da Corte Rehnquist: "regularmente é descrita pelos seus críticos como uma das mais 'ativistas' na história" (cf. FRIEDMAN, Barry. *The Will of The People. How public opinion has influenced the Supreme Court and shaped the meaning of the Constitution*. New York: Farrar, Straus and Giroux, 2009, eBook Kindle, pos. 323); ou mesmo da atual Corte Roberts, que embora reconhecida como a menos ativista da história, "emitiu a sua cota de decisões constitucionais controversas" [cf. WHITTINGTON, Keith E.The Least Activist Supreme Court in History? The Roberts Court and the exercise of judicial review. *Notre Dame Law Review*, 89, 2219-2252 (2014), p. 2219 e 2242. Disponível em: <http://scholarship.law.nd.edu/cgi/viewcontent.cgi?article=4562&context=ndlr>. Acesso em: 2 de mar. de 2015].

[335] Cf. CHOPER, Jesse H., op. cit., pos. 1947.

[336] Cf. ESTADOS UNIDOS DA AMÉRICA. SUPREMA CORTE DOS ESTADOS UNIDOS. *Brown vs. Missisipi*, 297 U.S. 278 (1936). Disponível em: <https://supreme.justia.com/cases/federal/us/297/278/ case.html>. Acesso em: 2 de mar. de 2015. Neste caso três homens negros haviam sido acusados de homicídio e condenados à morte por um Júri do estado do Mississipi. A vítima (Raymond Stewart, um homem branco) fora assassinada no dia 30 de março de 1934, o julgamento iniciara em 4 de abril do mesmo ano, e a condenação fora pronunciada no dia seguinte. Apesar dos protestos da defesa, os jurados consideraram confissões arrancadas mediante tortura realizada sob o comando do delegado de Polícia do caso (nomeadamente, de enforcamentos de um dos réus – Ellington –, seguido de açoites, na propriedade da vítima, no dia dos fatos, com a liberação do mesmo porque não confessara o delito; açoitamento deste mesmo réu no dia seguinte, depois de ser detido e no caminho para a cadeia, quando foi obtida a sua confissão; açoitamento com cintas de couro e fivelas, na prisão, dos dois outros acusados – Ed Brown e Henry Shields –, neste mesmo dia, até que confessaram participação nos mínimos detalhes ditados pelo delegado).

O efeito prático da decisão pode ser averiguado na própria jurisprudência do Tribunal nos anos que se seguiram, onde os casos de confissão forçada submetidos a apreciação (ressalvadas duas exceções, uma delas anterior ao caso *Brown*) passaram a versar sobre violência psicológica sozinha, isto é, sem a violência física por surras, enforcamentos, açoites etc. Obviamente que não se pode dizer que tais procedimentos tenham desaparecido nos EUA, mas com certeza reduziram a sua incidência a partir de *Brown*[337].

Também sob a chefia de Hughes, primeiro em *Johnson vs. Zerbst* (1938) e, depois, em *Walker vs. Johnston* (1941), o Tribunal afirmou o direito de todos os acusados, mesmo dos indigentes, à assistência de um defensor, nos termos da Sexta Emenda à Constituição[338], direito que só pode ser dispensado pelo réu "inteligentemente e competentemente", ou seja, com integral esclarecimento[339].

Tais atos abomináveis foram lisamente admitidos pelo delegado e dois ajudantes, em declarações prestadas no próprio julgamento. Revertendo a decisão estadual, assim dispôs a Suprema Corte na questão jurídica: "[c]ondenações de homicídio que descansem unicamente sobre confissões que demonstrem ter sido extorquidas por agentes do Estado por meio de tortura dos acusados são nulas sob a cláusula do devido processo da Décima Quarta Emenda. (...) No caso presente, a corte de julgamento foi integralmente aconselhada pelas evidências indisputadas sobre a maneira pela qual as confissões foram obtidas. A corte de julgamento sabia que não havia qualquer outra evidencia sobre a qual a condenação e a sentença poderiam ser baseadas. No entanto, passou a permitir a condenação, e a pronunciar a sentença. A condenação e a sentença eram nulas por falta de elementos essenciais do devido processo, e o procedimento assim viciado poderia ser disputado em qualquer forma apropriada. (...) E foi disputado perante a Suprema Corte do Estado por meio da expressa invocação da Décima Quarta Emenda. Aquela Corte entreteu a disputa, considerou a questão federal assim apresentada, mas se recusou a fazer cumprir o direito constitucional dos peticionários. O tribunal negou, assim, um direito federal plenamente estabelecido e especialmente criado e proclamado, e o julgamento deve ser revertido".

[337] Cf. CHOPER, Jesse H., idem, pos. 1982.

[338] Eis o texto da Sexta Emenda: "[e]m todas os processos criminais, o acusado deve desfrutar do direito a um julgamento rápido e público, por um júri imparcial do estado e distrito onde o crime houver sido cometido, distrito esse que será previamente determinado por lei, e a ser informado da natureza e causa da acusação; a ser confrontado com testemunhas contra ele; a ter processos compulsórios para obter testemunhas em seu favor, e a ter a assistência de advogado para sua defesa" (cf. ESTADOS UNIDOS DA AMÉRICA. *The Constitution of the United States. Washington*: Senado Federal, 1789. Disponível em: <http://www.law.cornell.edu/constitution>. Acesso em: 26 de ago. de 2014).

[339] Cf. CHOPER, Jesse H., idem, pos. 1993. No primeiro julgado a Corte assentou que: "[u]ma

Até então, em muitos lugares dos EUA não era designado um defensor ao acusado indigente que desejasse se declarar culpado. Noutros, mesmo diante da afirmação de inocência e ingresso na fase de julgamento, admitia-se que o indigente que não comparecesse acompanhado de advogado, e que não pedisse de forma expressa e inequívoca a assistência de um, fosse julgado sem qualquer assistência jurídica. A postura assumida pela Corte levou à previsão infraconstitucional do direito em questão, que foi introduzido nas Regras Federais de Procedimento Criminal de 1945[340].

---

pessoa acusada de um crime em uma corte federal é intitulada pela Sexta Emenda à assistência de um advogado para sua defesa. (...) Este direito pode ser dispensado, mas o dispensador precisa ser inteligente, e se tal houve deve depender sobre fatos e circunstâncias particulares, incluída formação, experiência, e conduta do acusado (...) É o dever de uma corte federal no julgamento de um caso criminal proteger o direito do acusado a advogado, e, se ele não tem advogado, a determinar se ele declinou inteligentemente e competentemente o direito. Seria conveniente que tal determinação seja feita uma das questões de registro. (...) Se o acusado não é representado por advogado e não dispensou competentemente e inteligentemente o seu direito constitucional, a Sexta Emenda figura como uma barreira jurisdicional a uma condenação válida e a uma sentença que o prive de sua vida ou de sua liberdade. (...) A questão sobre se a assistência de um advogado foi inteligentemente e competentemente dispensada pelo prisioneiro no seu julgamento pode ser determinada em procedimento de *habeas corpus* em provas *aliunde*" (cf. ESTADOS UNIDOS DA AMÉRICA. SUPREMA CORTE DOS ESTADOS UNIDOS. *Johnson vs. Zerbst*, 304 U.S. 458 (1938). Disponível em: <https://supreme.justia.com/cases/federal/us/304/458/case.html>. Acesso em: 2 de mar. de 2015). Enfatizando o mesmo rumo, no segundo caso o Tribunal afirmou: "[a]quele que, por meio de engano ou coerção do advogado de acusação, é induzido a declarar-se culpado para um indiciamento por uma ofensa federal, sem o conselho de advogado e em ignorância de seu direito a tal conselho, é privado de um direito constitucional" (cf. ESTADOS UNIDOS DA AMÉRICA. SUPREMA CORTE DOS ESTADOS UNIDOS. *Walker vs. Johnston*, 312 U.S. 275, (1941). Disponível em: <https://supreme.justia.com/cases/federal/ us/304/458/case.html>. Acesso em: 2 de mar. de 2015).

[340] Cf. CHOPER, Jesse H., idem, pos. 1993. Eis o texto da Regra 44, das Regras Federais de Procedimento Criminal de 1945: "[s]e o defendente comparecer à corte sem advogado, a corte deve avisá-lo do seu direito a advogado e designar advogado para representá-lo em cada estágio dos procedimentos, a menos que ele eleja proceder sem advogado ou seja capaz de defender-se". Em artigo da época, citando este texto legal e os precedentes referidos, ORFIELD afirmou que "[a] regra é uma reafirmação dos princípios enunciados em decisões recentes" [cf. ORFIELD, Lester B.Criminal Rules of Criminal Procedure. *California Law Review*, Vol. 33, 543-599 (1945), p. 587].

Vale acrescentar, embora a clareza do tema tratado, e mesmo da sua múltipla previsão normativa, que por algum tempo permaneceu a ideia de que o direito a advogado só se colocava a partir do comparecimento perante o juiz dos procedimentos na Corte, isto é, o do processo propriamente dito (não existindo na intervenção policial e nas fases preliminares em juízo)[341].

Tal espaço de interpretação levou a Suprema Corte, já sob a Presidência de Earl Warren, a outros pronunciamentos para o seu ajuste, restando definido que em todas as fases, da prisão ao apelo, o direito a advogado deve ser observado[342].

[341] Cf. ORFIELD, Lester B., op. cit., p. 587.

[342] Nessa direção a Corte decidiu, em *Crooker vs. California* (1958): "[o] direito de um acusado a advogado para sua defesa, embora não firmemente fixado em nossa herança da *common law*, é de significativa importância para a preservação da liberdade neste país. Veja: 1 Cooley's Constitucional Limitations (8th ed. 1927) 696-700; 2 Story onde the Constitution (4th ed. 1893) § 1794. Aquele direito, assegurado em persecuções estatais pela garantia do devido processo da Décima Quarta Emenda inclui não somente o direito a ter um advogado indicado pelo Estado em certos casos, mas também o direito de um acusado "a justa oportunidade para assegurar advogado da sua própria escolha" *Powell v. Alabama*, 287 U.S. 45, 287 U.S. 53 (1932); *Chandler v. Fretag*, 348 U.S. 3 (1954). Sob esses princípios, recusa estatal a um pedido para contatar advogado viola o devido processo não apenas se o acusado é privado de advogado no julgamento de mérito, *Chandler v. Fretag, supra*, mas também se ele é privado de advogado para qualquer parte dos procedimentos pré-julgamento, informando que ele é tão prejudicado assim a ponto de infectar seu julgamento subsequente com a ausência "daquela igualdade fundamental essencial ao conceito mesmo de justiça." *Lisenba v. People of Califórnia*, 314 U.S. 219, 314 U.S> 236 (1941). Cf. *Moore v. Michigan*, 355 U.S. 155, 355 U.S. 160 (1957). As determinações finais necessariamente dependem sobre todas as circunstâncias do caso" (cf. ESTADOS UNIDOS DA AMÉRICA. SUPREMA CORTE DOS ESTADOS UNIDOS. *Crooker vs. California*, 357 U.S. 433 (1958). Disponível em: <https://supreme.justia.com/cases/federal/us/357/433/case.html>. Acesso em: 2 de mar. de 2015). No mesmo rumo, em *White vs. Maryland* (1963), eis a decisão do Tribunal: "[p]reso sob a acusação de assassinato, o peticionário foi levado à presença de um magistrado de Maryland para uma audiência preliminar, e ele se declarou culpado sem ter o conselho ou assistência de advogado. Advogado foi apontado para ele mais tarde, e ele se declarou não culpado quando da sua formal 'acusação', mas a declaração de culpado feita na audiência preliminar foi introduzida como evidência no seu julgamento, e ele foi condenado e sentenciado à morte. Decidido: a ausência de advogado para o peticionário quando ele submeteu a declaração de culpa perante o magistrado violou seus direitos sob a Cláusula do Devido Processo da Décima Quarta Emenda. *Hamilton v. Alabama*, 368 U.S. 52. (...) Nós repetimos o que dissemos em *Hamilton v Alabama, supra*, em 368 U.S. 55, que não paramos para determinar se resultou prejuízo: 'Somente a presença de advogado poderia ter viabilizado a este acusado saber todas as defesas disponíveis para ele e a declarar-se

E, mais uma vez, os precedentes fomentaram uma adequação legislativa, na mesma Regra 44 das Regras Federais de Procedimento Criminal, no ano de 1966, de modo a transpor para o texto a maior extensão, judicialmente afirmada, do direito de acesso a advogado. Com idêntico propósito (adequação a evolução jurisprudencial), o mesmo dispositivo foi alterado em 1979, dessa feita visando aos casos de defesa de corréus pelo mesmo advogado e com o objetivo de prevenir futuras alegações de nulidade por conflito de interesses. O texto, então,

---

inteligentemente'. Nós, portanto, mantemos que *Hamilton v. Alabama* governa, e que o julgamento abaixo precisa ser, e é, revertido" (cf. ESTADOS UNIDOS DA AMÉRICA. SUPREMA CORTE DOS ESTADOS UNIDOS. *White vs. Maryland*, 373 U.S. 59 (1963). Disponível em: <https://supreme.justia.com/cases/federal/us/373/59/case.html>. Acesso em: 2 de mar. de 2015). Ainda do mesmo modo foi a decisão em *Douglas vs. Califórnia (1963)*: Aqui a Corte decidiu: "[o] caso presente, onde advogado foi negado aos peticionários na apelação, demonstra que a discriminação não é entre 'possivelmente bons e obviamente maus casos', mas entre casos onde homens ricos podem requerer que a corte escute os argumentos de advogado antes de decidir sobre o mérito, mas um homem pobre não pode. Está faltando aquela igualdade demandada pela Décima Quarta Emenda onde o homem rico, cuja apelação, como é de direito, desfruta do benefício do exame por advogado nos registros, pesquisa do direito, e ordenação de argumentos em seu benefício, enquanto o indigente, já sobrecarregado pela determinação preliminar de que o seu caso não tem mérito, é forçado a virar-se por si mesmo. O indigente, onde os registros não estão claros, ou o erro está escondido, tem somente o direito a um ritual sem sentido, enquanto o homem rico tem uma apelação significativa. Nós afastamos o julgamento da Corte Distrital de Apelação e remetemos o caso para esta corte para outros procedimentos que não sejam inconsistentes com esta opinião. Assim é ordenado" (cf. ESTADOS UNIDOS DA AMÉRICA. SUPREMA CORTE DOS ESTADOS UNIDOS. *Douglas vs. Califórnia*, 372 U.S. 353 (1963). Disponível em: <https://supreme.justia.com/cases/federal/us/372/353/case.html>. Acesso em: 2 de mar. de 2015). Todos estes julgados são referidos nas Regras de Procedimento Criminal, especificamente nas "Notas do Comitê Consultivo sobre Regras" relativas à emenda de 1966 (notas que acompanham a codificação), na sequência do seguinte esclarecimento: "[u]ma nova regra é fornecida como substituta para a antiga para prover a designação de advogado para réus incapazes de obter advogado durante todos os estágios do procedimento. A Suprema Corte fez claro recentemente a importância de prover advogado tanto no primeiro momento possível depois da prisão como na apelação" (cf. ESTADOS UNIDOS DA AMÉRICA. Código dos Estados Unidos. *Federal Rules of Criminal Procedure, Title 18, Appendix – Rules of Criminal Procedure*, p. 165. Disponível em: <http://www.gpo.gov/fdsys/pkg/USCODE-2011-title18/pdf/USCODE-2011-title18-app-federalru-dup1.pdf>. Acesso em: 2 de mar. de 2015).

estabeleceu o dever do juízo de cientificar a cada réu do seu direito a ter uma representação em separado[343].

É fundamental referir que, nos EUA, por uma autorização congressual dada por meio de lei, foi outorgado à Suprema Corte o poder de elaborar e promulgar as regras procedimentais aplicáveis às persecuções criminais federais. O poder para promulgar regras de processo penal foi conferido por Ato de 29 de junho de 1940 (e, em termos de processo civil, igual poder foi conferido por Ato de 19 de junho de 1934). Tais autorizações, atualmente, encontram-se contidas no Código dos Estados Unidos[344]. O Congresso também normatizou a forma

---

[343] Mais uma vez as "Notas do Comitê Consultivo sobre Regras" esclarecem o objetivo visado pela alteração: "Nota para a Subdivisão (c). Regra 44(c) estabelece um procedimento para evitar a ocorrência de eventos os quais podem, em caso contrário, permitir uma reclamação plausível pós-condenação, no sentido de que, por causa de uma representação conjunta, os réus em um caso criminal foram privados de seu direito da Sexta Emenda à efetiva assistência de advogado". E eis o texto então implementado: "Regra 44. Direito ao Apontamento de Advogado (...) (c) Inquérito sobre representação conjunta. (1) Representação conjunta. Representação conjunta ocorre quando: (A) dois ou mais réus foram acusados em conjunto nos termos da regra 8 (b) ou que tenham sido apensados para julgamento nos termos da regra 13; e (B) os réus são representados pelo mesmo advogado, ou advogado que está associado à prática do direito. (2) As Responsabilidades da Corte nos Casos de Representação Conjunta. A corte deve imediatamente inquirir sobre a conveniência de representação conjunta e deve aconselhar pessoalmente cada réu do direito à assistência efetiva de advogado, incluindo a representação separada. A menos que haja um bom motivo para acreditar que não há conflito de interesse que provavelmente surja, a corte deve tomar medidas adequadas para proteger o direito de cada réu a advogado" (cf. ESTADOS UNIDOS DA AMÉRICA. Código dos Estados Unidos. *Federal Rules of Criminal Procedure, Title 18, Appendix – Rules of Criminal Procedure*, op. cit., p. 166.

[344] No Título 28, Parágrafo 2072, letra "a", onde, entre outras disposições, está previsto que "[a] Suprema Corte terá o poder de prescrever regras gerais de prática e procedimento e regras de prova para casos nas Cortes Distritais dos Estados Unidos (incluindo procedimentos perante magistrados dos mesmos) e cortes de apelação" (cf. ESTADOS UNIDOS DA AMÉRICA. Código dos Estados Unidos. 28 U.S.C. §2072 (a). Disponível em: <https://www.law.cornell.edu/uscode/text/28/2072>. Acesso em: 1 de mar. de 2015). Entretanto, a delegação de poderes legislativos no ponto específico é muito mais antiga, e fora objeto de disputa em 1835, ano em que a Suprema Corte se posicionou em *Wayman vs. Southard*, em opinião entregue por Marshall: "[e]le distinguiu entre assuntos 'importantes', 'os quais precisam ser inteiramente regulados pelo próprio legislativo,' e assuntos 'de menor interesse, nos quais uma provisão pode ser feita, e o poder dado àqueles que estarão a agir sob tais provisões gerais, para preencher os detalhes'. Enquanto sua

de submissão das regras, presumivelmente reservando-se o poder de mudá-las ou de vetá-las. Em adição, ocasionalmente o próprio Congresso tem legislado regras processuais[345].

2.2.2.2.2 Afirmação das liberdades de discurso e de imprensa no final dos anos 1930 e início dos anos 1940, nas Cortes Hughes e Stone

Nos últimos anos sob a Chefia de Hughes a Suprema Corte voltou-se à questão da liberdade de discurso e de imprensa. Enfrentando um sentimento de repulsa que se espalhava por todo o país contra manifestações produzidas por trabalhadores na luta por seus direitos (em forma pacífica, como em piquetes, anúncios e comunicações), expedientes que já começavam a ser proibidos por novas leis municipais e estaduais, o Tribunal decidiu por situar, em *Thornhill vs. Alabama* (1940), *Carlson vs. California* (1940) e *American Federation of Labor vs. Swing* (1941), o direito de expressão dos trabalhadores no espaço legítimo da Primeira Emenda da Constituição dos EUA. Em consequência, ecoando os referidos precedentes da Suprema Corte, várias proibições legais de piquetes pacíficos foram cassadas pelas Cortes federais inferiores nos anos que se seguiram[346].

---

distinção pode ter se perdido, a teoria do poder de 'preencher os detalhes' permanece em curso. Uma segunda teoria, formulada ainda antes, é que o Congresso deve legislar contingentemente, deixando a outros a tarefa de acertamento de fatos que levem a sua política declarada a operação. (...) Encontrando o poder para 'preencher os detalhes', a Corte, em *Waymanv.Southard*, rejeitou a alegação de que o Congresso tinha delegado poder inconstitucionalmente às cortes federais para estabelecer regras de processo. O Chefe de Justiça Marshall concordou que o poder de fazer leis era uma função legislativa e o Congresso poderia ter formulado as regras ele próprio, mas ele negou que a delegação fosse impermissível. Desde então, é claro, o Congresso tem autorizado a Suprema Corte a prescrever as regras de procedimento para as cortes federais inferiores" (cf. ESTADOS UNIDOS DA AMÉRICA. BIBLIOTECA DO CONGRESSO. *The Constitution of the United States of America*: Analysis and Interpretation. Prepared by the Congressional Research Service, Library of Congress. Co-Editors: Johnny H. Killian, George A. Costello and Kenneth R. Thomas. Contributors: David M. Ackerman, Henry Cohen and Robert Meltz. Washington: U.S. Government Printing Office, 2004, p. 78-79).

[345] Cf. ESTADOS UNIDOS DA AMÉRICA. BIBLIOTECA DO CONGRESSO. *The Constitution of the United States of America: Analysis and Interpretation*, op. cit., p. 79.

[346] Cf. CHOPER, Jesse H., idem, pos. 2002. Em *Thornhill vs. Alabama* disse o Tribunal: "[c]omo construído pelas cortes do Estado, o estatuto proíbe a publicização de fatos concernentes a disputa

---

laboral, se por impressão de sinais, por panfleto, por palavras faladas, ou por outro tipo, na vizinhança do negócio envolvido, e isso sem importar o número de pessoas engajadas em tal atividade, o caráter pacífico de suas condutas, a natureza da disputa, ou a acurácia ou contenção da linguagem utilizada na transmissão da informação. Sobre a queixa substancialmente sobre o texto do estatuto, e sobre evidencia de atividades relacionadas a realização de piquetes em um lugar ou negócio em conexão com uma disputa laboral, o peticionário foi condenado por 'vadiagem e realização de piquete como acusado na queixa'. O estatuto foi desafiado como violador da liberdade de discurso e de imprensa. Decidido: 1. Liberdade de expressão e de imprensa, assegurados pela Primeira Emenda contra restrição pelos Estados Unidos, é assegurado a todas as pessoas pela Décima Quarta Emenda contra restrição pelos Estados. 2. Quando restrição ao exercício efetivo de direitos de liberdade de discurso e de imprensa é reivindicada, é incumbência das cortes 'pesar as circunstâncias' e 'avaliar a substancialidade das razões avançadas' em apoio das regulações disputadas. (...) 4. O Estatuto é inválido na sua face. (a) Liberdade de discurso e de imprensa envolvem, no mínimo, a liberdade para discutir publicamente e verdadeiramente todas as matérias de preocupação pública sem prévia contenção ou medo de punição subsequente. (b) A disseminação de informação a respeito de fatos de disputa laboral deve ser considerada como dentro da área de livre discussão a qual é garantida pela Constituição. (c) Embora os direitos dos empregadores e empregados sejam sujeitos a modificação ou qualificação no interesse público, a isso não segue que o Estado, ao lidar com os males decorrentes de disputas industriais, possa prejudicar o livre exercício do direito a discutir livremente relações industriais que são assunto de preocupação pública" [cf. ESTADOS UNIDOS DA AMÉRICA. SUPREMA CORTE DOS ESTADOS UNIDOS. *Thornhill vs. Alabama*, 310 U.S. 88 (1940). Disponível em: <https://supreme.justia.com/cases/federal/us/310/88/>. Acesso em: 2 de mar. de 2015]. No mesmo sentido foi a decisão do Tribunal em *Carlson vs. California* (1940), onde o caso anterior já aparece como precedente: "[u]ma ordenação municipal fazendo ilegal para qualquer pessoa carregar ou mostrar qualquer sinal, faixa ou distintivo na vizinhança de qualquer lugar de negócio para o propósito de induzir outros a evitar de comprar ou trabalhar nele, ou por qualquer pessoa por 'vadiar' ou '*piquetiar*' na vizinhança de qualquer lugar de negócio por tal propósito é pronunciada como inconstitucional sobre a autoridade de *Thornhill v. Alabama*" [cf. ESTADOS UNIDOS DA AMÉRICA. SUPREMA CORTE DOS ESTADOS UNIDOS. *Carlson vs. California*, 310 U.S. 106 (1940). Disponível em: <https://supreme.justia.com/cases/federal/us/310/106/case.html>. Acesso em: 2 de mar. de 2015]. Por fim, em *American Federation of Labor vs. Swing* (1941) a Corte afirmou a mais ampla extensão do precedente: "[a] garantia constitucional da liberdade de discussão é infringida pela *common law* política de um Estado de limitar a realização de piquetes pacíficos por sindicatos de trabalhadores a casos nos quais a controvérsia é entre empregador e seus próprios empregados" [cf. ESTADOS UNIDOS DA AMÉRICA. SUPREMA CORTE DOS ESTADOS UNIDOS. *American Federation of Labor vs. Swing*, 312 U.S. 321 (1941). Disponível em: <https://supreme.justia.com/cases/federal/us/312/321/case.html>. Acesso em: 2 de mar. de 2015].

Prosseguindo na exploração dos limites da liberdade de discurso e imprensa, a Suprema Corte deparou-se, primeiramente em *Lovell vs. City of Griffin* (1938), depois em *Shneider vs. State* (1939) e, finalmente, em *West Virginia State Board of Education vs. Barnette* (1943) – isto é, nas Chefias de Hughes e Stone (no último) –, com situações envolvendo o então jovem setor religioso chamado Testemunhas de Jehovah. Nos dois primeiros casos estava em cheque a forma de prospecção de novos seguidores utilizada pelos fiéis, consistente, no caso, em visitas de porta em porta sempre aos domingos, acompanhadas da distribuição de folhetos pelas ruas. Ambas as estratégias geraram uma verdadeira onda de hostilidade por todos os EUA, sucedendo várias prisões sob normas locais que proibiam a venda ambulante sem licença, enquadramento que os fiéis tinham por aberto insulto ao Todo-Poderoso. Pois a Suprema Corte afirmou o direito das Testemunhas de Jehovah de continuar com as suas abordagens, porque amparadas na Primeira e na Décima Quarta Emendas (em vista da liberdade de discurso e imprensa; e da proibição de invasão estatal no tema; respectivamente)[347]. Ao colocarem os

[347] Cf. CHOPER, Jesse H., idem, pos. 2002-2023. Eis o julgamento do Tribunal *Lovell vs. City of Griffin*: "1. Se uma questão federal foi apropriadamente apresentada e decidida por uma Corte Estadual, é ela própria uma questão federal a ser decidida por esta Corte sob apelo. 2. Liberdade de discurso e liberdade de imprensa, as quais são protegidas contra infringência pelo Congresso pela Primeira Emenda, estão entre os direitos e liberdades fundamentais da pessoa, os quais são protegidos pela Décima Quarta Emenda de invasão por ação estatal. 3. Ordenações municipais adotadas sob a autoridade do Estado constituem ação de Estado nos limites do significado da Décima Quarta Emenda. 4. Uma ordenação de cidade proibindo como um incômodo a distribuição, à mão ou por outra forma, de literatura de qualquer espécie, sem primeiro obter permissão por escrito do Gerente da Cidade viola a Décima Quarta Emenda; ataca o próprio fundamento da liberdade de imprensa, a sua submissão à licença e censura. Assim decidido como aplicável a distribuição de panfletos e revistas por natureza de trato religioso. 5. A liberdade da imprensa não é confinada a jornais e periódicos. Ela abraça panfletos e folhetos. 6. Alguém que é processado por desobedecer uma exigência legal de licença, a qual é nula em sua face, pode contestar sua validade sem ter solicitado uma permissão sob ela." [cf. ESTADOS UNIDOS DA AMÉRICA. SUPREMA CORTE DOS ESTADOS UNIDOS. *Lovell vs. City of Griffin*, 303 U.S. 444 (1938). Disponível em: <https://supreme.justia.com/cases/federal/us/303/444/case.html>. Acesso em: 2 de mar. de 2015]. E, em *Shneider vs. State*, disse a Corte: "1. A liberdade de discurso e de imprensa assegurada pela Primeira Emenda contra restrição pelos Estados Unidos é assegurada de modo similar pata todas as pessoas pela Décima Quarta Emenda contra restrições por um Estado. 2. É um dever das autoridades municipais, enquanto garantidoras do público, manter as ruas abertas e disponíveis para a movimentação de pessoas e propriedade – o propósito primário ao qual as

opositores da religião na defensiva, as decisões são parte da explicação para um significativo aumento dos seus seguidores, que subiu de cerca de vinte e nove mil, em 1938, para mais de setenta e dois mil, em 1943[348].

Já em *West Virginia State Board of Education vs. Barnette* (1943) a Suprema Corte enfocou uma outra forma de ataque às Testemunhas de Jehovah, de um tipo seguramente mais cruel. Até o ano de 1943 um total de mais de duas mil crianças da religião, em todos os quarenta e oito estados norte-americanos, haviam sido expulsas de escolas por terem se negado a saudar a bandeira do país. A escusa religiosa no tema levou a extremos em determinadas situações, como no processo criminal dos pais de algumas crianças por obstrução da cerimônia de saudação à bandeira e, assim, por contribuírem para a delinquência da juventude, sucedendo a declaração de que os menores seriam delinquentes e a sua remoção da guarda dos pais. No precedente em foco a Corte repudiou tais procedimentos como inconstitucionais, uma vez que abertamente atentatórios às Primeira e Décima Quarta Emendas[349]. Nos anos que se seguiram, com a intensa colaboração do

ruas são dedicadas, e, para o seu fim, a conduta daqueles que as usam pode ser regulada; mas tal regulação precisa não restringir a liberdade constitucional daqueles que corretamente compartilham sobre a rua informação por meio de discurso ou pela distribuição de literatura. (...) 4. O propósito de manter as ruas limpas e arrumadas é insuficiente para justificar uma ordenação a qual proíbe uma pessoa de corretamente entregar literatura em uma rua pública àqueles dispostos a recebê-la. Qualquer ônus imposto às autoridades da cidade em limpar e cuidar das ruas como uma consequência indireta de tal distribuição resulta da proteção constitucional da liberdade de discurso e de imprensa. Existem métodos óbvios para prevenir o jogar lixo nas ruas – *e.g.*, a punição daqueles que efetivamente jogam papéis nas ruas. 5. A circunstância de que, no atual cumprimento da ordenação pela proibição da distribuição de literatura nas ruas, o distribuidor é preso somente se aqueles que recebem a literatura a jogarem nas ruas, não transforma a ordenação em válida. 6. Ordenações proibindo distribuição de material impresso não são válidas pela limitação da sua operação a ruas e becos, deixando outros locais públicos livres. 7. Uma ordenação municipal proibindo solicitação e distribuição de circulares, por prospecção de casa em casa, a menos que sob licença da polícia depois de um inquérito e decisão quantificada por censura, é decidida nula enquanto aplicada àquele que entrega literatura e solicita contribuições de casa em casa em nome da religião" [cf. ESTADOS UNIDOS DA AMÉRICA. SUPREMA CORTE DOS ESTADOS UNIDOS. *Schneider vs. State*, 308 U.S. 147 (1939). Disponível em: <https://supreme.justia.com/cases/federal/us/308/147/case.html>. Acesso em: 2 de mar. de 2015].

[348] Cf. CHOPER, Jesse H., idem, pos. 2023.

[349] Cf. CHOPER, Jesse H., idem, pos. 2023. Vale destacar o resumo da decisão em tela: "1. Ação estatal contra aquilo que a Décima Quarta Emenda protege inclui ações das diretorias estaduais

Departamento de Justiça para reforçar a adesão a *Barnette*, desapareceram as reclamações das Testemunhas no tema, a indicar a efetiva readmissão das crianças expulsas, sem outros incidentes. Encerrado este ciclo, em 1955, as Testemunhas de Jehovah contavam com mais de cento e oitenta e sete mil membros nos EUA[350].

2.2.2.2.3 Condenação do racismo na Corte Stone pela afirmação dos direitos políticos dos cidadãos negros nos anos 1940

Sob a Chefia de Harlan F. Stone, a Suprema Corte enfrentou o problema do descredenciamento de cidadãos negros do direito de votar/ser votado (o *desinfranchisement*), então em prática nos doze estados do sul dos EUA (Alabama, Arkansas, Florida, Georgia, Lousiana, Mississipi, North Caroline, Oklahoma, South Carolina, Tenesse, Texas e Virginia). A restrição se dava por diferentes formas, como pela aplicação de testes de alfabetização e pela cobrança de impostos de votação, mas a maior barreira eram as chamadas *primárias brancas*, isto é, a proibição, nas eleições primárias (voltadas à escolha de candidatos para a subsequente eleição geral para o Senado e à Câmara dos Deputados), de que cidadãos negros votassem, ou pudessem candidatar-se a senador ou deputado. Em *Smith vs. Allwright* (1944), o Tribunal decidiu pelo fim das *primárias brancas*, uma vez que a participação no processo eleitoral é garantida pela Constituição (em sua Décima Quinta Emenda) a todos os cidadãos norte-americanos[351]. Vale

de educação. 2. A ação de um Estado em fazer compulsório, para crianças em escolas públicas, o saudar a bandeira e o jurar lealdade – pela extensão do braço direito, com a palma para cima, e declarando 'Eu juro lealdade a bandeira dos Estados Unidos da América e a República que ele representa; uma Nação, indivisível, com liberdade e justiça para todos' – viola a Primeira e Décima Quarta Emendas. Assim decidido como aplicado para crianças que foram expulsas por se recusarem a aderir, e para aquelas cuja ausência se tornara 'ilegal', sujeitando a punição elas e seus pais ou guardiões. 3. O fato de que aqueles que se recusaram a aderir o fizeram em bases religiosas não controla a decisão desta questão, e é desnecessário inquirir sobre a sinceridade de seus pontos de vista. 4. Sob a Constituição Federal, a compulsoriedade como a aqui aplicada não é um meio permitido para o atingimento da 'unidade nacional'." [cf. ESTADOS UNIDOS DA AMÉRICA. SUPREMA CORTE DOS ESTADOS UNIDOS. *West Virginia State Board of Education vs. Barnette*, 319 U.S. 624 (1943). Disponível em: <https://supreme.justia.com/cases/federal/us/319/624/>. Acesso em: 2 de mar. de 2015].

[350] Cf. CHOPER, Jesse H., idem, pos. 2027.

[351] Cf. CHOPER, Jesse H., idem, pos. 2045. Cf. *Smith vs. Allwright*: "1. O direito dos cidadãos

destacar que a decisão revogou entendimento anterior no tema emitido pela própria Suprema Corte, nove anos antes, quando havia tido por constitucional o dito descredenciamento de cidadãos negros nas primárias do mesmo estado (do Texas), e o fez afirmando a necessidade de evoluir o princípio constitucional em discussão[352].

---

dos Estados Unidos a votar para a indicação de candidatos para o Senado dos Estados Unidos e a Casa dos Representantes em uma primária, que é uma parte integrante do processo eleitoral, é um direito assegurado pela Constituição Federal, e este direito dos cidadãos não pode ser restringido pelo Estado em conta de sua raça ou cor. 2. Se a exclusão de cidadãos de votar em conta de sua raça ou cor tem sido afetada por ação do Estado – mais do que por indivíduos ou por partido político – é uma questão sobre a qual a decisão das cortes do Estado não é vinculativa para as cortes federais, mas que estas devem determinar por si mesmas. 3. Sob o exame dos estatutos do Texas regulando primárias, fica decidido: que a exclusão de Negros do direito de votar em uma primária Democrata para selecionar nomes para uma eleição geral – embora por resolução de uma convenção estadual do partido, de que sua filiação era limitada a cidadãos brancos – era ação Estatal em violação da Décima Quinta Emenda. *Grovey vs. Towsend*, 295 U.S. 45, revogado" [cf. ESTADOS UNIDOS DA AMÉRICA. SUPREMA CORTE DOS ESTADOS UNIDOS. *Smith vs. Allwright*, 321 U.S. 649 (1944). Disponível em: <https://supreme.justia.com/cases/federal/us/321/649/case.html>. Acesso em: 2 de mar. de 2015].

[352] O entendimento abandonado, emitido em *Grovey vs. Townsend* (1935), assegurara: "4. Que, no Texas, a nomeação pelo partido Democrata é equivalente a eleição, e a exclusão das primárias virtualmente descredencia o eleitor, não faz, sem mais, uma discriminação proibida neste caso. 5. Que a organização nacional Democrata não declarou uma política para excluir os negros da qualidade de membro não dá qualquer suporte para a alegação, de quem foi, assim, excluído por força de uma resolução de uma convenção estadual do partido no Texas, de que ele foi vítima de discriminação pelo Estado, em violação da Constituição Federal" [cf. ESTADOS UNIDOS DA AMÉRICA. SUPREMA CORTE DOS ESTADOS UNIDOS. *Grovey vs. Townsend*, 295 U.S. 45 (1935). Disponível em: <https://supreme.justia.com/cases/federal/us/295/45/case.html>. Acesso em: 2 de mar. de 2015]. E é interessante observar a exata argumentação do Tribunal para revogar este entendimento: "[q]uando, como aqui, primárias se tornam parte do mecanismo para escolha de oficiais, estaduais e federais, o mesmo teste para determinar o caráter de discriminação ou restrição deve ser aplicado às primárias como é aplicado a eleição geral. 4. Conquanto não esquecida da conveniência de sua adesão as antigas decisões de questões constitucionais, esta Corte não é obrigada a seguir uma decisão prévia que, após reexame, acredita-se errônea, particularmente uma que envolve a aplicação de um princípio constitucional, em vez de uma interpretação da Constituição para evoluir o princípio em si" [cf. ESTADOS UNIDOS DA AMÉRICA. SUPREMA CORTE DOS ESTADOS UNIDOS. *Smith vs. Allwright*, op. cit.].

O efeito concreto dessa decisão, que declaradamente fez *fora da lei* as tais *primárias brancas*, não se limita ao efetivo desaparecimento das mesmas já nas primárias realizadas em 1944, mas também pode ser observado na elevação do número de negros votantes nos anos seguintes. Enquanto, em 1932, menos de cem mil negros haviam votado nas eleições gerais em todos os doze estados do sul, em 1946, mais de cento e vinte e cinco mil negros se registraram para votar, e cerca de cem mil votaram nas eleições gerais só no estado da Georgia (um dos mais resistentes à mudança). Nos três anos que se seguiram a *Smith vs. Allwright* o número de votantes negros registrados em todos os doze estados do sul subiu para seiscentos e quarenta e cinco mil, sendo que, em 1952, a cifra excedeu a um milhão. Naturalmente que ao pronunciamento da Suprema Corte seguiu-se uma agressiva ação de apoio do Congresso e do Executivo, que culminou na aprovação, no ano de 1965, do Ato dos Direitos de Votação (*Voting Rights Act*), "que finalmente cumpriu a promessa da Décima Quinta Emenda"[353]. Sobre essa lei, quando da disputa acerca de sua constitucionalidade em *South Carolina vs. Katzenbach (1966),* o Tribunal, ao afirmar a sua lisura, teve ocasião de dizer que "O Congresso achou que a litigância caso-a-caso era inadequada para combater a ampla e persistente discriminação do votar", para o quanto considerou a "desordenada quantidade de tempo e energia requerida para superar as táticas obstrucionistas invariavelmente encontradas nesses processos", sendo que "[a]pós suportar aproximadamente um século de sistemática resistência à Décima Quinta Emenda, o Congresso pode muito bem decidir deslocar a vantagem do tempo e da inércia dos perpetradores do mal para suas vítimas". Ao final, após o exame das novas regras criadas pelo Congresso, o Tribunal afirmou que eram meios válidos para levar a cabo os comandos da Décima Quinta Emenda, e, portanto, "milhões de não brancos norte-americanos vão agora ser capazes de participar pela primeira vez numa base de igualdade no governo sob o qual vivem"[354].

---

[353] Cf. CHOPER, Jesse H., idem, pos. 2045-2063.

[354] Cf. ESTADOS UNIDOS DA AMÉRICA. SUPREMA CORTE DOS ESTADOS UNIDOS. *South Carolina vs. Katzenbach*, 383 U.S. 301 (1966). Disponível em: <https://supreme.justia.com/cases/federal/ us/383/301/case.html>. Acesso em: 2 de mar. de 2015.

2.2.2.2.4 O banimento da segregação nas escolas nos anos 1950. Condenação do racismo e outros avanços na Corte Warren

Em 1896, em *Plessy vs. Ferguson*, a Suprema Corte teve ocasião de enfrentar a discriminatória política apartacionista dos estados do sul dos EUA, e, de maneira impressionante, para dizer o menos, inaugurou a doutrina chamada de igual, mas separado *(equal, but separate).* Na opinião da Corte, entregue pelo juiz Brown, foi afirmada a constitucionalidade de uma lei estadual em vigor na Louisiana desde 1890, segundo a qual as companhias de trens que levassem passageiros naquele estado deveriam providenciar acomodações iguais, mas separadas, para a ocupação por brancos e por pessoas de raças de cor. As empresas deveriam providenciar dois ou mais vagões de passageiros por cada trem, ou deveriam fornecer uma divisória em cada vagão, sempre de modo a garantir a separação dos grupos, que deveria ser supervisionada pelo oficial de serviço no trem. A lei ainda previa a aplicação de multas e até prisão àqueles que não obedecessem, determinava que a companhia não deveria seguir viagem com trem de passageiros em que não observada a separação e, por fim, isentava a empresa de qualquer responsabilidade pela eventual recusa em seguir viagem em cumprimento da norma. Embora a eloquência das disposições da lei enquanto violações de direitos fundamentais, o Tribunal afirmou que elas "não estão em conflito com as provisões tanto da Décima Terceira Emenda como da Décima Quarta Emenda à Constituição dos Estados Unidos", posto que, em síntese, a diferença social entre as raças não seria algo modificável por legislação, nem a própria Constituição poderia ser aplicada para obter essa mudança, que só poderia ser alcançada gradualmente, por uma mudança cultural[355].

---

[355] Cf. ESTADOS UNIDOS DA AMÉRICA. SUPREMA CORTE DOS ESTADOS UNIDOS. *Plessy vs. Ferguson*, 163 U.S. 537 (1896). Disponível em: <https://supreme.justia.com/cases/federal/us/163/537/>. Acesso em: 2 de mar. de 2015. Ou, nos exatos termos da opinião da Corte no mesmo julgado: "[c]onsideramos a falácia subjacente do argumento do requerente a consistir na suposição de que a separação forçada das duas raças marca a raça de cor com um distintivo de inferioridade. (...) O argumento também assume que os preconceitos sociais podem ser superados pela legislação e que a igualdade de direitos não pode ser assegurada ao negro exceto por uma mescla forçada das duas raças. Nós não podemos aceitar essa proposição. Se as duas raças estão para se encontrar mediante termos de igualdade social, ele deve ser o resultado de afinidades naturais, uma apreciação mútua dos méritos de cada um, e um consentimento voluntário dos indivíduos.

Nesse julgamento há um único voto dissidente, do juiz Harlan, que de certo modo antecipou uma posição que só veio a prevalecer no Tribunal cinquenta e oito anos mais tarde, em *Brown vs. Board of Education* (1954). Segundo Harlan, à luz da Constituição não pode haver uma raça superior nos EUA, uma casta, porquanto a Carta é cega às cores e garante que todos os cidadãos são iguais perante a lei. Nessas bases afirmou o seu lamento pela conclusão da maioria, ao afirmar a constitucionalidade do gesto normativo do estado da Louisiana e, assim o fazendo, a autorizar a regulação pelos estados do exercício dos direitos civis por parte de cidadãos tendo a raça por referência. Permanecia, ao seu ver, um resquício de escravidão, a colocar as pessoas de cor em uma situação legal de inferioridade (em privação do exercício pleno de seus direitos civis e em estímulo a agressões a esses direitos), pessoas que outra coisa não são que parte da comunidade política chamada O Povo dos EUA[356].

(...) A legislação é incapaz de erradicar instintos raciais ou abolir distinções baseadas nas diferenças físicas, e a tentativa de fazer isso só pode resultar na acentuação das dificuldades da presente situação. Se os direitos civis e políticos de ambas as raças são iguais, uma não pode ser inferior a outra civilmente ou politicamente. Se uma raça é inferior a outra socialmente, a Constituição dos Estados Unidos não pode colocá-las no mesmo plano".

[356] É de rigor a visita aos fundamentos do aludido voto dissidente. Disse o Juiz Harlan: "[a] raça branca considera a si própria a raça dominante neste país. E então é em prestígio, em conquistas, em educação, em riqueza e em poder. Então, eu não duvido, que continuará a ser por todo o tempo se permanecer fiel à sua grande herança e aferrar-se aos princípios da liberdade constitucional. Mas ao olhar da Constituição, aos olhos da lei, não existe superior neste país, dominante, classe governante de cidadãos. Não há casta aqui. Nossa Constituição é cor-cega, e não conhece nem tolera classes entre cidadãos. Com respeito a direitos civis, todos os cidadãos são iguais perante a lei. O mais humilde é o par do mais poderoso. A lei trata homem como homem, e não se interessa pelas suas circunstâncias, ou por sua cor, quando seus direitos civis garantidos pela lei suprema do país estão envolvidos. É, portanto, para ser lamentado que este alto tribunal, o último expositor da lei fundamental do país, tenha chegado à conclusão de que é da competência de um Estado o regular o gozo por cidadãos dos seus direitos civis unicamente na base da raça. Na minha opinião, a vontade entregue no julgamento deste dia, em tempo, provará ser tão perniciosa quanto a decisão feita por este tribunal no caso *Dred Scott.* Foi julgado naquele caso que os descendentes de Africanos que foram importados para este país e vendidos como escravos não estavam incluídos, nem pretendidos para ser incluídos, sob a palavra 'cidadãos' na Constituição, e não poderiam reclamar qualquer dos direitos e privilégios que este instrumento previa e assegurava para cidadãos dos Estados Unidos; que, ao tempo da adoção da Constituição, eles eram 'considerados como uma classe de seres subordinada e inferior, que tinha sido subjugada pela raça dominante, e, se

Pois bem, tendo que superar a si própria, a Suprema Corte gradualmente revisou a doutrina do *separado, mas igual, iniciando sob a Chefia de Hughes (em*

---

emancipados ou não, ainda permaneciam sujeitos a sua autoridade, e não tinham direitos ou privilégios a não ser os que aqueles que detinham o poder e o governo pudessem decidir conceder a eles' 19 How. 393, 404. As recentes emendas à Constituição, era suposto, tinham erradicado esses princípios de nossas instituições. Mas parece que nós ainda temos, em alguns Estados, uma raça dominante – uma classe superior de cidadãos, que presumem regular o gozo de direitos civis, comuns a todos os cidadãos, na base da raça. A presente decisão, que pode muito bem ser apreendida, não só vai estimular agressões, mais ou menos brutais e irritantes, sobre os direitos admitidos dos cidadãos de cor, mas vai encorajar a crença de que isso é possível, por meio de decretos estaduais, para derrotar o fins beneficentes que o povo dos Estados Unidos tinha em vista quando eles adotaram as recentes emendas da Constituição, por uma das quais os negros deste país foram feitos cidadãos dos Estados Unidos e dos Estados em que residem respectivamente, e cujos privilégios e imunidades, como cidadãos, os Estados estão proibidos de restringir. Sessenta milhões de brancos não estão em perigo a partir da presença aqui de oito milhões de negros. Os destinos das duas raças neste país estão indissoluvelmente ligados entre si, e os interesses de ambas exigem que o governo comum de todos não deva permitir que as sementes do ódio racial sejam plantadas sob a sanção da lei. O que pode mais certamente despertar o ódio racial, o que mais certamente cria e perpetua um sentimento de desconfiança entre essas raças, do que decretos estaduais os quais, de fato, prosseguem na base de que os cidadãos de cor são tão inferiores e degradados que eles não podem ser autorizados a sentar em vagões públicos ocupados por cidadãos brancos. Este, como todos irão admitir, é o verdadeiro significado de tal legislação, como foi promulgada em Louisiana. (...) Eu sou da opinião de que o estatuto da Louisiana é incompatível com a liberdade pessoal dos cidadãos, brancos e negros, neste Estado, e hostil tanto ao espírito como à letra da Constituição dos Estados Unidos. Se leis deste tipo devem ser promulgadas nos diversos Estados da União, o efeito seria pernicioso no mais alto grau. A escravidão, como instituição tolerada por lei, é verdade, desapareceu do nosso país, mas haveria restado um poder nos Estados, por sinistra legislação, para interferir com o pleno gozo das bênçãos da liberdade para regular direitos civis, comuns a todos os cidadãos, sobre a base da raça, e colocar em uma condição de inferioridade legal uma grande massa de cidadãos Americanos que agora constituem uma parte da comunidade política chamada de O Povo dos Estados Unidos, para quem e por quem, por intermédio de representantes, o nosso governo é administrado. Tal sistema é incompatível com a garantia dada pela Constituição para cada Estado de uma forma republicana de governo, e pode ser derrubado por ação do Congresso, ou pelas cortes no cumprimento do seu dever solene de manter a lei suprema do país, não obstante qualquer coisa em contrário na constituição ou nas leis de qualquer Estado. Pelas razões expostas, sou obrigado a retirar o meu assentimento da opinião e julgamento da maioria" (cf. ESTADOS UNIDOS DA AMÉRICA. SUPREMA CORTE DOS ESTADOS UNIDOS. *Plessy vs. Ferguson,* op. cit.).

Missouri ex rel. Gaines vs. Canada – 1938), seguindo na gestão de Fred M. Vinson (em *Sweatt vs. Painter* – 1950; e em *McLaurin vs. Oklahoma State Regents* – 1950) e se encerrando sob a Presidência de Earl Warren (no já referido *Brown vs. Board of Education* – 1954)[357].

Em *Missouri ex rel. Gaines vs. Canada* (1938), o Tribunal se deparou com a reclamação de um estudante negro que pretendia estudar direito, mas o curso não estava disponível na Universidade Lincoln, reservada para negros. Como o curso existia na Universidade Estadual do Missouri, mas estava reservado para brancos apenas, o rapaz pedia a concessão de uma ordem que lhe garantisse a matrícula em tal instituição. Em sua defesa o estado alegou que o curso seria aberto na Universidade Lincoln assim que fosse necessário e prático, segundo decisão dos seus curadores, e enquanto não fosse implementado as despesas seriam pagas para que o jovem pudesse frequentar a faculdade de direito em outro estado adjacente, em local que provesse treinamento igual ao fornecido na sua Universidade Estadual e onde negros fossem aceitos. Na opinião da Corte, apresentada por Hughes, ficou assentado que: a negativa de admissão do estudante negro pelos curadores da Universidade Estadual era uma ação de estado para os efeitos da Décima Quarta Emenda; que a ação do Estado em fornecer educação em direito, nos limites do estado, para brancos e não o fazer para negros era "uma discriminação repugnante à Décima Quarta Emenda", pois "[s]e o Estado fornece educação superior para residentes brancos, está obrigado a fornecer vantagens substancialmente iguais a residentes negros, embora não necessariamente nas mesmas escolas"; que a questão em julgamento, portanto, era a concessão de igual oportunidade a todos os estudantes dentro do mesmo Estado, que não pode ser negada unicamente com base na cor; e, por fim, que o mero propósito de construir uma faculdade de direito para negros, ou a previsão de custeio para eles de ensino de mesma qualidade a ser frequentado em outro Estado, "não remove a discriminação"[358]. Como se pode ver, embora importante, a mudança começou tímida, já que a decisão cogita a possibilidade de manutenção da segregação nas escolas/universidades.

---

[357] Cf. CHOPER, Jesse H., idem, pos. 2072-2184.

[358] Cf. ESTADOS UNIDOS DA AMÉRICA. SUPREMA CORTE DOS ESTADOS UNIDOS. *Missouri ex rel. Gaines vs. Canada*, 305 U.S. 337 (1938). Disponível em: <https://supreme.justia.com/cases/federal/ us/305/337/case.html>. Acesso em: 2 de mar. de 2015.

Em *Sweatt vs. Painter* (1950), doze anos mais tarde, o Tribunal se deparou com caso semelhante, onde um jovem teve negada a sua admissão na Faculdade de Direito da Universidade do Texas, porque reservada para brancos somente, sendo-lhe garantida vaga na recém-aberta Faculdade de Direito para Negros. Enquanto o curso garantido para os brancos tinha dezesseis professores de tempo integral, mais três de tempo parcial, uma biblioteca com sessenta e cinco mil volumes, oitocentos e cinquenta alunos, uma revista de direito, muita tradição e prestígio, a nova faculdade tinha cinco professores de tempo integral, vinte e três alunos, uma biblioteca com dezesseis mil e quinhentos livros e excluía do seu corpo de estudantes membros de grupos raciais que montam a 85% da população do estado (percentual onde se encontram os advogados, testemunhas, jurados, juízes e outros oficiais com quem o peticionário teria que manter contato quando se tornasse um advogado). Nessa moldura, em opinião entregue pelo chefe de Justiça Vinson, a Corte decidiu que "[a] educação legal oferecida ao peticionário não é substancialmente igual àquela que ele receberia se admitido na Faculdade de Direito da Universidade do Texas", de modo que "a cláusula da igual proteção da Décima Quarta Emenda exige que ele seja admitido na Faculdade de Direito da Universidade do Texas"[359]. Entretanto, pela negativa em aplicar ou em rever *Plessy vs. Ferguson* (1896) – que eram pedidos divergentes apresentados pelas partes –, nesse julgamento a Corte foi explícita em manter a possibilidade de existência de leis segregacionistas[360].

[359] Cf. ESTADOS UNIDOS DA AMÉRICA. SUPREMA CORTE DOS ESTADOS UNIDOS. *Sweatt vs. Painter*, 339 U.S. 629 (1950). Disponível em: <https://supreme.justia.com/cases/federal/us/339/629/case.html>. Acesso em: 2 de mar. de 2015.

[360] Nesse sentido, observe-se o voto: "[d]e acordo com estes casos, o peticionário pode reclamar seu inteiro direito constitucional: educação legal equivalente aquela oferecida pelo Estado para estudantes de outras raças. Tal educação não está disponível para ele e uma escola de direito separada como oferecido pelo Estado. Nós não podemos, portanto, concordar com os demandados que a doutrina de *Plessy vs. Ferguson*, 163 U.S. 537 (1896), requer afirmação do julgamento de piso. Nem precisamos nós alcançar a alegação do peticionário de que *Plessy vs. Fergusson* deveria ser reexaminado à luz do conhecimento contemporâneo com respeito aos propósitos da Décima Quarta Emenda e os efeitos da segregação racial. (...) Nós mantemos que a Cláusula da Igual Proteção da Décima Quarta Emenda requer que o peticionário seja admitido na Faculdade de Direito da Universidade do Texas. O julgamento é revertido, e a causa é devolvida para procedimentos não inconsistentes com esta opinião." [cf. ESTADOS UNIDOS DA AMÉRICA. SUPREMA CORTE DOS ESTADOS UNIDOS. *Sweatt vs. Painter*, op. cit.].

No mesmo dia em que apreciado o caso anterior, o Tribunal também julgou *McLaurin vs. Oklahoma State Regents* (1950), no qual um estudante negro com mestrado, admitido em um curso de doutorado em educação na Universidade de Oklahoma, estava submetido a um tratamento segregacionista. Na sala de aula havia uma fileira reservada para negros, uma mesa específica na cafeteria, outra na biblioteca, espaços que era obrigado a ocupar no seu dia a dia de modo a cumprir uma lei estadual que exigia isso de todos os estudantes negros do ensino superior. Na hipótese, também em opinião entregue pelo chefe de Justiça Vinson, a Corte afirmou que as condições impostas ao apelante "para receber a sua educação o privam do seu direito pessoal e presente à igual proteção das leis, e a Décima Quarta Emenda preclui tais diferenças em tratamento pelo Estado, baseadas sobre a raça" e, sendo assim, "[t]endo sido admitido em uma escola de graduação mantida pelo Estado, o apelante precisa receber o mesmo tratamento das mãos do Estado como estudantes de outras raças"[361].

Interessante neste último caso é o enfrentamento mais direto do tema da segregação, e mesmo as reflexões sobre os efeitos da sua abolição, claros em afirmações como: "[a]s restrições impostas sobre o apelante prejudicam e inibem sua habilidade para estudar, para engajar-se em discussões e trocar olhares com os outros estudantes, e, em geral, a aprender sua profissão"; ou, "[é] irrelevante que o apelante ainda pode ser posto de lado pelos seus companheiros estudantes e pode estar em posição não melhor quando estas restrições são removidas", mas "existe uma diferença constitucional entre restrições impostas pelo estado, que proíbe a convivência intelectual de estudantes e a recusa de estudantes a conviver onde o estado não apresenta tal barreira"; e, removendo-se as restrições, "no mínimo, a vontade do estado não irá privar o apelante da oportunidade de assegurar aceitação pelos seus companheiros estudantes por seus próprios méritos"[362].

Dois efeitos imediatos tiveram lugar, a partir destes pronunciamentos do Tribunal. O primeiro foi a admissão, ainda em 1950, com o afastamento da barreira da raça e em aderência a ordem judicial, de estudantes negros em escolas

---

[361] Cf. ESTADOS UNIDOS DA AMÉRICA. SUPREMA CORTE DOS ESTADOS UNIDOS. *McLaurin vs. Oklahoma State Regents*, 339 U.S. 637 (1950). Disponível em: <https://supreme.justia.com/cases/federal/ us/339/637/case.html>. Acesso em: 2 de mar. de 2015.

[362] Cf. ESTADOS UNIDOS DA AMÉRICA. SUPREMA CORTE DOS ESTADOS UNIDOS. *McLaurin vs. Oklahoma State Regents*, op. cit.

de graduação e profissionalizantes, antes reservadas apenas para brancos, em onze dos estados do sul dos EUA. A segunda consequência, abertamente para evitar que o *princípio da segregação* desaparecesse por completo, os estados do sul profundo lançaram-se em uma campanha frenética para equalizar as oportunidades educacionais entre pupilos brancos e negros, com campanhas arrecadatórias que recolheram milhões de dólares para qualificação das escolas para crianças negras. Com isso, nos anos subsequentes houve uma quase equiparação dos valores investidos por alunos brancos e negros (com pequena vantagem para aqueles) e os salários de professores de escolas para negros também foram praticamente igualados (mantida alguma vantagem salarial para os professores das escolas para brancos)[363].

O terreno, com base nessas últimas reflexões e acontecimentos, estava devidamente preparado para o avanço que viria a ocorrer em *Brown vs. Board of Education* (1954), já sob a Chefia de Warren, que entregou a unânime opinião da Corte.

Na ocasião, quatro casos semelhantes foram julgados conjuntamente, vindo dos Estados do Kansas, South Carolina, Virginia e Delaware, e todos os reclamantes eram pais de crianças negras pedindo a intercessão do Judiciário para garantir aos seus filhos a frequência à escola pública em bases não segregacionistas. Em todas as instâncias inferiores a doutrina *igual, mas separado*, foi invocada para afirmar a possibilidade, em observância às legislações locais, da segregação nas escolas. Apenas a Suprema Corte do Estado de Delaware decidiu, em comparando as condições oferecidas nas escolas para brancos e negros, por admitir a matrícula da criança negra na escola para brancos, por considerá-la de melhor qualidade (na linha dos precedentes recém-examinados do Tribunal Supremo). Em todos esses casos a aludida doutrina, consagrada em *Plessy vs. Fergusson* (1896), estava sendo desafiada, e a Corte anotara que, nos processos mais recentes em tema de segregacionismo (com foco, como visto, na educação superior), o debate acerca da manutenção de *Plessy* não fora necessário para garantir a pretensão dos reclamantes, de modo que, no atual momento, esse escrutínio era impositivo[364].

---

[363] Cf. CHOPER, Jesse H., idem, pos. 2077 – 2098.

[364] Ou, nos precisos termos da opinião da Corte ao situar o escopo do julgamento: "[a]qui, diferente de *Sweatt vs. Painter*, existem achados sobre as escolas negras e brancas terem sido equalizadas, ou estarem sendo equalizadas, com respeito a prédios, currículo, qualificação e salários de professores,

E ao lançar-se a tal análise a Corte destacara que um olhar para o passado, ao tempo em que aprovada a Décima Quarta Emenda (1868), ou quando do julgamento de *Plessy* (1896), não resolveria a grande questão posta, que obrigava a consideração da "educação pública à luz do seu completo desenvolvimento e o seu lugar presente na vida Americana através da Nação. Somente neste caminho pode ser determinado se a segregação nas escolas públicas priva estes reclamantes da igual proteção das leis"[365]. Assim, exorcizou o fantasma do *intento original*[366].

Depois de registrar que a educação é a função mais importante dos governos locais e estaduais, que o surgimento de leis obrigando a frequência escolar e os grandes investimentos que têm sido feitos são o reconhecimento dessa importância, que a educação é a pedra fundamental da boa cidadania (voltada ao despertar das crianças para os valores culturais, preparando-as para um bom treinamento profissional posterior e para uma boa adaptação ao ambiente) e, por fim, que é duvidoso achar que uma criança possa ser bem-sucedida se lhe for negada a oportunidade de uma boa educação, acessível a todas elas e em termos iguais, a opinião recortou a pergunta a ser respondida pelo Tribunal: "a segregação de crianças em escolas públicas unicamente com base na raça, apesar de que instalações físicas e outros fatores 'tangíveis' possam ser iguais, priva as crianças do grupo minoritário da iguais oportunidades educacionais?". Seguiu-se imediata resposta: "[n]ós acreditamos que ela faz"[367].

Resgatando assertivas que já haviam sido feitas em *Sweatt vs. Painter* (1950) e em *McLaurin vs. Oklahoma State Regents* (1950), indicando as desvantagens colocadas pela separação, a opinião afirmou que elas só se intensificam em se tratando de crianças do ensino básico e médio. Separá-las unicamente por

---

e outros fatores 'tangíveis'. Nossa decisão, portanto, não pode voltar-se à mera comparação destes fatores tangíveis nas escolas negras e brancas envolvidas em cada um dos casos. Nós precisamos olhar, em lugar disso, o efeito da própria segregação na educação pública" [cf. ESTADOS UNIDOS DA AMÉRICA. SUPREMA CORTE DOS ESTADOS UNIDOS. *Brown vs. Board of Education of Topeka*, 347 U.S. 483 (1954). Disponível em: <https://supreme.justia.com/cases/federal/us/347/483/case.html>. Acesso em: 2 de mar. de 2015].

[365] Cf. ESTADOS UNIDOS DA AMÉRICA. SUPREMA CORTE DOS ESTADOS UNIDOS. *Brown vs. Board of Education of Topeka*, op. cit.

[366] Cf. WOLFE, *Christopher*, idem, pos. 5174.

[367] Cf. ESTADOS UNIDOS DA AMÉRICA. SUPREMA CORTE DOS ESTADOS UNIDOS. *Brown vs. Board of Education of Topeka*, idem.

conta de sua raça "gera um sentimento de inferioridade quanto ao seu *status* na comunidade, que pode afetar seus corações e mentes de uma forma que dificilmente será desfeita", retardando o seu desenvolvimento educacional e mental, consequências evitáveis pelos benefícios que seriam alcançados por meio de um sistema de escolas racialmente integrado. Por isso, toda a linguagem em *Plessy* contrária a esses achados foi rejeitada: "[n]ós concluímos que, no campo da educação pública, a doutrina de 'separado mas igual' não tem lugar. Instalações educacionais separadas são inerentemente desiguais", e os reclamantes, assim como outros na mesma situação, "estão privados da igual proteção das leis garantida pela Décima Quarta Emenda. Esta disposição faz desnecessário qualquer discussão sobre se tal segregação também viola a Cláusula do Devido Processo da Décima Quarta Emenda"[368].

A implementação do quanto decidido, porém, ficou postergado para um segundo julgamento, no qual as partes foram novamente ouvidas, tendo em conta as evidentes dificuldades operacionais que a hipótese colocava. O caso é conhecido como *Brown II* e novamente contou com opinião unânime da Corte entregue pelo chefe Warren. Na ocasião o Tribunal ordenou que as Cortes inferiores, a partir das premissas construídas no precedente, considerassem as eventuais alegações dos reclamados, cujo ônus da prova lhes cabia, acerca de tempo adicional para levar a cabo as modificações requeridas para materializar as escolas públicas integradas. Inclusive, a consideração sobre a boa-fé dessas alegações deveria ser feita pelas Cortes locais, em ordem a evitar que a vitalidade dos princípios constitucionais proclamados não restasse submetida simplesmente por conta da discordância com eles, tudo de modo a obter escolas em bases raciais não discriminatórias "com toda a deliberada velocidade"[369].

A partir dessa postura a Corte deixou de se envolver diretamente com a natural litigância que o precedente iria colocar, e colocou de fato, atribuindo o acertamento dos efeitos da inconstitucionalidade reconhecida, caso a caso, às Cortes Federais dos Distritos. Apenas eventualmente, na sequência, o Tribunal voltou a ocupar-se da questão, como em *Cooper vs. Aaron* (1958), onde condenou

---

[368] Cf. ESTADOS UNIDOS DA AMÉRICA. SUPREMA CORTE DOS ESTADOS UNIDOS. *Brown vs. Board of Education of Topeka*, idem.

[369] Cf. ESTADOS UNIDOS DA AMÉRICA. SUPREMA CORTE DOS ESTADOS UNIDOS. *Brown vs. Board of Education of Topeka*, idem.

a ação do governador e de outros oficiais do estado do Arkansas que pretendiam interferir no plano de integração de escolas (de Little Rock) aprovado por uma Corte federal inferior[370]. Nesse caso, os reclamados alegavam: (*i.*) que os oficiais do estado não estariam submetidos à autoridade da decisão de *Brown*, não antes que as disputas judiciais a serem propostas pelo estado para anulá-la fossem julgadas; (*ii.*) que a tentativa de colocar em prática o plano de dessegregação nas escolas de Little Rock provocou intensas manifestações de massa, com risco de violência que só não se concretizou pelo envio, e manutenção no local, de tropas do governo federal; e (*iii.*) que, nessas condições, o plano de dessegregação naquele local deveria ser adiado por dois anos e meio. Na repulsa a tais alegações a Suprema Corte afirmou: (*i.*) "que os direitos constitucionais dos respondentes não eram para ser sacrificados ou submetidos à violência e desordem que se seguiram às ações do governador e da Legislatura", de modo que "a lei e ordem não estão aqui para serem preservadas pela privação às crianças negras dos seus direitos constitucionais"; (*ii.*) que os direitos constitucionais das crianças a não serem contradiscriminadas na admissão escolar tendo raça, ou cor, por base, declarados pela Corte no caso *Brown*, não podem ser anuladas abertamente e diretamente por legisladores estaduais, ou executivos do estado, ou por agentes da Justiça, "nem nulificados indiretamente por eles por meio de esquemas evasivos para segregação 'engenhosamente ou ingenuamente' tentados"; (*iii.*) que a interpretação da Décima Quarta Emenda anunciada pela Corte no caso *Brown* "é a suprema lei da terra, e o Art. VI da Constituição o faz de efeito vinculativo nos estados, 'não obstante qualquer Coisa na Constituição ou Leis de qualquer Estado em Contrário'."; (*iv.*) que "[n]enhum legislador, ou oficial executivo, ou judicial, estadual, pode guerrear contra a Constituição sem violar o seu solene julgamento de apoiá-la"; e, por fim, (*v.*) que todo o apoio dos estados à manutenção de escolas segregadas (seja por arranjos, gerenciamento, fundos, ou propriedade), "não pode ser conciliado com o comando da Décima Quarta Emenda de que nenhum Estado deve negar a qualquer pessoa dentro de sua jurisdição a igual proteção das leis" [371].

---

[370] Cf. WOLFE, Christopher, idem, pos. 5176.

[371] Cf. ESTADOS UNIDOS DA AMÉRICA. SUPREMA CORTE DOS ESTADOS UNIDOS. *Cooper vs. Aaron,* 358 U.S. 1 (1958). Disponível em: <https://supreme.justia.com/cases/federal/us/358/1/>. Acesso em: 2 de mar. de 2015.

Este último caso serviu, portanto, não apenas para destacar a extensão do quanto decidido em *Brown*, mas também para avançar no que diz com o *status* de uma decisão da Suprema Corte perante os seus destinatários: não só a Constituição é a suprema lei da terra, mas também é a interpretação que lhe der o Tribunal Supremo. Assim, os atos de violar a Constituição, ou a específica leitura da Suprema Corte sobre ela, tornam-se equivalentes. A Corte, por este rumo, foi mais além do poder declarado em *Marbury* (de pronunciar a inconstitucionalidade de atos em casos que lhe fossem submetidos), e em uma nublada fronteira entre independência e supremacia do Judiciário, deu a indicação de ter assumido que o seu papel especial/peculiar de interpretação constitucional lhe pertencia com exclusividade[372].

No geral, o avanço para a declaração de inconstitucionalidade da segregação nas escolas, por inerentemente violadora à cláusula da igual proteção, foi um passo relativamente pequeno para a Corte em termos de lógica constitucional, tendo em vista os precedentes investigados. Porém, "foi um passo enorme em política pública, como seria, eventualmente, exigir dessegregação em escolas primárias e secundárias através do Sul, no qual se tinha certeza de despertar oposição apaixonada"[373]. E, também como foi antecipado, não se imaginavam facilidades em nível de implementação, que só veio a ocorrer em larga escala após os ramos políticos aditarem suporte coercitivo por meio do Ato dos Direitos Civis *(Civil Rights Act)* de 1964. Não resta dúvida, entretanto, de que que a ordem judicial em Brown forneceu o ímpeto indispensável para mudança, e inclusive foi um verdadeiro catalisador para a revolução nas relações entre raças nos EUA, encorajando os negros a protestarem e, assim, contribuindo para o levante dos Direitos Civis dos anos 1960[374]. Contributo que não ficou adstrito

---

[372] Cf. WOLFE, Christopher, idem, pos. 5212. O autor ainda destaca que a decisão da Corte neste caso também rejeitou o contraponto de Lincoln apresentado no caso *Dred Scott*. Conforme *Lincoln*, a política geral do país deve ser guiada por uma decisão judicial proferida em determinado assunto sempre que o tema estiver *inteiramente estabelecido* (*fully settled*). Contudo, se os outros ramos do Governo tiverem por errada esta interpretação, em bases razoáveis, isso significa que o assunto não está *inteiramente estabelecido*, de modo que eles são livres para agir sobre o mesmo por diferentes visões constitucionais (cf. WOLFE, Christopher, idem, pos. 5191). Sobre o caso *Dred Scott* ver *supra*, nota 356.

[373] Cf. WOLFE, Christopher, idem, pos. 5144.

[374] Cf. CHOPER, Jesse H., idem, pos. 2124 – 2137.

à questão racial, uma vez que as decisões dessegregacionistas não apenas "para sempre alteraram a substância e o tom das relações entre raças neste país; elas nos fizeram questionar a validade de toda a sorte de sistemas de dominância e dependência", que acabaram por colocar "em ação forças (morais e políticas) que fomentaram outros movimentos liberacionistas"[375].

O próprio Tribunal, em uma série de decisões subsequentes em casos envolvendo aspectos raciais além da educação, não hesitou em invocar a autoridade *Brown*, como no livre acesso a "praias, ônibus, estacionamentos, cursos de golfe" etc. O que o espectro desses casos sugere é que a Corte procurava proibir a segregação por causa da detestabilidade inerente à classificação racial baseada na ideia de que negros eram inferiores, de sorte que o "[r]acismo legalmente reconhecido e apoiado era o objeto da ação da Corte, presumivelmente porque eles assumiram que leis deformativas da educação moral eram a raiz das mais concretas desabilidades impostas aos negros"[376].

A Corte Warren ainda emitiu vários pronunciamentos em outras áreas sensíveis, confirmando a disposição de usar o seu poder para a promoção de mudanças

---

[375] Cf. KARST, Kenneth. Foreword: Equal Citizenship Under the Fourteenth Amendment. 91 *Harvard Law Review* 1-68 (1977), p. 21.

[376] Cf. WOLFE, Christopher, idem, pos. 5191.

sociais. Assim, *v.g.*, nos casos em que protegeu direitos civis de comunistas[377], ou

[377] Cf. LINDQUIST, Stefanie A.; CROSS, Frank B., op. cit., p. 3. O precedente fundamental envolvendo comunistas foi entregue em *Pennsylvania vs. Nelson* (1956), no qual a Corte confirmou a decisão da Suprema Corte da Pennsylvania que afastara a aplicação da lei pela qual o peticionário havia sido condenado por sedição. O Tribunal entendeu, assim como a Corte inferior, que o aparecimento de uma lei federal incriminando a mesma conduta (o *Smith Act*) assumira integralmente para a União o trato do tema, sem deixar espaço para os Estados, de modo que a nova lei informava a revogação de todas as leis estaduais anteriores. Com isso restou afirmada a impossibilidade de dupla incriminação, por lei federal e estadual, de um mesmo comportamento [cf. CARTER, John. *The Warren Court and The Constitution: A Critical Review of Judicial Activism*. Gretna: Pelican Publishing Company, 1973, eBook Kindle, pos. 812; e, cf. *Pennsvlvania vs. Nelson*, 350 U.S. 497 (1956). Disponível em: <https://supreme.justia.com/cases/federal/us/350/497/case.html>. Acesso em: 6 de mar. de 2015]. Neste e em outros casos prevaleceu a ideia de que os comunistas não eram conspiradores, mas membros de um partido político legítimo que estavam sendo punidos por suas visões políticas (cf. CARTER, John, op. cit., pos. 811). Já a promoção dos direitos dos defendentes em processos criminais, para além dos casos já referidos na nota 181, pode ser acrescentado o caso *Mapp vs. Ohio*, no qual o Tribunal afirmou que buscas e apreensões realizadas em violação da Constituição Federal são inadmissíveis em um julgamento criminal por uma Corte estadual. Na hipótese a apelante (Sra. Mapp) tinha sido vítima de uma busca e apreensão sem mandado em sua casa, onde policiais buscavam material político e acabaram por apreender algum material obsceno (livros, fotos e imagens), o que configurava crime segundo o Código de Ohio. O caso reafirmou a jurisprudência da Corte sobre regras de exclusão de provas (obtidas por meios ilícitos), com a seguinte nota final: "[o] ignóbil atalho para condenação deixado aberto para os Estados tende a destruir o sistema de restrições constitucionais sobre o qual descansam as liberdades do povo. Tendo outrora reconhecido que o direito a privacidade incorporado na Décima Quarta Emenda é oponível contra os Estados, e que o direito de ser assegurado contra rudes invasões da privacidade por oficiais do estado é, portanto, constitucional na origem, nós não podemos mais permitir que esse direito permaneça uma promessa vazia. Porque ele é executável da mesma forma e para o mesmo efeito como outros direitos básicos assegurados pela Cláusula do Devido Processo, nós não podemos mais permitir que ele seja revogado ao capricho de qualquer oficial que, em nome do cumprimento da lei em si, escolha suspender o seu gozo. Nossa decisão, fundada na razão e na verdade, dá ao indivíduo não mais do que a Constituição garante a ele, ao policial não menos do que o honesto cumprimento da lei intitula, e, às cortes, a integridade judicial tão necessária na verdadeira administração da justiça" [cf. CHOPER, Jesse H., idem, pos. 2186; cf. ESTADOS UNIDOS DA AMÉRICA. SUPREMA CORTE DOS ESTADOS UNIDOS. *Mapp vs. Ohio*, 367 U.S. 643 (1961). Disponível em: <https://supreme.justia.com/cases/federal/us/367/643/>. Acesso em: 6 de mar. de 2015]. Após a decisão houve um expressivo aumento do número de mandados judiciais emitidos para legítimas buscas e apreensões, a demonstrar que a situação anterior colocava um indevido estímulo à coleta ilícita de provas, com violação à Décima

em que promoveu direitos de defendentes em processos criminais[378].

Quarta Emenda (cf. CHOPER, Jesse H., idem, pos. 2244).

[378] Cf. LINDQUIST, Stefanie A.; CROSS, Frank B., idem, p. 3. Em termos de promoção de direitos dos defendentes em persecuções penais, a Corte Warren também se destaca pela decisão emitida em *Miranda vs. Arizona* (1966). Na oportunidade quatro casos foram apreciados conjuntamente, todos relacionados às raízes dos conceitos da jurisprudência criminal americana, como referido pelo próprio Warren, responsável pela opinião da Corte. Enfim, tratava-se de definir "[a]s restrições que a sociedade precisa observar consistentes com a Constituição Federal na persecução de indivíduos por crime. Mais especificamente, lidamos com a admissibilidade das declarações obtidas a partir de um indivíduo que é submetido a interrogatório policial sob custódia e a necessidade de procedimentos que assegurem que o indivíduo está advertido sobre o seu privilégio sob a Quinta Emenda da Constituição de não ser obrigado a se autoincriminar". O objetivo declarado a partir da decisão foi o de "expor a aplicação do privilégio contra a autoincriminação em interrogatórios em custódia, e dar linhas mestras constitucionais concretas para serem seguidas pelas agências de cumprimento da lei e pelas cortes". Na hipótese fática que intitula o caso, Ernesto Miranda havia sido preso em sua casa e levado a uma delegacia de polícia. Colocado em uma sala de interrogatórios, Miranda foi questionado por dois policiais, pelo tempo de duas horas, sendo que os policiais, em depoimento judicial, admitiram que não avisaram o investigado de que ele tinha direito à presença de um advogado para assisti-lo. Na polícia foi obtida uma confissão, assinada por Miranda, onde estava datilografado, no topo, um parágrafo declarando que a confissão tinha sido feita de modo voluntário, sem ameaças ou promessas de imunidade e com inteiro conhecimento dos direitos legais pelo signatário, que compreendia que toda a declaração poderia ser usada contra ele. A dita confissão foi admitida como prova em um Júri, do qual Miranda saiu condenado por sequestro e estupro a duas penas de 20 a 30 anos, a serem cumpridas de modo concorrente. Confirmada a condenação pela Suprema Corte do estado do Arizona, que enfatizou o fato de que Miranda não havia pedido um advogado, a Suprema Corte reverteu os julgamentos. Em síntese, pelos seguintes fundamentos: "[a] partir do depoimento dos oficiais e pela admissão do respondente, está claro que Miranda não foi de modo algum informado do seu direito de consultar com um advogado e de ter um presente durante seu interrogatório, nem o foi do seu direito de não ser obrigado a incriminar a si mesmo, [direitos que] em nenhuma outra maneira foram eficazmente protegidos. Sem esses avisos, as declarações eram inadmissíveis. O mero fato de que ele assinou uma declaração que continha uma cláusula digitada dispondo que ele tinha 'pleno conhecimento' de seus 'direitos legais' não se aproxima à renúncia com conhecimento e inteligência requeridas para abdicar de direitos constitucionais" [cf. ESTADOS UNIDOS DA AMÉRICA. SUPREMA CORTE DOS ESTADOS UNIDOS. *Miranda vs. Arizona*, 384 U.S. 436 (1966). Disponível em: <https://supreme.justia.com/cases/federal/us/384/436/case.html>. Acesso em: 6 de mar. de 2015]. O caso estabeleceu os chamados "avisos Miranda" (*Miranda warnings*), que a polícia deve literalmente copiar em um cartão e ler para os suspeitos. Conservadores acusaram a Corte de ativista, porque ao estabelecer um rol de avisos agira como legislador (cf. McCLOSKEY, Robert G., idem, p. 167). Ou, cf. REHNQUIST, para os críticos *Miranda* representou um novo

O certo é que, por decisões emblemáticas como a emitida em *Brown*, eliminando a segregação racial e protegendo direitos individuais, a Corte Warren é considerada a *criança de anúncio* (*poster child*) do ativismo judicial[379]. Ao expandir dramaticamente a noção de *direitos fundamentais* e a comprometer-se no estabelecimento de uma ampla política social em áreas controversas, "Se tornou a mais ativista Corte na história da América e deixou uma profunda marca na vida e no direito Americanos"[380]. Curiosamente, ao mesmo tempo em que *Brown* é amplamente entendida como uma decisão ativista, que, aliás, inaugurou o debate atual sobre ativismo judiciário nos EUA, também é fato que atingiu o icônico *status* de símbolo de justiça social[381].

2.2.2.2.5 Expressão, religião, aborto, pena de morte e devido processo na Corte Burger

Avançando no tempo, a Corte Burger, que se seguiu à aposentadoria de Warren (em 1969), também teve a sua cota de pronunciamentos de destaque. Assim, *v.g.*, ao evitar aprisionamento motivado pela inabilidade de pagar uma multa[382]; ao vindicar o direito de um substancial número de dissidentes políticos,

---

nível de legislação judicial, fundada na esparsa linguagem da Quinta Emenda (cf. REHNQUIST, William H., idem, pos. 3511). Para WOLF, *Mapp* e *Miranda* "envolvem legislação judicial (não encontrada em nada do texto) para prover 'melhor' proteção contra buscas e apreensões irrazoáveis e confissões forçadas do que o *Bill of Rights* fazia" (cf. WOLFE, Christopher, idem, pos. 7932).

[379] Cf. LINDQUIST, Stefanie A.; CROSS, Frank B., idem, p. 3.

[380] Cf. WOLFE, Christopher, idem, pos. 5144.

[381] Cf. LINDQUIST, Stefanie A.; CROSS, Frank B., idem, p. 3.

[382] Cf. CHOPER, Jesse H., idem, pos. 2433. Em *Tate vs. Short* (1971). Neste caso o Tribunal concedeu *habeas corpus* para o paciente, que por ofensas proferidas no trânsito foi multado em $425 dólares, valor que não tinha condições financeiras para pagar. Em ambas as instâncias inferiores, no estado do Texas, a ordem havia sido negada e, assim, mantida a conversão da multa em prisão, na ordem de $5 dólares por dia, o que resultava em uma condenação de 81 dias na prisão. A Suprema Corte afirmou que permitir o pagamento de multa pelos que podem arcar com ela, mas prender quem não pode, representa a negação da Cláusula da Igual Proteção das Leis prevista na Décima Quarta Emenda (cf. ESTADOS UNIDOS DA AMÉRICA. SUPREMA CORTE DOS ESTADOS UNIDOS. *Tate vs. Short*, 401 U.S. 395 (1971). Disponível em: <https://supreme.justia.com/cases/ federal/us/401/395/case.html>. Acesso em: 4 de mar. de 2015).

a despeito da filosofia de violência e rompimento[383], ou do aberto desprezo por símbolos patrióticos[384]; ao resguardar a crença de não conformistas religiosos com

---

[383] Cf. CHOPER, Jesse H., idem, pos. 2438. Em *Healy vs. James* (1972) os peticionários, matriculados em uma universidade suportada pelo estado e membros de um braço local dos Estudantes para uma Sociedade Democrática (SDS), não haviam recebido reconhecimento da instituição porque estariam vinculado a SDS nacional (embora eles alegassem independência), organização que teria uma filosofia de rompimento e violência com a declaração de direitos dos estudantes daquela casa de ensino. A Corte de Apelação afirmara que seria ônus dos estudantes provar que a universidade violara o seu direito de associação previsto na Primeira Emenda e, assim, negara o seu pedido de intervenção. A Suprema Corte reformou este julgamento e assegurou, sobre o reconhecimento da associação dos peticionários, que não era ônus deles provar adesão aos regulamentos da universidade, mas ônus desta o demonstrar porque não os reconhecia, em bases próprias, o quanto, não tendo ocorrido, resultara em violação aos direitos previstos na Primeira Emenda [cf. ESTADOS UNIDOS DA AMÉRICA. SUPREMA CORTE DOS ESTADOS UNIDOS. *Healy vs. James*, 408 U.S. 169 (1972). Disponível em: <https://supreme.justia.com/cases/federal/us/408/169/case.html>. Acesso em: 6 de mar. de 2015].

[384] Cf. CHOPER, Jesse H., idem, pos. 2457. Os casos são: *Smith vs. Goguen* (no qual foi mantida a absolvição em processo-crime no qual o recorrido sofrera condenação, em Massachusetts, em primeira instância, por ter usado uma calça com a bandeira dos EUA costurada na parte traseira, considerando que o dispositivo alegadamente violado – ao reprovar o "tratar com desprezo" a bandeira – é nulo por ser vago sob a Cláusula do Devido Processo da Décima Quarta Emenda – cf. ESTADOS UNIDOS DA AMÉRICA. SUPREMA CORTE DOS ESTADOS UNIDOS. *Smith vs. Goguen*, 415 U.S. 566 (1974). Disponível em: <https://supreme.justia.com/cases/ federal/us/415/566/>. Acesso em: 4 de mar. de 2015); *Spence vs. Washington* (no qual o apelante havia sido condenado, nas duas instâncias inferiores em Washington, por dispor na janela do seu apartamento uma bandeira dos EUA virada de cabeça para baixo e adesivada com um símbolo da paz. A dispositivo violado referia "uso impróprio" da bandeira e, assim, a Suprema Corte afirmou que impermissivelmente violava uma forma de liberdade de expressão protegida pelas Primeira e Décima Quarta Emendas – cf. ESTADOS UNIDOS DA AMÉRICA. SUPREMA CORTE DOS ESTADOS UNIDOS. *Spence vs. Washington*, 418 U.S. 405 (1974). Disponível em: <https://supreme.justia.com/cases/federal/us/418/405/>. Acesso em: 4 de mar. de 2015); e, *Wooley vs. Maynard* (no qual o apelado havia sido condenado, e já havia cumprido a pena de 15 dias na prisão, por delito consistente em cobrir o lema "viva livre, ou morra", do estado de New Hampshire, que a lei local obrigava a ser mostrado com clareza na placa de todos os veículos automotores não comerciais. Maynard, que era Testemunha de Jehovah, via no lema uma agressão às suas convicções religiosas, morais e políticas, porquanto cobria os dizeres nos veículos da família. O processo consistia na busca pelo apelado, que havia obtido a sua pretensão perante a Corte local, de uma ordem que impedisse de ser novamente processado pela mesma conduta. No recurso do estado a

respeito à educação de seus filhos[385]; ao garantir uma mais espaçosa imunidade para a imprensa, pelo afastamento de restrições governamentais contra a publicização de materiais altamente sensíveis às políticas nacionais, pela admissão da descrição de evidências críticas obtidas pela polícia para posterior introdução em processo criminal, por admitir a divulgação do que transcorreu em procedimentos confidenciais em agências administrativas do governo, e, por fim, por ter blindado os julgamentos de editoriais de jornais pela invalidação de leis que previam direito de resposta[386].

Suprema Corte manteve a decisão inferior, assinalando que o estado não pode constitucionalmente requisitar um indivíduo a participar da disseminação de uma mensagem ideológica por meio da exposição, em sua propriedade privada, de uma forma e para o expresso propósito de que seja observada e lida pelo público. Enfim, que a Primeira Emenda garante o direito dos indivíduos de evitarem serem o *courier* de mensagens ideológicas do estado – cf. ESTADOS UNIDOS DA AMÉRICA. SUPREMA CORTE DOS ESTADOS UNIDOS. *Wooley vs. Maynard*, 430 U.S. 705 (1977). Disponível em: <https://supreme.justia.com/ cases/federal/us/430/705/case.html>. Acesso em: 4 de mar. de 2015).

[385] Cf. CHOPER, Jesse H., idem, pos. 2456. Como em *Wisconsin vs. Yoder* (1972), onde a Corte reconheceu o direito de pais da religião Amish (sob a Cláusula do Livre Exercício da Primeira Emenda, obrigatória aos estados por força da Décima Quarta Emenda) a não matricular os seus filhos no ensino médio e superior, retirando-os da escola após a conclusão do ensino básico (oitava série). Reconheceu-se que a educação continuava, em modo informal, segundo ditames religiosos, para preparação das crianças para vida rural nas comunidades Amish [cf. ESTADOS UNIDOS DA AMÉRICA. SUPREMA CORTE DOS ESTADOS UNIDOS. *Wisconsin vs. Yoder*, 406 U.S. 205 (1972). Disponível em: <https://supreme.justia.com/cases/federal/us/406/205/case.html>. Acesso em: 6 de mar. de 2015].

[386] Cf. CHOPER, Jesse H., idem, pos. 2456. Ainda, cf. ESTADOS UNIDOS DA AMÉRICA. SUPREMA CORTE DOS ESTADOS UNIDOS. *Branzburg vs. Hayes*, 408 U.S. 665 (1972). Disponível em: <https:// www.law.cornell.edu/supremecourt/text/408/665>. Acesso em: 6 de mar. de 2015; cf. ESTADOS UNIDOS DA AMÉRICA. SUPREMA CORTE DOS ESTADOS UNIDOS. *Pell vs. Procunier*, 417 U.S. 817 (1974). Disponível em: <https://supreme.justia.com/cases/federal/us/417/817/>. Acesso em: 6 de mar. de 2015; cf. ESTADOS UNIDOS DA AMÉRICA. SUPREMA CORTE DOS ESTADOS UNIDOS. *Houchins vs. KQED*, 438 U.S. 1 (1978). Disponível em: <https://supreme.justia.com/cases/federal/us/438/1/>. Acesso em: 6 de mar. de 2015; cf. ESTADOS UNIDOS DA AMÉRICA. SUPREMA CORTE DOS ESTADOS UNIDOS. *New York Times Co. vs. United States*, 403 U.S. 713 (1971). Disponível em: <https:// supreme.justia.com/cases/ federal/us/403/713/case.html>. Acesso em: 6 de mar. de 2015; cf. ESTADOS UNIDOS DA AMÉRICA. SUPREMA CORTE DOS ESTADOS UNIDOS. *Nebraska Press Ass'n vs. Stuart*, 427 U.S. 539 (1976). Disponível em: <https://supreme.justia.com/cases/

A Corte Burger ainda emitiu opiniões de repercussão em temas como aborto (sendo responsável pelo reconhecimento de um direito individual constitucional ao aborto)[387], pena de morte (onde realizou uma delimitação que quase a aboliu)[388] e

---

federal/us/427/539/>. Acesso em: 6 de mar. de 2015; cf. ESTADOS UNIDOS DA AMÉRICA. SUPREMA CORTE DOS ESTADOS UNIDOS. *Landmark Communications, Inc. vs. Virginia*, 435 U.S. 829 (1978). Disponível em: <https://supreme.justia.com/ cases/federal/us/435/829/case.html>. Acesso em: 6 de mar. de 2015; e, cf. ESTADOS UNIDOS DA AMÉRICA. SUPREMA CORTE DOS ESTADOS UNIDOS. *Miami Herald Publishing Co. vs. Tornillo*, 418 U.S. 241 (1974). Disponível em: <https://supreme.justia.com/cases/federal/ us/418/241/>. Acesso em: 6 de mar. de 2015.

[387] Cf. CHOPER, Jesse H., idem, pos. 2480, 2775. Em *Roe vs. Wade* (1973) a Corte pronunciou a inconstitucionalidade da lei do Texas que incriminava a realização de aborto, salvo para salvar a vida da gestante. A Corte entendeu que uma tal previsão infringia a liberdade pessoal prevista pela Cláusula do Devido Processo da Décima Quarta Emenda da Constituição, reconhecendo que essa previsão incluía o direito de toda a mulher decidir se deve ou não terminar a sua gravidez [cf. ESTADOS UNIDOS DA AMÉRICA. SUPREMA CORTE DOS ESTADOS UNIDOS. *Roe vs. Wade*, 410 U.S. 113 (1973). Disponível em: <https://supreme.justia.com/ cases/federal/us/410/113/case.html>. Acesso em: 6 de mar. de 2015]. Ainda segundo CHOPER, "[a]partado de moralidades, desde que abortos legais são indisputavelmente mais seguros do que os criminais, um incalculável número de mulheres também tem evitado ser mutilado, tornar-se estéril, ou sofrer outras sérias doenças como resultado do mandato da Corte. (...) o reconhecimento da Corte de um direito individual constitucional a um aborto significou que muitas mulheres, quer indispostas ou com medo de violar a lei, foram capazes de renunciar gravidez e parto indesejados" (cf. CHOPER, Jesse H., idem, pos. 2775).

[388] Cf. CHOPER, Jesse H., idem, pos. 2501. A aludida delimitação veio em diversos casos, julgados entre 1972 e 1978. São eles: *Furman vs. Georgia* (1972), onde a pena de morte aplicada aos peticionários (um por um homicídio; e, dois por um estupro cada) foi considerada punição cruel e não usual, em violação à Oitava e Décima Quarta Emendas. O motivo-base da decisão estava no fato de que a lei da Georgia dava ao juiz, ou ao Júri, conforme o caso, a discricionariedade de escolher entre a aplicação da pena de morte, ou outra pena menor, sem delimitar qualquer padrão a ser seguido como guia para a escolha. O resultado da operatividade de uma lei com estes contornos, como denunciou a Suprema Corte, é a aplicação seletiva da pena de morte, como se houvesse um sistema de castas nos EUA, onde a pena de morte é de aplicação tanto mais provável quanto mais baixa for a casta do autor do crime [cf. ESTADOS UNIDOS DA AMÉRICA. SUPREMA CORTE DOS ESTADOS UNIDOS. *Furman vs. Georgia*, 408 U.S. 238 (1972). Disponível em: <https://supreme.justia.com/cases/ federal/us/408/238/case.html>. Acesso em: 6 de mar. de 2015]; *Woodson vs. North Carolina* (1976), no qual a Suprema Corte afirmou a inconstitucionalidade de lei aprovada no Estado de *North Carolina*, que estabeleceu alteração da pena dos crimes de homicídio em primeiro grau (especificamente para atender aos termos de *Furman vs. Georgia* – 1972) para

---

pena de morte automática (em vez de pena de morte ou prisão perpétua, como antes disposto, aplicável a critério do Júri). O Tribunal afirmou o equívoco da alteração porquanto a nova lei não aderiu a *Furman*, que apontara na falta de parâmetros para imposição da pena de morte, ou outra menos grave, o cerne da inconstitucionalidade da lei da Georgia. Em vez de estabelecer parâmetros para o Júri definir a pena do homicídio em primeiro grau (se de morte, ou de prisão perpétua), *North Carolina* fixou sentença de morte automática, com isso violando a dignidade humana sublinhada na Oitava Emenda, que exige a consideração de aspectos relativos ao caráter do indivíduo ofensor, bem assim das circunstâncias particulares da ofensa, como parte constitucionalmente indispensável do processo de imposição da definitiva pena de morte [cf. ESTADOS UNIDOS DA AMÉRICA. SUPREMA CORTE DOS ESTADOS UNIDOS. *Woodson vs. North Carolina*, 428 U.S. 280 (1976). Disponível em: <https://supreme.justia.com/cases/federal/us/428/280/case.html>. Acesso em: 6 de mar. de 2015]; *Roberts* vs, *Louisiana* (1976), julgado no mesmo dia que o anterior, com suporte fático (adoção de pena de morte automática a pretexto de conformação com *Furman*) fundamentação e desfecho idênticos (inconstitucionalidade por ofensa à Oitava e Décima Quarta Emendas) [cf. ESTADOS UNIDOS DA AMÉRICA. SUPREMA CORTE DOS ESTADOS UNIDOS. *Roberts* vs, *Louisiana*, 428 U.S. 325 (1976). Disponível em: <https://supreme.justia.com/cases/federal/us/428/325/case.html>. Acesso em: 6 de mar. de 2015]; *Roberts* vs, *Louisiana* (1977), onde coincidiram com o caso anterior não apenas o nome do peticionário, como as condições de fato e a solução reconhecida no caso de 1976. Também aqui o debate era relativo a mesma previsão inconstitucional de pena de morte mandatória pela lei da *Louisiana*. [cf. ESTADOS UNIDOS DA AMÉRICA. SUPREMA CORTE DOS ESTADOS UNIDOS. *Roberts* vs, *Louisiana*, 431 U.S. 633 (1977). Disponível em: <https://supreme.justia.com/cases/federal/us/431/633/case.html>. Acesso em: 6 de mar. de 2015]; *Coker vs. Georgia* (1977), no qual a Suprema Corte avançou no tema para estabelecer que a Oitava Emenda não proscrevia somente as punições bárbaras, mas também aquelas excessivas em relação ao crime praticado. Como, na hipótese, o peticionário havia sido condenado à pena capital por um estupro, o Tribunal afirmou que "a sentença de morte pelo crime de estupro é punição grosseiramente desproporcional e excessiva, e é, portanto, proibida pela Oitava Emenda como punição cruel e não usual" [cf. ESTADOS UNIDOS DA AMÉRICA. SUPREMA CORTE DOS ESTADOS UNIDOS. *Coker vs. Georgia*, 433 U.S. 584 (1977). Disponível em: <https://supreme.justia.com/cases/federal/us/433/584/>. Acesso em: 6 de mar. de 2015]; *Lockett vs. Ohio* (1978), no qual a Suprema Corte afastou a pena de morte aplicada a uma peticionária, em linha semelhante a já referidas nos casos *Woodson,Furman* e *Roberts*, porquanto a lei de Ohio não permitia ao juiz sentenciante a consideração de aspectos do caráter do defendente, do processo e das circunstâncias da ofensa, de modo a conferir-lhes um peso independente em termos de mitigação, a colocar o "risco de que a pena de morte venha a ser imposta a despeito de fatos que podem clamar por uma pena menos severa, e, quando a escolha é entre a vida e a morte, tal risco é inaceitável e incompatível com os comandos da Oitava e Décima Quarta Emendas". Em Ohio a lei só previa a consideração de três condições mitigantes e, em tema de *parole* e *probation* (estabelecendo que a respectiva revogação somente pode ser encaminhada mediante audiência e, portanto, chance de defesa por parte do réu, e inclusive com a presença no ato do oficial responsável pela fiscalização da medida – em julgamentos que, por certo, não eliminaram todas as injustiças, presentes e percebidas, no processo de revogação, mas que representaram um significativo avanço em relação ao modelo anterior, baseado apenas em reportes escritos e decidido sem a ouvida do beneficiário)[389] [390].

---

noutra parte, afirmava que à ausência, no caso, de ao menos uma delas, impunha-se a pena capital [cf. ESTADOS UNIDOS DA AMÉRICA. SUPREMA CORTE DOS ESTADOS UNIDOS. *Lockett vs. Ohio*, 438 U.S. 586 (1978). Disponível em: <https://supreme.justia.com/cases/federal/us/438/586/>. Acesso em: 6 de mar. de 2015]; *Bell vs. Ohio* (1978), julgado no mesmo dia que o anterior, já teve *Lockett* citado com precedente e, assim, restou aplicada a mesma argumentação e garantido o mesmo desfecho, sendo afastada a pena de morte no caso [cf. ESTADOS UNIDOS DA AMÉRICA. SUPREMA CORTE DOS ESTADOS UNIDOS. *Bell vs. Ohio*, 438 U.S. 637 (1978). Disponível em: <https://www.law.cornell.edu/supremecourt/text/438/637>. Acesso em: 6 de mar. de 1978].

[389] Cf. . CHOPER, Jesse H., idem, pos. 2564 a 2623. *Probation* é medida aplicável ao cabo do processo, como forma de evitar uma sentença de aprisionamento, cuja inconveniência será inferida a partir da seriedade do crime praticado e, ainda, da análise de que réu não representa um risco para a sociedade. O beneficiário viverá livre na comunidade, sob as condições impostas pelo Juízo (*v.g.*, morar onde for determinado, participar de programa de reabilitação, submeter-se a testes de alcoolemia e drogas e manter-se empregado), tendo que se apresentar regularmente a um oficial da *probation*. A falha em demonstrar adesão às condições pode levar à revogação da medida, com a necessidade de cumprimento da pena de prisão inicial. Já a *parole* favorece o preso que já tiver cumprido uma certa quantidade da pena e tenha bom comportamento. O beneficiado passa a viver livre, sob algumas condições que permanecem até o final da sua pena, como morar dentro dos limites de um Estado ou Condado, encontrar-se com regularidade com um oficial da *parole*, submeter-se a testes de álcool e drogas, fornecendo provas de residência e emprego. Em caso de violação o preso é reaprisionado (cf. JUSTIA, Parole & Probation. Disponível em: <https://www.justia.com/criminal/parole-and-probation/>. Acesso em: 6 de mar. de 2015). A figura brasileira mais próxima da *parole* é o chamado *livramento condicional*, e a mais próxima da *probation* é a suspensão condicional do processo (com previsões, respectivamente, no CP, Art. 83; e, na Lei n. 9099/95, Art. 89 (cf. BRASIL. Decreto-Lei n. 2.848 de 7 de dez. de 1940. Institui o Código Penal brasileiro. *Diário Oficial da União*, Rio de Janeiro, 31 de dez. de 1940; e, cf. BRASIL. Lei n. 9.099 de 26 de set. de 1995. Dispões sobre os Juizados Cíveis e Criminais e dá outras providências. *Diário Oficial da União*, Brasília, 27 de dez. de 1995).

[390] Em *Morrissey vs. Brewer* (1972), um preso que teve a sua *parole* revogada foi beneficiado por *habeas corpus* da Suprema Corte para anular o ato. Na hipótese o Tribunal estabeleceu a necessidade

Nesse contexto, embora a Corte Burger tenha apoiado reclamações daqueles que alegavam a inobservância dos seus direitos constitucionais, o registro dos seus julgados sofre quando comparado à extraordinariamente sensitiva Corte Warren[391]. Entretanto "anulou mais leis nacionais sob a Primeira Emenda e em termos de igual proteção do que qualquer predecessor"[392]; e, "de fato, em muitos assuntos, avançou bem além das linhas estabelecidas em 1969"[393].

2.2.2.2.6 Inconstitucionalidade da criminalização da sodomia, afirmação dos direitos de presos na *Guerra ao Terror*, constitucionalidade de ações afirmativas na admissão de universidades e definição da Presidência da República na Corte Rehnquist

Com a aposentadoria de Burger, o juiz associado Rehnquist (da ala à extrema direita na Corte) foi elevado à condição de chefe de Justiça. O gesto representava o cumprimento de uma promessa de campanha do presidente Ronald Reagan,

---

de uma audiência prévia (razoavelmente próxima do incidente), ainda que informal, do beneficiado, e fixou os mínimos requisitos de atendimento, em face da garantia do devido processo, para validade de eventual revogação: aviso escrito das alegadas violações da *parole*; divulgação ao beneficiário das evidências contra ele; direito a confrontar as testemunhas contrárias e ao exame cruzado das mesmas (a menos que o oficial entenda que existam boas razões para evitar o confronto), um neutro e desvinculado corpo de auditores, como uma tradicional diretoria de *parole*, cujos membros não precisam ser oficiais judiciais ou advogados; e, uma declaração escrita sobre os achados fáticos, como sobre as evidências invocadas e as razões para a revogação da *parole* [cf. ESTADOS UNIDOS DA AMÉRICA. SUPREMA CORTE DOS ESTADOS UNIDOS. *Morrissey vs. Brewer*, 408 U.S. 471 (1972). Disponível em: <https://supreme.justia.com/cases/federal/us/408/471/>. Acesso em: 6 de mar. de 2015]. Já em *Gagnon vs. Scarpelli* (1973) o Tribunal confirmou um *habeas corpus* concedido pela Corte Distrital no sentido de anular a revogação da *probation* do respondente, porque aconteceu sem uma audiência e sem defesa, o que representa uma negação do devido processo [cf. ESTADOS UNIDOS DA AMÉRICA. SUPREMA CORTE DOS ESTADOS UNIDOS. *Gagnon vs. Scarpelli*, 411 U.S. 778 (1973). Disponível em: <https://supreme.justia.com/cases/federal/us/411/778/>. Acesso em: 6 de mar. de 2015].

[391] Cf. CHOPER, Jesse H., idem, pos. 2484.

[392] Cf. DIONISOPOULOS, P. Allan. New Patterns of Judicial Control of the Presidency: 1950's to 1970's. *Akron Law Review*, 1, 1-38 (1976), p. 30. Disponível em: <https://www.uakron.edu/dotAsset/59cdd1b3-1b95-4070-83db-340c1c925929.pdf>. Acesso em: 1 de mar. de 2015.

[393] Cf. CHOPER, Jesse H., idem, pos. 2484.

que condenara a leniência do Tribunal em relação aos criminosos, rotulada como o fenômeno liberal do ativismo judicial (com juízes que não se limitavam a interpretar as normas, mas estavam a desenhar regras que eram uma catástrofe para os cidadãos cumpridores da lei)[394]. Entretanto, também a Corte Rehnquist entregou várias opiniões tidas como ativistas. Assim, *v.g.*, em *Lawrence vs. Texas* (2003), em que pronunciou a inconstitucionalidade de lei desse estado que criminalizava a sodomia[395]; ou, em *Hamdi vs. Rumsfeld* (2004) e *Rasul vs. Bush* (2004), nos quais foram reconhecidas proteções constitucionais àqueles considerados como inimigos pela campanha da "*Guerra ao Terror*"[396]. Ainda, em *Planned Parenthood*

---

[394] Cf. LINDQUIST, Stefanie A.; CROSS, Frank B., idem, p. 7.

[395] Cf. LINDQUIST, Stefanie A.; CROSS, Frank B., idem, p. 7. Em *Lawrence vs. Texas* a Suprema Corte assentou que "[u]ma lei que rotule uma classe de pessoas como criminosas somente baseada na desaprovação moral dessa classe pelo Estado, e a conduta associada com essa classe, correm contrárias aos valores da Constituição e da Cláusula da Igual Proteção, sob qualquer padrão de revisão". Por isso, "a lei de sodomia do Texas, banindo 'relações sexuais desviadas' entre adultos consencientes do mesmo sexo, mas não entre adultos consencientes de sexos diferentes, é inconstitucional". E, em termos gerais, afirmou que "[a] liberdade protege a pessoa de intrusões governamentais sem mandado dentro de habitações ou outros espaços privados. Em nossa tradição o Estado não é onipresente no lar. E existem outras esferas de nossas vidas e existências, fora do lar, onde o Estado não deve ser uma presença dominante. A liberdade se estende além de limites espaciais. A liberdade presume uma autonomia de ser que inclui liberdade de pensamento, crença, expressão e certas condutas íntimas. O caso presente envolve liberdade da pessoa em dimensões espaciais e mais transcendentes" [cf. ESTADOS UNIDOS DA AMÉRICA. SUPREMA CORTE DOS ESTADOS UNIDOS. *Lawrence vs. Texas*, 539 U.S. 558 (2003). Disponível em: <https://supreme.justia.com/cases/federal/us/539/558/case.html>. Acesso em: 6 de mar. de 2015]. KARST tem a decisão em *Lawrence* como uma das de maior importância do Tribunal. O caso realça a centralidade da ideia de *subordinação de grupo* como uma espécie de *ponto de parada* para a Suprema Corte, cuja demonstração precisa ser feita em ordem a persuadir o Tribunal em qualquer reclamação com base em igualdade, liberdade, e, principalmente, em igual liberdade. De outra parte, *Lawrence* reforça uma *virada de regime* nas políticas de identidade norte-americanas, pois o atual "devido processo substantivo requer do governo que ofereça justificação persuasiva para uma invasão de liberdade que estigmatize um identificável grupo social, negando aos seus membros o status de cidadãos iguais e respeitáveis" [Cf. KARST, Kenneth. The Liberties of Equal Citizens: grupos e a cláusula do devido processo. 55 *UCLA Law Review* 99 (2007), p. 142].

[396] Disse o Tribunal, em *Hamdi vs. Rumsfeld* (2004): "[n]este tempo difícil na história de nossa nação, nós somos chamados a considerar a legalidade da detenção Governamental de um cidadão dos Estados Unidos, em solo dos Estados Unidos, como um 'combatente inimigo', e a endereçar o

of Southeastern Pennsylvania vs. Casey (1992), alterou o espectro do direito de uma mulher em realizar um aborto (reduzindo-o)[397]; em *Grutter vs. Bollinger* (2003) sancionou ações afirmativas em sede de admissão nas universidades[398]; e,

---

processo que é constitucionalmente devido a alguém que procura desafiar sua classificação como tal. A Corte de Apelação dos Estados Unidos para o Quarto Circuito decidiu que a detenção do peticionário era legalmente autorizada e que ele não estava intitulado a oportunidades adicionais para desafiar seu rótulo de inimigo-combatente. Nós agora anulados e devolvemos. Nós sustentamos que embora o Congresso tenha autorizado a detenção de combatentes nas estreitas circunstâncias alegadas aqui, o devido processo demanda que um cidadão mantido nos Estados Unidos como um inimigo combatente seja dada uma significativa oportunidade para contestar as bases fáticas desta detenção perante um decisor neutro" [cf. ESTADOS UNIDOS DA AMÉRICA. SUPREMA CORTE DOS ESTADOS UNIDOS. *Hamdi vs. Rumsfeld*, 542 U.S. 507 (2004). Disponível em: <https://supreme.justia.com/cases/federal/ us/542/507/opinion.html>. Acesso em: 6 de mar. de 2015]. E, em *Rasul vs. Bush* (2004), a Corte enfrentou a situação de estrangeiros (dois australianos e 12 kuwaitianos) presos no Afeganistão e detidos na Base de Guantánamo, em Cuba, sem acusação, sem permissão de consulta a advogado, ou admissão de acesso a Cortes ou outros Tribunais. Enquanto as instâncias inferiores haviam afirmado não terem jurisdição para decidir, a Suprema Corte cassou este entendimento e decidiu que as "Cortes dos Estados Unidos têm jurisdição para considerar desafios a legalidade de detenções de nacionais estrangeiros capturados no exterior em conexão com hostilidades e encarcerados na Bahia de Guantanamo" [cf. ESTADOS UNIDOS DA AMÉRICA. SUPREMA CORTE DOS ESTADOS UNIDOS. *Rasul vs. Bush*, 542 U.S. 466 (2004). Disponível em: <https:// supreme.justia.com/cases/federal/us/542/466/>. Acesso em: 7 de mar. de 2015].

[397] Cf. FRIEDMAN, Barry, op. cit., pos. 323. Em *Planned Parenthood of Southeastern Pennsylvania vs. Casey* (1992) a Corte decidiu manter o precedente formado em *Roe vs. Wade* (1973), isto é, de que há um direito constitucional ao aborto. Contudo, abandonou a ideia de uma completa legitimidade do aborto dentro do primeiro trimestre de gestação, optando por um parâmetro mais conservador, com ênfase na viabilidade do feto como guia (o que poderia ocorrer antes dos três meses de *Roe*). Assim, a Corte decidiu que a "viabilidade marca o ponto mais inicial no qual o interesse do Estado na vida fetal é constitucionalmente adequado para justificar um banimento legislativo de abortos não terapêuticos. A solidez ou debilidade deste julgamento constitucional em nenhum sentido é ativada quando ocorre a viabilidade. Sempre que isso possa ocorrer, o seu atendimento continuará a servir como fato crítico" [cf. ESTADOS UNIDOS DA AMÉRICA. SUPREMA CORTE DOS ESTADOS UNIDOS. *Planned Parenthood of Southeastern Pennsylvania vs. Casey*, 505 U.S. 833(1992). Disponível em: <https://supreme.justia.com/cases/federal/us/505/833/>. Acesso em: 7 de mar. de 2015].

[398] Cf. FRIEDMAN, Barry, idem, pos. 323. Em *Grutter vs. Bollinger* (2003) o Tribunal reafirmou convicção estabelecida em precedente de 1978 – em *Regents of Univ. of California vs. Bakke*, 438

em movimento sem paralelo na história, garantiu a Presidência ao republicano George W. Bush, na contestada eleição de 2000 (em *Bush vs. Gore*)[399].

U.S. 265 (1978) – pelo qual a "diversidade do corpo de estudantes é um mandatório interesse de Estado que pode justificar o uso da raça em admissões universitárias". Também manteve a ideia de que o fator racial não pode ser o único a guiar o processo de admissão nas Universidades, e decidiu: "[o] programa de admissão da Escola de Direito carrega as marcas de um plano estreitamente ajustado. Para ser estreitamente ajustado, um programa racialmente-consciente de admissões não pode 'isolar cada categoria de participantes com certas qualificações desejadas de competição com todos os outros candidatos' ... Em vez disso, ele deve considerar a raça ou a etnia somente como um 'plus na vida particular de um candidato'; *i.e.*, ele precisa ser 'flexível o suficiente para considerar todos os elementos pertinentes de diversidade a luz das qualificações particulares de cada candidato, e colocá-los no mesmo patamar de consideração, embora não necessariamente concedendo-lhes o mesmo peso'... Segue-se que as universidades não podem estabelecer quotas para membros de certos grupos raciais ou étnicos, ou coloca-los em caminhos de admissão separados... O programa de admissões da Escola de Direito, como o plano de Harvard aprovado pelo Juiz Powell, satisfaz estes requisitos... Além disso, o programa é flexível o suficiente para garantir que cada candidato é avaliado como um indivíduo e não de uma maneira que faça da raça ou etnia a característica definidora do pedido." (...) "[a] Corte toma a Faculdade de Direito em sua palavra, de que não gostaria de nada melhor do que encontrar uma fórmula raça-neutra para admissões, e vai cessar a seu uso de preferências raciais tão cedo quanto possível. O Tribunal espera que em 25 anos a partir de agora o uso de preferências raciais não seja mais necessário para promover o interesse aprovado hoje" de modo que, até lá, o "uso da raça em decisões admissionais não é proibido pela Cláusula da Igual Proteção" [cf. ESTADOS UNIDOS DA AMÉRICA. SUPREMA CORTE DOS ESTADOS UNIDOS. *Grutter vs. Bollinger*, 539 U.S. 306 (2003). Disponível em: <https://supreme.justia.com/cases/federal/us/539/306/case.html>. Acesso em: 7 de mar. de 2015].

[399] Cf. FRIEDMAN, Barry, idem, pos. 323. Na conhecida controvérsia colocada pelas eleições presidenciais de 2000, em que a diferença de votos no estado da Flórida foi de 1784 a favor de Bush. Ocorre que, segundo a legislação local, quando a margem de votos entre os candidatos não é maior que 0,5%, uma recontagem fica automaticamente determinada e, no caso, foi feita (mediante o uso dos mesmos equipamentos de contagem mecânica), resultando em uma diferença de apenas 327 votos em favor de Bush. No cenário, exercendo direito previsto na legislação estadual, Gore requisitou a recontagem manual de votos em quatro condados tradicionalmente democratas, mas ela não foi encerrada no prazo (que era de 7 dias a contar da eleição), seguindo-se o anúncio de Bush como vencedor. Adiante, Gore ingressou com medida perante a Corte da Flórida, que emitiu uma ordem de recontagem manual de votos em todo o Estado, ordem que foi suspensa pela Suprema Corte no dia seguinte, em petição encaminhada por Bush. Posteriormente, no caso referido (*Bush vs. Gore*), a Suprema Corte julgou que os votos cuja recontagem havia sido determinada não tinham sido depositados de forma legal (isto é, eram votos – mais de 9.000 votos

Aliás, esta última intervenção, resultando na escolha de um presidente, é "certamente o mais pronunciado exemplo do chamado ativismo partidário da Corte Rehnquist"[400]. Entretanto, a essa altura já estava claro que a Corte professava um duplo ativismo, isto é, um ativismo conservador (claro pelas posições assumidas em defesa de um governo limitado), ao mesmo tempo em que praticava um ativismo liberal (pelos pronunciamentos na proteção de direitos constitucionais liberais associados à tradição da Corte Warren)[401]. Não por outra razão a Corte Rehnquist já tinha se tornado alvo de permanente e simultâneo criticismo, tanto da direita como da esquerda. E ambos os lados denunciavam a assertividade dos juízes como supremacia judicial[402].

Embora o efeito dessas críticas tenha ecoado no Congresso, no qual se materializou sob a forma de variados projetos que tentavam dirigir a jurisdição da Corte (como, *v.g.*, pela nomeação de monitores do Judiciário e pela previsão de

– em que as máquinas falharam em determinar qual havia sido a escolha para presidente, e que por isso haviam sido desconsiderados), o que poderia causar dano irreparável à outra candidatura e, assim, à legitimidade do processo democrático. Não haveria, neste contexto, uma maneira constitucional de recontá-los. A decisão deu-se por 5 votos contra 4, sendo que estes entendiam que não determinar a recontagem é que minaria a legitimidade do processo democrático. Ou, como anotou a dissidência: "a conclusão da Corte de que uma recontagem constitucionalmente adequada é impraticável é uma profecia que o próprio julgamento da Corte não irá permitir que seja testada. Uma tal profecia não testada não deveria decidir o Presidente dos Estados Unidos" [cf. ESTADOS UNIDOS DA AMÉRICA. SUPREMA CORTE DOS ESTADOS UNIDOS. *Bush vs. Gore*, 531 U.S. 98 (2000). Disponível em: <https://supreme.justia.com/ cases/federal/ us/531/98/case.html>. Acesso em: 7 de mar. de 2015].

[400] Cf. LINDQUIST, Stefanie A.; CROSS, Frank B., idem, p. 9.

[401] Cf. KECK, Thomas M. *The Most Activist Supreme Court in History. The Road to Modern Judicial Conservatism.* Chicago: The University of Chicago Press, 2004, eBook Kindle, pos. 2689. E, ainda conforme KECK, esse sincretismo foi possível pela oscilação de posicionamento de dois juízes (O'Connor e Kennedy), que: "juntaram-se aos seus colegas conservadores para promover o novo ativismo conservador em defesa de governo limitado, enquanto também continuaram a apoiar o velho ativismo liberal (...) É a visão do papel judicial de O'Connor e Kennedy – seu particular esforço para conciliar o compromisso conservador de longa data com a contenção [*restraint*] e o compromisso do Novo Direito de um governo limitado – que explica o extraordinário ativismo da Corte Rehnquist" (cf. KECK, Thomas M., op. cit., pos. 2689 e 2743).

[402] Cf. FRIEDMAN, Barry, idem, pos. 323.

hipóteses de *impeachment* de juízes), na prática a população continuava aprovando a Suprema Corte em índices tipicamente altos[403].

Para angústia dos críticos, assim se encerrava o período da Corte Rehnquist, com a constatação de que ela decidira os casos em um caminho que refletia a opinião pública. Contudo, exatamente por isso, estaria a privar o povo da oportunidade de acomodar as suas discordâncias por ele próprio: "[a] história da *judicial review* chegou a um círculo completo. Aparentemente, agora a Suprema Corte estava usurpando a democracia não por desafiar a população, mas por dar a ela o que ela queria"[404].

2.2.2.2.7 A *judicial review* na Corte Roberts

Por derradeiro, chega-se à atual Suprema Corte dos EUA. Em setembro de 2005, em seguida ao falecimento de Rehnquist[405] (nomeado em 1972, por Nixon, e elevado a chefe de Justiça em 1986, por Reagan), George W. Bush indicou John G. Roberts Jr. como chefe de Justiça. Novamente, portanto, a chefia da Corte acabou decidida por um presidente republicano[406].

---

[403] Cf. FRIEDMAN, Barry, idem, pos. 323. O próprio REHNQUIST, em relatório sobre o estado do Judiciário federal ao cabo de 2004, expôs a sua preocupação sobre a reação congressional percebida: "[e]mbora argumentos sobre o Judiciário federal tenham sempre estado conosco, a crítica de juízes, incluindo acusações de ativismo, tem, aos olhos de alguns, tomado um novo rumo em anos recentes. Eu falei no último ano da minha preocupação, e a de muitos juízes federais, sobre aspectos do Ato de PROTEÇÃO, que exige a coleta de informações em bases individuais, juiz-por-juiz. Ao mesmo tempo, tem havido sugestões para impedir (impeach) juízes federais que emitem decisões consideradas por alguns como fora da corrente principal. E existiam vários projetos de lei apresentados no último Congresso que podem limitar a jurisdição das cortes federais para decidir desafios constitucionais para certos tipos de ação do governo" (REHNQUIST, William. *2004 Year-end Report on The Federal Judiciary*. Disponível em: <http://www.supremecourt.gov/publicinfo/year-end/2004year-endreport .pdf>. Acesso em: 8 de mar. de 2015).

[404] Cf. FRIEDMAN, Barry, idem, pos. 324.

[405] Cf. WHITTINGTON, Keith E. The Least Activist Supreme Court in History? The Roberts Court and the Exercise of Judicial Review. *Notre Dame Law Review*, 89, 2219-2252 (2014), p. 2243. Disponível em: <http://scholarship.law.nd.edu/cgi/viewcontent.cgi?article=4562&context=ndlr>. Acesso em: 9 de mar. de 2015.

[406] Cf. ESTADOS UNIDOS DA AMÉRICA. SUPREMA CORTE DOS ESTADOS UNIDOS. *Members of the Supreme Court of United States*. Disponível em: <http://www.supremecourt.gov/about/members.aspx>. Acesso em: 8 de mar. de 2015.

A Corte Roberts, entretanto, mantém uma atuação semelhante à anterior no que toca ao perfil dos seus julgamentos, alternando opiniões liberais e conservadoras[407], como pode ser verificado pelos seguintes precedentes.

a) Mitigação da raça nas estratégias desegregacionistas em escolas públicas no século XXI: limite constitucional nas ações inclusivas

Ainda em tema de segregação nas escolas públicas, merece destaque o julgamento conservador do Tribunal em *Parents Involved in Community Schools vs. Seattle School District No. 1 et al.* (2007). Estava em questão o critério racial adotado por dois distritos (um da cidade de Seattle, no Estado de Washington; e outro em Jefferson County, no Estado do Kentucky) para operação do plano de distribuição de estudantes em suas escolas. Seattle nunca tinha operado com escolas segregadas, e, assim, nunca fora alvo de decreto de desegregação, ao contrário de Jefferson County, onde o decreto vigorou até o ano 2000, quando a Corte local o suspendeu por identificar a eliminação dos vestígios da segregação preexistente, alcançada no limite máximo praticável.

Os peticionários, no caso, eram uma organização de pais de Seattle e a mãe de um estudante de Jefferson County, cujos filhos poderiam ser alocados tendo por base o aludido critério racial. Ambos os distritos alegavam ter formatado os seus programas de forma estreitamente adaptada (*narrowly tailored*), de modo a garantir classes diversificadas de alunos e, assim, visando a servir a um interesse governamental compulsório.

Embora a alegação tenha sido aceita em nível local pelo Judiciário, a Suprema Corte reverteu os dois julgamentos, em suma porque os distritos escolares não teriam se desincumbido do seu "pesado ônus" de demonstrar que o interesse que eles procuravam atingir justificava os meios extremos que eles haviam escolhido, nomeadamente, "a discriminação entre específicos estudantes baseada na raça, confiando em classificações raciais ao fazer as designações escolares"[408]. A Corte

---

[407] Cf. TUSHNET, Mark. *In The Balance*. Law and Politics on the Roberts Court. New York: W.W. Norton & Company, 2013, p. xii.

[408] Cf. *Parents Involved in Community Schools vs. Seattle School District No. 1 et al.*(cf. ESTADOS UNIDOS DA AMÉRICA. SUPREMA CORTE DOS ESTADOS UNIDOS. *Parents Involved in Community Schools vs. Seattle School District No. 1 et al.*, 551 U.S. 701 (2007). Disponível em: <https://supreme.justia.com/cases/ federal/us/551/701/>. Acesso em: 8 de mar. de 2015).

sublinhou que "Embora o remediar os efeitos de discriminações intencionais passadas seja um interesse compulsório sob o teste do estrito escrutínio..., este interesse não está envolvido aqui", porquanto nunca houve escolas segregadas em Seattle, e em Jefferson County o problema já havia sido superado, de forma que a solução do caso não era governada pelo precedente formado em *Grutter vs. Bollinger* (2003). Também acentuou que o pequeno número de crianças cuja designação depende de alguma expressa classificação racial é indicativo de que as escolas podem atingir os seus objetivos (de garantir diversidade) por outros meios, "raça-neutros", ou, em um extremo, se necessário, de um modo "mais matizado", no qual a "avaliação das necessidades individuais da escola e as características dos estudantes podem incluir a raça como um componente", sendo que essa aproximação, se houver, será governada por *Grutter*.

Houve, entretanto, quatro votos dissidentes em torno à questão[409], acusando de errado o entendimento da maioria. Enquanto esta via uma Constituição "cor-cega" a partir da Cláusula da Igual Proteção, afirmando que a integração Estado-patrocinada era uma reminiscência da segregação, e que havia uma linha desde *Borwn* rumo a um futuro livre de políticas baseadas na raça, a minoria só concebia isso por uma mutilação da Carta e da história. Ela defendia que exatamente por meio da aludida cláusula, por uma interpretação mais consentânea com as ideias daqueles que a redigiram, é que não se poderia renunciar ao resgate, a inclusão, daqueles outrora vitimados pela escravidão. Ou, ainda, que não se pode confundir – como estaria a fazer a maioria – políticas raça-conscientes para excluir determinada etnia, como se deu ao tempo das escolas segregadas, e políticas raça-conscientes para promover inclusão, o seu exato oposto[410] [411]. Em síntese,

[409] A maioria foi formada por Roberts, Thomas, Alito, Scalia e Kennedy, e a dissidência, aberta por Breyer, teve a concordância de Stevens, Souter, e Ginsburg [cf. ESTADOS UNIDOS DA AMÉRICA. SUPREMA CORTE DOS ESTADOS UNIDOS. *Parents Involved in Community Schools vs. Seattle School District No. 1 et al.*, op. cit.].

[410] Cf. TRIBE, Laurence, MATZ, *Joshua. Uncertain Justice.* The Roberts Court and the Constitution. New York: Henry Holt and Company, 2014, p. 22 e 25.

[411] Outrossim, neste exato sentido seguem as reflexões do juiz Breyer em seu voto dissidente: "[a] Emenda procurou trazer à sociedade Americana, como membros integrais, aqueles que a Nação tinha previamente mantido em escravidão. (...) Há razão para acreditar que aqueles que redigiram uma Emenda com este propósito básico em mente teriam entendido a diferença legal e prática entre o uso de critérios raça-conscientes em desafio a este propósito, nomeadamente para manter

ao passo que a maioria via "progresso suficiente para fechar a porta aos remédios raça-baseados para discriminação passada", a minoria ainda alertava para uma crescente ressegregação, isto é, para um racismo atual que, para ser superado, e para se "construir uma sociedade decente sobre as ruínas que uma história de discriminação nos deixou, nós precisamos primeiro ter em conta a raça"[412].

Se "Esta é uma decisão que a Corte e a Nação virão a lamentar"[413], como advertiu o juiz Breyer, ou se ela não colocará retrocessos, isso, por certo, o tempo dirá.

---

as raças apartadas, e o uso de critérios raça-conscientes para promover aquele propósito, nomeadamente trazer as raças juntas" [cf. ESTADOS UNIDOS DA AMÉRICA. SUPREMA CORTE DOS ESTADOS UNIDOS. *Parents Involved in Community Schools vs. Seattle School District No. 1 et al.*, idem].

[412] Cf. TRIBE, Laurence, MATZ, Joshua, op. cit., p. 25. Sobre a "poderosa dissidência de Breyer" (nas palavras de TRIBE e MATZ, neste mesmo ponto citado), vejam-se os viscerais motivos assentados logo à abertura do seu voto: "[e]stes casos consideram os esforços de longa data de duas direções escolares locais para integrar suas escolas públicas. Os planos de direção escolar perante nós se assemelham com muitos outros adotados nos últimos 50 anos por escolas primárias e secundárias através na Nação. Todos esses planos representam esforços locais para concretizar o tipo de educação racialmente integrada que *Brown vs. Board of Education*, 347 U.S. 483 (1954) prometeu há muito tempo atrás – esforços que esta Corte tem repetidamente requerido, permitido, e encorajado autoridades locais a empreender. Esta Corte tem reconhecido que os interesses públicos em questão em tais casos são 'compulsórios'. Nós temos aprovado planos 'estreitamente adaptados' que não são menos raça-conscientes do que os planos perante nós. E nós temos entendido que a Constituição *autoriza* comunidades locais a adotar planos de desegregação mesmo onde não sejam requeridas a assim fazer. A pluralidade presta uma inadequada atenção a este direito, a racionalidade de opiniões passadas, a sua linguagem, e o contexto no qual elas emergem. Como resultado, ela reverte o curso e chega a conclusão errada. Em fazendo isso, ela distorce os precedentes, ela mal aplica relevantes princípios constitucionais, ela anuncia regras legais que irão obstruir esforços de estados e governos locais para lidar efetivamente com a crescente resegregação das escolas públicas, ela ameaça substituir o calmo presente por uma disruptiva rodada de litigância raça-relacionada, e ela mina a promessa de Brown de escolas primárias e secundárias integradas, que as comunidades locais têm procurado fazer uma realidade. Isso não pode ser justificado em nome da Clásula da Igual Proteção" [cf. ESTADOS UNIDOS DA AMÉRICA. SUPREMA CORTE DOS ESTADOS UNIDOS. Parents Involved in Community Schools vs. Seattle School District No. 1 et al., idem].

[413] Cf. ESTADOS UNIDOS DA AMÉRICA. SUPREMA CORTE DOS ESTADOS UNIDOS. *Parents Involved in Community Schools vs. Seattle School District No. 1 et al.*, idem.

b) Constitucionalidade do novo sistema de saúde (*Obamacare*)

De outra parte, em abordagem tida como liberal, está o julgamento da Corte sobre o chamado Ato de Proteção ao Paciente e Cuidado Acessível (*Patient Protection and Affordable Care Act*), aprovado em março de 2010 pelo Congresso dos EUA e materialização de um dos compromissos de campanha do presidente democrata Barak Obama. A nova lei, também conhecida pela sigla ACA (para Ato de Cuidado Acessível – *Affordable Care Act*), ou pelo coloquial *Obamacare*, introduziu uma profunda reforma no sistema de saúde no país. O seu principal objetivo é prover serviços de saúde de qualidade e acessíveis a um maior número de cidadãos, refreando o aumento dos gastos (muitas vezes abusivos) impingidos pela indústria dos planos de saúde e de seguros nos EUA. As provisões do ato incluem novos benefícios, direitos e proteções, regras para companhias de seguro, impostos, isenções de impostos, financiamento, despesas, a criação de comitês, educação, criação de novos empregos etc[414].

Entre os principais avanços estão a redução do prêmio e dos custos não cobertos para dezenas de milhares de famílias e donos de pequenos negócios (incluindo mais de trinta e dois milhões de pessoas, ou 95% da população do país), antes excluídos de cobertura em razão dos preços praticados. A lei também equaliza os riscos entre todos os segurados de modo a acabar com a realidade de discriminação anterior (pela qual os custos se elevavam enormemente por fatores como gênero, estado de saúde e idade, levando as pessoas a se descredenciarem). Ainda, as novas regras inauguram um mercado de seguros de saúde competitivo, autorizando compras em grupo e viabilizando a comparação de planos e custos. Do ponto de vista fiscal, a lei melhora o orçamento e a economia pela redução do déficit em mais de cem bilhões de dólares na próxima década, e em mais de um trilhão ao longo da segunda década, porquanto corta gastos excessivos do governo e promove o controle do desperdício, de fraudes e abusos[415].

A despeito de tais objetivos declarados, a aprovação do *Obamacare* colocou um acirrado debate constitucional em marcha, bacisamente em torno à seguinte

---

[414] Cf. *Obamacare Facts*. Disponível em: <http://obamacarefacts.com/affordablecareact-summary/>. Acesso em: 8 de mar. de 2015.

[415] Cf. *Obamacare Facts*. Disponível em: <http://obamacarefacts.com/affordablecareact-summary/>. Acesso em: 8 de mar. de 2015.

questão: pode, o governo federal, taxar a população para impor um sistema de saúde que ele entende que seja o melhor?[416]

O debate, como era esperado, acabou na Suprema Corte, onde os críticos da lei esperavam a sua derrubada. Afinal, o "Congresso tinha errado pela aprovação do ACA, Obama por assiná-lo, e agora os juízes podem nos salvar deste bote de insanidade política sem precedente"[417]. Ou não?

Em *National Federation of Independent Business et al. vs. Sebelius* (2012)[418] a Corte teve a ocasião de apreciar a constitucionalidade de algumas disposições centrais para o ACA. No processo, entre outros assuntos, ficou decidido: *(i)* que mandado individual não é um exercício válido de poder pelo Congresso sob a Cláusula de Comércio e da Cláusula Necessária e Própria[419]; *(ii)* que mandados

---

[416] Ainda no governo de George W. Bush, ganhou a mídia a declaração do presidente de que não gostava de brócolis, e isso desde que a sua mãe o havia obrigado a comer o vegetal, coisa que ele não faria mais, uma vez que se tornara o presidente dos EUA. Com a eleição de Obama, e a aprovação do ACA no Congresso, críticos da lei aproveitaram a tola declaração do ex-presidente para dizer que Executivo e Legislativo teriam prescrito *brócolis mandatórios (broccoli mandate)* para os norte-americanos ao inaugurar e impor a todos um plano de saúde mandatório. Em agosto de 2010, na audiência de confirmação de Elena Kagan como juíza da Suprema Corte, o senador republicano Tom Coburn questionou-a, de modo evidentemente provocativo, sobre o que acharia de uma lei que determinasse que todo o cidadão norte-americano comesse três frutas e três vegetais por dia, ao que a indicada respondeu que soaria como uma lei estúpida (cf. TRIBE, Laurence, MATZ, Joshua, op. cit., p. 53).

[417] Cf. TRIBE, Laurence; MATZ, Joshua, idem, p. 53.

[418] Cf. ESTADOS UNIDOS DA AMÉRICA. SUPREMA CORTE DOS ESTADOS UNIDOS. *National Federation of Independent Business vs. Sebellius*, 567 U.S. __ (2012). Disponível em: <htps:// supreme.justia.com/cases/federal/us/567/11-393/>. Acesso em: 8 de mar. de 2015.

[419] No ponto, eis o resumo dos fundamentos considerados pela maioria: "[i]nterpretando a Cláusula de Comércio para permitir ao Congresso regular indivíduos precisamente porque eles estão fazendo nada abriria um novo e potencialmente vasto domínio para a autoridade congressional. O Congresso já possui poderes expansivos para regular o que as pessoas fazem. Afirmar o Ato de Cuidados Acessíveis sob a Cláusula de Comércio daria ao Congresso a mesma licença para regular o que as pessoas não fazem. Os Emolduradores sabiam a diferença entre fazendo alguma coisa e não fazendo nada. Eles deram ao Congresso o poder para regular comércio, não para compeli-lo. Ignorar esta distinção faria minar o princípio de que o governo federal é um governo de poderes limitados e enumerados. O mandado individual, assim, não pode ser sustentado sob o poder do Congresso para 'regular Comércio'. (...) Tampouco pode o mandado individual ser sustentado sob a Cláusula Necessária e Própria como uma parte integral de outras reformas do Ato de Cuidados

individuais precisam ser construídos como imposição de um imposto sobre aqueles que não têm seguro de saúde, se esta construção for razoável[420]; *(iii)* que mandado individual pode ser afirmado como dentro do poder de Congresso sob a Cláusula de Impostos[421]; e *(iv)* que a expansão do *Medicaid* viola a Constituição

---

Acessíveis. Cada um dos casos anteriores desta Corte apoiando leis sob a Cláusula envolveram o exercício de autoridade derivativa de, e em serviço para, um poder concedido. (...) O mandado individual, por contraste, veste o Congresso com a extraordinária habilidade para criar o necessário predicado para o exercício de um poder enumerado e desenhar dentro do seu âmbito regulatório aqueles que de outra forma estariam fora dele. Mesmo se o mandado individual é 'necessário' para as outras reformas do Ato de Cuidados Acessíveis, uma tal expansão do poder federal não é um meio 'próprio' para fazer tais reformas efetivas" [cf. ESTADOS UNIDOS DA AMÉRICA. SUPREMA CORTE DOS ESTADOS UNIDOS. *National Federation of Independent Business vs. Sebellius*, op. cit.].

[420] Sobre o item ii, observem-se os argumentos majoritários sintetizados: "[a] leitura mais direta do mandado individual é aquela que comanda indivíduos a comprar seguro. Mas, pelas razões expostas, a Cláusula de Comércio não dá ao Congresso esse poder. Por conseguinte, é necessário voltar-se ao argumento alternativo do Governo: o de que o mandado pode ser acolhido como dentro do poder do Congresso de 'colocar e coletar impostos.'. Art. I, §8º, cl. 1. Em pressionando seu argumento do poder de tributação, o Governo pede ao Tribunal para ver o mandado como a imposição de um imposto sobre aqueles que não comprarem esse produto. Porque 'toda construção razoável deve ser invocada, a fim de salvar um estatuto de inconstitucionalidade," (*Hooper vs. California*, 155 US 648), a questão é saber se é 'razoavelmente possível' interpretar o mandado como fixador de um tal imposto, *Crowell vs. Benson*, 285 US 22. (...)"[cf. ESTADOS UNIDOS DA AMÉRICA. SUPREMA CORTE DOS ESTADOS UNIDOS. *National Federation of Independent Business vs. Sebellius*, idem].

[421] Da mesma forma, vejam-se os fundamentos deste item *iii*: "[o] Affordable Care Act descreve a 'responsabilidade dividida de pagamento' como uma 'penalidade', não um 'imposto'. Esse rótulo é fatal para a aplicação da Lei Anti-Injunção. Ele não controle, no entanto, se uma exação está dentro do poder do Congresso de taxar. Ao responder a esta questão constitucional, esta Corte segue uma abordagem funcional, 'desconsiderando a designação da exação, e visualizando a sua substância e aplicação'. *United States vs. Constantine*, 296 US 287. (...) Uma tal análise sugere que a responsabilidade compartilhada de pagamento pode, para propósitos constitucionais, ser considerada um imposto. O pagamento não é tão alto que realmente não deixe alternativa que não a compra do seguro de saúde; o pagamento não está limitado a violações intencionais, como penalidades para atos ilícitos frequentemente são; e o pagamento é coletado apenas pela Receita Federal [IRS] através dos meios normais de tributação. Cf. *Bailey vs. Drexel Furniture Co.*, 259 US (...) Nada disso é para dizer que o pagamento não se destina a induzir a compra de seguro de saúde. Mas o mandado não precisa ser lido como declarando que a falha em o atender é ilegal. Nem o Ato

ao ameaçar os estados, em caso de não adesão ao processo de expansão, com o não repasse do financiamento existente para o *Medicaid*.

Os itens *ii* e *iii*, nucleares para a sobrevivência da lei, tiveram a sua constitucionalidade afirmada por um voto de diferença, exatamente o do chefe de Justiça Roberts, cuja imagem mudou de confiável a não completamente confiável conservador na Corte, ou, ainda como assinalado por TUSHNET, revelou-se "não como um boneco ventriloquista para o Partido Republicano"[422]. Cabe observar que, embora Roberts tenha concordado com os seus colegas mais liberais ao manter o *Obamacare*, a linguagem utilizada na decisão deixa claro que cinco juízes da Suprema Corte, seguindo o debate centenário sobre liberdade norte-americana e federalismo norte-americano, estão abertos ao projeto de reviver e reforçar os limites constitucionais do poder federal de regulação (que a Corte havia abandonado desde o *switch-in-time*, em 1937)[423].

De certa forma, em *Burwell vs. Hobby Lobby Stores, Inc. et al.* (2014) o Tribunal exerceu essa disposição mais restritiva. Estava em julgamento uma regulamentação do Departamento de Saúde e Serviços Humanos (*Departament of Health and Human Services* – HHS), baseada em dispositivo do ACA, que previa aos empregadores, nos planos de saúde em grupo fornecidos aos seus funcionários, a obrigação de disponibilizar, sem qualquer partilha de custos, vinte tipos de métodos contraceptivos aprovados pelo governo (entre os quais, quatro destinados a prevenir o desenvolvimento de um óvulo fertilizado). Em

---

de Cuidados Acessíveis, nem qualquer outra lei que vincule consequências legais negativas para a não aquisição de seguro de saúde, além de exigir um pagamento a Receita Federal. E a escolha de linguagem do Congresso – dispondo de que os indivíduos 'devem' obter seguro ou pagar uma 'multa' – não exige a leitura do §5000A como punição à conduta ilícita. Ele também pode ser lido como a imposição de um imposto sobre aqueles que vão sem seguro. (...)" (cf. ESTADOS UNIDOS DA AMÉRICA. SUPREMA CORTE DOS ESTADOS UNIDOS. *National Federation of Independent Business vs. Sebellius*, idem).

[422] Cf. TUSHNET, Mark, op. cit., p. xii.

[423] Cf. TRIBE, Laurence, MATZ, Joshua, idem, p. 54, 55 e 83. Importante frase do chefe de Justiça pode, a depender do ponto de vista, ir ao encontro do cenário hipotético projetado pelos autores, ou, simplesmente, significar uma reafirmação da independência do Judiciário e da sua posição de garantidor dos direitos fundamentais: "[n]ossa deferência em assuntos de política não pode, entretanto, tornar-se abdicação em assuntos de direito" (cf. ESTADOS UNIDOS DA AMÉRICA. SUPREMA CORTE DOS ESTADOS UNIDOS. *National Federation of Independent Business vs. Sebellius*, idem).

exceção, o regulamento do HHS dispensava essa obrigatoriedade para empregadores religiosos de organizações sem fins lucrativos (como as Igrejas), impondo ao segurador que oferecesse, mediante pagamento em separado, os serviços contraceptivos aos funcionários. No caso em tela empresas não religiosas e com fins lucrativos, buscando a dispensa dessa obrigação, alegavam que ela as sobrecarregava no pessoal exercício da religião (também porque impunha pesadas sanções pecuniárias pelo descumprimento), o que não estaria permitido pelo Ato de Restauração da Liberdade Religiosa de 1993 (1993 *Religious Freeedom Restoration Act – RFRA*), salvo se o governo provasse que a medida era o meio menos restritivo de promoção de um interesse governamental compulsório, o que elas não acreditavam que seria a hipótese[424].

O desfecho, que mais uma vez se deu por um voto (novamente o do chefe de Justiça Roberts), favoreceu as empresas. O Tribunal assumiu que o interesse no fornecimento de contraceptivos (inclusive dos quatro antes destacados), com acesso livre de custos, estava corretamente classificado como um interesse governamental compulsório. Entretanto, afirmou que a ordem de fornecimento sobrecarregava o exercício da religião, assegurado no RFRA, na medida em que o governo falhou em demostrar que o mandado contraceptivo era o meio menos restritivo de promoção do aludido interesse (que poderia ser atingido pelo fornecimento por parte do próprio governo, ou pela extensão do tratamento excepcional já previsto às empresas religiosas sem fins lucrativos)[425].

A despeito do julgamento da Suprema Corte em *National Federation of Independent Business et al. vs. Sebelius* (2012), o ACA está mais uma vez sob risco perante o Tribunal. Isso porque está pendente de julgamento, que deve ocorrer ainda em 2015, no caso *King vs. Burwell*, a reclamação de alguns peticionários quanto a uma determinação da Receita Federal (IRS), em cumprimento do ACA, que concede incentivos (*tax credits*) para alguns segurados, subsidiando os seus planos de saúde. Para os reclamantes, o governo federal só pode conceder estes subsídios nos estados que organizaram o seu mercado de seguros (isto é,

---

[424] Cf. ESTADOS UNIDOS DA AMÉRICA. SUPREMA CORTE DOS ESTADOS UNIDOS. *Burwell vs. Hobby Lobby Stores*, Inc. et al., 573 U.S. (2014). Disponível em: <https://supreme.justia.com/cases/federal/ us/573/13-354/>. Acesso em: 8 de mar. de 2015.

[425] Cf. ESTADOS UNIDOS DA AMÉRICA. SUPREMA CORTE DOS ESTADOS UNIDOS. *Burwell vs. Hobby Lobby Stores, Inc. et al.*, op. cit.

em dezesseis estados mais o Distrito de Columbia), e não pode fazê-lo nos demais (ou seja, nos trinta e quatro outros estados). Assim, se a Corte acolher este entendimento, o resultado será o fim dos subsídios na maior parte dos EUA, inviabilizando o custeio dos seguros de saúde de milhares de norte-americanos. Não por menos, é enorme a expectativa a propósito do deslinde deste caso[426].

c) Inconstitucionalidade das restrições ao financiamento de campanhas

Já em *Citizens United vs. Federal Election Commission* (2010), em outro julgado lido como conservador, a Suprema Corte julgou inconstitucional, outra vez por um placar de cinco a quatro, parte do Ato Bipartidário de Reforma de Campanha (lei federal proposta e aprovada em comum acordo entre republicanos e democratas) que procurava regulamentar o financiamento de campanhas políticas nos EUA. O ato proibia corporações e sindicatos de utilizar recursos dos seus fundos de tesouraria para fazer gastos independentes em discursos classificados como 'comunicação eleitoral' (isto é, qualquer comunicação transmitida, por cabo ou satélite), que advogassem expressamente a eleição ou a derrota de um candidato à Presidência, e que fossem distribuídos publicamente dentro do espaço de trinta dias de uma eleição primária para cinquenta mil, ou mais pessoas, no estado em que era realizada a disputa. A lei ainda previa que a corporação ou sindicato que quisesse poderia criar um comitê de ação partidária (*political action committee* – PAC) para o expresso propósito de advocacia de uma candidatura, ou comunicação eleitoral, que receberia fundos mediante contribuições dos donos, acionistas ou membros[427].

---

[426] Cf. ESTADOS UNIDOS DA AMÉRICA. SUPREMA CORTE DOS ESTADOS UNIDOS. Argumento Oral n. 14-114. *David King et al. vs. Sylvia Burwell, Secretary of Health and Human Services,et al.* Disponível em: <http://www.supremecourt.gov/oral_arguments/argument_transcripts/14-114_lkhn.pdf>. Acesso em: 8 de mar. de 2015. Cf. BERG, Miriam. *King vs. Burwell: a case that could roll back health care access for milions of americans.* Disponível em: <http://www.plannedparenthoodaction.org/elections-politics/blog/king-v-burwell-case-could-roll-back-health-care-access-millions-americans/>. Acesso em: 8 de mar. de 2015.

[427] Cf. ESTADOS UNIDOS DA AMÉRICA. SUPREMA CORTE DOS ESTADOS UNIDOS. *Citizens United vs. Federal Election Commission*, 558 U.S. 310 (2010). Disponível em: <https://supreme.justia.com/cases/federal/ us/558/08-205/>. Acesso em: 8 de mar. de 2015.

A reclamante, *Citizens United*, uma organização sem fins lucrativos, produziu (mediante remuneração) um documentário crítico à então senadora Hillary Clinton, que seria exibido (por TV a cabo e em sistema de *pay-per-view*) dentro dos 30 dias antecedentes às eleições primárias, que poderiam vir a indicá-la como a candidata do Partido Democrata à Presidência. Nessas condições, a entidade buscou o Judiciário para garantir o direito de exibir o filme sem os riscos de ser penalizada por violação da aludida norma federal. Não obtendo socorro nas instâncias inferiores, acabou chegando à Suprema Corte, que afirmou o direito da apelante por força da garantia do livre discurso prevista na Primeira Emenda da Constituição, a partir da qual o estado não pode regular as despesas de campanha de qualquer organização (com ou sem fins lucrativos) ou sindicato. Por conseguinte, também não pode prender ou multar quem quer que seja (pessoa física ou jurídica) por engajar-se em discurso político[428].

---

[428] Ou, nos exatos termos da opinião da Corte: "[a]ssim, este caso não pode ser resolvido em uma base mais estreita, sem resfriar o discurso político, discurso que é central para o significado e propósito da Primeira Emenda" (...) "[e]mbora a Primeia Emenda proveja que o 'Congresso não deverá fazer lei ... restringindo a liberdade de discurso', a proibição do §441b de gastos corporativos independentes é um aberto banimento do discurso, apoiado por sanções criminais. É um banimento não obstante o fato de que um PAC criado por uma corporação ainda pode discursar, pois um PAC é uma associação separada da corporação. Porque o discurso é um mecanismo essencial da democracia – ele é o meio para levar os oficiais a prestar contas ao povo –, o discurso político deve prevalecer contra leis que venham a suprimi-lo por projeto ou inadvertência. Leis sobrecarregando tal discurso estão sujeitas ao estrito escrutínio, o qual requer do Governo que prove que a restrição 'promove um interesse compulsório e é estreitamente adaptado para atingir esse interesse' *WRTL*, 551 U.S. p. 464. Esta linguagem provê uma moldura suficiente para a proteção dos interesses neste caso. Sob a premissa da desconfiança no poder governamental, a Primeira Emenda figura contra tentativas para desfavorecer certos assuntos ou pontos de vista, ou para distinguir entre oradores diferentes, o que pode ser um meio para controlar o conteúdo. O Governo também pode cometer um erro constitucional quando por lei identifica certos oradores preferenciais. Não há base para a proposição de que, no contexto do discurso político, o Governo possa impor restrições sobre certos oradores desfavorecidos. História e lógica levam a esta conclusão". (...) "[a] Primeira Emenda proíbe o Congresso de multar ou encarcerar cidadãos, ou associações de cidadãos, pelo engajamento em discurso político" (...)[Nada há] "permitindo o Governo a limitar as despesas independentes das corporações. (...) Esta Corte agora conclui que despesas independentes, incluindo aquelas feitas por corporações, não dão origem para corrupção ou para a aparência de corrupção"[cf. ESTADOS UNIDOS DA AMÉRICA. SUPREMA CORTE DOS ESTADOS UNIDOS. *Citizens United vs. Federal Election Commission*, op. cit.].

A minoria assinalou que a lei não bania, de forma alguma, a liberdade de discurso de pessoa ou corporação. Tampouco barrava investimentos (isto é, a norma garantia o aporte irrestrito de valores em campanhas). Tudo o que estava em questão, o que efetivamente as partes disputavam, era se a organização *Citizens United* teria o direito de usar os seus fundos para pagar por transmissões durante o período de 30 dias antes da realização de eleições primárias. Enquanto a Primeira Emenda não ditava uma resposta afirmativa para o problema, indicando que o Tribunal não deveria intervir, com certeza não estava em discussão e, portanto, a Corte não poderia decidir (reescrevendo a lei) sobre gastos de campanha por corporações com fins lucrativos e sindicatos. Em resumo, a maioria chegou indevidamente ao resultado, "ultrapassando ou ignorando regras de contenção judicial usadas para limitar o poder legislativo da Corte"[429] (em nítida acusação de ativismo).

A despeito da fundamentação aparentemente razoável oferecida pela maioria, a realidade é que a Suprema Corte derrubou um estatuto construído em comum acordo pelos dois partidos dominantes, uma peça voltada a coibir a deformação do processo eleitoral democrático pela mitigação da influência econômica exercida pelas grandes corporações. A partir de *Citizens United* as corporações

---

[429] Veja-se, ainda, do voto dissidente do juiz Stevens, sobre o equívoco do entendimento majoritário: "[s]ua conclusão de que um interesse social em evitar corrupção e a aparência de corrupção não provê uma justificação adequada para regular gastos corporativos em eleições de candidatos descansa sobre uma descrição incorreta deste interesse, juntamente com uma falha em compreender a relevância de fatos estabelecidos e aos considerados julgamentos das legislaturas estaduais e federais ao longo de muitas décadas. Em uma sociedade democrática, o consenso de longa data sobre a necessidade de limitar gastos corporativos de campanha deveria ser superior a desajeitada aplicação de regras feitas por juiz. A rejeição deste princípio pela maioria 'eleva as corporações a um nível de deferência que não tem sido visto no mínimo desde os dias em que o devido processo substantivo era regularmente usado para invalidar legislação regulatória considerada como injusta interferência sobre os interesses econômicos estabelecidos' (...). No fundo, a opinião da Corte é, assim, uma rejeição do senso comum do povo Americano, que tem reconhecido a necessidade de prevenir corporações de minar o autogoverno desde a fundação, e aqueles que tem lutado contra um distintivo potencial corruptor da propaganda eleitoral corporativa desde os dias de Theodore Roosevelt. É um tempo estranho para repudiar o senso comum. Enquanto a democracia Americana é imperfeita, poucos fora da maioria desta Corte teriam pensado que as suas falhas incluem a escassez de dinheiro corporativo na política" [cf. ESTADOS UNIDOS DA AMÉRICA. SUPREMA CORTE DOS ESTADOS UNIDOS. *Citizens United vs. Federal Election Commission*, idem].

podem aportar de forma livre as somas que quiserem para dirigir as campanhas em favor do candidato que escolherem, o que foi denunciado pela Casa Branca como "a maior vitória para as petroleiras, bancos de Wall Street, companhias de seguro de saúde e outros poderosos interesses que dirigem sua força todos os dias em Washington para abafar as vozes dos americanos comuns"[430]. E, em reação, o presidente também informava ter instruído a sua administração a trabalhar imediatamente o assunto com o Congresso: "[n]ós iremos falar com os líderes de ambos os partidos no Congresso para desenvolver uma vigorosa resposta para esta decisão. O interesse público requer não menos que isso"[431]. No parlamento, os senadores republicano John McCain e democrata Russ Feingold, responsáveis pela apresentação do projeto que se tornou o ato em parte cassado pela Suprema Corte, embora com intensidades distintas, acompanharam o lamento da Presidência, aquele se dizendo desapontado pelo levantamento dos limites nas contribuições corporativas e de sindicatos, e, este, tachando a decisão de "terrível engano"[432].

Considerado o cenário posto por *Citizens United*, TRIBE e MATZ estimam que haverá de durar, a menos que se altere a composição da Suprema Corte com mais um liberal na bancada. Até lá a visão de livre discurso e política democrática incorporada no precedente irá "nos mover ainda mais próximo de um mundo no qual o governo está despido de quase todo poder sobre o dinheiro em política". Já TUSHNET acredita que existem bons argumentos em ambos os lados, mas observa que "[n]os velhos dias, quando as pessoas se preocupavam com ativismo judicial" o melhor argumento que se poderia oferecer diante do caso era o de que a "Suprema Corte não deveria ter deixado de lado um estatuto congressional se você poderia desenvolver argumentos razoáveis explicando como o estatuto era consistente com a Constituição. [Hoje em dia] Não mais"[433].

---

430 Cf. ESTADOS UNIDOS DA AMÉRICA. CASA BRANCA. *Statement from The Presidente on Today's Supreme Court Decision.*Disponível em: <https://www.whitehouse.gov/the-press-office/statement-president-todays-supreme-court-decision-0>. Acesso em: 8 de mar. de 2015.

431 Cf. ESTADOS UNIDOS DA AMÉRICA. CASA BRANCA. *Statement from The Presidente on Today's Supreme Court Decision*, op. cit.

432 Cf. HUNT, Kasie. *John McCain, Russ Feingold diverge on court ruling*. Disponível em: <http://www. politico.com/news/stories/0110/31810.html>. Acesso em: 8 de mar. de 2015.

433 Cf. TUSHNET, Mark, idem, p. 272.

d) Inconstitucionalidade da proibição (com aumento da extensão) do direito de ter e portar armas

Noutra frente, em novo pronunciamento conservador, o Tribunal declarou a inconstitucionalidade de uma lei do Distrito de Columbia que criminalizava o porte de armas de fogo sem registro e sem licença, e proibia novos registros de armas de fogo de mão. Quanto à exigência de licença para o porte de armas de mão, a lei cometia a sua emissão, com validade de um ano, ao chefe de Polícia, e ainda obrigava a guarda de armas registradas em domicílio desmontadas, ou desmuniciadas, ou com trava de gatilho ou dispositivo semelhante.

A decisão deu-se em *District of Columbia vs. Heller* (2008), e a maioria afirmou que a inconstitucionalidade se verificava em duas razões fundamentais: porque a lei interfere no exercício do direito de portar armas usadas comumente; e porque a norma interfere no direito de autodefesa e defesa da família e propriedade. A tanto, porém, o Tribunal precisou revogar dois precedentes seus[434], que só reconheciam o direito de todo cidadão portar armas, referido na Segunda Emenda, no contexto das milícias que os estados tinham autorização para manter. Isto é, o entendimento anterior da Corte era no sentido de que, fora das milícias, o estado poderia restringir e regulamentar a posse e o porte de armas de fogo. A opinião do Tribunal, entregue pelo juiz Scalia, empreendeu uma interpretação originalista da Emenda em debate, chegando à afirmada inconstitucionalidade. A minoria (mais uma vez com quatro votos), também por uma via originalista, chegou a resultado oposto, a mostrar que os juízes leram os materiais históricos de forma bem diferente[435].

[434] Os precedentes revogados são: *United* States *vs.* Miller (cf. ESTADOS UNIDOS DA AMÉRICA. SUPREMA CORTE DOS ESTADOS UNIDOS. *United* States *vs.* Miller, 307 U. S. 174 (1939). Disponível em: <https://supreme.justia.com/cases/federal/us/307/174/case.html>. Acesso em: 8 de mar. de 2015); e, Lewis *vs.* United States (cf. ESTADOS UNIDOS DA AMÉRICA. SUPREMA CORTE DOS ESTADOS UNIDOS. Lewis *vs.* United States, 445 U. S. 55 (1980), Disponível em: <https://supreme.justia.com/ cases/federal/us/445/55/>. Acesso em: 8 de mar. de 2015) [tudo cf. ESTADOS UNIDOS DA AMÉRICA. SUPREMA CORTE DOS ESTADOS UNIDOS. *Citizens United vs. Federal Election Commission*, idem].

[435] Cf. TUSHNET, Mark, idem, p. 168-169. Ainda segundo o autor, o dissenso ficou em torno do significado do preâmbulo da Emenda em relação com o seu conteúdo: "[a] Segunda Emenda tem um preâmbulo ou prefácio – 'Uma Milícia bem regulada, sendo necessária para a segurança de um Estado livre' – e o que o veio a ser chamado como sua cláusula operativa, 'o direito das pessoas a

Enquanto a maioria, então, pelos seus padrões de escrutínio, entendeu que o banimento dos lares das armas de fogo preferidas pela nação (para manter e usar na proteção dos lares e famílias) falhou na sua verificação constitucional, a minoria advertiu que nenhuma nova evidência foi apresentada para suportar a conclusão de que a Emenda tivesse a intenção de limitar o poder do Congresso de regular o uso civil de armas, ou pretendesse "autorizar esta Corte a usar o processo da *common-law* de legislação judicial caso a caso para definir os contornos de uma política de controle de armas aceitável"[436].

Em curioso desfecho, a maioria registrou que o Tribunal levava a sério as preocupações levantadas por vários *amici curiae*, e que estava ciente do problema colocado pela violência envolvendo armas de mão no país. Contudo, direitos consagrados na Constituição colocam limites e "necessariamente tiram certas escolhas políticas da mesa. Isso inclui a proibição absoluta da posse e uso de armas de mão para autodefesa no lar". E registrando que embora seja debatível que a Segunda Emenda possa estar fora de moda (em um país com um exército de prontidão, que é um orgulho nacional, com segurança provida por policiais bem treinados, e onde a violência por armas de fogo é um problema sério), "o que não é debatível é que não é o papel desta Corte pronunciar a extinção da Segunda Emenda". Para TUSHNET, é a estratégia "[n]ão nos culpem, culpem a Constituição", quando, na verdade, não foi a Segunda Emenda que tirou as escolhas políticas da mesa (como a feita pela legislação cassada), mas a – ativista – interpretação da Corte é que o fez[437]. Quanto aos efeitos, WILKINSON observou que "[a] decisão de criar um novo direito constitucional *blockbuster* pode ser comparado à decisão de lançar uma invasão. A decisão de referência é a parte fácil; a dificuldade vem na matemática final"[438].

---

manter e portar armas, não deve ser infringido'. A diferença entre conservadores e liberais voltou-se em larga medida sobre como eles interpretavam a relação entre o preâmbulo e a cláusula operativa".

[436] Cf. ESTADOS UNIDOS DA AMÉRICA. SUPREMA CORTE DOS ESTADOS UNIDOS. *Citizens United vs. Federal Election Commission*, 558 U.S. 310 (2010). Disponível em: <https://supreme.justia.com/cases/ federal/us/558/08-205/cdinpart.html>; e, em <https://supreme.justia.com/cases/federal/us/558/08-205/>. Acesso em: 8 de mar. de 2015.

[437] Cf. TUSHNET, Mark, idem, p. 172.

[438] Cf. WILKINSON III, J. Harvie. Of guns, abortions, and the unraveling rule of law. *Virginia Law Review*, 95, 253-323 (2009), p. 279. Disponível em: <http://papers.ssrn.com/sol3/papers.cfm?abstract_id=1265118>. Acesso em: 8 de mar. de 2015.

e) Inconstitucionalidade em regras do processo eleitoral para evitar a exclusão racista do direito ao voto

Em mais uma opinião conservadora, desta feita em *Shelby County vs. Holder* (2013), a Suprema Corte pronunciou a inconstitucionalidade de dispositivo do Ato de Direitos de Votação (*Voting Rights Act* – VRA) que estabelecia a necessidade de certos estados e subdivisões (nas jurisdições cobertas, ou *covered jurisdictions*), os quais mantinham testes ou outros dispositivos como pré-requisito para votação (por terem agido, no passado, no que toca a estes mecanismos, de modo racialmente discriminatório), obterem uma pré-autorização (*preclearance*) de um departamento em Washington para implementar qualquer mudança nos seus procedimentos de votação.

Ocorre que essa fórmula (*coverage formula*, que definia as *covered jurisdictions*), originalmente prevista na lei ao tempo da sua publicação (1965) com prazo de cinco anos de vigência, foi sendo estendida e, em 2006, o Congresso reautorizou a medida por mais vinte e cinco anos. Nesse momento o peticionário (*Shelby County*) ingressou em juízo pedindo que fosse declarada a inconstitucionalidade da *covered formula*, com a expedição de uma medida que impedisse o seu cumprimento naquela jurisdição, basicamente porque as condições atuais no local (sem qualquer resquício de prática raça-discriminatória) não teriam sido consideradas pelo Congresso, que se limitou a prorrogar a medida com base em condições de discriminação presentes quarenta anos antes.

A Suprema Corte, então, outra vez por um voto de diferença, afirmou que o princípio da igual soberania entre os estados guiava a decisão, de sorte que não se poderia permitir um tratamento desigual entre eles. A imposição do ônus corrente, em suma, precisaria estar justificada por necessidades correntes, o que o Congresso poderia ter feito (inclusive porque fora avisado, algum tempo antes, pelo próprio Tribunal, em *Northwest Austin Municipal Util. Dist. No. One vs. Holder* – 2009, onde se advertiu para o problema constitucional remanescente na prorrogação da *coverage formula*, cuja apreciação, no entanto, não foi feita pela Corte naquela ocasião)[439]. A minoria, porém, criticou pesadamente a intervenção

[439] Nesse sentido, eis a opinião vencedora, apresentada pelo chefe de Justiça Roberts: "[h]oje a Nação não é mais dividida ao longo daquelas linhas, ainda que o Ato dos Direitos de Votação continue a tratar como se ela fosse. (...) A Décima Quinta Emenda não é projetada para punir pelo passado; seu propósito é garantir um futuro melhor. Para servir a este propósito, o Congresso – se

do Tribunal em tema da estrita competência do Poder Legislativo e, portanto, no qual a Corte deveria mostrar deferência à escolha feita pelo Congresso e chancelada pelo Executivo[440]. Uma crítica, pois, de ativismo da ala conservadora.

é para dividir os Estados – precisa identificar aquelas jurisdições para serem assinaladas em uma base que faça sentido a luz das condições correntes. (...) O Congresso não utilizou os dados para desenhar uma fórmula de cobertura em condições correntes. Ele, em lugar disso, reeditou uma fórmula baseada em fatos de 40 anos de idade, não tendo relação lógica com os dias de hoje" [cf. ESTADOS UNIDOS DA AMÉRICA. SUPREMA CORTE DOS ESTADOS UNIDOS. *Shelby County vs. Holder*, 570 U.S. (2013). Disponível em: <https://supreme.justia.com/cases/federal/us/570/12-96/>. Acesso em: 9 de mar. de 2015; e cf. ESTADOS UNIDOS DA AMÉRICA. SUPREMA CORTE DOS ESTADOS UNIDOS. *Northwest Austin Municipal Util. Dist. No. One vs. Holder*, 557, U.S. 193 (2009). Disponível em: <https://supreme.justia.com/cases/federal/us/557/193/>. Acesso: em 9 de mar. de 2015].

440 Observe-se a opinião dissidente, entregue pela juíza Ginsburg: "[n]a visão da Corte, o próprio sucesso do §5º da Lei dos Direitos de Votação exige sua dormência. O Congresso era de outro pensamento. Reconhecendo que grande progresso tem sido feito, o Congresso determinou, com base em um registro volumoso, que o flagelo da discriminação ainda não foi extirpado. A questão que este caso apresenta é quem decide se, como atualmente operativo, o §5 permanece justificável, esta Corte, ou um Congresso carregado com a obrigação de fazer cumprir as Emendas do pós-Guerra Civil 'por meio de legislação adequada'. Com o apoio esmagador em ambas as Casas, o Congresso concluiu que, por duas razões principais, o §5 deve continuar em vigor, sem esmorecer. Primeira, a continuidade irá facilitar a complementação dos ganhos impressionantes até agora realizados; e, segundo, a continuação iria proteger contra retrocessos. Estas avaliações estavam bem dentro da província do Congresso para fazer e deveriam evocar a aprovação irrestrita deste Tribunal. (...) "[o] registro apoiando a reautorização do VRA em 2006 é também extraordinário. Ele foi descrito pelo Presidente do Comitê Judiciário da Câmara como 'uma das mais extensas considerações de qualquer peça de legislação que o Congresso dos Estados Unidos tem tratado nos 27½ anos' em que ele tinha servido na casa. 152 Cong. Rec. H5143 (13 de julho de 2006) (declaração do Rep. Sensenbrenner). Após exaustiva coleta de prova e processo deliberativo, o Congresso reautorizou o VRA, incluindo a provisão de cobertura, com esmagador apoio bipartidário. Foi o julgamento do Congresso que '40 anos não tem sido uma quantidade de tempo suficiente para eliminar os vestígios de discriminação que se seguiram a quase 100 anos de desconsideração pelos ditames da 15ª emenda e para garantir que o direito de todos os cidadãos a votar está protegido como garantido pela Constituição' 2006 Reauthorization § 2º (b) (7), 120Stat. 577. Esta determinação do órgão competente para fazer cumprir as Emendas da Guerra Civil 'por meio de legislação apropriada' merece o máximo respeito desta Corte. Em meu julgamento, o Tribunal erra notoriamente, pela revogação da decisão do Congresso" [cf. ESTADOS UNIDOS DA AMÉRICA. SUPREMA CORTE DOS ESTADOS UNIDOS. *Shelby County vs. Holder*, op. cit.].

ACKERMAN considera que *Shelby County* "representa uma das mais insidiosas formas de apagamento", na medida em que invocou um princípio (o da igual soberania), resgatado de decisões judiciais anteriores, historicamente repudiado pelo povo norte-americano em ambas as Reconstruções (nos pós-guerra civil e pós-grande depressão) de modo autoconsciente no que toca aos direitos de votação. Assim:

> "Confiando em *Nós os Juízes* em vez de em *Nós o Povo* para invalidar uma das principais realizações da revolução dos direitos civis, ele [Roberts] demonstrou como o uso de um *canon* estreitamente corte-centrado pode destruir nosso legado constitucional"[441].

O caso acaba por representar "um trágico papel reverso no relacionamento institucional padrão", uma vez que, em geral, "os ramos políticos enfatizam as realidades correntes, enquanto as Cortes tomam a história constitucional a sério". Por isso, *Shelby County* desafia novos e intensos esforços para devolver *Brown* (*vs. Board of Education*, que, ao fim e ao cabo, é o que está em jogo) ao seu lugar de direito no centro do *canon* constitucional[442].

f) Atenuando a regra da exclusão de provas e clausulando o exercício do direito ao silêncio: o estreitamento de garantias processuais do acusado

A face conservadora da Corte se mostrou também no estreitamento de direitos de suspeitos e acusados de crime, em assuntos que já estavam definidos pela jurisprudência do Tribunal. Assim, *v.g.*, em *Herring vs. United States* (2009), onde se restringiu a possibilidade de exclusão de provas; e em *Berghuis vs. Thompkins* (2010), onde houve um decotamento da extensão das garantias afirmadas em *Miranda vs. Arizona* (1966)[443].

Em *Herring vs. United States* (2009) a Corte admitiu que a prova colhida a partir de prisão e busca pessoal que, mais tarde, se demonstraram como medidas

[441] Cf. ACKERMAN, Bruce. *We The People*. Vol. 3. The civil rigths revolution. Cambridge: The Belknap Press of Harvard University Press, 2014, p. 330.

[442] Cf. ACKERMAN, Bruce, op. cit., p. 330, 334-335.

[443] Cf. TRIBE, Laurence, MATZ, Joshua, idem, p. 306. Sobre *Miranda vs. Arizona* (1966), ver,- supra, nota 378, onde o caso está sumariado.

ilegais, pode ser admitida em juízo se a ilegalidade não foi deliberada por parte do policial. Na hipótese, *Herring* foi preso em cumprimento a um mandado que já não tinha validade, e isso porque continuava, por equívoco, ativo nos sistemas policiais. No ato da prisão foi revistado e resultaram apreendidas uma arma de fogo e uma pequena quantidade de metanfetaminas em sua posse, sendo que, minutos depois, veio a notícia do recolhimento do mandado cinco meses antes. *Herring* foi denunciado pela posse dos itens e alegou a invalidade da apreensão como direta decorrência da sua prisão ilegal, o que não foi aceito nas instâncias de piso sob o argumento de que os policiais teriam agido de boa-fé no ato, convictos da firmeza do mandado. A maioria no Tribunal, em opinião entregue por Roberts, manteve as provas e afirmou não haveira violação da Quarta Emenda na hipótese (posto que a detenção tinha se dado por uma "causa provável", em situação admitida pela Emenda[444]): "[q]uando a determinação da causa-provável está baseada em razoáveis, porém erradas, suposições, a pessoa submetida a uma busca e apreensão não está sendo necessariamente vítima de uma violação constitucional"[445]. Assim, "[p]ara acionar a regra de exclusão, a conduta da polícia precisa ser suficientemente deliberada para que a exclusão possa significativamente dissuadi-la, e suficientemente culpável para que tal dissuasão valha o preço pago pelo sistema de justiça"[446]. Daí a conclusão de que "quando enganos da polícia são resultado de negligência tal como a descrita aqui, em lugar de erro sistêmico, ou desconsideração irresponsável de requisitos constitucionais, não há qualquer dissuasão criminal que 'pague o seu caminho" (...) "[e]m tal caso, o criminoso não deve 'ir livre porque o policial tropeçou'."[447].

---

[444] Eis o teor da Quarta Emenda: "[o] direito do povo de ser assegurado em suas pessoas, casas, papéis, e efeitos, contra buscas e apreensões irrazoáveis, não deve ser violado, e nem mandados devem ser emitidos, senão sob causa provável, suportada por juramento ou afirmação, e descrição particular do lugar a ser vasculhado, e as pessoas ou coisas a serem apreendidas" (cf. ESTADOS UNIDOS DA AMÉRICA. *The Constitution of the United States. Washington*: Senado Federal, 1789. Disponível em: <http://www.law.cornell.edu/constitution>. Acesso em: 26 de ago. de 2014).

[445] Cf. ESTADOS UNIDOS DA AMÉRICA. SUPREMA CORTE DOS ESTADOS UNIDOS. *Herring vs. United States*, 555 U.S. (2009). Disponível em: <https://supreme.justia.com/cases/federal/us/555/135/opinion.html>. Acesso em: 9 de mar. de 2015.

[446] Cf. ESTADOS UNIDOS DA AMÉRICA. SUPREMA CORTE DOS ESTADOS UNIDOS. *Herring vs. United States*, op. cit.

[447] Cf. ESTADOS UNIDOS DA AMÉRICA. SUPREMA CORTE DOS ESTADOS UNIDOS.

No precedente, contudo, a minoria (novamente com quatro votos), enfatizou o erro da maioria em enfraquecer a regra de exclusão (*exclusionary rule*), fazendo ilusória a garantia da Quarta Emenda. E isso porque, ao fim e ao cabo, o cidadão é que, mesmo diante de um erro deliberado em curso, terá de fazer a prova da má-fé do oficial da lei. Sob outro ângulo, a decisão da Corte incentiva o descuido com os sistemas informáticos relativos a mandados, já que a sua possível desatualização não colocará prejuízo algum à prova eventualmente colhida a partir de prisão equivocada (embora em aberto prejuízo à liberdade individual dos cidadãos)[448]. Em síntese, a minoria defendeu que a regra de exclusão serve

---

Herring vs. United States, idem

[448] Assim na opinião dissidente da juíza Ginsburg: "[a] Corte sustenta que a supressão era injustificável porque as 'preocupações centrais' [*core concerns*] da regra exclusionária [*exclusionary rule*] não são levantadas por um isolado, negligente erro na manutenção de registros atenuada pela prisão. (...) Em minha visão, a opinião da Corte subestima a necessidade de uma vigorosa regra de exclusão e a gravidade de erros na manutenção de registros no cumprimento da lei. A Corte mantém que o caso de Herring é um no qual a regra exclusionária poderia ter escasso efeito dissuasor e, por conseguinte, não iria 'pagar o seu caminho' (...) Eu discordo. (...) Que o erro aqui envolvido, a falha em fazer uma entrada de computador, mal significa que a aplicação da regra exclusionária teria valor mínimo. 'Somente com o risco de estar sujeito a *respondeat superior* [maior responsabilidade] encoraja os empregadores a supervisionar ... a conduta de seus empregados [mais cuidadosamente], de modo que o risco de exclusão das provas encoraja os decisores políticos e gestores de sistemas a monitorar a performance dos sistemas que eles instalam e o pessoal empregado para operar esses sistemas.' (...) [No caso] "[n]ão é completamente óbvio que o Departamento poderia tomar outras precaução para garantir a integridade de seu banco de dados? O Departamento do Xerife 'está em uma posição para remediar a situação e pode muito bem fazê-lo se a regra de exclusão está lá para remover o incentivo para fazer o contrário'. (...) Imprecisões em expansivas e interligados coleções de informação eletrônica levantam sérias preocupações para a liberdade individual. 'A ofensa à dignidade do cidadão que é preso, algemado, e revistado em uma rua pública simplesmente porque algum burocrata falhou em manter uma base de dados de computador precisa' é evocativa do uso de mandados genéricos que tanto indignou os autores da nossa Carta de Direitos. (...) [Logo] mesmo quando a conduta deliberada ou imprudente estiver acontencendo, a certeza da Corte irá, frequentemente, ser uma promessa vazia: Como um réu sem dinheiro irá fazer a exibição necessária? Se a resposta é que um réu tem direito a descoberta (e, se necessário, uma auditoria das bases de dados da polícia), (...), então a Corte impôs um ônus administrativo considerável sobre as Cortes e os aplicadores da lei. (...) Erros da manutenção de registros negligente pelos aplicadores da lei ameaçam a liberdade individual, são suscetíveis a dissuasão pela regra exclusionária, e não podem ser remediados eficazmente através de outros meios. Tais erros não

para proteger a liberdade não apenas contra malfeitos intencionais, mas também contra incompetência[449].

Em *Berghuis vs. Thompkins* (2010) a redução de garantia atingiu, como dito, o caso *Miranda vs. Arizona* (1966), outro emblemático precedente construído sob a Corte Warren. No caso, Thompkins fora preso como suspeito de atirar contra duas pessoas (resultando uma morta e, a outra, ferida) no lado de fora de um *shopping center*, em Southfield, Michigan. Ocorre que a prisão se deu quase um ano depois da ocorrência, em Ohio, para onde foram dois policiais de Southfield com o fim de interrogar o suspeito, enquanto ele aguardava para ser transferido. O interrogatório durou quase três horas, e já de início foi apresentado um formulário contendo os *Avisos Miranda* (*Miranda warnings*) para que Thompkins assinasse, o que ele se recusou a fazer. Os policiais afirmaram que pediram que ele lesse um dos avisos em voz alta, o que ele teria feito, e os outros foram lidos pelos agentes. Entretanto, os oficiais deram depoimentos conflitantes em juízo, em duas oportunidades, sobre se o interrogado teria respondido que entendera os seus direitos (em uma primeira oitiva afirmaram que sim, noutra disseram que não recordavam de ter perguntado oralmente se ele havia compreendido os seus direitos). Tendo declinado de responder qualquer pergunta até duas horas e quarenta e cinco minutos de interrogatório, sucedeu um questionamento de um dos policiais, sobre se Thompkins acreditava em Deus. Ao que ele respondeu que sim, fazendo contato com os olhos, que se encheram de lágrimas. O policial seguiu perguntando se ele rezava para Deus, ao que novamente foi respondido que sim. Então o policial perguntou a Thompkins, "[v]ocê reza para Deus perdoar você por abater aquele menino?", ao que ele respondeu "[s]im", e olhou noutra direção[450].

---

apresentam ocasião para erodir ainda mais a regra de exclusão. A regra "é necessária para fazer a Quarta Emenda algo real; uma garantia que não carregue com ela a exclusão de evidências obtidas por sua violação é uma quimera. [Assim] De acordo com as 'preocupações centrais' da regra (...), a supressão deveria ter atendido a busca inconstitucional neste caso" [cf. ESTADOS UNIDOS DA AMÉRICA. SUPREMA CORTE DOS ESTADOS UNIDOS. *Herring vs. United States*, 555 U.S. (2009). Disponível em: <https://supreme.justia.com/cases/federal/us/555/135/ dissent. html>. Acesso em: 9 de mar. de 2015.

[449] Cf. TRIBE, Laurence; MATZ, Joshua, idem, p. 309

[450] Cf. ESTADOS UNIDOS DA AMÉRICA. SUPREMA CORTE DOS ESTADOS UNIDOS. *Berghuis vs. Thompkins*, 560 U.S. (2010). Disponível em: <https://supreme.justia.com/cases/federal/

Nessa moldura, em que essas perguntas e respostas foram usadas em julgamento, sob a oposição da defesa, Thompkins resultou condenado à prisão perpétua sem direito a condicional. Durante o julgamento surgiu um problema adicional, na medida em que o seu advogado teria falhado ao não pedir que o juiz instruísse o júri para que não considerasse a condenação de um comparsa (que havia dirigido o veículo que conduzira Thompkins, mas restara absolvido de homicídio e agressão, sendo condenado apenas por ofensas com armas de fogo) como prova da culpa de Thompkins[451].

Dois assuntos, portanto, foram apreciados pela Suprema Corte no caso, em opinião entregue pelo juiz Kennedy. Quanto à declinação do exercício do direito ao silêncio, o Tribunal afirmou: *(i)* que um suspeito pode invocar este seu direito, cortando os questionamentos, somente se o fizer de uma forma não ambígua – o que não teria ocorrido no caso, desde que Thompkins não afirmou que desejava permanecer calado, porquanto não pode invocar os seus *Direitos Miranda* (*Miranda rights*) e os policiais podiam continuar o interrogatório; e *(ii)* que um suspeito pode declinar o seu direito de permanecer em silêncio por meio de respostas a perguntas que lhe sejam feitas – o que ocorreu na hipótese, pelas respostas dadas por Thompkins ao final do seu interrogatório (pois teria lido os seus direitos, os entendido e livremente decidira falar)[452]. No que diz com a alegação de assistência inefetiva de advogado, a Corte a rechaçou afirmando que duas provas eram necessárias para anular o julgamento, *(i)* a de que houve deficiência na representação e, por consequência, *(ii)* houve prejuízo para o acusado, requisitos que Thompkins não teria demonstrado[453].

A minoria, com quatro votos novamente, apresentou o seu dissenso em opinião entregue pela juíza Sotomayor, que destacou a substancial retratação do precedente formado em *Miranda*. Significa dizer, segundo os argumentos vencedores, "que um suspeito de crime renuncia seu direito de permanecer em silêncio se, após sentar-se tácita e incomunicativamente através de quase três

us/560/08-1470/ opinion.html>. Acesso em: 9 de mar. de 2015.

[451] Cf. ESTADOS UNIDOS DA AMÉRICA. SUPREMA CORTE DOS ESTADOS UNIDOS. *Berghuis vs. Thompkins*, op. cit.

[452] Cf. ESTADOS UNIDOS DA AMÉRICA. SUPREMA CORTE DOS ESTADOS UNIDOS. *Berghuis vs. Thompkins*, idem. Ainda, cf. TRIBE, Laurence; MATZ, Joshua, idem, p. 310.

[453] Cf. ESTADOS UNIDOS DA AMÉRICA. SUPREMA CORTE DOS ESTADOS UNIDOS. *Berghuis vs. Thompkins*, idem.

horas de interrogatório policial, profere umas poucas respostas de uma palavra", e, também, que se um suspeito de crime "desejar guardar seu direito de permanecer em silêncio contra um tal achado de 'renúncia' deve, contraintuitivamente, falar – e deve fazê-lo com precisão suficiente para satisfazer uma regra de clara-afirmação que interpreta ambiguidade em favor da polícia"[454]. A minoria ainda afirmou que o respondente merecia ser atendido porque a lei aplicável ao caso exige que a acusação se desincumba do ônus de provar que o direito de permanecer em silêncio foi renunciado, e anotou uma considerável surpresa em ver que o Tribunal escolheu tratar de questões totalmente desnecessárias para a solução do caso. Assim, abandonou "princípios de contenção judicial de longa data", chegando a conclusões que "não resultam de uma fiel aplicação de nossas decisões anteriores", pelas quais estava claro, até então, que o Tribunal só poderia presumir que um defendente não renunciou aos seus direitos, e não o contrário. Em suma, a decisão em *Berghuis vs. Thompkins* "vira *Miranda* de cabeça para baixo"[455].

Por um lado, a decisão representa uma nítida ameaça aos direitos civis[456]. Por outro, não chega a surpreender, uma vez que a falta de esforço argumentativo por parte dos juízes da ala direita do Tribunal para superar a lógica doutrinária e prática da opinião da juíza Sotomayor só realça o quanto a Corte Roberts tem por bem-vinda a admissão de que os policiais conduzam seus interrogatórios livres dos interditos colocados por *Miranda* e, pois, de todo o esforço judicial que ela representa para a regulação da polícia[457].

---

[454] Cf. ESTADOS UNIDOS DA AMÉRICA. SUPREMA CORTE DOS ESTADOS UNIDOS. *Berghuis vs. Thompkins*, idem.

[455] Cf. ESTADOS UNIDOS DA AMÉRICA. SUPREMA CORTE DOS ESTADOS UNIDOS. *Berghuis vs. Thompkins*, idem.

[456] Cf. SHAPIRO, Steven R. The Thompkins Decision: A Threat to Civil Liberties.The Supreme Court has undermined our Miranda protections. *The Wall Street Journal*, 8 de jun. de 2010. Disponível em: <http://www.wsj.com/articles/SB10001424052748704764404575286931630242298>. Acesso em: 10 de mar. de 2015.

[457] Cf. TRIBE, Laurence; MATZ, Joshua, idem, p. 311.

g) Dignidade humana e superpopulação carcerária: constitucionalidade de ordem judiciária para redução de contingente prisional

Com especialíssimo relevo para a presente investigação, em 2011 a Corte emitiu uma decisão polêmica e de cariz nitidamente liberal. Considerando a impossibilidade da implementação de padrões mínimos de saúde prisional em um contexto de superpopulação carcerária, o Tribunal confirmou a constitucionalidade de decisão inferior que determinara ao estado da Califórnia a redução de quarenta e seis mil presos do seu sistema penitenciário, naquela altura operando com 137,5% da sua capacidade, abrigando mais de cento e cinquenta e seis mil presos. Com a adesão de Kennedy, que entregou a opinião da Corte acompanhado pelos juízes Ginsburg, Breyer, Sotomayor e Kagan (vencidos o chefe de Justiça Roberts e os juízes Thomas, Alito e Scalia – estes dois últimos com opiniões dissidentes proferidas), em *Brown vs. Plata* afirmou-se que, em tal situação de privação do sustento básico dos presos, incluindo de cuidados médicos, "as Cortes têm a responsabilidade de remediar a violação resultante da Oitava Emenda"[458].

Os detalhes do caso, inclusive o debate sobre o possível ativismo nele expresso, com a análise das implicações para o problema investigado, são objeto de capítulo subsequente deste trabalho.

2.2.2.3 Síntese em torno à ideia de ativismo judicial: medições, outras formas de manifestação e considerações críticas

O que este conjunto de julgados informa?

Ao mesmo tempo em que as decisões até aqui examinadas proporcionam um dimensionamento mais concreto do exercício do poder judicial de revisão pela Suprema Corte dos EUA, também provam que o olhar em busca do seu ativismo atravessa um verdadeiro caleidoscópio. Temas diversos, juízes que se sucederam com formações e convicções juspolíticas distintas, contexto social e político de produção da norma/conduta questionadas, bem como do momento em que, proferida a decisão, entre outros dados, combinam-se para maximizar

---

[458] Cf. ESTADOS UNIDOS DA AMÉRICA. SUPREMA CORTE DOS ESTADOS UNIDOS. *Brown et al. vs. Plata et al.* 563 U.S. (2011). Disponível em: <https://supreme.justia.com/cases/federal/us/563/09-1233/opinion.html>. Acesso em: 10 de mar. de 2015.

a dificuldade em se apor, ou negar, o rótulo do ativismo. Isso sem deixar de remarcar a agravação do problema pela já observada polissemia que acompanha a própria etiqueta.

Admitindo, da sua forma, essas premissas, ao afirmar que a locução *ativismo judicial* é crua e inevitavelmente política e, assim, que é extremamente difícil utilizá-la como uma descrição neutra de comportamento judicial, WHITTINGTON destaca o que lhe parece ser o coração da ideia: a anulação de leis, com relativa frequência, por incompatibilidade com requisitos constitucionais. Eis aí, então, o mais ostensivo indicador de ativismo judicial, que permite a identificação de traços mensuráveis de modo mais objetivo ao longo de contextos diversos[459], e que, em última análise, não é mais que expressão da dificuldade contramajoritária da *judicial review*[460].

Vamos à pesquisa.

2.2.2.3.1 A frequência da anulação de leis como índice de ativismo judicial

Fixado o indicador, WHITTINGTON realizou pesquisa sobre extenso conjunto de decisões emitidas pela Suprema Corte, do início das atividades do Tribunal (em 1789) até o ano de 2013[461]. Eis o quadro geral, em número de anulações (vertical) através dos anos, em média de cinco anos (na horizontal)[462]:

[459] Cf. WHITTINGTON, Keith E.The Least Activist Supreme Court in History? The Roberts Court and the exercise of judicial review. *Notre Dame Law Review*, 89, 2219-2252 (2014), p. 2226. Disponível em: <http://scholarship.law.nd.edu/cgi/viewcontent.cgi?article=4562&context=ndlr>. Acesso em: 2 de mar. de 2015. O autor admite, entretanto, as limitações do conceito empregado, na medida em que a adjudicação constitucional de assuntos representa apenas uma parte da competência da Suprema Corte, que também atua apreciando a conformidade constitucional de atos de agentes de outros ramos do governo e, inclusive, de juízes, no que pode ser também ativista sem anular qualquer lei.

[460] Ver, sobre a chamada dificuldade contramajoritária da revisão judicial, a nota 192, *supra*.

[461] Cf. WHITTINGTON, Keith E., op. cit., p. 2227.

[462] Cf. WHITTINGTON, Keith E., idem, p. 2228

Figura 1: Suprema Corte dos Estados Unidos – Casos de Invalidação de Estatutos, 1789-2012

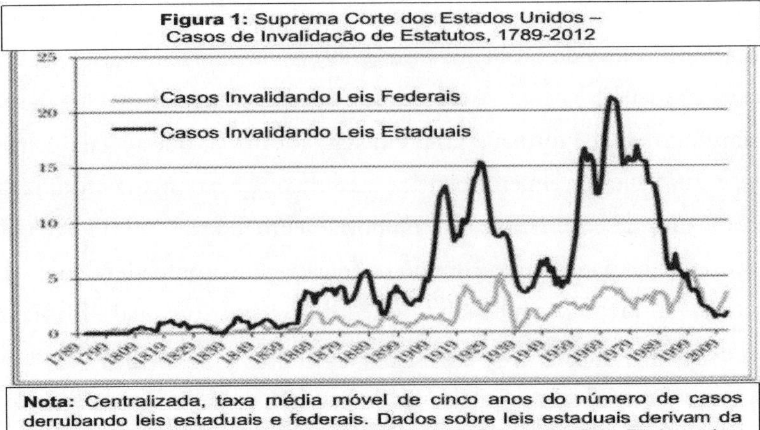

Nota: Centralizada, taxa média móvel de cinco anos do número de casos derrubando leis estaduais e federais. Dados sobre leis estaduais derivam da *The Constitution of the United Sates: Analysis and Interpretation*. Dados sobre leis federais derivam da base de dados *Judicial Review of Congress*

De pronto é preciso observar que se espera um número sempre superior de anulações de leis estaduais em comparação com as federais, não apenas pelo seu maior volume, mas porque os estados estão mais sujeitos a supervisão judiciária do que os ramos coordenados do governo federal. O quadro também informa uma flutuação nas anulações de leis federais, acompanhada, porém, de progressiva redução da invalidação de leis estaduais, com queda importante no final da Corte Burger (já nos anos 1980), que segue pela Corte Rehnquist e se estabiliza na Corte Roberts. Destacando o período da Corte Burger até hoje, o fenômeno fica mais evidente[463]:

Figura 2: Número de Casos da Suprema Corte dos Estados Unidos Invalidando Estatutos, 1969-2012

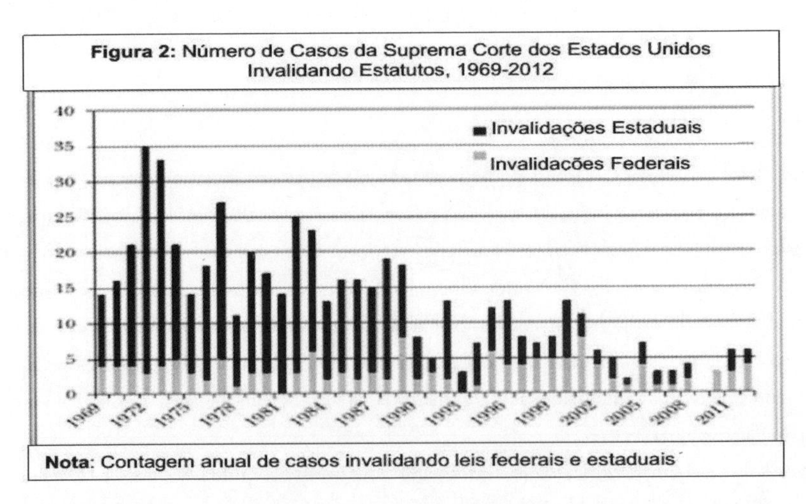

Nota: Contagem anual de casos invalidando leis federais e estaduais

463 Cf. WHITTINGTON, Keith E., idem, p. 2227-2231.

A explicação para a maior contenção mostrada pelas Cortes subsequentes à saída do chefe de Justiça Warren (em 1969) está em que as coalizões conservadoras de julgadores (à direita) obtiveram mais sucesso em formar maiorias[464].

No final da Corte Burger (já nos anos 1980), *v.g.*, havia cinco centristas (Powell, Blackmun, Stewart, Stevens e White), para dois liberais (Brennan e Marshall) e dois conservarores (Burger e Rehnquist). A invalidação de estatutos ocorria com uma média de seis votos, e normalmente eram fruto de construção dos liberais (normalmente a favor da derrubada de políticas estatais) com a adesão de alguns centristas[465].

Na Corte Rehnquist inicial (na segunda metade da década de 1980), o cenário se modificou para quatro conservadores (Rehnquist, O'Connor, Kennedy e Scalia), quatro liberais (Brennan, Marshall, Stevens e Blackmun – estes dois últimos saídos do centro) e um centrista simpatizante dos conservadores (White). A afirmação ou invalidação de estatutos dava-se com uma média de cinco a seis votos, em coalizões que permaneceram ideologicamente mistas, sendo que mais e mais leis estavam sobrevivendo ao escrutínio judicial, mas sempre pela menor das margens. Entretanto, embora maiorias ideológicas fossem mais provavelmente construídas a partir da ala esquerda, a Corte invalidou leis por iniciativa de ambos os lados[466].

No final dos anos 1990 já não havia qualquer juiz da era Warren na composição da Suprema Corte, e o perfil ideológico manteve uma divisão bastante simétrica. O primeiro Presidente Bush indicara Souter e Thomas (conservadores) em lugar de Brenan e Marshall (liberais), enquanto o presidente Clinton indicou Breyer e Ginsburg (liberais) em lugar de Blackmun e White (aquele, como dito, um convertido liberal e, este, um centrista simpático aos conservadores). Embora o equilíbrio entre as posturas representadas na Corte, nesse período houve um notável aumento das invalidações de leis federais, enquanto se manteve a redução das invalidações de leis estaduais. E as maiorias nas invalidações de leis federais eram geralmente formadas pelo bloco conservador[467].

---

[464] Cf. WHITTINGTON, Keith E., idem, p. 2232.

[465] Cf. WHITTINGTON, Keith E., idem, p. 2235.

[466] Cf. WHITTINGTON, Keith E., idem, p. 2236.

[467] Cf. WHITTINGTON, Keith E., idem, p. 2236.

No final da Corte Rehnquist e início da Corte Roberts, em meados da década de 2000, a distribuição de forças continuou mantida, assim como a dinâmica de redução das invalidações de leis, principalmente de leis estaduais e municipais. Rehnquist foi seguido por Roberts, e O'Connor por Alito, com o que a posição conservadora manteve os seus números. Nessas formações, já um pouco antes e seguindo sob a Chefia de Roberts, O'Connor e Kennedy "desempenharam o papel de votantes indecisos entre duas coalizões bastante estáveis nas asas"[468]. KECK sustenta que O'Connor e Kennedy são responsáveis por um fenômeno curioso na Corte Rehnquist, na medida em que permitiram que o Tribunal se orientasse de modo conservador em algumas áreas, ao mesmo tempo em que afirmava, ou até expandia, precedentes liberais de referêcia em outras. Em suma, o autor cota a eles a responsabilidade pela sobrevivência do ativismo liberal e pela emergência do ativismo conservador na Corte Rehnquist[469].

Com a saída de O'Connor, Kennedy acabou mais ao centro e se firmou como o voto pivotal da Corte Roberts[470]. Quanto às maiorias, nas duas últimas Cortes as invalidações de lei, em geral, deram-se pela diferença de um voto apenas. As afirmações de lei ocorreram com margens maiores (e, nas afirmações de leis federais, em comparação com leis estaduais, as margens eram maiores naquelas e menores nestas). Também vale observar que não houve prevalência de uma das alas sobre a outra: "O exercício da revisão judicial não era uma história de domínio conservador, mas de coalizões cambiantes que se desenhavam desde ambos os extremos do espectro ideológico"[471].

O ingresso das juízas Sotomayor e Kagan, em lugar de Souter e Stevens, em 2009 e 2010, respectivamente, não alterou a distribuição de forças na Corte e,

---

[468] Cf. WHITTINGTON, Keith E., idem, p. 2240.

[469] Cf. KECK, Thomas M. *The Most Activist Supreme Court in History.* The Road to Modern Judicial Cnservatism. Chicago: The University of Chicago Press, 2004, eBook Kindle, pos. 129.

[470] Ainda sobre Kennedy, vale insistir, na exata expressão de WHITTINGTON: "É, é claro, um *cliché* a este ponto observar que como o Juiz Kennedy vai, também vai a Suprema Corte. Kennedy não pé somente o claro membro médio da Corte, mas ele é também pivotante para muitas decisões, determinando se o resultado de um caso será decidido pela asa conservadora da Corte, ou pela asa liberal" (cf. WHITTINGTON, Keith E., idem, p. 2244).

[471] Cf. WHITTINGTON, Keith E., idem, p. 2241 e 2245.

pela primeira vez desde Nixon (sob a Corte Burger), todos os membros da ala liberal haviam sido indicados por presidentes democratas[472].

Em analisando o restante registro de opiniões na Corte Roberts, verifica-se que mais votos dissidentes pela invalidação de leis foram proferidos por juízes liberais, a demonstrar que o ativismo da Corte poderia ser maior caso tivessem vencido. Também fica claro que os conservadores anularam mais leis federais que estaduais, e juízes liberais fizeram o contrário. E, "embora uma pluralidade de coalizões invalidantes tenha sido construída desde a asa direita da Corte, a asa liberal da Corte tem sido capaz de derrubar estatutos quase com a mesma frequência", a demonstrar que, "de fato, o padrão de coalizões invalidantes na Corte indica somente o quanto profundamente polarizada a Corte Roberts é"[473].

Diante desse cenário, admitindo o ativismo da Corte atual, WHITTINGTON também conclui que é preciso reconhecê-la como a menos ativista da história[474]. Visão completamente oposta à da juíza Ruth Bader Ginsburg, que recentemente afirmou que não deixará o Tribunal enquanto a sua saúde e o seu intelecto permitirem, na medida em que continua engajada na oposição liberal "a uma das mais ativistas Cortes na história". E, especificamente sobre a decisão emitida em *Shelby County vs. Holder* (2013), em que pronunciada, como antes analisado, a inconstitucionalidade de dispositivo central do Ato de Direitos de Votação (*Voting Rights Act* – VRA), classificou-a como "assombrosa em termos de ativismo"[475].

Divergências à parte no que toca ao ativismo do Tribunal, o exame dos julgados da Corte confirma a imagem de um colegiado crítico à expansão dos direitos dos defendentes criminais (que teve lugar em meados do século XX – direitos cuja criação/afirmação não teria ocorrido se dependesse da atual composição do Tribunal) e, no geral, em tema de direitos civis, cético quanto à conveniência da intervenção judiciária, vista como de alto custo, benefícios duvidosos e mesmo de legitimidade questionável. A Corte parece preocupada com a sobreposição judicial, e age rumo a uma espécie de agenda desregulatória: julgando entre 25% e 50% menos processos que na década passada, o Tribunal visivelmente se contrai.

---

[472] Cf. WHITTINGTON, Keith E., idem, p. 2240.

[473] Cf. WHITTINGTON, Keith E., idem, p. 2247-2249.

[474] Cf. WHITTINGTON, Keith E., idem, p. 2252.

[475] Cf. LIPTAK, Adam. *Court Is "One of Most Activist", Ginsburg Says, Vowing to Stay*. New York Times, 25 de ago. de 2013. Disponível em: <http://www.nytimes.com/2013/08/25/us/court-is--one-of-most-activist-ginsburg-says-vowing-to-stay.html?_r=0>. Acesso em: 10 de mar. de 2015.

Esta contração, porém, ao reduzir o papel da Corte como guia no desenvolvimento e no cumprimento da lei, além de arriscar a desregulação consequente em outros ramos do governo e dos estados, convive com a possibilidade de deixar que algumas injustiças graves permaneçam sem correção[476].

Portanto, riscos contados, a opção da Corte Rehnquist, que floresceu completamente na Corte Roberts, de abandono de uma agenda constitucional expansiva como a que houve sob as Cortes Warren e Burger, aponta para o regresso ao modesto papel judicial desempenhado pelo Tribunal no sistema político ao

---

[476] Cf. TRIBE, Laurence; MATZ, Joshua, idem, p. 306, 312, 313 e 377. O autor aponta, sobre as injustiças eventuais que a Corte pode ter deixado passar, sob os protestos da juíza Sotomayor, estão: um caso de pena de morte marcado por tons racistas [em que uma promotora usara, ente outras bases, o fato do réu ser negro como indicativo de maior periculosidade e, assim, argumentou que ele deveria receber a pena de morte, que ao final restou aplicada pelo Júri – cf. ESTADOS UNIDOS DA AMÉRICA. SUPREMA CORTE DOS ESTADOS UNIDOS. *Buck vs. Thaler*, 132 S. Ct. 32 (2011). Disponível em: <http://www.supremecourt.gov/opinions/ 11pdf/11-6391Sotomayor.pdf>. Acesso em: 15 de mar. de 2015]; um caso de pena de morte em que o advogado falhou ao não apresentar provas de mitigação da pena capital, que poderiam evitá-la [em que evidências indisputadas pelo estado, apresentadas por novo defensor em procedimento pós-condenação, de abusos e maus-tratos sofridos pelo condenado na infância, com diagnóstico de transtorno por *stress* pós-traumático, não foram suficientes para a Corte Estadual, que sustentou que o Júri chegaria a mesma pena capital por conta das circunstâncias do crime e da conduta do condenado em sua vida adulta – cf. ESTADOS UNIDOS DA AMÉRICA. SUPREMA CORTE DOS ESTADOS UNIDOS. *Hodge vs. Kentucky*, 133 S. Ct 506 (2012). Disponível em: <http://www.leagle.com/decision/In%20SCO%2020121203B67>. Acesso em: 15 de mar. de 2015]; e, punições cruéis e desumanas impostas a condenado portador do vírus HIV, porque decidira não tomar os seus medicamentos [no caso, *Pitre* parou de tomar os remédios em protesto pela sua transferência para uma instalação prisional, em face do que foi submetido a trabalho obrigatório à temperatura de 38ºC. Pediu para ser designado para trabalho compatível com a sua saúde, mas não foi atendido, e duas vezes chegou a ser levado para sala de emergência para atendimento. Em carta anexada ao pedido de julgamento pela Suprema Corte, assinada pelo demandado, *Cain*, estava textualmente registrada a admissão de que o preso estava "lidando dor e sofrimento desnecessários, assim como com punição cruel e não usual", porém de responsabilidade do próprio *Pitre*, que teria "trazido isso sobre si mesmo" e se "está sofrendo por causa das suas próprias escolhas, que seja assim". A Corte Estadual entendeu que isso não era suficiente para informar violação da Oitava Emenda, e a Suprema Corte não admitiu o caso à julgamento – cf. ESTADOS UNIDOS DA AMÉRICA. SUPREMA CORTE DOS ESTADOS UNIDOS. *Pitre vs. Cain*, 131 S. Ct. 8 (2010). Disponível em: <http://www.supremecourt.gov/ opinions/10pdf/09-9515.pdf>. Acesso em: 15 de mar. de 2015].

longo do século XIX[477]. Ou não! Afinal, se essa profecia haverá de se cumprir, só se saberá diante da próxima mudança de juízes na bancada[478].

2.2.2.3.2 O ativismo judicial por outros indicadores

Importa observar, ainda, pelo relevo para as análises subsequentes desta investigação, outras manifestações demonstrativas de ativismo em uma decisão judicial. Segundo LINDQUIST e CROSS, elas podem ser agrupadas em quatro categorias: *(1.)* majoritarismo e falta de deferência aos outros atores governamentais; *(2.)* instabilidade dos precedentes e infidelidade legal; *(3.)* engrandecimento institucional; e *(4.)* julgamentos resultado-orientados, ou formuladores de política[479].

a) Majoritarismo e falta de deferência aos outros atores governamentais como manifestações ativistas

Nessa categoria, como primeira expressão de majoritarismo (e, pois, falta de deferência aos ramos eleitos do governo) está o traço já destacado por WHITTINGTON, isto é, a anulação de leis, com relativa frequência, por incompatibilidade com requisitos constitucionais[480] (invalidações que, em leis federais, colocam problemas ligados à separação de poderes e teoria democrática, e, em leis estaduais e locais, levantam questões de federalismo e âmbito da soberania e autonomia[481]). Mas, aqui, a categoria engloba também o desafio judicial de atos do Legislativo (para além das leis editadas) e as ações do Executivo por meio de suas agências administrativas, tanto no plano federal quanto estadual e local[482]. Outrossim, estão contidas as decisões que afetam direitos e obrigações

---

[477] Cf. WHITTINGTON, Keith E., idem, p. 2252.

[478] Cf. TUSHNET, Mark, idem, p. 288.

[479] Cf. LINDQUIST, Stefanie A.; CROSS, Frank B. *Measuring judicial activism*. New York: Oxford University Press, 2009, p. 32.

[480] Cf. WHITTINGTON, Keith E., idem, p. 2226.

[481] Cf. LINDQUIST, Stefanie A.; SOLBERG, Rorie Spill. *Judicial Review by The Burger and Rehnquist Courts: Explaining Justice's Responses to Constitutional Challenges*. Disponível em: <http://www.utexas.edu/law/ wp/wp-content/uploads/centers/clbe/lindquist_judicial_review_by_burger_and_rehnquist_courts.pdf>. Acesso em: 5 de mar. de 2015.

[482] Cf. LINDQUIST, Stefanie A.; CROSS, Frank B., op. cit., p. 34. Os autores, no mesmo ponto, destacam que "[c]ertamente, desafiar a autoridade de legislar de um ramo coigual do governo está

de grandes grupos, que podem equivaler à chamada legislação desde a bancada, ou, simplesmente, legislação judicial, a reforçar a noção de maximalismo judicial (que sempre pode ser agravado pela imposição de remédios expansivos e, às vezes, preclusivos de políticas alternativas que poderiam ser elaboradas por outros agentes políticos para o trato do mesmo problema). Por fim, também seriam ativistas aquelas decisões que, em vez de decidirem os casos nos termos estritamente necessários, expandem o ângulo da opinião da Corte para mais além[483].

Nem sempre é claro, é preciso advertir, quando o desafio judicial de um comportamento do legislativo, ou do executivo, afetando, ou não, grandes grupos, deverá ser visto como ativismo, ou quando a fundamentação de uma opinião ultrapassa o necessário para resolver o caso e, pois, seria ativista, porquanto, em tais situações, há uma dose de subjetividade impossível de ser afastada[484].

b) Ativismo por instabilidade de precedentes e infidelidade legal

Já conforme essa outra categoria, seriam ativistas aquelas decisões que desprezam os precedentes ou que se afastam do texto legal aplicável, do seu intento original e, pois, da história (gerando, nas hipóteses, instabilidade interpretativa)[485].

No sistema da *common law* o chamado *stare decisis* (que é essencialmente a doutrina do precedente) baliza, em geral, a decisão da Corte sempre que o tema do caso já tenha sido objeto de uma decisão anterior[486]. Por isso, o "*[s]tare decisis* tem valor na tomada de decisão judicial porque ele promove a estabilidade e a predictabilidade no estado de direito e, assim, a integridade do processo judicial". Nesta leitura, decidir contra o precedente implicaria um ativismo por falta de deferência aos julgamentos das Cortes anteriores[487]. Contudo, embora a revogação

---

entre os atos mais consequentes que um juz pode realizar e assim deve tomar o lugar de honra em qualquer estudo de ativismo judicial".

[483] Cf. LINDQUIST, Stefanie A.; CROSS, Frank B., idem, p. 34-35.

[484] Cf. LINDQUIST, Stefanie A.; CROSS, Frank B., idem, p. 35.

[485] Cf. LINDQUIST, Stefanie A.; CROSS, Frank B., *idem*, p. 36.

[486] Cf. CORNELL UNIVERSITY LAW SCHOOL. LEGAL INFORMATION INSTITUTE – LII. *Stare Decisis*. Disponível em: <https://www.law.cornell.edu/wex/stare_decisis>. Acesso em: 12 de mar. de 2015. Ainda segundo a mesma fonte, *stare decisis* é expressão latina traduzível como "confiar nas coisas decididas".

[487] Cf. LINDQUIST, Stefanie A.; CROSS, Frank B., idem, p. 36.

de um precedente seja algo perceptível de modo explícito, parece óbvio que os motivos do seu abandono devem ser considerados para uma avaliação sobre se o rótulo de ativista será merecido. E aqui, mais uma vez, a adesão a uma ou outra filosofia de interpretação constitucional pode conduzir a respostas divergentes[488].

No que pertine à quebra de fidelidade em relação ao texto, a intenção original ou a história, como índice de ativismo, igualmente é preciso ter cautela. Dois julgados referidos ao longo deste capítulo (os casos *Dred Scott*[489], que concluiu que os escravos não eram "cidadãos"; e *Heller*[490], que concluiu pela existência do direito fundamental de todo o cidadão de ter e portar armas, e não apenas em uma milícia estadual) são elucidativos exemplos de decisões entregues com base em interpretação originalista/histórica do texto constitucional e que, entretanto, recebem forte crítica por serem ativistas. Ou seja, interpretar de modo originalista pode resultar, ou não, em uma decisão ativista[491].

c) Engrandecimento institucional ativista

Nessa terceira categoria, embora possam parecer um problema menor em termos de objeção contramajoritária[492], estariam a revelar ativismo aquelas decisões em temas que demonstram a expansão da autoridade judicial institucional, no

---

[488] Cf. TRIBE, Laurence H. *American Constitutional Law*. Vol. One. 3. ed. Foundation Press: New York, 2000, p. 83. O autor, a propósito, pondera que "[p]ara tomar seriamente a obrigação de ser guiado por precedente constitucional, em outras palavras, não é fazer alguma concessão completamente sem princípios à brevidade da vida, ou a alguma outra constrição exógena; antes, é perseguir uma visão de valores constitucionais mais complexa que pregar para baixo, e garantir contra as alterações (à falta de uma emenda constitucional) os entendimentos concretos da geração fundadora". Assim, "[s]e uma visão do estado de direito que entalhe um forte princípio de stare decisis é capaz de parecer refletir mais do que uma preferência essencialmente arbitrária por um tipo de estabilidade sobre outra, ou por uma fonte de sabedoria sobre outra, não é totalmente claro", mas o certo é que há posições pela relativização do princípio, e, inclusive, pela sua virtual abolição em assuntos constitucionais (cf. TRIBE, Laurence H., op. cit., p. 83, 84 e 247).

[489] Ver, supra, notas 356 e 372, sobre o caso *Dred Scott.*

[490] Ver, supra,subitem 2.2.2.2.7, letra d, sobre o caso *Heller*.

[491] Cf. LINDQUIST, Stefanie A.; CROSS, Frank B., idem, p. 37.

[492] Sobre a dificuldade contramajoritária, ver *supra* nota 192.

sentido de ouvir casos e controvérsias com potencial de esvaziar os julgamentos do Legislativo e do Executivo em casos particulares[493].

O tema coloca em xeque as chamadas doutrinas da justiciabiliade[494], criadas pela Suprema Corte ao longo da história, em interpretação do Artigo III da Constituição[495], para fixar os limites dos poderes do Judiciário federal. As doutrinas em questão, que não estão diretamente previstas na Carta e, portanto, não são obra dos *framers*[496], correspondem a: proibição contra opiniões consultivas[497];

---

[493] Cf. LINDQUIST, Stefanie A.; CROSS, Frank B., idem, p. 37.

[494] Cf. LINDQUIST, Stefanie A.; CROSS, Frank B., idem, p. 38.

[495] Eis o texto do Artigo III da Constituição dos EUA:"ARTIGO III. Seção 1.O Poder Judiciário dos Estados Unidos será investido em uma Suprema Corte e nos tribunais inferiores que forem oportunamente estabelecidos por determinações do Congresso. Os juízes, tanto da Suprema Corte como dos tribunais inferiores, conservarão seus cargos enquanto bem servirem, e perceberão por seus serviços uma remuneração que não poderá ser diminuída durante a permanência no cargo. Seção 2.A competência do Poder Judiciário se estenderá a todos os casos de aplicação da Lei e da Equidade ocorridos sob a presente Constituição, as leis dos Estados Unidos, e os tratados concluídos ou que se concluírem sob sua autoridade; a todos os casos que afetem os embaixadores, outros ministros e cônsules; a todas as questões do almirantado e de jurisdição marítima; às controvérsias em que os Estados Unidos sejam parte; às controvérsias entre dois ou mais Estados, entre um Estado e cidadãos de outro Estado, entre cidadãos de diferentes Estados, entre cidadãos do mesmo Estado reivindicando terras em virtude de concessões feitas por outros Estados, enfim, entre um Estado, ou os seus cidadãos, e potências, cidadãos, ou súditos estrangeiros. Em todas as questões relativas a embaixadores, outros ministros e cônsules, e naquelas em que se achar envolvido um Estado, a Suprema Corte exercerá jurisdição originária. Nos demais casos supracitados, a Suprema Corte terá jurisdição em grau de recurso, pronunciando-se tanto sobre os fatos como sobre o direito, observando as exceções e normas que o Congresso estabelecer. O julgamento de todos os crimes, exceto em casos de *impeachment*, será feito por júri, tendo lugar o julgamento no mesmo Estado em que houverem ocorrido os crimes; e, se não houverem ocorrido em nenhum dos Estados, o julgamento terá lugar na localidade que o Congresso designar por lei. Seção 3. ..." (cf. ESTADOS UNIDOS DA AMÉRICA. *The Constitution of the United States*. Washington: Senado Federal, 1789. Disponível em: <http://www.law.cornell.edu/constitution>. Acesso em: 26 de ago. de 2014).

[496] Cf. CHEMERINSKY, Erwin. *Constitutional Law*. Principles and Policies. 4. ed. New York: Wolters Kluwer Law & Business, 2011, p. 48.

[497] A proibição da Suprema Corte emitir opiniões consultivas está firmemente estabelecida no quadro norte-americano, como imediata decorrência da limitação do Poder Judiciário federal estabelecida pelo Artigo III da Constituição. Apensar de alguns benefícios que podem ser imaginados à falta da proibição (quando opiniões do Tribunal poderiam funcionar como guia da legislatura para prevenir a edição de normas inconstitucionais e, assim, levariam a poupança de grandes esforços

legitimidade (*standing*)[498]; maturidade (*ripeness*)[499]; permanência da controvérsia

---

legislativos), a doutrina que a sustenta se apoia: no fundamento da separação dos poderes, que garante a manutenção do Judiciário fora do processo legislativo (porquanto a Corte só pode decidir sobre disputas presentes), sem autorização para dar conselhos ao Congresso ou ao Presidente; no fundamento da economia, uma vez que a atribuição consultiva consumiria enormes recursos, financeiros e políticos, para analisar futuras leis que, talvez, nunca viessem a ser aprovadas; por fim, no fato de que a Suprema Corte só pode decidir sobre disputas específicas, claramente concretizadas, não sobre questões legais hipotéticas (cf. CHEMERINSKY, Erwin., op. cit., p. 52).

[498] CHEMERINSKY leciona que "*[s]tanding* é a determinação sobre se uma específica pessoa é a parte própria para trazer um assunto à Corte para adjudicação. A Suprema Corte tem declarado que 'em essência a questão do *standing* é sobre se o litigante está intitulado a obter que a Corte decida o mérito da disputa de questões particulares'.". O autor ainda observa que a doutrina do *standing* é considerada uma das áreas mais confusas do direito, o que é agravado por decisões judiciais erráticas: "[a] Corte não tem articulado consistentemente um teste para o *standing*; opiniões diferentes tem anunciado formulações variadas quanto aos requisitos para o *standing* em Corte Federal" [cf. CHEMERINSKY, Erwin., idem, p. 59. A citação provém da opinião da Suprema Corte em *Warth vs. Seldin*, 422 U.S. 490 (1975). Disponível em: <https://supreme.justia.com/cases/federal/ us/422/490/case.html>. Acesso em: 12 de mar. de 2015]. TUSHNET há muito critica a doutrina, argumentando que admite manipulações: "[u]ma determinação de que o requerente não tem *standing* [legitimidade] serve como um substituto para a disposição sobre o mérito. Similarmente a Corte pode manipular regras de *standing* [legitimidade] para dispor de casos sobre o mérito (...) A Corte, é claro, não admite que o *standing* serve a esta função..."; e, em conclusão, o autor afirma que embora a doutrina tenha prestado bom serviços em buscar a limitação do papel das Cortes em uma sociedade democrática, "... como um velho soldado, este é o tempo para a doutrina desaparecer" [cf. TUSHNET, Mark. V. The New Law of Standing: a Plea for Abandonment. *Cornell Law Review*, 62, 663-700 (1977), p. 699-700. Disponível em: <http://scholarship.law.cornell.edu/ cgi/viewcontent.cgi?article= 4114&context=clr>. Acesso em: 16 de mar. de 2015].

[499] Na lição de CHEMERINSKY, "[e]specificamente, a doutrina da maturidade [*ripeness*] procura separar assuntos que são prematuros para revisão, porque a lesão é especulativa e pode nunca ocorrer; daqueles casos que são apropriados para ação em cortes federais. (...) A doutrina da maturidade, limitando a revisão pré-executória, serve a muitos dos propósitos sublinhados nas outras doutrinas da justiciabilidade. A maturidade promove a separação dos poderes pela evitação da revisão judicial em situações nas quais não é necessário que as cortes federais se envolvam, porque não existem dificuldades substanciais para adiar a revisão". Entretanto, "as cortes federais têm uma grande quantidade de discrição na determinação sobre se um caso é maduro. As questões sobre se há suficiente dificuldade para permitir uma revisão pré-executória, e se o processo está adequadamente focado, não pode ser reduzido a uma fórmula. O resultado está em que é frequentemente difícil de distinguir o porquê em algumas instâncias a maturidade foi encontrada, mas

(*mootness*)[500]; e questão política[501].

em outras circunstâncias aparentemente similares ela foi negada" (cf. CHEMERINSKY, Erwin., idem, p. 104 e 106).

[500] Segundo TRIBE, enquanto a *ripeness* (maturidade) questiona se o caso já está pronto para julgamento, *mootness* (permanência da controvérsia) pergunta se já não é muito tarde: "a doutrina *mootness* centra na própria sucessão dos eventos, para garantir que uma pessoa, ou grupo, na montagem de uma reclamação constitucional confronta dano contínuo, ou um prospecto significante de dano futuro". Assim, é *moot*, aquele caso que perdeu o objeto pela passagem do tempo, e, logo, não é mais justiciável (cf. TRIBE, Laurence H., idem., p. 344).

[501] A doutrina da questão política (*political question doctrine*), igualmente uma decorrência do Artigo III da Constituição, proscreve a decisão de questões políticas pelos tribunais, desempenhando a função de separação dos poderes. A declaração alegadamente definitiva a respeito da doutrina em foco encontra-se em *Baker vs. Carr* (1962), e foi enunciada na opinião da Corte entregue pelo juiz Brennan, que o fez nos seguintes termos: "[p]roeminente na superfície de qualquer caso decidido para envolver uma questão política é encontrado: [i] um compromisso constitucional textualmente demonstrável do problema para um departamento político coordenado; ou, [ii] a falta de padrões de descoberta e gerenciamento judicial para resolvê-lo; ou, [iii] a impossibilidade de decidir sem uma política de determinação inicial, de um tipo claramente de discricionariedade não judicial; ou, [iv] a impossibilidade de um empreendimento de resolução independente da Corte, sem expressar falta do respeito devido aos ramos coordenados de governo; ou, [v] uma não usual necessidade de aderência inquestionável para com uma decisão política já feita; ou, [vi] o potencial de embaraçamento desde pronunciamentos multifários de vários departamentos sobre uma questão". Desta construção surgiram ao menos três teorias no espaço constitucional norte-americano, para definir o papel das Cortes (bem como as Cortes federais, geralmente) com respeito aos outros ramos do governo: uma *clássica*, outra *prudencial*, e, uma *funcional* [cf. TRIBE, Laurence H., idem, p. 366; cf. ESTADOS UNIDOS DA AMÉRICA. SUPREMA CORTE DOS ESTADOS UNIDOS. *Baker vs. Carr*, 369 U.S. 186(1962). Disponível em: <https://supreme.justia.com/ cases/federal/ us/369/186/case.html>. Acesso em: 15 de mar. de 2015]. A *clássica* toma de forma bem rígida o papel do Judiciário, tal como enunciado em *Marbury vs. Madison* (1803), isto é, impõe a ele o dever de decidir todos os casos que lhe forem submetidos, a menos que a Corte reconheça, por uma simples questão de interpretação constitucional, que a própria Carta comete a decisão sobre o caso, de forma autônoma, a outro ramo/agência do governo (cf. TRIBE, Laurence H., idem, p. 366. Sobre o caso *Marbury vs. Madison*, ver,*supra*,subitem 2.2.1). WECHSLER defende esta teoria: "[e]u não tenho a menor dúvida com respeito a legitimidade da revisão judicial, quer a ação submetida a questionamento em um caso, a qual, de outro modo, é própria para adjudicação, seja legislativa ou executiva, federal ou estadual (...) É verdade, e eu não pretendo ignorá-la, que as próprias cortes consideram algumas questões como 'políticas', significando, desse modo, que elas não estão para ser resolvidas judicialmente, embora elas envolvam interpretação constitucional e surjam no curso de um litígio (...) tudo que a doutrina pode defensavelmente sugerir é que as

Essas doutrinas correspondem a limitações[502], ou àquilo que BICKEL chamou de *virtudes passivas*[503], que se entroncam desde as constrições constitucionais que

---

cortes são chamadas a julgar se a Constituição cometeu a outra agência do governo a autônoma determinação do problema surgido, uma descoberta que, em si, requer interpretação (...) Se eu posso colocar o meu ponto novamente, ... o único julgamento apropriado que pode levar a uma abstenção de decidir está em que a Constituição tenha cometido a determinação do problema a outra agência do governo que não as cortes" (cf. WECHSLER, Herbert. *Principles, Politics and Fundamental* Law. Selected Essays. Cambridge: Harvard University Press, 1961, p. 4, 11 e 13). A teoria *prudencial* toma a doutrina da questão política como um meio para evitar a decisão de mérito em um caso se, ao fazê-lo, a Corte vier a comprometer um princípio importante, ou a minar a sua autoridade (cf. TRIBE, Laurence H., idem, p. '[]366). A teoria *prudencial* é defendida por BICKEL: "[o] fato essencialmente importante, tão frequentemente perdido, é que a Corte exerce um poder triplo. Ela pode derrubar legislação como inconsistente com princípio. Ela pode validar, ou, em melhores palavras de Charles L. Black, 'legitimar' legislação como consistente com princípio. *Ou ela pode fazer nenhuma*. Ela pode fazer nenhuma, e aí reside o segredo de sua habilidade para manter-se na tensão entre princípio e conveniência. Quando ela derruba política legislativa, a Corte precisa agir rigorosamente em princípios, senão ela mina a justificação para o seu poder" (cf. BICKEL, Alexander M. *The Least Dangerous Branch*. The Supreme Court at the bar os politics. 2. ed. New Haven: Yale University Press, 1962, p. 69). Por fim, a teoria *funcional* propõe considerar o papel das Cortes, e a determinação sobre devem, ou não, decidir em um certo caso ou problema, em vista de fatores como as dificuldades em obter acesso judicial a informações relevantes, a necesside de uniformização de decisões, e as mais amplas responsabilidades dos outros ramos do governo (cf. TRIBE, Laurence H., idem, p. 366). Consideradas as teorias, e retornando aos caracteres enunciados por Brennan em *Baker vs. Carr*, TRIBE situa a característica *i* como reflexo de preocupações *clássicas*; as características *iv*, *v* e *vi* como ligadas à abordagem *prudencial*; e, as características *ii* e *iii* como vinculadas à leitura *funcional* (cf. TRIBE, Laurence H., idem, p. 366-367).

[502] Cf. LINDQUIST, Stefanie A.; CROSS, Frank B., idem, p. 38.

[503] As doutrinas da justiciabilidade, segundo BICKEL, "criam um atraso de tempo entre legislação e adjudicação, bem como de deslocamento da linha de visão. Em consequência, amortece o choque entre o Tribunal e qualquer maioria legislativa e fortalece a mão do Tribunal em ganhar aceitação por seus princípios" (cf. BICKEL, Alexander M., op. cit., p. 116). Este traço da *judicial review*, obsevado por DAHL em pesquisa no final dos anos 1950, levou o autor a afirmar – ao contrário de BICKEL – que não haveria realmente a dita dificuldade contramajoritária, na exata medida em que a Corte geralmente derruba estatutos aprovados por maiorias nacionais quando elas já não se encontram no poder. Pela observação de DAHL, a Corte costuma manter as suas decisões alinhadas "com as visões políticas dominantes entre as maiorias legislativas [isto é, a Presidência e o Congresso], porquanto os poderes do Tribunal no seu processo de decisão evoluíram "para

restringem o poder de revisão judicial federal a *casos* e *controvérsias* (nos precisos termos do Artigo III) presentes e vivos, e servem para isolar o Judiciário federal das decisões de questões políticas, a serem melhor resolvidas pelos ramos eleitos do governo[504].

É fundamental observar que a Suprema Corte dos EUA exerce controle discricionário praticamente total sobre a sua distribuição, isto é, ela decide quais apelações vai admitir para revisão (o que se dá por meio do processo conhecido como *writ of certiorari*, pelo qual a parte primeiro se dirige à Corte requendo a admissão do seu recurso, e desta deliberação vai depender a futura apreciação, ou não, do tema subjacente pelo Tribunal). Portanto, quando a Corte interpreta essas doutrinas da justiciabilidade de uma forma mais liberalizante, admitindo mais *casos* e *controvérsias* a julgamento, é possível identificar atuação ativista[505].

d) Ativismo em julgamentos resultado-orientados

Por derradeiro, na última categoria, os chamados julgamentos resultado-orientados, ou formuladores de política, também podem configurar manifestações de ativismo judicial. A dimensão de crítica, por certo, exclui o atuar ativista inerente à função judicial, isto é, quando a argumentação utilizada deixa clara a perfeita justificação legal da opinião entregue, ainda que derrube lei/ato de outro ramo eleito do governo (*v.g.*, ninguém discutiria o acerto da anulação judicial de uma lei que abolisse a propriedade privada, ou que legalizasse a escravidão). A crítica,

---

conferir legitimidade nas políticas fundamentais da coalização bem-sucedida" [cf. DAHL, Robert. Decision-Making in a Democracy: The Supreme Court as a National Policy-Maker.6 *Journal of Public Law* 279-295 (1957), p. 285 e 294]. LINDQUIST e CROSS afirmam que pesquisas posteriores confirmaram a constatação de DAHL, e mesmo sob a Chefia de Warren a Corte agia principalmente para invalidar estatutos locais que poderiam não ter apoio em escala nacional. Daí a sua conclusão: "[d]e fato, a Suprema Corte não é verdadeiramente uma instituição de elite desobridada de prestar contas [*unaccoutable*] que impõe a sua vontade sobre o público. Sem o poder da bolsa e da espada, a Corte é dependente do apoio dos outros ramos e da opinião pública para a concretização dos seus julgamentos" (cf. LINDQUIST, Stefanie A.; CROSS, Frank B., idem, p. 27).

[504] Cf. LINDQUIST, Stefanie A.; CROSS, Frank B., idem, p. 38.

[505] Cf. LINDQUIST, Stefanie A.; CROSS, Frank B., idem, p. 38.

pois, está circunscrita à ação de "derrubar legislação como inconstitucional, quando isso é feito para perseguir preferências políticas pessoais dos juízes"[506].

Também aqui, porém, é preciso cuidado na análise: afora as situações extremas (como as acima exemplificadas), haverá uma larga zona cinzenta na qual decisões serão, ou não, cotadas como ativistas, a depender do ponto de vista do próprio crítico (leia-se, da sua orientação ideológica)[507]. Isso, aliás, explica bem o porquê de Cortes tidas por mais conservadoras, ou mais liberais, terem sido igualmente taxadas de ativistas. De fato, como a beleza, parece que a convicção quanto a sua presença está nos olhos do observador[508].

* * * *

Feitas essas observações, ainda cabe dizer que, atualmente, embora a franca prevalência da associação negativa do termo ativismo, surgem propostas para se obter uma redefinição neutra. EASTERBROOK sustenta que "é melhor encontrar uma definição neutra da palavra. Então nós poderemos perguntar quais juízes são '*ativistas*' (e quando), e somente depois disso avaliar se eles se comportaram bem ou de forma pobre"[509]. Em linha semelhante, SHERRY propõe que, "para evitar esta armadilha, nós precisamos de uma definição de ativismo judicial sem equivalência política"[510].

Por ora, sem a vã pretensão de solucionar um problema de mais de duzentos anos, anotamos o movimento no sentido de uma redefinição do termo, mas procuramos destacar as possíveis situações em que, na semântica tradicional, uma decisão pode ser identificada como ativista. Nos desdobramentos da nossa reflexão, e à luz dessas premissas, investigaremos se uma intervenção judiciária nas desumanidades em curso na maior parte das penitenciárias brasileiras

---

[506] Cf. LINDQUIST, Stefanie A.; CROSS, Frank B., idem, p. 39.

[507] Cf. LINDQUIST, Stefanie A.; CROSS, Frank B., idem, p. 39. Noutro ponto os autores afirmam que a acusação de ativismo, ao fim e ao cabo, "depende de quem é o boi ideológico que está sendo chifrado" (cf. LINDQUIST, Stefanie A.; CROSS, Frank B., idem, p. 9).

[508] Cf. SHERRY, Suzanna, op. cit., p. 16.

[509] Cf. EASTERBROOK, Frank H. Do Liberarls and Conservatives Differ in Judicial Activism?73 *University of Colorado Law Review* 1403-1416 (2002), p. 1403. Disponível em: <http://chicagounbound.uchicago.edu/cgi/ viewcontent.cgi?article=2135&context=journal_articles>. Acesso em: 15 de mar. de 2015.

[510] Cf. SHERRY, Suzanna, idem, p. 3.

poderia representar uma intervenção ativista. Antes, porém, é preciso averiguar o quadro dos direitos fundamentais das pessoas privadas de liberdade. É o que faremos a seguir.

CAPÍTULO 3
DIREITOS FUNDAMENTAIS DAS PESSOAS PRIVADAS DE LIBERDADE NO BRASIL E A EXEQUIBILIDADE HUMANITÁRIA DO ENCARCERAMENTO COMO CONDIÇÃO (MATERIAL) DE SUA POSSIBILIDADE

3.1 DIREITOS FUNDAMENTAIS DAS PESSOAS PRIVADAS DE LIBERDADE NO BRASIL

> "O que se percebe, em última análise, é que onde não houver respeito pela vida e pela integridade física do ser humano, onde as condições mínimas para uma existência digna não forem asseguradas, onde a intimidade e identidade do indivíduo forem objeto de ingerências indevidas, onde sua igualdade relativamente aos demais não for garantida, bem como onde não houver limitação do poder, não haverá espaço para a dignidade da pessoa humana, e esta não passará de mero objeto de arbítrio e injustiças. A concepção do homem-objeto, como visto, constitui justamente a antítese da noção da dignidade da pessoa humana." (SARLET, 2015)[511]

3.1.1 Pessoas privadas de liberdade: conceito e delimitação dos interesses da investigação

A Comissão Interamericana de Direitos Humanos, considerando, entre outras razões, "a crítica situação de violência, superlotação e falta de condições dignas de vida em diferentes locais de privação de liberdade nas Américas"[512],

---

[511] Cf. SARLET, Ingo Wolfgang. *A Eficácia dos Direitos Fundamentais*. Uma teoria geral dos direitos fundamentais na perspectiva constitucional. 12. ed. Porto Alegre: Livraria do Advogado, 2015, p. 105-106.

[512] E a Comissão complementa: "bem como a especial situação de vulnerabilidade das pessoas com deficiência mental privadas de liberdade em hospitais psiquiátricos e em instituições penitenciárias;

e tendo em vista decisões que emitiu em casos diversos, com denúncias de violações que tiveram lugar em instalações militares, aeroportos, instalações da Interpol, centros clandestinos de detenção, bases navais, hospitais psiquiátricos, orfanatos, centros de imigrantes, entre outros, todos locais distintos de centros penitenciários ou policiais[513], entendeu por bem adotar um conceito ampliado para definir privação de liberdade, fazendo-o nos seguintes termos:

> "Qualquer forma de detenção, encarceramento, institucionalização ou custódia de uma pessoa, por razões de assistência humanitária, tratamento, tutela ou proteção, ou por delitos e infrações à lei, ordenada por uma autoridade judicial ou administrativa ou qualquer outra autoridade, ou sob seu controle de fato, numa instituição pública ou privada em que não tenha liberdade de locomoção. Incluem-se nessa categoria não somente as pessoas privadas de liberdade por delitos ou infrações e descumprimento da lei, independentemente de terem sido processadas ou condenadas, mas também aquelas que estejam sob a custódia e a responsabilidade de certas instituições, tais como hospitais psiquiátricos e outros estabelecimentos para pessoas com deficiência física, mental ou sensorial; instituições para crianças e idosos; centros para migrantes, refugiados, solicitantes de asilo ou refúgio, apátridas e indocumentados; e qualquer outra instituição similar destinada a pessoas privadas de liberdade."[514]

---

e a situação de grave risco em que se encontram as crianças, as mulheres e os idosos confinados em outras instituições públicas e privadas; os migrantes, os solicitantes de asilo ou de refúgio; os apátridas e indocumentados; bem como as pessoas privadas de liberdade no âmbito dos conflitos armados" (cf. ORGANIZAÇÃO DOS ESTADOS AMERICANOS (OEA). Princípios e Boas Práticas para a Proteção das Pessoas Privadas de Liberdade nas Américas. Resolução 1/08, de 13 de mar. de 2008. Washington: Comissão Interamericana de Direitos Humanos (CIDH), 2009, p. 3. Disponível em: <http://www.cidh.org/pdf%20files/PRINCIPIOS%20PORT.pdf>. Acesso em: 6 de maio de 2015).

[513] Cf. ORGANIZAÇÃO DOS ESTADOS AMERICANOS (OEA). *Informe sobre los derechos de las personas privadas de libertad en las Américas*. Washington: Comissão Interamericana de Direitos Humanos (CIDH), 2011, p. 14-15. Disponível em: <http://www.oas.org/es/cidh/ppl/docs/pdf/ppl2011esp.pdf>. Acesso em: 6 de maio de 2015).

[514] Cf. ORGANIZAÇÃO DOS ESTADOS AMERICANOS (OEA). Princípios e Boas Práticas para a Proteção das Pessoas Privadas de Liberdade nas Américas. *Resolução 1/08*, de 13 de mar. de 2008. Washington: Comissão Interamericana de Direitos Humanos (CIDH), 2009, p. 5.

O conceito, portanto, de privação de liberdade, se organiza em torno das ideias de *(i)* ausência de liberdade de locomoção e de *(ii)* imposição desta ausência (à revelia, pois, da vontade da pessoa alvo da medida). E é absoluto o acerto da Comissão, não há dúvida, em alargá-lo até o seu limite máximo, tendo em vista a necessária observância dos direitos humanos nos variados âmbitos em que o tolhimento da liberdade de locomoção de uma pessoa pode ocorrer.

A presente investigação, entretanto, delimita o seu foco de interesse na situação das pessoas privadas de liberdade no Brasil em centros penitenciários ou policiais[515]. Anotamos que, embora essa delimitação feita, e em medida quase predominante, as reflexões e conclusões do trabalho também se estendem aos adolescentes em conflito com a lei, internados em instalações próprias, e de adultos sob internação em centros psiquiátricos forenses pelo País – todos igualmente recolhidos em razão de fatos de natureza criminal.

Nessa moldura, convivemos com três classes distintas de pessoas privadas de liberdade em nossos sistema penitenciário e centros policiais. Temos: *(i)* os presos ditos "definitivos", que são aqueles em execução de pena privativa de liberdade definida por sentença transitada em julgado; *(ii)* os presos ditos "processuais", ou "provisórios", que são aqueles em execução de alguma das espécies de prisão no curso da persecução penal existentes no País (que, por seu turno, são de três tipos: a prisão em flagrante, a prisão temporária e a prisão preventiva[516]); e *(iii)* os presos inadimplentes de obrigação alimentar judicialmente fixada.

Disponível em: <http://www.cidh.org/pdf %20files/PRINCIPIOS%20PORT.pdf>. Acesso em: 6 de maio de 2015

[515] Também em centros policiais porque, como se sabe, em vários estados do Brasil muitas pessoas permanecem encarceradas em celas de Delegacias de Polícia. Segundo o Departamento Penitenciário Nacional, em junho de 2013 haviam 7619 vagas na "Polícia Judiciária do Estado (Polícia Civil/SSP)", embora não constem dados a respeito da ocupação, ou sobreocupação (o que é mais provável) destas vagas (cf. BRASIL. MINISTÉRIO DA JUSTIÇA. DEPARTAMENTO PENITENCIÁRIO NACIONAL. Sistema Integrado de Informações Penitenciárias – INFOPEN. . Todas UF's. Jun. 2013. Disponível em: <http://www.justica.gov.br/seus-direitos/politica-penal/transparencia-institucional/estatisticas-prisional/ anexos-sistema-prisional/total-brasil-junho-2013.pdf>. Acesso em: 5 de maio de 2015).

[516] A prisão em flagrante está prevista entre os arts. 301 e 310 do CPP. A prisão preventiva está disciplinada entre os arts. 311 e 316 do CPP (cf. BRASIL. Código de Processo Penal. Decreto-Lei n. 3.689 de 3 de out. de 1941. *Diário Oficial da União*, Rio de Janeiro, 13 de out. de 1941, retificado em 24 de out. de 1941). A prisão temporária foi introduzida e regulamentada pela Lei

Os presos da primeira classe, é sempre bom frisar, são aqueles definitivamente condenados, à pena privativa de liberdade, no mérito, isto é, em decisão que julgou o caso penal, ou o fato penal, como leciona LOPES JR. Em definitivo porque não recorreram das suas condenações, ou porque, tendo recorrido, perderam os recursos aviados com vistas a sua reversão. Em um primeiro momento teremos a ocorrência da chamada coisa julgada formal, quando é atingida a imutabilidade interna da decisão (no âmbito, pois, do próprio processo) e, posteriormente a isso, quando a imutabilidade da sentença se projeta para o exterior (com eficácia para impedir "novos processos penais sobre o mesmo caso"), ocorre a chamada coisa julgada material[517]. Assim sendo, não se admite o ingresso no sistema penitenciário/centros de polícia, para o cumprimento de pena privativa de liberdade, daqueles que ainda aguardam a apreciação de recurso interposto contra a decisão que a tanto os condenou. Só após a respectiva certificação do trânsito em julgado (ou seja, depois da verificação formal e material da coisa julgada) é que esse tipo de encarceramento será possível[518].

---

n. 7.960/89 (cf. BRASIL. Lei n. 7.960 de 21 de dez. de 1989. *Diário Oficial da União*, Brasília, 22 de dez. de 1989). Ainda, cf. LOPES JR., Aury. *Direito Processual Penal.* 11. ed. São Paulo: Saraiva, 2014, 822-849 (sobre prisão em flagrante); p. 849-900 (sobre prisão preventiva); e, 901-905 (sobre prisão temporária).

[517] Cf. LOPES JR., Aury, op. cit., p. 1147-1148.

[518] Frisamos, como dito, esses aspectos, por uma razão histórica e, ainda, por conta de um risco de retrocesso inconstitucional à vista. Do ponto de vista histórico, porque a partir do julgamento do *Habeas Corpus* n. 72.366 (em 13 de set. de 1995), o próprio Tribunal abraçara o entendimento (por seis votos contra cinco) de que seria possível ultimar a execução de uma pena criminal "provisoriamente", isto é, na pendência de julgamento de um recurso defensivo (portanto, sem coisa julgada material / sem trânsito em julgado da decisão condenatória), mesmo que o réu tivesse respondido em liberdade e não houvesse razões para decretar a sua prisão preventiva (cf. BRASIL. SUPREMO TRIBUNAL FEDERAL. *Habeas Corpus* n. 72.366. J. em 13 de set. de 1995. *Diário da Justiça*, Brasília, 26 de nov. de 1999). Só com a superveniência do julgamento do *Habeas Corpus* n. 84.078 (em 5 de fev. de 2009), é que o STF veio a retratar esta posição, afirmando a postura que sustenta até hoje, no sentido de que a chamada execução "provisória" da pena viola a garantia constitucional da presunção de inocência (CF, art. 5º, inc. LVII), a ampla defesa (CF, art. 5º, inc. LV) e a dignidade da pessoa humana (CF, art. 1º, inc. III), do que resulta a sua inconstitucionalidade e, pois, a inviabilidade de sua aplicação. Eis a parte fundamental da ementa do caso: "HABEAS CORPUS. INCONSTITUCIONALIDADE DA CHAMADA 'EXECUÇÃO ANTECIPADA DA PENA'. ART. 5º, LVII, DA CONSTITUIÇÃO DO BRASIL. DIGNIDADE DA PESSOA HUMANA. ART. 1º, III, DA CONSTITUIÇÃO DO BRASIL. 1. O art. 637 do CPP estabelece

que '[o] recurso extraordinário não tem efeito suspensivo, e uma vez arrazoados pelo recorrido os autos do traslado, os originais baixarão à primeira instância para a execução da sentença'. A Lei de Execução Penal condicionou a execução da pena privativa de liberdade ao trânsito em julgado da sentença condenatória. A Constituição do Brasil de 1988 definiu, em seu art. 5º, inciso LVII, que 'ninguém será considerado culpado até o trânsito em julgado de sentença penal condenatória'. 2. Daí que os preceitos veiculados pela Lei n. 7.210/84, além de adequados à ordem constitucional vigente, sobrepõem-se, temporal e materialmente, ao disposto no art. 637 do CPP. 3. A prisão antes do trânsito em julgado da condenação somente pode ser decretada a título cautelar. 4. A ampla defesa, não se a pode visualizar de modo restrito. Engloba todas as fases processuais, inclusive as recursais de natureza extraordinária. Por isso a execução da sentença após o julgamento do recurso de apelação significa, também, restrição do direito de defesa, caracterizando desequilíbrio entre a pretensão estatal de aplicar a pena e o direito, do acusado, de elidir essa pretensão. 5. Prisão temporária, restrição dos efeitos da interposição de recursos em matéria penal e punição exemplar, sem qualquer contemplação, nos 'crimes hediondos' exprimem muito bem o sentimento que EVANDRO LINS sintetizou na seguinte assertiva: '[n]a realidade, quem está desejando punir demais, no fundo, no fundo, está querendo fazer o mal, se equipara um pouco ao próprio delinquente'. 6. A antecipação da execução penal, ademais de incompatível com o texto da Constituição, apenas poderia ser justificada em nome da conveniência dos magistrados – não do processo penal. A prestigiar-se o princípio constitucional, dizem, os tribunais [leia-se STJ e STF] serão inundados por recursos especiais e extraordinários e subsequentes agravos e embargos, além do que 'ninguém mais será preso'. Eis o que poderia ser apontado como incitação à 'jurisprudência defensiva', que, no extremo, reduz a amplitude ou mesmo amputa garantias constitucionais. A comodidade, a melhor operacionalidade de funcionamento do STF não pode ser lograda a esse preço. (...) 8. Nas democracias mesmo os criminosos são sujeitos de direitos. Não perdem essa qualidade, para se transformarem em objetos processuais. São pessoas, inseridas entre aquelas beneficiadas pela afirmação constitucional da sua dignidade (art. 1º, III, da Constituição do Brasil). É inadmissível a sua exclusão social, sem que sejam consideradas, em quaisquer circunstâncias, as singularidades de cada infração penal, o que somente se pode apurar plenamente quando transitada em julgado a condenação de cada qual Ordem concedida" (cf. BRASIL. SUPREMO TRIBUNAL FEDERAL. *Habeas Corpus* n. 84.078. J. em 5 de fev. de 2009. *Diário da Justiça Eletrônico*, Brasília, 25 de fev. de 2010). Adite-se, ainda, que o Poder Legislativo, transpondo esta orientação jurisprudencial para a lei, alterou o CPP em 2011, dispondo o seguinte texto no seu art. 283: "[n]inguém poderá ser preso senão em flagrante delito ou por ordem escrita e fundamentada da autoridade judiciária competente, em decorrência de sentença condenatória transitada em julgado ou, no curso da investigação ou do processo, em virtude de prisão temporária ou prisão preventiva" (cf. BRASIL. Código de Processo Penal. Decreto-Lei n. 3.689 de 3 de out. de 1941. *Diário Oficial da União*, Rio de Janeiro, 13 de out. de 1941, retificado em 24 de out. de 1941). Sobre o risco de retrocesso, por outro lado, veja-se a seguinte notícia, que prenuncia possível alteração inconstitucional do

Observamos, ainda, que os presos "definitivos" se distribuem por regimes prisionais que se desdobram na execução da pena (são os regimes fechado, semiaberto e aberto, com possíveis progressão ou regressão entre eles[519]). Ainda

---

regramento processual brasileiro para "legalizar" a execução penal provisória: "[a] Associação dos Juízes Federais do Brasil (Ajufe) apresentou ontem (29) ao Senado o anteprojeto de lei que reforma o Código de Processo Penal para permitir a prisão de condenados por crimes graves em segunda instância ou pelo Tribunal do Júri. Com isso, os condenados aguardariam já presos o julgamento de seus recursos. A ideia original é do juiz federal Sergio Fernando Moro, para quem "*a mudança, mais do que qualquer outra, é essencial para resgatar a efetividade do processo penal que deve funcionar para absolver o inocente e punir o culpado como regra e não como exceção*". A proposição é assinada pelos senadores Roberto Requião (PMDB-PR), Aloysio Nunes Ferreira (PSDB-SP), Álvaro Dias (PSDB-PR) e Ricardo Ferraço (PMDB-ES). Eles concordam com a manifestação da Ajufe para quem "*não é razoável transformar uma condenação criminal, ainda que sujeita a recursos, em um nada jurídico, como se não representasse qualquer alteração na situação jurídica do acusado*". O texto encaminhado ao Senado prevê que, nos casos de crimes hediondos, de tráfico de drogas, tortura, terrorismo, corrupção ativa ou passiva, peculato e lavagem de dinheiro, o condenado seja conservado preso quando não tiverem cessado as causas que motivaram a decretação ou a manutenção da prisão cautelar. A inovação é a possibilidade de decretação da prisão preventiva, se for imposta – pelo tribunal que julgar a apelação – pena privativa de liberdade superior a quatro anos por esses mesmos crimes, mesmo quando o condenado respondeu o processo em liberdade, "*salvo se houver garantias de que o condenado não irá fugir ou não irá praticar novas infrações penais*". Pela proposta, a decretação da prisão deverá considerar, entre outros elementos, a culpabilidade e os antecedentes do condenado, as consequências e a gravidade do crime, bem como se o produto dele foi ou não recuperado e se houve ou não reparação do dano. Todavia o STJ e/ou o STF poderão atribuir efeito suspensivo ao recurso, quando verificado que este não tem propósito meramente protelatório e levantar questões substanciais que possam levar à revisão da condenação. Regras similares são previstas para a condenação pelo Tribunal do Júri devido à soberania dos veredictos" (REVISTA CONSULTOR JURÍDICO. *Chega ao Senado o projeto de lei que permite a prisão após condenação em segunda instância.* Edição de 30 de jun. de 2015. Disponível em: <http://www.conjur.com.br/2015-jun-29/ajufe-apresenta-pl-permite-prisao-condenados-instancia>. Acesso em: 7 de maio de 2015).

[519] Sobre as penas privativas de liberdade e os regimes prisionais: CP, arts. 33 a 37 (cf. BRASIL. Código Penal. Decreto-Lei n. 2.848 de 7 de dez. de 1940. *Diário Oficial da União*, Rio de Janeiro, 31 de dez. de 1940, retificado em 3 de jan. de 1941); e, sobre os locais de cumprimento da pena para cada regime (fechado, em penitenciária; semiaberto, em colônia penal agrícola, industrial ou similar; e, aberto, em casa de albergado), progressividade e regressividade, LEP, arts. 87 a 95 e 112 a 119 (cf. BRASIL. Lei de Execução Penal. Lei n. 7.210. *Diário Oficial da União*, Brasília, 13 de jul. de 1984).

que os presos não tenham a liberdade de locomoção inteiramente suprimida nos regimes semiaberto (quando o sujeito realiza o chamado "trabalho externo" – CP, art. 34, §3º) ou aberto (CP, art. 36. §1º), nos quais podem sair para atender a trabalho ou estudo, retornando à segregação para os pernoites, e ao longo de todos os dias dos fins de semana e feriados[520], consideramos todos, porque se encontram inseridos no sistema penitenciário ou em centros de detenção policial, como pessoas privadas de liberdade de interesse para o trabalho.

Já os presos da segunda classe, processuais, nos interessam porque também permanecem com a sua liberdade de locomoção suprimida por inteiro, em nada diferindo, nesse segmento, dos presos em execução de penas em regime fechado, sendo que ficam encarcerados, em geral[521] [522], nas mesmas unidades que estes.

---

[520] Cf. BRASIL. Código Penal. Decreto-Lei n. 2.848 de 7 de dez. de 1940. *Diário Oficial da União*, Rio de Janeiro, 31 de dez. de 1940, retificado em 3 de jan. de 1941.

[521] Ressalva-se a possibilidade, introduzida por modificação do CPP operada pela Lei n. 12.403/2011, da aplicação, em lugar da prisão preventiva (em caráter, pois, substitutivo – cf. o art. 318 do CPP), da prisão domiciliar (CPP, art. 317). Trata-se, portanto, apenas de uma forma diversa de cumprimento da prisão preventiva (já que os seus requisitos de aplicação – dos arts. 312 a 314 do CPP – terão que estar preenchidos) aos casos especificados (nos incs. do art. 318 do CPP) (cf. BRASIL. Código de Processo Penal. Decreto-Lei n. 3.689 de 3 de out. de 1941. *Diário Oficial da União*, Rio de Janeiro, 13 de out. de 1941, retificado em 24 de out. de 1941).

[522] Ressalva-se, também, a chamada prisão especial, que igualmente é forma de cumprimento de uma prisão processual no caso de o desfavorecido ser alguma das pessoas listadas no art. 295 do Código de Processo Penal, situação em que a lei garante que estas não sejam mantidas juntamente com os presos comuns (cf. BRASIL. Código de Processo Penal. Decreto-Lei n. 3.689 de 3 de out. de 1941. *Diário Oficial da União*, Rio de Janeiro, 13 de out. de 1941, retificado em 24 de out. de 1941). Vale observar que todo o preso processual deve ser separado do preso em execução de pena (cf. o art. 84 da LEP, que dispõe: "[o] preso provisório ficará separado do condenado por sentença transitada em julgado"), sendo que os presos especiais devem ser separados destes, inclusive. Este tratamento diferenciado para algumas pessoas, como historia LOPES JR., quase caiu por ocasião da votação do PL 4208, que veio a se tornar a Lei n. 10.403/2011, que alterou o CPP no referido art. 295. Entretanto, a prisão especial acabou sendo mantida, como de resto também existe na Lei Orgânica da Magistratura (no art. 33, inc, III – cf. BRASIL. Lei Complementar n. 35, de 14 de mar. de 1979. Dispõe sobre a Lei Orgânica da Magistratura Nacional. *Diário Oficial da União*, Brasília, 14 de mar. de 1979), na Lei Orgânica do Ministério Público (no art. 40, inc. V – cf. BRASIL. Lei n. 8.625, de 12 de fev. de 1993. Institui a Lei Orgânica do Ministério Público. *Diário Oficial da União*, Brasília, 15 de fev. de 1993) e, ainda, no Estatuto da Advocacia e da OAB (no seu art. 7º, inc. V – cf. BRASIL. Lei n. 8.906, de 4 de jul. de 1994. Dispõe sobre o Estatuto da

Por derradeiro, o alimentante, entendido, na dicção da Carta brasileira, como o "responsável pelo inadimplemento voluntário e inescusável de obrigação alimentícia" (CF, art. 5º, inc. LXVII)[523], um preso, portanto, por uma dívida de natureza civil[524], nos interessa porque também ele é recolhido ao sistema penitenciário ou centros de polícia[525]. No ponto, por incrível que pareça, não há uma lei que assegure a forma deste encarceramento, que ocorre em distintas unidades prisionais pelo País[526].

Advocacia e a Ordem dos Advogados do Brasil (OAB). *Diário Oficial da União*, Brasília, 5 de jul. de 1994). Neste, garante-se que a prisão especial se cumpra em "sala de Estado-Maior", à falta da qual deve ser aplicada prisão domiciliar. O STF julgou constitucionais estas previsões do Estatuto da Advocacia e da OAB, explicitou em que consiste a aludida sala de Estado-Maior, e, decidiu que as regras gerais do art. 295 do CPP – no que toca a possibilidade de recolhimento em celas coletivas, desde que em ambiente separado dos presos comuns, cf. o §3º, do art. 295 – não se aplicam, mantendo-se o regramento do Estatuto profissional do advogado (cf. BRASIL. SUPREMO TRIBUNAL FEDERAL. *Ação Direita de Inconstitucionalidade* n. 1.127. J. 17 de maio de 2006. *Diário da Justiça Eletrônico*, Brasília, 10 de jun. de 2010; cf. BRASIL. SUPREMO TRIBUNAL FEDERAL. *Habeas Corpus* n. 88.702. J. 19 de set. de 2006. *Diário da Justiça*, Brasília, 24 de nov. de 2006; e, cf. BRASIL. SUPREMO TRIBUNAL FEDERAL. Reclamaçãon. 4.535. J. 7 de maio de 2007. *Diário da Justiça*, Brasília, 15 de jun. de 2007). Referência doutrinária cf. LOPES JR., Aury, idem, p. 910-912.

[523] Cf. BRASIL. Constituição da República Federativa do Brasil. *Diário Oficial da União*, Brasília, 5 de out. de 1988.

[524] Trata-se da única hipótese admitida de prisão civil por dívidas, no plano normativo interamericano e brasileiro. Sobre o tema ver, infra, subitem 3.1.2.1 e notas 547 a 549 e 648.

[525] O encarceramento é tratado como "pena" pela legislação processual civil, que também estabelece o quantum mínimo e máximo aplicável: "Art. 733. Na execução de sentença ou de decisão, que fixa os alimentos provisionais, o juiz mandará citar o devedor para, em 3 (três) dias, efetuar o pagamento, provar que o fez ou justificar a impossibilidade de efetuá-lo. §1o Se o devedor não pagar, nem se escusar, o juiz decretar-lhe-á a prisão pelo prazo de 1 (um) a 3 (três) meses. §2o O cumprimento da pena não exime o devedor do pagamento das prestações vencidas e vincendas. §3o Paga a prestação alimentícia, o juiz suspenderá o cumprimento da ordem de prisão" (cf. BRASIL. Código de Processo Civil. Lei n. 5.869 de 11 de jan. de 1973. *Diário Oficial da União*, Brasília, 17 de jan. de 1973, republicado em 27 de jul. de 2006).

[526] Defendendo que os alimentantes presos devem ser mantidos em albergues, juntamente com os condenados em execução da pena em regime aberto, com a possibilidade de saída e trabalho, até porque, só assim, terão – por suas próprias forças – as condições financeiras necessárias à satisfação do débito alimentar, no óbvio interesse do alimentado, com o que concordamos, ver em CABRAL, Lilian Alexandre. *A possibilidade do regime aberto nos casos de prisão alimentícia*. Disponível em:

Delimitado, assim, o universo das pessoas no foco de atenção do trabalho, passamos à análise dos direitos fundamentais aplicáveis.

3.1.2 Direitos fundamentais das pessoas privadas de liberdade

3.1.2.1 Por um conceito de direitos fundamentais

Interessa-nos a análise dos direitos fundamentais "enquanto direitos jurídico-positivamente vigentes" em nossa ordem constitucional, isto é, aqueles direitos do indivíduo tidos por naturais, inalienáveis, incorporados/positivados na Constituição[527]. Ou, ainda, fundamentais porque sem eles "a pessoa humana não se realiza, não convive e, às vezes, nem mesmo sobrevive"; fundamentais *do homem* pois, por imperativo da igualdade, a todos "devem ser, não apenas formalmente reconhecidos, mas concreta e materialmente efetivados"[528].

Com enfoque, então, no plano normativo, são direitos fundamentais no Brasil aqueles previstos nos arts. 5º a 17 da Constituição Federal, agrupados sob o Título II, "Dos Direitos e Garantias Fundamentais". Igualmente fundamentais são os direitos enunciados pelo §2º, do art. 5º da Carta, "decorrentes do regime e dos princípios por ela adotados, ou dos tratados internacionais em que a República Federativa do Brasil seja parte", o que veio complementado, a partir da Emenda Constitucional n. 45/2004, pelo disposto no §3º: "Os tratados e convenções internacionais sobre direitos humanos que forem aprovados, em cada Casa do Congresso Nacional, em dois turnos, por três quintos dos votos dos respectivos membros, serão equivalentes às emendas constitucionais".

A Constituição Federal brasileira demonstra, em primeiro lugar, que adotamos um conceito materialmente aberto de direitos fundamentais[529], ou um catálogo

---

<http://www.oab-sc.org.br/artigos/possibilidade-do-regime-aberto-nos-casos-prisao-alimenticia/616>. Acesso em: 7 de maio de 2015.

[527] Cf. CANOTILHO, J.J. Gomes. *Direito Constitucional e Teoria da Constituição*.7. ed. Coimbra: Almedina, 2003, p. 377.

[528] Cf. SILVA, José Afonso da. *Curso de Direito Constitucional Positivo*. 25. ed. Malheiros: São Paulo, 2005, p. 178.

[529] Cf. SARLET, Ingo Wolfgang, op. cit., p. 87. Segundo o autor: "[O] conceito materialmente aberto de direitos fundamentais consagrado pelo art. 5º, §2º, da nossa Constituição é de uma amplitude ímpar, encerrando expressamente, ao mesmo tempo, a possibilidade de identificação

aberto de direitos fundamentais[530]. Em segundo, embora ofereça, de modo explícito, um rol de direitos fundamentais, a abertura indica a inviabilidade de adoção de um exclusivo critério formal para conceituação de norma de direitos fundamentais, tal como enunciado por ALEXY[531], e aponta para a adoção de um critério formal e/ou substancial no País. Isto é, além da formal enumeração de uma lista de direitos fundamentais, a Carta, tendo abraçado uma determinada

---

e construção jurisprudencial de direitos materialmente fundamentais não escritos (no sentido de não expressamente positivados), bem como de direitos fundamentais constantes em outras partes do texto constitucional e nos tratados internacionais".

[530] Cf. FELDENS, Luciano. *Direitos Fundamentais e Direito Penal.* A Constituição Penal. 2. ed. Porto Alegre: Livraria do Advogado, 2012, p. 38.

[531] Cf. ALEXY, Robert. *Teoria dos Direitos Fundamentais.* Trad. Virgílio Afonso da Silva. São Paulo: Malheiros, 2008, p. 66-69. No ponto o autor esclarece que a associação de critérios substanciais e estruturais para definir norma de direito fundamental pode ser encontrado, *v.g.*, em Carl Schmitt, que a vincula a direitos que fundamentam o próprio Estado e, daí, em reconhecimento, passam a Constituição; sendo que, no Estado Liberal, apenas os direitos estruturados como direitos individuais de liberdade é que seriam fundamentais, ou fundamentais em sentido estrito. A noção, segundo ALEXY, é bastante problemática, não só porque, ao nível substancial, "vincula de antemão o conceito de direito fundamental a uma determinada concepção de Estado" (no que, na Alemanha, "não há consenso para se afirmar que essa determinada concepção é a concepção da Constituição alemã"), mas também porque – ao nível estrutural – exclui outros direitos fundamentais que não se estruturem como direitos de liberdade (o que levaria a dizer, como exemplifica o autor, que a garantia do mínimo existencial não seria aceita como um direito fundamental). Por isso o autor prefere embasar o conceito de norma de direito fundamental em um critério formal, "relativo à forma de sua positivação". Assim, são normas de direitos fundamentais aquelas diretamente expressas pelas seguintes disposições da Constituição Alemã: as previstas nos arts. 1º a 19, porque sob o capítulo intitulado "Os direitos fundamentais"; e, os arts. 20, §4º, 33, 38, 101, 103 e 104, uma vez que tais dispositivos estão referidos pelo art. 93, §1º, 4a., que estabelece um *catálogo de direitos* que admitem o recurso à reclamação constitucional (cf. ALEXY, Robert, op. cit., p. 68-69). Eis o texto do último dispositivo mencionado: "Artigo 93 [Competência do Tribunal Constitucional Federal] (1) O Tribunal Constitucional Federal decide:1. (...) 4a. sobre os recursos de inconstitucionalidade, que podem ser interpostos por todo cidadão com a alegação de ter sido prejudicado pelo poder público nos seus direitos fundamentais ou num dos seus direitos contidos nos artigos 20 §4, 33, 38, 101, 103 e 104;" (cf. ALEMANHA. *Lei Fundamental da República Federal da Alemanha.* Trad. Assis Mendonça. Rev. Urbano Carvelli. Berlim: Parlamento Federal Alemão, 2011, p. 18. Disponível em: <https://www.btg-bestellservice.de/pdf/80208000.pdf>. Acesso em: 9 de maio de 2015).

concepção de Estado[532] (a de *Estado Democrático de Direito*, cf. disposto em seu art. 1º), também acolhe como fundamentais os direitos decorrentes dessa opção ainda que não explicitamente referidos.

No ponto, como esforço para "viabilizar a delimitação de certos critérios que possam servir de parâmetro na atividade 'reveladora' destes direitos", adotamos a classificação de SARLET, que dispõe os direitos fundamentais em dois grandes grupos no Brasil: o dos direitos expressamente positivados, e o dos direitos fundamentais não escritos (não positivados). No primeiro grupo estão os direitos com expressa previsão no catálogo de direitos fundamentais, ou noutra parte do texto constitucional, ou, ainda, em tratados internacionais. Já no segundo grupo, encontramos os "direitos fundamentais implícitos, no sentido de posições fundamentais subentendidas nas normas definidoras de direitos e garantias fundamentais", e também aqueles, como soa o §2º, do art. 5º da CF, decorrentes do regime e dos princípios[533].

Aqui é preciso refletir (à luz do aludido §2º, do art. 5º da CF[534]) sobre a posição dos tratados e convenções internacionais em face do direito positivo interno. Afinal, que posição ocupam?

---

[532] Diferente, pois, do caso alemão, ainda cf. ALEXY, ver nota *supra*.

[533] Cf. SARLET, Ingo Wolfgang, idem, p. 88. Vale acrescentar que o autor sustenta uma não coincidência entre direitos fundamentais implícitos e os decorrentes (do regime e dos princípios). Direito fundamental implícito é tanto aquele novo direito deduzido de um direito fundamental já constante do catálogo (já positivado), como também aquele resultante "da redefinição do campo de incidência de determinado direito fundamental já expressamente positivado", por "uma extensão (mediante o recurso à hermenêutica) do [seu] âmbito de proteção". Assim, "os direitos decorrentes do regime e dos princípios não se confundem com a categoria dos direitos implícitos, considerados estes na acepção estrita de posições jurídicas fundamentais subentendidas nas normas de direitos fundamentais da Constituição, no sentido de referidas ao seu âmbito de proteção". Como exemplos, ainda que assinalados como carecedores de consenso da doutrina e jurisprudência, de direitos implícitos e/ou decorrentes, o autor aponta o direito de resistência ou à desobediência civil, à identidade genética da pessoa humana, à identidade pessoal, as garantias do sigilo bancário e fiscal (deduzidos da garantia à privacidade), à boa administração pública, "bem como, na acepção do Supremo Tribunal Federal, de um direito à ressocialização por parte do preso condenado em sede criminal, entre outros" (cf. SARLET, Ingo Wolfgang, idem, p. 90-92).

[534] Dispõe o seu texto: "Art. 5º. (...) § 2º Os direitos e garantias expressos nesta Constituição não excluem outros decorrentes do regime e dos princípios por ela adotados, ou dos tratados internacionais em que a República Federativa do Brasil seja parte" (cf. BRASIL. Constituição da República

Recentemente, no Recurso Extraordinário n. 466.343/SP[535], julgado em 3 de dez. de 2008, o Supremo Tribunal Federal brasileiro teve ocasião de enfrentar o tema. Até então, prevalecia o entendimento na Corte de que os tratados e convenções dos quais o Brasil fosse signatário ocupavam posição idêntica à de uma lei federal ordinária. Portanto, abaixo da Constituição e ao mesmo nível da legislação federal, com possibilidade, assim, a todo o tempo, das previsões desses documentos internacionais serem abandonadas/modificadas por novas leis federais[536]. Abandonando essa orientação, tida por completamente defasada "no contexto atual, em que se pode observar a abertura cada vez maior do Estado constitucional a ordens jurídicas supranacionais de proteção de direitos humanos"[537], o Tribunal debateu sobre a acolhida de uma dentre duas possibilidades teóricas: *(a.)* a recepção das normativas internacionais ao nível da constituição, isto é, com força de emendas constitucionais (postura defendida pelo ministro Celso de Mello); ou *(b.)* a introdução dos tratados e convenções com *status* supralegal, ou seja, abaixo da Constituição mas acima da legislação

---

Federativa do Brasil. *Diário Oficial da União*, Brasília, 5 de out. de 1988).

[535] Eis a ementa deste julgamento: "PRISÃO CIVIL. Depósito. Depositário infiel. Alienação fiduciária. Decretação da medida coercitiva. Inadmissibilidade absoluta. Insubsistência da previsão constitucional e das normas subalternas. Interpretação do art. 5º, inc. LXVII e §§ 1º, 2º e 3º, da CF, à luz do art. 7º, § 7, da Convenção Americana de Direitos Humanos (Pacto de San José da Costa Rica). Recurso improvido. Julgamento conjunto do RE n. 349.703 e dos HCs n. 87.585 e n. 92.566. É ilícita a prisão civil de depositário infiel, qualquer que seja a modalidade do depósito" (cf. BRASIL. SUPREMO TRIBUNAL FEDERAL. Recurso Extraordinárion. 466.343, J. 3 de dez. de 2008. *Diário da Justiça Eletrônico*, Brasília, 4 de jun. de 2009).

[536] Cf. o ministro Gilmar Mendes (em seu voto no citado Recurso Extraordinário n. 466.343/SP, à página 1144 do acórdão), esta orientação se estabelecera a partir do julgamento pelo Supremo Tribunal Federal do Recurso Extraordinário n. 80.004/SE, em cuja ementa se lê: "(...) Embora a Convenção de Genebra que previu uma lei uniforme sobre letras de câmbio e notas promissórias tenha aplicabilidade no direito interno brasileiro, não se sobrepõe ela às leis do país, disso decorrendo a constitucionalidade e consequente validade do Dec-Lei n. 427/69, que institui o registro obrigatório da nota promissória em repartição fazendária, sob pena de nulidade do título. (...)" (cf. BRASIL. SUPREMO TRIBUNAL FEDERAL. Recurso Extraordinárion. 80.004, J. 1 de jun. de 1977. *Diário da Justiça*, Brasília, 29 de dez. de 1977).

[537] Cf. BRASIL. SUPREMO TRIBUNAL FEDERAL. Recurso Extraordinárion. 466.343, J. 3 de dez. de 2008. Diário da Justiça Eletrônico, Brasília, 4 de jun. de 2009.

federal ordinária (posição do ministro Gilmar Mendes)[538]. Venceu esta última posição, e o debate ainda avançou, em vista da Emenda Constitucional n. 45[539], que introduziu o §3º, ao art. 5º da Constituição Federal[540], para diferenciar, entre os tratados internacionais, o tratamento daqueles versando sobre direitos humanos. Em suma, o cenário resultante consolidou que: *(i)* todos os tratados de direitos humanos subscritos (aprovados e incorporados) antes da introdução do §3º, do art. 5º da CF, ocupam no direito interno o *status* de norma supralegal (acima da legislação ordinária, mas submetidos ao ordenamento constitucional); *(ii)* todos os tratados de direitos humanos que vierem a ser subscritos depois da introdução do §3º, do art. 5º da CF, com aprovação e incorporação mediante o novo procedimento legislativo especial agora previsto, terão – como também estatuído no próprio parágrafo – a hierarquia de emendas constitucionais[541]; e *(iii)* os tratados em geral (que não versem sobre direitos humanos) permanecem com o grau de leis ordinárias[542].

---

[538] Cf. BRASIL. SUPREMO TRIBUNAL FEDERAL. Recurso Extraordinárion. 466.343, J. 3 de dez. de 2008. *Diário da Justiça Eletrônico*, Brasília, 4 de jun. de 2009.

[539] Cf. BRASIL. Emenda Constitucional n. 45, de 30 de dez. de 2004. Altera os arts. 5º (...), e dá outras providências. *Diário Oficial da União*, Brasília, 31 de dez. de 2004.

[540] Em dispositivo com o seguinte texto: "Art. 5º (...) § 3º Os tratados e convenções internacionais sobre direitos humanos que forem aprovados, em cada Casa do Congresso Nacional, em dois turnos, por três quintos dos votos dos respectivos membros, serão equivalentes às emendas constitucionais" (cf. BRASIL. Constituição da República Federativa do Brasil. *Diário Oficial da União*, Brasília, 5 de out. de 1988).

[541] Sobre o ponto, assim manifestou-se o ministro Celso de Mello no aresto: "[e]m decorrência dessa reforma constitucional, e ressalvadas as hipóteses a ela anteriores (considerado, quanto a estas, o disposto no § 2º do art. 5º da Constituição), tornou-se possível, agora, atribuir, formal e materialmente, às convenções internacionais sobre direitos humanos, hierarquia jurídico-constitucional, desde que observado, quanto ao processo de incorporação de tais convenções, o 'iter' procedimental concernente ao rito de apreciação e de aprovação das propostas de emenda à Constituição, consoante prescreve o § 3º, do art. 5º da Constituição" (Cf. BRASIL. SUPREMO TRIBUNAL FEDERAL. Recurso Extraordinário n. 466.343, J. 3 de dez. de 2008. *Diário da Justiça Eletrônico*, Brasília, 4 de jun. de 2009, p. 1263).

[542] Cf. BRASIL. SUPREMO TRIBUNAL FEDERAL. Recurso Extraordinárion. 466.343, J. 3 de dez. de 2008. *Diário da Justiça Eletrônico*, Brasília, 4 de jun. de 2009; e, cf. SARLET, Ingo Wolfgang, idem, p. 138.

Sobre a assunção desse novo posicionamento, SARLET refere que destoa da doutrina majoritária, que se alinha ao posicionamento sustentado no aresto pelo ministro Celso de Mello, isto é, o de que, em vista do §2º, do art. 5º da CF, os tratados de direitos humanos ratificados pelo Brasil mereceriam recepção na ordem interna na hierarquia de normas constitucionais equivalentes às da Constituição originária (ao menos em sentido material). Afinal, admitir a eles *status* infraconstitucional "subverte a própria condição de direitos fundamentais, para os quais a hierarquia constitucional por si só representa apenas um dos esteios do seu regime jurídico-qualificado"[543]. Independentemente disso, o autor sustenta que o julgamento do aludido Recurso Extraordinário 466.343/SP representa o primeiro caso de controle de convencionalidade feito pela Suprema Corte brasileira[544]. Trata-se, segundo o ministro Gilmar Mendes, de um julgamento histórico[545]. Portanto, a despeito da divergência entre posições assumidas

---

[543] Cf. SARLET, Ingo Wolfgang, idem, p. 138.

[544] Cf. SARLET, Ingo Wolfgang, idem, p. 139.

[545] Conforme o ministro Gilmar Mendes: "[o] Supremo Tribunal Federal acaba de proferir uma decisão histórica. O Brasil adere agora ao entendimento já adotado em diversos países no sentido da supralegalidade dos tratados internacionais sobre direitos humanos na ordem jurídica interna. Se tivermos em mente que o Estado constitucional contemporâneo é também um Estado cooperativo – identificado pelo Professor Peter Haberle como aquele que não mais se apresenta como um Estado Constitucional voltado para si mesmo, mas que se disponibiliza como referência para os outros Estados Constitucionais membros de uma comunidade, e no qual ganha relevo o papel dos direitos humanos e fundamentais [1 HABERLE, *Peter. El estado constitucional.* Trad, de Hector Fix-Fierro. México: Universidad Nacional Autónoma de México, 2003. p. 75-77] –, se levarmos isso em consideração, podemos concluir que acabamos de dar um importante passo na proteção dos direitos humanos em nosso país e em nossa comunidade latino-americana. Não podemos nos esquecer que o Brasil está inserido nesse contexto latino-americano, no qual estamos todos submetidos a uma ordem comunitária em matéria de direitos humanos; uma ordem positiva expressada na Convenção Americana de Direitos Humanos (Pacto de San José da Costa Rica), cuja proteção jurídica segue avançando a passos largos pelo profícuo trabalho realizado pela Corte Interamericana de Direitos Humanos. Devemos caminhar juntos na construção de um direito constitucional latino-americano, no qual a proteção dos direitos seja um dever indeclinável de todos e cada um dos Estados. Nesse contexto, diversos países latino-americanos já avançaram no sentido de sua inserção em contextos supranacionais, reservando aos tratados internacionais de direitos humanos lugar especial no ordenamento jurídico, algumas vezes concedendo-lhes valor normativo constitucional" (cf. BRASIL. SUPREMO TRIBUNAL FEDERAL. Recurso Extraordinárion. 466.343, J. 3 de dez. de 2008. *Diário da Justiça Eletrônico*, Brasília, 4 de jun.

pelos ministros, o ponto ótimo atingido neste caso é exatamente o da disposição do Tribunal para, doravante, filtrar a conformidade (convencionalidade) da legislação ordinária brasileira em face das (decididamente superiores) normativas internacionais sobre direitos humanos ratificadas pelo Brasil[546].

De modo muito curioso, a hipótese em julgamento na ocasião, a possibilidade da prisão civil por dívida do depositário infiel, com assento constitucional no inc. LXVII, do art. 5º, da CF[547], por aplicação da postura prevalecente, não levou ao pronunciamento da revogação de parte do aludido inciso da Carta por força da Convenção Americana de Direitos Humanos[548] (coerente com a ideia vencedora de que a Convenção está abaixo da Constituição, porque aprovada anteriormente ao rito especial previsto no §3º, do art. 5º, da CF, mas tem caráter supralegal). O Tribunal entendeu que a supralegalidade da disposição convencional tornou sem efeito as disposições constantes das leis ordinárias nacionais que previam a prisão do depositário infiel e, com isso, tornou inaplicável o encarceramento previsto no inc. LXVII, do art. 5º, da CF, embora sem revogá-lo[549].

de 2009, p. 1314-1315).

546 Nesse sentido, disse o ministro Gilmar Mendes em seu voto: "[p]ortanto, **diante do inequívoco caráter especial dos tratados internacionais que cuidam da proteção dos direitos humanos**, não é difícil entender que **a sua internalização no ordenamento jurídico**, por meio do procedimento de ratificação previsto na Constituição, **tem o condão de paralisar a eficácia jurídica de toda e qualquer disciplina normativa infraconstitucional com ela conflitante**" (cf. BRASIL. SUPREMO TRIBUNAL FEDERAL. Recurso Extraordinárion. 466.343, J. 3 de dez. de 2008. *Diário da Justiça Eletrônico,* Brasília, 4 de jun. de 2009, p. 1160).

547 Eis o texto do dispositivo: "não haverá prisão civil por dívida, salvo a do responsável pelo inadimplemento voluntário e inescusável de obrigação alimentícia e a do depositário infiel" (cf. BRASIL. Constituição da República Federativa do Brasil. *Diário Oficial da União*, Brasília, 5 de out. de 1988).

548 No caso, pela previsão constante no n. 7, do art. 7º, da Convenção Americana de Direitos Humanos: Pacto de San José da Costa Rica: "Artigo 7º. Direito à liberdade pessoal (...) 7. Ninguém deve ser detido por dívidas. Este princípio não limita os mandados de autoridade judiciária competente expedidos em virtude deinadimplemento de obrigação alimentar" [cf. ORGANIZAÇÃO DOS ESTADOS AMERICANOS (OEA).Convenção Americana de Direitos Humanos: Pacto de San José da Costa Rica, 22 de nov. de 1969. In: SENADO FEDERAL. *Direitos Humanos.* Atos internacionais e normas correlatas. 4. ed. Brasília: Senado Federal, Coordenação de Edições Técnicas, 2013, p. 152-167].

549 Nesse rumo, disse o ministro Gilmar Mendes: "[n]esse sentido, é possível concluir que, diante da supremacia da Constituição sobre os atos normativos internacionais**, a previsão constitucional**

Superado este ponto, e retomando o espectro de abertura brasileira (para além, então, dos direitos expressamente positivados, abarcando direitos fundamentais não escritos – mas implícitos ou decorrentes do regime e dos princípios, como os dos tratados de direitos humanos), está colocada a tarefa de se averiguar, em perspectiva substancial, "as linhas características da *fundamentalidade material* (direitos materialmente fundamentais)"[550], para se posicionar como norma de direito fundamental aquelas não previstas no Título II da Constituição[551]. E a tanto vale a lição de Alexy, no sentido de que ao lado da *fundamentalidade*

---

da prisão civil do depositário infiel (art. 5º, inciso LXVII) não foi revogada pelo ato de adesão do Brasil ao Pacto Internacional dos Direitos Civis e Políticos (art. 11) e à Convenção Americana sobre Direitos Humanos – Pacto de San José da Costa Rica (art. 7º, 7), **mas deixou de ter aplicabilidade diante do efeito paralisante desses tratados em relação à legislação infraconstitucional que disciplina a matéria**, incluídos o art. 1.287 do Código Civil de 1916 e o Decreto-Lei n. 911, de 1º de outubro de 1969. Tendo em vista o **caráter supralegal** desses diplomas normativos internacionais, **a legislação infraconstitucional posterior que com eles seja conflitante também tem sua eficácia paralisada**. É o que ocorre, por exemplo, com o **art. 652 do Novo Código Civil** (Lei n. 10.406/2002), que reproduz disposição idêntica ao art. 1.287 do Código Civil de 1916. Enfim, **desde a adesão** do Brasil, no ano de 1992, ao Pacto Internacional dos Direitos Civis e Políticos (art. 11) e à Convenção Americana sobre Direitos Humanos – Pacto de San José da Costa Rica (art. 7º, 7), **não há base legal para aplicação da parte final do art. 5º, inciso LXVII, da Constituição, ou seja, para a prisão civil do depositário infiel**. (...) Em conclusão, entendo que, desde a adesão do Brasil, sem qualquer reserva, ao Pacto Internacional dos Direitos Civis e Políticos (art. 11) e à Convenção Americana sobre Direitos Humanos – Pacto de San José da Costa Rica (art. 7º, 7), ambos no ano de 1992, não há mais base legal para prisão civil do depositário infiel, pois o caráter especial desses diplomas internacionais sobre direitos humanos lhes reserva lugar específico no ordenamento jurídico, estando abaixo da Constituição, porém acima da legislação interna. O *status* normativo supralegal dos tratados internacionais de direitos humanos subscritos pelo Brasil, dessa forma, torna inaplicável a legislação infraconstitucional com ele conflitante, seja ela anterior ou posterior ao ato de adesão. Assim ocorreu com o art. 1.287 do Código Civil de 1916 e com o Decreto-Lei n. 911/69, assim como em relação ao art. 652 do Novo Código Civil (Lei n. 10.406/2002)" (cf. BRASIL. SUPREMO TRIBUNAL FEDERAL. Recurso Extraordinárion. 466.343, J. 3 de dez. de 2008. *Diário da Justiça Eletrônico*, Brasília, 4 de jun. de 2009, p. 1160 e 1191).

[550] Cf. FELDENS, Luciano, op. cit., p. 38.

[551] Porque, em suma, como adverte FELDENS, "em termos de direitos fundamentais a Constituição formal seria o ponto de partida, mas não o ponto de chegada" (cf. FELDENS, Luciano, idem, p. 38).

formal[552] está a *fundamentalidade substancial*, identificável nas "decisões sobre a estrutura normativa básica do Estado e da sociedade" presentes nos direitos e normas fundamentais[553], sendo que "a fonte jurídico-positiva mais geral de critérios substanciais é a norma da dignidade da pessoa humana ... [que, segundo o Tribunal Constitucional Alemão] ... 'é inviolável e requer respeito e proteção em face de todos os poderes estatais'."[554]. Nesse rumo, conforme SARLET, a dignidade da pessoa humana funciona como critério basilar, embora não exclusivo, para a construção de um conceito material de direitos fundamentais. Assim, uma posição jurídica fora do catálogo só equivalera a outra dele constante – isto é, só será materialmente um direito fundamental – se, em conteúdo e importância, for reconduzível de forma direta e tiver correspondência ao valor maior da dignidade da pessoa humana[555].

Para além da dignidade da pessoa humana como elemento de decisão sobre a presença da fundamentalidade material[556], VIEIRA DE ANDRADE também indica a existência de duas outras características: (1ª) a detecção de um "*radical subjectivo*" inerente, porquanto só nos direitos fundamentais é identificável a outorga ao indivíduo de certas posições subjetivas (a ele de modo isolado ou em termos coletivos)[557]. Essa subjetividade, enfim, "é *nuclear* na estrutura dos preceitos [de direito fundamental] e mostra-se preponderante na sua aplicação prática"[558]; (2ª) o desempenho de uma *função protetiva*, porque em todo o direito fundamental há o objetivo de tutela de bens essenciais, individuais ou coletivos[559].

[552] Segundo o autor, "[a] *fundamentalidade formal* das normas de direitos fundamentais decorre da sua posição no ápice da estrutura escalonada do ordenamento jurídico, como direitos que vinculam diretamente o legislador, o Poder Executivo e o Judiciário" (cf. ALEXY, Robert, op. cit., p. 520).

[553] Cf. ALEXY, Robert, idem, p. 522.

[554] Cf. ALEXY, Robert, idem, p. 354.

[555] Cf. SARLET, Ingo Wolfgang, idem, p. 112.

[556] Cf. ANDRADE, José Carlos Vieira de. *Os Direitos Fundamentais na Constituição Portuguesa de 1976*. 5. ed. Coimbra: Almedina, 2012, p. 80.

[557] Ou, nas palavras do autor: "[o] núcleo estrutural da matéria dos direitos fundamentais e atribuível a todos os indivíduos ou a categorias abertas de indivíduos" (cf. ANDRADE, José Carlos Vieira de, op. cit., p. 79).

[558] Cf. ANDRADE, José Carlos Vieira de, idem, p. 79.

[559] Cf. ANDRADE, José Carlos Vieira de, idem, p. 79-80. E, no mesmo ponto, o autor ainda completa: "[o]s preceitos que não atribuam posições jurídicas subjetivas só pertencem à matéria dos direitos fundamentais se contiverem normas que se destinem *diretamente* e por via *principal*

Portanto, aquele direito que promove a dignidade da pessoa humana, outorga uma posição jurídica especial ao indivíduo e objetiva a proteção de bens essenciais é, segundo o autor, um direito materialmente fundamental.

SARLET destaca a validade desses critérios enunciados por VIEIRA DE ANDRADE, embora admita, com CANOTILHO[560], que não se adéquam à Constituição portuguesa, e observe que também não se conformam à Carta brasileira, em ambos os casos porque, dentre outros motivos, não englobam os direitos sociais. No particular brasileiro, os critérios exigem complementação e adaptação para contemplar os direitos sociais e "para encontrarem a devida inserção no contexto global do regime e dos princípios fundamentais dos arts. 1º a 4º da CF, além de guardarem relação com as normas contidas no catálogo da Constituição (arts. 5º, 6º e 7º, especialmente)"[561].

Pelo exposto, fica clara a dificuldade em se fixar "um critério geral, unificado e definitivo para um conceito material de direitos fundamentais". A despeito disso, os critérios oferecidos mostram-se úteis e, para um ganho de segurança, devem sempre buscar referenciais, mais ou menos diretamente, no texto constitucional (na ordem constitucional positiva)[562].

Por derradeiro, vale observar que os critérios examinados desempenham somente uma função instrumental e auxiliar, em uma atividade com grande e inafastável carga de subjetividade, cometida precipuamente ao Poder Judiciário, "tratando-se de uma espécie de criação jurisprudencial do direito, verdadeira "*Rechtsfindung*", embora possa haver grande divergência sobre os seus limites"[563].

---

a garantir essas posições jurídicas".

560 Cf. SARLET, Ingo Wolfgang, idem, p. 113. Cf. CANOTILHO, a tentativa de VIEIRA DE ANDRADE, de expulsar "do catálogo material de direitos todos aqueles que não tenham um 'radical subjetivo', isto é, não pressuponham a ideia-princípio da dignidade da pessoa humana" resulta em uma "teoria de direitos fundamentais não constitucionalmente adequada". E isso em vista da existência, v.g., de direitos fundamentais expressamente consagrados à pessoa jurídica na Carta Portuguesa, e também às associações e organizações sindicais e de trabalhadores, que o autor estaria rebaixando – sem base constitucional, ou, na verdade, contra expressas disposições constitucionais – à classe de poderes concedidos a determinadas entidades com o fim de concretizar opções de organização econômico-social (cf. CANOTILHO, J.J. Gomes, op. cit., p. 407).

561 Cf. SARLET, Ingo Wolfgang, idem, p. 113.

562 Cf. SARLET, Ingo Wolfgang, idem, p. 116.

563 Cf. SARLET, Ingo Wolfgang, idem, p. 116.

3.1.2.2 Classificação dos direitos fundamentais das pessoas privadas de liberdade

É imperioso observar, à abertura, que os direitos fundamentais das pessoas privadas de liberdade – aqueles, em específico, disparados pela inauguração dessa precisa contingência existencial – se organizam, e sua aplicação se orienta, a partir do alicerce da dignidade da pessoa humana.

Anotando a vinculação entre dignidade da pessoa humana, direitos humanos e direitos fundamentais como "um dos postulados nos quais se assenta o direito constitucional contemporâneo"[564], e registrando a dificuldade de se obter um conceito claro e, inclusive, de se delimitar "o seu âmbito de proteção enquanto norma de direito fundamental" (tarefas que julga de viabilidade questionável e questionada)[565] – o que, entretanto, não indica que "se deva renunciar pura e simplesmente à busca de uma fundamentação e legitimação da noção de dignidade da pessoa humana, ... [ou à] construção de um conceito que possa servir de referencial para a [sua] concretização"[566] –, SARLET acaba por afirmar, nas palavras de DÜRIG, que ela consiste no fato de que:

> "cada ser humano é humano por força de seu espírito, que o distingue da natureza impessoal e que o capacita para, com base em sua própria decisão, tornar-se consciente de si mesmo, de autodeterminar sua conduta, bem como de formatar a sua existência e o meio que o circunda" [567]

---

[564] Cf. SARLET, Ingo Wolfgang. *Dignidade (da Pessoa) Humana e Direitos Fundamentais na Constituição Federal de 1988*. 10. ed. Porto Alegre: Livraria do Advogado, 2015, p. 28.

[565] Cf. SARLET, Ingo Wolfgang, op. cit., p. 48.

[566] Cf. SARLET, Ingo Wolfgang, idem, p. 51.

[567] Cf. DÜRIG, Günter. Der Grundsatz der Menschenwürde. Entwurf eines praktikablen Wertsystems der Grundrechte aus Art. 1 Abs. I in Verbindung mit Art. 19, Abs. II der Grundgesetzes. In: *Archivdes Öffentlichen Rechts (AÖR)*, n. 81 (1956), p. 125 *apud* SARLET, Ingo Wolfgang, idem, p. 54. Do mesmo modo a transcrição aparece em: SARLET, Ingo Wolfgang. As dimensões da Dignidade da Pessoa Humana: construindo uma compreensão jurídico-constitucional necessária e possível, *Revista Brasileira de Direito Constitucional – RBDC*, n. 9, jan-jun 2007, p. 368; e em SARLET, Ingo Wolfgang. *A Eficácia dos Direitos Fundamentais*. Uma teoria geral dos direitos fundamentais na perspectiva constitucional. 12. ed. Porto Alegre: Livraria do Advogado, 2015, p. 102. Nesta última obra e página, SARLET observa: "[n]a medida em que fizemos uma tradução livre do texto original em alemão e para que se possa aferir a correção do trabalho, passamos a

Daí por diante SARLET observa, na linha do disposto na Declaração Universal dos Direitos Humanos[568], que predomina o entendimento de que o núcleo da dignidade da pessoa humana reside na autonomia e no direito de autodeterminação de cada pessoa[569].

---

transcrever o trecho traduzido: 'Jeder Mensch ist Mensh kraft seines Geistes, der *in* abhebt von der unpersönlichen Natur und ih naus eigener Entscheidung dazu befähigt, seiner selbst bewusst zu werden, sich selbst zu bestimmen und sich und die Umwelt zu gestalten'.". O mesmo conceito de DÜRIG, com pequena variação (e colhido de obra mais recente de DÜRIG, é citado por BARBOSA-FOHRMANN e BADENHOOP, que o trouxeram para o português com a seguinte transcrição: "[c]ada homem é homem em virtude de seu intelecto, que o distingue da natureza impessoal e que o capacita, com base na própria decisão, a ser mais consciente, a se autodeterminar e a organizar o seu entorno" (cf. DÜRIG, Günter. In: MAUNZ, Theodor; DÜRIG, Günter (orgs.). *Kommentar zum Grundgesetz.* Vol. I. München: C. H. Beck'sche, 2003, p. 11 (*Versões de 1973 e 1976*) *apud* BARBOSA-FOHRMANN, Ana Paula; BADENHOOP, Nikolai. A dignidade humana e os novos direitos no direito comparado: a discussão sobre a clonagem no direito constitucional alemão. In: *Direitos Fundamentais Et Justiça* – Ano 5, n. 17, p. 227-243, out/dez 2011, p. 231). Na mesma página BARBOSA-FOHRMANN e BADENHOOP também consignaram o texto como constante do original: "Jeder Mensch ist Mensch Kraft seines Geistes, der ihn von der unpersönlichen Natur abhebt und ihn aus eigener Entscheidung dazu befähigt, seiner selbst bewusst zu werden, sich selbst zu bestimmen und seine Umwelt zu gestalten".

568 A dignidade da pessoa humana abre a Declaração Universal dos Direitos Humanos da ONU, presente no primeiro *considerando*, assim como no seu primeiro artigo: "PREÂMBULO. Considerando que o reconhecimento da dignidade inerente a todos os membros da família humana e de seus direitos iguais e inalienáveis é o fundamento da liberdade, da justiça e da paz no mundo, (...) ARTIGO I. Todas as pessoas nascem livres e iguais em dignidade e direitos. São dotadas de razão e consciência e devem agir em relação umas às outras com espírito de fraternidade" (cf. ORGANIZAÇÃO DAS NAÇÕES UNIDAS (ONU). Declaração Universal dos Direitos Humanos, 10 de dez. de 1948. In: SENADO FEDERAL. *Direitos Humanos.* Atos internacionais e normas correlatas. 4. ed. Brasília: Senado Federal, Coordenação de Edições Técnicas, 2013, p. 20).

569 Cf. SARLET, Ingo Wolfgang. *A Eficácia dos Direitos Fundamentais.* Uma teoria geral dos direitos fundamentais na perspectiva constitucional. 12. ed. Porto Alegre: Livraria do Advogado, 2015, p. 102. E o autor anota, sobre o referido espaço nuclear da autonomia e do direito de autodeterminação de cada indivíduo na dignidade da pessoa humana, que isso se dá "primordialmente à matriz kantiana" (cf. SARLET, Ingo Wolfgang. As dimensões da Dignidade da Pessoa Humana: construindo uma compreensão jurídico-constitucional necessária e possível, *Revista Brasileira de Direito Constitucional – RBDC,* n. 9, jan-jun 2007, p. 368). Isto é, "KANT sinala que a autonomia da vontade, entendida como a faculdade de determinar a si mesmo e agir em conformidade com a representação de certas leis, é um atributo apenas encontrado nos seres racionais, constituindo-se no

Estabelecidos esses referenciais, e reafirmada a extrema dificuldade de se reduzir o conteúdo/âmbito de proteção da dignidade da pessoa humana a uma fórmula abstrata e genérica, SARLET sustenta a necessidade de isolar aspectos de atendimento necessário para sua concreção. Nesse desiderato, identifica os seguintes: *(i)* o respeito e a proteção da integridade física e corporal do indivíduo [expresso, *v.g.*, nas proibições da pena de morte, tortura e penas de natureza corporal, bem como "da utilização da pessoa humana para experiências científicas, limitações aos meios de prova (utilização de detector de mentiras), regras relativas aos transplantes de órgãos etc."]; *(ii)* a garantia de condições de vida "justas e adequadas", que põe em destaque a efetividade dos direitos sociais ao trabalho, à seguridade social e, enfim, sublinha as necessidades materiais cujo atendimento visa a assegurar uma existência com dignidade; *(iii)* a garantia da isonomia (pela vedação da escravidão, da discriminação

---

fundamento da dignidade da natureza humana" (cf. SARLET, Ingo Wolfgang. *Dignidade (da Pessoa) Humana e Direitos Fundamentais na Constituição Federal de 1988*. 10. ed. Porto Alegre: Livraria do Advogado, 2015, p. 41). No específico, lê-se em KANT: "[p]essoa é o sujeito cujas ações são *imputáveis*. A personalidade *moral*, portanto, não é senão a liberdade de um ser racional submetido a leis morais ... de onde se depreende que uma pessoa não está submetida a outras leis mais que as que se dá a si mesma (bem somente, ou ao menos junto com outros) [cf. KANT, Immanuel. *La metafísica de las Constumbres*. Trad. Adela Cortina Orts e Jesus Conill Sancho. Madrid: Tecnos, 1989, p. 30]. Ainda sobre o referencial kantiano para dignidade da pessoa humana, ver, *infra*, nota 1024. Outrossim, quanto a centralidade para a dignidade da pessoa humana dos direitos à autonomia e a autodeterminação de cada pessoa, registramos, com NIPPERDEY, a proeminência de ambos na Lei Fundamental da Alemanha: "[o] direito fundamental da *dignidade* da pessoa e o direito ao *livre desenvolvimento de sua personalidade* são as *normas fundamentais* decisivas da constituição alemã. No artigo 1 I está em questão a proteção da pessoa em sua essência, no artigo 2 I, a proteção de sua dinâmica", sendo, a dignidade da pessoa humana, "o direito fundamental principal material", "raiz e fonte de todos os direitos fundamentais formulados posteriormente" (cf. NIPPERDEY, Hans Carl. Livre Desenvolvimento da Personalidade. In: *Direitos Fundamentais e Direito Privado*. Org./Rev. Luís Afonso Heck. Porto Alegre: Sergio Antonio Fabris, 2012, p. 71-72). Veja-se o texto dos dispositivos mencionados: "Artigo 1 [Dignidade da pessoa humana – Direitos humanos – Vinculação jurídica dos direitos fundamentais] (1) A dignidade da pessoa humana é intangível. Respeitá-la e protegê-la é obrigação de todo o poder público. (...) Artigo 2 [Direitos de liberdade] (1) Todos têm o direito ao livre desenvolvimento da sua personalidade, desde que não violem os direitos de outros e não atentem contra a ordem constitucional ou a lei moral." (cf. ALEMANHA. *Lei Fundamental da República Federal da Alemanha*. Trad. Assis Mendonça. Rev. Urbano Carvelli. Berlim: Parlamento Federal Alemão, 2011, p. 18. Disponível em: <https://www.btg-bestellservice.de/pdf/80208000.pdf>. Acesso em: 9 de maio de 2015).

racial, de perseguições por motivos religiosos, ou por qualquer outra forma de tratamento arbitrário e discriminatório); *(iv)* a garantia da identidade pessoal, isto é, de autonomia e integridade psíquica e intelectual para um livre desenvolvimento da personalidade (expresso, *v.g.*, no direito à liberdade de consciência, de pensamento, de culto, e na tutela da intimidade, honra e esfera privada)[570].

Tais aspectos, observa o autor, construídos – nas circunstâncias atuais – pela doutrina e a jurisprudência como "exigências diretas e essenciais" do princípio da dignidade da pessoa humana, colocam-se ao lado da direção geral indicada por uma fórmula oferecida por DÜRIG, no espaço constitucional alemão. Para este, toda a vez "que a pessoa concreta (o indivíduo) fosse rebaixada a objeto, a mero instrumento, tratada como uma coisa [, ou], em outras palavras, na descaracterização da pessoa como sujeito de direitos", a dignidade da pessoa humana estaria violada[571]. Ou, dito por outra forma, o Estado, e mesmo terceiros, estão obrigados a perceber o indivíduo como um fim em si mesmo, como alguém insubstituível e, desse modo, ficam proibidos de tratá-lo como simples meio, ou de degradá-lo à condição de reles objeto (como, *v.g.*, se o aniquilam, liquidam, usam, eliminam, ou o submetem a lavagem cerebral), sob pena de violação da dignidade da pessoa humana[572]. Essa elaboração de DÜRIG, conhecida como "fórmula do objeto" (*Objektformel*)[573], desenvolvida e aplicada pelo Tribunal

---

[570] Cf. SARLET, Ingo Wolfgang. *A Eficácia dos Direitos Fundamentais*. Uma teoria geral dos direitos fundamentais na perspectiva constitucional. 12. ed. Porto Alegre: Livraria do Advogado, 2015, p. 104-105. No mesmo sentido, remarcando a necessidade de atendimento de alguns dos aspectos referidos, leciona DÜRIG: "[H]oje se está, com razão, de acordo sobre isto, que da dignidade humana fazem parte certas condições de corpo e de vida materiais elementares e que o *estado*, em conformidade com isso, tem de pressupor essas pessoas existentes no modo digno de um ser humano" (cf. DÜRIG, Günter. Direitos Fundamentais e Jurisdição Civil. In: *Direitos Fundamentais e Direito Privado*. Org./Rev. Luís Afonso Heck. Porto Alegre: Sergio Antonio Fabris, 2012, p. 20).

[571] Cf. DÜRIG, Günter. In: AÖR n. 81 (1956), p. 127 *apud* SARLET, Ingo Wolfgang, op. cit., p. 104.

[572] Cf. DÜRIG, Günter In: MAUNZ, Theodor; DÜRIG, Günter (orgs.). *Kommentar zum Grundgesetz*. Vol. I. München: C. H. Beck'sche, 2003, p. 11 e 15 apud BARBOSA-FOHRMANN, Ana Paula; BADENHOOP, Nikolai. A dignidade humana e os novos direitos no direito comparado: a discussão sobre a clonagem no direito constitucional alemão. In: *Direitos Fundamentais Et Justiça* – Ano 5, n. 17, p. 227-243, out/dez 2011, p. 231.

[573] Cf. DÜRIG, Günter. In: MAUNZ, Theodor; DÜRIG, Günter (orgs.). *Kommentar zum Grundgesetz*. Vol. I. München: C. H. Beck'sche, 2003, p. 11 e 15 *apud* BARBOSA-FOHRMANN,

Ana Paula; BADENHOOP, Nikolai, op. cit., p. 231. Cf. BARBOSA-FOHRMANN E BADENHOOP (no ponto que se acaba de referir), é notável a base kantiana da fórmula de DÜRIG. De fato, a origem na *Metafísica dos Costumes* é inegável. Observa KANT que: "[a] pena judicial (*poena forensis*) ... não pode nunca servir simplesmente como meio para fomentar outro bem, seja para o delinquente mesmo seja para a sociedade civil, mas devem ser impostas *porque delinquiu*; porque o homem nunca pode ser manejado como meio para os propósitos de outro, nem confundido, entre os objetos do direito real (*Sachenrecht*); frente a isso lhe protege a sua personalidade inata, embora possa certamente ser condenado a perder a personalidade civil. Antes de que se pense em obter desta pena algum proveito para o mesmo ou para seus concidadãos, tem que haver sido julgado *digno de castigo*..." (cf. KANT, Immanuel, op. cit., p. 166). Noutro ponto, mais adiante, KANT observa: "[s]eção segunda. Os deveres de virtude para com outros homens, nascidos do respeito que se lhes deve (...) §38 Todo homem tem um legítimo direito ao respeito de seus semelhantes e também ele está obrigado ao mesmo, reciprocamente, com respeito a cada um deles. A humanidade mesma é uma dignidade, porque o homem não pode ser utilizado somente como meio por nenhum homem (nem por outros, nem sequer por si mesmo), mas sempre, por sua vez, como fim. E nisto consiste precisamente sua dignidade (a personalidade), em virtude da qual se eleva sobre todos os demais seres do mundo que não são homens e, sim, que podem ser utilizados. Por conseguinte, se eleva sobre todas as coisas. Assim pois, de igual modo que ele não pode se automanejar por preço algum (ao que se oporia o dever de auto-estima), tampouco pode agir em oposição à auto-estima dos demais, como homens, que é igualmente necessária; isto é, ele está obrigado a reconhecer, de um modo prático, a dignidade da humanidade em todos os demais homens, com o que reside nele um dever que se refere ao respeito que tem de professar necessariamente a qualquer outro homem (...) §39 Desprezar (*contenmere*) a outros, isto é, negar-lhes o respeito que se deve ao homem em geral, é, em qualquer circunstância, contrário ao dever, porque se tratam de homens (...) Contudo, eu não posso negar sequer ao homem vicioso, enquanto homem, o respeito que não se pode subtrair dele, ao menos na qualidade de homem; embora com sua ação se faça, sem dúvida, indigno dele. Daí que possam haver castigos ultrajantes, que desonram a humanidade mesma (como esquartejar, fazer com que os cães despedaçem o castigado, cortar-lhe o nariz e as orelhas), que não somente são mais dolorosos que a perda dos bens e da vida para quem é pudoroso, (para quem exige o respeito alheio, coisa que todos devem fazer), mas que também fazem ruborizar o espectador pela vergonha de pertencer a uma espécie com a qual se pode proceder assim" (cf. KANT, Immanuel, idem, p. 335). Cf. FERRAJOLI, trata-se do "princípio ético kantiano, que é, ademais, um critério meta-ético de homogeneidade e comparabilidade entre meios e fins, segundo o qual nenhuma pessoa pode ser tratada como uma coisa, isto é, como um meio para um fim alheio" (cf. FERRAJOLI, Luigi. *Derecho y Razón.* Teoría del garantismo penal. Trad. Perfecto Andrés Ibáñez et al. 2. ed. Madrid: Trotta, 1997, p. 337). Ainda cf. FERRAJOLI, "a máxima kantiana [também designada pelo autor italiano como a *objeção moral kantiana* – à p. 264] segundo a qual todo homem deve ser tratado como fim e nunca

Constitucional alemão como a "fórmula do tratamento desprezível" (*verächtliche Behandlung*)[574], também encontrou ressonância na jurisprudência do Supremo Tribunal Federal brasileiro[575].

---

como "mero meio", ou como "objeto de direito real" recorda a de Cesare Beccaria, op. cit., XX, p. 62: 'Não existe liberdade quando algumas vezes permitem as leis que em certos acontecimentos o homem deixe de ser *pessoa* e se repute como *coisa*'." (cf. FERRAJOLI, Luigi, op. cit., p. 302). Ou, noutra tradução da mesma passagem de BECCARIA: "[n]ão haverá liberdade sempre que as leis permitirem que, em certas circunstâncias, o homem deixe de ser *pessoa* e se torne *coisa*" (cf. BECCARIA, Cesare. *Dos Delitos e das Penas*. Trad. J. Cretella Jr. e Agnes Cretella. São Paulo: RT, 1999, p. 73). Diante do quadro, portanto, é correto dizer que BECCARIA antecipou-se a KANT (cf. FERRAJOLI, Luigi, idem, p. 395).

[574] Cf. BARBOSA, Ana Paula Costa. Possibilidade de relativização do princípio da dignidade humana de acordo com a teoria dos direitos fundamentais de Robert Alexy. In: *Revista Diálogo Jurídico*, n. 17, 2008, Bahia, Brasil, p. 5.

[575] Como teve ocasião de observar o ministro Gilmar Mendes, em apresentação do STF (intitulada *Jurisdição Constitucional no Brasil*) na Primeira Conferência Mundial em Direito Constitucional (1st. World Conference on Constitutional Justice), ocorrida em Cape Town, entre 23 e 24 de jan. de 2009: "[n]essa perspectiva, não se pode deixar de considerar a profícua jurisprudência que o Tribunal tem construído em tema de dignidade da pessoa humana. Principalmente nos processos de caráter penal e processual penal, a Corte tem firmado posição no sentido de que, no Estado constitucional, é inadmissível a transformação do homem em objeto dos processos estatais [Nota: STF-EXT 986, Relator Eros Grau, DJ 5.10.2007]. A Corte, assim, busca nessa fórmula-objeto (Günther Dürig) a razão para proteção do indivíduo e de sua dignidade ante os processos investigatórios e acusatórios penais ou de caráter sancionador em geral. Destaque-se o recente julgamento do Hábeas Corpus nº 91.952/SP, em que o Tribunal firmou o entendimento de que só é lícito o uso de algemas pela autoridade policial em caso de resistência e de fundado receio de fuga ou de perigo à integridade física própria ou de terceiros" (cf. MENDES, Gilmar. *Jurisdição Constitucional no Brasil*. Disponível em: <http://www.venice.coe.int/WCCJ/ Papers/BRA_SupremeC_POR.pdf>. Acesso em: 1 de maio de 2015). E, nos precedentes referidos, observe-se a efetiva adoção da *fórmula do objeto* de DÜRIG: "[o] Estado está vinculado ao dever de respeito e proteção do indivíduo contra exposição a ofensas ou humilhações e, como amplamente reconhecido, o princípio da dignidade da pessoa humana impede que o homem seja convertido em objeto dos processos estatais [cf. MAUNZ-DÜRIG. *Grundgesetz Kommentari*. Band I: München: Verlag C. H. Beck, 1990, 1I 18]. A propósito, em comentários ao art. 1º da Constituição Alemã, afirma Günter Dürig que a submissão do homem a um processo judicial indefinido e sua degradação como objeto do processo estatal atenta contra o princípio da proteção judicial efetiva (*Rechtliches Gehör*) e fere o princípio da dignidade humana ["*Eine Auslieferung de Menschen an ein staatliches Verfahren und eine Degradierung zum Objekt, dieses Verfahrens wäre die* ***Verweigerung des rechtlichen Gehörs.***"].

Em síntese, o conceito antes visitado de dignidade da pessoa humana, também de DÜRIG, em conjunto com a sua fórmula, têm o propósito de tornar judiciáveis as possíveis violações a este direito fundamental[576], e, porque "não oferece[m] uma solução global para o problema (já que não define[m] previamente o que deve ser protegido)", devem ser lidos à luz dos aspectos antes enumerados (averiguando-se acerca: do respeito e da proteção da integridade física e corporal do indivíduo; da garantia de condições de vida "justas e adequadas"; da garantia da isonomia; e da garantia da identidade pessoal – todas genuínas "posições que integram o âmbito de proteção da dignidade da pessoa humana" e, assim, de atendimento necessário para sua concreção, ao menos na quadra atual)[577].

Postas essas premissas, suficientes à verificação de eventuais violações, convém reconhecer que em face de uma pessoa privada de liberdade podemos visualizar a existência de quatro categorias de direitos fundamentais: *(i)* direitos fundamentais

---

[cf. MAUNZ-DÜRIG. *Grundgesetz Kommentari.* Band I: München: Verlag C. H. Beck, 1990, 1I 18]" (cf. BRASIL. SUPREMO TRIBUNAL FEDERAL. *Extradição n. 986*, J. 15 de ago. de 2007. *Diário da Justiça Eletrônico*, Brasília, 5 de out. de 2007, p. 46-47); e, na afirmação da inconstitucionalidade do uso desnecessário de algemas em julgamento do Tribunal do Júri: "[j]á no outro processo, eu me lembro que determinei também, proibi que o preso fosse conduzido no bagageiro do camburão, porque bagageiro é para bagagem, maleiro é para mala, para objeto, e o ser humano não é objeto, mala, e não pode ser conduzido no bagageiro de um camburão ou de qualquer outro carro. Se a polícia pretende utilizar o bagageiro para transporte de pessoas, que o faça colocando um banco, um assento com grades, para que o ser humano seja tratado como, de fato é, gente, com toda dignidade e não objeto", "[a]plica-se também o princípio da dignidade da pessoa humana na dimensão em que o homem não pode ser transformado em objeto dos processos estatais" (cf. BRASIL. SUPREMO TRIBUNAL FEDERAL. *Habeas Corpus* n. 91.952, J. 7 de ago. de 2008. *Diário da Justiça Eletrônico*, Brasília, 19 de dez. de 2008, p. 885 e 896-897).73). Diante do quadro, portanto, é correto dizer que BECCARIA antecipou-se a KANT (cf. FERRAJOLI, Luigi, idem, p. 395).

576 Cf BARBOSA-FOHRMANN, Ana Paula; BADENHOOP, Nikolai, idem, p. 231.

577 Cf. SARLET, Ingo Wolfgang, idem, p. 104. E, ainda em síntese – excelente –, com SARLET: "[o] que se percebe, em última análise, é que onde não houver respeito pela vida e pela integridade física do ser humano, onde as condições mínimas para uma existência digna não forem asseguradas, onde a intimidade e identidade do indivíduo forem objeto de ingerências indevidas, onde sua igualdade relativamente aos demais não for garantida, bem como onde não houver limitação do poder, não haverá espaço para a dignidade da pessoa humana, e esta não passará de mero objeto de arbítrio e injustiças. A concepção do homem-objeto, como visto, constitui justamente a antítese da noção da dignidade da pessoa humana" (cf. SARLET, Ingo Wolfgang, idem, p. 105-106).

suprimidos pelo estado de privação de liberdade; *(ii)* direitos fundamentais ativados pelo estado de privação de liberdade; *(iii)* direitos fundamentais restringidos pelo estado de privação de liberdade; *(iv)* direitos fundamentais mantidos a pleno durante o estado de privação de liberdade.

Sem pretensões de exaurimento do tema, podemos identificar em cada categoria alguns direitos fundamentais em questão ou proeminentes.

3.1.2.2.1 Direitos fundamentais suprimidos pelo estado de privação de liberdade

Ao lado da vida e da saúde, a liberdade é, sem dúvida, um dos direitos fundamentais de maior quilate em nossa ordem constitucional e, antes, um dos direitos humanos mais destacados. Sem ingressar na polêmica, em muito filosófica, sobre os sentidos da liberdade[578], separamos uma de suas dimensões, a do direito à livre circulação, o conhecido direito de ir e vir, para sublinhar o óbvio, isto é, que a prisão da pessoa (prisão processual, ou prisão pena, como já examinado) simplesmente suprime o seu exercício[579]. Em sentido amplo a liberdade vem (pr) enunciada no preâmbulo e assegurada como direito fundamental no caput do art. 5º da Constituição brasileira[580]. A especificação que ora analisamos, por seu

---

[578] Como, v.g., a relação entre a liberdade e a necessidade, a liberdade subjetiva e objetiva, as liberdades públicas, as liberdades políticas etc. (cf. SILVA, José Afonso da. *Comentário Contextual à Constituição*. 9. ed. São Paulo: Malheiros, 2014, p. 70-71). Ou ainda, a liberdade negativa e positiva, liberdade de agir e liberdade de querer, liberdade do indivíduo e liberdade da coletividade, liberdade em face de e liberdade de (ou para) etc. (cf. BOBBIO, Norberto. *Igualdade e Liberdade*. Trad. Carlos Nelson Coutinho. 3. ed. São Paulo: Ediouro, 1997, p. 48-96).

[579] Desde já anotamos que a liberdade como um todo não é suprimida pelo encarceramento. No que toca a outros estratos da liberdade, como adiante examinaremos, ela poderá figurar apenas restringida pela privação do direito ao livre trânsito individual.

[580] Senão, vejamos: "PREÂMBULO. Nós, representantes do povo brasileiro, reunidos em Assembleia Nacional Constituinte para instituir um Estado Democrático, destinado a assegurar o exercício dos direitos sociais e individuais, *a liberdade*, a segurança, o bem-estar, o desenvolvimento, a igualdade e a justiça como valores supremos de uma sociedade fraterna, pluralista e sem preconceitos, fundada na harmonia social e comprometida, na ordem interna e internacional, com a solução pacífica das controvérsias, promulgamos, sob a proteção de Deus, a seguinte CONSTITUIÇÃO DA REPÚBLICA FEDERATIVA DO BRASIL. (...) Art. 5º Todos são iguais perante a lei, sem distinção de qualquer natureza, garantindo-se aos brasileiros e aos estrangeiros residentes no País *a*

turno, encontra previsão no inc. XV, do art. 5º da Carta, no que afirma que "é *livre a locomoção* no território nacional em tempo de paz...", e é enfatizada no inc. LXVIII do mesmo art., que assegura a concessão de *habeas corpus* "sempre que alguém sofrer ou se achar ameaçado de sofrer violência ou coação em sua *liberdade de locomoção*, por ilegalidade ou abuso de poder"[581]. Conforme SILVA, a liberdade de locomoção "constitui o cerne da liberdade da pessoa física no sistema jurídico", e a prisão ou detenção representam formas de oposição a ela, "abolida que foi a escravidão"[582]. Também merece referência o inc. LXI, do art. 5º da Constituição, que ao dispor que "*ninguém será preso* senão em flagrante delito ou por ordem escrita e fundamentada de autoridade judiciária competente, (...)"[583] faz uma "*reafirmação do princípio da liberdade*, traduzido por um signo universal negativo: 'ninguém será preso (...)'. (...) princípio que deverá orientar o intérprete, sempre em favor da liberdade pessoal"[584].

Embora a privação de liberdade tenha presença virtualmente universal, como a forma por excelência de acautelamento durante a persecução, e, firmada a condenação definitiva, como a principal forma de punição de natureza penal aplicável e aplicada; e, também, embora seja digno de reconhecimento o fato de que ela ainda representa um avanço, na medida em que vários países continuam a aplicar a pena de morte (suprema negação da dignidade da pessoa humana[585]),

---

inviolabilidade do direito à vida, à liberdade, à igualdade, à segurança e à propriedade, nos termos seguintes: (...)". Vale observar, ainda, que a liberdade também se encontra implicitamente assegurada como direito fundamental nos direitos – impossíveis, à falta dela, de materializar – à soberania, à cidadania, à dignidade da pessoa humana, ao trabalho e livre iniciativa, ao pluralismo político, todos fundamentos do Estado Social e Democrático de Direito brasileiro (cf. expressos no art. 1º e incisos da Carta), assim como no declarado objetivo de constituir uma sociedade livre, justa e solidária (disposto sem seu art. 3º, inc. I) [cf. BRASIL. Constituição da República Federativa do Brasil. *Diário Oficial da União*, Brasília, 5 de out. de 1988].

[581] Cf. BRASIL. Constituição da República Federativa do Brasil. *Diário Oficial da União,* Brasília, 5 de out. de 1988.

[582] Cf. SILVA, José Afonso da, op. cit., p. 113.

[583] Cf. BRASIL. Constituição da República Federativa do Brasil. *Diário Oficial da União,* Brasília, 5 de out. de 1988.

[584] Cf. SILVA, José Afonso da, idem, p. 160.

[585] E isso apesar dos esforços contidos nos documentos internacionais sobre direitos humanos, no sentido de abolir a pena capital. Nesse desiderato, a Organização dos Estados Americanos – OEA, além da expressa previsão de restrição da pena de morte no art. 4º da Convenção Americana de

Direitos Humanos: Pacto de San José da Costa Rica, no art. 6º do Pacto Internacional sobre Direitos Civis e Políticos, e, no art. 37 da Convenção sobre os Direitos da Criança, recentemente, sob vários considerandos, aprovou um Protocolo Adicional à Convenção Americana sobre Direitos Humanos Referente à Abolição da Pena de Morte (eis os textos dos dispositivos mencionados: "Artigo 4. O Direito à vida. 1. Toda pessoa tem o direito de que se respeite sua vida. Esse direito deve ser protegido pela lei e, em geral, desde o momento da concepção. Ninguém pode ser privado da vida arbitrariamente. 2. Nos países que não houverem abolido a pena de morte, esta só poderá ser imposta pelos delitos mais graves, em cumprimento de sentença final de tribunal competente e em conformidade com a lei que estabeleça tal pena, promulgada antes de haver o delito sido cometido. Tampouco se estenderá sua aplicação a delitos aos quais não se aplique atualmente. 3. Não se pode restabelecer a pena de morte nos Estados que a hajam abolido. 4. Em nenhum caso pode a pena de morte ser aplicada a delitos políticos, nem a delitos comuns conexos com delitos políticos. 5. Não se deve impor a pena de morte a pessoa que, no momento da perpetração do delito, for menor de dezoito anos, ou maior de setenta, nem aplicá-la a mulher em estado de gravidez. 6. Toda pessoa condenada à morte tem direito a solicitar anistia, indulto ou comutação da pena, os quais podem ser concedidos em todos os casos. Não se pode executar a pena de morte enquanto o pedido estiver pendente de decisão ante a autoridade competente), e no art. 6º do Pacto sobre Direitos Civis e Políticos"; "ARTIGO 6º. 1. O direito à vida é inerente à pessoa humana. Esse direito deverá ser protegido pela lei. Ninguém poderá ser arbitrariamente privado de sua vida.2. Nos países em que a pena de morte não tenha sido abolida, esta poderá ser imposta apenas nos casos de crimes mais graves, em conformidade com legislação vigente na época em que o crime foi cometido e que não esteja em conflito com as disposições do presente Pacto, nem com a Convenção sobra a Prevenção e a Punição do Crime de Genocídio. Poder-se-á aplicar essa pena apenas em decorrência de uma sentença transitada em julgado e proferida por tribunal competente.3. Quando a privação da vida constituir crime de genocídio, entende-se que nenhuma disposição do presente artigo autorizará qualquer Estado Parte do presente Pacto a eximir-se, de modo algum, do cumprimento de qualquer das obrigações que tenham assumido em virtude das disposições da Convenção sobre a Prevenção e a Punição do Crime de Genocídio. 4. Qualquer condenado à morte terá o direito de pedir indulto ou comutação da pena. A anistia, o indulto ou a comutação da pena poderá ser concedido em todos os casos. 5. A pena de morte não deverá ser imposta em casos de crimes cometidos por pessoas menores de 18 anos, nem aplicada a mulheres em estado de gravidez. 6. Não se poderá invocar disposição alguma do presente artigo para retardar ou impedir a abolição da pena de morte por um Estado Parte do presente Pacto."; "ARTIGO 37. Os Estados Partes zelarão para que: a) nenhuma criança seja submetida a tortura nem a outros tratamentos ou penas cruéis, desumanos ou degradantes. Não será imposta a pena de morte nem a prisão perpétua sem possibilidade de livramento por delitos cometidos por menores de dezoito anos de idade;"; e, "PREÂMBULO. OS ESTADOS PARTES NESTE PROTOCOLO, Considerando: Que o artigo 4 o da Convenção Americana sobre Direitos Humanos reconhece o direito à vida e

o caminho da evolução – espera-se – haverá de sobrelevar o direito fundamental da liberdade na maioria das hipóteses de crime, de modo a imunizar o investigado/réu/condenado contra uma integral supressão do seu direito à locomoção, dando lugar a medidas apenas restritivas dessa liberdade, rumo a um progressivo processo de descarcerização (o qual, ainda que possa estar distante no tempo, parece inevitável, até, quiçá, num horizonte abolicionista – e, sim, talvez utópico –, possa desaparecer como resposta estatal aplicável aos seus cidadãos).

Para além do direito de ir e vir, outro direito fundamental suprimido pelo estado de privação da liberdade é o de votar e ser votado. No ponto é expressa a previsão constitucional (curiosamente inserida no Título II, "Dos direitos e garantias fundamentais", e no Capítulo IV, "Dos direitos políticos"), que dispõe a cassação dos direitos civis e políticos em vista de "condenação criminal

---

restringe a aplicação da pena de morte; Que toda pessoa tem o direito inalienável de que se respeite sua vida, não podendo este direito ser suspenso por motivo algum; Que a tendência dos Estados americanos é favorável à abolição da pena de morte; Que a aplicação da pena de morte produz consequências irreparáveis que impedem sanar o erro judicial e eliminam qualquer possibilidade de emenda e reabilitação do processado; Que a abolição da pena de morte contribui para assegurar proteção mais efetiva do direito à vida; Que é necessário chegar a acordo internacional que represente um desenvolvimento progressivo da Convenção Americana sobre Direitos Humanos; Que Estados-Partes na Convenção Americana sobre Direitos Humanos expressaram seu propósito de se comprometer mediante acordo internacional a fim de consolidar a prática da não aplicação da pena de morte no continente americano, Convieram em assinar o seguinte: PROTOCOLO À CONVENÇÃO AMERICANA SOBRE DIREITOS HUMANOS REFERENTE À ABOLIÇÃO DA PENA DE MORTE. ARTIGO 1º Os Estados-Partes neste Protocolo não aplicarão em seu território a pena de morte a nenhuma pessoa submetida a sua jurisdição") (cf. ORGANIZAÇÃO DOS ESTADOS AMERICANOS (OEA), *Convenção Americana de Direitos Humanos: Pacto de San José da Costa Rica*, 22 de nov. de 1969; *Pacto Internacional sobre Direitos Civis e Políticos*, 19 de dez. de 1966; *Convenção sobre os Direitos da Criança*, 20 de nov. de 1989; e, Protocolo Adicional à Convenção Americana sobre Direitos Humanos Referente à Abolição da Pena de Morte, 8 de jun. de 1990 In: SENADO FEDERAL. *Direitos Humanos*. Atos internacionais e normas correlatas. 4. ed. Brasília: Senado Federal, Coordenação de Edições Técnicas, 2013, p. 153; p. 131-132; p. 211; p. 217-218). Observamos, com CARVALHO, o explícito acolhimento da proibição do retrocesso social na Convenção Americana de Direitos Humanos, ao dispor, no §4º, do seu art. 3º, que "*não se pode restabelecer a pena de morte nos Estados que a hajam abolido*" (cf. CARVALHO, Salo de. *Penas e Medidas de Segurança no Direito Penal Brasileiro* (fundamentos e aplicação judicial). São Paulo: Saraiva, 2013, eBook Saraiva, p. 257). Sobre a extrema importância da proibição do retrocesso social, ver SARLET, Ingo Wolfgang, idem, p. 451-476.

transitada em julgado, enquanto durarem seus efeitos" (cf. o inc. III, do art. 15 da Carta)[586]. Duas observações quanto à supressão, porém, devem ser feitas: *(a)* ela não se aplica ao preso processual e aos menores infratores[587]; e *(b)* ela decorre

---

[586] Cf. BRASIL. Constituição da República Federativa do Brasil. *Diário Oficial da União*, Brasília, 5 de out. de 1988.

[587] Embora deva ser registrada a extrema resistência da Justiça Eleitoral brasileira em operacionalizar o exercício do direito de voto pelos presos processuais e aos menores infratores, com a disposição de urnas eletrônicas nos locais de encarceramento em dia de votação. Na prática, a falta dessa providência (nada extraordinária) tem inviabilizado o exercício de um dos mais importantes direitos da cidadania, e, inclusive, tem motivado ações judiciais em reação [*v.g.*, como a Ação Civil Pública n. 5006829-42-2010-4.04.7200, proposta pelo Ministério Público Federal em Santa Catarina e já julgada procedente: "[a]ção judicial garante direito de voto a presos provisórios e adolescentes internados (07/05/2015) – Ação assegura instalação de seções eleitorais nas unidades penais e de internação. A Justiça Federal julgou procedente o pedido do Ministério Público Federal, em ação civil pública contra a União (TRE/SC), para garantir o direito de votar a todos os presos provisórios (aqueles que ainda não foram condenados por decisão transitada em julgado) e a todos os adolescentes (maiores de 16 anos e até 21 anos de idade) internados sob medida socioeducativa". Disponível em: <http://www2.prsc.mpf.mp.br/conteudo/servicos/noticias-ascom/ultimas-noticias/acao-judicial-garante-direito-de-voto-a-presos-provisorios-e-adolescentes-internados>. Acesso em: 3 de maio de 2015]. Recente levantamento feito pelo Conselho Nacional de Política Criminal e Penitenciária (CNPCP) dá conta de cinco causas principais para a não viabilização do voto para a maioria dos presos provisórios e menores infratores: falta de documentos de identificação originais em posse dos detidos; falta de estrutura física e segurança nos locais de custódia; dificuldade de designação de mesários; exigência de longo período para cadastramento, transferência, revisão ou alistamento dos eleitores; e, falta de interesse dos detidos. Os motivos foram alegados pelos Tribunais Regionais Eleitorais dos Estados em pesquisa realizada pelo próprio CNPCP, e a sua fragilidade é autoevidente (cf. BRASIL. MINISTÉRIO DA JUSTIÇA. CONSELHO NACIONAL DE POLÍTICA CRIMINAL E PENITENCIÁRIA. *Balanço das iniciativas de viabilização do voto do preso provisório e do adolescente internado no Brasil*, de 10 de fev. de 2014. Disponível em: <http://portal.mj.gov.br/cnpcp/services/ DocumentManagement/FileDownload.EZTSvc.asp?DocumentID={0FCBA487-8BA7-4C4D-9FB0-46A8B6E 7431F}&ServiceInstUID={4AB01622-7C49-420B-9F76-15A4137F1CCD}>. Acesso em: 2 de mar. de 2015). Também vale observar que, em reforço ao direito fundamental em questão, o próprio Código Eleitoral (que é preconstitucional) determina a instalação de seções eleitorais em "estabelecimentos de internação coletiva, inclusive para cegos e nos leprosários" (no art. 136, da Lei n. 4.737/1965. Cf. BRASIL. Lei n. 4.737, de 15 de jul. de 1965. Institui o Código Eleitoral. *Diário Oficial da União*, Brasília, 19 de jul. de 1965, retificado em 30 de jul. de 1965); e que o Tribunal Superior Eleitoral, na Resolução n. 23.399 (que dispõe sobre atos preparatórios das eleições de 2014), em seu art. 19, "facultou"

do *status* de condenado criminalmente em sentença transitada em julgado, ou seja, alcança mesmo os indivíduos não privados de liberdade por decisão judicial condenatória, mas que, em virtude dela, estão em cumprimento de sanções alternativas, ou em suspensão condicional da execução da pena.

A supressão em debate, como bem aponta CARVALHO, se apresenta como "uma forma *sui generis* de destituição do *status civitas*", "excluindo o condenado do exercício da cidadania e das decisões da vida pública", a sublinhar o seu estigma de pária social. É uma espécie de restolho autoritário a indicar a necessidade de uma séria reflexão em vista do seu evidente choque com o direito fundamental à dignidade do condenado[588]. Acrescente-se que ao serem destituídos da condição de eleitores os presos condenados automaticamente ficam excluídos da esfera de interesse da esmagadora maioria dos candidatos e, assim, restam sem representantes eleitos. Tudo a aprofundar as condições de abandono dos cárceres brasileiros.

Por fim, como o Brasil proscreve a pena de morte em tempo de paz[589], a garantir que, no curso da normalidade, o direito fundamental à vida não pode ser objeto de supressão, entendemos que a liberdade de locomoção parece ser o único direito fundamental inteiramente suprimido pelo encarceramento em nosso país, enquanto os direitos civis e políticos, como visto, são suprimidos apenas para uma parte das pessoas privadas de liberdade.

3.1.2.2.2 Direitos fundamentais ativados pelo estado de privação de liberdade

Trata-se dos direitos acessados pelo indivíduo a partir do seu recolhimento ao cárcere. Isto é, de direitos nos quais a pessoa privada de liberdade – precisamente

---

(?!) aos Tribunais Regionais Eleitorais a criação de "seções eleitorais em estabelecimentos penais e em unidades de internação tratadas pelo Estatuto da Criança e do Adolescente" (cf. BRASIL. TRIBUNAL SUPERIOR ELEITORAL. *Resolução n. 23.399*, de 17 de dez. de 2013. Disponível em: <http://www.tse.jus.br/eleicoes/eleicoes-2014/normas-e-documentacoes/resolucao-no-23.399>. Acesso em: 3 de maio de 2015).

[588] Cf. CARVALHO, Salo, op. cit., p. 436.

[589] Prevendo-a como possível, tão somente, em caso de guerra declarada ("Art. 5º (...) XLVII – não haverá penas: a) de morte, salvo em caso de guerra declarada, nos termos do art. 84, XIX;" – cf. BRASIL. Constituição da República Federativa do Brasil. *Diário Oficial da União*, Brasília, 5 de out. de 1988).

em vista dessa particular condição existencial – aparece como titular, nos quais "figura como sujeito ativo da relação jurídico-subjetiva"[590].

Retomando o que se disse à abertura, se nem todos os direitos fundamentais têm um fundamento direto e um conteúdo em dignidade da pessoa humana (uma vez que a nota da fundamentalidade pode advir de outros critérios)[591], os específicos direitos fundamentais ativados pelo estado de privação de liberdade (tomado, sublinhamos, como uma contingência existencial excepcional) podem ser reconduzidos diretamente/possuem conteúdo na dignidade da pessoa humana (porque são dotados de universalidade e contemplados no direito internacional dos direitos humanos[592]).

Nesse sentido, são resultado daquele desenvolvimento prenunciado por RADBRUCH, ainda 1948, quando advertiu: "[n]ão cabe dúvida de que a revisão dos problemas fundamentais do direito penal sob o signo da ideia de humanidade será uma das missões mais importantes deste ramo da ciência do Direito no futuro"[593]. Decerto, os traumas da Segunda Grande Guerra não permitiriam

[590] Empregamos, aqui, a terminologia "dominante no cenário jurídico contemporâneo": titular, sujeito ativo, de direitos fundamentais; e não destinatário, que "é a pessoa (física, jurídica ou mesmo ente despersonalizado) em face da qual o titular pode exigir o respeito, proteção ou promoção do seu direito" (cf. SARLET, Ingo Wolfgang, idem, p. 215). Portanto, os termos designam dois polos antagônicos da relação jurídica estabelecida em torno de um direito fundamental: titular / sujeito ativo; destinatário / sujeito passivo.

[591] Cf. SARLET, Ingo Wolfgang. *Dignidade (da Pessoa) Humana e Direitos Fundamentais na Constituição Federal de 1988.* 10. ed. Porto Alegre: Livraria do Advogado, 2015, p. 102. O autor pondera que "[s]e a dignidade da pessoa humana é um atributo de todos os que integram a comunidade humana, constituindo, portanto, uma noção universal (a dignidade é de todos e de cada um indistintamente), soa difícil reconduzir determinados direitos e garantias a dignidade humana". E exemplifica com o mandado de injunção, a previsão do fundo de garantia por tempo de serviço (FGTS) e o pagamento de um terço sobre as férias, todos direitos fundamentais previstos na ordem constitucional positiva brasileira e aos quais, entretanto, "falta tal universalidade e sequer se cuida de posições jurídicas contempladas no direito internacional dos direitos humanos, pois, convém recordar, nem todos os direitos fundamentais são direitos humanos embora todos os direitos humanos sejam fundamentais, ou, pelo menos, deveriam ser objeto de previsão e proteção pelas ordens constitucionais internas dos Estados" (cf. SARLET, Ingo Wolfgang, op. cit., p. 100).

[592] Sobre a universalidade e a contemplação em documentos internacionais de direitos humanos como índices de conteúdo em dignidade da pessoa humana de um direito fundamental, vide nota acima, cf. SARLET, Ingo Wolfgang, idem, p. 100.

[593] Cf. RADBRUCH, Gustav. *Introducción a la Filosofía del Derecho*. Trad. Wenceslao Roces.

compromisso diverso, e o processo revisional mencionado pelo filósofo logo encontrou lentes nos documentos internacionais posteriores ao conflito, primeiro na Declaração Universal dos Direitos Humanos da ONU (Dez./1948)[594] e, no plano mais regional, na Convenção para Proteção dos Direitos do Homem e das Liberdades Fundamentais (Nov./1950)[595], e na Declaração Americana dos Direitos e Deveres do Homem (Abr./1948)[596].

A Constituição brasileira, acolhendo os parâmetros internacionais de direitos humanos, oferece um rol de direitos fundamentais em que as pessoas privadas de liberdade figuram como sujeito ativo (e o Estado, em geral, como sujeito passivo). São eles:

a) Direito fundamental à pessoalidade (ou à intranscendência) da pena

O inc. XLV, do art. 5º da CF dispõe que "nenhuma pena passará da pessoa do condenado", embora com a ressalva de que pode "a obrigação de reparar o dano e a decretação do perdimento de bens ser, nos termos da lei, estendidas aos sucessores e contra eles executadas, até o limite do valor do patrimônio transferido". Logo, a pena aplicada a determinada pessoa só por ela própria é que pode ser cumprida, valendo o mesmo para o *minus* representado por todas as espécies de prisão de natureza cautelar que tenha de ser executada (no curso da investigação/processo precedente). Inclusive do ponto de vista patrimonial, as sanções penais pecuniárias que venham a ser aplicadas somente poderão recair sobre o patrimônio do condenado, nos seus precisos limites. CARVALHO refere que é a garantia, enfim, da exclusão "da possibilidade de responsabilização de

---

(primeira edição em alemão, 1948; primeira edição em espanhol, 1951) 1. ed. 9. reimp. México: Fondo de Cultura Económica, 2005, p. 156.

[594] Cf. ORGANIZAÇÃO DAS NAÇÕES UNIDAS (ONU). Declaração Universal dos Direitos Humanos, 10 de dez. de 1948. In: SENADO FEDERAL. *Direitos Humanos*. Atos internacionais e normas correlatas. 4. ed. Brasília: Senado Federal, Coordenação de Edições Técnicas, 2013, p. 20-23.

[595] Cf. CONSELHO DA EUROPA. *Convenção para Proteção dos Direitos do Homem e das Liberdades Fundamentais (Convenção Europeia dos Direitos do Homem)*, 4 de nov. de 1950. Disponível em: <http://www.echr.coe.int/Documents/Convention_POR.pdf>. Acesso em: 1 de mar. de 2015.

[596] Cf. ORGANIZAÇÃO DOS ESTADOS AMERICANOS (OEA), Declaração Americana dos Direitos e Deveres do Homem, abr. de 1948. In: SENADO FEDERAL. *Direitos Humanos*. Atos internacionais e normas correlatas. 4. ed. Brasília: Senado Federal, Coordenação de Edições Técnicas, 2013, p. 24-28.

terceiros não envolvidos no caso penal", resultado da "construção histórica dos princípios liberais de direito penal"[597]. Entre nós, foi introduzida na Constituição de 1824, de modo a explicitar o rechaço das penas de confisco, de proscrição da memória e de imposição do estigma da infâmia aos descendentes do criminoso, todas previsões assentadas no Livro V, das Ordenações Filipinas (1603)[598].

b) Direito fundamental à individualização da pena

Tem assento na primeira parte do inc. XLVI, do art. 5º da Carta, com o seguinte enunciado: "a lei regulará a individualização da pena"[599]. BOSCHI adverte que a garantia "previne o tratamento de massa em direito penal"[600], ou, segundo CARVALHO, é decorrência "do modelo de aplicação personalíssima da resposta penal"[601]. No Brasil o princípio se materializa em três fases distintas e sucessivas[602]: primeiro na fase de *individualização legislativa*, em nível, portanto, abstrato, por meio da cominação de penas para cada tipo penal (consideradas as suas particularidades); seguida da *individualização judicial*, que é a aplicação da pena na sentença condenatória, isto é, a sua concretização a partir dos parâmetros legislados, por meio dos vetores de cálculo também previstos na lei ordinária, e

---

[597] Cf. CARVALHO, Salo, idem, p. 261.

[598] Cf. CARVALHO, Salo, idem, p. 246-247. O texto do preceito referido, da Constituição de 1824, apresenta a seguinte redação: "Art. 179. A inviolabilidade dos Direitos Civis, e Politicos dos Cidadãos Brazileiros, que tem por base a liberdade, a segurança individual, e a propriedade, é garantida pela Constituição do Imperio, pela maneira seguinte. (...) XX. Nenhuma pena passará da pessoa do delinquente. Por tanto não haverá em caso algum confiscação de bens, nem a infamia do Réo se transmittirá aos parentes em qualquer grão, que seja" (cf. BRASIL. *Constituição Politica do Império do Brazil*, de 25 de mar. de 1824. Registrada à fls. 17, do Livro 4º de Leis, Alvarás e Cartas Imperiaes, Rio de Janeiro, 22 de abr. de 1824. Disponível em: <http://www.planalto.gov.br/ ccivil_03/Constituicao/Constituicao24.htm>. Acesso em: 2 de mar. de 2015).

[599] Cf. BRASIL. Constituição da República Federativa do Brasil. *Diário Oficial da União*, Brasília, 5 de out. de 1988.

[600] Cf. BOSCHI, José Antonio Paganella. *Das Penas e seus Critérios de Aplicação*. 5. ed. Porto Alegre: Livraria do Advogado Editora, 2011, p. 53 e 54.

[601] Cf. CARVALHO, Salo, idem, p. 250.

[602] Cf. BOSCHI, José Antonio Paganella, op. cit., p. 54. Ainda, cf. CARVALHO, Salo, idem, p. 250-251.

em vista do fato criminoso com todas as suas circunstâncias[603]; e, por derradeiro, segue a *individualização executiva* da pena, que tem lugar no processo de execução penal (em vista de critérios legais específicos a serem analisados caso a caso pelo juiz competente), por meio de progressão/regressão de regime prisional, remição da pena pelo trabalho/estudo, concessão de livramento condicional, indulto, comutação etc.[604]. A existência desses três momentos para concreção do princípio da individualização da pena encontra-se, atualmente, reconhecida pela jurisprudência do Supremo Tribunal Federal, notadamente a partir dos julgamentos do *Habeas Corpus* n. 82.959, em 23 de fevereiro de 2006, e do *Habeas Corpus* n. 111.840, em 27 de junho de 2012. O primeiro julgou inconstitucional previsão do legislador ordinário que fixara a impossibilidade de progressão entre regimes prisionais para os chamados crimes hediondos e equiparados. No caso a Corte assentou que a negação de elemento nuclear – *progressividade* – da aludida fase executiva é inconstitucional, pois implica violação do direito fundamental a individualização da pena (em uma de suas fases mais importantes)[605]. No

[603] O que, então, implica: 1º. O estabelecimento da espécie de pena aplicável dentre as previstas – cf. o art. 59, inc. I do CP; 2º. A quantificação da pena privativa de liberdade a ser aplicada (cf. o art. 59, inc. II e art. 68 do CP), em três etapas – método trifásico –, com a fixação de uma pena-base (em vista das chamadas circunstâncias judiciais do art. 59, caput, do CP), depois de uma pena provisória ou intermediária (em face das chamadas circunstâncias legais agravantes e atenuantes, dos arts. 61 a 66 do CP), chegando à pena definitiva (por aplicação de causas de aumento ou de diminuição previstas de modo esparso na legislação – cf. a parte final do art. 68 do CP); 3º. A fixação do regime inicial de cumprimento da pena (cf. os arts. 59, inc. III e 33 do CP); e, por fim, 4º. A eventual substituição da pena privativa de liberdade por penas restritivas de direitos – caso em que também serão motivadamente escolhidas e aplicadas desde os referenciais abstratos da legislação –, momento em que também deve ser avaliada eventual suspensão da execução da pena – por aplicação do *sursis*, cf. o Art. 77 do CP. Tudo cf. BRASIL. Código Penal. Decreto-Lei 2.848 de 7 de dez. de 1940. *Diário Oficial da União*, Rio de Janeiro, 31 de dez. de 1940, retificado em 3 de jan. de 1941).

[604] Todas situações com previsão específica na Lei de Execução Penal (Lei n. 7.210/84) e nos chamados Decretos Natalinos da Presidência da República que, por delegação (cf. art. 84, inc. XII da CF), anualmente estabelecem os critérios para indulto coletivo e comutação (redução) de penas no país. Cf. BRASIL. Constituição da República Federativa do Brasil. *Diário Oficial da União*, Brasília, 5 de out. de 1988; e, cf. BRASIL. Lei de Execução Penal. Lei n. 7.210. *Diário Oficial da União*, Brasília, 13 de jul. de 1984.

[605] Eis o resumo do julgado referido: "PENA – REGIME DE CUMPRIMENTO – PROGRESSÃO – RAZÃO DE SER. A progressão no regime de cumprimento da pena, nas espécies fechado,

mesmo sentido foi o julgamento do último *Habeas Corpus*, que pronunciou a inconstitucionalidade de parte de lei posterior à primeira decisão referida, que pretendia com ela harmonizar-se[606], mas não o fez ao estabelecer regime inicial fechado de modo automático a todos os condenados por crimes hediondos ou equiparados (a despeito do eventual cabimento ao caso, pelas regras gerais em vigor, de um regime inicial mais brando, maculando, assim, a fase da judicial da individualização)[607].

---

semiaberto e aberto, tem como razão maior a ressocialização do preso que, mais dia ou menos dia, voltará ao convívio social. PENA – CRIMES HEDIONDOS – REGIME DE CUMPRIMENTO – PROGRESSÃO – ÓBICE – ARTIGO 2º, §1º, DA LEI N. 8.072/90 – INCONSTITUCIONALIDADE – EVOLUÇÃO JURISPRUDENCIAL. Conflita com a garantia da individualização da pena – artigo 5º, inciso XLVI, da Constituição Federal – a imposição, mediante norma, do cumprimento da pena em regime integralmente fechado. Nova inteligência do princípio da individualização da pena, em evolução jurisprudencial, assentada a inconstitucionalidade do artigo 2º, § 1º, da Lei n. 8.072/90". No voto do ministro Marco Aurélio, relator do caso, restou afirmado que o dispositivo anulado, "fulminando o regime de progressão da pena, amesquinha a garantia constitucional da individualização". O ministro Cezar Peluso, por seu turno, também afirmou a inconstitucionalidade advertindo para "imperatividade da interpretação restrita de normas que reduzam a amplitude de direitos fundamentais" (cf. BRASIL. SUPREMO TRIBUNAL FEDERAL. *Habeas Corpus* n. 82.959, J. 23 de fev. de 2006. *Diário da Justiça Eletrônico*, Brasília, 01 de set. de 2006). O dispositivo julgado inconstitucional estatuía: "Art. 2º Os crimes hediondos, a prática da tortura, o tráfico ilícito de entorpecentes e drogas afins e o terrorismo são insuscetíveis de: (...) § 1º A pena por crime previsto neste artigo será cumprida integralmente em regime fechado." (cf. BRASIL. Lei n. 8.072 de 25 de jul. de 1990. Dispõe sobre os crimes hediondos, nos termos do art. 5º, XLIII, da Constituição Federal, e determina outras providências. *Diário Oficial da União*, Brasília, 26 de jul. de 1990).

[606] Trata-se da Lei n. 11.464/2007, que dispôs uma alteração (na Lei n. 8.072/90) com o seguinte texto alternativo ao rechaçado no HC 82.959: "Art. 2o (...) §1o A pena por crime previsto neste artigo será cumprida inicialmente em regime fechado. §2o A progressão de regime, no caso dos condenados aos crimes previstos neste artigo, dar-se-á após o cumprimento de 2/5 (dois quintos) da pena, se o apenado for primário, e de 3/5 (três quintos), se reincidente. (...)" (cf. BRASIL. Lei n. 11.464 de 28 de mar. de 2007. Dá nova redação ao art. 2o da Lei n. 8.072, de 25 de julho de 1990, que dispõe sobre os crimes hediondos, nos termos do inciso XLIII do art. 5o da Constituição Federal. *Diário Oficial da União*, Brasília, 29 de mar. de 2007).

[607] Eis a ementa do precedente mencionado: "*Habeas corpus*. Penal. Tráfico de entorpecentes. Crime praticado durante a vigência da Lei n. 11.464/07. Pena inferior a 8 anos de reclusão. Obrigatoriedade de imposição do regime inicial fechado. Declaração incidental de inconstitucionalidade do § 1º do art. 2º da Lei n. 8.072/90. Ofensa à garantia constitucional da individualização da pena

c) Direito fundamental à humanidade das penas

"É concebível que um corpo político que, bem longe de agir por paixões, é o tranquilo moderador das paixões particulares, possa albergar essa inútil crueldade, instrumento do furor e do fanatismo, ou dos fracos tiranos?", perguntava BECCARIA em 1764. E completava: "[p]oderiam talvez os gritos de um infeliz trazer de volta do tempo, que não retorna, as ações já consumadas?". Com tais questões o autor trazia à discussão o grave problema da barbárie das penas ainda aplicadas ao seu tempo, penas de natureza corporal como açoites, amputações, desmembramentos, decapitações etc., incapazes, segundo a sua visão, de atingir aquele que deveria ser o verdadeiro objetivo de uma pena criminal: "o impedir que o réu cause novos danos aos seus concidadãos e demover os outros de agir desse modo". A tanto seria preciso "selecionar quais penas e quais os modos de aplicá-las de tal modo que, conservadas as proporções, causem impressão mais eficaz e mais duradoura no

---

(inciso XLVI do art. 5º da CF/88). Fundamentação necessária (CP, art. 33, § 3º, c/c o art. 59). Possibilidade de fixação, no caso em exame, do regime semiaberto para o início de cumprimento da pena privativa de liberdade. Ordem concedida. 1. Verifica-se que o delito foi praticado em 10/10/09, já na vigência da Lei n. 11.464/07, a qual instituiu a obrigatoriedade da imposição do regime inicialmente fechado aos crimes hediondos e assemelhados. 2. Se a Constituição Federal menciona que a lei regulará a individualização da pena, é natural que ela exista. Do mesmo modo, os critérios para a fixação do regime prisional inicial devem-se harmonizar com as garantias constitucionais, sendo necessário exigir-se sempre a fundamentação do regime imposto, ainda que se trate de crime hediondo ou equiparado. 3. Na situação em análise, em que o paciente, condenado a cumprir pena de seis (6) anos de reclusão, ostenta circunstâncias subjetivas favoráveis, o regime prisional, à luz do art. 33, § 2º, alínea b, deve ser o semiaberto. 4. Tais circunstâncias não elidem a possibilidade de o magistrado, em eventual apreciação das condições subjetivas desfavoráveis, vir a estabelecer regime prisional mais severo, desde que o faça em razão de elementos concretos e individualizados, aptos a demonstrar a necessidade de maior rigor da medida privativa de liberdade do indivíduo, nos termos do § 3º do art. 33, c/c o art. 59, do Código Penal. 5. Ordem concedida tão somente para remover o óbice constante do § 1º do art. 2º da Lei n. 8.072/90, com a redação dada pela Lei n. 11.464/07, o qual determina que "[a] pena por crime previsto neste artigo será cumprida inicialmente em regime fechado". Declaração incidental de inconstitucionalidade, com efeito ex nunc, da obrigatoriedade de fixação do regime fechado para início do cumprimento de pena decorrente da condenação por crime hediondo ou equiparado" (cf. BRASIL. SUPREMO TRIBUNAL FEDERAL. *Habeas Corpus* n. 111.840, J. 27 de jun. de 2012. *Diário da Justiça Eletrônico*, Brasília, 16 de dez. de 2013).

espírito dos homens, e a menos tormentosa no corpo do réu"[608]. E nesse preciso fulcro o iluminismo assentou, por BECCARIA e KANT, principalmente, como argumento intransponível em favor da humanidade das penas, o já debatido "princípio moral de respeito à pessoa humana (...) com a máxima de que cada homem, e por conseguinte também o condenado, não deve ser tratado nunca como um 'meio', ou 'coisa', senão sempre como 'fim', ou 'pessoa'."[609]. Portanto, estabelecido esse princípio geral, desimportam quaisquer cálculos utilitários, de maiores ou menores vantagens ou desvantagens de uma pena, ou sobre o que convém em cada caso, porque o certo é que ela – sempre e em todas as situações – "não deve ser cruel e inumana"[610]. Logo, como observa FERRAJOLI, "[i]sto quer dizer que mais além de qualquer argumento utilitário, o valor da pessoa humana impõe uma limitação fundamental à qualidade e à quantidade da pena", e aí está fundado o "rechaço da pena de morte, das penas corporais, das penas infamantes e, por outro lado, da cadeia perpétua e das penas privativas de liberdade excessivamente longas"[611].

---

[608] Cf. BECCARIA, Cesare, op. cit., p. 52. E o autor ainda sublinhava que a crueldade das penas era contrária a finalidade de prevenir delitos: primeiro porque não era possível estabelecer a justa proporção entre delito e pena corporal (embora a engenhosidade macabra tenha apresentado inúmeras espécies de castigos físicos), permitindo, indevidamente, que "a pena ultrapasse a última força a que estão limitadas a organização e a sensibilidade humanas"; e, segundo, porque a atrocidade dos suplícios leva a um aumento da impunidade: "[a] própria atrocidade da pena faz com que tentemos evita-la com audácia tanto maior quanto maior é o mal, e leva a cometer mais delitos para escapar à pena de um só. Os países e as épocas em que existiram os suplícios mais atrozes foram sempre os das ações mais sanguinárias e desumanas, pois o mesmo espírito de crueldade que guiava a mão do legislador, regia a do parricida e a do sicário" (cf. BECCARIA, Cesare, idem, p. 87-88).

[609] Cf. FERRAJOLI, Luigi, idem, p. 395. Ainda sobre o princípio ético kantiano, e sua antecipação por BECCARIA, ver, *supra*, nota 573.

[610] Cf. FERRAJOLI, Luigi, idem, p. 395.

[611] Cf. FERRAJOLI, Luigi, idem, p. 395-396. E o autor complementa: "[d]evo advertir que este argumento tem um caráter político, ademais de moral: serve para fundar a legitimidade do estado unicamente nas funções de tutela da vida e dos restantes direitos fundamentais, de sorte que, conforme a isso, um estado que mata, que tortura, que humilha a um cidadão não somente perde qualquer legitimidade, senão que contradiz sua razão de ser, pondo-se ao nível dos mesmos delinquentes" (cf. FERRAJOLI, Luigi, idem, p. 396).

Assim, além de dar à luz o utilitarismo, com o enunciar das doutrinas da prevenção especial e geral para os fins da pena, a ilustração penal inaugurou a ideia de humanidade das penas, que se transpôs as primeiras cartas de direitos do homem do período e, após, aos documentos internacionais de direitos humanos e para as Constituições mundo afora até os nossos dias[612].

No Brasil a garantia foi introduzida na Constituição Imperial de 1824 e permaneceu em todas as Cartas subsequentes. No plano substancial, porém, nos períodos ditatoriais, é preciso anotar que torturas e desaparecimentos forçados de perseguidos políticos ocorreram em aberta afronta ao direito fundamental formalmente previsto[613].

Atualmente, o princípio está expresso em várias disposições do art. 5º da Constituição[614] (em especificações da *dignidade da pessoa humana* – do inc. III, do art. 1º da Carta – ativadas, como se disse, pelo estado de privação de liberdade), como nos incisos III ("ninguém será submetido a tortura nem a tratamento desumano ou degradante"), XLVII ("não haverá penas: a) de morte, salvo em caso de guerra declarada, nos termos do art. 84, XIX; b) de caráter perpétuo; c) de trabalhos forçados; d) de banimento; e) cruéis;"[615]), XLIX ("é assegurado

---

[612] Cf. BOSCHI, José Antonio Paganella, idem, p. 47-48. Ainda, cf. CARVALHO, Salo, idem, p. 255.

[613] Cf. CARVALHO, Salo, idem, p. 254-255. O texto da Carta de então dispunha: "Art. 179. A inviolabilidade dos Direitos Civis, e Politicos dos Cidadãos Brazileiros, que tem por base a liberdade, a segurança individual, e a propriedade, é garantida pela Constituição do Imperio, pela maneira seguinte. (...) XIX. Desde já ficam abolidos os açoites, a tortura, a marca de ferro quente, e todas as mais penas crueis" (cf. BRASIL. *Constituição Politica do Império do Brazil*, de 25 de mar. de 1824. Registrada à fls. 17, do Livro 4º de Leis, Alvarás e Cartas Imperiaes, Rio de Janeiro, 22 de abr. de 1824. Disponível em: <http://www.planalto.gov.br/ccivil_03/ Constituicao/ Constituicao24.htm>. Acesso em: 2 de mar. de 2015).

[614] Cf. BOSCHI, José Antonio Paganella, idem, p. 48.

[615] SILVA afirma que seria até desnecessário à Carta a previsão do inc. XLVII, em vista do que já assegurara no inc. XLVI ("XLVI – a lei regulará a individualização da pena e adotará, entre outras, as seguintes: a) privação ou restrição da liberdade; b) perda de bens; c) multa; d) prestação social alternativa; e) suspensão ou interdição de direitos"). Ou seja, o arrolamento das penas admitidas no âmbito brasileiro, já seria suficiente a delimitar as penas admissíveis, porque – por óbvio – humanitárias, no sistema brasileiro. Dessa forma, "[a]pesar desse sentido limitativo inequívoco [do inc. XLVI], o legislador constituinte entendeu por bem reforçar a normatividade limitativa que se extrai do texto com uma norma explicitamente negativa de caráter proibitivo, dotada, assim, de eficácia plena e incidência imediata" (cf. SILVA, José Afonso da, idem, p. 151).

aos presos o respeito à integridade física e moral;"), L ("às presidiárias serão asseguradas condições para que possam permanecer com seus filhos durante o período de amamentação") e XLVIII ("a pena será cumprida em estabelecimentos distintos, de acordo com a natureza do delito, a idade e o sexo do apenado")[616].

Anotamos, em inteira adesão ao pensamento de CARVALHO, que a lacuna representada pela não explicitação de iguais direitos fundamentais aos inimputáveis (seja aos menores de 18 anos, seja aos mentalmente incapazes) impõe que se interprete a expressão *pena*, utilizada nos dispositivos mencionados da Constituição, como *sanção penal*, "incluindo, portanto, todas as expressões punitivas das agências de controle social, ou seja, agregando à pena criminal as medidas de segurança e as medidas socioeducativas"[617].

Por derradeiro, no que toca à vedação das penas de caráter perpétuo pela Carta, observamos a necessidade de interpretar-se a adesão do Brasil ao Estatuto de Roma do Tribunal Penal Internacional (TPI)[618], que prevê a possibilidade de aplicação da pena de prisão perpétua, com a reserva há muito já assentada em tema de extradição. Isto é, quando for o caso de o Brasil entregar alguém para julgamento perante o TPI, o fará ressalvando que, em caso de condenação a qual a dita pena seria aplicada, ela deve ser objeto de comutação por pena privativa de liberdade (como previsto na Lei n. 6.815/80)[619]. Logo, fica claro que a pena de prisão perpétua não foi introduzida no País a partir da aludida adesão ao TPI.

---

[616] Cf. BRASIL. Constituição da República Federativa do Brasil. *Diário Oficial da União*, Brasília, 5 de out. de 1988.

[617] Cf. CARVALHO, Salo, idem, p. 256.

[618] Ocorrida a partir do Decreto n. 4.388/2002 (cf. BRASIL. Decreto n. 4.388, de 25 de set. de 2002. Promulga o Estatuto de Roma do Tribunal Penal Internacional. *Diário Oficial da União*, Brasília, 26 de set. de 2002).

[619] Cf. CARVALHO, Salo, idem, p. 258. Eis o texto da mencionada lei federal: "Art. 91. Não será efetivada a entrega sem que o Estado requerente assuma o compromisso: (...) III – de comutar em pena privativa de liberdade a pena corporal ou de morte, ressalvados, quanto à última, os casos em que a lei brasileira permitir a sua aplicação" (cf. BRASIL. Lei n. 6.815 de 19 de ago. de 1980. Define a situação jurídica do estrangeiro no Brasil, cria o Conselho Nacional de Imigração. *Diário Oficial da União*, Brasília, 22 de ago. de 1981).

d) Direito fundamental à ressocialização

Antes de mais, cabe a pergunta: haveria um direito fundamental à ressocialização (referente, é claro, ao preso já condenado em definitivo)?

Pois bem, para enfrentar a questão, e ainda que brevemente, é preciso dizer algo sobre o *locus* teórico da ideia de ressocialização, recuperação, reeducação, reinserção, repersonalização, reindividualização etc., bem alcunhadas por ZAFFARONI de *ideologias re*[620].

Segundo FERRAJOLI[621], se a ideia de individualização da pena à personalidade do condenado pode ser tributada a GROLMAN[622], no final do século XVIII, deve-se a LISZT a iniciativa de agregar fins corretivos à pena criminal, em seu famoso *Programa de Marburgo* (1882)[623]. A partir daí, e com a fundação, em 1889, da União Internacional de Direito Penal (pelo próprio Liszt, com Adoplh Prins e Gerard Van Hamel), o correcionalismo lisztiano veio a constituir

---

[620] Cf. ZAFFARONI, Eugenio Raúl; BATISTA, Nilo; ALAGIA, Alejandro; SLOKAR, Alejandro. *Direito Penal Brasileiro*. Vol. 1. 2. ed. Rio de Janeiro: Revan, 2003, p. 126.

[621] Cf. FERRAJOLI, Luigi, idem, p. 267-268.

[622] Cf. GROLMAN, Karl. *Grundsätze der Kriminalrechtswissenschaft nebst einer systematischen Darstellung der Geistes der deutschen Kriminalgesetze* [1798], reimp., DetlevAuvermann KG, Glashütten i. T., 1970. 108-110, p. 50-51 apud FERRAJOLI, Luigi, idem, p. 267-268 e 309.

[623] No ponto, LISZT escreveu: "[a] pena é coação. Se dirige contra a vontade do delinquente, deteriorando ou destruindo bens jurídicos nos quais sua vontade encontrara corporificação. Como coerção, a pena pode ser de dupla natureza: a) Coerção indireta, mediata, psicológica ou motivação. A pena oferece ao delinquente os motivos que lhe faltam, que são adequados para operar como dissuasivo da comissão de delitos. Ela multiplica e fortalece os motivos existentes. Opera como artificial adequação do delinquente a sociedade: α) por correção, ou seja, por transplante e fortalecimento de motivos altruístas, sociais; ß) por intimidação, ou seja, por implantação e fortalecimento de motivos egoístas, mas coincidentes em seu efeito com os motivos altruístas; b) Coerção direta, imediata, mecânica ou violência. A pena é sequestro do delinquente, transitória ou persistente neutralização, expulsão da comunidade ou isolamento dentro dela. Aparece como artificial seleção do indivíduo socialmente inapto" (...) "Correção, intimidação, neutralização: estes são, pois, os imediatos efeitos da pena, os móveis que subjazem nela, e mediante os quais protege os bens jurídicos" (...) 1) Correção dos delinquentes que necessitem correção e capazes dela; 2) Intimidação dos delinquentes que não necessitem de correção; 3) Neutralização dos delinquentes não suscetíveis de correção" (cf. LISZT, Franz Von. *La Idea de Fin en el Derecho Penal*. [O Programa de Marburgo (1882)]. Estudo preliminar de Luis Jimenez de Asúa. Prólogo de Manuel de Rivacoba y Rivacoba.Valparaíso: Edeval, 1994, p. 111-112 e 114-115).

a base teórica e programática da entidade, que desenvolveu "até suas últimas consequências o princípio da pena personalizada e diferenciada", difundindo-o por toda a Europa[624]. Já no século XX a ideia evoluiu para um correcionalismo contemporâneo, identificável na chamada nova defesa social, cujo maior expoente foi Marc Ancel (em abordagem que se distancia das – já filosoficamente desacreditadas – premissas positivistas de Lombroso, Garófalo e Ferri[625], e, como dito, se desdobra, a partir do ecleticismo lisztiano, para perseguir a diferenciação e a individualização das penas, mas agora com um tingido de fins humanitários)[626].

Assim é que esse correcionalismo chega ao Brasil, marcadamente a partir da publicação da versão traduzida da obra de ANCEL, em 1979, pregando que a "consideração da personalidade do delinquente constitui o primeiro traço dessa nova atitude que se lhe dispensa – uma característica da defesa social moderna". E, que, "na consideração dessa personalidade, pouco a pouco, livrou-se do biologismo lombrosiano e do fatalismo sociológico de Ferri", buscando compreender o homem "com todas as influências e todas as deformações de que é objeto". Alegava que, "indo além do ser biopsíquico e mesmo do ser social, a nova doutrina pretende reencontrar o ser humano, considerado não como objeto de estudo científico, mas como sujeito de direito"[627]. Por isso, afirmava como necessário um constante processo de observação dos delinquentes (sugerindo, inclusive, que não mais se separasse a fase do processo penal da fase da execução penal), com a organização do exame permanente de suas personalidades, a correr de modo "paralelo ao processo de ressocialização que a 'ação penitenciária' tem doravante por objetivo"[628]. Em suma, ANCEL conceituava a sua defesa social como uma

---

[624] Cf. FERRAJOLI, Luigi, idem, p. 269.

[625] Ainda sobre o positivismo, ver, *supra*, Cap. 1.

[626] Cf. FERRAJOLI, Luigi, idem, p. 269. Sobre o caráter eclético do pensamento de Liszt, FERRAJOLI afirma (de modo irônico) que é responsável por avançar "a proposta, que tanta fortuna terá na cultura e na prática penal deste século [XX], da diferenciação da pena segundo a personalidade dos réus". Daí "[q]ue um resultado semelhante contradiga o princípio da certeza e da estrita legalidade penal, do qual Liszt se proclamou sempre ferrenho defensor, não é senão um signo a mais do ecleticismo teórico desta orientação" (cf. FERRAJOLI, Luigi, idem, p. 268).

[627] Cf. ANCEL, Marc. *A Nova Defesa Social*. Um movimento de política criminal humanista. Trad. Osvaldo Melo. Prefácio de Heleno Cláudio Fragoso. São Paulo: Forense, 1979, p. 281.

[628] Cf. ANCEL, Marc, op. cit., p. 287 e 293. Ou, ainda quanto a consideração da personalidade do delinquente, sustenta que "essa natureza humana, reintegrada em seu contexto sociológico, só é

"política ativa de prevenção que tenciona proteger a Sociedade protegendo também o delinquente, e que visa a assegurar-lhe, através de condições e vias legais, um tratamento apropriado ao seu caso individual". Ou seja, a nova defesa social repousa na ideia de "substituição da pena retributiva pelo *tratamento*"[629].

Tais premissas, em grande parte, acabaram transpostas para o Código Penal brasileiro, e para a Lei de Execução Penal (LEP)[630], com reflexos na aplicação da pena[631] e nas principais estruturas do seu processo executório[632]. Também é

compreensível através de referência deliberada a valores morais, comumente aceitos, e sobre os quais a defesa social baseia cada vez mais a sua política de 'ressocialização'." (cf. ANCEL, Marc, idem, p. 282).

[629] Cf. ANCEL, Marc, idem, p. 12.

[630] Nesse sentido, CARVALHO observa que "o (novo) modelo penal integrado, fruto de uma política global de 'prevenção do crime e tratamento do delinquente', perfez o universo ideológico da reforma de 1984" (cf. CARVALHO, Salo de. *Pena e Garantias*. 2. ed. Rio de Janeiro: Lumen Juris, 2003, p. 180). E, ainda, cf. CARVALHO, Salo de. *Antimanual de Criminologia*. 5. ed. Rio de Janeiro: Lumen Juris, 2013, p. 259.

[631] Comprovável no Código Penal, *v.g.*, nas disposições: do art. 59 (na afirmação da aplicação da pena "conforme seja necessário e suficiente para reprovação e prevenção do crime"; na previsão de vetores subjetivos para o cálculo da pena e para a fixação de regime inicial de cumprimento, que deslocam o direito penal do fato em favor de um inválido direito penal de autor, bem ao gosto de defensivismo referido; etc.); do art. 44 (nos requisitos subjetivos para alcance da substituição da pena privativa de liberdade por restritiva de direitos); do art. 77 (igualmente nos requisitos subjetivos para alcance da suspensão condicional da pena privativa de liberdade); etc. [tudo cf. BRASIL. Código Penal. Decreto-Lei 2.848 de 7 de dez. de 1940. *Diário Oficial da União*, Rio de Janeiro, 31 de dez. de 1940, retificado em 3 de jan. de 1941]. Mais cedo, tivemos a oportunidade de criticar a adoção/manutenção, na nova Parte Geral do Código Penal brasileiro, a partir da reforma de 1984, de parâmetros subjetivos na medição da pena (como personalidade, conduta social, antecedentes e reincidência, dos arts. 59, 61, Inc. I, 63 e 64 do CP), parte por herança da velha defesa social (já presente no CP/1940, e que se manteve), parte por influência da *défense sociale nouvelle*, elementos cuja consideração implica em inconstitucionalidades que ainda nos parecem evidentes (cf. OLIVEIRA, Rodrigo Moraes de. *Fatores Subjetivos na Medição da Pena*. Uma abordagem crítica. Dissertação apresentada ao Curso de Pós-Graduação em Ciências Criminais da Pontifícia Universidade Católica do Rio Grande do Sul para obtenção do título de Mestre. Porto Alegre, 1999, p. 85, 135-136 – sobre a influência da nova defesa social no ponto).

[632] Como é possível comprovar na LEP: pela declaração dos objetivos da execução penal, no art. 1º; pelo processo de classificação dos presos, nos arts. 5º a 9º; no modelo de sanções e recompensas disciplinares, nos arts. 53 a 60; na previsão do trabalho obrigatório (arts. 28, 31 e 39, inc. V); na disciplina da progressão de regime, no art. 112; na aplicação de direitos, como nas saídas temporárias (nos arts. 122 a 125), livramento condicional (nos arts.131 a 146), na substituição da pena

preciso referir que, bem antes, o ideário correcionalista já tinha conquistado o seu espaço em documentos internacionais de direitos humanos, como evidenciam, *v.g.*, as previsões das Regras Mínimas para Tratamento de Presos da ONU (onde o próprio nome revela a orientação debatida, embora seja merecido anotar – pela relevância, logo mais, ao raciocínio – que, pela forma como redigidos os dispositivos, não deflui uma ressocialização de tipo obrigatório/mandatório, sendo que o documento, aliás, só emprega o termo *reinserção*)[633]. Já a Convenção Americana de Direitos Humanos (Pacto de San José da Costa Rica) é explícita ao dispor, em seu art. 5, n. 6, que "[a]s penas privativas de liberdade devem ter por finalidade essencial a reforma e a readaptação social dos condenados"[634], em texto semelhante ao encontrado no Pacto Internacional sobre Direitos Civis e Políticos, em seu art. 10, n. 3, segundo o qual "[o] regime penitenciário consistirá num tratamento cujo objetivo principal seja a reforma e a reabilitação normal

---

em execução por restritivas de direitos (no art. 180); e, na execução das medidas de segurança (arts. 171 a 179) [tudo cf. BRASIL. Lei de Execução Penal. Lei n. 7.210, de 11 de jul. de 1984. *Diário Oficial da União*, Brasília, 13 de jul. de 1984].

633 Como se lê em diversos de seus dispositivos, que delineiam o "*tratamento*" para "*reinserção*" dos condenados, como, *v.g.*, os números: 24; 64; 65; 66, 67 (b); 75(2); 80 e 95 (este que também fala em reeducação). O n. 66, sob a epígrafe "*Tratamento*", o descreve nos seguintes termos: "[o] tratamento de prisioneiros sentenciados ao encarceramento ou a medida similar deve ter como propósito, até onde a sentença permitir, criar nos prisioneiros a vontade de levar uma vida de acordo com a lei e auto-sustentável depois de sua soltura e adaptá-los a isso, além de desenvolver seu senso de responsabilidade" (cf. ORGANIZAÇÃO DAS NAÇÕES UNIDAS (ONU). Regras Mínimas Padrão para o Tratamento de Prisioneiros, adotadas pelo Primeiro Congresso das Nações Unidas para a Prevenção ao Crime e Tratamento de Presos, sediado em Genebra de 22 de agosto a 3 de setembro de 1955 [Resolução 1998/22, do Conselho Econômico e Social] e aprovadas pelo Conselho Econômico e Social em sua resolução 663 C (XXIV) de 31 de julho de 1957, e os procedimentos para a implementação efetiva das Regras Mínimas Padrão para o Tratamento de Prisioneiros, aprovadas pelo Conselho em sua Resolução 1984/47, de 25 de maio de 1984 e determinadas no seu anexo In: BRASIL. MINISTÉRIO DA JUSTIÇA. *Normas e Princípios das Nações Unidas sobre Prevenção ao Crime e Justiça Criminal*. Brasília: Secretaria Nacional de Justiça, 2009, p. 51).

634 Cf. ORGANIZAÇÃO DOS ESTADOS AMERICANOS (OEA).Convenção Americana de Direitos Humanos: Pacto de San José da Costa Rica, 22 de nov. de 1969. In: SENADO FEDERAL. *Direitos Humanos*. Atos internacionais e normas correlatas. 4. ed. Brasília: Senado Federal, Coordenação de Edições Técnicas, 2013, p. 153.

dos prisioneiros"[635]. Nestas duas últimas previsões, diferentemente das Regras Mínimas da ONU, a redação parece inclinar-se mais à ideia de uma ressocialização obrigatória.

Voltando ao plano interno, conquanto a nossa Constituição Federal não tenha assumido uma específica teoria de fim da pena[636], a verdade é que a meta correcionalista da ressocialização ocupa papel central na execução brasileira das penas e medidas de segurança (sendo que, nestas, aparece travestida de *periculosidade*). Mais, a ressocialização figura como meta cogente, coativa, como forma de introjeção forçada dos já referidos "valores morais, comumente aceitos"[637], a ser, naturalmente, aferida pelos agentes do sistema.

Isso pode ser percebido em mais de um momento na LEP, com destaque para a previsão do trabalho em caráter obrigatório para o preso em cumprimento de pena privativa de liberdade. O trabalho está previsto, então, como um "dever social e condição de dignidade humana, [que] terá finalidade educativa e produtiva", sendo que a negativa a sua prestação configura falta grave, passível, como tal, de regressão de regime[638].

---

[635] Cf. ORGANIZAÇÃO DOS ESTADOS AMERICANOS (OEA). Pacto Internacional sobre Direitos Civis e Políticos, 19 d dez. de 1966. In: SENADO FEDERAL. *Direitos Humanos*. Atos internacionais e normas correlatas. 4. ed. Brasília: Senado Federal, Coordenação de Edições Técnicas, 2013, p. 133.

[636] Nesse rumo, MENDES afirma que: "[e]mbora apresente, de forma exemplificativa, as penas aplicáveis ou não, é certo que a Constituição não perfilha, de forma expressa, uma dada doutrina ou teoria quanto à função da pena" (cf. MENDES, Gilmar, BRANCO, Paulo Gustavo Gonet. *Curso de Direito Constitucional*. 10. ed. São Paulo: Saraiva, 2015, p. 509). Já CARVALHO anota que "[o] delineamento das penas na Constituição em momento algum flerta com *fins, funções* ou *justificativas*, indicando apenas *meios* para minimizar o sofrimento imposto pelo Estado ao condenado" (cf. CARVALHO, Salo de. *Antimanual de Criminologia*. 5. ed. Rio de Janeiro: Lumen Juris, 2013, p. 260).

[637] Cf. ANCEL, Marc, idem, p. 282.

[638] Como se lê nas seguintes previsões da LEP: "Art. 28. O trabalho do condenado, como dever social e condição de dignidade humana, terá finalidade educativa e produtiva"; "Art. 31. O condenado à pena privativa de liberdade está obrigado ao trabalho na medida de suas aptidões e capacidade. Parágrafo único. Para o preso provisório, o trabalho não é obrigatório e só poderá ser executado no interior do estabelecimento"; "Art. 39. Constituem deveres do condenado: (...) V – execução do trabalho, das tarefas e das ordens recebidas; "Art. 50. Comete falta grave o condenado à pena privativa de liberdade que: (...)VI – inobservar os deveres previstos nos incisos II e V, do

Noutro ponto a destacar, observamos que a maioria dos presos brasileiros, ainda hoje, embora ostentem bom comportamento carcerário comprovado por atestado do diretor do estabelecimento prisional (cf. o art. 112, caput, parte final, da LEP), só obtém progressão de regime se se submeterem a um exame criminológico e tiverem a sorte de ser agraciados com parecer favorável ao alcance do seu direito. Claro, favorabilidade que está a depender de provas de ressocialização a serem oferecidas pelo preso no momento da entrevista (que podem, também, ser lidas como provas de não periculosidade, em nítida imbricação dos conceitos). O exame resultante é considerado pelo juiz para decidir sobre o tema, e, na maioria das vezes, o desfecho é a automática adesão ao que está profetizado no laudo. Em uma entrevista de poucos minutos, eis as possibilidades: (1ª) se comparece bem asseado e composto; se se mostra colaborador, respondendo às perguntas dos entrevistadores; se admite a prática do delito; se se arrepende; se recebe a visita de familiares, algo visto como um motivo externo para melhoria; se faz planos de futuro, referindo trabalho/estudo à saída do cárcere; então, está ressocializado, recuperado, melhorado, não está perigoso e, pois, deverá progredir; (2ª) ao reverso, se comparece desalinhado, ou sujo; se permanece em silêncio, ou mente, ou mede as palavras, deixando-se ver como não colaborador; se nega a prática do delito; se não se arrepende, revelando inconformismo; se não recebe visitas; se mostra perplexidade a respeito do futuro e, enfim, da sobrevivência, livre, mediante trabalho regular; bem, neste caso, ainda não está ressocializado, ou recuperado, ou melhorado, e, assim, permanece perigoso, porquanto não deverá progredir, mas permanecer no saudável espaço pedagógico do cárcere até a mudança do quadro (leia-se, da personalidade)[639].

---

artigo 39, desta Lei"; "Art. 118. A execução da pena privativa de liberdade ficará sujeita à forma regressiva, com a transferência para qualquer dos regimes mais rigorosos, quando o condenado: I – praticar fato definido como crime doloso ou falta grave"; "Art. 114. Somente poderá ingressar no regime aberto o condenado que: I – estiver trabalhando ou comprovar a possibilidade de fazê-lo imediatamente" (cf. BRASIL. Lei de Execução Penal. Lei n. 7.210. *Diário Oficial da União*, Brasília, 13 de jul. de 1984).

[639] Sobre a dinâmica dos exames (por meio de entrevistas relâmpago), conferir no documentário "*O prisioneiro da grade de ferro*", filmado nos últimos meses antes da implosão do complexo prisional do Carandiru, em São Paulo, com a participação dos próprios presos (cf. SACRAMENTO, Paulo. *O prisioneiro da grade de ferro*. Auto-retratos. São Paulo: Califórnia Filmes, 2004).

Essa sistemática, portanto, e insistimos, mostra-se impregnada pelo discurso correcionalista, com as ideias de *tratamento penitenciário*, *regeneração*, *correção*, demonstrando que, de fato, o preso é visto como um incapaz, um inválido, um diminuído, vindo a pena a ocupar uma função pedagógica, aplicada no (suposto) interesse dele próprio. E a confusão entre direito e moral é evidente, porque o preso não é mais que "...um pecador a reeducar coativamente [por meio das] funções benéficas de arrependimento interior [da pena]"[640]. Nesse contexto, a realidade da execução deixa de ser relevante, passando a interessar mais a pessoa do réu, submetida a verdadeiro inquérito – inclusive judicial – de sua alma. É a concepção, assim, do "poder punitivo como 'bem' metajurídico – o estado pedagogo, tutor ou terapeuta – e simetricamente do delito como 'mal' moral ou 'enfermidade' natural ou social". O problema, como critica FERRAJOLI, é que essas abordagens "são as mais antiliberais e antigarantistas que historicamente tenham sido concebidas, e justificam modelos de direito penal máximo e tendencialmente ilimitado"[641].

Entre nós também houve importante crítica na última década, voltada a uma possível alteração dessa sistemática, buscando vincular a progressão de regime e a obtenção de livramento condicional à verificação de requisitos secularizados. Isto é, de modo circunscrito à análise objetiva de cumprimento da quantidade de pena exigida para alcance do direito, e, no plano subjetivo, da presença de mérito, entendido como bom comportamento carcerário. Advogava-se, em um marco de direito penal do fato, que fossem desconsideradas as avaliações morais dos laudos, com as suas exigências de assunção de culpa e mostras de arrependimento – em dinâmica, portanto, quase religiosa, pelo exame das estações do *pecado*, do *castigo* e da *contrição*[642].

---

640 Cf. FERRAJOLI, Luigi, idem, p. 270.

641 Cf. FERRAJOLI, Luigi, idem, p. 270.

642 P Por toda a crítica referida, aos laudos criminológicos, ver em CARVALHO, Salo de. Práticas Inquisitivas na Execução Penal (Estudo do Vínculo do Juiz aos Laudos Criminológicos a partir da Jurisprudência Garantista do Tribunal de Justiça do RS) In: CARVALHO, Salo (Org.). *Crítica à Execução Penal.* Doutrina, Jurisprudência e Projetos Legislativos. Rio de Janeiro: Lumen Juris, 2002, p. 145-174. E a crítica também se deu no plano jurisprudencial, como mostram os seguintes julgados do Tribunal de Justiça do Estado do Rio Grande do Sul: "Agravo. Progressão de regime prisional. Laudos do COC [Centro de Observação Criminológica] e CTC [Comissão Técnica de Classificação]. Pareceres técnicos que se mostram insuficientes para contra-indicarem a concessão

do benefício. A inexistência de motivos claramente impeditivos da concessão da progressão de regime prisional deve ser entendida como existência de mérito para os fins de se o deferir. Agravo provido" (cf. BRASIL. TRIBUNAL DE JUSTIÇA DO ESTADO DO RIO GRANDE DO SUL. *Agravo de Instrumento Originário* n. 296027980. Relator Desembargador Afredo Foerster. Julgado em 26 de set. de 1996); "Agravo de execução. Progressão. Super-valorização do fato delituoso, de que resultou condenação, exigindo os peritos que o apenado assuma o delito e se arrependa. O estado não está legitimado a modificar a personalidade do agente e a prisão não é 'lavagem cerebral'. A aferição do mérito do condenado se funda em sua conduta presente. Divergência entre a visões jurídico-penal e psiquiátrica. Agravo provido, para deferir progressão" (cf. BRASIL. TRIBUNAL DE JUSTIÇA DO ESTADO DO RIO GRANDE DO SUL. *Recurso de Agravo* n. 699128922. Relator Desembargador Tupinambá Pinto de Azevedo. Julgado em 10 de nov. de 1999); "Agravo de Execução. Progressão de regime. Pena longa, em consequência de cúmulo material. Sucessão de furtos, em condições que sugerem continuidade delitiva. Ausência de unificação de penas. Laudo da Equipe de Observação Criminológica que propõe indeferimento de progressão, para que o apenado possa 'amadurecer mais com o sofrimento prisional'. Quando o exame criminológico se revela falho e a visão dos experts se choca com a filosofia da Lei de Execuções Penais, é recomendável o deferimento da progressão. Agravo provido por maioria" (cf. BRASIL. TRIBUNAL DE JUSTIÇA DO ESTADO DO RIO GRANDE DO SUL. *Agravo em Execução* n. 70001867571. Relator Desembargador Tupinambá Pinto de Azevedo. Julgado em 04 de abr. de 2001); "Agravo em execução penal. No confronto entre laudos do C.O.C. e a vida prisional, esta prepondera para reconhecimento de direitos do apenado. Agravo provido, para a progressão de regime carcerário" (cf. BRASIL. TRIBUNAL DE JUSTIÇA DO ESTADO DO RIO GRANDE DO SUL. *Agravo em Execução* n. 70002628956. Relator Desembargador Amilton Bueno de Carvalho. Julgado em 6 de jun. de 2001); "Agravo. Progressão de regime. Laudos contraditórios. A passagem do regime fechado para o semi-aberto não significa concessão de liberdade ao apenado. Até para o desfrute de serviço externo e exigida avaliação especializada. A contradição entre laudos resolve-se pelo nível de adequação dos mesmos ao caso concreto e a omissão do estado, no patrocinar meios hábeis para a readaptação social do condenado, não pode ser interpretada em desfavor deste. Agravo improvido [do Ministério Público, mantida a progressão deferida em primeira instância]" (cf. BRASIL. TRIBUNAL DE JUSTIÇA DO ESTADO DO RIO GRANDE DO SUL. *Agravo em Execução* n. 70003645330. Relator Desembargador Tupinambá Pinto de Azevedo. Julgado em 15 de maio de 2002); "Execução penal. Recurso especial acolhido no STJ. Progressão de regime carcerário. Análise de laudos. Concessão do benefício. Direito Penal. Princípio da Secularização. – A vida carcerária prepondera sobre laudos meramente técnicos: entendimento sedimentado na Câmara, antes mesmo do advento da nova redação do art. 112, da LEP. – Inobstante conclusões desfavoráveis, o que se extrai dos laudos é o reconhecimento da aptidão do apenado para alcançar regime menos severo. – É ilegítima a atribuição de conteúdo moral a pena, de modo que é dado ao apenado apresentar qualquer juízo acerca dos fatos a que condenado. À unanimidade, em cumprimento

A aludida crítica ecoou pelo Poder Legislativo, que respondeu com a edição da Lei n. 10.792/2003, que alterou o texto do art. 112 da LEP e, com isso, eliminou os exames para aferição, no plano subjetivo, do merecimento da progressão de regime, do livramento condicional, do indulto e da comutação[643].

Entretanto, a despeito da clareza da redação atual do dispositivo, o Poder Judiciário não admitiu a eliminação dos laudos e, em 2009, o próprio Supremo Tribunal Federal, na esteira de vários julgamentos seus[644], acabou por "legislar"

---

a decisão do STJ, deram provimento ao agravo, ratificada a anterior decisão da Câmara" (cf. BRASIL. TRIBUNAL DE JUSTIÇA DO ESTADO DO RIO GRANDE DO SUL. *Agravo em Execução* n. 70021225313. Relator Desembargador Amilton Bueno de Carvalho. Julgado em 28 de jan. de 2009); e, "Execução Penal. Progressão de regime carcerário. Requisitos: bom comportamento carcerário e cumprimento de 1/6 da pena. Exigência de outra natureza (laudos psicológicos e sociais, exames criminológicos etc.) esbarra na legalidade: preciosa garantia do cidadão, princípio basilar do Estado Democrático de Direito (art. 5º, II, da Constituição da República). Agravo defensivo provido (unânime)" (cf. BRASIL. TRIBUNAL DE JUSTIÇA DO ESTADO DO RIO GRANDE DO SUL. *Agravo em Execução* n. 70028389815. Relator Desembargador Amilton Bueno de Carvalho. Julgado em 11 de mar. de 2009).

[643] Comparem-se os textos que seguem, primeiro o art. 112 original da LEP/1984 e, por último, o atual texto do dispositivo, introduzido pela Lei n. 10.792/2003: "Art. 112. A pena privativa de liberdade será executada em forma progressiva, com a transferência para regime menos rigoroso, a ser determinada pelo Juiz, quando o preso tiver cumprido ao menos 1/6 (um sexto) da pena no regime anterior e seu mérito indicar a progressão. Parágrafo único. A decisão será motivada e precedida de parecer da Comissão Técnica de Classificação e do exame criminológico, quando necessário"; e, "Art. 112. A pena privativa de liberdade será executada em forma progressiva com a transferência para regime menos rigoroso, a ser determinada pelo juiz, quando o preso tiver cumprido ao menos um sexto da pena no regime anterior e ostentar bom comportamento carcerário, comprovado pelo diretor do estabelecimento, respeitadas as normas que vedam a progressão. §1o A decisão será sempre motivada e precedida de manifestação do Ministério Público e do defensor. §2o Idêntico procedimento será adotado na concessão de livramento condicional, indulto e comutação de penas, respeitados os prazos previstos nas normas vigentes" (cf. BRASIL. Lei de Execução Penal. Lei n. 7.210. *Diário Oficial da União*, Brasília, 13 de jul. de 1984; e, cf. BRASIL. Lei n. 10.792, de 1 de dez. de 2003. *Diário Oficial da União*, Brasília, 2 de dez. de 2003). A singela leitura dos textos permite concluir que ao não prever a realização dos problemáticos exames criminológicos (para aferição do merecimento da progressão, livramento condicional, indulto e comutação), quando antes estavam previstos, o legislador deliberadamente quis e, de fato, produziu, a sua eliminação.

[644] Nesse rumo, *v.g.*: cf. BRASIL. SUPREMO TRIBUNAL FEDERAL. *Habeas Corpus* n. 90262, J. 9 de out. de 2007. *Diário da Justiça Eletrônico*, Brasília, 22 de fev. de 2008; cf. BRASIL. SUPREMO TRIBUNAL FEDERAL. *Habeas Corpus* n. 85677, J. 21 de mar. de 2006. *Diário da*

uma Súmula Vinculante para assegurar a possibilidade da realização dos debatidos exames, mediante ordem judicial fundamentada[645].

Portanto, mantém-se no Brasil, ao ensejo do acesso à progressão de regime, livramento condicional, indulto e comutação, a exigência de aferição da ressocialização do apenado, inclusive por meio de exames criminológicos, a comprovar, enfatizamos, a sua obrigatoriedade em nosso sistema de execução penal.

Essa ressocialização, acreditamos, é incompatível com a Constituição e com os documentos internacionais de direitos humanos, na estrita medida em que violam a autonomia moral e, assim, a dignidade da pessoa do preso.

Mas haveria, então, um sentido compatível?

Acreditamos que sim, e os motivos passam pela resposta à pergunta feita à abertura deste subitem, sobre se existe um direito fundamental à ressocialização.

Como vimos, o constituinte de 1988 poderia ter acolhido uma específica teoria de fim da pena, mas não quis fazê-lo. Antes, porém, os países membros da Organização das Nações Unidas e da Organização dos Estados Americanos (entre os quais o Brasil) quiseram, e efetivamente assentaram, a ressocialização no rol dos direitos humanos.

Daí surgem algumas interpretações possíveis sobre o *status* normativo da ressocialização no País: *(i)* conforme a doutrina já revisada (SARLET), a ressocialização ingressa como um direito fundamental implícito, ou como decorrente

---

Justiça Eletrônico, Brasília, 17 de ago. de 2007; cf. BRASIL. SUPREMO TRIBUNAL FEDERAL. *Habeas Corpus* n. 82959, J. 23 de fev. de 2006. *Diário da Justiça Eletrônico*, Brasília, 1 de set. de 2006; e, cf. BRASIL. SUPREMO TRIBUNAL FEDERAL. *Habeas Corpus* n. 86224, J. 7 de mar. de 2006. *Diário da Justiça Eletrônico*, Brasília, 23 de jun. de 2006.

[645] Eis o teor do enunciado sumular: "Súmula Vinculante 26.Para efeito de progressão de regime no cumprimento de pena por crime hediondo, ou equiparado, o juízo da execução observará a inconstitucionalidade do art. 2º da Lei n. 8.072, de 25 de julho de 1990, sem prejuízo de avaliar se o condenado preenche, ou não, os requisitos objetivos e subjetivos do benefício, podendo determinar, para tal fim, de modo fundamentado, a realização de exame criminológico" (cf. BRASIL. SUPREMO TRIBUNAL FEDERAL. Súmula Vinculante n. 26. Aprovada em 16 de dez. de 2009. Publicada no *Diário da Justiça Eletrônico* de 23 de dez. de 2009).

do regime e dos princípios[646], o que se ajusta à atual jurisprudência do STF[647] – isto é, já que os documentos em questão, dispondo sobre direitos humanos, são anteriores à inserção do §3º, no art. 5º da CF, a ressocialização pode ser vista como um direito materialmente fundamental, com *status* (cf. o §2º, do art. 5º da CF) de norma supralegal (*derivada* do regime e dos princípios), acima, pois, da LEP, e abaixo da Constituição; ou, *(ii)* por um outro olhar, se acreditarmos que a opção Constitucional brasileira na Carta de 1988, de não abraçar uma teoria de fim da pena, é deliberada – e nada leva a crer que não tenha sido –, a ressocialização, entendida como algo cogente/mandatório, porque assentada em documentos internacionais que estão abaixo dela e, portanto, a ela submetidos, está em conflito com a Constituição. Logo, não pode ter aplicação[648].

---

[646] SARLET apresenta a ressocialização no rol de exemplos que oferece, ainda que assinalados como carecedores de consenso na doutrina e jurisprudência, de direitos implícitos e/ou decorrentes: "... bem como, na acepção do Supremo Tribunal Federal, de um direito à ressocialização por parte do preso condenado em sede criminal, entre outros" (cf. SARLET, Ingo Wolfgang, idem, p. 90-92).

[647] Firmada a propósito do reconhecimento da ilegalidade (inconvencionalidade), no Brasil, da prisão civil do depositário infiel, por incidência do n. 7, do art. 7º, da Convenção Americana Sobre Direitos Humanos: Pacto de San José da Costa Rica, que torna inaplicável o texto final do inc. LXVII, do art. 5º da CF (ver, *supra*, subitem 3.1.2.1 e notas 547 a 549).

[648] Não se olvida ao menos uma outra possibilidade, como a que envolveria uma das posições debatidas no julgamento referido, da prisão do depositário infiel, segundo a qual os tratados internacionais de direitos humanos, pela cláusula de abertura do §2º, do art. 5º da CF, ingressariam no quadro normativo brasileiro com *status* de emendas constitucionais (defendidas, na doutrina, por TRINDADE e PIOVESAN: cf. TRINDADE, Antônio Augusto Cançado. A interação entre o Direito Internacional e o Direito Interno na proteção dos direitos humanos. In: *Arquivos do Ministério da Justiça*. Ano 46. N. 12, jul-dez. de 1993; e, cf. PIOVESAN, Flávia. *Temas de Direitos Humanos*. 5. ed. São Paulo: Saraiva. 2012, p. 54). Considerando a preterição desse entendimento pelo STF, optamos por não desenvolver o problema a partir dele. Não obstante, anotamos que o debate passaria pela constatação (na linha do dito entendimento) de que onde o constituinte originário decidiu não escolher, deliberadamente, ingressaria uma escolha, com grau de direito fundamental (do ponto de vista formal e material), mas de conteúdo aparentemente colidente com outros valores positivados de modo expresso na Carta, como a dignidade humana, da qual o respeito à autonomia moral é parte inseparável. Tal conflito precisaria ser resolvido, por certo, com o respeito desta dimensão essencial da pessoa do preso (norma mais favorável, como orienta a doutrina especializada – cf. PIOVESAN, Flávia, op. cit., p. 67 e 68; cf. TRINDADE, Antônio Augusto Cançado. *A proteção dos direitos humanos nos planos nacional e internacional:* perspectivas brasileiras. San José da Costa Rica/Brasília; Instituto Interamericano de Direitos Humanos,

Para sair desse aparente imbróglio, cremos que basta atentar para os desenvolvimentos interpretativos que a própria Comissão Interamericana de Direitos Humanos vem produzindo sobre os limites de configuração da ressocialização. Recentemente, em 13 de março de 2008, a Comissão editou, por meio da Resolução 1/08, os "Princípios e Boas Práticas sobre a Proteção das Pessoas Privadas de Liberdade nas Américas"[649]. Embora o documento, que abre com alguns considerandos, tenha anotado, quanto às penas privativas de liberdade, que elas "terão como finalidade essencial a regeneração, a readaptação social e a reabilitação pessoal dos condenados; a ressocialização e a reintegração familiar; e a proteção das vítimas e da sociedade"[650], o fato é que os princípios assentados no documento dão a conhecer uma ressocialização com sentido diverso, mais alinhado com as Regras Mínimas para Tratamento de Presos da ONU. A ressocialização aparece como meta que o Estado tem a obrigação de perseguir/proporcionar aos presos em cumprimento de pena, mas que não implica tratamentos impositivos a eles. Ao contrário, surge por ações construtivas disponibilizadas àqueles que tiverem interesse, aos quais, portanto, estarão acessíveis como faculdade (logo, sem a nota da cogência que se criticou).

Assim, o primeiro dos vários princípios previstos pela Comissão é o que garante o tratamento humano aos encarcerados. Ao explicitá-lo, ficou assentada a proteção contra "tratamentos ou penas cruéis, desumanos ou degradantes (...) intervenção forçada ou tratamento coercitivo, métodos que tenham por finalidade anular sua personalidade ou reduzir sua capacidade física ou mental"[651]. Destacamos a proscrição de qualquer estratégia coercitiva de tratamento, o que também emerge em importantes princípios subsequentes.

1992, p. 317 e 318).

[649] Cf. ORGANIZAÇÃO DOS ESTADOS AMERICANOS (OEA). Princípios e Boas Práticas para a Proteção das Pessoas Privadas de Liberdade nas Américas. *Resolução 1/08*, de 13 de mar. de 2008. Washington: Comissão Interamericana de Direitos Humanos (CIDH), 2009. Disponível em: <http://www.cidh.org/pdf%20files/ PRINCIPIOS%20PORT.pdf>. Acesso em: 6 de maio de 2015.

[650] Cf. ORGANIZAÇÃO DOS ESTADOS AMERICANOS (OEA). Princípios e Boas Práticas para a Proteção das Pessoas Privadas de Liberdade nas Américas. *Resolução 1/08*, de 13 de mar. de 2008, op. cit., p. 1.

[651] Trata-se do "Princípio I", intitulado "Tratamento humano" (cf. ORGANIZAÇÃO DOS ESTADOS AMERICANOS (OEA). Princípios e Boas Práticas para a Proteção das Pessoas Privadas de Liberdade nas Américas. *Resolução 1/08*, de 13 de mar. de 2008, idem, p. 2.

No que toca à educação, *v.g.*, está registrado no Princípio XIII, sobre "[e]ducação e atividades culturais", que "[a]s pessoas privadas de liberdade terão direito à educação, que será acessível a todas elas, sem discriminação alguma, e levará em conta a diversidade cultural e suas necessidades especiais"[652]. Ainda, dispondo que nos locais de privação de liberdade deverão ser oferecidos ensino fundamental, e, "de maneira progressiva e mediante a utilização máxima dos recursos de que disponham, o ensino médio, técnico, profissional e superior, segundo a capacidade e a aptidão de cada um", também ficou previsto que "[a]s pessoas privadas de liberdade terão direito a participar de atividades culturais, esportivas e sociais e a oportunidades de entretenimento sadio e construtivo", e que todos os Estados membros "incentivarão a participação da família, da comunidade e das organizações não governamentais nessas atividades, a fim de promover a regeneração, a readaptação social e a reabilitação das pessoas privadas de liberdade"[653].

Igualmente, no que concerne ao trabalho, o Princípio XIV estatui que "[t]oda pessoa privada de liberdade terá direito a trabalhar, a oportunidades efetivas de trabalho e a receber remuneração adequada e equitativa, de acordo com sua capacidade física e mental", de modo que "se promova a regeneração, reabilitação e readaptação social dos condenados, estimule e incentive a cultura do trabalho e combata o ócio nos locais de privação de liberdade. Em nenhum caso o trabalho terá caráter punitivo"[654].

Portanto, na explicitação dos princípios referidos, percebemos uma coesão eloquente. Seja ao vetar, vale insistir, o emprego de tratamentos coercitivos, seja ao estabelecer que a educação e o trabalho são direitos, não deveres, que devem ser estimulados, e não impingidos, a linha seguida é clara: ressocialização não é lavagem cerebral, e o preso tem – por muito óbvio – o direito de ter e manter a

---

[652] Cf. ORGANIZAÇÃO DOS ESTADOS AMERICANOS (OEA). Princípios e Boas Práticas para a Proteção das Pessoas Privadas de Liberdade nas Américas. *Resolução 1/08*, de 13 de mar. de 2008, idem, p. 17.

[653] Cf. ORGANIZAÇÃO DOS ESTADOS AMERICANOS (OEA). Princípios e Boas Práticas para a Proteção das Pessoas Privadas de Liberdade nas Américas. *Resolução 1/08*, de 13 de mar. de 2008, idem, p. 18.

[654] Cf. ORGANIZAÇÃO DOS ESTADOS AMERICANOS (OEA). Princípios e Boas Práticas para a Proteção das Pessoas Privadas de Liberdade nas Américas. *Resolução 1/08*, de 13 de mar. de 2008, idem, p. 19.

sua personalidade. Ao lado disso, o Estado envidará todos os esforços possíveis para iluminar um outro caminho, longe do delito.

Ressocialização, assim, em uma ressignificação mais afinada com o texto das Regras Mínimas da ONU, consistente no estímulo "de prisioneiros sentenciados ao encarceramento ou a medida similar", com o objetivo de "criar nos prisioneiros a vontade de levar uma vida de acordo com a lei e auto-sustentável depois de sua soltura", com o desenvolvimento do seu "senso de responsabilidade"[655], por ações estatais com adesão facultativa, isto é, que garantam a ausência de prejuízo à execução da pena daqueles que decidirem se abster do aproveitamento das chances oferecidas, é algo que se descola das tradicionais teorias da pena[656], e, inclusive, se compatibiliza com teorias críti-

---

[655] Cf. ORGANIZAÇÃO DAS NAÇÕES UNIDAS (ONU). *Regras Mínimas Padrão para o Tratamento de Prisioneiros*, adotadas pelo Primeiro Congresso das Nações Unidas para a Prevenção ao Crime e Tratamento de Presos, sediado em Genebra de 22 de agosto a 3 de setembro de 1955 [Resolução 1998/22, do Conselho Econômico e Social] e aprovadas pelo Conselho Econômico e Social em sua resolução 663 C (XXIV) de 31 de julho de 1957, e os procedimentos para a implementação efetiva das Regras Mínimas Padrão para o Tratamento de Prisioneiros, aprovadas pelo Conselho em sua Resolução 1984/47, de 25 de maio de 1984 e determinadas no seu anexo In: BRASIL. MINISTÉRIO DA JUSTIÇA. *Normas e Princípios das Nações Unidas sobre Prevenção ao Crime e Justiça Criminal.* Brasília: Secretaria Nacional de Justiça, 2009, p. 51.

[656] Todas absolutamente insuficientes e/ou incompatíveis com o modelo de Estado Democrático de Direito. Nesse sentido, logicamente que nos limites de uma nota de pé de página, cabe anotar (em adesão) as críticas de FERRAJOLI às tradicionais teorias da pena: *a) Insuficiência das doutrinas absolutas – retribucionistas:* entre outros motivos, a insuficiência reside na total satisfação por parte de seus adeptos com a ideia de que a pena-retribuição representa um fim em si mesmo, tem valor intrínseco, que se expressa em nível ético (retribuição ética – kantiana: pena como forma de resgate do valor moral da lei penal infringida), ou jurídico (retribuição jurídica – hegeliana: pena como forma de compensar a ordem jurídica, repondo o equilíbrio perdido). O retribucionismo clássico, então, não escapa ao tradicional esquema de caráter religioso que se segue ao delito: *vingança, expiação e, reequilíbrio* entre pena e delito. Ambas espécies de retribucionismo, portanto, creem na existência de um nexo necessário entre culpa e castigo, diferenciando-se, tanto pela espécie de concepção arcaica de tipo mágico-religioso (mágico: confusão entre direito e natureza, vendo a pena como restauração, remédio para a ordem natural violada; e, religioso: como o talião, ou pela purificação do delito através do castigo), como pela ideia de retribuição, que ora está ligada a objetividade do ato, e ora está vinculada a subjetividade perversa e culpável do réu. Qualquer que seja a orientação, a insustentabilidade fica mais clara quando vemos, de acordo com Platão, que se "o que está feito não pode ser desfeito", logo a pena não poderá jamais representar um

ressarcimento, retribuição, ou *reparação* do dano, como querem os retribucionistas (que só veem a pena assim), pois só há esta reparabilidade nos danos civis, não nos penais – aliás, a possibilidade de reparação é o que diferencia o ilícito civil do penal, esta é a característica da pena civil (cf. FERRAJOLI, Luigi, idem, p. 254-256). Ainda, os *retribucionistas* também não encontram os devidos argumentos para rebater as críticas utilitaristas: "[n]o Estado de Direito, o homem há de ser tomado com fim em si mesmo e não pode ser degradado a condição de mero instrumento para alcançar finalidades alheias a ele. Mas, castigar por castigar, é sacrificar a liberdade em áreas de certas concepções éticas mais que discutíveis. O delinquente viria, desse modo, a converter-se em um simples instrumento mediante o qual ditas concepções resultariam afirmadas. De forma que a objeção que os retribucionistas formulam às concepções utilitárias é, com maior razão, aplicável a sua própria teoria" (cf. COBO DEL ROSAL, Manuel e VIVES ANTON, Tomás S. *Derecho Penal – Parte General.* 4. ed. Valência: Tirant lo blanch, 1996, 738); *b) Insuficiência das doutrinas relativas – utilitaristas:* agrupáveis em quatro orientações utilitaristas, todas de *defesa social,* elas podem ser assim apresentadas: *prevenção especial positiva* (ou de correção: que vê na pena uma forma positiva de corrigir o réu); *prevenção especial negativa* (ou de incapacitação: que através da pena buscam a eliminação ou neutralização do infrator); *prevenção geral positiva* (ou da integração: que almeja o positivo reforço na fidelidade dos associados à ordem coletiva; e, *prevenção geral negativa* (ou da intimidação: que objetiva a dissuasão dos cidadãos mediante a ameaça ou exemplo contido na pena) (cf. FERRAJOLI, Luigi, idem, p. 262-263). Embora avancem ao afirmar que as penas só podem ser aplicadas com o intuito de evitar a ocorrência de males maiores, e não como "homenagens gratuitas à ética, a religião ou ao sentimento de vingança" (cf. FERRAJOLI, Luigi, idem, p. 260), em superação ao retribucionismo, pode-se afirmar: que as doutrinas negativas, voltadas à utilidade da maioria, encontram-se grandemente expostas a influências autoritárias de direito penal máximo, instrumentalizando o homem e esbarrando, assim, na objeção moral kantiana; que as doutrinas da prevenção especial positiva (classificáveis, de acordo com a suas motivações políticas ou filosóficas, em três grupos: as *moralistas* da *emenda*; as *naturalistas* da *defesa social;* e, as *teleológicas* da *diferenciação da pena*), consideram mais os autores do delito (diferenciados por suas características pessoais) do que propriamente o ato delitivo por ele praticado, utilizando o direito penal não só para prevenir o atuar delitivo, mas "para transformar as personalidades desviadas de acordo com projetos autoritários de homologação ou, alternativamente, de neutralizá-las mediante técnicas de amputação e saneamento social." (cf. FERRAJOLI, Luigi, idem, p. 265), onde a violação à autonomia moral do indivíduo e, pois, à dignidade da pessoa humana emergem evidentes (cf. FERRAJOLI, Luigi, idem, p. 274); e, que as doutrinas da prevenção geral, seguramente confundem direito e moral, e inscrevem-se no inesgotável filão do legalismo e do estatalismo éticos. Mesmo as recentes doutrinas da prevenção geral positiva (v.g., em Jakobs: que, por inspiração nas ideias sistêmicas de Niklas Luhmann, tem justificado a pena como um fator de coesão do sistema político-social, capaz de restaurar a confiança coletiva nas instituições) aí figuram, sustentando uma espécie de ideologia de legitimação apriorística do direito penal e da pena,

cas recentes, como a sustentada por FERRAJOLI[657], ou como a oferecida por

em que o indivíduo é reduzido a um subsistema físico-psíquico funcionalmente subordinado às exigências do sistema social geral. Neste marco a prevenção geral se abre inevitavelmente a modelos de direito penal máximo e ilimitado, programaticamente indiferentes a tutela dos direitos da pessoa, uma vez que o importante é a mera exigência funcional de autoconservação do sistema político (cf. FERRAJOLI, Luigi, idem, p. 274-275).

[657] A justificação jurídica da pena elaborada por FERRAJOLI propõe a superação do tradicional utilitarismo pela metade, que ajusta o fim utilitário da pena "ao exclusivo parâmetro beccariano e benthamiano da 'máxima felicidade dividida entre o maior número'." (noção, esta – da máxima utilidade da maioria –, que, sozinha, está "exposta às tentações da autolegitimação autoritária", e acaba por justificar a adoção de meios penais máximos e ilimitados na realização deste fim, não fornecendo vínculos garantidores que permitam resguardar o cidadão contra as punições arbitrárias. FERRAJOLI, então, ilumina o reverso da medalha, evidenciando um segundo parâmetro irrenunciável de utilidade: "ademais do máximo bem-estar possível dos não desviados, também o mínimo mal estar necessário dos desviados". Assim, se por um lado a pena funciona como um instrumento de tutela da coletividade contra o agente violador da norma; por outro, a pena atua como forma de proteção do mesmo agente contra os abusos tanto privados como institucionais que, à sua ausência, certamente ocorreriam. Nesta perspectiva, considerada a pena no sentido genérico de *reação aflitiva à ofensa*, ela não mais funciona apenas como meio, mas também como um fim em si mesmo: "o fim da minimização da reação violenta ao delito". Logo, a pena assume um papel de prevenção de castigos informais (o que "exclui a confusão do direito penal com a moral que caracteriza as doutrinas retribucionistas e as da prevenção positiva, e por conseguinte exclui a sua autolegitimação moralista, naturalista ou sistemicamente autorreferente"). De outra parte, a pena não é adornada com objetivos filantrópicos de reeducação ou ressocialização, mas é reconhecida como mal que é, um mal, entretanto, "justificável se (e somente se) se reduz a um mal menor com respeito a vingança ou a outras reações sociais e se (e somente se) o condenado obtém dela o bem de que lhe subtrai à castigos informais imprevisíveis, incontrolados e desproporcionais" (cf. FERRAJOLI, Luigi, idem, p. 331-332 e 336-337). Como podemos ver, se por ressocialização passamos a entender o oferecimento de oportunidades de mudança por parte do Estado, facultativas em sua adesão e desde que respeitem a autonomia moral do condenado, sem, portanto, figurar na pretensiosa posição de justificação jurídica da pena, não há incompatibilidade (há, isso sim, descolamento, como dito, e coexistência possível) com a fundamentação jurídica da pena avançada por FERRAJOLI. O que afirmamos, é bom que se diga, sem ignorar o ceticismo do autor – que, em grande parte, também é nosso – sobre a possibilidade de uma mudança existencial positiva no ambiente carcerário: "o intento pedagógico ou ressocializador destas teorias [correcionalistas] é irrealizável pelo meio escolhido (cárcere, pena carcerária), o que é comprovado por uma secular e dolorosa literatura, e não menor prática, no sentido de que a prisão, em específico, é um lugar "criminógeno de educação e incitação ao delito". Além disso, repressão e educação são incompatíveis, antagônicos como a liberdade e a segregação, só sendo possível esperar da pena carcerária,

FARIA COSTA[658] – ambas em justificações jurídicas da pena, com as quais

seja ela o menos repressiva possível, bem como, o menos dessocializadora e deseducadora possível" (cf. FERRAJOLI, Luigi, idem, p. 271).

658 Segundo FARIA COSTA, a pena pode ser justificada juridicamente como uma neo-retribuição de fundamento onto-antropológico, lastreada na necessidade de realização material da responsabilidade e da igualdade (cf. FARIA COSTA, José de. *Linhas de Direito Penal e de Filosofia:* alguns cruzamentos reflexivos. Coimbra: Coimbra, 2005, p. 230-231). *Responsabilidade* no sentido de que a pena aplicada, ou por aplicar, quer (e precisa) olhar o passado, observar o fato criminoso nas suas circunstâncias, do que resulta fundamentada como expressão da responsabilidade do agente naquele contexto: "É, pois, no lugar passado do rompimento da primeva relação de cuidado-de-perigo que está a causa, o cerne de tudo". Daí o autor vai rechaçar a validade dos discursos utilitaristas/prevencionistas, na fundamentação da pena criminal: "É, por conseguinte, a partir deste enquadramento, que é ilógico ou incompreensível aplicar-se uma pena dizendo que se o faz na mira de que os outros não pratiquem crimes ou com o fito de repor a validade contra-fática da norma. Uma tal projeção teórica admite a possibilidade da punição de inocentes e admite, mesmo que se ponha como limite a prática de um fato censurável (punível com culpa), uma medida concreta da pena que ultrapasse, efetivamente, o limite da culpa. O que nos pode deixar concluir que a ideia de retribuição é aquela que melhor assenta no dado fundamental que o princípio da responsabilidade representa" (cf. FARIA COSTA, op. cit., p. 227). No que se refere a *igualdade*, implica, ela, em *confiança*, que é o elemento agregador da comunidade jurídica/política: confiança de cada um no sentido de que delitos de certa espécie serão sancionados de modo idêntico/similar ("[a] quebra desta relação de confiança no tratamento igual do que é igual e no tratamento desigual do que é desigual é o passo para o precipício da desagregação social...") (cf. FARIA COSTA, José de, idem, p. 227). É, pois, nesta medida, que a igualdade se conecta ao tema da fundamentação da pena, porque se o corpo social está fundado em uma comunidade de sentido, não se pode admitir a aplicação de penas diversas em grau e espécie a fatos que são materialmente iguais, sob pena de se violar este sentido (pelo arredar da igualdade e traição da confiança de todos). Logo, a adjudicação e distribuição das penas (e, pois, a ideia de justiça distributiva que aí habita) implica na observância do princípio da igualdade (cf. FARIA COSTA, José de, idem, p. 229). E a relação com a pena daquele indivíduo que vai recebê-la não será, por certo, a de mero objeto, de receptáculo, apêndice funcional do seu exercício, o escolhido para produzir efeitos de prevenção. Ele é "o cidadão responsável que tem o direito a sofrer uma pena justa, porque igual a todas as penas correspondentes aos comportamentos penalmente relevantes", o que, hoje, também se coloca como refração da própria cultura dos direitos fundamentais, e "decorrência de uma ideia profunda e correta daquilo que verdadeiramente é um Estado de Direito Democrático" (cf. FARIA COSTA, José de, idem, p. 229-230). Em síntese, a partir da chancela dos horizontes da *responsabilidade* e da *igualdade*, o autor sustenta que o direito penal visa à estabilização de conflitos resgatando, pela pena – vista como um *bem* – o sentido da matricial relação de cuidado-de-perigo: "[t]al conflitualidade e ruptura violadora são expressões fenomênicas da perversão em que mergulha o nosso

concordamos e, mais, acreditamos que sejam compatíveis entre si –, ou mesmo com uma leitura agnóstica do problema, na linha de TOBIAS BARRETO e ZAFFARONI (da qual, embora não concordemos com a ideia de que não é possível/relevante justificar a pena em democracia, partilhamos, por certo, a preocupação em torno ao como punir de forma humanitária)[659].

primevo modo-de-ser. A uma relação de cuidado-de-perigo de fundamento onto-antropológico – que é aquela que é matricial ao nosso modo-de-ser com os outros – corresponde, no patamar da dimensão fenomênica, pura e dura, a relação ético-existencial de um ´eu´ concreto, de carne e osso, que, precisamente, pela sua condição, só pode ser se tiver o ´outro´, cuidar do outro, cuidar de si cuidando do ´outro´ e cuidando este cuidar de si. Só que essa relação de cuidado pode romper-se. E tantas vezes se rompe. Mais. De certa maneira a relação só tem sentido se admitir a ruptura (...) [e] a ruptura dessa relação primeva constitui também uma perversão, uma inversão, um passar, um exceder, uma desconformidade, uma desmedida. Ora, é este lado negativo da relação que constitui o elemento ou segmento fundante para a existência de um crime. E esse momento de ruptura, de fratura de convulsão no cuidado genésico só se refaz com a pena. A aplicação da pena, nesta compreensão fundante, repõe o sentido primevo da relação de cuidado-de-perigo. (...) [É preciso] de uma pena para que o equilíbrio se refaça. Porque também só desse jeito ´eu´ posso ver, olhar e amar o ´outro´. Porque se não houver pena é impossível reconstruir a primitiva relação de cuidado-de-perigo. A pena, se quisermos, assume, assim, o papel da reposição, da repristinação e, por conseguinte, da eficácia de um bem. Ou, se ousarmos ser ainda mais radicais, ela é um *bem*" (cf. FARIA COSTA, José de, idem, p. 223-224). Pelo exposto, se a pena se fundamenta e aplica, pelo princípio da retribuição, como expressão da responsabilidade e da igualdade (enquanto valores comunitários essenciais), uma ressocialização entendida como oferecimento pelo Estado de condições de mudança (igualmente segundo valores comunitários essenciais), de adesão facultativa e em estrito respeito à autonomia moral do condenado, sem, portanto, reafirmamos, figurar em pretensiosa posição de justificação jurídica da pena, também aqui não coloca incompatibilidade (mas, isso sim, descolamento, como dito, e coexistência possível) com a fundamentação jurídica da pena avançada por FARIA COSTA.

[659] Partindo do reconhecimento do fracasso das teorias tradicionais positivas, estruturadas em torno de pretensas funções manifestas da pena que, entretanto, não se realizam no mundo (por falsas ou não generalizáveis), ZAFFARONI propõe a "delimitação do horizonte por uma teoria negativa da pena", isto é, "que não concede qualquer função positiva à pena" e que "é obtido por exclusão", na medida que não é coerção estatal capaz de reparar o delito, e não se trata de coerção estatal direta ou policial. Assim sendo, "a pena é uma coerção, que impõe uma privação de direitos ou uma dor, mas não repara nem restitui, nem tampouco detém as lesões em curso ou neutraliza perigos eminentes" (cf. ZAFFARONI, Eugenio Raúl et al., op. cit., p. 97 a 99). Valendo-se das lições de Tobias Barreto, ZAFFARONI também vai sustentar que a pena é um fenômeno político (extrajurídico, portanto) que se assemelha à guerra, sendo perda de tempo a tentativa de

A ressignificação da ressocialização ora avançada reconhece, como não poderia deixar de fazê-lo: em primeiro, que o atual significado de ressocialização se encontra amplamente desmentido pelas ciências sociais (dada a extensa literatura/pesquisa sobre a dinâmica deteriorante do cárcere em vários sentidos)[660]; em segundo, que a significação corrente é representante de ideologias (*re*) que só se mantêm pela alegada "necessidade de serem sustentadas apenas para que não se caia num retribucionismo irracional, que legitime a conversão dos cárceres em campos de concentração"[661]; em terceiro, que a ressocialização ressignificada (não mais como fundamento da pena, mas) como conjunto de ações estatais voltadas a proporcionar oportunidades de mudança ao preso (de frequência voluntária e sem prejuízos para os absenteístas), em abordagem humanitária de redução de danos, pressupõe transformações ambientais/estruturais/conjunturais da

---

formular uma justificativa jurídica para ela, assim como não é possível obtê-la para a guerra (cf. ZAFFARONI, Eugenio Raúl et al., idem, p. 109). BARRETO sustentara, ainda no século XIX, que "[o] conceito da pena não é um conceito jurídico, mas um conceito político. Este ponto é capital. O defeito das teorias correntes em tal matéria consiste justamente no erro de considerar a pena como uma consequência de direito, logicamente fundada (...) Quem procura o fundamento jurídico da pena deve também procurar, se é que já não encontrou, o fundamento jurídico da guerra" (cf. BARRETO, Tobias. *Estudos de Direito*. Bahia: Livraria Progresso, 1951, p. 194). Sob esses referenciais, ZAFFARONI aduz que uma teoria negativa (a respeito das funções manifestas do poder punitivo) e agnóstica, no sentido de não acreditar em funções latentes da pena, implica o reconhecimento de que a pena "é um fato de poder", que é preciso limitar e reduzir aos limites do poder das agências jurídicas, transportando o direito penal a um modelo de direito humanitário (cf. ZAFFARONI, Eugenio Raúl et al., idem, p. 109-110). Entre nós, CARVALHO refere que a partir de uma perspectiva agnóstica já não importa buscar o porquê punir (uma vez que punição haverá, portanto, com ou sem fundamentação jurídica), mas, sim o como punir. Isto é, realizado que a pena, assim como a guerra, impõe dor e sofrimento, o decisivo em democracia é delimitar os meios para minimizar os danos causados, em verdadeira "política punitiva de redução de danos" (cf. CARVALHO, Salo de. *Antimanual de Criminologia*. 5. ed. Rio de Janeiro: Lumen Juris, 2013, p. 260). Como podemos ver, se tomarmos a ressocialização não como fundamento da pena, e se a ressignificarmos para excluir toda e qualquer ação estatal cogente sobre os condenados, violadora da autonomia moral (e, pois, das suas dignidades), as estratégias estatais consequentes – de adesão, insistimos, facultativa –, encetadas para oferecer-lhes condições de mudança de rumos (para longe da criminalidade), inserem-se no fulcro da proposta humanitária de prática de uma política de redução sustentada pela abordagem negativa da teoria agnóstica.

[660] Cf. ZAFFARONI, Eugenio Raúl et al., idem, p. 126.

[661] Cf. ZAFFARONI, Eugenio Raúl et al., idem, p. 126.

arquitetura penitenciária, oportunidades que, não obstante, podem e devem ocorrer de modo simultâneo com as urgentes melhorias do sistema carcerário brasileiro.

Outrossim, essa ressignificação proposta parece ir ao encontro da posição sustentada pelo Supremo Tribunal Federal, em vários julgados recentes. Pela preocupação, *v.g.*, em assegurar a individualização da pena[662], o direito de visitas[663]

---

[662] Nesse rumo: "*Pena – Regime de cumprimento – Progressão – Razão de ser.* A progressão no regime de cumprimento da pena, nas espécies fechado, semiaberto e aberto, tem como razão maior a ressocialização do preso que, mais dia ou menos dia, voltará ao convívio social. *Pena – Crimes hediondos – Regime de cumprimento – Progressão – Óbice – Artigo 2º, § 1º, da Lei n. 8.072/90 – Inconstitucionalidade – Evolução jurisprudencial.* Conflita com a garantia da individualização da pena – artigo 5º, inciso XLVI, da Constituição Federal – a imposição, mediante norma, do cumprimento da pena em regime integralmente fechado. Nova inteligência do princípio da individualização da pena, em evolução jurisprudencial, assentada a inconstitucionalidade do artigo 2º, § 1º, da Lei n. 8.072/90" (cf. BRASIL. SUPREMO TRIBUNAL FEDERAL. *Habeas Corpus* n. 82.959, J. 23 de fev. de 2006. *Diário da Justiça Eletrônico*, Brasília, 1 de set. de 2006).

[663] Nesse sentido: "*Habeas Corpus. 2. Direito do paciente, preso há quase 10 anos, de receber a visita de seus dois filhos e três enteados. 3. Cognoscibilidade. Possibilidade. Liberdade de locomoção entendida de forma ampla, afetando toda e qualquer medida de autoridade que possa em tese acarretar constrangimento da liberdade de ir e vir. Ordem concedida.* 1. Cognoscibilidade do writ. A jurisprudência prevalente neste Supremo Tribunal Federal é no sentido de que não terá seguimento habeas corpus que não afete diretamente a liberdade de locomoção do paciente. Alargamento do campo de abrangência do remédio heroico. (...) Liberdade de locomoção entendida de forma ampla, afetando toda e qualquer medida de autoridade que possa, em tese, acarretar constrangimento para a liberdade de ir e vir. Direito de visitas como desdobramento do direito de liberdade. Só há se falar em direito de visitas porque a liberdade do apenado encontra-se tolhida. Decisão do juízo das execuções que, ao indeferir o pedido de visitas formulado, repercute na esfera de liberdade, porquanto agrava, ainda mais, o grau de restrição da liberdade do paciente. Eventuais erros por parte do Estado ao promover a execução da pena podem e devem ser sanados via habeas corpus, sob pena de, ao fim do cumprimento da pena, não restar alcançado o objetivo de reinserção eficaz do apenado em seu seio familiar e social. Habeas corpus conhecido. 2. *Ressocialização do apenado.* A Constituição Federal de 1988 tem como um de seus princípios norteadores o da humanidade, sendo vedadas as penas de morte, salvo em caso de guerra declarada (nos termos do art. 84, XIX), de caráter perpétuo, de trabalhos forçados, de banimento e cruéis (CF, art. 5º, XLVII). Prevê, ainda, ser assegurado aos presos o respeito à integridade física e moral (CF, art. 5º, XLIX). É fato que a pena assume o caráter de prevenção e retribuição ao mal causado. Por outro lado, não se pode olvidar seu necessário caráter ressocializador, devendo o Estado preocupar-se, portanto, em recuperar o apenado. Assim, é que dispõe o art. 10 da Lei de Execução Penal ser dever do Estado

e o direito à transferência para local próximo da residência da família[664], a

a assistência ao preso e ao internado, objetivando prevenir o crime e orientar o retorno à convivência em sociedade. Aliás, o direito de o preso receber visitas do cônjuge, da companheira, de parentes e de amigos está assegurado expressamente pela própria Lei (art. 41, X), sobretudo com o escopo de buscar a almejada ressocialização e reeducação do apenado que, cedo ou tarde, retornará ao convívio familiar e social. Nem se diga que o paciente não faz jus à visita dos filhos por se tratar de local impróprio, podendo trazer prejuízos à formação psíquica dos menores. De fato, é público e notório o total desajuste do sistema carcerário brasileiro à programação prevista pela Lei de Execução Penal. Todavia, levando-se em conta a almejada ressocialização e partindo-se da premissa de que o convício familiar é salutar para a perseguição desse fim, cabe ao Poder Público propiciar meios para que o apenado possa receber visitas, inclusive dos filhos e enteados, em ambiente minimamente aceitável, preparado para tanto e que não coloque em risco a integridade física e psíquica dos visitantes. 3. *Ordem concedida*". Do voto proferido pelo relator, ministro Gilmar Mendes, destacamos as seguintes reflexões de interesse: "Toda pessoa privada da liberdade deve ser tratada com respeito devido à dignidade inerente ao ser humano (Art. 5º, 2). (...) Deveras, é fato que a pena assume o caráter de prevenção e retribuição ao mal causado. Por outro lado, não se pode olvidar seu necessário caráter ressocializador, devendo-se preocupar o Estado, portanto, em recuperar o apenado. Assim, é que dispõe o art. 10 da Lei de Execução Penal ser dever do Estado a assistência ao preso e ao internado, objetivando prevenir o crime e orientar o retorno à convivência em sociedade. As Regras Mínimas do Tratamento de Prisioneiros da ONU, por sua vez, em seu n. 65, dispõem como objetivo de tratamento dos condenados, enquanto perdurar a pena, inspirar-lhes a vontade de viver conforme a lei, incutir-lhes o respeito por si mesmos e desenvolver o seu senso de responsabilidade. Destaque-se, aliás, o direito do preso visitas do cônjuge, da companheira, de parentes e de amigos, assegurado expressamente pela própria Lei de Execução Penal (art. 41, X), sobretudo com o escopo de buscar a almejada ressocialização e reeducação do apenado que, cedo ou tarde, retornará ao convívio familiar e social. No ponto, destaco, ainda, a Resolução n. 14 do Conselho Nacional de Política Criminal e Penitenciária (CNPCP), de 11 de novembro de 1994 (DOU de 2.12.1994), que trata de regras mínimas de tratamento do Preso no Brasil, dispondo em seu art. 33 e parágrafos sobre o contato do preso com o mundo exterior: (...) " (cf. BRASIL. SUPREMO TRIBUNAL FEDERAL. *Habeas Corpus* n. 107.701, J. 13 de set. de 2011. *Diário da Justiça Eletrônico*, Brasília, 23 de fev. de 2012)

[664] Com essa leitura: "Habeas Corpus. 2. Pedido de transferência de estabelecimento prisional. Possibilidade. Vínculo familiar e disponibilidade de vaga. 3. Constrangimento ilegal caracterizado. 4. Ordem concedida". Do voto proferido pelo Relator, ministro Gilmar Mendes, destacamos as seguintes ponderações: "[a]demais, bem compulsado os autos, verifico que a defesa demonstrou a boa conduta carcerária do paciente (...), a existência de vínculo familiar em Mato Grosso (...) e a disponibilidade de vaga na Penitenciária de Segurança Máxima de Harry Amorin Costa, em Dourados/MS (...), o que lhe permitirá uma melhor ressocialização e o exercício do direito à assistência familiar. (...) para fins de ressocialização é mister que o preso mantenha contato com a

Suprema Corte brasileira tem se orientado pela ideia de ressocialização como oportunidade de mudança[665] que deve ser viabilizada ao preso em cumprimento de pena, e isso sem que apareça a nota da reforma coativa (que repudiamos) na discursividade dos julgados. Assim também o Superior Tribunal de Justiça, no que

---

família" (cf. BRASIL. SUPREMO TRIBUNAL FEDERAL. *Habeas Corpus* n. 105.175, J. 22 de mar. de 2011. *Diário da Justiça Eletrônico*, Brasília, 29 de jul. de 2011). Com a mesma orientação, observamos a existência de precedentes mais antigos: "*Pena – Cumprimento – Transferência de preso – Natureza.* Tanto quanto possível, incumbe ao Estado adotar medidas preparatórias ao retorno do condenado ao convívio social. Os valores humanos fulminam os enfoques segregacionistas. A ordem jurídica em vigor consagra o direito do preso de ser transferido para local em que possua raízes, visando a indispensável assistência pelos familiares. Os óbices ao acolhimento do pleito devem ser inafastáveis e exsurgir ao primeiro exame, consideradas as precárias condições do sistema carcerário pátrio. Eficácia do disposto nos artigos 1. e 86 da Lei de Execução Penal – Lei n. 7.210, de 11 de julho de 1984 (...) " (cf. BRASIL. SUPREMO TRIBUNAL FEDERAL. *Habeas Corpus* n. 71.179, J. 19 de abr. de 1994. *Diário da Justiça*, Brasília, 3 de jun. de 1994); e, ""Habeas Corpus. Transferência de réu, já condenado, para a comarca de sua residência (art. 30, parágrafo 6 do Código Penal). Requerendo o preso, já condenado em primeira instância, sua transferência para a comarca de sua residência, onde possui mulher e filhos, com base no art. 30, parágrafo 6 do Código Penal, e tendo o MM. Juiz criminal daquela comarca concordado com o pleiteado, é de ser concedida tal transferência, se os fundamentos para o indeferimento da pretensão, pelo juiz das execuções criminais de Brasília, foram os de que seria um prêmio o retorno a comarca onde sua família residia e onde poderia ter influência, havendo mesmo a possibilidade de o réu obter outras facilidades. O objetivo da lei, porém, terá sido exatamente proporcionar a volta do delinquente ao seu meio, onde terá maiores possibilidades de reintegração a sociedade, como elemento útil, e a simples suposição de que poderá ele obter benefícios outros, não previstos em leis, na sua situação carcerária, não pode evidentemente servir de base ao indeferimento. A lei também não impede a transferência se a sentença e condenatória, pois tal restrição não existe no seu texto" (cf. BRASIL. SUPREMO TRIBUNAL FEDERAL. *Recurso em Habeas Corpus* n. 62.411, J. 23 de nov. de 1984. *Diário da Justiça*, Brasília, 15 de fev. de 1985)"

[665] Noutro trabalho, ainda sobre a ressocialização segundo o STF, SARLET escreveu: "[e]m matéria criminal, por sua vez, importa destacar o reconhecimento, pelo STF, de um direito à ressocialização do apenado, iluminado pela concepção de que ao preso há de ser assegurada a possibilidade de uma reinserção na vida social de modo livre e responsável (liberdade com responsabilidade), diretriz que, portanto, há de servir de parâmetro para a interpretação e aplicação da legislação em matéria de execução penal" (cf. SARLET, Ingo Wolfgang. *Dignidade (da Pessoa) Humana e Direitos Fundamentais na Constituição Federal de 1988.* 10. ed. Porto Alegre: Livraria do Advogado, 2015, p. 121).

se refere à remição da pena pelo estudo (inclusive antes que a lei a reconhecesse formalmente)[666].

---

[666] Antes da Lei n. 12.433/2011 alterar a LEP (no seus arts. 126 a 129) e consagrar a possibilidade de remição da pena pelo estudo, o tema já estava assentado (e, inclusive, sumulado) no Superior Tribunal de Justiça, com o objetivo declarado de contribuir para a ressocialização do preso. Nesse sentido: "*Habeas Corpus. Execução penal. Remição de pena pelo estudo. Possibilidade. Art. 126 da LEP. Súmula 341/STJ. Ressocialização do apenado. Ordem concedida.* 1- A jurisprudência do Superior Tribunal de Justiça consolidou-se no sentido de que a frequência a curso de ensino formal é causa de remição de parte do tempo de execução de pena sob regime fechado ou semi-aberto (Súmula 341/STJ). 2- A interpretação extensiva ou analógica do vocábulo "trabalho" para englobar o tempo de estudo não afronta o art. 126 da Lei de Execução Penal, em razão da necessidade de se ampliar o alcance da lei, uma vez que a atividade estudantil adéqua-se perfeitamente à finalidade do instituto da remição, qual seja, a ressocialização do apenado. 3- Ordem concedida para determinar que seja considerado, para fins de remição, o tempo de atividade educacional cumprido pela paciente" (cf. BRASIL. SUPERIOR TRIBUNAL DE JUSTIÇA. *Habeas Corpus* n. 94.841, J. 17 de abr. de 2008. *Diário da Justiça Eletrônico*, Brasília, 5 de maio de 2008); "Súmula 341. A frequência a curso de ensino formal é causa de remição de parte do tempo de execução de pena sob regime fechado ou semi-aberto" (cf. BRASIL. SUPERIOR TRIBUNAL DE JUSTIÇA. *Súmulan. 341.* J. 27 de jun. de 2007. *Diário da Justiça*, Brasília, 13 de ago. de 2007). Como dito, a redação atual da LEP permite a remição da pena pelo estudo: "Art. 126. O condenado que cumpre a pena em regime fechado ou semiaberto poderá remir, por trabalho ou por estudo, parte do tempo de execução da pena (...)" (cf. BRASIL. Lei de Execução Penal. Lei n. 7.210. *Diário Oficial da União*, Brasília, 13 de jul. de 1984, alterada pela Lei n. 11.433, de 29 de jun. de 2011. *Diário Oficial da União*, Brasília, 30 de jun. de 2011). Mais recentemente, interpretando a extensão do estudo (com olhos na ideia de ressocialização), o Superior Tribunal de Justiça decidiu que a leitura lhe é equivalente para fins de remição da pena: "*Habeas Corpus substitutivo. Falta de cabimento. Execução penal. Remição da pena pela leitura. Art. 126 da LEP. Portaria Conjunta n. 276/2012, do DEPEN/MJ e do CJF. Recomendação n. 44/2013 do CNJ.* 1. Conquanto seja inadmissível o ajuizamento de habeas corpus em substituição ao meio próprio cabível, estando evidente o constrangimento ilegal, cumpre ao tribunal, de ofício, saná-lo. 2. A norma do art. 126 da LEP, ao possibilitar a abreviação da pena, tem por objetivo a ressocialização do condenado, sendo possível o uso da analogia *in bonam partem*, que admita o benefício em comento, em razão de atividades que não estejam expressas no texto legal (REsp n. 744.032/SP, ministro Felix Fischer, Quinta Turma, DJe 5/6/2006). 3. O estudo está estreitamente ligado à leitura e à produção de textos, atividades que exigem dos indivíduos a participação efetiva enquanto sujeitos ativos desse processo, levando-os à construção do conhecimento. A leitura em si tem função de propiciar a cultura e possui caráter ressocializador, até mesmo por contribuir na restauração da autoestima. Além disso, a leitura diminui consideravelmente a ociosidade dos presos e reduz a reincidência criminal. 4. Sendo um

A ressignificação proposta já é uma espécie de interpretação conforme, que viabiliza a aplicação da ressocialização – enquanto direito humano materialmente fundamental, inserido no plano supralegal brasileiro pelas normativas internacionais examinadas – de um modo harmonizado com os direitos formal e materialmente fundamentais expressos na Carta brasileira.

Aliás, mesma interpretação conforme que estão a demandar os dispositivos da LEP que implementam a ideia de uma ressocialização cogente/mandatória, que transmuta a pena em um programa atentatório à autonomia moral (e, pois, da dignidade irrenunciável) do preso.

Ademais, a aproximação que avançamos observa a já referida doutrina especializada, no que recomenda, para solução dos eventuais conflitos entre normas previstas nos documentos internacionais e dispositivos da Constituição, a adoção da interpretação que mais favoreça a eventual vítima, no caso particular o preso em cumprimento de pena no País. Nesse sentido, TRINDADE observa que "não se trata de primazia do direito internacional ou do direito interno", já que "a primazia é, no presente domínio, da norma que melhor proteja, em cada caso, os direitos consagrados da pessoa humana, seja ela uma norma de direito internacional ou de direito interno"[667].

Em suma, acreditamos que o trilhar o caminho rumo a novos horizontes de vida, longe do delito, deve, sempre, se colocar como uma faculdade para o

---

dos objetivos da Lei de Execução Penal, ao instituir a remição, incentivar o bom comportamento do sentenciado e sua readaptação ao convívio social, a interpretação extensiva do mencionado dispositivo impõe-se no presente caso, o que revela, inclusive, a crença do Poder Judiciário na leitura como método factível para o alcance da harmônica reintegração à vida em sociedade. 5. Com olhos postos nesse entendimento, foram editadas a Portaria conjunta n. 276/2012, do Departamento Penitenciário Nacional/MJ e do Conselho da Justiça Federal, bem como a Recomendação n. 44/2013 do Conselho Nacional de Justiça. 6. Writ não conhecido. Ordem expedida de ofício, para restabelecer a decisão do Juízo da execução que remiu 4 dias de pena do paciente, conforme os termos da Recomendação n. 44/2013 do Conselho Nacional de Justiça" (cf. BRASIL. SUPERIOR TRIBUNAL DE JUSTIÇA. *Habeas Corpus* n. 312.486, J. 9 de jun. de 2015. *Diário da Justiça Eletrônico*, Brasília, 22 de jun. de 2015).

[667] Cf. TRINDADE, Antônio Augusto Cançado, op. cit., p. 317-318. PIOVESAN sustenta a mesma orientação, isto é, a de que "adota-se o critério da norma mais favorável à vítima (...) a primazia é da norma que melhor proteja, em cada caso, os direitos da pessoa humana" (cf. PIOVESAN, Flávia, idem, p. 68).

preso. Já o Estado tem a obrigação de oferecer as condições, os meios, para que a caminhada possa desenvolver-se. Cremos que o ser humano pode, sempre, se reinventar, de modo que, em nosso sistema constitucional, o Estado não pode obrigar, quem quer que seja, à mudança, qualquer que seja ela, mas tem o dever de proporcionar os caminhos para que ela possa ocorrer, no sentido dos valores democráticos comunitários com os quais estamos todos comprometidos.

e) Direitos fundamentais instrumentais ativados para as pessoas privadas de liberdade por força do devido processo legal

A máxima de que "forma é garantia e limite de poder", tantas vezes repetida por LOPES JR.[668], encontra perfeita expressão no momento em que se realiza a prisão de uma pessoa. A cláusula do *due process of law* (albergada no art. 5º, inc. LIV da Carta, sob a afirmação de que "ninguém será privado da liberdade ou de seus bens sem o devido processo legal") exige, para o ato de encarceramento, a observância de outros direitos (igualmente fundamentais) como requisitos de validade. Assim, no Brasil "ninguém será preso senão em flagrante delito ou por ordem escrita e fundamentada de autoridade judiciária competente, salvo nos casos de transgressão militar ou crime propriamente militar, definidos em lei" (de acordo com o inc. LXI, do art. 5º da CF). No ato da prisão "o preso será informado de seus direitos, entre os quais o de permanecer calado, sendo-lhe assegurada a assistência da família e de advogado" (nos termos do inc. LXIII, do art. 5º da CF), algo como os avisos Miranda (*Miranda warnings*) consagrados pela jurisprudência da Suprema Corte dos EUA[669]. A Carta ainda assegura que

[668] Cf. LOPES JR., Aury. *Sistema de nulidades "a la carte" precisa ser superado no processo penal.* Disponível em: <http://www.conjur.com.br/2014-set-05/limite-penal-sistema-nulidades-la-carte-superado-processo-penal>. Acesso em: 4 de maio de 2015; cf. LOPES JR., Aury. *Teoria Geral do Processo é danosa para a boa saúde de Processo Penal.* Disponível em: <http://www.conjur.com.br/2014-jun-27/teoria-geral-processo-danosa-boa-saude-processo-penal>. Acesso em: 4 de maio de 2015; cf. LOPES JR., Aury. *Nulidades e ilicitudes do Inquérito não contaminam o Processo Penal?* Disponível em: <http://www.conjur.com.br/2014-dez-19/limite-penal-nulidades-ilicitudes-inquerito-nao-contaminam-processo-penal>. Acesso em: 4 de maio de 2015.

[669] Sobre os *Miranda warnings* ver, *supra*, no Capítulo 2, a nota 378 [onde exposto o julgamento pela Suprema Corte dos EUA (pela velha Corte Warren) do caso *Miranda vs. Arizona* (1966)]. Ainda, sobre a atenuação da regra da exclusão de provas e o clausulamento do exercício do direito ao silêncio, com evidente redução de garantias processuais do acusado (sob a atual Corte Roberts),

"o preso tem direito à identificação dos responsáveis por sua prisão ou por seu interrogatório policial" (cf. o inc. LXIV, do art. 5º da CF) e que "a prisão de qualquer pessoa e o local onde se encontre serão comunicados imediatamente ao juiz competente e à família do preso ou à pessoa por ele indicada" (cf. o inc. LXII, do art. 5º da CF)[670].

Estabelecido o encarceramento do indivíduo, a Constituição ainda garante que, se a mesma for ilegal (isto é, nos termos do já referido inc. LXI, do art. 5º da CF, se não houver ordem escrita e fundamentada de autoridade competente, ou não houver flagrante delito; ou, se se tratar de prisão por dívida, fora da hipótese excepcionada – prisão civil do alimentante –, de acordo com o inc. LXVII, do art. 5º da CF e com a orientação firmada pelo Supremo Tribunal Federal no Recurso Extraordinário n. 466.343/SP[671]; ou, ainda, se couber liberdade provisória com ou sem fiança, conforme o inc. LXVI, do art. 5º da CF[672]), "a prisão ilegal será imediatamente relaxada pela autoridade judiciária" (nos termos do inc. LXV, do art. 5º da CF), inclusive, se necessário, por meio de ação judicial (ação de *Habeas Corpus*), posto que "conceder-se-á *habeas corpus* sempre que alguém sofrer ou se achar ameaçado de sofrer violência ou coação em sua liberdade de locomoção, por ilegalidade ou abuso de poder" (como estatui o inc. LXVIII, do art. 5º da CF)[673].

---

inclusive do precedente formado em *Miranda*, ver, *supra*, no Capítulo 2, o subitem 2.2.2.2.7, letra *f*. Não temos dúvida de que a densidade da garantia, entre nós, ao menos formalmente, é maior, dado o seu assento como direito fundamental na Constituição. Já no plano fático, é provável que haja uma adesão maior dos destinatários da orientação jurisprudencial nos EUA, do que dos destinatários brasileiros do direito fundamental em debate.

[670] Todas as referências legais cf. BRASIL. Constituição da República Federativa do Brasil. *Diário Oficial da União*, Brasília, 5 de out. de 1988.

[671] Conforme esclarecimentos já avançados mais cedo (ver, *supra*, subitem 3.1.2.1 e notas 547 a 549 e 648), é ilegal (inconvencional) no Brasil a prisão civil do depositário infiel, a despeito do (portanto, inaplicável) texto final do inc. LXVII, do art. 5º da CF. No caso, tem plena incidência o n. 7, do art. 7º, da Convenção Americana Sobre Direitos Humanos: Pacto de San José da Costa Rica.

[672] Eis o texto referido: "Art. 5º. (...) LXVI – ninguém será levado à prisão ou nela mantido, quando a lei admitir a liberdade provisória, com ou sem fiança" (cf. BRASIL. Constituição da República Federativa do Brasil. *Diário Oficial da União*, Brasília, 5 de out. de 1988).

[673] Todas as referências legais cf. BRASIL. Constituição da República Federativa do Brasil. *Diário Oficial da União*, Brasília, 5 de out. de 1988. Vale observar que a lei ordinária se encarrega de fornecer os dados de fechamento, necessários à concretização dos direitos fundamentais em foco.

Em adendo a esses direitos fundamentais, detecta-se importante movimento em âmbito nacional no sentido de se atender à outra garantia prevista em documentos internacionais de direitos humanos subscritos pelo Brasil. Trata-se do direito à chamada audiência de custódia, prevista tanto na Convenção Americana de Direitos Humanos (Pacto de San José da Costa Rica)[674] como no Pacto Internacional sobre Direitos Civis e Políticos[675]. Isto é, o direito do

---

Assim, *v.g.*, a Lei n. 7.960/89 estabelece a chamada prisão temporária, e dispõe sobre os seus requisitos de aplicação (cf. BRASIL. Lei n. 7.960, de 21 de dez. de 1989. Dispõe sobre prisão temporária. *Diário Oficial da União*, 22 de dez. de 1989), e o Código de Processo Penal (a partir do seu "Título IX. Da prisão, das medidas cautelares e da liberdade") estabelece as hipóteses, os requisitos, e as formalidades de lavratura de uma prisão em flagrante delito (entre os seus arts. 301 a 310); fixa as hipóteses, os requisitos, e as formalidades para decretação de uma prisão preventiva (nos arts. 311 a 316); ou de uma prisão domiciliar (como cautelar substitutiva da prisão preventiva, nos arts. 317 e 318, combinados com os arts. 319 e 282); e fixa as hipóteses e requisitos para concessão de liberdade provisória com ou sem fiança (nos arts. 321 e segs.) [cf. BRASIL. Decreto-Lei n. 3.689, de 3 de out. de 1941. Código de Processo Penal. *Diário Oficial da União*, 13 de out. de 1941, retificado em 24 de out. de 1941].

[674] "Artigo 7º. Direito à liberdade pessoal (...) 5. Toda pessoa presa, detida ou retida deve ser conduzida, sem demora, à presença de um juiz ou outra autoridade autorizada por lei a exercer funções judiciais e tem o direito de ser julgada em prazo razoável ou de ser posta em liberdade, sem prejuízo de que prossiga o processo. Sua liberdade pode ser condicionada a garantias que assegurem o seu comparecimento em juízo" [cf. ORGANIZAÇÃO DOS ESTADOS AMERICANOS (OEA).Convenção Americana de Direitos Humanos: Pacto de San José da Costa Rica, 22 de nov. de 1969. In: SENADO FEDERAL. *Direitos Humanos*. Atos internacionais e normas correlatas. 4. ed. Brasília: Senado Federal, Coordenação de Edições Técnicas, 2013, p. 152-167. Ainda, cf. BRASIL. Decreto n. 678, de 6 de nov. de 1992. Promulga a Convenção Americana sobre Direitos Humanos (Pacto de San José da Costa Rica), de 22 de nov. de 1969. *Diário Oficial da União*, Brasília, 9 de nov. de 1992].

[675] "ARTIGO 9º. (...) 3. Qualquer pessoa presa ou encarcerada em virtude de infração penal deverá ser conduzida, sem demora, à presença do juiz ou de outra autoridade habilitada por lei a exercer funções judiciais e terá o direito de ser julgada em prazo razoável ou de ser posta em liberdade. A prisão preventiva de pessoas que aguardam julgamento não deverá constituir a regra geral, mas a soltura poderá estar condicionada a garantias que assegurem o comparecimento da pessoa em questão à audiência, a todos os atos do processo e, se necessário for, para a execução da sentença" [cf. ORGANIZAÇÃO DOS ESTADOS AMERICANOS (OEA).PactoInternacional sobre Direitos Civis e Políticos, 19 de dez. de 1966. In: SENADO FEDERAL. *Direitos Humanos*. Atos internacionais e normas correlatas. 4. ed. Brasília: Senado Federal, Coordenação de Edições Técnicas, 2013, p. 130-143. Ainda, cf. BRASIL. Decreto n. 592, de 6 de jul. de 1992. Atos

cidadão de ser apresentado perante um juiz de direito em seguida a sua prisão, para que este, de imediato, delibere sobre a necessidade do encarceramento/possibilidade de soltura.

Observamos ser inteiramente irrelevante aqui, para efeito de se admitir a plena incidência das normativas internacionais em foco, a acolhida da compreensão de que (em se tratando de garantia estatuída em documentos internacionais de direitos humanos ratificados antes do rito especial de aprovação do §3º, do art. 5º, da CF) gozam de hierarquia constitucional, ou, por outra interpretação (a atual do STF), têm estatura supralegal[676]. O fato é que estamos diante de um direito materialmente fundamental, e na esteira do que dispõe o §2º, do Art. 5º da CF, assim deve ser recepcionado e aplicado, de modo direto, tal e qual os demais direitos fundamentais formalmente previstos na Carta brasileira.

Sobre o referido movimento nacional pela materialização do direito à audiência de custódia, vale referir a tramitação do Projeto de Lei do Senado (PLS) n. 554, de 2011[677], o qual (fazendo expressa referência às normativas internacionais

Internacionais. Pacto Internacional sobre Direitos Civis e Políticos. Promulgação.*Diário Oficial da União*, Brasília, 7 de jul. de 1992].

[676] Mais uma vez remetemos aos esclarecimentos avançados mais cedo (ver, *supra*, subitem 3.1.2.1 e notas 547 a 549 e 648), sobre a inconvencionalidade da prisão civil do depositário infiel (por aplicação do direito materialmente fundamental previsto no n. 7, do art. 7º, da Convenção Americana Sobre Direitos Humanos: Pacto de San José da Costa Rica).

[677] O projeto, de autoria do Senador Antonio Carlos Valadares, atualmente modificado por projetos substitutivos aprovados pela Comissão de Direitos Humanos e Legislação Participativa (de autoria do senador João Capiberibe) e pela Comissão de Assuntos Econômicos (de autoria do senador Randolfe Rodrigues), assim como por contribuições implementadas pelo Relator, Senador Humberto Costa, já se encontra com parecer protocolado desde 26 de maio de 2015, na Comissão de Constituição, Justiça e Cidadania do Senado (CCJ), pronto para votação (ainda não realizada). A atual redação, como dito, dispõe sobre a procedimentalidade a ser adotada para realização da audiência de custódia, inserindo um novo texto para o art. 306 do Código de Processo Penal. O dispositivo, na grafia apresentada, cuida de evitar a futura utilização da oitiva no ulterior processo penal (o que implicaria em outras violações) e restringe o escopo da ouvida presencial do preso em flagrante, dentro em 24 horas de sua prisão, à averiguação do respeito aos seus direitos fundamentais (dispõe que o ato deve ser "registrad[o] em autos apartados, não poderá ser utilizad[o] como meio de prova contra o depoente e versará, exclusivamente, sobre a legalidade e necessidade da prisão; a prevenção da ocorrência de tortura ou de maus-tratos; e os direitos assegurados ao preso e ao acusado", sendo que "A oitiva do preso em juízo sempre se dará na presença de seu advogado, ou, se não tiver ou não o indicar, na de Defensor Público, e

aludidas, que a proposta visa a atender) pretende disciplinar o procedimento para realização da solenidade na hipótese de prisão em flagrante. O gesto do Poder Legislativo, se aprovada a lei, além de reforçar a necessidade de respeito a um direito materialmente fundamental há tanto tempo já previsto (e ignorado)[678], ainda atenderá a outra disposição da Convenção Americana de Direitos Humanos, a que prevê o compromisso dos firmatários de providenciar a inserção – caso ela já não exista – dos direitos nela expressos nos catálogos normativos nacionais[679].

---

na do membro do Ministério Público, que poderão inquirir o preso sobre os temas previstos") (cf. BRASIL. SENADO DA REPÚBLICA. *Projeto de Lei do Senado n. 554, de 2011*. Disponível em: <http://www.senado.gov.br/atividade/ materia/getPDF.asp?t=95848&tp=1>. Acesso em: 4 de maio de 2015; e, cf. BRASIL. SENADO DA REPÚBLICA. *Parecer do Relator, Senador Humberto Costa, ao Projeto de Lei do Senado n. 554, de 2011*. Disponível em: <http://www.senado.gov.br/atividade/materia/getTexto.asp?t=166396&c=PDF&tp=1>. Acesso em: 4 de maio de 2015). Ainda, cf. IBCCRIM (editorial). Audiência de custódia no Brasil, ainda que tardia. *Boletim IBCCRIM*, São Paulo, Ano 23, n. 268, p. 1, Mar.. 2015.

[678] O que, pois, deveria estar observado desde sempre, mesmo à falta de lei interna, em estrita observância ao que reza o art. 1º, n. 1, da Convenção: "Artigo 1º. Obrigação de respeitar os direitos. 1. Os Estados-partes nesta Convenção comprometem-se a respeitar os direitos e liberdades nela reconhecidos e a garantir seu livre e pleno exercício a toda pessoa que esteja sujeita à sua jurisdição, sem discriminação alguma, por motivo de raça, cor, sexo, idioma, religião, opiniões políticas ou de qualquer outra natureza, origem nacional ou social, posição econômica, nascimento ou qualquer outra condição social" [cf. ORGANIZAÇÃO DOS ESTADOS AMERICANOS (OEA). Convenção Americana de Direitos Humanos: Pacto de San José da Costa Rica, 22 de nov. de 1969. In: SENADO FEDERAL. *Direitos Humanos*. Atos internacionais e normas correlatas. 4. ed. Brasília: Senado Federal, Coordenação de Edições Técnicas, 2013, p. 152-167. Ainda, cf. BRASIL. Decreto n. 678, de 6 de nov. de 1992. Promulga a Convenção Americana sobre Direitos Humanos (Pacto de San José da Costa Rica), de 22 de nov. de 1969. *Diário Oficial da União*, Brasília, 9 de nov. de 1992].

[679] Trata-se da previsão do Art. 2º da Convenção, que possui o seguinte texto: "Artigo 2º. Dever de adotar disposições de direito interno. Se o exercício dos direitos e liberdades mencionados no artigo 1º ainda não estiver garantido por disposições legislativas ou de outra natureza, os Estados-partes comprometem-se a adotar, de acordo com as suas normas constitucionais e com as disposições desta Convenção, as medidas legislativas ou de outra natureza que forem necessárias para tornar efetivos tais direitos e liberdades" [cf. ORGANIZAÇÃO DOS ESTADOS AMERICANOS (OEA).Convenção Americana de Direitos Humanos: Pacto de San José da Costa Rica, 22 de nov. de 1969. In: SENADO FEDERAL. *Direitos Humanos*. Atos internacionais e normas correlatas. 4. ed. Brasília: Senado Federal, Coordenação de Edições Técnicas, 2013, p. 152-167. Ainda, cf. BRASIL. Decreto n. 678, de 6 de nov. de 1992. Promulga a Convenção Americana sobre Direitos

De outra parte, também merece referência o projeto piloto de implantação da audiência de custódia para presos em flagrante celebrado entre a Justiça Estadual de São Paulo, o Conselho Nacional de Justiça e o Ministério da Justiça. A iniciativa, conquanto alvissareira, coloca um otimismo cauteloso, a ser verificado no futuro, a partir do nível de adesão dos atores envolvidos[680].

Humanos (Pacto de San José da Costa Rica), de 22 de nov. de 1969. *Diário Oficial da União*, Brasília, 9 de nov. de 1992]. Ainda a propósito, FELDENS adverte que ao promulgar a Convenção os países expressam o compromisso de luta "contra violações de direitos humanos havidas no âmbito de suas respectivas áreas territoriais (jurisdições)", de modo que "ao aderirem ao Pacto, os países subscritores assumem deveres de *proteção* e de *adoção de disposições de direito interno* para tornar efetivos os direitos e liberdades reconhecidos nas Convenção, comprometendo-se perante a comunidade internacional a se submeterem a jurisdição da Corte Interamericana de Direitos Humanos" (cf. FELDENS, Luciano, idem, p. 104).

[680] Cf. BRASIL. TRIBUNAL DE JUSTIÇA DO ESTADO DE SÃO PAULO. *Provimento Conjunto n. 03/2015*. Disponível em: <http://www.tjsp.jus.br/Handlers/FileFetch.ashx?id_arquivo=65062>. Acesso em: 4 de maio de 2015. Também cf. IBCCRIM (editorial). Audiência de custódia no Brasil, ainda que tardia. *Boletim IBCCRIM*, São Paulo, Ano 23, n. 268, p. 1, mar. 2015; e, cf. BRASIL. CONSELHO NACIONAL DE JUSTIÇA. *Audiência de Custódia*. Disponível em: <http://www.cnj.jus.br/sistema-carcerario-e-execucao-penal/audiencia-de-custodia>. Acesso em: 4 de maio de 2015. A cautela, ademais, é exigida, tendo em vista manifestações como a veiculada pela Associação Nacional dos Magistrados Estaduais – ANAMAGES, que afirmou, em nota oficial, que *"ao lado da imensa maioria dos juízes, vê com grande preocupação a implantação da "Audiência de Custódia". Vislumbram-se inúmeros óbices de ordem jurídica, de eficácia e aplicabilidade desta medida processual. Atenta-se ainda a possíveis entraves processuais penais com a sua adoção imediata. (...)"* (cf. SOUZA, Giselle. *Juízes estaduais criticam projeto Audiência de Custódia*. Disponível em: <http://www.conjur.com.br/2015-fev-07/juizes-estaduais-criticam-projeto-audiencia-custodia>. Acesso em: 4 de maio de 2015). A referida Associação, sem sucesso, também tentou barrar no Conselho Nacional de Justiça o seguimento da implantação do projeto (iniciado em São Paulo) no restante do país (cf. OLIVEIRA, Mariana, RAMALHO, Renan. *CNJ nega pedido de juízes para frear implantação da audiência de custódia*. Disponível em: <http://g1.globo.com/politica/noticia/2015/05/cnj-nega-pedido-de-juizes-para-suspender-audiencias-de-custodia.html>. Acesso em: 6 de maio de 2015). Acrescente-se, por positivo, que a implantação da audiência de custódia também ocorre em Porto Alegre/RS, desde jul. de 2015, e "promete ser revolucionária: o juiz irá até os presos. A ideia é que sete magistrados do plantão judicial criminal do Fórum de Porto Alegre trabalhem dentro do Presídio Central, em revezamento (um por dia). No momento em que alguém for detido em flagrante (em média, oito presos por dia ingressam no Central), será interrogado pelo juiz. Uma sala informatizada já está montada no presídio. Ela tem terminais de computador suficientes para que advogados, policiais, promotores e juízes atuem de forma simultânea na audiência do detido"

De nossa parte, em interpretação dos dispositivos internacionais em questão, que não pode ser levada a cabo de forma restritiva, entendemos que a audiência de custódia deve ser realizada em qualquer hipótese de prisão processual, e não somente nas prisões em flagrante delito. A realidade da Justiça brasileira coloca, *v.g.*, a existência de um banco de mandados de prisão preventiva cuja atualização é questionável, de modo que alguém pode ser preso por mandado já insubsistente, o que poderia facilmente ser averiguado na audiência em debate. Ainda que válido o mandado, muitas vezes o seu cumprimento se dá meses, ou anos, após a sua expedição, de sorte que uma reanálise do cenário processual na aludida audiência também poderia indicar a desnecessidade da prisão, ou um melhor equacionamento do caso por aplicação de medidas cautelares alternativas ao cárcere.

Seja pela leitura aparentemente majoritária das normativas internacionais sob análise, seja pela interpretação ora avançada, o fato inconteste é que a materialização da audiência de custódia teria o mérito de reduzir – talvez de forma surpreendente – a taxa de ocupação dos estabelecimentos prisionais brasileiros por presos processuais, atualmente na casa dos 41%[681]. Este percentual, vale enfatizar, indica a extrema necessidade de se implementar a medida, o quanto antes, dado o seu enorme potencial no combate ao drama da superpopulação carcerária no Brasil.

3.1.2.2.3 Direitos fundamentais restringidos pelo estado de privação de liberdade (restringibilidade de direitos fundamentais, conteúdo essencial e mínimo existencial)

Ao lado dos direitos fundamentais suprimidos pelo estado de privação de liberdade da pessoa (liberdade de locomoção; e, para os presos em cumprimento

(cf. TREZZI, Humberto. *Presos em flagrante vão depor no Presídio Central para reduzir superlotação.* Disponível em: <http://zh.clicrbs.com.br/rs/noticias/ noticia/2015/06/presos-em-flagrante-vao-depor-no-presidio-central-para-reduzir-superlotacao-4789476.html>. Acesso em: 26 de jun. de 2015).

[681] Cf. BRASIL. CONSELHO NACIONAL DE JUSTIÇA (CNJ). DEPARTAMENTO DE MONITORAMENTO E FISCALIZAÇÃO DO SISTEMA CARCERÁRIO E DO SISTEMA DE EXECUÇÃO DE MEDIDAS SOCIOEDUCATIVAS – DMF. *Novo diagnóstico de pessoas presas no Brasil. Brasília*, jun. de 2014. Disponível em: <http://www.cnj.jus.br/images/imprensa/pessoas_presas_no_brasil_final.pdf>. Acesso em: 4 de maio de 2015.

de pena, os direitos civis e políticos consistentes na capacidade de votar e ser votado), perfilha-se uma coleção de outros direitos fundamentais que acabam tendo o seu exercício restringido.

Sem a pretensão, como dito, de exaurir o assunto, identificamos restrições ao integral exercício de vários direitos individuais e sociais. Tratam-se, na lição de FRAGOSO, de "direitos necessariamente afetados"[682], isto é, que não têm como ser exercidos integralmente em vista do estado de privação de liberdade. Assim, *v.g.*, os direitos fundamentais à intimidade, à vida privada, à honra e à imagem (CF, art. 5º, inc. X[683]), são restringidos de maneira importante no cárcere: nos ambientes de convívio coletivo, nas estruturas sanitárias e de higiene, ao ensejo da realização de exames de saúde, ou de revistas periódicas pessoais e nos pertences, na eventual obrigação de uso de uniformes etc.

Também no que toca à livre manifestação do pensamento (CF, art. 5º, inc. IV[684]), não há exercício pleno na medida em que a expressão por meio de comunicações telefônicas e eletrônicas em geral (aqui incluído o uso, via *internet*, de mensagens, aplicativos de conversação, redes sociais virtuais etc., todos meios amplamente utilizados pela população em geral), não é possível de ser exercitada na prisão. Inclusive, configura falta disciplinar de natureza grave a posse, utilização ou fornecimento de "aparelho telefônico, de rádio ou similar, que permita a comunicação com outros presos ou com o ambiente externo" (na redação do inc. VII, do art. 50 da LEP), de modo que a tradicional "correspondência escrita" (nos termos do inc. XV, do seu art. 41) resta como único meio de comunicação expressamente assegurado na lei ao preso[685]. Entretanto, por expressa previsão do parágrafo único deste último dispositivo, também a correspondência escrita pode

---

[682] Cf. FRAGOSO, Heleno Cláudio; CATÃO, Yolanda; SUSSEKIND, Elisabeth. *Direitos dos Presos*. Rio de Janeiro: Forense, 1980, p. 3.

[683] Dispõe a Carta: "Art. 5º. (...) X – são invioláveis a intimidade, a vida privada, a honra e a imagem das pessoas, assegurado o direito a indenização pelo dano material ou moral decorrente de sua violação" (cf. BRASIL. Constituição da República Federativa do Brasil. *Diário Oficial da União*, Brasília, 5 de out. de 1988).

[684] Reza a Constituição: "Art. 5º. (...) IV – é livre a manifestação do pensamento, sendo vedado o anonimato" (cf. BRASIL. Constituição da República Federativa do Brasil. *Diário Oficial da União*, Brasília, 5 de out. de 1988).

[685] Cf. BRASIL. Lei de Execução Penal. Lei n. 7.210. *Diário Oficial da União*, Brasília, 13 de jul. de 1984.

ser suspensa ou restringida "por ato motivado do diretor do estabelecimento"[686], o que implica, inclusive, o possível afastamento do direito fundamental ao sigilo das comunicações (CF, art. 5º, inc. XII)[687], como também já afirmado pelo STF[688].

Anotamos, por importante, que, na era da chamada *sociedade da informação*, discute-se sobre se o acesso à internet (como forma contemporânea de exercício da liberdade de expressão, assim como da liberdade de consciência e religião, de assembleia e associação, e do direito a educação) não constituiria, em si, um direito fundamental[689]. A Corte Europeia de Direitos Humanos deverá julgar,

[686]Cf. BRASIL. Lei de Execução Penal. Lei n. 7.210. *Diário Oficial da União*, Brasília, 13 de jul. de 1984.

[687]Assegura a Carta: Dispõe a Carta: "Art. 5º. (...) XII – é inviolável o sigilo da correspondência e das comunicações telegráficas, de dados e das comunicações telefônicas, salvo, no último caso, por ordem judicial, nas hipóteses e na forma que a lei estabelecer para fins de investigação criminal ou instrução processual penal" (cf. BRASIL. Constituição da República Federativa do Brasil. *Diário Oficial da União*, Brasília, 5 de out. de 1988).

[688] Nesse rumo: *"Habeas Corpus – Estrutura formal da sentença e do acórdão – Observância – Alegação de interceptação criminosa de carta missiva remetida por sentenciado – Utilização de cópias xerográficas não autenticadas – pretendida análise da prova – pedido indeferido.* (...) – A administração penitenciária, com fundamento em razões de segurança pública, de disciplina prisional ou de preservação da ordem jurídica, pode, sempre excepcionalmente, e desde que respeitada a norma inscrita no art. 41, parágrafo único, da Lei n. 7.210/84, proceder a interceptação da correspondência remetida pelos sentenciados, eis que a cláusula tutelar da inviolabilidade do sigilo epistolar não pode constituir instrumento de salvaguarda de práticas ilícitas. – O reexame da prova produzida no processo penal condenatório não tem lugar na ação sumaríssima de *habeas corpus*" (BRASIL. SUPREMO TRIBUNAL FEDERAL. *Habeas Corpus* n. 70814. J. em 1 de mar. de 1994. *Diário da Justiça*, Brasília, 24 de jun. de 1994).

[689] Cf. DE HERT e ZLOZA. Ao debaterem o assunto, os autores registram o estado da arte em alguns países: "[e]m nível nacional, três jurisdições já proveram explicitamente em seus sistemas constitucionais uma obrigação positiva de assegurar conectividade. O Art. 5a(2) da Constituição Grega, introduzido em 2001, dispõe 'todas as pessoas tem o direito de participar na Sociedade da Informação. *Facilitação do acesso* para informações transmitidas eletronicamente, assim como para produção, troca e difusão disso, *constitui uma obrigação do Estado*, sempre em observância das garantias dos artigos 9 [privacidade], 9. [dados pessoais] e 19 [segredo de correspondência]' (itálico nosso). A Corte Constitucional Francesa, em 2009, declarou que a liberdade de expressão implica 'liberdade de acessar tais serviços', ainda que em outro contexto (*i.e.* direitos humanos como instrumentos vivos) (...). Também, neste momento fora da Europa, a Corte Constitucional da Costa Rica declarou, em 2010, que, no contexto da sociedade da informação, 'está imposto às autoridades públicas, para o benefício dos governados, o promover e assegurar, em forma universal,

no futuro próximo, reclamação de preso, lituano de nacionalidade, que demanda por acesso à internet a partir de sua cela, e já situou o foco da discussão em torno do §2º, da Convenção para Proteção dos Direitos do Homem e das Liberdades Fundamentais, isto é, sobre se o fato de a pessoa estar privada de liberdade se inclui na moldura das possíveis restrições à liberdade de expressão (previstas no aludido dispositivo[690]), a fazer legítima a proibição do acesso à rede[691]. Conforme DE HERT e KLOZA, "a questão, sobre se um específico direito humano é um meio apropriado para proteger o uso da internet em sua inteireza, permanece sem resposta", embora os autores afirmem que tendem "a ver os benefícios de um reconhecimento mais do que desvantagens", sobretudo porque os direitos humanos têm a capacidade de disparar a elaboração de políticas. Entretanto, acreditam que o reconhecimento do direito ao uso livre da internet, que, provavelmente,

---

acesso a essas novas tecnologias'." (cf. DE HERT, Paul, KLOZA, Dariusz. Internet (access) as a new fundamental right. Inflating the current rights framework? In: *European Journal of Law and Technology*, Vol. 3. n. 3, 2012 (Disponível em: <http://ejlt.org/article/view/123/268>. Acesso em: 6 de maio de 2015).

[690] Eis o texto do dispositivo: "ARTIGO 10°. Liberdade de expressão. 1. Qualquer pessoa tem direito à liberdade de expressão. Este direito compreende a liberdade de opinião e a liberdade de receber ou de transmitir informações ou ideias sem que possa haver ingerência de quaisquer autoridades públicas e sem considerações de fronteiras. O presente artigo não impede que os Estados submetam as empresas de radiodifusão, de cinematografia ou de televisão a um regime de autorização prévia. 2. O exercício desta liberdades, porquanto implica deveres e responsabilidades, pode ser submetido a certas formalidades, condições, restrições ou sanções, previstas pela lei, que constituam providências necessárias, numa sociedade democrática, para a segurança nacional, a integridade territorial ou a segurança pública, a defesa da ordem e a prevenção do crime, a proteção da saúde ou da moral, a proteção da honra ou dos direitos de outrem, para impedir a divulgação de informações confidenciais, ou para garantir a autoridade e a imparcialidade do poder judicial" (cf. CONSELHO DA EUROPA. *Convenção para Proteção dos Direitos do Homem e das Liberdades Fundamentais (Convenção Europeia dos Direitos do Homem)*, 4 de nov. de 1950. Disponível em: <http://www.echr.coe.int/Documents/ Convention_POR.pdf>. Acesso em: 1 de mar. de 2015).

[691] Dados cf. CONSELHO DA EUROPA. CORTE EUROPEIA DE DIREITOS HUMANOS. Aplicação n. 21575/08, por Henrikas JANKOVSKIS contra Lithuania, distribuída em 7 de jan. de 2008. Disponível em: <http://hudoc.echr.coe.int/sites/fra/pages/search.aspx?i=001-111408>. Acesso em: 6 de maio de 2015. Ainda, cf. CONSELHO DA EUROPA. CORTE EUROPEIA DE DIREITOS HUMANOS. *Cultural Rights in the Case-Law of the European Court of Human Rights*, p. 8. Disponível em: <http://www.echr.coe.int/Documents/ Research_report_cultural_rights_ENG. pdf>. Acesso em: 6 de maio de 2015.

poderá ser "endereçado por um único novo direito, inteligentemente redigido" no futuro, hoje demanda investigação sobre que elementos dele já estão protegidos, e como se dá essa proteção[692].

Como podemos perceber, a exiguidade comunicacional imposta à pessoa privada de liberdade coloca restrições a outros direitos fundamentais (para além do direito à livre manifestação do pensamento), como ao direito à informação (CF, art. 5º, inc. XIV[693]); ao exercício livre da religião (CF, art. 5º, inc. VI[694]); ao exercício livre do direito de assembleia e associação (CF, Art. 5º, incs. XVI, XVII e XVIII[695]); aos direitos (sociais) à educação ([696]) e também ao trabalho (CF, art. 5º, inc. XIII[697]) – mormente quando muitas atividades relacionadas (laborativas e educacionais), hoje, têm a condição de ser inteiramente desenvolvidas de forma remota, por pessoas atrás de computadores etc.

---

[692] Cf. DE HERT, Paul, KLOZA, Dariusz, op. cit.

[693] Prevê a Constituição: "Art. 5º. (...) XIV – é assegurado a todos o acesso à informação e resguardado o sigilo da fonte, quando necessário ao exercício profissional" (cf. BRASIL. Constituição da República Federativa do Brasil. *Diário Oficial da União*, Brasília, 5 de out. de 1988).

[694] Dispõe a Constituição: "Art. 5º. (...) VI – é inviolável a liberdade de consciência e de crença, sendo assegurado o livre exercício dos cultos religiosos e garantida, na forma da lei, a proteção aos locais de culto e a suas liturgias" (cf. BRASIL. Constituição da República Federativa do Brasil. *Diário Oficial da União*, Brasília, 5 de out. de 1988).

[695] Diz a Carta: "Art. 5º. (...) XVI – todos podem reunir-se pacificamente, sem armas, em locais abertos ao público, independentemente de autorização, desde que não frustrem outra reunião anteriormente convocada para o mesmo local, sendo apenas exigido prévio aviso à autoridade competente; XVII – é plena a liberdade de associação para fins lícitos, vedada a de caráter paramilitar; XVIII – a criação de associações e, na forma da lei, a de cooperativas independem de autorização, sendo vedada a interferência estatal em seu funcionamento" (cf. BRASIL. Constituição da República Federativa do Brasil. *Diário Oficial da União*, Brasília, 5 de out. de 1988).

[696] Sobre a educação, assegura a Carta: "Art. 6º São direitos sociais a educação, a saúde, a alimentação, o trabalho, a moradia, o lazer, a segurança, a previdência social, a proteção à maternidade e à infância, a assistência aos desamparados, na forma desta Constituição. (...) Art. 23. É competência comum da União, dos Estados, do Distrito Federal e dos Municípios: (...) V - proporcionar os meios de acesso à cultura, à educação, à ciência, à tecnologia, à pesquisa e à inovação" (cf. BRASIL. Constituição da República Federativa do Brasil. *Diário Oficial da União*, Brasília, 5 de out. de 1988).

[697] Assegura a Constituição: "Art. 5º. (...) XIII – é livre o exercício de qualquer trabalho, ofício ou profissão, atendidas as qualificações profissionais que a lei estabelecer" (cf. BRASIL. Constituição da República Federativa do Brasil. *Diário Oficial da União*, Brasília, 5 de out. de 1988).

Portanto, é de extrema gravidade a restrição de direito fundamental ora examinada, com implicações altamente deletérias ao propósito legítimo (segundo a ótica ressignificada de ressocialização, *supra* debatida) de proporcionar oportunidades gratificantes (de informação, aprendizado, trabalho etc.) aos condenados em cumprimento de pena, e está a merecer enfrentamento sério para garantir melhores condições (necessariamente mais ampliadas) de comunicação aos presos no Brasil[698]. Ao fim e ao cabo, diante da realidade (im)posta (da aludida exiguidade comunicacional), é preciso discutir sobre se não estaria a ocorrer violação ao núcleo essencial do direito à liberdade de expressão.

É necessário esclarecer, desde logo, pelo que se acaba de cogitar, que aceitamos a compreensão de que todo o direito fundamental é passível de restrição. Entretanto, essa restrição, que precisa ser constitucionalmente fundamentada,

---

[698] O tema é percebido com elevado grau de importância no Reino Unido, onde, a partir de 2011, foi regulamentada a utilização de comunicação telefônica pelos presos, por meio da implantação de um sistema telefônico parcialmente vigiado (que garante contato sigiloso com advogados e, sob monitoramento, com familiares e amigos). Destacamos, pelo relevo, algumas afirmações do *sumário executivo* da diretiva: "[e]sta Instrução apoia a implementação da especificação *Serviços de Comunicação para Prisioneiros*. 2. Regras penitenciárias exigem das prisões que encoragem ativamente prisioneiros a manter contatos externos e laços familiares significativos. Prisioneiros também têm o direito legal de enviar e receber cartas. Cartas e telefonemas ajudam na sustentação de relacionamentos de apoio com a família e amigos. Eles também permitem que o prisioneiro tenha acesso à justiça através de correspondência legalmente privilegiada com consultores jurídicos e outras organizações de apoio, com quem podem se corresponder confidencialmente. 3. Ser capaz de se comunicar com aqueles de fora é parte do fornecimento de um ambiente seguro e decente para reclusos, e contribui para uma redução dos danos autoinflingidos e suicídio. Acesso à comunicação é também crucial para ajudar prisioneiros a se preparar para a soltura. 4. O dever de incentivar o contato deve ser equilibrado contra os riscos que podem estar associados com a capacidade dos prisioneiros de se comunicar com aqueles de fora. A comunicação deve ser gerida para prevenir o tráfico de itens não autorizados, assegurar a proteção do público e evitar fugas. 5. O sistema BT PinPhone opera em todas as prisões do setor público, menos em três estabelecimentos prisionais contratados. O sistema foi especificamente projetado para encontrar um equilíbrio entre a segurança e a boa ordem dos estabelecimentos, a necessidade dos prisioneiros de se manter em contato com suas famílias e amigos e da proteção do público de contatos telefônicos indesejados a partir de Prisioneiros" (cf. REINO UNIDO DA GRÃ-BRETANHA. MINISTÉRIO DA JUSTIÇA. SERVIÇO NACIONAL DE GERENCIAMENTO DE OFENSORES. *PSI 49/2011*. Disponível em: <https://www.justice.gov.uk/downloads/offenders/psipso/psi-2011/psi-49-2011-prisoner-comms-services.doc>. Acesso em: 6 de maio de 2015).

não pode implicar, jamais, a violação do conteúdo essencial do direito fundamental[699]. Daí a necessidade de se delimitar este núcleo/conteúdo essencial, que, na leitura de SILVA, será sempre relativo, e identificável por aplicação da regra da proporcionalidade. Portanto, de modo preciso, esse núcleo é o próprio "produto da aplicação da regra da proporcionalidade"[700]. De forma consolidada, os elementos do raciocínio estão assim recolhidos em silogismo entregue pelo autor:

> ". restrições que atingem o conteúdo essencial são inconstitucionais;
> . restrições que passem pelo teste da proporcionalidade são constitucionais;
> ∴ restrições que passem pelo teste da proporcionalidade não atingem o conteúdo essencial"[701].

E ao se endereçar a ideia de conteúdo essencial, mormente no campo dos direitos sociais, é natural que se chegue à garantia do mínimo existencial. Com construção e desenvolvimento pelas doutrina e jurisprudência alemãs[702], o mí-

[699] Na linha defendida por Virgílio Afonso da Silva (cf. SILVA, Virgílio Afonso da. *Direitos Fundamentais*. Conteúdo essencial, restrições e eficácia. 2. ed. São Paulo: Malheiros, 2009, p. 251). Vale, porém, a advertência, ainda com o autor, de que a ideia avançada, ao contrário do que pode parecer, ao permitir a restrição de todo o direito fundamental, não implica em diminuir o grau de proteção destes direitos. O efeito é exatamente o contrário: "[a] *explicitação* da restringibilidade dos direitos fundamentais é acompanhada, no modelo aqui defendido, de uma *exigência de fundamentação constitucional*, para qualquer caso de restrição, *que não está presente em outras teorias* (...) É fácil perceber, portanto, que a possível relativização dos direitos fundamentais, que encontra sua expressão maior na negação de um conteúdo essencial desses direitos que não seja também meramente relativo, não é o produto de um 'relativismo niilista', ou algo semelhante. É, ao contrário, uma tentativa de criar condições de diálogo intersubjetivo e de controle social da atividade do Legislativo e do Judiciário, a partir de um modelo que impõe, *a todo o tempo*, exigências de fundamentação. O relativismo, portanto, está, aqui, claramente em conexão com as exigências de um Estado Democrático de Direito, que não aceita a restrição aos seus direitos mais fundamentais de forma acobertada, por meio do recurso a intuições, muitas vezes moralistas, e a pré-compreensões mal-eslcarecidas" (cf. SILVA, Virgílio Afonso da, op. cit., p. 204-205). Para um exame em profundidade (mais além dos limites desta investigação), da ideia de conteúdo essencial – nas dimensões objetiva e subjetiva, e pelas teorias absoluta e relativa, também remetemos ao autor (cf. SILVA, Virgílio Afonso da, idem, p. 183-207).

[700] Cf. SILVA, Virgílio Afonso da, idem, p. 198.

[701] Cf. SILVA, Virgílio Afonso da, idem, p. 206-207.

[702] Cf. SARLET, Ingo Wolfgang. *A Eficácia dos Direitos Fundamentais*. Uma teoria geral dos direitos fundamentais na perspectiva constitucional. 12. ed. Porto Alegre: Livraria do Advogado,

nimo existencial aparece no espaço constitucional brasileiro, na concepção de SARLET, como um direito fundamental autônomo, não positivado de maneira expressa[703], derivado do regime e dos princípios[704]. Ainda segundo o autor, tra-

---

2015, p. 332.

[703] Cf. SARLET, Ingo Wolfgang, op. cit., p. 332; e, cf. SARLET, Ingo Wolfgang. *Dignidade (da Pessoa) Humana e Direitos Fundamentais na Constituição Federal de 1988*. 10. ed. Porto Alegre: Livraria do Advogado, 2015, p. 136-137

[704] Cf. SARLET, Ingo Wolfgang. *A Eficácia dos Direitos Fundamentais*. Uma teoria geral dos direitos fundamentais na perspectiva constitucional. 12. ed. Porto Alegre: Livraria do Advogado, 2015, p. 332. A recepção do mínimo existencial neste desenho, como um direito fundamental implícito, está presente na jurisprudência do Supremo Tribunal Federal brasileiro, como ilustra o seguinte julgado: "CRIANÇA DE ATÉ CINCO ANOS DE IDADE – ATENDIMENTO EM CRECHE E EM PRÉ-ESCOLA – SENTENÇA QUE OBRIGA O MUNICÍPIO DE SÃO PAULO A MATRICULAR CRIANÇAS EM UNIDADES DE ENSINO INFANTIL PRÓXIMAS DE SUA RESIDÊNCIA OU DO ENDEREÇO DE TRABALHO DE SEUS RESPONSÁVEIS LEGAIS, SOB PENA DE MULTA DIÁRIA POR CRIANÇA NÃO ATENDIDA – LEGITIMIDADE JURÍDICA DA UTILIZAÇÃO DAS "ASTREINTES" CONTRA O PODER PÚBLICO – DOUTRINA – JURISPRUDÊNCIA – OBRIGAÇÃO ESTATAL DE RESPEITAR OS DIREITOS DAS CRIANÇAS – EDUCAÇÃO INFANTIL – DIREITO ASSEGURADO PELO PRÓPRIO TEXTO CONSTITUCIONAL (CF, ART. 208, IV, NA REDAÇÃO DADA PELA EC N. 53/2006) – COMPREENSÃO GLOBAL DO DIREITO CONSTITUCIONAL À EDUCAÇÃO – DEVER JURÍDICO CUJA EXECUÇÃO SE IMPÕE AO PODER PÚBLICO, NOTADAMENTE AO MUNICÍPIO (CF, ART. 211, § 2º) – LEGITIMIDADE CONSTITUCIONAL DA INTERVENÇÃO DO PODER JUDICIÁRIO EM CASO DE OMISSÃO ESTATAL NA IMPLEMENTAÇÃO DE POLÍTICAS PÚBLICAS PREVISTAS NA CONSTITUIÇÃO – INOCORRÊNCIA DE TRANSGRESSÃO AO POSTULADO DA SEPARAÇÃO DE PODERES – PROTEÇÃO JUDICIAL DE DIREITOS SOCIAIS, ESCASSEZ DE RECURSOS E A QUESTÃO DAS "ESCOLHAS TRÁGICAS" – RESERVA DO POSSÍVEL, MÍNIMO EXISTENCIAL, DIGNIDADE DA PESSOA HUMANA E VEDAÇÃO DO RETROCESSO (...) RECURSO DE AGRAVO IMPROVIDO. POLÍTICAS PÚBLICAS, OMISSÃO ESTATAL INJUSTIFICÁVEL E INTERVENÇÃO CONCRETIZADORA DO PODER JUDICIÁRIO EM TEMA DE EDUCAÇÃO INFANTIL: POSSIBILIDADE CONSTITUCIONAL. (...)A CONTROVÉRSIA PERTINENTE À "RESERVA DO POSSÍVEL" E A INTANGIBILIDADE DO MÍNIMO EXISTENCIAL: A QUESTÃO DAS "ESCOLHAS TRÁGICAS". – A destinação de recursos públicos, sempre tão dramaticamente escassos, faz instaurar situações de conflito, quer com a execução de políticas públicas definidas no texto constitucional, quer, também, com a própria implementação de direitos sociais assegurados pela Constituição da República, daí resultando contextos de antagonismo que impõem, ao Estado, o encargo de superá-los mediante opções

ta-se de um direito com dupla dimensão: uma, fisiológica, que corresponde ao que chama *mínimo vital*, isto é, "um conjunto de prestações suficientes apenas para assegurar a existência (a garantia da vida) humana"; e outra, sociocultural (indissociável da primeira), que corresponde a "bem mais do que isso, ou seja, uma vida com dignidade, no sentido de uma vida saudável como deflui do conceito de dignidade adotado nesta obra, ou mesmo daquilo que outros têm designado de uma vida boa"[705]. Esta é uma "compreensão ampliada" do mínimo existencial, com a qual também concordamos[706].

Ainda é preciso dizer que o mínimo se apresenta em duas faces: uma negativa/de defesa (obrigando o Estado a abster-se de ações que obliterem os direitos

---

por determinados valores, em detrimento de outros igualmente relevantes, compelindo, o Poder Público, em face dessa relação dilemática, causada pela insuficiência de disponibilidade financeira e orçamentária, a proceder a verdadeiras "escolhas trágicas", em decisão governamental cujo parâmetro, fundado na dignidade da pessoa humana, deverá ter em perspectiva a intangibilidade do mínimo existencial, em ordem a conferir real efetividade às normas programáticas positivadas na própria Lei Fundamental. Magistério da doutrina. – A cláusula da reserva do possível – que não pode ser invocada, pelo Poder Público, com o propósito de fraudar, de frustrar e de inviabilizar a implementação de políticas públicas definidas na própria Constituição – encontra insuperável limitação na garantia constitucional do mínimo existencial, que representa, no contexto de nosso ordenamento positivo, emanação direta do postulado da essencial dignidade da pessoa humana. Doutrina. Precedentes. – A noção de "mínimo existencial", que resulta, por implicitude, de determinados preceitos constitucionais (CF, art. 1º, III, e art. 3º, III), compreende um complexo de prerrogativas cuja concretização revela-se capaz de garantir condições adequadas de existência digna, em ordem a assegurar, à pessoa, acesso efetivo ao direito geral de liberdade e, também, a prestações positivas originárias do Estado, viabilizadoras da plena fruição de direitos sociais básicos, tais como o direito à educação, o direito à proteção integral da criança e do adolescente, o direito à saúde, o direito à assistência social, o direito à moradia, o direito à alimentação e o direito à segurança. Declaração Universal dos Direitos da Pessoa Humana, de 1948 (Artigo XXV)" (cf. BRASIL. SUPREMO TRIBUNAL FEDERAL. Agravo em Recurso Extraordinário n. 639.337. J. em 23 de ago. de 2011. *Diário da Justiça Eletrônico,* Brasília, 14 de set. de 2011).

[705] Cf. SARLET, Ingo Wolfgang, op. cit., p. 332; e, cf. SARLET, Ingo Wolfgang. *Dignidade (da Pessoa) Humana e Direitos Fundamentais na Constituição Federal de 1988.* 10. ed. Porto Alegre: Livraria do Advogado, 2015, p. 136-137.

[706] Cf. SARLET, Ingo Wolfgang. *A Eficácia dos Direitos Fundamentais.* Uma teoria geral dos direitos fundamentais na perspectiva constitucional. 12. ed. Porto Alegre: Livraria do Advogado, 2015, p. 332.

fundamentais); e outra, positiva/prestacional (obrigando o Estado a ações de promoção dos direitos fundamentais)[707].

Para SARLET, o mínimo existencial participa do filtro da proporcionalidade, especialmente na forma de proibição de insuficiência, que "assume particular ênfase no plano da dimensão positiva (prestacional) dos direitos fundamentais"[708].

Para nós, conteúdo essencial e mínimo existencial são estruturas coincidentes[709], de relevância indiscutível no processo de análise sobre a validade/consti-

---

[707] Cf. SARLET, Ingo Wolfgang, op. cit., p. 332-333.

[708] Cf. SARLET, Ingo Wolfgang, idem, p. 374.

[709] Postura que assumimos não sem destacar a preocupação de CANOTILHO e SARLET, com a identificação entre núcleo essencial dos direitos fundamentais sociais e mínimo existencial, porque, segundo os autores, disso poderia resultar um esvaziamento destes direitos, e, até, dos demais direitos fundamentais (cf. CANOTILHO, J. J. Gomes. *O Direito Constitucional como Ciência de Direcção: o núcleo essencial de prestações sociais ou a localização incerta da socialidade* (Contributo para a reabilitação da força normativa da "constituição social"). Disponível em: <http://www.revistadoutrina.trf4.jus.br/index.htm?http://www.revistadoutrina.trf4.jus.br/ artigos /edicao022/Jose_Canotilho.htm>. Acesso em: 6 de maio de 2015; e, cf. SARLET, Ingo Wolfgang. *A Eficácia dos Direitos Fundamentais.* Uma teoria geral dos direitos fundamentais na perspectiva constitucional. 12. ed. Porto Alegre: Livraria do Advogado, 2015, p. 332). Aparentemente, de acordo com esse raciocínio, o núcleo essencial corresponderia a uma parte do direito fundamental, enquanto o mínimo existencial seria uma parcela desta parte. Com toda a vênia devida aos autores, de envergadura incontestável, não alcançamos essa diferença entre conteúdo essencial e mínimo existencial. Se aceitarmos que o núcleo essencial é mais que o mínimo (se este está dentro daquele), e se defendermos que ao menos o mínimo deve ser respeitado, estaremos admitindo que, até determinada medida (a do mínimo), o núcleo essencial pode ser vulnerado. Já se o núcleo essencial for considerado menor que o mínimo, isto é, se considerarmos que o núcleo essencial é uma parte dentro do mínimo, teríamos que admitir a hipótese de um desatendimento deste mínimo que, porém, até certa medida, poderia não atingir o núcleo essencial (este seria a medida/o limite). Mas, neste caso, a ideia mesma de mínimo perderia o seu sentido/função. A nós, portanto, parece que, sim, realmente existe uma identificação entre núcleo essencial e mínimo existencial. Esta leitura, refira-se, é uma das compreensões possíveis no tema, como assinala SILVA: "[n]ão é o caso, aqui, de fazer uma aprofundada análise do chamado *mínimo existencial*, mas é preciso ter em mente, em primeiro lugar, que o conceito de mínimo existencial é usado com diversos sentidos, e pode significar: (1) aquilo que é garantido pelos direitos sociais – ou seja, direitos sociais garantem apenas um mínimo existencial; (2) aquilo que, no âmbito dos direitos sociais, é justiciável – ou seja, ainda que os direitos sociais possam garantir mais, a tutela jurisdicional só pode controlar a realização do mínimo existencial, sendo o resto mera questão de política legislativa; e (3)

tucionalidade, ou não, das restrições a direitos fundamentais, que, logo mais, examinaremos no contexto da presente investigação.

Por ora, observando, em específico, os direitos fundamentais sociais[710] no contexto prisional, não é difícil perceber que vários deles, inegavelmente/inevitavelmente, acabam restringidos pela privação da liberdade[711]. Tanto isso é claro que o legislador tratou de normatizar os parâmetros para materialização desses direitos fundamentais, e o fez – de modo relativamente minucioso – em diversas previsões da LEP, de modo a estabelecer os seus mínimos, ou, a tutelar o núcleo essencial dos mesmos[712].

---

o mesmo que conteúdo essencial – isto é, um conceito que não tem relação necessária com a justiciabilidade e, ao mesmo tempo, não se confunde com a totalidade do direito social (cf. SILVA, Virgílio Afonso da, idem, p. 204-205) Estamos situados, em parte, nesta última posição, posto que acreditamos, com SARLET, que o mínimo existencial "pode servir (e tem servido) de parâmetro para definir o alcance do objeto dos direitos sociais, inclusive para a determinação do seu conteúdo exigível, fornecendo, portanto, critérios materiais importantes para o intérprete e para o processo de concretização dos direitos sociais" (cf. SARLET, Ingo Wolfgang, idem, p. 332).

[710] Sobre a previsão constitucional dos direitos sociais, vide, *supra*, nota 696, com o texto do art. 6º da Carta.

[711] Porque, e por óbvio, morar, se alimentar, tratar da saúde, trabalhar, buscar educação etc., tudo, enfim, terá – necessariamente – que ocorrer em um espaço de confinamento.

[712] SILVA, ao refletir sobre *conteúdo essencial*, vai afirmar que existem três sentidos possíveis para a locução *mínimo existencial*: "[a] simples ideia de um conteúdo essencial dos direitos sociais remete automática e intuitivamente ao conceito de mínimo existencial. Essa intuição em considerar ambas as figuras como intercambiáveis ou sinônimas deve, no entanto, ser vista com cautela. Não é o caso, aqui, de fazer uma aprofundada análise do chamado *mínimo existencial*, mas é preciso ter em mente, em primeiro lugar, que o conceito de mínimo existencial é usado com diversos sentidos, e pode significar: (1) aquilo que é garantido pelos direitos sociais – ou seja, direitos sociais garantem apenas um mínimo existencial; (2) aquilo que, no âmbito dos direitos sociais, é justiciável – ou seja, ainda que os direitos sociais possam garantir mais, a tutela jurisdicional só pode controlar a realização do mínimo existencial, sendo o resto mera questão de política legislativa; e (3) o mesmo que conteúdo essencial – isto é, um conceito que não tem relação necessária com a justiciabilidade e, ao mesmo tempo, não se confunde com a totalidade do direito social". Daí o autor conclui: "[e]m outras palavras: tanto quanto qualquer outro direito, um direito social também deve ser realizado na maior medida possível, diante das condições fáticas e jurídicas presentes. O conteúdo essencial, portanto, é aquilo realizável nessas condições. Recursos a conceitos como o 'mínimo existencial' ou a 'reserva do possível' só fazem sentido diante desse arcabouço teórico. Ou seja, o

Assim, *v.g.*, o mínimo direito à alimentação é garantido juntamente com o vestuário e instalações higiênicas (LEP, art. 12), a ser fornecido pelo Estado (com a previsão de instalações para a "venda de produtos e objetos permitidos e não fornecidos pela Administração", no art. 13)[713].

O mínimo direito fundamental à saúde do preso, por seu turno, haverá de ser garantido em "caráter preventivo e curativo, [e] compreenderá atendimento médico, farmacêutico e odontológico", a ser entregue no âmbito prisional pelo Estado ou, quando não houver estrutura técnica bastante, a ser prestado em local que a possua (LEP, art. 14 e parágrafos)[714].

O mínimo direito fundamental à educação compreende a assistência estatal para "instrução escolar e formação profissional do preso e do internado" (LEP, art. 17), com previsão de frequência obrigatória (valendo, sobre esta obrigatoriedade, todas as críticas avançadas mais cedo) ao ensino de primeiro grau (LEP, art. 18), e ensino profissional a ser oferecido "em nível de iniciação ou de aperfeiçoamento técnico" (LEP, art. 19), todos a serem ministrados no ambiente prisional, diretamente pelo Estado, ou, mediante convênio com ele, por "entidades públicas ou particulares, que instalem escolas ou ofereçam cursos especializados" (art. 20). A tanto também está assegurada a construção de uma biblioteca por estabelecimento, para uso geral, "provida de livros instrutivos e recreativos" (LEP, art. 21), e a instalação de "salas de aulas destinadas a cursos do ensino básico e profissionalizante" (LEP, §4º, art. 83[715]), assim como, nos albergues, "local adequado para cursos e palestras" voltados aos presos do regime aberto (LEP, art. 95)[716]. Outrossim,

---

mínimo existencial é aquilo que é possível realizar diante das condições fáticas e jurídicas, que, por sua vez, expressam a noção, utilizada às vezes de forma extremamente vaga, de reserva do possível" (cf. SILVA, Virgílio Afonso da. *Direitos Fundamentais*. Conteúdo essencial, restrições e eficácia. 2. ed. São Paulo: Malheiros, 2009, p. 204-205).

[713] Cf. BRASIL. Lei de Execução Penal. Lei n. 7.210. *Diário Oficial da União*, Brasília, 13 de jul. de 1984.

[714] Cf. BRASIL. Lei de Execução Penal. Lei n. 7.210. *Diário Oficial da União*, Brasília, 13 de jul. de 1984.

[715] Disposição que só foi incluída na LEP no ano de 2010 (cf. BRASIL. Lei n. 12.245, de 24 de maio de 2010. *Diário Oficial da União*, Brasília, 25 de maio de 2010).

[716] Referências da LEP (cf. BRASIL. Lei de Execução Penal. Lei n. 7.210. *Diário Oficial da União*, Brasília, 13 de jul. de 1984).

desde 2011 está em implantação o chamado Plano Estratégico de Educação no âmbito do Sistema Prisional (PEESP), instituído "com a finalidade de ampliar e qualificar a oferta de educação nos estabelecimentos penais", contemplando "a educação básica na modalidade de educação de jovens e adultos, a educação profissional e tecnológica, e a educação superior"[717].

O mínimo direito fundamental ao trabalho, previsto, como já debatido, em caráter obrigatório para os condenados à pena privativa de liberdade (LEP, arts. 28 a 37 e 114, inc. I – pelo que, mais uma vez, remetemos às críticas feitas), é remunerado com 3/4 do salário mínimo e não está sujeito às regras constantes da Consolidação das Leis do Trabalho[718].

Também os seguintes direitos fundamentais, em seus mínimos, estão contemplados: *(a.)* o direito ao lazer (LEP, art. 83), com a previsão de áreas nas unidades prisionais destinadas a "recreação e prática desportiva"; *(b)* o direito à moradia (LEP, art. 88), com a afirmação de que, em regime fechado, "O condenado

[717] Cf. BRASIL. Decreto n. 7.626, de 24 de nov. de 2011. *Diário Oficial da União*, Brasília, 25 de nov. de 2011. Merecem destaque as diretrizes e os objetivos do Plano, assim dispostos: "Art. 3o São diretrizes do PEESP: I – promoção da reintegração social da pessoa em privação de liberdade por meio da educação; II – integração dos órgãos responsáveis pelo ensino público com os órgãos responsáveis pela execução penal; e III – fomento à formulação de políticas de atendimento educacional à criança que esteja em estabelecimento penal, em razão da privação de liberdade de sua mãe. Parágrafo único. Na aplicação do disposto neste Decreto serão observadas as diretrizes definidas pelo Conselho Nacional de Educação e pelo Conselho Nacional de Política Criminal e Penitenciária. Art. 4o São objetivos do PEESP: I – executar ações conjuntas e troca de informações entre órgãos federais, estaduais e do Distrito Federal com atribuições nas áreas de educação e de execução penal; II – incentivar a elaboração de planos estaduais de educação para o sistema prisional, abrangendo metas e estratégias de formação educacional da população carcerária e dos profissionais envolvidos em sua implementação; III – contribuir para a universalização da alfabetização e para a ampliação da oferta da educação no sistema prisional; IV – fortalecer a integração da educação profissional e tecnológica com a educação de jovens e adultos no sistema prisional; V – promover a formação e capacitação dos profissionais envolvidos na implementação do ensino nos estabelecimentos penais; e VI – viabilizar as condições para a continuidade dos estudos dos egressos do sistema prisional. Parágrafo único. Para o alcance dos objetivos previstos neste artigo serão adotadas as providências necessárias para assegurar os espaços físicos adequados às atividades educacionais, culturais e de formação profissional, e sua integração às demais atividades dos estabelecimentos penais".

[718] Cf. BRASIL. Lei de Execução Penal. Lei n. 7.210. *Diário Oficial da União*, Brasília, 13 de jul. de 1984.

será alojado em cela individual que conterá dormitório, aparelho sanitário e lavatório", sendo requisitos básicos desta cela a "salubridade do ambiente pela concorrência dos fatores de aeração, insolação e condicionamento térmico adequado à existência humana; [e] área mínima de 6,00m² (seis metros quadrados)"; e, em regime semiaberto (LEP, art. 92[719]), o "condenado poderá ser alojado em compartimento coletivo", observados os requisitos do art. 88; e, ainda, se se tratar de caso de prisão especial, o preso provisório deverá ser recolhido "em local distinto da prisão comum" que, se não existir, significará a permanência "em cela distinta do mesmo estabelecimento", sendo que, em qualquer dessas hipóteses, a cela especial poderá ser um "alojamento coletivo, atendidos os requisitos de salubridade do ambiente, pela concorrência dos fatores de aeração, insolação e condicionamento térmico adequados à existência humana" (CPP, art. 295, §§1º a 3º[720]); *(c)* o direito à segurança, pela disposição dos presos conforme classificação – que não se defende, em absoluto, da forma como foi prevista na lei, sobre o que valem as críticas feitas às deformações correcionalistas presentes – (LEP, arts. 5º a 9º), pela vedação de "divulgação de ocorrência que perturbe a segurança e a disciplina dos estabelecimentos, bem como exponha o preso à inconveniente notoriedade, durante o cumprimento da pena" (LEP, art. 198), pelo poder disciplinar de sancionar as faltas ocorridas (LEP, arts. 53 a 60)[721]; e *(d)* a proteção à maternidade e à infância, pela previsão, para além dos requisitos da unidade celular previstos no art. 88, de que a penitenciária feminina "será dotada de seção para gestante e parturiente e de creche para abrigar crianças maiores de 6 (seis) meses e menores de 7 (sete) anos, com a finalidade de assistir a criança desamparada cuja responsável estiver presa" (LEP, art. 89[722]).

---

[719] Referências da LEP (cf. BRASIL. Lei de Execução Penal. Lei n. 7.210. *Diário Oficial da União*, Brasília, 13 de jul. de 1984).

[720] Cf. BRASIL. Código de Processo Penal. Decreto-Lei n. 3.689 de 3 de out. de 1941. *Diário Oficial da União*, Rio de Janeiro, 13 de out. de 1941, retificado em 24 de out. de 1941.

[721] Referências da LEP (cf. BRASIL. Lei de Execução Penal. Lei n. 7.210. *Diário Oficial da União*, Brasília, 13 de jul. de 1984).

[722] E o artigo ainda dispõe: "Art. 89. (...) Parágrafo único. São requisitos básicos da seção e da creche referidas neste artigo: I – atendimento por pessoal qualificado, de acordo com as diretrizes adotadas pela legislação educacional e em unidades autônomas; e II – horário de funcionamento que garanta a melhor assistência à criança e à sua responsável." (cf. BRASIL. Lei de Execução Penal. Lei n. 7.210. *Diário Oficial da União*, Brasília, 13 de jul. de 1984). Ainda, ver, *supra*, nota

Em suma, reconhecido como impossível o exercício dos direitos fundamentais, individuais ou sociais, da mesma forma como se o preso estivesse em liberdade, garantem-se (no plano normativo, principalmente na LEP) mínimos a serem observados. Isto é, assegura-se que as restrições desses direitos fundamentais – colocadas pelo estado de privação de liberdade, e, portanto, aceitáveis – só o serão, de fato, se, e somente se, respeitarem o núcleo essencial dos mesmos, que não pode ser atingido sob qualquer pretexto.

3.1.2.2.4 Direitos fundamentais mantidos a pleno durante a privação de liberdade

Os direitos fundamentais exercitáveis em sua plenitude no interregno do encarceramento podem ser encontrados por um critério negativo que, aliás, tem expressa previsão, tanto no Código Penal (no art. 38: "O preso conserva todos os direitos não atingidos pela perda da liberdade, impondo-se a todas as autoridades o respeito à sua integridade física e moral"[723]), quanto na Lei de Execução Penal (no art. 3º: "[a]o condenado e ao internado serão assegurados todos os direitos não atingidos pela sentença ou pela lei"[724]).

Ou seja, excetuados os direitos suprimidos, os ativados (os quais, como visto, só são exercitáveis por conta do advento da prisão) e os restringidos, todos os direitos anteriormente exercitados/exercitáveis podem continuar a sê-lo.

Assim, *v.g.*, é pleno o exercício do direito: à igualdade (CF, art. 5º, caput e inc. I); à liberdade de consciência e de crença (CF, art. 5º, inc. VI – embora o exercício dos cultos, previsto no mesmo dispositivo da Carta, possa encontrar algumas restrições pelas circunstâncias); à livre convicção filosófica e política, a garantir que o detido não será, por tal sorte de convicções, privado de qualquer

717, no Plano Estratégico de Educação no âmbito do Sistema Prisional (PEESP), especialmente a diretriz do art. 3º, Inc. III, que dispõe sobre o incentivo a edição de políticas que visem à melhoria do atendimento educacional de criança "que esteja em estabelecimento penal, em razão da privação de liberdade de sua mãe" (cf. BRASIL. Decreto n. 7.626, de 24 de nov. de 2011. *Diário Oficial da União*, Brasília, 25 de nov. de 2011).

[723] Cf. BRASIL. Código Penal. Decreto-Lei n. 2.848 de 7 de dez. de 1940. *Diário Oficial da União*, Rio de Janeiro, 31 de dez. de 1940, retificado em 3 de jan. de 1941.

[724] Cf. BRASIL. Lei de Execução Penal. Lei n. 7.210. *Diário Oficial da União*, Brasília, 13 de jul. de 1984.

de seus direitos (CF, art. 5º, inc. VIII); à propriedade intelectual (CF, art. 5º, incs. XXVII, XXVIII e XXIX); à herança (CF, art. 5º, inc. XXX); à informação (a ser prestada pelo Estado – CF, art. 5º, inc. XXXIII) etc.

Calha referir, com relação a outros direitos fundamentais, como é o caso do direito à propriedade (CF, art. 5º, inc. XXII), que sempre será possível imaginar alguma dose de restrição, e até de supressão, que o encarceramento pode vir trazer ao seu exercício. Tomemos o caso, *v.g.*, da propriedade de bens adquiridos licitamente, e que não foram objeto de qualquer tipo de perdimento para indenização de eventuais danos causados pelo delito, ou, se se tratar de preso provisório, de bens que não foram objeto de medida assecuratória que os tenha indisponibilizado. Ela poderá continuar a ser exercida, não há dúvida, a despeito da prisão. Contudo, é preciso ver que, mesmo nas condições mencionadas, embora mantenha-se a liberdade de disposição patrimonial (e, portanto, um imóvel possa ser vendido por uma pessoa presa, ou um valor em depósito bancário, em conta de sua titularidade, possa ser transferido), a movimentação se dará com alguma restrição (dificuldades operacionais, no mínimo), e mesmo algumas liberdades decorrentes, como a posse e a fruição direta dos bens, estarão, em geral, suprimidas no curso do aprisionamento.

* * * *

Avaliado, dessa forma, o quadro de direitos fundamentais em questão para as pessoas privadas de liberdade, resta investigar em que medida ele encontra relevo no ato do encarceramento.

3.2 EXEQUIBILIDADE HUMANITÁRIA DO ENCARCERAMENTO COMO CONDIÇÃO (MATERIAL) DE SUA POSSIBILIDADE

3.2.1 Hipóteses de encarceramento no País e requisitos incidentes: exclusiva análise formal

Considerando as pessoas privadas de liberdade no foco de interesse da investigação, as quais, como vimos mais cedo[725], podem ser presos em execução

[725] Ver, *supra*, subitem 3.1.1, intitulado "Pessoas privadas de liberdade: conceito e delimitação dos interesses da investigação".

de pena, em prisão processual, ou em prisão por inadimplência de alimentos judicialmente fixados, recolhidos ao sistema penitenciário ou a centros policiais, percebemos que o poder público trabalha com um único tipo de consideração quando se trata de analisar as condições de possibilidade para o início dos respectivos encarceramentos.

A análise se resume a uma singela avaliação formal, que recai, em geral, sobre a existência do documento correto, que consubstancia a ordem de prisão. E, nada mais.

Isto é, quando se trata de saber se uma pessoa pode ser recolhida para o início da execução de uma pena privativa de liberdade, ou em prisão processual (preventiva ou temporária), a condição de possibilidade para a efetivação do encarceramento se limita à verificação da existência do mandado de prisão, que é a forma como o título judicial correspondente se materializa para a administração.

Nesse sentido, na seara criminal, o CPP dispõe que "[a] autoridade que ordenar a prisão fará expedir o respectivo mandado", com a lavratura do documento pelo escrivão e posterior assinatura pelo juiz ordenante, e "será dirigido a quem tiver qualidade para dar-lhe execução" (CPP, art. 285, Parágrafo único, alíneas "a" e "e"). A lei ainda prevê que o mandado "designará a pessoa, que tiver de ser presa, por seu nome, alcunha ou sinais característicos", além de referir que "mencionará a infração penal que motivar a prisão (...) [e] declarará o valor da fiança arbitrada, quando afiançável a infração" (CPP, art. 285, Parágrafo único, alíneas "b", "c" e "d"). Por fim, o código assegura que "Ninguém será recolhido à prisão, sem que seja exibido o mandado ao respectivo diretor ou carcereiro, a quem será entregue cópia assinada pelo executor ou apresentada a guia expedida pela autoridade competente". Entregue o preso, deverá ser "passado recibo da [sua] entrega (...), com declaração de dia e hora (...) recibo [que] poderá ser passado no próprio exemplar do mandado, se este for o documento exibido" (CPP, art. 288)[726].

Desde 2011[727] a legislação processual penal dispõe que "O juiz competente providenciará o imediato registro do mandado de prisão em banco de dados mantido pelo Conselho Nacional de Justiça para essa finalidade", que "regulamentará

---

[726] Referências do CPP cf. BRASIL. Código de Processo Penal. Decreto-Lei n. 3.689 de 3 de out. de 1941. *Diário Oficial da União*, Rio de Janeiro, 13 de out. de 1941, retificado em 24 de out. de 1941.

[727] A partir da alteração do CPP produzida pela Lei n. 12.403/2011 (cf. BRASIL. Lei n. 12.403, de 4 de maio de 2011. *Diário Oficial da União*, Brasília, 5 de maio de 2011).

o registro do mandado de prisão" (CPP, art. 289-A, caput, e §6º). Essa normativa disparou, no âmbito do Conselho Nacional de Justiça (CNJ), a criação e a regulamentação do Banco Nacional de Mandados de Prisão (BNMP), que se deu a partir da Resolução n. 137/2011-CNJ[728]. Com a alteração feita, "[q]ualquer agente policial poderá efetuar a prisão determinada no mandado de prisão registrado no Conselho Nacional de Justiça, ainda que fora da competência territorial do juiz que o expediu" (CPP, art. 289-A, §1º); e, ainda, também as prisões decretadas, mas ainda não registradas no CNJ, poderão ser efetuadas por qualquer agente policial, desde que o faça "adotando as precauções necessárias para averiguar a autenticidade do mandado e comunicando ao juiz que a decretou, devendo este providenciar, em seguida, o registro do mandado na forma do caput deste artigo" (CPP, art. 289-A, §2º).

No que diz com o alimentante inadimplente, o seu encarceramento, de cariz civil, se dá como "pena", decretada pelo juiz "pelo prazo de 1 (um) a 3 (três) meses", e deverá ser cumprida mediante "ordem de prisão", comando que poderá ser suspenso pelo juiz mediante a comprovação do pagamento da pensão alimentícia (CPC, art. 733, §§1º a 3º)[729]. Portanto, neste caso, a verificação da condição de possibilidade do encarceramento se exaure na checagem da presença da "ordem de prisão" referida.

Na hipótese que remanesce, de uma prisão em flagrante, que é efetivada, dada a sua natureza, sem a prévia expedição de qualquer documento, a condição de possibilidade, em um primeiro instante, remete à existência fática de alguma das hipóteses de flagrância positivadas (CPP, Art. 302[730]) e, em seguida, se exaure na lavratura e, eventualmente, na apresentação do auto de prisão em flagrante ao administrador, em caso de transferência do detido para o sistema penitenciário.

Exposta, assim, a dinâmica operacional do encarceramento, limitada, como dito, a uma análise estritamente formalística das suas condições de possibilidade, fica clara, desde já, a insuficiência do processo, que, ademais, denuncia grave

---

[728] Cf. BRASIL. CONSELHO NACIONAL DE JUSTIÇA. Resolução n. 137, de 13 de jul. de 2011. *Diário da Justiça Eletrônico,* Brasília, 15 de jul. de 2011.

[729] Cf. BRASIL. Código de Processo Civil. Lei n. 5.869 de 11 de jan. de 1973. *Diário Oficial da União*, Brasília, 17 de jan. de 1973, republicado em 27 de jul. de 2006.

[730] Cf. BRASIL. Código de Processo Penal. Decreto-Lei n. 3.689 de 3 de out. de 1941. *Diário Oficial da União*, Rio de Janeiro, 13 de out. de 1941, retificado em 24 de out. de 1941.

desajuste em face do arcabouço de direitos fundamentais inerentes ao Estado Social e Democrático de Direito.

Este é o enfoque que, doravante, passaremos a desenvolver.

3.2.2 Superação constitucional do olhar exclusivamente formalista: análise, como requisito material, da *exequibilidade humanitária do encarceramento*

Acreditamos que, em pleno século XXI, não deveria ser necessário sustentar que o encarceramento, formalmente cabível, de uma pessoa, não pode ser cumprido de modo inexorável, isto é, sem olhos para a realidade concreta, para efetiva verificação das condições materiais de sua possibilidade. Impressiona, e entristece, o fato de que, Brasil afora, pouco interessa se não há vaga no estabelecimento prisional em que a pessoa será recolhida, ou se não há condições de assegurar a sua própria vida, ou a sua integridade física/saúde, seja por ausência de efetivo controle interno dos presos, seja por questões como déficits de estruturas sanitárias e, pois, de saúde, de segurança alimentar etc. Nada disso importa, desde que exista uma ordem de encarceramento...

Já é (passado o) tempo, então, de reestruturar esse raciocínio.

3.2.2.1 A posição de sujeição da pessoa privada de liberdade e o Estado garantidor: discutindo (a natureza jurídica) da relação

A Corte Interamericana de Direitos Humanos (CIDH) posiciona as pessoas privadas de liberdade como indivíduos em "estado de sujeição". E quem as sujeita, está claro, é o Estado encarcerador, que, por isso, ocupa a posição de garante, responsável por agir para evitar violações dos direitos humanos dos presos.

Desde o precedente formado no caso *Neira Alegría y otros vs. Perú* (1995), afirmou-se, com base no artigo 5.2 da Convenção Americana de Direitos Humanos (Pacto de San José da Costa Rica)[731], que, de um lado "toda a pessoa privada de

[731] O art. 5.2 da Convenção prevê que "[n]inguém deve ser submetido a torturas, nem a penas ou tratos cruéis, desumanos ou degradantes. Toda pessoa privada de liberdade deve ser tratada com o respeito devido à dignidade inerente ao ser humano" (cf. ORGANIZAÇÃO DOS ESTADOS AMERICANOS (OEA), Convenção Americana de Direitos Humanos: Pacto de San José da Costa Rica, 22 de nov. de 1969. In: SENADO FEDERAL. *Direitos Humanos*. Atos internacionais e

liberdade tem direito a viver em condições de detenção compatíveis com sua dignidade pessoal", e, de outro, que "o Estado deve garantir-lhe o direito à vida e à integridade pessoal. Em consequência, o Estado, como responsável dos estabelecimentos de detenção, é o garante destes direitos dos detidos"[732]. Essa compreensão fundamental da relação jurídica estabelecida entre a pessoa privada de liberdade e o Estado "tem sido reiterada consistentemente pela Corte Interamericana, tanto em suas sentenças como em suas resoluções de medidas provisórias". Nestas, a postura passou a ser adotada a partir da "resolução de outorgamento das medidas provisórias do Cárcere Urso Branco, Brasil, Resolução da Corte Interamericana de Direitos Humanos de 18 de junho de 2002, Considerando 8"[733], e, mais recentemente, foi reafirmada na Resolução n. 14/2013 (Medida Cautelar n. 8-13), de 30 de dezembro de 2013 (referente ao Presídio Central de Porto Alegre)[734].

---

normas correlatas. 4. ed. Brasília: Senado Federal, Coordenação de Edições Técnicas, 2013, p. 153).

[732] Cf. ORGANIZAÇÃO DOS ESTADOS AMERICANOS (OEA). CORTE INTERAMERICANA DE DIREITOS HUMANOS (CIDH). *Neira Alegría y otros vs. Perú*. Sentença de 19 de jan. de 1995 (Mérito), p. 15 (Disponível em: <http://www.corteidh.or.cr/docs/casos/articulos/seriec_20_esp.pdf>. Acesso em: 7 de maio de 2015).

[733] Dado o relevo, eis o texto do Considerando n. 8 da referida Resolução: "8. Que, em virtude da responsabilidade do Estado de adotar medidas de segurança para proteger as pessoas que estejam sujeitas a sua jurisdição, a Corte estima que este dever é mais evidente ao tratar-se de pessoas recolhidas em um centro de detenção estatal, caso no qual se deve presumir a responsabilidade estatal no que ocorra às pessoas que estejam sob a sua custódia" (cf. ORGANIZAÇÃO DOS ESTADOS AMERICANOS (OEA). *Informe sobre los derechos de las personas privadas de libertad en las Américas*. Washington: Comissão Interamericana de Direitos Humanos (CIDH), 2011, p. 18. Disponível em: <http://www.oas.org/es/cidh/ppl/docs/pdf/ppl2011esp.pdf>. Acesso em: 6 de maio de 2015; e, cf. ORGANIZAÇÃO DOS ESTADOS AMERICANOS (OEA). CORTE INTERAMERICANA DE DIREITOS HUMANOS (CIDH). *Resolución de La Corte Interamericana de Derechos Humanos*, de 18 de jun. de 2002. Medidas Provisionales Solicitadas por la Comisión Interamericana de Derechos Humanos respecto de la República Federativa del Brasil. Caso de la Cárcel de Urso Branco. Disponível em: <http://www.corteidh.or.cr/docs/medidas/urso_se_01.pdf>. Acesso em: 6 de maio de 2015).

[734] Onde, a propósito, a Comissão afirmou: "[t]anto a Corte Interamericana quanto a CIDH, de maneira consistente, assinalaram que o Artigo 1.1 da Convenção estabelecem as obrigações gerais que têm os Estados parte de respeitar os direitos e liberdades nela reconhecidos e de garantir seu livre e pleno exercício a toda a pessoa sujeita à sua jurisdição. Especialmente, a Corte Interamericana considerou que os Estados se encontram em uma posição especial de garantidor com respeito às pessoas privadas de liberdade, em razão de que as autoridades penitenciárias exercem

O "estado de sujeição", portanto, é decorrência direta da privação de liberdade, e seu ponto central reside no estado de completa dependência do recluso às decisões do pessoal administrativo do estabelecimento. Dito por outra forma, o cerne está em que "as autoridades estatais exercem um controle total sobre a pessoa que se encontra sujeita a sua custódia". Em suma, esse "particular contexto de subordinação do recluso frente ao Estado – que constitui uma relação jurídica de direito público – se enquadra dentro da categoria *jus administrativa* conhecida como relação de sujeição especial"[735], na qual ao "recluso se lhe impede satisfazer por conta própria uma série de necessidades básicas que são essenciais para o desenvolvimento de uma vida digna"[736].

A consequência imediata, como referido, é que o Estado "se constitui em garante de todos aqueles direitos que não ficam restringidos pelo ato mesmo da privação de liberdade". E, como garantidor, deve adotar todas as medidas necessárias, em conformidade com o direito internacional dos direitos humanos,

---

um controle total sobre estas. O Sistema Interamericano manifestou a pertinência e necessidade, para proteger a vida e integridade pessoal de pessoas privadas de liberdade, de que as condições dos centros penitenciários se encontrem ajustadas às normas internacionais de proteção dos direitos humanos aplicáveis à matéria" (cf. ORGANIZAÇÃO DOS ESTADOS AMERICANOS (OEA). COMISSÃO INTERAMERICANA DE DIREITOS HUMANOS. *Resolução n. 14/2013*. Medida Cautelar n. 8-13, de 30 de dez. de 2013. Disponível em: <http://www.ajuris.org.br/sitenovo/wp-content/uploads/2014/01/Medida-Cautelar-Pres%C3%ADdio-Central-30-12-2013.pdf>. Acesso em: 9 de maio de 2015).

[735] Cf. ORGANIZAÇÃO DOS ESTADOS AMERICANOS (OEA). *Informe sobre los derechos de las personas privadas de libertad en las Américas*, op. cit., p. 18.

[736] Conforme sentença do caso *Instituto de Reeducación del Menor vs. Paraguay* (2004), da qual vale transcrever a íntegra do trecho em que levada a cabo excelente leitura da relação ora debatida: "[f]rente as pessoas privadas de liberdade, o Estado se encontra em uma posição especial de garante, toda vez que as autoridades penitenciárias exercem um forte controle ou domínio sobre as pessoas que se encontram sujeitas a sua custódia. Deste modo, se produz uma relação e interação especial de sujeição entre a pessoa privada de liberdade e o Estado, caracterizada pela particular intensidade com que o Estado pode regular seus direitos e obrigações e pelas circunstâncias próprias do encarceramento, no qual ao recluso se lhe impede satisfazer por conta própria uma série de necessidades básicas que são essenciais para o desenvolvimento de uma vida digna" [cf. ORGANIZAÇÃO DOS ESTADOS AMERICANOS (OEA). CORTE INTERAMERICANA DE DIREITOS HUMANOS (CIDH). *"Instituto de Reeducación del Menor" vs. Paraguay*. Sentença de 2 de set. de 2004 (Exceções Preliminares, Mérito, Reparações e Custas), p. 95 (Disponível em: <http://www.corteidh.or.cr/docs/ casos/articulos/seriec_112_esp.pdf>. Acesso em: 7 de maio de 2015)].

"com o fim de respeitar e garantir os direitos das pessoas privadas de liberdade" (estas que, por seu turno, ficam sujeitas a observação de certas obrigações legais e regulamentares no curso do encarceramento)[737].

No Brasil, a condição de sujeição do preso e a posição de garante do Estado têm reconhecimento na Carta Política, ao abrigo do inc. XLIX, do seu art. 5º[738]. Na dicção do Supremo Tribunal Federal, trata-se de em um "dever constitucional de guarda"[739]. Também é amplo o seu reconhecimento na jurisprudência do

---

[737] Cf. ORGANIZAÇÃO DOS ESTADOS AMERICANOS (OEA). *Informe sobre los derechos de las personas privadas de libertad en las Américas*, idem, p. 18.

[738] Ao afirmar que "é assegurado aos presos o respeito à integridade física e moral" (Cf. BRASIL. Constituição da República Federativa do Brasil. Diário Oficial da União, Brasília, 5 de out. de 1988).

[739] Assim, *v.g.*, no âmbito do STF: "Recurso Extraordinário. 2. Morte de detento por colegas de carceragem. Indenização por danos morais e materiais. 3. Detento sob a custódia do Estado. Responsabilidade objetiva. 4. Teoria do Risco Administrativo. Configuração do nexo de causalidade em função do dever constitucional de guarda (art. 5º, XLX). Responsabilidade de reparar o dano que prevalece ainda que demonstrada a ausência de culpa dos agentes públicos. 5. Recurso extraordinário a que se nega provimento" (cf. BRASIL. SUPREMO TRIBUNAL FEDERAL. Recurso Extraordinárion. 272.839, J. 1 de fev. de 2005. *Diário da Justiça*, Brasília, 8 de abr. de 2005); e, "Responsabilidade civil objetiva do Estado (CF, art. 37, § 6º). Configuração. Rebelião no complexo penitenciário do Carandiru. Reconhecimento, pelo Tribunal de Justiça local, de que se acham presentes todos os elementos identificadores do dever estatal de reparar o dano. (...) Acórdão recorrido que se ajusta à jurisprudência do supremo tribunal federal. Agravo improvido (...) Daí a correta observação feita pelo E. Tribunal de Justiça do Estado de São Paulo, quando do julgamento da apelação cível interposta pela parte ora agravante (fls. 81/82): 'Com a prisão do indivíduo, assume o Estado o dever de cuidar de sua incolumidade física, quer por ato do próprio preso (suicídio), quer por ato de terceiro (agressão perpetrada por outro preso). Assim, ante a rebelião que eclodiu no Pavilhão 9, da Casa de Detenção, tinha o Estado o dever de proteger a incolumidade física dos presos e dos próprios revoltosos, uns dos atos dos outros. Sua intervenção no episódio era, portanto, de rigor. E ocorrendo ofensa à integridade física e morte do detento, é seu dever arcar com a indenização correspondente" (cf. BRASIL. SUPREMO TRIBUNAL FEDERAL. Agravo de Instrumento n. 299.125, J. 5 de out. de 2009. *Diário da Justiça*, Rio de Janeiro, 18 de out. de 2013).

Superior Tribunal de Justiça[740] e na dos demais Tribunais pelo país[741], sobretudo

[740] Veja-se no seguinte aresto do Superior Tribunal de Justiça (STJ), onde são também indicados outros casos na mesma direção: "Processual civil. Administrativo. Violação do artigo 186 do Código Civil brasileiro. Responsabilidade civil objetiva. Pleito de danos materiais e morais. Morte em presídio. Esganadura. Cabimento da indenização. *Onus probandi* do Estado. Responsabilidade configurada (...) 1. Ação de indenização por danos morais ajuizada em face de ente federativo, em decorrência de falecimento de presidiário que cumpria pena em Presídio Estadual em decorrência de asfixia mecânica por esganadura praticada pelos colegas de cela. (...) 12. A Constituição da República Federativa do Brasil, de índole pós-positivista e fundamento de todo o ordenamento jurídico expressa como vontade popular que a República Federativa do Brasil, formada pela união indissolúvel dos Estados, Municípios e do Distrito Federal, constitui-se em Estado Democrático de Direito e tem como um dos seus fundamentos a dignidade da pessoa humana como instrumento realizador de seu ideário de construção de uma sociedade justa e solidária. 13. Consectariamente, a vida humana passou a ser o centro de gravidade do ordenamento jurídico, por isso que a aplicação da lei, qualquer que seja o ramo da ciência onde se deva operar a concreção jurídica, deve perpassar por esse tecido normativo-constitucional, que suscita a reflexão axiológica do resultado judicial. 14. A plêiade dessas garantias revela inequívoca transgressão aos mais comezinhos deveres estatais, consistente em manter-se alguém custodiado de forma insegura, imputando-lhe, ao final, uma pena capital. 15. Inequívoca a responsabilidade estatal, quer à luz da legislação infraconstitucional (art. 159 do Código Civil vigente à época da demanda) quer à luz do art. 37 § 6º da CF/1988, escorreita a imputação dos danos materiais e morais cumulados, cuja juridicidade é atestada por esta Eg. Corte (Súmula 37/STJ). Precedentes: REsp 802.435/PE, Rel. Ministro LUIZ FUX, PRIMEIRA TURMA, julgado em 19.10.2006, DJ 30.10.2006; REsp 799.939/MG, Rel. Ministro LUIZ FUX, PRIMEIRA TURMA, julgado em 26.06.2007, DJ 30.08.2007; REsp 602102/RS DJ 21.02.2005" (cf. BRASIL. SUPERIOR TRIBUNAL DE JUSTIÇA. Recurso Especialn. 944.884, J. 18 de out. de 2007. *Diário da Justiça Eletrônico*, Brasília, 17 de abr. de 2008). Ainda, dessa mesma Corte Superior, pela ênfase em registrar a extensão do dever de agir do Estado, e daí o seu dever de indenizar: "o nexo causal se estabelece, em casos tais, entre o fato de estar preso sob a custódia do Estado e, nessa condição, ter sido vitimado, pouco importando quem o tenha vitimado. É que o Estado tem o dever de proteger os detentos, inclusive contra si mesmos. Ora, tendo o dever legal de proteger os presos, inclusive na prática de atentado contra sua própria vida, com maior razão deve exercer referida proteção em casos como o dos autos, no qual o detento foi vítima de homicídio em rebelião ocorrida no estabelecimento prisional administrado pelo ente público" (cf. BRASIL. SUPERIOR TRIBUNAL DE JUSTIÇA. Agravo Regimental no Agravo de Instrumenton. 986.208, J. 22 de abr. de 2008. *Diário da Justiça Eletrônico*, Brasília, 12 de maio de 2008).

[741] A Assim, *v.g.*, no âmbito do Tribunal de Justiça do Rio de Janeiro: "(...) Morte de detento em unidade prisional. Responsabilidade objetiva. Dano moral configurado. (...) 2. A responsabilidade do Estado, nos casos de morte de pessoas custodiadas em unidade prisional, é objetiva, conforme

em precedentes da área cível, em ações indenizatórias propostas contra o Estado por familiares de presos mortos durante a segregação.

Em rumo idêntico, isto é, fixando o dever de agir do Estado, mesmo que para impedir uma ação lesiva, quiçá suicida, do próprio preso (*defendendo-o de si mesmo*), merece referência a decisão da Justiça de Espanha, em caso rumoroso envolvendo recluso pertencente ao movimento separatista basco (o ETA), condenado a vários anos de pena pela prática de atos terroristas, de nome Jose Ignacio de Juana Chaos.

Iñaki de Juana Chaos, como é mais conhecido, ao longo de mais de uma década de encarceramento, por motivos diversos, realizou várias greves de fome. Em um desses protestos, que teve início no ano de 2006, o seu estado de saúde, embora sob o acompanhamento médico, chegou a um ponto que indicava risco de morte. Em vista desse quadro, sobreveio decisão judicial (em 24 de novembro de 2006) ordenando o ingresso do preso em um Centro Hospitalar para que fosse submetido à alimentação forçada, por via parenteral. O tratamento se manteve até 7 de janeiro de 2007, ocasião em que foi interrompido em face da recuperação do estado nutricional do paciente. Entretanto, ato contínuo, os médicos informaram: que o preso se negava a retomar a alimentação normal e, desse modo, logo teria que ser novamente alimentado com sonda nasogástrica; que havia alto risco de ocorrer uma deterioração progressiva do quadro de saúde, considerando-se o esquema jejum-realimentação não fisiológica, com todas as

---

já assentou o Superior Tribunal de Justiça. 3. É sabido que o Estado tem o dever de proteger os presos, sendo certo que a obrigação de indenizar imputada ao ente estatal encontra respaldo no art.5º, XLIX, da CRFB/88, que assegura aos custodiados o respeito à integridade física e moral e atribui ao Poder Público o dever constitucional de guarda" (cf. BRASIL. TRIBUNAL DE JUSTIÇA DO ESTADO DO RIO DE JANEIRO. Apelação n. 0331902-07.2011.8.19.0001 272.839, J. 15 de out. de 2013. *Diário da Justiça*, Brasília, 8 de abr. de 2005). Também no contexto do Tribunal de Justiça do Estado do Rio Grande do Sul: "Apelação cível. Responsabilidade civil do Estado. Ação de reparação de danos. Morte de detento em estabelecimento prisional por outro custodiado. Reparação moral à filha do falecido. (...) A prova constante dos autos é suficiente para demonstrar que o pai da autora foi morto no interior da Colônia Penal na qual estava recolhido para cumprimento de pena, sob a custódia do Estado. A falha do Estado no dever de guarda e custódia do preso (garantida no art. 5º, XLIX da Constituição Federal) enseja o dever de indenizar" (cf. BRASIL. TRIBUNAL DE JUSTIÇA DO ESTADO DO RIO GRANDE DO SUL. Apelação n. 70063299341, J. 24 de jun. de 2015. *Diário da Justiça Eletrônico*, Porto Alegre, 29 de jun. de 2015).

medidas adicionais que isso implicava por conta da não colaboração do paciente; e que, em médio prazo, a despeito dos cuidados intensivos, era provável a ocorrência do resultado morte, ou de sequelas graves, sem falar da sempre possível morte súbita, por algum evento intercorrente não prevenível[742].

Com esse prognóstico, a Justiça espanhola, em 25 de janeiro de 2007, ponderou: *(i)* diferentemente de uma pessoa acometida de uma doença, o preso havia se colocado em uma situação de perigo, isto é, se tratava "de uma autocolocação em perigo livre e voluntária"; *(ii)* existe uma "relação de especial sujeição entre o interno e a administração, que origina um entramado de direitos e deveres recíprocos"; *(iii)* por parte da administração, existe o dever essencial "de velar pela vida, integridade e saúde do interno"; *(iv)* em vista dessa relação, e dos deveres que ela coloca para o Estado, os direitos constitucionais/fundamentais das pessoas privadas de liberdade podem ser objeto de limitações, quando, como no caso, o seu exercício voluntário coloca em risco a sua vida; *(v)* o Estado, então, deve agir na proteção do preso, alimentando-o contra a vontade, mas da forma humanitária existente, isto é, em ambiente hospitalar[743].

Posto o conflito, portanto, entre o preso, que não se alimenta (exercendo parcela de liberdade que lhe resta), com isso expondo a sua vida a risco, e o Estado, que tem por dever a promoção das condições para que o preso viva e tenha saúde, com dignidade, no ambiente carcerário, o desfecho, alimentação forçada hospitalar, parece ter sido acertado.

Em suma, se o preso tem a liberdade de não comer, o Estado tem a obrigação de não lhe deixar morrer, nem que isso exija uma alimentação clínica, contrária à vontade do encarcerado.

Ainda no plano normativo interno brasileiro, é preciso observar que a posição do Estado, por seus agentes (pessoas físicas), como garantidor de todos os

---

[742] Cf. ELMUNDO.ES ESPAÑA. *De Juana Chaos, em greve de fome em protesto pela polémica sobre sua propriedade.* Bilbao/Madrid, 16 de jul. de 2008. (Disponível em: <http://www.elmundo.es/elmundo/2008/ 07/16/espana/1216226277.html>. Acesso em: 8 de maio de 2015). E, cf. ESPANHA. AUDIÊNCIA NACIONAL. SALA DO PENAL PLENO. *Procedimento: Rolo de Sala 8/05.* Seção Primeira. Julgado Central de Instrução n. 1. Sumário 5/05. J. 25 de jan. de 2007 (Disponível em: <http://estaticos.elmundo.es/documentos/2007/ 01/25/autodejuana.pdf>. Acesso em: 7 de maio de 2015).

[743] Cf. ESPANHA. AUDIÊNCIA NACIONAL. SALA DO PENAL PLENO. Procedimento: Rolo de Sala 8/05. Seção Primeira. Julgado Central de Instrução n. 1. Sumário 5/05, op. cit.

indivíduos no cárcere, submetidos à sua ordem, tem previsão na alínea "a", do §2º, do art. 13, do Código Penal, na primeira hipótese-fonte do dever de agir (dever de garantia) ali consagrada[744]. Portanto, *v.g.*, o membro do pessoal administrativo de uma unidade prisional pode ser responsabilizado criminalmente pelo homicídio de um preso sob os seus cuidados, caso isso venha a ocorrer, ainda que a morte tenha sido perpetrada por outros presos. Trata-se de responsabilização por conduta omissiva indireta, ou comissiva por omissão, isto é, que deve ocorrer se o garantidor, tendo ciência da função ocupada, deixou de agir para evitar o assassinato do detento, quando, nas circunstâncias, com probabilidade próxima da certeza, podia e, pois, devia ter agido para evitá-la. Diz-se, no caso, que a omissão imprópria equivale ao agir e, desse modo, o agente (porque em

---

[744] O Código Penal brasileiro estabelece no §2º, do art. 13, em formato de tipo penal aberto, três fontes do dever de garantia (quais sejam: a lei, o contrato e a ingerência, nas alíneas "a", "b" e "c", respectivamente). Diz a lei: "Art. 13 – O resultado, de que depende a existência do crime, somente é imputável a quem lhe deu causa. Considera-se causa a ação ou omissão sem a qual o resultado não teria ocorrido. (...) § 2º – A omissão é penalmente relevante quando o omitente devia e podia agir para evitar o resultado. O dever de agir incumbe a quem: a) tenha por lei obrigação de cuidado, proteção ou vigilância; b) de outra forma, assumiu a responsabilidade de impedir o resultado; c) com seu comportamento anterior, criou o risco da ocorrência do resultado". Referimos que os agentes do Estado são garantidores na hipótese da letra "a" (em vista da obrigação de cuidado, proteção e vigilância para com os presos), mas nada impede que estejam duplamente em posição de garantidor se, como soa a letra "c", com seu comportamento anterior, também criarem o risco da ocorrência do resultado. Observamos, por fim, que mesmo na hipótese de uma unidade prisional privatizada (integral ou parcialmente), não seria necessário recorrer ao contrato (letra "b") para chegar à posição de garantia dos agentes em atuação junto aos presos, porque, neste caso, sem dúvida, se encontram abrangidos pela letra "a", poisatuam como se fossem funcionários públicos (presente a regra de extensão do §1º, do art. 227 do CP: "Art. 327 – Considera-se funcionário público, para os efeitos penais, quem, embora transitoriamente ou sem remuneração, exerce cargo, emprego ou função pública. §1º – Equipara-se a funcionário público quem exerce cargo, emprego ou função em entidade paraestatal, e quem trabalha para empresa prestadora de serviço contratada ou conveniada para a execução de atividade típica da Administração Pública...) (cf. BRASIL. Código Penal. Decreto-Lei n. 2.848 de 7 de dez. de 1940. *Diário Oficial da União*, Rio de Janeiro, 31 de dez. de 1940, retificado em 3 de jan. de 1941; e, cf. FRANCO, Alberto Silva, *at al.*. *Código Penal e sua Interpretação.* Doutrina e Jurisprudência. *8*. ed. São Paulo: RT, 2007, p. 121 a 123).

"*especial relação de proteção* com o bem juridicamente tutelado"[745]) responderá como se tivesse, ele próprio, assassinado o preso[746].

Por derradeiro, é preciso observar que o binômio estado sujeição/dever de garantia coloca para o Estado não somente obrigações negativas, mas, também, obrigações positivas, no sentido da promoção das condições de dignidade da pessoa humana plasmadas nos diversos direitos fundamentais examinados. Assim, *v.g.*, por força de vários direitos fundamentais ativados pela privação da liberdade, como vimos *supra*, não só o Estado não pode permitir que o preso seja morto, ou que morra de inanição, ou que seja torturado etc. – obrigações negativas –, como precisa agir para criar condições de vivência digna no cárcere (mais além, portanto, das condições de estrita sobrevivência física), como na edificação de estruturas prisionais arquitetonicamente preparadas (para a acomodação dos presos em celas individuais, para que possa haver trabalho, para que possam ocorrer cursos, para que possam receber a visita de familiares etc.), ou como no fornecimento, para todos, de alternativas de trabalho, educação e formação profissionalizante etc. (dentro do conceito ressignificado de ressocialização)[747].

---

[745] Cf. BITENCOURT, Cezar Roberto. *Tratado de Direito Penal.* Parte Geral 1. 17. ed. São Paulo: Saraiva, 2012, p. 303.

[746] Nesse sentido, leciona BITENCOURT: "[n]esses casos, portanto, se o sujeito, em virtude de sua abstenção, descumprindo o *dever de agir*, não obstruir o *processo causal* que se desenrola diante dele, digamos assim, é considerado, pelo Direito Penal, como se o tivesse causado" (cf. BITENCOURT, Cezar Roberto, op. cit., p. 305).

[747] A propósito, sobre a existência de obrigações positivas e negativas por parte do Estado, na mesma sentença do caso *Instituto de Reeducación del Menor" vs. Paraguay* (2004), a Corte Interamericana de Direitos Humanos assentou: "157. Por outro lado, o direito à integridade pessoal é de tal importância que a Convenção Americana o protege particularmente ao estabelecer, *inter alia*, a proibição da tortura, os tratos cruéis, inumanos e degradantes e a impossibilidade de suspendê-los durante estados de emergência (Artigos 5 e 27 da Convenção Americana). 158. O direito à vida e o direito à integridade pessoal não somente implicam que o Estado deve respeitá-los (obrigação negativa), senão que, ademais, requer que o Estado adota todas as medidas apropriadas para garanti-los (obrigação positiva), no cumprimento de seu dever geral estabelecido no artigo 1.1 da Convenção Americana [cf. Caso dos Irmãos Gómez Paquiyauri, Sentença de 8 de jul. de 2004. Série C No. 110; cf. Caso 19 Comerciantes. Sentença de 5 de jul. de 2004. Série C No. 109; cf. Caso Myrna Mack Chang. Sentença de 25 de nov. de 2003. Série C No. 101]. 159. Uma das obrigações que iniludivelmente deve assumir o Estado em sua posição de garante, com o objetivo de proteger e garantir o direito à vida e à integridade pessoal das pessoas privadas de liberdade

Nessa moldura, voltamos exatamente ao ponto recém-debatido, da necessidade de ação por parte do Estado para tutelar o mínimo existencial no universo do cárcere[748]. Só que, agora, endereça-se essa necessidade de um modo especialmente densificado, por aproximação das noções de *dever de agir* e *estado de sujeição* do preso.

É crucial que não deixemos isso sem o devido destaque: se o Estado tem a obrigação (negativa e positiva) de intervir para concretizar os direitos fundamentais (individuais e sociais, e em não menos que nos seus mínimos) em prol de todos os cidadãos que não estão submetidos/sujeitos a ele, com muito mais razão, enquanto garantidor das pessoas a quem priva a liberdade (e, pois, submete e coloca em posição artificial de vulnerabilidade), o Estado *tem que agir* para colocar as condições necessárias (também negativas e positivas) à materialização do mínimo existencial para os presos.

E isso precisa, sem qualquer sombra de dúvida – e, como dito, já é (passado o) tempo –, entrar na esfera de considerações sobre a condição material de possibilidade do encarceramento de uma pessoa – de qualquer pessoa –, no Estado Democrático e Social brasileiro.

é a de procurar dar a estas as condições mínimas compatíveis com sua dignidade enquanto permanecem nos centros de detenção, como já tem indicado a Corte (*supra*, parágrafos 151, 152 e 153)". Sendo que, no aludido parágrafo 153, ficou dito: "[a]nte esta relação e interação especial de sujeição entre o interno e o Estado, este último deve assumir uma série de responsabilidades particulares e tomar diversas iniciativas especiais para garantir aos reclusos as condições necessárias para desenvolver uma vida digna e contribuir ao gozo efetivo daqueles direitos que sob nenhuma circunstância podem restringir-se, ou daqueles cuja restrição não deriva necessariamente da privação de liberdade e que, portanto, não é permissível. De não ser assim, isso implicaria que a privação de liberdade despoja a pessoa de sua titularidade a respeito de todos os direitos humanos, o que não se pode aceitar" [cf. ORGANIZAÇÃO DOS ESTADOS AMERICANOS (OEA). CORTE INTERAMERICANA DE DIREITOS HUMANOS (CIDH). *Instituto de Reeducación del Menor vs. Paraguay*, op. cit., p. 95.

[748] Cf. já analisado *supra*, no item 3.1.2.2 ("Classificação dos direitos fundamentais das pessoas privadas de liberdade"), 3.1.2.2.3("Direitos fundamentais restringidos pelo estado de privação de liberdade (restringibilidade de direitos fundamentais, conteúdo essencial e mínimo existencial)").

3.2.2.2 A *exequibilidade humanitária do encarceramento* como condição material de sua possibilidade (ou, como suporte fático na proporcionalidade em sentido estrito e índice na proibição de insuficiência)

Como já se disse mais cedo[749], ao acolhermos a compreensão de que todo o direito fundamental é passível de restrição, observamos, pelo óbvio, que ela precisa ser constitucionalmente fundamentada. Ou seja, jamais poderá implicar violação do conteúdo essencial do direito fundamental[750], o que coloca a necessidade de se buscar a sua delimitação. A tanto, SILVA anota que, embora sempre relativo, o núcleo/conteúdo essencial é identificável por aplicação da regra da proporcionalidade. Ou, dito por outro modo, o núcleo/conteúdo essencial é o próprio "produto da aplicação da regra da proporcionalidade"[751], de sorte que as "restrições que passem pelo teste da proporcionalidade não atingem o conteúdo essencial" e, pois, "são constitucionais"[752].

O que pretendemos fazer a partir de agora, como que em reconhecimento ao fenômeno, bem destacado por FELDENS, da expansão do princípio[753] da

[749] Cf, *supra*, item 3.1.2.2.3.

[750] Na linha, como dito, defendida por Virgílio Afonso da Silva (cf. SILVA, Virgílio Afonso da. *Direitos Fundamentais*. Conteúdo essencial, restrições e eficácia. 2. ed. São Paulo: Malheiros, 2009, p. 251). Insistimos na remição a este excelente trabalho, para um exame em profundidade (mais além dos limites desta investigação), da ideia de conteúdo essencial – nas dimensões objetiva e subjetiva, e pelas teorias absoluta e relativa (cf. SILVA, Virgílio Afonso da, op. cit., p. 183-207).

[751] Cf. SILVA, Virgílio Afonso da, idem, p. 198.

[752] Cf. SILVA, Virgílio Afonso da, idem, p. 206-207.

[753] Não desenvolveremos aqui a distinção da proporcionalidade como princípio ou regra, na linha sustentada por ALEXY (que define: princípios como "*mandamentos de otimização*", que, assim, "ordenam que algo seja realizado na maior medida possível dentro das possibilidades jurídicas e fáticas existentes" a ser "determinado pelos princípios e regras colidentes" – isto é, princípios admitem colisão entre si, sopesamento e precedências; e, regras como "normas que são sempre satisfeitas ou não satisfeitas", regras são "*determinações* no âmbito daquilo que é fática e juridicamente possível", "se uma regra vale, deve se fazer exatamente aquilo que ela exige" – de modo que regras não podem ser "sopesadas contra algo", e não se pode falar que "às vezes tenham precedência, e às vezes não"), que posiciona a proporcionalidade (e as suas três máximas parciais – *adequação, necessidade* e *proporcionalidade em sentido estrito*) como regra(s) (cf. ALEXY, Robert. *Teoria dos Direitos Fundamentais*. Trad. Virgílio Afonso da Silva. São Paulo: Malheiros, 2008, p.

proporcionalidade nas últimas décadas[754], bem assim da sua estatura constitucional no Brasil[755], é transpor a sua aplicação para além da fronteira normativa.

Com foco no produto legislativo, FELDENS apontou, em crítica certeira, para "a incoerência endonormativa como um problema de proporcionalidade"[756] e, ainda, para a "proibição de proteção deficiente como um limiar inferior do espaço de liberdade do legislador"[757]. A ideia, aqui, na etapa seguinte de operação do sistema penal, é considerar a realidade carcerária em confronto com o arcabouço dos direitos fundamentais, igualmente como um problema de proporcionalidade. Ou seja, em um estágio subsequente ao da profícua análise da proporcionalidade na atuação do legislador, propomos a sua consideração – como

---

90-91 e 117). A designação de *princípio* da proporcionalidade, portanto, é utilizada na ideia geral de *postulado estruturador* (ÁVILA) na aplicação de direitos fundamentais (cf. ÁVILA, Humberto Bergmann. *Teoria dos Princípios. Da definição à aplicação dos princípios jurídicos.* 4. ed. São Paulo: Malheiros, 2005, p. 112-113).

[754] Cf. FELDENS, Luciano. *Direitos Fundamentais e Direito Penal.* A Constituição Penal. 2. ed. Porto Alegre: Livraria do Advogado, 2012, p. 129.

[755] No ponto, FELDENS esclarece que "o princípio da proporcionalidade tem a sua estatura constitucional derivada: *(i)* das normas de direitos fundamentais, as quais, por definição, mostram-se vinculantes ao legislador, notadamente naquilo que se refira aos seu *núcleo essencial*; *(ii)* outrossim, e tal como operacionalizado pelo Supremo Tribunal Federal, desponta da cláusula do devido processo legal (*due processo of law*), em sua perspectiva substancial (art. 5º, LIV, da Constituição do Brasil); *(iii)* demais disso, a proporcionalidade encontra fundamento constitucional na fórmula política do estado de direito (art. 1º da Constituição do Brasil), a qual, também por definição, encerra a interdição da arbitrariedade" (cf. FELDENS, Luciano, op. cit., p. 148-149).

[756] Ao demonstrar a violação da proporcionalidade por leis que criam novos tipos penais, ou que estipulam penas, de uma forma "que nitidamente desborda do *standard* de sanções previstas para fatos semelhantes". No processo, afirma que "a *legitimidade democrática* de que dispõe o legislador (...) não se demonstra incontrolável sob a perspectiva da *legitimidade constitucional* do produto legislativo que constrói", de modo que a "manifesta incoerência endonormativa (logo, desproporcionalidade)" indicará, também a inconstitucionalidade da norma posta (cf. FELDENS, Luciano, idem, p. 161-163).

[757] Partindo da afirmação de que não é dado ao legislador, para proteger um direito fundamental, intervir de modo excessivo "nos direitos fundamentais do indivíduo afetado" (o que pode ser controlado mediante a aplicação do princípio da proporcionalidade como proibição de excesso), FELDENS avança para dizer que também não lhe é dado que fique "*aquém do mínimo*" necessário, segundo a Constituição (o que é passível de controle pelo princípio da proporcionalidade enquanto proibição de proteção deficiente) (cf. FELDENS, Luciano, idem, p. 166-168).

poderosa ferramenta de verificação material da constitucionalidade – também ao nível da atuação concreta do Estado, ou, no contexto carcerário em exame, mais ao patamar da omissão estatal.

O nosso ponto de partida, já estabelecido nos itens precedentes, são os direitos fundamentais das pessoas privadas de liberdade, os quais, por definição da própria Carta (CF, art. 5º, §1º), encontram aplicação direta/imediata.[758][759] Vimos mais: existem vários dispositivos na lei ordinária (muitos deles preconstitucionais

[758] Não aceitamos, aqui, quanto às normas de direitos fundamentais, na companhia de SILVA, SARLET e DIMOULIS e MARTINS, a classificação de José Afonso da Silva quanto a aplicabilidade das normas constitucionais (que as divide entre normas de eficácia *plena, contida* e *limitada* – cf. SILVA, José Afonso. *Aplicabilidade das normas constitucionais.* 8. ed. São Paulo: Malheiros, 2012, p. 87 a 163). Acreditamos que o texto do §1º, do art. 5º, da CF (*inlitteris*: "[a]s normas definidoras dos direitos e garantias fundamentais têm aplicação imediata"), deixa pouca margem à dúvida, *no que toca aos direitos fundamentais* (frisamos), a respeito da impossibilidade em se conceder uma eficácia contida, ou limitada, destes, de modo que "[t]odas as normas da Constituição que são relacionadas a direitos e garantias fundamentais são preceitos normativos que vinculam o poder do Estado de forma direta e imediata" (cf. DIMOULIS, Dimitri e MARTINS, Leonardo. *Teoria Geral dos Direitos* Fundamentais. 5. ed. São Paulo: Atlas, 2014, p. 95-96). Na mesma linha, SARLET leciona que: "[s]e, portanto, todas as normas constitucionais sempre são dotadas de um mínimo de eficácia, no caso dos direitos fundamentais, à luz do significado outorgado ao art. 5º, §1º, de nossa Lei Fundamental, pode afirmar-se que aos poderes públicos incumbem a tarefa e o dever de extrair das normas que os consagram (os direitos fundamentais) a maior eficácia possível, outorgando-lhes, neste sentido, efeitos reforçados relativamente às demais normas constitucionais, já que não há como desconsiderar a circunstância de que a presunção da aplicabilidade imediata e plena eficácia que milita em favor dos direitos fundamentais constitui, em verdade, um dos esteios de sua fundamentalidade formal no âmbito da Constituição (...) Negar-se aos direitos fundamentais esta condição privilegiada significaria, em última análise, negar-lhes a própria fundamentalidade" (cf. SARLET, Ingo Wolfgang. *A Eficácia dos Direitos Fundamentais.* Uma teoria geral dos direitos fundamentais na perspectiva constitucional. 12. ed. Porto Alegre: Livraria do Advogado, 2015, p. 280). Ainda, sobre a não aceitação da tese de José Afonso da Silva, ver em SILVA, Virgílio Afonso da, idem, p. 208-209.

[759] Por outro lado, a aceitação da aplicabilidade direta/imediata das normas de direitos fundamentais não quer dizer que não reconheçamos, com SILVA, uma efetividade maior dos direitos fundamentais que tutelam liberdades públicas, e menor dos que tutelam direitos sociais, o que se dá em decorrência de que "boa parte dos requisitos fáticos, institucionais e legais para uma produção (quase) plena dos efeitos das liberdades públicas já existe, enquanto as reais condições para o exercício dos direitos sociais ainda têm que ser criadas", e esta criação "é, pura e simplesmente, mais cara" (cf. SILVA, Virgílio Afonso da, idem, p. 241).

– porém, recepcionados porque conforme a Constituição –, tal como indicamos, *v.g.*, na LEP) que, ao prever parâmetros mínimos de atendimento, se voltam à promoção de condições para a concretização de direitos fundamentais.

Com isso, então, estabelecemos um dos pontos de referência para a análise da proporcionalidade, isto é, fixamos quais são os deveres de proteção do Estado em relação a pessoa privada de liberdade[760].

O próximo passo confronta a situação problemática colocada pelo encarceramento nas condições atuais brasileiras, e pode ser assim sumulado, encerrando-se com uma pergunta: se o Estado não tem espaço para prender todas as pessoas que, do ponto de vista estritamente formal, têm que ser presas; se não oferece, portanto, condições de habitação, e (talvez, por consequência), também, não oferece condições de alimentação, sanitárias, de saúde, de segurança etc., mas, ainda assim, prende, obliterando direitos fundamentais das pessoas privadas de liberdade (muito além da privação da liberdade de locomoção); que outros direitos fundamentais estão em conflito e que, pela proporcionalidade, encontram precedência e, pois, justificam o encarceramento a despeito das deploráveis condições materiais/fáticas dos centros penitenciários? Ou, pela proporcionalidade, a conclusão a que se chega é no sentido oposto, isto é, que os direitos fundamentais das pessoas privadas de liberdade é que devem prevalecer?

Rumo à tentativa de resposta, precisamos considerar a proporcionalidade enquanto proibição de excesso (na atuação desproporcional do Estado ou seus agentes, restringindo direitos fundamentais, "inclusive o(s) direito(s) de quem esteja sendo acusado de violar direitos fundamentais de terceiros", quando a proporcionalidade atua "como um dos principais limites às limitações dos direitos fundamentais")[761], assim como, em sua outra face, enquanto proibição

---

[760] Como averba FELDENS, "a ideia da proporcionalidade está relacionada ao âmbito de proteção do direito fundamental". Daí que é "o direito fundamental, e não a proporcionalidade em si, o objeto de violação quando diante de uma ação estatal tida por inadequada, desnecessária ou concretamente excessiva, sendo o exame da proporcionalidade a ferramenta hermenêutica – extraída da dogmática dos direitos fundamentais, a partir do cotejo entre *núcleo essencial* e *espaço de configuração legal do direito* – que permite o intérprete aproximar-se, para afirmá-lo, de um juízo de (des)proporcionalidade da medida questionada" (cf. FELDENS, Luciano, idem, p. 149).

[761] Cf. SARLET, Ingo Wolfgang, op. cit., p. 415.

de proteção deficiente (na atuação insuficiente do Estado, descendo "abaixo de um mínimo de proteção" e, assim, frustrando os seus deveres de proteção)[762].

3.2.2.2.1 Aplicando as parciais da proporcionalidade como proibição de excesso *(reprovação I)*

Estabelecido, então, o quadro dos direitos fundamentais das pessoas privadas de liberdade, é preciso, em ordem a seguir o raciocínio proposto, explorar quais seriam os outros direitos fundamentais em conflito.

Soa relevante, nesse desiderato, considerar a operação que se desdobra pela arquitetura do sistema penal, até a questão a responder: (Primeira etapa) edição da norma penal incriminadora, legislada para tutela de bem jurídico fundamental (preceitos primário – descrição da conduta incriminada – e, secundário – penas mínima e máxima moduladas –, estabelecidos, com proporcionalidade, pelo Poder Legislativo / agência política de criminalização primária); (Segunda etapa) nascimento, na/da persecução penal, do *título de encarceramento* (prisão processual; ou, decisão condenatória transitada em julgado, com pena privativa de liberdade fixada – pelas agências policial e/ou judicial / agências de criminalização secundária, ordenando a supressão da liberdade de locomoção, com proporcionalidade); (Terceira etapa) execução do *título de encarceramento*[763] nos centros penitenciários (pela agência penitenciária / último órgão da criminalização secundária[764]), com proporcionalidade?

---

[762] Cf. FELDENS, Luciano, idem, p. 164.

[763] É aquilo que legitima, do ponto de vista formal antes examinado, o encarceramento de uma pessoa, e que remete, nos limites desta investigação, a quatro possibilidades: situação de flagrância, a ser consubstanciada no auto de prisão em flagrante e, depois, eventualmente convertida em prisão preventiva; ou, decreto de prisão preventiva; ou, decreto de prisão temporária; ou, decisão condenatória irrecorrível, transitada em julgado, à pena privativa de liberdade.

[764] Último órgão da criminalização secundária na perspectiva de operação das agências do Estado. Fazemos a observação por concordar com ZAFFARONI et al., na compreensão de que outras agências também devem ser consideradas na análise do funcionamento do sistema penal, como as de comunicação social (rádio, TV, imprensa escrita), de reprodução ideológica (universidades, academias, institutos de pesquisa criminológica e jurídica), e as internacionais (organismos especializados da OEA, ONU, de cooperação em países centrais, fundações) (cf. ZAFFARONI, Eugenio Raúl, BATISTA, Nilo, ALAGIA, Alejandro, SLOKAR, Alejandro. *Direito Penal Brasileiro*. Vol. 1. 2. ed. Rio de Janeiro: Revan, 2003, p. 60-61).

A depender do *título de encarceramento* do qual estivermos falando, teremos em questão um bloco de direitos distinto em conflito com os direitos fundamentais das pessoas privadas de liberdade. Assim, quando tomamos qualquer das hipóteses de prisão processual, vemos que o Estado, com a prisão, mira, *v.g.*, a preservação da prova (para que não haja a de destruição de evidências), e/ou a efetividade de um eventual pronunciamento condenatório (impossível se houver a fuga do investigado/réu), valores reconduzíveis à tutela do *devido processo legal* (CF, art. 5º. Inc. LIV). Agora, se tomamos a prisão para a execução de uma pena privativa de liberdade aplicada em decisão transitada em julgado, o Estado estará perseguindo os valores *repressão* e *prevenção* do crime (CP, art. 59, caput), que são reconduzíveis à tutela/eficácia da coisa julgada (CF, art. 5º, XXXVI). Mas, para além das especificidades, há que se apontar um traço comum, de fácil identificação: seja qual for o *título de encarceramento*, o valor que o anima é o do dever de *cumprimento das leis* e das *decisões judiciais*[765], que remetem à preservação da *ordem pública* e da *paz social*, e, em última análise, são também reconduzíveis às garantias da *segurança jurídica* (pelo direito adquirido, o ato jurídico perfeito e a coisa julgada) e da *legalidade* (CF, art. 5º, incs. XXXVI e XXXIX), à promoção do "*bem de todos*" (CF, Art. 3º, Inc, IV) e, pois, do *Estado Social e Democrático de Direito* (CF, Art. 1º)[766].

---

[765] Entre nós, configura crime de responsabilidade o não cumprimento das leis e das decisões judiciais, *ex vi* do disposto na própria Carta Política: "Art. 85. São crimes de responsabilidade os atos do Presidente da República que atentem contra a Constituição Federal e, especialmente, contra: (...) VII – o cumprimento das leis e das decisões judiciais" (cf. BRASIL. Constituição da República Federativa do Brasil. *Diário Oficial da União*, Brasília, 5 de out. de 1988).

[766] A *ordem pública* e a *paz social* aparecem como valores constitucionais tuteláveis mesmo por intermédio da decretação do estado de defesa e do estado de sítio, a sublinhar a sua relevância na ordem constitucional brasileira. Nesse sentido, dispõe a Carta: "Art. 136. O Presidente da República pode, ouvidos o Conselho da República e o Conselho de Defesa Nacional, decretar estado de defesa para preservar ou prontamente restabelecer, em locais restritos e determinados, a ordem pública ou a paz social ameaçadas por grave e iminente instabilidade institucional ou atingidas por calamidades de grandes proporções na natureza". Logo, vale a insistência, é correto dizer, na semântica da Constituição brasileira, que promover a *ordem pública* e a *paz social*, buscando, assim, o "bem de todos" (CF, art. 3º, inc. IV), significa promover/preservar a legalidade (CF, Art. 5º, Inc. XXXIX) e o Estado Social e Democrático de Direito (CF, art. 1º) (cf. BRASIL. Constituição da República Federativa do Brasil. *Diário Oficial da União*, Brasília, 5 de out. de 1988)

Vamos conceder, nessa moldura, que a possibilidade de recondução a direitos fundamentais desses valores (dos que não previstos como tal) perseguidos por meio do encarceramento (vale enfatizar, *v.g.*, a preservação da prova; a *efetividade* de um eventual pronunciamento condenatório; a *repressão* e a *prevenção* de delitos; o *cumprimento das leis* e das *decisões judiciais*; a preservação da *ordem pública* e da *paz social*) é suficiente para lhes conferir o *status* de direitos materialmente fundamentais (não todos formalmente, portanto, porque alguns estão fora do catálogo). Concessão feita (aliás, sem favor, já que nos parece bastante razoável), temos por habilitados esses direitos à sequência da nossa análise.

Passemos às três máximas parciais da proporcionalidade (como proibição de excesso), ou seja, à adequação, necessidade e proporcionalidade em sentido estrito[767].

a) A adequação (ou idoneidade)

Também chamado de princípio da *conformidade*[768], o exame da adequação consiste em averiguar se estamos diante de um *meio adequado*, ou *idôneo*, para a realização ou fomento do fim (legítimo) almejado[769]. Um meio que não promove ou realiza o objetivo, ou, até, que afeta negativamente a sua realização, é, sem maior dificuldade, um meio inadequado/inidôneo e, enquanto tal, de emprego vedado[770].

Assim, "a exigência de conformidade pressupõe a investigação e a prova de que o ato do poder público é *apto* para e *conforme* os fins justificativos da sua adoção (...) Trata-se, pois, de controlar a *relação de adequação medida-fim*"[771].

---

[767] A serem consideradas conforme ampla doutrina (*v.g.*, cf. ALEXY, Robert, idem, p. 116-120; e, 587-611; cf. CANOTILHO, J.J. Gomes. *Direito Constitucional e Teoria da Constituição*.7. ed. Coimbra: Almedina, 2003, p. 266-272; cf. FELDENS, Luciano, idem, p.149-164; e, cf. SARLET, Ingo Wolfgang, idem, p. 415-416).

[768] Cf. CANOTILHO, J.J. Gomes, op. cit., p. 269.

[769] Ou, como afirma CANOTILHO, a adequação "impõe que a medida adotada para a realização do interesse público deve ser *apropriada* à prossecução do fim ou fins a ele subjacentes" (cf. CANOTILHO, J.J. Gomes, idem, p. 269).

[770] Cf. ALEXY, Robert, idem, p. 120.

[771] Cf. CANOTILHO, J.J. Gomes, idem, p. 269-270.

Aplicando a análise à nossa investigação, e já assinalando que poderíamos submeter ao teste da proporcionalidade cada um dos direitos fundamentais das pessoas privadas de liberdade que abordamos (o que seria, no mínimo, enfadonho), vamos colocar apenas duas situações (eloquentes para os restantes direitos) para filtragem, articuladas em forma de perguntas: *(1ª)* o fim perseguido pelo Estado, isto é, o de garantir o *cumprimento das leis* e *das decisões judiciais* (preservando a *ordem pública* e a *paz social*, com isso promovendo o *bem de todos*, a *legalidade* e o *estado de direito*) encontra no encarceramento um meio adequado/idôneo/conforme para a sua promoção ou realização? *(2ª)* o fim perseguido pelo Estado, isto é, o de garantir o direito fundamental a *ressocialização*[772] dos presos em cumprimento de pena (no que, vale observar, também estaria a buscar o *cumprimento das leis* e *das decisões judiciais*, preservando a *ordem pública* e a *paz social*, com isso promovendo o *bem de todos*, a *legalidade* e o *estado de direito*) encontra no encarceramento um meio adequado/idôneo/conforme para a sua promoção ou realização?

Em ordem a responder às perguntas, é relevante o destaque do exame dessa parcial da proporcionalidade (no contexto das leis) oferecida por FELDENS. O autor afirma que a adequação pode ser aferida:

---

[772] O termo já vai aqui empregado em sua leitura ressignificada, como proposta mais cedo (ver, *supra*, subitem 3.1.2.2.2, letra *d*). Ou seja, de uma ressocialização que não é mais tomada por fundamento da pena, mas como conjunto de ações estatais voltadas a proporcionar oportunidades de mudança ao preso (de frequência voluntária e sem prejuízos para os absenteístas), em abordagem humanitária de redução de danos, na linha das Regras Mínimas para Tratamento de Presos da ONU, conforme o n. 66 do documento: "[o] tratamento de prisioneiros sentenciados ao encarceramento ou a medida similar deve ter como propósito, até onde a sentença permitir, criar nos prisioneiros a vontade de levar uma vida de acordo com a lei e autossustentável depois de sua soltura e adaptá-los a isso, além de desenvolver seu senso de responsabilidade" (cf. ORGANIZAÇÃO DAS NAÇÕES UNIDAS (ONU). *Regras Mínimas Padrão para o Tratamento de Prisioneiros*, adotadas pelo Primeiro Congresso das Nações Unidas para a Prevenção ao Crime e Tratamento de Presos, sediado em Genebra de 22 de agosto a 3 de setembro de 1955 [Resolução 1998/22, do Conselho Econômico e Social] e aprovadas pelo Conselho Econômico e Social em sua resolução 663 C (XXIV) de 31 de julho de 1957, e os procedimentos para a implementação efetiva das Regras Mínimas Padrão para o Tratamento de Prisioneiros, aprovadas pelo Conselho em sua Resolução 1984/47, de 25 de maio de 1984 e determinadas no seu anexo. In: BRASIL. MINISTÉRIO DA JUSTIÇA. *Normas e Princípios das Nações Unidas sobre Prevenção ao Crime e Justiça Criminal.* Brasília: Secretaria Nacional de Justiça, 2009, p. 51).

> "a partir de um juízo de prognose em que se consideram contrárias à Constituição apenas aquelas medidas legislativas (a) que se mostrem, desde o princípio, como inidôneas para alcançar o fim almejado pelo legislador; (b) em que o próprio fim almejado se revele, em si, ilegítimo."[773]

Cremos possível a transposição do raciocínio para as condutas concretas da administração e, daí, ao nosso caso, para, em resposta aos questionamentos feitos, dizer que *(i)* o encarceramento não é, *a priori*, meio inidôneo para garantir os fins visados (o *cumprimento das leis* e *das decisões judiciais*; e, em nada mais que uma de suas especificações, a *ressocialização* dos presos condenados); e, *(ii)* como é evidente, esses fins, em si próprios, não se revelam ilegítimos (aliás, é bem o contrário).

Não se quer aqui polemizar, embora se reconheça a existência de fundada polêmica, sobre o fato de que os presídios locais são totalmente inapropriados para o contato com/e o cultivo dos valores comunitários essenciais para uma vida gratificante em liberdade[774]. Tal crítica conduz, ao menos, à abolição da prisão (e, ao mais, à abolição do próprio direito/sistema penal). Fosse esse o nosso marco analítico, bem, ficaria evidente a resposta à indagação da idoneidade/adequação do encarceramento para o alcance do objetivo de fornecer a alguém os meios para uma mudança (facultativa) de rumos para sua vida: o meio eleito seria totalmente inadequado/inidôneo. Por fim, a despeito da contundência dessa crítica, observamos que o recurso ao aparato prisional, onde nele se fizeram os investimentos necessários (caso de vários países do velho continente), não se mostra esgotado, e é, pois, nessa linha, que respondemos às questões propostas no sentido da *adequação*, *a priori*, do encarceramento.

De outra parte, é imprescindível destacar que a nefasta condição atual da maioria dos nossos presídios introduz um cenário de condições de elevado (e determinante) interesse na avaliação da proporcionalidade, mas que haverá de ser considerado na parcial da *proporcionalidade em sentido estrito* (e, pois, não em sede de *adequação*). Admitimos que é tentadora a ideia de, em vista do aludido cenário, já assumir o encarceramento como meio inidôneo. Entretanto, não

---

[773] Cf. FELDENS, Luciano, idem, p. 151.

[774] Sobre as "*[a]s cadeias ou máquinas de deteriorar*", ver em ZAFFARONI, Eugenio Raúl. *Em busca das penas perdidas*. A perda de legitimidade do sistema penal. Trad. Vânia Romano Pedrosa e Amir Lopes da Conceição. Rio de Janeiro: Revan, 1991, p. 135-137.

devemos fazê-lo, primeiro porque há notícia de algumas boas unidades prisionais pelo País[775] e, logo, não é possível reprovar o encarceramento de modo amplo e genérico nesta parcial; e, segundo, porque o dito cenário coloca o *suporte fático* que permitirá o sopesamento em várias colisões de direitos fundamentais que se estabelecem no contexto prisional, informando qual dos princípios deverá ter precedência. É o que veremos logo mais.

b) A necessidade (ou exigibilidade)

A verificação da necessidade corresponde à "exigência de que 'o objetivo não possa ser igualmente realizado por meio de outra medida, menos gravosa ao indivíduo'."[776]. Daí que é também designado como o princípio da "menor ingerência possível", onde o acento reside na "ideia de que o cidadão tem *direito à menor desvantagem possível*"[777].

Recolhendo e alocando os elementos suficientes para o exame da necessidade (dentro do nosso espaço de interesse), podemos nos valer da "constelação mais simples", "caracterizada pela presença de dois princípios e dois sujeitos de direito (Estado/cidadão)", como faz ALEXY para explicitar a operação dentro dessa parcial da proporcionalidade[778].

---

[775] Nesse rumo, registrou a CPI do Sistema Carcerário: "[a] maioria dos estabelecimentos penais possui arquitetura antiga, inadequada, apodrecida e insegura. No meio desse pântano, a CPI encontrou estruturas modernas, novas e seguras para os internos, servidores e visitantes. Destacamos o Presídio da Papuda, em Brasília; o Presídio de Segurança Máxima de Presidente Bernardes, em São Paulo; o Presídio de Segurança Máxima do Espírito Santo; o Presídio Federal de Catanduvas, no Paraná; e o Presídio de Ipaba, em Minas Gerais" (cf. BRASIL. CONGRESSO NACIONAL. CÂMARA DOS DEPUTADOS. *CPI DO SISTEMA CARCERÁRIO*. Comissão Parlamentar de Inquérito com a finalidade de investigar a realidade do Sistema Carcerário Brasileiro, com destaque para a superlotação dos presídios, custos sociais e econômicos desses estabelecimentos, a permanência de encarcerados que já cumpriram a pena, a violência dentro das instituições do sistema carcerário, corrupção, crime organizado e suas ramificações nos presídios e buscar soluções para o efetivo cumprimento da Lei de Execução Penal – LEP. Brasília: Câmara dos Deputados, Edições Câmara, 2009, p. 478).

[776] Cf. ALEMANHA. TRIBUNAL CONSTITUCIONAL. *BVerfGE* 38, 281 (302), *apud* ALEXY, Robert, idem, p. 119.

[777] Cf. CANOTILHO, J.J. Gomes, idem, p. 270.

[778] Cf. ALEXY, Robert, idem, p. 118-119.

Consideremos, então, como Z o objetivo perseguido pelo Estado (garantir o *cumprimento das leis* e das *decisões judiciais*, com a preservação da *ordem pública* e da *paz social*, e, assim, do estado de direito). O Estado atua tendo por base um princípio, P_1, que pode, ou não, coincidir com Z (consideramos, em nosso foco, que Z *e* P_1 coincidem). Apresentam-se duas medidas possíveis, M_1 *e* $M_{2,}$ para a prossecução de Z / P_1, e o exame da necessidade consiste em identificar qual delas promove melhor o objetivo, afetando menos intensamente, ou não afetando, "a realização daquilo que uma norma de direito fundamental com estrutura de princípio – P_2 – exige"[779] (e, por P_2, poderíamos isolar vários direitos fundamentais das pessoas privadas de liberdade, como, *v.g.*, a dignidade da pessoa humana – pela proibição da tortura e tratamento desumano e degradante, pela proibição de penas cruéis etc. –; ou, a ressocialização etc.).

Aqui será preciso distinguir dois momentos históricos, para dizer que, no primeiro deles, a averiguação da necessidade é possível, mas, no segundo, não é.

Se estivéssemos a analisar o momento de criação, *v.g.*, de um tipo penal (objetivo perseguido, Z), com base no princípio da legalidade (P_1), não há dúvida de que o legislador teria, para decidir qual pena cominar, um leque de medidas possíveis (*Ms*) (bem mais que duas, provavelmente: pena de reclusão ou detenção; os limites mínimos e máximos de pena privativa de liberdade a impor; a admitir, ou não, substituição por penas restritivas de direitos; preveria multa; com aplicação isolada, cumulativa, ou alternativa; etc.). E teria que agir de modo a respeitar, *v.g.*, a dignidade da pessoa humana (P_2, o que parece conectar à exigência de guarda da chamada *coerência endonormativa*[780]), de sorte que a partir da organização desses ingredientes é perfeitamente possível o exame da necessidade (deste, ou daquele meio – M –, que venha a ser adotado no produto legislativo).

Entretanto, no foco do nosso interesse, estamos em momento histórico posterior na operação do sistema penal (como já pudemos observar), a analisar condutas concretas da administração. Não vemos, aqui, alternativa menos gravosa que pudesse ser preferida pela administração (executora), porque o legislador já preestabeleceu/escolheu o encarceramento como "*a*" *medida* ($M_{única}$) a aplicar. Portanto, enfatizamos,

---

[779] Cf. ALEXY, Robert, idem, p. 119.

[780] Isto é, ao criar um tipo penal, ou ao modificar uma pena, não é dado ao legislador desbordar "do *standard* de sanções previstas para fatos semelhantes, promovendo, assim, uma manifesta *incoerência endonormativa* no sistema jurídico penal" (cf. FELDENS, Luciano, idem, p. 161).

não há M_1 e M_2, na medida em que o legislador precluiu todas as demais medidas que, no seu legítimo espaço de conformação, ele deixou de prever.

Claro, mediante alguma atividade criativa da jurisprudência (que, aliás, adiante examinaremos no que diz com o seu possível ativismo), se poderia cogitar – onde o legislador não fez – uma medida alternativa (M_2) a ser considerada no exame da necessidade do encarceramento (M_1) (como a aplicação de penas alternativas em substituição de penas privativas de liberdade estabelecidas em decisões definitivas, penas estas que, segundo os parâmetros positivados, não poderiam ser alvo de substituição; ou, aplicando medidas cautelares alternativas à prisão preventiva, em situações não admitidas pelo texto legal). Aí, provavelmente, obteríamos, pelo exame da necessidade, a indicação da adoção, por menos gravosa, dessa medida alternativa (M_2) em lugar do encarceramento (M_1), que promove P_1 (garante, em boa medida, o *cumprimento das leis* e das *decisões judiciais*, com a preservação da *ordem pública* e da *paz social*, e, assim, do estado de direito) com menos gravame a P_2 (*v.g.*, a dignidade da pessoa humana). Mas isso significa que já estamos a considerar o encarceramento (M_1) no deteriorado contexto em que se desenvolve em muitas prisões, como condição (suporte fático) para ponderar em busca da precedência de um determinado valor, o que já é uma operação de sopesameto e, portanto, só vai interessar à parcial da proporcionalidade em sentido estrito, que avaliaremos a seguir[781].

c) A proporcionalidade em sentido estrito (a *exequibilidade humanitária do encarceramento* como suporte fático da análise)

O exame da proporcionalidade em *sentido estrito* demanda uma análise *em concreto*, que evidencie que o meio empregado não é desproporcional ao fim perseguido[782]. Por isso, também se designa a parcial como princípio da *"justa medida"*, em que "[m]eios e fins são colocados em equação mediante um juízo de ponderação, com o objetivo de se avaliar se o meio utilizado é ou não

[781] Segundo ALEXY, existem situações em que, mesmo existentes medidas (*M*) a considerar na parcial da necessidade, se se estabelecer uma "fundamentação de uma relação condicionada de preferência" em favor de algum dos princípios (*P*) em análise, isso será "um sopesamento" e, portanto, a descoberta sobre a efetiva proporcionalidade só poderá ocorrer na parcial da proporcionalidade em sentido estrito (cf. ALEXY, Robert, idem, p. 118).

[782] Cf. FELDENS, Luciano, idem, p. 158.

desproporcionado em relação ao fim"[783]. Nesse escopo, a proporcionalidade em sentido estrito é, na lição de ALEXY, "idêntica à lei do sopesamento, que tem a seguinte redação: Quanto maior for o grau de não-satisfação ou de afetação de um princípio, tanto maior terá que ser a importância da satisfação do outro"[784].

O sopesamento, originário da "muito difundida metáfora do peso" utilizada pelo Tribunal Constitucional alemão, dirá "se os 'interesses do acusado no caso concreto têm manifestamente um peso significativamente maior que os interesses a cuja preservação a atividade estatal deve servir'."[785], interesses que "não têm um peso quantificável" e, assim, implicam observar a "relação condicionada de precedência", cujo conceito pode ser assim expresso: "Em um caso concreto, o princípio P_1 tem um peso maior que o princípio colidente P_2 se houver razões suficientes para que P_1 prevaleça sobre P_2 sob as condições C, presentes nesse caso concreto"[786].

Portanto, o exame se estabelece: *(i)* quando temos uma colisão entre princípios (que, pois, se contradizem, são antagônicos); *(ii)* quando, então, teremos que olhar para as "circunstâncias do caso concreto" (suporte fático); de modo a *(iii)* solucionar a colisão estabelecendo "uma relação de precedência condicionada entre os princípios"[787]. Daí que "[a] questão decisiva é, portanto, sob quais condições qual princípio deve prevalecer e qual deve ceder"[788].

Para explicar essa dinâmica, ALEXY utiliza um caso em que a colisão estava estabelecida em um processo-crime, no qual, de um lado, a presença do réu era exigida em audiência, e, de outro, o comparecimento efetivo poderia levá-lo a um infarto ou derrame cerebral, dada a particular circunstância concreta da débil situação de saúde (comprovada) do acusado[789]. Na hipótese, o autor afirma que a situação decisória pode ser caracterizada como uma colisão de princípios, uma vez que, de um lado, se trata do "dever de garantir, na maior medida possível, a operacionalidade do Direito Penal e, de outro, do dever de manter incólume,

---

[783] Cf. CANOTILHO, J. J. Gomes, idem, p. 270.

[784] Cf. ALEXY, Robert, idem, p. 593.

[785] Cf. ALEMANHA. TRIBUNAL CONSTITUCIONAL. *BVerfGE* 51, 324 (345), *apud* ALEXY, Robert, idem, p. 97.

[786] Cf. ALEXY, Robert, idem, p. 97.

[787] Cf. ALEXY, Robert, idem, p. 96.

[788] Cf. ALEXY, Robert, idem, p. 97.

[789] Cf. ALEXY, Robert, idem, p. 94-99.

na maior medida possível, a vida e a integridade física do acusado", sendo que "Esses deveres devem ser aplicados na medida das possibilidades fáticas e jurídicas de sua realização"[790]. Sustenta, ainda, que a solução não pode ser "resolvida com a declaração de invalidade de um dos princípios e com sua consequente eliminação do ordenamento jurídico", por óbvio, nem pela "introdução de uma exceção a um dos princípios, que seria considerado, em todos os casos futuros, como uma regra que ou é realizada, ou não é", e, sendo certo que nenhum dos princípios, em si, tem precedência sobre o outro (o que vale, de modo geral, para as colisões entre princípios constitucionais), conclui que "[a] solução para essa colisão consiste no estabelecimento de uma relação de precedência condicionada entre princípios, com base nas circunstâncias do caso concreto"[791].

O Tribunal Constitucional alemão solucionou a controvérsia afirmando que "se a realização da audiência implica um risco provável e concreto à vida do acusado ou uma possibilidade de dano grave à sua saúde, então, a continuação do procedimento lesa seu direito fundamental garantido pelo art. 2º, §2º, 1, da Constituição"[792]. Assim, sem falar em precedência de um princípio, de um direito, pretensão ou interesse, "são indicadas *condições* sob as quais se verifica uma *violação a um direito fundamental*. Se uma ação viola um direito fundamental, isso significa que, do ponto de vista dos direitos fundamentais, ela é proibida"[793].

Nessa moldura, considerando o nosso foco de interesse, e seguindo na admissão de que a possibilidade de recondução a direitos fundamentais dos valores perseguidos por meio do encarceramento (vale gizar, *v.g.*, a *preservação* da prova; a *efetividade* de um eventual pronunciamento condenatório; a *repressão* e a *prevenção* de delitos; o *cumprimento das leis* e das *decisões judiciais*; a preservação da *ordem pública* e da *paz social*) é suficiente para lhes conferir o *status* de direitos materialmente fundamentais, temos condições de ponderá-los com os direitos fundamentais das pessoas privadas de liberdade.

Uma advertência se faz, porém, necessária: há uma espécie de *pré-ponderação* legislativa, inerente ao dever de proteção jurídico-penal que recai sobre o

---

[790] Cf. ALEXY, Robert, idem, p. 95.

[791] Cf. ALEXY, Robert, idem, p. 96-97.

[792] Cf. ALEMANHA. TRIBUNAL CONSTITUCIONAL. *BVerfGE* 51, 324 (346), *apud* ALEXY, Robert, idem, p. 98.

[793] Cf. ALEXY, Robert, idem, p. 98.

legislador no seu trabalho de configuração das normas[794], a partir da qual já está decidido/positivado (portanto, soberanamente), em um cenário de condições carcerárias conformes ao quadro também já legislado, que o direito fundamental à liberdade de locomoção pode ser suprimido e/ou restringido por força de um *título de encarceramento* criminal. Eis o diagrama desse raciocínio, cuja legenda, na esteira de ALEXY, considera a chamada "*lei de colisão*" (cujo enunciado prevê: "[a]s condições [*C*] sob as quais um princípio [*P*] tem precedência [**P**] em face de outro constituem o suporte fático de uma regra que expressa a consequência jurídica [*R.*] do princípio quem tem precedência") [795]:

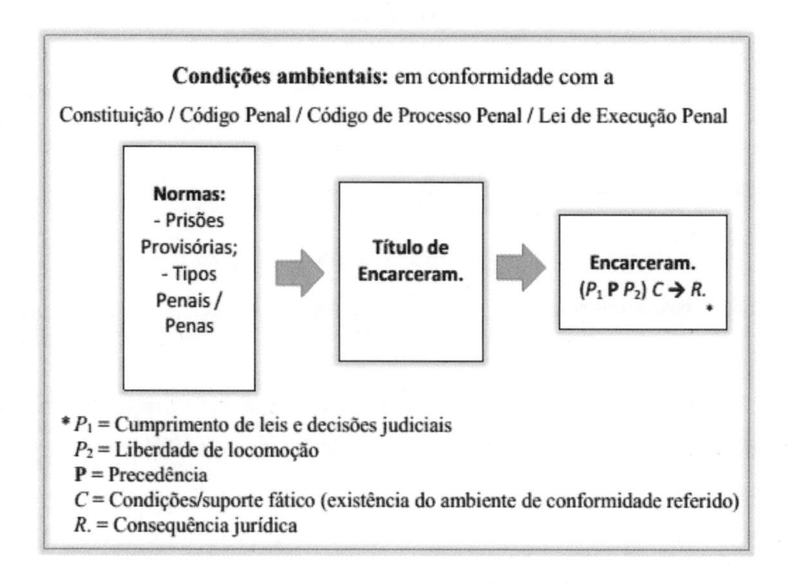

A consequência jurídica (*R.*), no suporte fático tomado pelo Poder Legislativo (*C*, de presença das condições ambientais previstas na legislação específica), afiança que o direito fundamental ao *cumprimento das leis* e *das decisões judiciais* (P_1) tem precedência (**P**) em relação ao direito fundamental à liberdade de locomoção (P_2), e, desse modo, por força de um *título de encarceramento* criminal, aquele pode, sim, ser suprimido.

Entretanto, na progressão de análise com a proporcionalidade que avançamos, uma nova ponderação não só se mostra razoável, como, aliás, é indispensável, se

---

[794] Dever de proteção que não pode ser configurado em excesso, nem em insuficiência (cf. FELDENS, Luciano, idem, p. 164-171)

[795] Cf. ALEXY, Robert, idem, p. 99.

considerada a luz de um quadro circunstancial (material/concreto/fático) *diverso* daquele considerado pelo legislador para a execução da privação da liberdade. Este outro cenário (que é o da realidade do mundo) pode ser assim expresso:

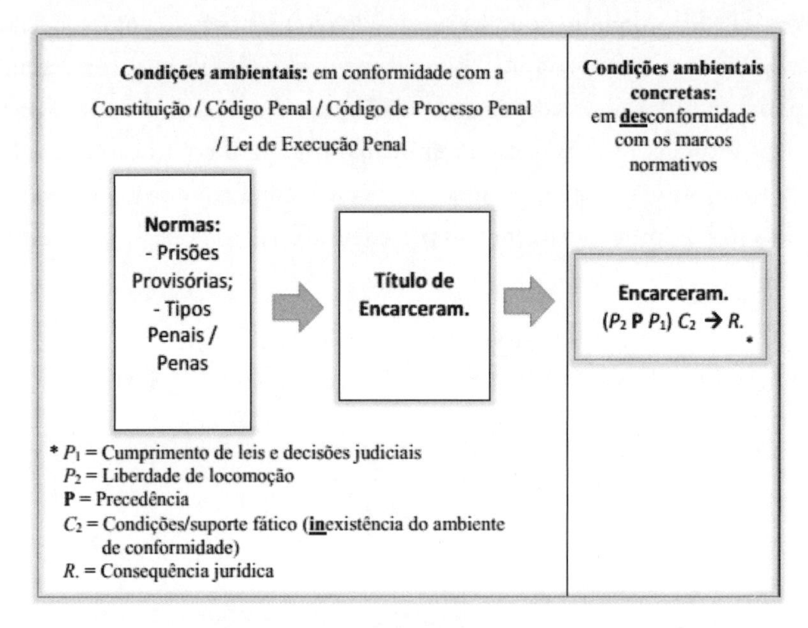

Se, em sentido contrário ao previsto pelo legislador, em um grande número de unidades penitenciárias país afora as condições reais (materiais/concretas) de encarceramento não atendem aos direitos fundamentais das pessoas privadas de liberdade, o resultado é que, onde tal déficit de condições se colocar (*suporte fático*, C_2), a liberdade de locomoção (P_2) (que vai significar, então, liberdade para buscar, no meio social – *i.e.*, longe do estado de sujeição –, as condições dignas de sobrevivência e vivência – para a vida, a integridade física, a alimentação, a saúde, o trabalho, a educação etc. –, que é a busca pela prevalência também destes outros direitos fundamentais) tem precedência (**P**) sobre o direito de *cumprir as leis* e as *decisões judiciais* (P_2). Visto por outro ângulo, o *suporte fático* (C_2) informa que a administração, na prossecução do *adequado* e *necessário* encarceramento para o fim legítimo de *cumprir as leis* e as *decisões judiciais* (P_1), não consegue garantir a contenção do seu ato à supressão do direito à liberdade de locomoção (P_2) (tal como configurado pelo legislador), a colocar o sacrifício (portanto, proibido) de outros direitos fundamentais das pessoas privadas de liberdade (que, inclusive, poderiam estar na posição P_2, para sopesamento, como, *v.g.*, o direito fundamental à humanidade da pena, pela proibição da tortura, ou de tratamento desumano ou degradante, ou de aplicação de penas cruéis – CF, art. 5º, Incs. III, XLVII, alínea "e", osquais, igualmente, encontrariam precedência).

Chamamos *exequibilidade humanitária do encarceramento* a possibilidade de privação de liberdade de uma pessoa em consonância efetiva com o arcabouço de direitos fundamentais que lhe assistem (e que não são atingidos pela supressão do direito à liberdade de locomoção). A *exequibilidade humanitária do encarceramento* é apresentada, assim, como um conceito-síntese dos direitos fundamentais de uma pessoa que precisam, concretamente, ser protegidos no contexto da sua prisão. A ausência de *exequibilidade humanitária do encarceramento*, pois, significa que estamos diante de um suporte fático (*C*) indicativo da ilegitimidade/invalidade da prisão de um cidadão, e, logo, da precedência (**P**) do seu direito de liberdade de locomoção (meio para a busca direta e para o alcance dos demais direitos – fora, frisemos, do estado de sujeição), prescrevendo como consequência jurídica (*R.*) a cessação do encarceramento (algo somente reversível diante da modificação do suporte fático, pela materialização da *exequibilidade humanitária do encarceramento* – de um outro *C*, portanto).

Uma última reflexão, porém, se faz necessária, e passa pelo que foi recém-exposto. Ou seja, se está claro que toda a relação de precedência, como leciona ALEXY, é relativa, isto é, trata-se de uma relação de precedência condicionada, ou concreta, exatamente por implicar, sempre, a identificação das *condições* de precedência (*C*), que, ao fim e ao cabo, indicarão qual princípio deverá prevalecer como consequência jurídica (resultado/regra, *R.*) do sopesamento, que deve ser tomada como uma "norma de direito fundamental atribuída" para solução do caso[796], a situação de penúria financeira do Estado pode compor o cenário de condições (*C*) a ponto de alterar a precedência encontrada? Por outro modo: a incapacidade financeira do Estado em promover a ampliação de vagas no sistema penitenciário (visando à superação do déficit atual), e mesmo em realizar reformas e manutenção das estruturas das unidades prisionais existentes, é capaz de justificar o excesso (muito além da privação da liberdade de locomoção) que

---

[796] Cf. ALEXY, Robert, idem, p. 99. E, conclui o autor: "como resultado de todo o sopesamento que seja correto do ponto de vista dos direitos fundamentais pode ser formulada uma norma de direito fundamental atribuída, que tem a estrutura de uma regra e à qual o caso pode ser subsumido" (cf. ALEXY, Robert, idem, p. 102).

estiola outros direitos fundamentais dos encarcerados (não atingidos pelo *título de encarceramento*)?

A resposta, cujo desenvolvimento fica limitado nesta investigação (até porque se presta a um estudo monográfico), remete ao interessante debate em torno à chamada *reserva do possível*[797], e, acreditamos, já foi dada pelo Supremo Tribunal Federal em dois recentes julgamentos. Em 2011, a Corte afirmou que o poder público não pode invocar a cláusula da reserva do possível "com o propósito de fraudar, de frustrar e de inviabilizar a implementação de políticas públicas definidas na própria Constituição", de modo que o recurso à aludida cláusula "encontra insuperável limitação na garantia constitucional do mínimo existencial, que representa, no contexto de nosso ordenamento positivo, emanação direta do postulado da essencial dignidade da pessoa humana"[798]. Já em 2015, em caso envolvendo recurso extraordinário contra acórdão do Tribunal de Justiça do Estado do Rio Grande do Sul, o qual havia cassado sentença de procedência em ação civil pública proposta pelo Ministério Público, com isso afastando ordem judicial de reforma do albergue da cidade de Uruguaiana (sob os argumentos de que era necessário respeitar a separação dos poderes e a cláusula da reserva

---

[797] Que, mais cedo, já foi referida neste trabalho, na investigação dos direitos fundamentais restringidos pela privação de liberdade (ver, *supra*, item 3.1.2.2.3).

[798] Cf. BRASIL. SUPREMO TRIBUNAL FEDERAL. Agravo em Recurso Extraordinário n.639.337. J. em 23 de ago. de 2011. *Diário da Justiça Eletrônico*, Brasília, 14 de set. de 2011. No mesmo julgado, em que se afirmou o dever de município do Estado de São Paulo em fornecer atendimento em creche e em pré-escola para crianças de até cinco anos de idade (em unidades de ensino infantil próximas de sua residência ou do endereço de trabalho de seus responsáveis legais), e reconheceu como legítima a aplicação de multa cominatória ao Poder Público (as "astreintes" – com função coercitiva –, do §5º, do art. 461 do Código de Processo Civil brasileiro), o STF ainda assentou: "[a] noção de 'mínimo existencial', que resulta, por implicitude, de determinados preceitos constitucionais (CF, art. 1º, III, e art. 3º, III), compreende um complexo de prerrogativas cuja concretização revela-se capaz de garantir condições adequadas de existência digna, em ordem a assegurar, à pessoa, acesso efetivo ao direito geral de liberdade e, também, a prestações positivas originárias do Estado, viabilizadoras da plena fruição de direitos sociais básicos, tais como o direito à educação, o direito à proteção integral da criança e do adolescente, o direito à saúde, o direito à assistência social, o direito à moradia, o direito à alimentação e o direito à segurança. Declaração Universal dos Direitos da Pessoa Humana, de 1948 (Artigo XXV)".

do possível), o plenário do STF aprovou a seguinte tese de repercussão geral (doravante aplicável a todos os casos semelhantes[799]):

> "É lícito ao Judiciário impor à Administração Pública obrigação de fazer, consistente na promoção de medidas ou na execução de obras emergenciais em estabelecimentos prisionais para dar efetividade ao postulado da dignidade da pessoa humana e assegurar aos detentos o respeito à sua integridade física e moral, nos termos do que preceitua o art. 5º, XLIX, da Constituição Federal, não sendo oponível à decisão o argumento da reserva do possível nem o princípio da separação dos poderes"[800]

Estamos em pleno acordo com essas leituras do STF. Assim, embora reconheçamos as dificuldades financeiras do Estado brasileiro (ainda mais graves quando olhamos para as finanças dos estados que integram a Federação, estes que, predominantemente, são os responsáveis econômicos pela construção e a manutenção do parque prisional brasileiro – que conta com umas poucas prisões federais, sob responsabilidade exclusiva da União[801]), e a consequente indisponibilidade de caixa para o atendimento de uma miríade de demandas, não é possível aceitar que o trato daquele que não tem condição de buscar no meio livre o seu sustento, e não o tem por direta intervenção do Estado (que o

---

[799] Nesse sentido, esclarecem MENDES e BRANCO que "a sistemática da repercussão geral faz com que as decisões proferidas nos processos-paradigmas espraiem seus efeitos para uma série de demandas sobre igual tema, antes mesmo da conversão do entendimento em súmula vinculante ... [a demonstrar] o fenômeno de 'objetivação' do recurso extraordinário" (cf. MENDES, Gilmar Ferreira; BRANCO, Paulo Gustavo Gonet. *Curso de Direito Constitucional.* 10. ed. São Paulo: Saraiva, 2015, p. 1128).

[800] Cf. BRASIL. SUPREMO TRIBUNAL FEDERAL. *Recurso Extraordinário n. 592.581.* Voto proferido pelo ministro Ricardo Lewandowski em sessão de julgamento do dia 13 de ago. de 2015. Disponível em: <http://www.stf.jus.br/arquivo/cms/noticiaNoticiaStf/anexo/Prisoes.pdf>. Acesso em: 14 de ago. de 2015.

[801] Eis o quadro de penitenciárias federais, segundo informação do Ministério da Justiça: "[c]ada Penitenciária Federal possui capacidade para abrigar 208 presos em celas individuais. Atualmente estão em funcionamento quatro Penitenciárias Federais – Catanduvas/PR, Campo Grande/MS, Mossoró/RN e Porto Velho/RO. A quinta penitenciária federal já está em construção e será localizada em Brasília/DF" (cf. BRASIL. MINISTÉRIO DA JUSTIÇA. *Penitenciárias Federais.* Disponível em: <http://www.justica.gov.br/seus-direitos/politica-penal/sistema-penitenciario-federal-1/penitenciarias-federais>. Acesso em: 8 de maio de 2015).

submete ao seu jugo e fica, então, por ele responsável, no já referido binômio *preso em sujeição/Estado garantidor*), fique à contingência da "reserva dos cofres cheios", na precisa reflexão de CANOTILHO[802].

Por conseguinte, concluímos: *(i)* que a condição particular do preso – vulnerável –, assim como a posição do Estado em relação a ele – garante –, não consentem na inversão de valores que a aplicação cega da reserva do possível colocaria na hipótese, e, assim, no contexto das preferências e disponibilidades orçamentárias da administração, permitem classificar nas primeiras posições (para as quais sempre existem recursos) a edificação/recuperação do aparato penitenciário brasileiro; e, logo, *(ii)* a deficiência financeira do Estado não tem força para alterar o suporte fático (*C*) da operação de sopesamento ao ponto de conferir precedência (**P**) ao direito de *cumprir as leis* e as *decisões judiciais*, mediante prisão, onde for ausente a *condição humanitária do encarceramento.*

3.2.2.2.2 A *exequibilidade humanitária do encarceramento* e a proporcionalidade como proibição da proteção deficiente *(reprovação II)*

Se é certo, como visto, que o Estado pode agir com excesso, detectável pelas parciais examinadas, restringindo/violando direitos fundamentais, hoje já não resta dúvida sobre a possibilidade, no outro extremo, de que ele venha a atuar "aquém dos níveis mínimos de proteção constitucionalmente exigidos ou mesmo deixando de atuar" (em omissão inconstitucional)[803], igualmente restringindo/violando direitos fundamentais. A proporcionalidade, então, "joga, aqui, como proibição de proteção deficiente (ou proibição de insuficiência)"[804].

É importante advertir que, no rumo da proteção suficiente, medidas não apenas normativas, mas, também materiais, haverão de ser tomadas pelo Estado,

---

[802] Cf. CANOTILHO, J.J. Gomes, idem, p. 481. O autor está a criticar a concepção dos direitos sociais como meramente programáticos, sempre a depender de uma configuração legislativa que lhes empreste forma e concretização, e, que, portanto, diferentemente dos direitos de liberdade, só existiriam na medida em que houvesse dinheiro nos cofres públicos. CANOTILHO afirma que essa visão, que adere a construção dogmática da reserva do possível, termina por conferir um "grau zero de garantia" para os direitos sociais. A atenuação do cenário, segundo afirma, remete à garantia do "mínimo social", que, por seu turno, pode ser densificado pelo dever do Estado de garantir e dignidade da pessoa humana e o livre desenvolvimento da personalidade.

[803] Cf. SARLET, Ingo Wolfgang, idem, p. 415.

[804] Cf. FELDENS, Luciano, idem, p. 164.

aos fins de uma proteção adequada e eficaz dos direitos fundamentais[805]. E vale sublinhar, com CANARIS, que "a eficácia da proteção integra, em princípio, logo o próprio conteúdo do dever de proteção, já que um dever de tomar medidas ineficazes não teria sentido"[806].

Nesse passo, mais uma vez em nosso foco de atenção, percebe-se que, embora o Poder Legislativo mostre aderência à proibição de proteção deficiente, pela configuração, na Carta Política, das normas de direitos fundamentais, e, nos Códigos Penal e de Processo Penal e na Lei de Execução Penal, dos parâmetros para a sua concretização[807], o Poder Executivo, de modo explícito, ao manter unidades prisionais em situação de miséria, negligencia a dita proibição. Ele omite, clarissimamente, as ações necessárias à materialização dos padrões de atendimento aos direitos fundamentais configurados pelo legislador para as pessoas privadas de liberdade. Ora, assim como não é dado a este, ao editar as leis, promover "uma retirada racionalmente injustificável da proteção (normativa) considerada *inequivocamente necessária* ao desenvolvimento e ao desfrute do direito fundamental"[808], tampouco é lícito ao administrador (ao nível do concreto, por omissões) fazê-lo. Não consentir nesse terceiro momento, ao nível mundano, encerraria a discussão da proibição de insuficiência no plano estritamente normativo e, assim, negaria o próprio núcleo da ideia de uma tutela adequada e, portanto, eficaz dos direitos fundamentais[809] das pessoas privadas de liberdade, o que não é possível aceitar.

Referindo a importância dessa dimensão material de análise (acerca do exame *em concreto* da proibição de proteção deficiente), CLÉRICO aduz que sempre que a Corte Constitucional analisa "a proporcionalidade em sentido amplo, em sua função de direito de prestação (já seja como direito de proteção, como direito social, ou como direito a organização e ao procedimento)", é correto

---

805 Cf. CANOTILHO, J.J. Gomes, idem, p. 273.

806 Cf. CANARIS, Claus-Wilhelm. *Direitos Fundamentais e Direito Privado.* Trad. Ingo Wolfgang Sarlet e Paulo Mota Pinto. Coimbra: Almedina, 2003, p. 123.

807 A propósito, CANARIS anota que "a realização do dever de proteção verifica-se, em regra, de uma forma ou de outra, com o auxílio do direito infra-constitucional", o que pode, inclusive, embora não nos pareça ser o caso no âmbito da legislação brasileira de regência, colocar a necessidade de ampliação das leis ordinárias para garantir ajustamento e suficiente proteção dos direitos fundamentais das pessoas privadas de liberdade (cf. CANARIS, Claus-Wilhelm, op. cit., p. 125).

808 Cf. FELDENS, Luciano, idem, p. 165.

809 Cf. CANOTILHO, J.J. Gomes, idem, p. 273.

dizer que "está aplicando o mandado de proibição por omissão ou insuficiência, embora não o diga expressamente". E a autora complementa, sustentando que é fundamental o avanço dessa dimensão fática de aplicação do princípio, o que deve se dar com o "desenvolvimento de uma dogmática constitucional do mandado de proibição por omissão ou insuficiência", principalmente no espaço latino-americano, "caracterizado por violações sistemáticas aos direitos humanos por incumprimento de obrigações de fazer que impossibilitam o exercício dos direitos sociais em sua função de direitos de prestação positiva"[810].

No contexto judiciário brasileiro, é preciso anotar que o Supremo Tribunal Federal vem trabalhando a proporcionalidade como proibição de insuficiência em casos relevantes para a nossa análise.

Assim, *v.g.*, naquele em que se discutia a manutenção de liminar concedida em ação civil pública, sufragada pelo Tribunal de Justiça local (o precedente é do estado do Tocantins), que obrigava o Poder Executivo à construção, em 12 meses, de unidades para implantação do atendimento, em internação e semiliberdade, de adolescentes infratores (nos termos do Estatuto da Criança e do Adolescente – ECA) e o proibia de realizar esse atendimento em outras unidades (a ação fora movida porque adolescentes estavam sendo recolhidos em locais contíguos ao cárcere de adultos, em contato visual e verbal com estes e, pois, em desacordo com a Constituição e com o ECA). Ao manter a liminar, o ministro Gilmar Mendes aduziu que que a proibição de proteção deficiente exige do Estado "a proibição de inércia e omissão na proteção aos adolescentes infratores, com primazia, com preferencial formulação e execução de políticas públicas de valores que a própria Constituição define como de absoluta prioridade". E, a contornar a reserva do possível, afirmou que a prioridade dessa política, definida na Carta, deve ser "levada em conta pelas previsões orçamentárias, como forma de aproximar a atuação administrativa e legislativa (Annäherungstheorie) às determinações constitucionais que concretizam o direito fundamental de proteção da criança e do adolescente"[811].

---

[810] Cf. CLÉRICO, Laura. El Examen de proporcionalidade entre el excesso por acción y la insuficiencia por omisión o defecto. In: CARBONELL, Miguel (Coord.). *El Principio de Proporcionalidad en el Estado Constitucional.* Universidad Externado de Colombia: Bogotá, 2007, p. 149-151.

[811] Cf. BRASIL. SUPREMO TRIBUNAL FEDERAL. Suspensão de Liminarn. 235. J. em 8 de jul. de 2008. *Diário da Justiça Eletrônico*, Brasília, 1 de ago. de 2008.

A proibição de insuficiência também guiou a decisão em outro caso, em que se discutia a suspensão de tutela antecipada concedida em ação civil pública, e mantida pelo Tribunal do Estado do Rio de Janeiro, que ordenava ao Executivo que suprisse o número necessário de professores nas unidades públicas de ensino na cidade de Queimados, de sorte a permitir a materialização do direito fundamental à educação para as crianças e adolescentes estudantes daquele município. Mantendo a liminar, o ministro Gilmar mendes anotou a "absoluta prioridade na concretização desses comandos normativos, em razão da alta significação de proteção aos direitos da criança e do adolescente, em especial do direito ao ensino fundamental", e observou que o Estado tem a obrigação de "criar os pressupostos fáticos necessários ao exercício efetivo destes direitos", porquanto "os direitos fundamentais não contêm apenas uma proibição de intervenção (Eingriffsverbote), expressando também um postulado de proteção (Schutzgebote)", em direta referência à proporcionalidade como proibição de proteção deficiente. Nessa dimensão, o ministro também destacou a importância dos "direitos à organização e ao procedimento (Recht auf Organization und auf Verfahren)", definindo-os como "aqueles direitos fundamentais que dependem, na sua realização, de providências estatais com vistas à criação e conformação de órgãos e procedimentos indispensáveis à sua efetivação". Entretanto, como advertiu em outro julgado, o fato de que essas providências, por seu turno, são "dependentes dos recursos financeiros de que dispõe o Estado, e de sistemas de órgãos e procedimentos voltados a essa finalidade", não autoriza "blindar, por meio de um espaço amplo de discricionariedade estatal, situação fática indiscutivelmente repugnada pela sociedade" (*i.e.*, no caso, o não atendimento dos estudantes daquela cidade carioca), ou se estaria a compactuar com "típica hipótese de proteção insuficiente por parte do Estado, num plano mais geral, e do Judiciário, num plano mais específico"[812].

Observamos, com todos esses referenciais, e pelo que já se desenvolveu mais cedo, que a situação de sujeição da pessoa privada de liberdade, somada à posição de garante do Estado encarcerador, densificam os direitos fundamentais desses cidadãos em particular, inclusive os direitos sociais (como é o caso dos direitos à saúde, à educação, ao trabalho, à moradia, ao lazer – todos, aliás, perspectiváveis

---

[812] Cf. BRASIL. SUPREMO TRIBUNAL FEDERAL. *Suspensão de Tutela Antecipada* n. 241. J. em 10 de out. de 2008. *Diário da Justiça Eletrônico*, Brasília, 15 de out. de 2008.

desde a dignidade humana, a humanidade das penas e a *ressocialização*, para ficar nestes direitos individuais), colocando toda uma ênfase, uma irrenunciabilidade, às ações executivas necessárias para o respectivo atendimento de fato, em concreto, substancial, de forma a superar a insuficiência corrente[813]. E não calha (como se acabou de ver também logo no tópico anterior), portanto, o argumento da reserva do possível (que, inclusive, parece ter mais relevo aqui, no âmbito da proteção de insuficiência), como "desculpa genérica para a omissão estatal no campo da efetivação de direitos fundamentais, especialmente de cunho social"[814], cabendo ao Estado o reconhecimento e a implementação da necessária preferência na alocação de recursos orçamentários que permitam a construção/o resgate do aparato penitenciário brasileiro.

Por derradeiro, de volta, então, ao nosso conceito de *exequibilidade humanitária do encarceramento* (insistimos: um conceito-síntese dos direitos fundamentais de uma pessoa que precisam, concretamente, ser protegidos no contexto da sua prisão, *i.e.*, a possibilidade de privação de liberdade de uma pessoa em consonância efetiva com o arcabouço de direitos fundamentais que lhe assistem, e que não são atingidos pela supressão do direito à liberdade de locomoção), vemos que ele também se faz operativo como índice de proteção suficiente. Ou seja, onde houver *exequibilidade humanitária do encarceramento* a proteção dos direitos fundamentais da pessoa privada de liberdade é suficiente, leia-se, proporcional/constitucional, e, logo, poderá ocorrer; onde não houver *exequibilidade humanitária do encarceramento* a proteção dos direitos fundamentais da pessoa privada de liberdade é *insuficiente/deficiente*, leia-se, desproporcional/ inconstitucional e, pois, não poderá ser executada.

---

[813] Ou seja, se cabe ao Estado, *v.g.*, socorrer a saúde de pessoa que procura atendimento médico na rede pública, alcançando-lhe a terapia (cirúrgica e/ou medicamentosa) de que necessita, e essa pessoa não está submetida/sujeita ao Estado, este, com muito mais razão, quando é garantidor de pessoa a quem priva a liberdade (e, pois, coloca em posição artificial de vulnerabilidade), tem que agir para colocar as condições necessárias (negativas e positivas também) ao respeito dos seus direitos fundamentais, sob pena de omissão e insuficiência inconstitucionais.

[814] Cf. SARLET, Ingo Wolfgang, idem, p. 372.

3.3 SÍNTESE E CONCLUSÕES PARCIAIS

De todo o exposto, cabem algumas conclusões parciais:

(i) As pessoas privadas de liberdade têm uma série de direitos fundamentais que necessitam ser respeitados pelo Estado para viabilizar e manter o seu encarceramento (direitos fundamentais: ativados pelo estado de privação de liberdade; restringidos pelo estado de privação de liberdade; e mantidos a pleno durante a privação de liberdade);

(ii) No contexto do encarceramento, o Estado encontra-se na posição de garantidor das pessoas privadas de liberdade, e estas encontram-se em especial situação de sujeição. A vulnerabilidade artificial resultante da intervenção do Estado, cuja ação deve se limitar, em geral, à supressão do direito à liberdade de locomoção, densifica os direitos fundamentais dos presos, e, por isso, autoriza preferência (dentro da verba existente de fato/disponível no orçamento) para uma efetiva alocação de recursos voltados ao atendimento desses direitos;

(iii) A existência, meramente *formal*, de um *título de encarceramento*, é apenas metade da análise sobre a possibilidade da sua efetivação;

(iv) Impõe-se, na outra metade da análise, no marco do Estado Social e Democrático de Direito brasileiro, que a condição *material* de possibilidade do encarceramento, isto é, a *exequibilidade humanitária do encarceramento* (gize-se: a possibilidade de respeito aos direitos fundamentais das pessoas privadas de liberdade, em concreto, no local da prisão), seja verificada, o que pode se dar pelo filtro da proporcionalidade, em sua dupla face, como proibição de excesso e de insuficiência;

(v) Por uma face, ou outra, da proporcionalidade, se, em concreto, tomando o espaço ao qual o sujeito está destinado para ser recolhido, observar-se excesso de ação do Estado brasileiro, punindo além da medida (sacrificando outros direitos fundamentais não implicados com a perda da liberdade de locomoção), ou, observar-se insuficiência/omissão pela renúncia à materialização das condições necessárias à humanidade do encarceramento, dando lugar a violações de direitos fundamentais, o resultado só poderá ser um: o indivíduo não poderá ser recolhido àquela instalação. Não sendo assim, a prisão será flagrantemente desproporcional, alheia à *ausência de exequibilidade humanitária do encarceramento*, e, pois, nada menos que um ato inconstitucional e autoritário.

A síntese, ao natural, conduz à pergunta do âmago desta investigação, e que a seguir tentaremos responder: o que podem os juízes?

CAPÍTULO 4
JUSTICIABILIDADE DAS VIOLAÇÕES DE DIREITOS FUNDAMENTAIS DAS PESSOAS PRIVADAS DE LIBERDADE (APROXIMAÇÃO BRASIL E EUA)

4.1 QUANDO O ÓBVIO JÁ NÃO É: UMA PALAVRA SOBRE O NÚCLEO DA INVESTIGAÇÃO

Questionar se alguém que está preso e, portanto, submetido à autoridade estatal, que está a viver uma realidade de privações em seus direitos mais básicos no dia-a-dia do cárcere (*v.g.*, em segurança, alimentação, saneamento, assistência em saúde e jurídica, para ficar nestes), teria direito a buscar e a obter um remédio do Poder Judiciário para fazer cessar os abusos e, assim, para garantir um parâmetro mínimo de cumprimento dos seus direitos e garantias fundamentais de cidadão, deveria ser, antes de tudo, uma pergunta desnecessária em democracia.

Em primeiro lugar porque, obviamente, o motivo para a busca do socorro judiciário não deveria existir. Em segundo porque se abusos como os ventilados existem, não é menos óbvio que se teria que responder afirmativamente à pergunta, ou seja, sim, é claro que é possível uma intervenção judicial para o amparo do cidadão vitimado.

Entretanto, não temos conhecimento de (simplesmente não localizamos) ações pessoais buscando esse tipo de remédio, e são pouquíssimas as iniciativas de tutela coletiva visando a alguma espécie de intercessão, ainda assim, colateral, no problema. De outra parte, também não conhecemos decisão de juiz de execução penal que, ao argumento da inviabilidade de atendimento aos padrões mínimos de civilidade no cárcere, tenha deixado de dar cumprimento à sentença penal condenatória transitada em julgado que lhe tenha sido distribuída.

Então, em uma realidade muito particular do Brasil (ou nem tanto, se considerarmos que também deve se colocar para a generalidade dos países economicamente menos desenvolvidos), em que a chave geral do sistema parece ter caído (isto é, em que as ações e as respostas democraticamente programadas não se materializam no âmbito das instituições), o que deveria ser óbvio deixa de sê-lo. Dessa conjuntura é que, acreditamos, emerge a dignidade do problema investigado.

Nos perguntamos: não é possível a propositura de uma ação pessoal, *v.g.*, por um preso em regime fechado em subcondições existenciais, para ver-se transferido para local com condições, ou solto – com suspensão da eficácia da sua sentença condenatória – até que esse local adequado venha a existir? Parece-nos que o vácuo jurisprudencial em termos de ações desse tipo é índice razoável da legitimidade da pergunta. Ora, se não existem julgados, será como parece? A ação será mesmo possível?

Mais. Haveria ativismo judicial na decisão de um juiz/Tribunal que a conhecesse e a julgasse procedente, uma vez que, ao fim e ao cabo, interferiria na gestão do sistema penitenciário, de responsabilidade de um ramo eleito de governo (predominantemente dos executivos estaduais, com alguma participação financeira da União, esta que, de modo exclusivo, só gere as penitenciárias federais)?

Em termos supraindividuais, alguém/alguma instituição poderia buscar a intercessão do Poder Judiciário em benefício de um conjunto de presos de uma penitenciária, de um Estado, de uma região, ou do país inteiro? Também aqui não seria ativista a eventual decisão resultante, a configurar uma decisão política, da alçada dos ramos eleitos do governo?

Se admitirmos a possibilidade da intervenção judiciária, individual/coletiva, quais seriam as exatas vias processuais para se buscar o socorro? Quais remédios poderiam ser concedidos sem ativismo?

Desde um provimento pontual, em benefício de algum preso em específico, até uma intervenção em prol de um coletivo de pessoas em idêntica situação, se produzidas por ordem do Poder Judiciário colocam tensões evidentes em áreas bastante sensíveis para a democracia, como a separação dos poderes e o federalismo, com eventuais excessos ativistas que precisam ser reconhecidos e evitados[815].

---

[815] Por oportuno, vale lembrar a advertência de FELDENS: "...aos juízes não compete, substituindo-se ao legislador, decidir sobre a *melhor* opção política; compete-lhes, tão somente, afastar a

Assim, como que resgatando os desafios para esse trecho final do trabalho, seguimos com a aproxição proposta, examinando, à abertura, as realidades prisionais nos EUA e no Brasil.

4.2 APRISONAMENTO EM MASSA E INTERVENÇÃO JUDICIAL: A EXPERIÊNCIA NORTE-AMERICANA

> "Uma prisão que prive prisioneiros de sustento básico, incluindo adequado cuidado médico, é incompatível com o conceito de dignidade humana e não tem lugar em sociedade civilizada."
>
> (Juiz Kennedy, na opinião da Suprema Corte em *Brown vs. Plata*)[816]

> "Nossa deferência em assuntos de política não pode, entretanto, tornar-se abdicação em assuntos de direito."
>
> (Chefe de Justiça Roberts, na opinião da Suprema Corte em *Nat'l Fed'n of Indep. Bus. vs. Sebelius*)[817]

4.2.1 Superpopulação carcerária: convergência EUA e Brasil e o caos prisional na Califórnia

Segundo relatório do Centro Internacional para o Estudo de Prisões (International Centre for Prison Studies – ICPS), os Estados Unidos da América possuíam, em 2013, um total de 2.217.000 pessoas presas, o que o posiciona como o primeiro colocado na lista dos países com maior população carcerária

decisão política *incompatível* com a Constituição. Agir diferentemente seria subverter o sistema de garantias, o princípio da legalidade e, com isso, o regime democrático" (cf. FELDENS, Luciano. *Direitos Fundamentais e Direito Penal.* A Constituição Penal. 2. ed. Porto Alegre: Livraria do Advogado, 2012, p. 170).

[816] Cf. ESTADOS UNIDOS DA AMÉRICA. SUPREMA CORTE DOS ESTADOS UNIDOS. *Brown et al. vs. Plata et al.* 563 U.S. (2011). *Opinion of the Court*, p. 12-13. Disponível em: <https://supreme.justia.com/cases/federal/us/563/09-1233/opinion.html>. Acesso em: 10 de mar. de 2015.

[817] Cf. ESTADOS UNIDOS DA AMÉRICA. SUPREMA CORTE DOS ESTADOS UNIDOS. *National Federation of Independent Business vs. Sebellius*, 567 U.S. (2012). *Opinion of the Court*, p. 6. Disponível em: <https://supreme.justia.com/cases/federal/us/567/11-393/>. Acesso em: 8 de mar. de 2015.

no mundo (que mantém até o presente momento). Isso representa uma taxa de 707 presos por 100 mil habitantes. Com dados de 2014, o Brasil figura, na mesma lista, em quarto lugar, com 607.730 pessoas presas, o que significa uma taxa de 275 presos por 100 mil habitantes[818].

Está claro, portanto, que ambos os países encarceram muito. Diferenças, porém, podem ser vistas a partir daqui, como na dinâmica do encarceramento. Comparemos, em gráficos, as linhas de evolução dos números em um e outro país, primeiro considerando o total da população carcerária, depois em taxa de presos por 100 mil habitantes[819]:

---

[818] Cf. CENTRO INTERNACIONAL PARA O ESTUDO DE PRISÕES (International Centre for Prison Studies – ICPS). *World Prison Brief. Brazil.* Disponível em: <http://www.prisonstudies.org/country/brazil>. Acesso em: 10 de maio de 2015. Vale observar, segundo o último relatório do Departamento Penitenciário Nacional, referente ao mês de junho de 2013, que o Brasil tinha 300,96 presos por 100 mil habitantes, com um efetivo prisional de 574.027 pessoas (cf. BRASIL. MINISTÉRIO DA JUSTIÇA. DEPARTAMENTO PENITENCIÁRIO NACIONAL. Sistema Integrado de Informações Penitenciárias – INFOPEN. *Formulário Categoria e Indicadores Preenchidos. Todas UF's. Jun. 2013.* Disponível em: <http://www.justica.gov.br/seus-direitos/politica-penal/transparencia-institucional/estatisticas-prisional/anexos-sistema-prisional/total-brasil-junho-2013.pdf>. Acesso em: 5 de maio de 2015). Já o Conselho Nacional de Justiça (CNJ), com dados de junho de 2014, indica uma população carcerária de 567.655 pessoas, com 358 presos por 100 mil habitantes (cf. BRASIL. CONSELHO NACIONAL DE JUSTIÇA (CNJ). DEPARTAMENTO DE MONITORAMENTO E FISCALIZAÇÃO DO SISTEMA CARCERÁRIO E DO SISTEMA DE EXECUÇÃO DE MEDIDAS SOCIOEDUCATIVAS – DMF. *Novo Diagnóstico de Pessoas Presas no Brasil* (junho de 2014). Disponível em: <http://www.cnj.jus.br/images/imprensa/pessoas_presas_no_brasil_final.pdf>. Acesso em: 5 de maio de 2015). Segundo o Centro Internacional para o Estudo de Prisões, os dados do Brasil são referentes a 2014, e a fonte indicada é o Ministério da Justiça brasileiro. Como podemos ver, há uma divergência de dados, sendo que o cenário interno pode ser ainda pior do que o divulgado no plano internacional.

[819] Cf. CENTRO INTERNACIONAL PARA O ESTUDO DE PRISÕES (International Centre for Prison Studies – ICPS). *World Prison Brief. United States of America.* Disponível em: <http://www.prisonstudies.org/country/ united-states-america>. Acesso em: 10 de maio de 2015; e, cf. CENTRO INTERNACIONAL PARA O ESTUDO DE PRISÕES (International Centre for Prison Studies – ICPS). *World Prison Brief. Brazil,* op. cit.

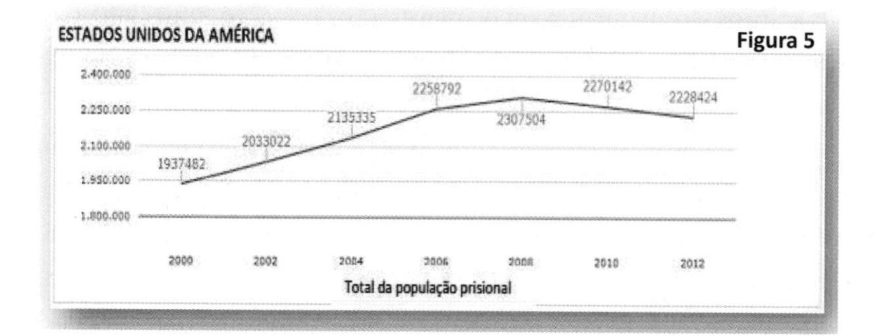

Figura 5

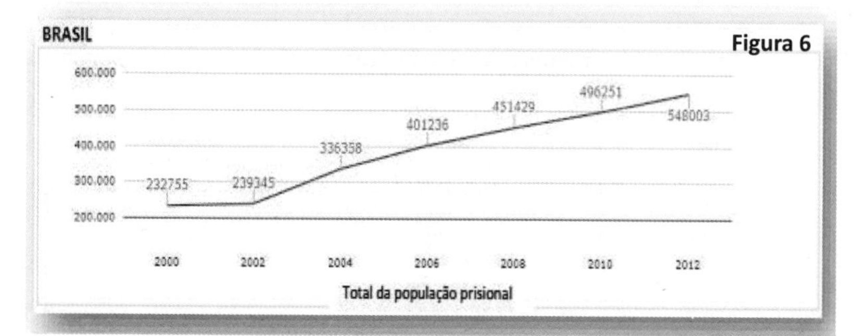

Figura 6

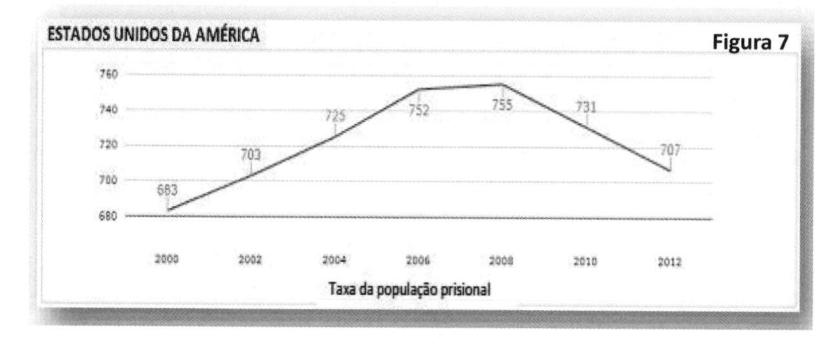

Figura 7

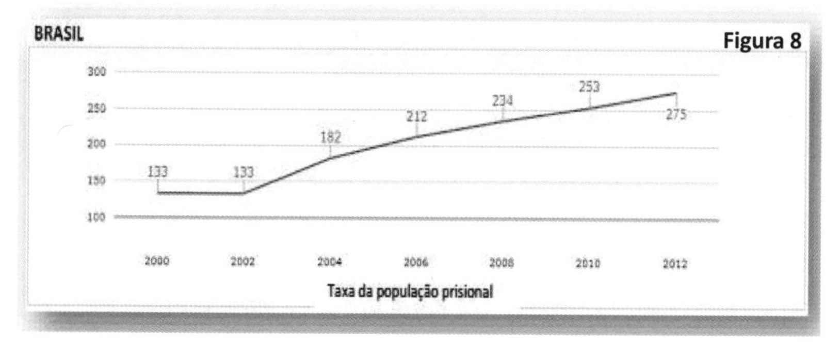

Figura 8

Os gráficos são eloquentes em demonstrar: *(i)* nos EUA, uma linha forte de crescimento da população carcerária que se estendeu de 2000 até 2006, com quase estabilidade até 2008, e em linha descendente forte desde então, até 2012; *(ii)* no Brasil, houve estabilidade entre 2000 e 2002, e uma linha constante e ininterrupta de aumento da população carcerária até 2012. Ou seja, enquanto, no período, os EUA conseguiram reduzir a sua população carcerária, o Brasil viu crescer a sua, ano após ano.

Observemos, agora, por outros gráficos, alguns anos antes da série acima[820]:

ESTADOS UNIDOS DA AMÉRICA — **Figura 9**

Ano	Total da população carcerária	Taxa da população prisional (por 100.000 da população nacional)
1980	503,586	220
1985	744,208	311
1990	1,148,702	457
1995	1,585,586	592
2000	1,937,482	683

BRASIL — **Figura 10**

Ano	Total da população carcerária	Taxa da população prisional (por 100.000 da população nacional)
1995	173,104	107
1997	198,520	119
2000	232,755	133

Nos EUA, ente 1980 e 1990, a população carcerária aumentou 107% (mais que dobrou). Entre 1990 e 2000 registrou um aumento de 43%. Daí seguiu a já referida linha ascendente até 2006, estabilizando até 2008 e reduzindo daí para frente a cada ano, até 2012.

[820] Cf. CENTRO INTERNACIONAL PARA O ESTUDO DE PRISÕES (International Centre for Prison Studies – ICPS). *World Prison Brief. United States of America,* op. cit.; e, cf. CENTRO INTERNACIONAL PARA O ESTUDO DE PRISÕES (International Centre for Prison Studies – ICPS). *World Prison Brief. Brazil,* idem.

Já no Brasil, houve um aumento, entre 1995 e 2000, de 24% do efetivo prisional, estabilizado, como visto, nos dois anos seguintes. Registra, porém, linha de aumento desde então, até 2012, com taxas de crescimento, a cada 2 anos, de 40,5% (2002-2004), 19,2% (2004-2006), 12,5% (2006-2008), 9,9% (2008-2010), e 10,4% (2010-2012). Ou seja, o encarceramento no Brasil, na década 2002-2012, seguiu um fluxo realmente constante e consistente de aumento, em média de quase 20% ao ano.

Entretanto, no trecho 2012-2014, identifica-se aceleração no volume de encarceramentos nos EUA, ao menos nas prisões dos estados. Senão, vejamos[821]:

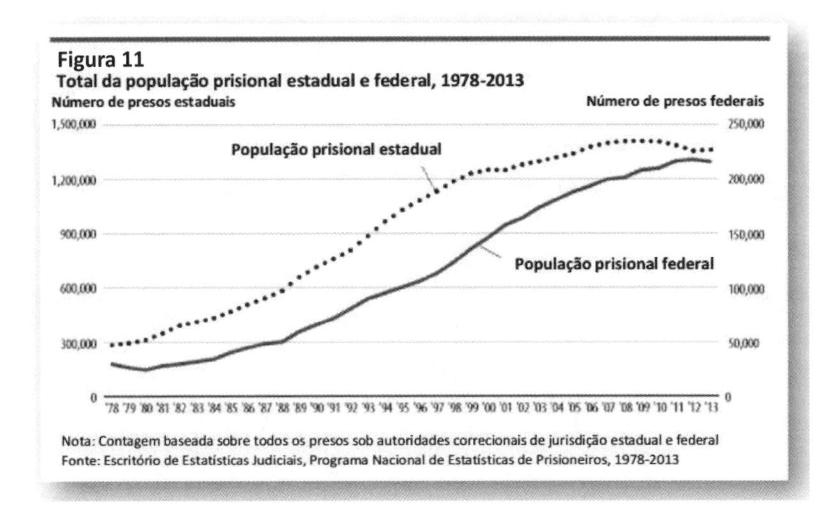

Figura 11
Total da população prisional estadual e federal, 1978-2013

Nota: Contagem baseada sobre todos os presos sob autoridades correcionais de jurisdição estadual e federal
Fonte: Escritório de Estatísticas Judiciais, Programa Nacional de Estatísticas de Prisioneiros, 1978-2013

O quadro permite ver que após o pico de encarceramento ocorrido entre 2008-2009, no segmento 2012-2014 houve acréscimo de 0,3% na população, o qual, embora pequeno (corresponde a mais 4.300 prisioneiros), sinaliza para uma possível reversão da linha de queda que se verificava havia quase meia década. Olhando o contexto por estado da Federação, o alerta para essa possível mudança de rumos se intensifica, uma vez que o aumento se deu em 28 estados (conquanto tenha ocorrido declínio nas prisões federais)[822].

---

[821] Cf. ESTADOS UNIDOS DA AMÉRICA. DEPARTAMENTO DE JUSTIÇA DOS ESTADOS UNIDOS. ESCRITÓRIO DE PROGRAMAS DE JUSTIÇA. AGÊNCIA DE ESTATÍSTICAS JUDICIAIS. *Bulletin. Prisoners in 2013*. Disponível em: <http://www.bjs.gov/content/pub/pdf/p13.pdf>. Acesso em: 9 de maio de 2015.

[822] Cf. ESTADOS UNIDOS DA AMÉRICA. DEPARTAMENTO DE JUSTIÇA DOS ESTADOS

No Brasil, no trecho 2012-2014 houve um aumento do efetivo carcerário em 3,5%[823], ou em 10,8%[824], conforme a fonte. Se o acréscimo real for o do primeiro índice, podemos estar diante de uma desaceleração no ritmo de crescimento da população prisional. Porém, se tomamos o segundo, vemos praticamente uma repetição dos índices de aumento desde o ano de 2006. Portanto, também é preciso observar o desenvolvimento do cenário brasileiro para confirmar o sentido de alguma modificação que já pode ter se iniciado em nosso perfil de encarceramento.

Observemos, agora, o quadro dos presos provisórios nos EUA e no Brasil[825]:

Figura 12

ESTADOS UNIDOS DA AMÉRICA

Ano	Número de presos provisórios	Percentual do total da população carcerária	Taxa de presos provisórios (por 100.000 da população nacional)
2000	347,800	18.0%	123
2005	463,500	21.2%	156
2010	487,100	21.5%	157
2013	453,200	20.4%	143

UNIDOS. ESCRITÓRIO DE PROGRAMAS DE JUSTIÇA. AGÊNCIA DE ESTATÍSTICAS JUDICIAIS. *Bulletin. Prisoners in 2013*, op. cit.

[823] Consideramos, para chegar ao índice, a população prisional brasileira referida pelo Centro Internacional para o Estudo de Prisões em 2012 (548.003), em face da população referida pelo Conselho Nacional de Justiça para Junho de 2014 (567.655), por ser o dado mais recente disponível no plano interno (ver, *supra*, nota 818).

[824] Se tomarmos a população total também como referida pelo Centro Internacional para o Estudo de Prisões em 2014 (607.730), o índice de aumento sobe para 10,8% no período (ver, *supra*, nota 818).

[825] Cf. CENTRO INTERNACIONAL PARA O ESTUDO DE PRISÕES (International Centre for Prison Studies – ICPS). *World Prison Brief. United States of America*, idem. Disponível em: <http://www.prisonstudies.org/ country/united-states-america>. Acesso em: 10 de maio de 2015; e, cf. CENTRO INTERNACIONAL PARA O ESTUDO DE PRISÕES (International Centre for Prison Studies – ICPS). *World Prison Brief. Brazil*, idem.

Figura 13

BRASIL

Ano	Número de presos provisórios	Percentual do total da população carcerária	Taxa de presos provisórios (por 100.000 da população nacional)
2000	80,775	34.7%	46
2005	102,116	34.4%	55
2010	164,683	36.9%	84
2013	216,342	38.8%	108

Em face da população carcerária, vê-se que o Brasil tem mais presos provisórios do que os EUA. Aliás, horrivelmente, quase 40% do efetivo prisional brasileiro é de presos sem julgamento, contra 20% dos norte-americanos. Já em face da população em geral, os EUA têm mais presos provisórios por 100 mil habitantes do que o Brasil. De qualquer sorte, é correto dizer que os países mais uma vez se assemelham, agora no quesito encarceramento de presos processuais, ambos com milhares de presos dessa categoria.

Em termos de estruturas prisionais, os EUA possuem 248 prisões federais espalhadas pelo país[826], que abrigam 208.102 presos[827]. O Brasil possui apenas 4 penitenciárias federais, com 208 vagas cada uma, *i.e.*, com 832 vagas no total[828].

Nos EUA ainda existem 3.283 cadeias locais (2006) e 1.190 unidades de confinamento dos estados (2005)[829], totalizando (com as federais) 4.721 prisões

---

[826] Cf. ESTADOS UNIDOS DA AMÉRICA. AGÊNCIA FEDERAL DE PRISÕES (FEDERAL BUREAU OF PRISONS). *Our Locations*. Disponível em: <http://www.bop.gov/locations/list.jsp>. Acesso em: 9 de maio de 2015.

[827] Cf. ESTADOS UNIDOS DA AMÉRICA. AGÊNCIA FEDERAL DE PRISÕES (FEDERAL BUREAU OF PRISONS). *Statistics*. Disponível em: <http://www.bop.gov/about/statistics/population_statistics.jsp>. Acesso em: 9 de maio de 2015.

[828] Cf. BRASIL. MINISTÉRIO DA JUSTIÇA. *Penitenciárias Federais*. Disponível em: <http://www.justica.gov. br/seus-direitos/politica-penal/sistema-penitenciario-federal-1/penitenciarias-federais>. Acesso em: 8 de maio de 2015.

[829] Cf. CENTRO INTERNACIONAL PARA O ESTUDO DE PRISÕES (International Centre for Prison Studies – ICPS). *World Prison Brief. United States of America*, idem.

no país. No Brasil, temos 417 penitenciárias; 69 colônias agrícolas/industriais; 58 albergues; 815 cadeias públicas; 10 penitenciárias privadas de regime fechado e 3 de semiaberto[830], totalizando (com as federais) 1.376 prisões no País.

Enquanto, nos EUA, a taxa de ocupação das estruturas prisionais é de 102,7%[831], no Brasil o índice é de 161,3%[832], isto é, nos faltam mais de 350 mil vagas no sistema.

Averiguando o perfil etário da população carcerária, constata-se que, nos EUA, 70% dos presos tem 44 anos de idade ou menos (1% entre 18 e 19 anos; 11% entre 20 e 24 anos; 15% entre 25 a 29 anos; 17% tem entre 30 e 34 anos; 14% entre 35 e 39; e 12,5% entre 40 e 44 anos). No Brasil, 85% dos presos tem 45 anos ou menos (28% entre 18 e 24 anos; 23% entre 25 e 29 anos; 18% entre 30 e 34 anos; e 16% entre 35 e 45 anos). O que evidencia que ambos os países encarceram predominantemente pessoas jovens, com importante desvantagem para o Brasil, por conta do nítido efeito da baixa instrução e do déficit de oportunidades para essa faixa entre nós (enquanto 27% dos presos nos EUA tem até 29 anos, 51% dos presos no Brasil tem até 29 anos)[833]. No gráfico, resulta o seguinte:

---

[830] Cf. BRASIL. MINISTÉRIO DA JUSTIÇA. DEPARTAMENTO PENITENCIÁRIO NACIONAL. Sistema Integrado de Informações Penitenciárias – INFOPEN. *Formulário Categoria e Indicadores Preenchidos. Todas UF's. Jun. 2013*, op. cit. O último relatório sobre o sistema prisional brasileiro publicado pelo Departamento Penitenciário Nacional é referente ao mês de junho de 2013.

[831] Cf. CENTRO INTERNACIONAL PARA O ESTUDO DE PRISÕES (International Centre for Prison Studies – ICPS). *World Prison Brief. United States of America*, idem.

[832] Cf. CENTRO INTERNACIONAL PARA O ESTUDO DE PRISÕES (International Centre for Prison Studies – ICPS). *World Prison Brief. Brazil*, idem. Segundo o Conselho Nacional de Justiça (CNJ), com dados de Junho de 2014, a taxa de ocupação já é maior, estando em 200% (cf. BRASIL. CONSELHO NACIONAL DE JUSTIÇA (CNJ). DEPARTAMENTO DE MONITORAMENTO E FISCALIZAÇÃO DO DISTEMA CARCERÁRIO E DO SISTEMA DE EXECUÇÃO DE MEDIDAS SOCIOEDUCATIVAS – DMF. *Novo Diagnóstico de Pessoas Presas no Brasil* (junho de 2014). Disponível em: <http://www.cnj.jus.br/images/imprensa/pessoas_presas_ no_brasil_final.pdf>. Acesso em: 5 de maio de 2015).

[833] Cf. ESTADOS UNIDOS DA AMÉRICA. DEPARTAMENTO DE JUSTIÇA DOS ESTADOS UNIDOS. ESCRITÓRIO DE PROGRAMAS DE JUSTIÇA. AGÊNCIA DE ESTATÍSTICAS JUDICIAIS. *Bulletin. Prisoners in 2013*, idem; e, cf. BRASIL. MINISTÉRIO DA JUSTIÇA. DEPARTAMENTO PENITENCIÁRIO NACIONAL. Sistema Integrado de Informações Penitenciárias – INFOPEN. *Formulário Categoria e Indicadores Preenchidos. Todas UF's. Jun. 2013*, idem. Obs.: o último relatório sobre o sistema prisional brasileiro publicado pelo Departamento

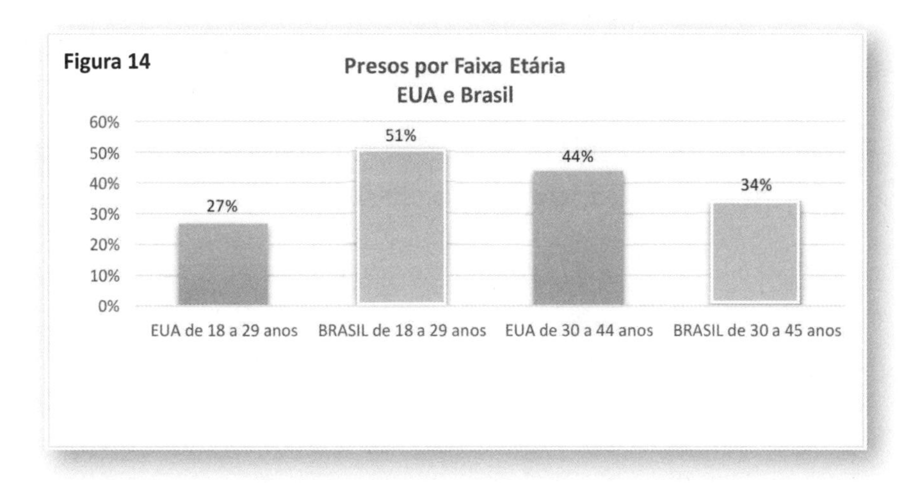

Em termos de perfil educacional da população encarcerada, EWERT e WILDHAGEN observam que, no espaço norte-americano, é imensa a falta de informações organizadas a respeito, o que tem forçado pesquisadores a coletar dados de fontes como o Census, e mesmo de outras de base variada[834]. O último reporte sobre o assunto, editado pelo Departamento de Justiça e Estatística dos EUA, é do ano de 2003, e analisa dados colhidos entre 1991 e 1997. Nesse último ano, 40% dos presos nos EUA (em unidades estaduais) não tinham diploma de ensino médio ou aprovação em teste supletivo equivalente (high school ou GED tests), contra apenas 18% da população em geral, com 18 anos ou mais, em situação educacional idêntica[835]. Em 2004, 36% dos indivíduos em prisões estaduais nos EUA tinham frequentado menos que o ensino médio (high school),

Penitenciário Nacional é referente ao mês de junho de 2013.

[834] Cf. EWERT. Stephanie, WILDHAGEN, Tara. *Educational Characteristics of Prisoners: Data from the ACS* (2011), p. 1-2. Disponível em: <https://www.google.com.br/url?sa=-t&rct=j&q=&esrc=s&source=web&cd= 6&ved=0CE0QFjAFahUKEwiRj83kkODGAh-UFeD4KHS9oAEQ&url=https%3A%2F%2Fwww.census.gov%2Fhhes%2Fsocdemo%-2Feducation%2Fdata%2Facs%2FEwert_Wildhagen_prisoner_education_4-6-11.doc&ei=2-OnVdG1G4Xw-QGv0IGgBA&usg=AFQjCNExYHYRlx_qpgxmMsu6DW5AoLSsNw&b-vm=bv.9794991 5,d.cWw&cad=rja>. Acesso em: 8 de maio de 2015.

[835] Cf. ESTADOS UNIDOS DA AMÉRICA. DEPARTAMENTO DE JUSTIÇA DOS ESTADOS UNIDOS. ESCRITÓRIO DE PROGRAMAS DE JUSTIÇA. AGÊNCIA DE ESTATÍSTICAS JUDICIAIS. *Special Report. Education and Correctional Populations*. Disponível em: <http://www.bjs.gov/content/pub/pdf/p13.pdf>. Acesso em: 9 de maio de 2015.

contra 19% na população livre em geral, com 16 anos de idade ou mais[836]. Em 2009, o cenário era o seguinte[837]:

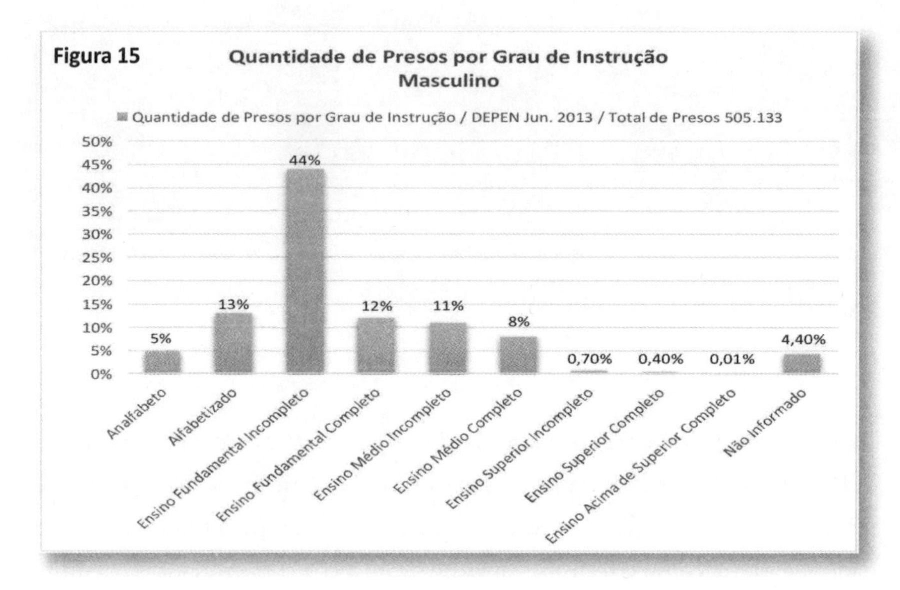

Figura 15

Por seu turno, os dados brasileiros informam o seguinte contexto educacional da sua população carcerária, até junho de 2013:

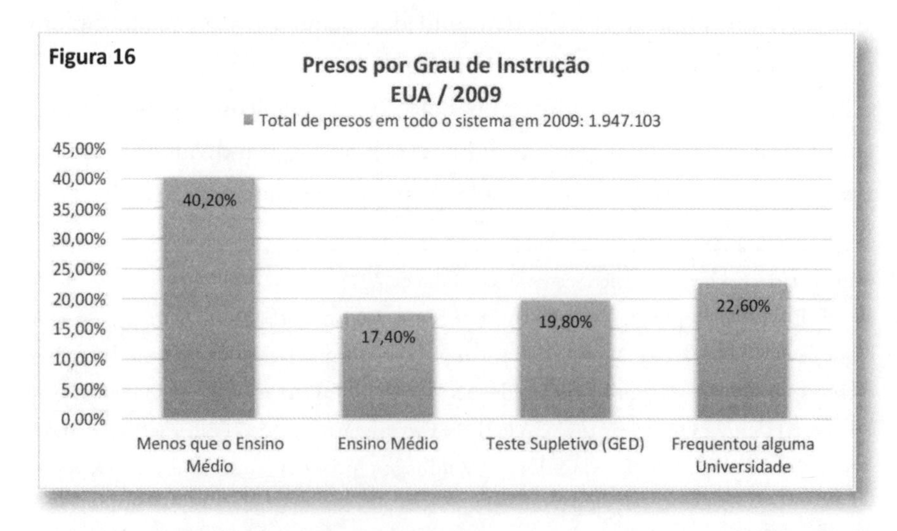

Figura 16

---

[836] Cf. DAVIS, Lois; BOZICK, Robert; STEELE, Jennifer L.; SAUNDERS, Jessica; MILES, Jeremy N. V. *Evaluating the Effectiveness of Correctional Education*. A Meta-Analysis of Programs That Provide Education to Incarcerated Adults. Santa Monica: Rand, 2013, p. XV.

[837] Cf. EWERT. Stephanie; WILDHAGEN, Tara, op. cit., p. 1-2.

Em comparação com os norte-americanos, que possuem 40,2% dos presos com menos que o ensino médio, no Brasil 85% dos presos têm menos que o ensino médio (e 62% têm menos que o ensino fundamental). Guardadas as realidades, a seletividade do sistema penal é a mesma, lá e cá, pois recolhe para as prisões os indivíduos com grau de escolaridade mais baixo, isto é, seleciona, sempre, os mais pobres.

No que toca ao perfil racial dos presos, nos EUA, em 2013, a população carcerária de condenados (homens, num total de 1.412.745) era composta por 32,1% de brancos, 37,2% de negros, 22,7% de hispânicos e 8,4% eram de outras raças/etnias[838]. No Brasil, até junho de 2013, considerado um universo de 505.133 homens presos, 32,9% eram brancos, 16,2% eram negros, 41,2% eram pardos, 0,5% eram amarelos, 0,1% indígenas e 2,1% de outras cores/etnias[839].

No caso dos EUA, no mesmo ano de 2013 a população livre tinha 13% de negros[840] (contra 37,2% de negros encarcerados). No Brasil, segundo o Censo/IBGE de 2008, a população em geral tinha 9,2% de negros/pretos (contra 16,2% presos) e 35,3% de morenos/pardos (contra 41,2% presos), com 49% de brancos (contra 32,9% presos)[841]. Em ambos os países, portanto, a sombra de um lamentável passado escravocrata ainda se projeta na seleção do sistema penal, promovendo um encarceramento mais intenso contra pessoas de pele mais escura, geralmente mais desfavorecidas economicamente que o restante das populações

---

838 Cf. ESTADOS UNIDOS DA AMÉRICA. DEPARTAMENTO DE JUSTIÇA DOS ESTADOS UNIDOS. ESCRITÓRIO DE PROGRAMAS DE JUSTIÇA. AGÊNCIA DE ESTATÍSTICAS JUDICIAIS. *Bulletin. Prisoners in 2013*, idem.

839 cf. B. BRASIL. MINISTÉRIO DA JUSTIÇA. DEPARTAMENTO PENITENCIÁRIO NACIONAL. Sistema Integrado de Informações Penitenciárias – INFOPEN. *Formulário Categoria e Indicadores Preenchidos. Todas UF's. Jun. 2013*, idem.

840 Cf. ESTADOS UNIDOS DA AMÉRICA. DEPARTAMENTO DE COMÉRCIO DOS ESTADOS UNIDOS. AGÊNCIA DE *CENSUS* DOS ESTADOS UNIDOS. *Annual Estimates of the Resident Population by Sex, Race and Hispanic Origin for the United States, States and Counties: April 1, 2010 to July 1, 2013. Population Estimates.* Disponível em:<http://factfinder.census.gov/faces/tableservices/jsf/pages/productview.xhtml ?src=bkmk>. Acesso em: 7 de maio de 2015.

841 Cf. BRASIL. MINISTÉRIO DO PLANEJAMENTO, ORÇAMENTO E GESTÃO. INSTITUTO BRASILEIRO DE GEOGRAFIA E ESTATÍSTICA. *Características Étnico-Raciais da População.* Um Estudo das Categorias de Classificação de Cor ou Raça. Rio de Janeiro: IBGE, 2011, p. 42.

nacionais. Isso tem feito das prisões norte-americanas uma espécie de gueto "*etno-racial*"[842], e a designação, como visto, em tudo se aplica ao caso brasileiro.

Por fim, a taxa de reincidência nos EUA, em 2011, estava em torno dos 40%[843], enquanto no Brasil estima-se uma cifra superior a 70%[844], a demonstrar, lá ou aqui, que o excesso de contingente dificulta, no mínimo, o respeito aos direitos fundamentais das pessoas privadas de liberdade. E o estiolamento desses direitos, não temos dúvida, é principal força motriz do círculo vicioso de crime e prisão em que milhares de pessoas encontram-se confinadas, hoje, em nossos países.

O conjunto de dados ora repassado permite, então, confirmar que permanece em implantação, em lugar do *Estado Social*, um genuíno *Estado Penal*, fruto de uma cultura de consumo e de medo, que só faz maximizar a intervenção punitiva do aparato estatal. Etiqueta-se mais, e mais intensamente, os *indesejáveis* de sempre, promovendo a sua exclusão sistemática[845]: aos pretos, pobres e sem instrução, e a quem mais faltar o *status* de consumidor, no Brasil ou nos EUA, *a nova jaula de ferro*[846] estará, sempre, à disposição.

[842] Cf. WACQUANT, Loïc. *Punir os Pobres.* A Nova Gestão da Miséria nos Estados Unidos. [a onda punitiva]. 3. ed. Rio de Janeiro: Instituto Carioca de Criminologia: Revan, 2007, p. 333-335.

[843] Cf. DAVIS, Lois et al., op. cit., p. 2.

[844] Cf. R7 Notícias. *Juristas estimam em 70% a reincidência nos presídios brasileiros.* Presidentes do CNJ destacam percentual há anos, mas conselho ainda busca estimativa oficial <http://noticias.r7.com/cidades/juristas -estimam-em-70-a-reincidencia-nos-presidios-brasileiros-21012014>. Acesso em: 8 de maio de 2015. A verdade é que não se sabe o número exato. Uma pesquisa pontual, realizada em convênio entre o Conselho Nacional de Justiça (CNJ) e o Instituto de Pesquisa Econômica Aplicada (IPEA), que avaliou uma amostra de processos de execução penal nos Estados de Alagoas, Minas Gerais, Pernambuco, Paraná e Rio de Janeiro, do ano de 2006 apenas, chegou a 24,4% de reincidência, cifra que devemos considerar, por evidente, com reservas (cf. BRASIL. GOVERNO FEDERAL. SECRETARIA DE ASSUNTOS ESTRATÉGICOS DA PRESIDÊNCIA DA REPÚBLICA. INSTITUTO DE PESQUISA ECONÔMICA APLICADA (IPEA). *Reincidência Criminal no Brasil.* Relatório de Pesquisa. Rio de Janeiro: IPEA, 2015, p. 23; e, cf. ANDRADE, Carla Coelho de; OLIVEIRA JR., Almir de. *Estudos em Segurança Pública e Sistema de Justiça Criminal:* a reintegração social de indivíduos em privação de liberdade. Disponível em: <http://www.ipea.gov.br/agencia/images/stories/PDFs/boletim_ analise_politico/141117_boletim_analisepolitico_06_cap5>. Acesso em: 9 de maio de 2015).

[845] Cf. WACQUANT, Loïc, op. cit., p. 233.

[846] Como adverte GARLAND "a opção por uma justiça punitiva continua inabalada. À medida que o mercado de segurança privada se expande, a elaboração de legislação penal se acelera e o complexo do crime se reproduz, nos deparamos com a possibilidade real de sermos trancados na

O fenômeno, portanto, muito bem documentado na literatura especializada (à qual tivemos ocasião de nos endereçar mais cedo[847]), com início, no Brasil, na década de 1990, e, bem antes, nos EUA, no início da década de 1980, confirma a ubiquidade do "*grande confinamento*"[848] (que, nos EUA, faz do setor carcerário o terceiro maior empregador do país[849]). Aliás, *grande* é adjetivo que talvez já não denote o grau do encarceramento em massa existente, em números colossais[850], em ambos os países, a demandar uma alocação cada vez maior de recursos.

---

nova 'jaula de ferro'." (cf. GARLAND. David. *A Cultura do Controle. Crime e Ordem Social na Sociedade Contemporânea.* Trad. André Nascimento. Rio de Janeiro: Revan, 2008, p. 428).

[847] Ver, *supra*, no Cap. 1, item 1.1, e, especialmente, as notas 40 e segs.

[848] Cf. WACQUANT, Loïc. idem, p. 205-255.

[849] Cf. WACQUANT, Loïc, idem, p. 265-272.

[850] Se considerarmos, no caso norte-americano, em 2013, além da população prisional das unidades estaduais e federais (1.574.700 presos) e das cadeias locais (731.200 presos) – estes efetivamente encarcerados –, com mais aqueles em *parole* (853.200) e em *probation* (3.910.600), chega-se a um total 6.899.000 pessoas. Ou seja, estas quase 7 milhões de pessoas integram o que lá se denomina "população correcional", e informam um nível de intervenção do Estado na esfera de liberdade dos cidadãos que não encontra paralelo na história da humanidade, em país democrático e em tempo de paz (cf. ESTADOS UNIDOS DA AMÉRICA. DEPARTAMENTO DE JUSTIÇA DOS ESTADOS UNIDOS. ESCRITÓRIO DE PROGRAMAS DE JUSTIÇA. AGÊNCIA DE ESTATÍSTICAS JUDICIAIS. *Bulletin. Correctional Populations in The United States, 2013.* Disponível em: <http://www.bjs.gov/content/pub/pdf/cpus13.pdf>. Acesso em: 9 de maio de 2015). No caso brasileiro, em 2014, se considerarmos, além dos presos em unidades prisionais (567.655), também os indivíduos em prisão domiciliar (147.937 – que, em sua maioria, deveriam estar presos, e só não estão por conta da jurisprudência consolidada em nossos Tribunais Superiores no sentido de se conceder domiciliar à falta de vaga nos regimes semiaberto e aberto), mais o número de mandados de prisão por cumprir (373.991 – a indicar um universo de pessoas que já deveriam estar presas na ótica meramente formalista do Estado, independentemente de existirem condições materiais para tanto), poderemos chegar, em curto espaço de tempo, a mais de 1 milhão de brasileiros encarcerados, o que significa mais de 500 presos por 100 mil habitantes, a nos promover além da Rússia em número de presos e, assim, a nos posicionar só atrás dos EUA e da China, como terceiro país em população carcerária do planeta (cf. BRASIL. CONSELHO NACIONAL DE JUSTIÇA (CNJ). DEPARTAMENTO DE MONITORAMENTO E FISCALIZAÇÃO DO DISTEMA CARCERÁRIO E DO SISTEMA DE EXECUÇÃO DE MEDIDAS SOCIOEDUCATIVAS – DMF. *Novo Diagnóstico de Pessoas Presas no Brasil* (junho de 2014), op. cit. Na jurisprudência referida, vejam-se, *v.g.*: "Pena – Cumprimento – Regime semiaberto. Incumbe ao Estado aparelhar-se visando à observância irrestrita das decisões judiciais. Se não houver sistema capaz de implicar o cumprimento da pena em regime semiaberto, dá-se

A propósito, é preciso enfatizar, embora óbvia, a diferença notória entre a capacidade econômica do EUA e a do Brasil. Refira-se, apenas para ilustrar, que, em 1992, depois de dobrar a sua população prisional em 6 anos, Nova York adquiriu uma prisão flutuante (uma barcaça de 200 metros de comprimento, e 50 de largura, feita sob medida, com 1.400 vagas) pela bagatela de US$ 161 milhões de dólares[851]. Investimentos dessa monta (e lá se vão mais de 20 anos desse inusitado exemplo) são bastante difíceis para o Brasil, para dizer o menos, mormente no nosso quadro atual de crise financeira.

E a consequência maior da nossa pobreza está posta na realidade das prisões brasileiras, com uma hiperlotação que se encarrega de trazer todo o resto: não há onde se dormir (senão pelo chão, ou revezando com outros presos), não há instalações sanitárias e de higiene funcionais (esgotos a céu aberto, latrinas etc., são a regra), não há segurança alimentar (seja pela falta de estruturas para um adequado preparo dos alimentos, seja pela insuficiência da alimentação fornecida, seja pela incerteza de que ela chegará a todos os presos), não há segurança de vida/integridade física, pela ausência de controle efetivo dentro das unidades (o que promove, em muitas prisões, uma administração "de fato" exercida por presos líderes, com o fomento de facções de internos que, bem estabelecidas, decidem a vida e a morte e, inclusive, conseguem agir fora do sistema para a prática de outros crimes), não há/ou há deficiência de meios para o atendimento de saúde (física e mental), ou jurídico, ou para o ensino, ou para o trabalho etc. Não há, em suma, lugar para direitos fundamentais[852].

---

a transformação em aberto e, inexistente a casa do albergado, a prisão domiciliar" (cf. BRASIL. SUPREMO TRIBUNAL FEDERAL. *Habeas Corpus* n. 96.169, J. 25 de ago. de 2009. *Diário da Justiça Eletrônico*, Brasília, 8 de out. de 2009); e, "*Habeas corpus* substituto de recurso. (...) Execução penal. Progressão de regime. Inexistência de vaga no regime intermediário. Excesso de execução. Constrangimento ilegal evidenciado. *Habeas corpus* não conhecido. Ordem, contudo, concedida de ofício. (...) 2. É assente nesta Corte o entendimento que, em caso de falta de vagas em estabelecimento prisional adequado ao cumprimento da pena no regime semiaberto, deve-se conceder ao apenado, em caráter excepcional, o cumprimento da pena em regime aberto, ou, na falta de vaga em casa de albergado, em regime domiciliar, até o surgimento de vagas no regime apropriado" (cf. BRASIL. SUPERIOR TRIBUNAL DE JUSTIÇA. *Habeas Corpus* n. 321.473, J. 9 de jun. de 2015. *Diário da Justiça Eletrônico*, Brasília, 17 de jun. de 2015).

[851] Cf. WACQUANT, Loïc, idem, p. 219-220.

[852] No que toca, ainda, às mazelas do sistema penitenciário brasileiro, ver, *supra*, o nosso Cap. 1, item 1.3.3, e, especialmente, a nota 147, que coloca algumas das violações de direitos humanos

Contudo, a despeito da maior capacidade de investimento dos EUA em suas estruturas carcerárias, o caos prisional também encontrou o seu caminho. Com destaque para o que de pior pode acontecer, mesmo em um país desenvolvido, quando a mão punitiva do Estado não tem peias, a Califórnia conseguiu se transformar na "*primeira colônia penitenciária de massa* da era democrática"[853].

Em 1977 o estado da Califórnia contava com 20.600 presos[854]. Em 2006, depois da aprovação de mais de 1.000 leis prevendo novos crimes, estendendo penas e, enfim, endurecendo a resposta penal, o estado chegou à marca histórica de 166.445 presos, o que significou a ocupação de 199,2% de capacidade nominal de seu parque carcerário[855]. Ou seja, a Califórnia chegou a ter duas vezes mais presos do que poderia acolher.

A superlotação colocou todas as seguintes situações nas penitenciárias californianas (em 29, das 33 unidades estaduais), presentes no ano de 2006: *(i)* a necessidade de ocupação de espaços das instalações carcerárias que não haviam sido projetados para abrigar presos (tais como ginásios, salas para o uso diário, salas para programas de reabilitação etc.); *(ii)* obrigou a acomodação de centenas de presos em beliches de três andares; *(iii)* aumentou os riscos para a saúde e a segurança dos presos e dos funcionários em atuação nas unidades (*a.* porque a manutenção de presos em grandes áreas comuns favorece atos de violência e dificulta a prevenção e controle dos mesmos; *b.* porque o ambiente superlotado facilita a transmissão de doenças infecciosas; *c.* porque beliches triplos e quartos

---

em curso no Presídio Central de Porto Alegre – PCPA, que a Comissão Interamericana de Direitos Humanos – CIDH, determinou que cessassem, nos termos da sua Resolução n. 14/2013, emitida na Medida Cautelar n. 8-13, de 30 de dez. de 2013.

[853] Cf. WACQUANT, Loïc, idem, p. 268. Apenas para ilustrar, só no ano de 1994, a Assembleia local aprovou mais de 100 projetos ampliando o uso da prisão ou alongando penas, entre os quais o Projeto de Lei n. 971, que adotou a chamada lei das três faltas (e você está fora: "*Trhee Strikes and You're out*"), pela qual, no terceiro crime, ficava estabelecida a perpetuidade da pena. No mesmo ano foi aprovada outra lei (irmã), apelidada de "*One Strike and You're In*", que "instaurou a prisão perpétua para certos crimes sexuais desde a primeira infância e estipulou uma compressão importante da escala de reduções de penas por boa conduta" (cf. WACQUANT, Loïc, idem, p. 269-270). Nesse ritmo, de fato, não há sistema no mundo que seja capaz de acompanhar.

[854] Cf. WACQUANT, Loïc, idem, p. 270.

[855] Cf. WACQUANT, Loïc, idem, p. 270; e, cf. ESTADOS UNIDOS DA AMÉRICA. DEPARTAMENTO DE JUSTIÇA DOS ESTADOS UNIDOS. ESCRITÓRIO DE PROGRAMAS DE JUSTIÇA. AGÊNCIA DE ESTATÍSTICAS JUDICIAIS. *Bulletin. Prisoners in 2013*, idem.

superlotados bloqueiam/dificultam a visão e, assim, aumentam os riscos para a segurança; *d.* porque os sistemas elétrico, hidráulico e de esgoto entraram em colapso, dado o uso muito acima da capacidade projetada, gerando um ambiente de alto risco, contaminado, com danos, inclusive, para o restante da população livre e o meio ambiente, e chance crescente de contaminação de parte da água potável consumida no Estado); *(iv)* levou a Califórnia a ser multada por danos ambientais e à propriedade privada, e a fazer gastos com reparos nas unidades; *(v)* reduziu ou eliminou programas de reabilitação nas instalações prisionais, gerando agitação entre os presos, o aumento das faltas disciplinares e um acréscimo importante nos índices de reincidência criminal, além de elevar os riscos de rebelião; *(vi)* facilitou a ocorrência, só no ano de 2005, nas 29 unidades mais superlotadas (das 33 estaduais existentes), de um total de 1.671 incidentes violentos contra funcionários, de um total de 2.642 incidentes violentos entre presos, e, em média, de um suicídio por semana; e, ainda, *(vii)* gerou atendimento aos presos doentes mentais em condições abaixo dos padrões constitucionais mínimos (segundo decisão da Corte Federal local, no caso *Coleman*).

Agora o mais interessante sobre essa lista trágica de violações aos direitos fundamentais das pessoas privadas de liberdade: elas fazem parte integrante, sob a forma de *considerandos*, do decreto de estado de emergência no sistema prisional californiano, emitido pelo então governador do estado, Arnold Schwarzenneger, em 4 de outubro de 2006[856]. Ou seja, trata-se de público e oficial reconhecimento de todos esses problemas.

O mesmo decreto ainda informou: que as cadeias dos condados, em 2006, tinham população diária por volta de 80 mil presos, e acomodavam cerca de 4.900 presos além da capacidade; que 20 condados, de 50, tinham limites de capacidade impostos por decisões judiciais obtidas por presos, ou por pessoas/entidades em benefício de presos, e outros 12 condados haviam se autoimposto esses limites; que, no ano anterior, por falta de espaço nas cadeias dos condados, 233.388 pessoas deixaram de ser recolhidas, ficando livres nas suas comunidades; que o aumento da demanda por vagas projetado indicava que, até a metade

---

[856] Cf. ESTADOS UNIDOS DA AMÉRICA. ESTADO DA CALIFÓRNIA. GOVERNO DO ESTADO. ESCRITÓRIO DO GOVERNADOR ARNOLD SCHWARZENNEGER. *Prison Overcrowding State of Emergency Proclamation.* Sacramento, 4 de out. de 2006. Disponível em: <http://gov.ca.gov/news.php? id=4278>. Acesso em: 9 de maio de 2015).

de 2007, todas as áreas comuns remanescentes nas prisões acabariam sendo ocupadas para acomodar presos; que um projeto enviado (em janeiro de 2006) pelo Executivo para a edificação de mais 83 mil vagas (por meio de dois novos presídios e por alocação de camas adicionais nas cadeias dos condados), ao custo de US$ 6 bilhões de dólares, não foi aprovado pelo Legislativo; que outro projeto do Executivo (submetido em março de 2006), que visava à aquisição de mais 8.500 camas para instalação em centros correcionais comunitários dentro do estado, também foi negado; e, que em uma convocação especial do Parlamento, realizada pelo Executivo em junho de 2006, feita especialmente para apreciação de um projeto detalhado para abordagem do problema carcerário, o resultado foi que a legislatura deixou de adotar as propostas e falhou em indicar outras em seu lugar[857].

O decreto de emergência, na delicada moldura posta, serviu para afastar, enquanto durassem as condições excepcionais que determinaram a sua edição, as regras aplicáveis para o processo de contratação de serviços (permitindo contratação direta, sem publicidade anterior e prévia concorrência), viabilizando: a contratação de instalações correcionais fora do estado, capazes de transportar, receber e manter, com todos os serviços assistenciais necessários, os mais de 19 mil presos que já haviam manifestado interesse em cumprir as suas sentenças fora da Califórnia; e a contratação de novos espaços no estado para abrigar presos, serviços de transporte, triagem, pessoal especializado, suprimentos, materiais, equipamentos, e todos os demais itens e serviços necessários a mitigar o problema da superlotação no menor intervalo de tempo possível. Ainda, o decreto determinava, em perseguição desse objetivo, que, após exauridas todas as transferências voluntárias, fossem realizadas transferências involuntárias para instalações de outros estados e do governo federal disponíveis, segundo critérios de seleção que estabeleceu em lugar das normas gerais aplicáveis, que também foram temporariamente suspensas (*v.g.*, poderiam ser transferidos: presos estrangeiros previamente deportados pelo governo, e sujeitos a pronta deportação; presos em *parole* fora da Califórnia; presos sem família ou laços familiares comprováveis no estado; presos com lações familiares no estado de destino; outros, segundo decisão do Secretário

---

[857] Cf. ESTADOS UNIDOS DA AMÉRICA. ESTADO DA CALIFÓRNIA. GOVERNO DO ESTADO. ESCRITÓRIO DO GOVERNADOR ARNOLD SCHWARZENNEGER. *Prison Overcrowding State of Emergency Proclamation*, op. cit.

do Departamento Correcional e de Reabilitação da Califórnia – CDCR; e não poderiam ser transferidos: presos com recursos ainda pendentes de julgamento, e que poderiam ser prejudicados pelo movimento; e, sem autorização médica, os presos portadores de doença mental)[858].

Esse decreto só foi encerrado por outra proclamação, datada de 8 de janeiro de 2013, assinada pelo atual governador, Edward G. Brown Jr., tendo em vista diversas melhorias feitas no sistema e a redução de mais de 43 mil presos no sistema do estado[859].

Em face do exposto, seja pelo massivo número de presos mantidos, seja pelo encarceramento de públicos semelhantes, seja pela incapacidade (mais eventual, no caso norte-americano) de manter um tratamento respeitoso aos direitos fundamentais das pessoas privadas de liberdade, está demonstrada suficiente convergência ente EUA e Brasil. Esses traços em comum, desde que estamos a investigar a justiciabilidade das violações de direitos fundamentais das pessoas privadas de liberdade, justificam o exame do enfoque judiciário emprestado ao tema naquele país, pela sua Suprema Corte, o que pode ser feito exatamente pelo capítulo intermediário da recém-contada história californiana de excessos prisionais, *i.e.*, pelo julgamento conjunto de dois casos oriundos do estado, *Coleman vs. Brown e Brown vs. Plata*, em 23 de maio de 2011[860].

É o que segue.

---

[858] Cf. ESTADOS UNIDOS DA AMÉRICA. ESTADO DA CALIFÓRNIA. GOVERNO DO ESTADO. ESCRITÓRIO DO GOVERNADOR ARNOLD SCHWARZENNEGER. *Prison Overcrowding State of Emergency Proclamation*, idem.

[859] Cf. ESTADOS UNIDOS DA AMÉRICA. ESTADO DA CALIFÓRNIA. GOVERNO DO ESTADO. ESCRITÓRIO DO GOVERNADOR EDWARD G. BROWN JR. *Terminating Prison Overcrowding State of Emergency Proclamation*. Sacramento, 8 de jan. de 2013. Disponível em: <http://www.cdcr.ca.gov/News /docs/3JP-docs-01-07-13/Terminating-Prison-Overcrowding-Emergency-Proclamation-10-4-06.pdf>. Acesso em: 9 de maio de 2015).

[860] Cf. ESTADOS UNIDOS DA AMÉRICA. SUPREMA CORTE DOS ESTADOS UNIDOS. *Brown et al. vs. Plata et al.* 563 U.S. (2011). Disponível em: <https://supreme.justia.com/cases/federal/us/563/09-1233/opinion.html>. Acesso em: 10 de mar. de 2015.

4.2.2 Limitação judicial de presos no estado da Califórnia: a decisão da Suprema Corte dos EUA no julgamento conjunto de *Brown vs. Plata* e *Coleman vs. Brown*

4.2.2.1 Entendendo a moldura legal

O Código dos Estados Unidos (*U.S. Code*), em seu Título 18 (Crimes e Procedimento Criminal), Parte II (Procedimento Criminal), no Capítulo 229 (Administração Pós-Sentença[861]), Subcapítulo C (Aprisionamento), na Seção 3626 (Remédios apropriados com respeito às condições da prisão – que foi alterada pelo Ato de Reforma de Litigância Prisional – *Prison Litigation Reform Act*, PLRA, de 1995[862]), regulamenta que toda a decisão judicial em ação civil que busque *cautelar prospectiva* (*prospective relief*) ali prevista, sob a alegação de violação de direitos federais do reclamante, ou de um grupo de reclamantes, deverá

---

[861] Este Capítulo 229, do Código dos Estados Unidos, é o equivalente da Lei de Execução Penal brasileira. Trata de assuntos relativos a *probation* (Subcapítulo a), multas (Subcapítulo b) e Aprisionamento (Subcapítulo c), sendo que, neste último, trata do aprisionamento de uma pessoa condenada (Seção 3621), da soltura temporária de um prisioneiro (Seção 3622), da transferência de um prisioneiro para autoridade Estatal (Seção 3623), da soltura de um prisioneiro (Seção 3624), da inaplicabilidade do Ato de Procedimento Administrativo (Seção 3625, que apenas destaca que as disposições gerais sobre procedimentos administrativos previstos no mesmo Código não se aplicam aos casos de aprisionamento, que são regulados conforme o previsto no aludido Subcapítulo c), e, por fim, os remédios apropriados com respeito às condições da prisão (Seção 3626) (cf. ESTADOS UNIDOS DA AMÉRICA. *Código dos Estados Unidos*. 18 U.S.C., §§3601-3626. Disponível em: <http://uscode. house.gov/browse/prelim@title18&edition=prelim>. Acesso em: 9 de maio de 2015). Ainda existe um apêndice no Título 18, com acréscimos, em vários aspectos, nas *regras de procedimento criminal* e, inclusive, na *administração pós-sentença*. Nesta, estabeleceu regras concernentes ao julgamento e ao sentenciamento, a revogação e modificação da *probation* e soltura supervisionada, o confisco criminal, o novo julgamento, o adiamento de julgamento, a correção ou redução de uma sentença, o erro material, a decisão indicativa em uma moção por cautelar que é barrada por uma apelação pendente, a suspensão de sentença e a deficiência civil ou de emprego criada pela condenação/sentença (cf. ESTADOS UNIDOS DA AMÉRICA. Código dos Estados Unidos. 18 U.S.C., §3626. *Apendix*, op. cit.).

[862] O PLRA também modificou a Seção §1997e., do Código dos Estados Unidos (cf. ESTADOS UNIDOS DA AMÉRICA. *Código dos Estados Unidos*. 42 U.S.C., §1997e. Disponível em: <http://uscode.house.gov/ view.xhtml?path=/prelim@title42/chapter21/A&edition=prelim>. Acesso em: 9 de maio de 2015).

ser tomada por um juiz federal (*District Court*)[863]. Entretanto, para a específica emissão de uma *ordem de liberação de prisioneiros*, a lei requer que seja decidida por um painel[864] de três juízes[865] federais (*Three-Judge Court*), a ser convocado pelo juiz a quem for distribuída a demanda[866].

Daí que ambas as ações californianas referidas, *Coleman vs. Brown* e *Brown vs. Plata*, ações civis coletivas (*class actions*), acabaram sendo finalmente apreciadas, na jurisdição de piso, por uma mesma Corte de Três-Juízes. Isso se deu a partir do momento em que os reclamantes, nas duas ações, apresentaram moção para que fosse convocada uma única Corte de Três-Juízes, a fim de que fosse decidida/concedida *ordem de soltura de presos*. Na hipótese, uma vez que cada uma das ações estava distribuída a um juiz diverso, e ambos entenderam necessário convocar o painel, ao chefe de Justiça bastou a indicação de um terceiro juiz[867].

---

[863] Cf. ESTADOS UNIDOS DA AMÉRICA. *Código dos Estados Unidos*. 18 U.S.C., §3626(a)(1)(A)(B)(C)(2), idem.

[864] A corresponder, no caso brasileiro, a uma turma, ou câmara, de juízes, com competência, em regra, para os julgamentos de segunda instância (das apelações).

[865] Cf. ESTADOS UNIDOS DA AMÉRICA. *Código dos Estados Unidos*. 18 U.S.C., §3626(3)(B), idem.

[866] Ele primeiro decidirá se é o caso de atender ao pedido da inicial, de convocação do painel de três juízes. Em caso positivo, pedirá ao chefe de Justiça que outros dois juízes sejam indicados para compor o grupo. Tudo nos termos do Código dos Estados Unidos (U.S.C.), 28 U.S.C, §2284 (cf. ESTADOS UNIDOS DA AMÉRICA. *Código dos Estados Unidos*. 28 U.S.C., §2284. Disponível em: <http://uscode.house.gov/view. xhtml?req= granuleid:USC=-prelim-titl28e-sectio2284n&num0=&edition-prelim>. Acesso em: 9 de maio de 2015).

[867] É preciso anotar que *Coleman vs. Brown* foi proposta em 1990, sendo mais antiga que *Brown vs. Plata*, que só foi proposta em 2001. A unificação das ações se deu, portanto, mais tarde, em 2006, logo após a proclamação do estado de emergência no sistema prisional do Estado, o qual, em seguida, será objeto de atenção (cf. ESTADOS UNIDOS DA AMÉRICA. CORTES DISTRITAIS DOS ESTADOS UNIDOS PARA O DISTRITO LESTE E PARA O DISTRITO NORTE DA CALIFÓRNIA. CORTE DISTRITAL DOS ESTADOS UNIDOS COMPOSTA DE TRÊS JUÍZES, CONFORME A SEÇÃO 2284, TÍTULO 28, CÓDIGO DOS ESTADOS UNIDOS. *Ralph Coleman et al. vs. Arnold Schwarzenneger et al.*, docket n. Civ S-90-0520-LKK-JFMP e *Marciano Plata et al. vs. Arnold Schwarzenneger et al.*, docket n. 3:01-cv-01351-TEH. *Opinion and Order.* 8 de abr. de 2009, p. 44. Disponível em: <http://cdn.ca9.uscourts.gov/datastore/general/2009/08/04/ Opinion%20&%20Order%20FINAL.pdf> Acesso em: 6 de mar. de 2015; e, cf. *Brown et al. vs. Plata et al.* 563 U.S. (2011), *Opinion of the Court*, p. 1-2. Disponível em: <https://supreme.justia.com/cases/federal /us/563/09-1233/opinion.html>. Acesso em: 10

A unificação dos casos mostrou-se possível, e indicada, porque ambos tinham focos semelhantes (*Coleman* versava sobre o tratamento de presos com graves problemas mentais; e *Brown* sobre o tratamento de presos com condição médica grave) e a consolidação dos esforços visava a evitar conflitos entre decretos, além de proporcionar ganhos em consideração judicial e reforço no cumprimento das decisões[868].

Ainda sobre o referido Título 18, do Código dos Estados Unidos, é preciso enfatizar as medidas judiciais legisladas para o enfrentamento da violação de direitos federais. A primeira prevista, e que é o mote principal das ações, se chama *cautelar prospectiva* (*prospective relief*), e, segundo o mesmo Código define, "o termo '*cautelar prospectiva*' significa qualquer cautelar diversa de danos monetários compensatórios", sendo que o termo "*cautelar*" significa toda a cautelar em qualquer forma que possa ser concedida ou aprovada pela Corte, incluindo decretos consensuados e excluindo acordos de encerramento privados[869]. Em se tratando de medida intentada com respeito a condições de prisão[870], via ação civil[871], a *cautelar prospectiva (i)* deverá ser estreitamente desenhada; *(ii)* não se

---

de mar. de 2015).

[868] Cf. ESTADOS UNIDOS DA AMÉRICA. SUPREMA CORTE DOS ESTADOS UNIDOS. *Brown et al. vs. Plata et al.* 563 U.S. (2011), *Opinion of the Court*, op. cit., p. 1-2.

[869] Cf. ESTADOS UNIDOS DA AMÉRICA. *Código dos Estados Unidos*. 18 U.S.C., §3626(g)(7)(9), idem. O mesmo Código prevê, em separado, duas categorias de acordo: 1ª. Decretos consensuados estão obrigados a aderir aos limites da *cautelar prospectiva* concedida, ou não serão admitidos ou aprovados; 2ª Acordos de encerramento privados, inclusive os que não atendam aos limites da *cautelar prospectiva* concedida, não poderão ser impedidos, mas os termos deste acerto não serão submetidos a cumprimento judicial, exceto para o restabelecimento do procedimento civil que o acordo havia encerrado. Em complemento, a lei ainda registra que é direito da parte que tenha celebrado um acordo de encerramento privado, e que considere ter sido o acordo quebrado, a busca, perante uma Corte Estadual, por remédio eventualmente disponível segundo a legislação do Estado (cf. ESTADOS UNIDOS DA AMÉRICA. Código dos Estados Unidos. 18 U.S.C., §3626(c)(1)(2)(A)(B), idem).

[870] Por "prisão" a mesma lei afirma que "significa qualquer instalação Federal, Estadual ou local que encarcere ou detenha adultos ou adolescentes acusados de, condenados por, sentenciados por, ou delinquente adjudicado por, violações da lei criminal" (cf. ESTADOS UNIDOS DA AMÉRICA. *Código dos Estados Unidos*. 18 U.S.C., §3626(g)(5), idem).

[871] A locução "*ação civil com respeito às condições da prisão*", segundo o Código esclarece, "significa qualquer procedimento civil sob lei Federal com respeito às condições de confinamento, ou aos

estenderá além do necessário para corrigir a violação do direito Federal de um reclamante particular ou reclamantes; e *(iii)* deverá ser o meio menos intrusivo necessário para corrigir a violação do direito Federal. Outrossim, ao decidir acerca da *cautelar*, a Corte deverá dar peso substancial ao impacto adverso que poderá causar à segurança pública, ou mesmo ao funcionamento do sistema de justiça[872].

Ocorre que a *cautelar prospectiva*, na procedimentalidade prevista, pode ser antecedida de decisão chamada de *cautelar injuntiva preliminar*. Isto é, em qualquer ação civil com respeito a condições de prisão, a Corte pode emitir, à abertura, uma ordem de restrição temporária, ou uma ordem para *cautelar injuntiva preliminar*, observando recomendações quase idênticas as já indicadas para a *cautelar prospectiva*: *(i)* deverá ser estreitamente desenhada; *(ii)* não se estenderá além do necessário para corrigir a ofensa que a Corte acha que requer cautelar preliminar; e *(iii)* deverá ser o meio menos intrusivo necessário para corrigir esta ofensa. Igualmente, a Corte dará peso substancial ao impacto adverso que a concessão poderá causar à segurança pública ou ao funcionamento do sistema de justiça[873]. A *cautelar injuntiva preliminar*, entretanto, expira depois de 90 dias de sua emissão, a menos que a Corte tenha todos os elementos necessários

---

efeitos de ações de oficiais do governo sobre as vidas de pessoas confinadas em prisão, mas não inclui procedimentos de *habeas corpus* desafiando o fato da duração do confinamento na prisão" (cf. ESTADOS UNIDOS DA AMÉRICA. *Código dos Estados Unidos*. 18 U.S.C., §3626(g)(2), idem).

[872] Cf. ESTADOS UNIDOS DA AMÉRICA. *Código dos Estados Unidos*. 18 U.S.C., §3626(a)(1)(A), idem). O Código ainda prevê a hipótese da *cautelar prospectiva* ter que ser cumprida por oficial governamental que, a tanto, tenha que ir além da sua autoridade, sob a Lei Estadual, ou local, desde que: *(i)* a lei Federal exija que a cautelar seja ordenada em violação da lei Estadual, ou local; *(ii)* a cautelar seja necessária para corrigir a violação de um direito federal; e, *(iii)* nenhuma outra cautelar tenha condições de corrigir a violação do direito Federal. Por fim, o código estabelece que ao exercitarem os seus poderes para remediar (*remedial powers*), nada do que previsto na Seção correspondente (§3626) pode ser interpretado de maneira a autorizar as Cortes a ordenar a construção de prisões, ou a aumentar taxas, ou a repelir as / ou se subtrair das limitações que, de outra forma, seriam aplicáveis sobre os poderes de remediar das Cortes (cf. ESTADOS UNIDOS DA AMÉRICA. *Código dos Estados Unidos*. 18 U.S.C., §3626(a)(1)(B)(*i, ii, iii*)(C), idem).

[873] E também está prevista a possibilidade de a *cautelar injuntiva preliminar* ter que ser cumprida por oficial governamental que, a tanto, tenha que ir além da sua autoridade, sob a Lei Estadual, ou local, o que só pode se dar nas exatas mesmas condições referidas na nota 872, *supra* (cf. ESTADOS UNIDOS DA AMÉRICA. *Código dos Estados Unidos*. 18 U.S.C., §3626(a)(2), idem).

para conceder a própria *cautelar prospectiva* (nos termos recém examinados), e a ordene em forma definitiva antes da expiração do prazo em tela[874].

Exauridas todas as estratégias delineadas/ordenadas até então, a lei prevê a possibilidade de aplicação de uma especifica *cautelar* (que, aliás, pode ser aquela que está sendo buscada desde o início pelo autor da ação), consistente em *ordem de soltura de prisioneiro* (*prisoner release order*), desde que: *(i)* a Corte tenha previamente emitido uma ordem menos intrusiva que tenha falhado em remediar a privação do direito Federal, que a ação civil procura remediar através da *ordem de soltura de preso*; *(ii)* o defendente tenha disposto de razoável quantidade de tempo para aderir às ordens prévias da Corte; *(iii)* a Corte tenha encontrado, por clara e convicente evidência, que: *(a)* a superlotação é a causa primária da violação do direito Federal; e *(b)* nenhuma outra cautelar irá remediar a violação do direito Federal[875].

Incumbe ao autor da ação civil que busque uma *ordem de soltura de prisioneiro* perante uma Corte Federal, segundo o Código: *(a)* apresentar todos os requisitos para tal cautelar (que acabamos de referir no parágrafo anterior, itens *i, ii e iii*); *(b)* requisitar uma Corte de Três-Juízes; e *(c)* submeter material suficiente para demonstrar o cumprimento dos requisitos previstos para concessão de *cautelar prospectiva* [876]. Verificando o atendimento desta última letra *(c)*, compete ao juiz a quem tiver sido distribuída a ação, se constatar que a *ordem de soltura de prisioneiro* deve ser considerada, requisitar, por *sua sponte*, a convocação da Corte de Três-Juízes (para que esta determine se a cautelar deve ser emitida)[877].

A lei também prevê que o legislador, ou unidade de governo cuja jurisdição/função inclua a apropriação de fundos para a construção, operação ou manutenção de instalações prisionais, ou de persecução ou custódia de pessoas que possam vir a ser soltas de, ou admitidas em, uma prisão, como resultado de uma *ordem de soltura de prisioneiro*, devem ter condições para se opor a imposição ou

---

[874] Cf. ESTADOS UNIDOS DA AMÉRICA. *Código dos Estados Unidos*. 18 U.S.C., §3626(a)(2), idem.

[875] Cf. ESTADOS UNIDOS DA AMÉRICA. *Código dos Estados Unidos*. 18 U.S.C., §3626(a)(3)(A)(i, ii)(E)(i, ii), idem.

[876] Cf. ESTADOS UNIDOS DA AMÉRICA. *Código dos Estados Unidos*. 18 U.S.C., §3626(a)(3)(C), idem.

[877] Cf. ESTADOS UNIDOS DA AMÉRICA. *Código dos Estados Unidos*. 18 U.S.C., §3626(a)(3)(D), idem.

continuação dos efeitos de tal cautelar, e a buscar o seu término, e devem ter o direito de intervir em qualquer procedimento a ela relativo[878].

Quanto a duração/término da *cautelar prospectiva* concedida em ação civil com respeito a condições de prisão, o Código prevê que pode se encerrar mediante moção de qualquer das partes envolvidas, ou intervenientes: *(i)* em 2 anos depois da data em que Corte concedeu ou aprovou a *cautelar prospectiva*; *(ii)* em 1 ano depois da data em que a Corte emitiu uma ordem denegando o término da *cautelar prospectiva*; e *(iii)* no caso de uma ordem posta na data, ou antes, da entrada em vigor do Ato de Reforma de Litigância Prisional (*Prison Litigation Reforma Act*, de 1995), o que ocorreu em 23 de abr. 1996[879], em 2 anos após esta última data[880].

Dispõe, ainda, que embora nada impeça que as partes entrem em acordo para terminar ou modificar a *cautelar prospectiva* antes do seu término (acerto que, se ocorrer, deve se dar em termos legalmente permitidos), ela será: *(a) imediatamente terminada* se um defendente, ou interveniente, fizer prova, e a Corte aceitar, de que a medida foi alcançada fora das suas hipóteses (ou seja, não foi estreitamente desenhada, com extensão não além do necessário para corrigir a violação do direito Federal, sendo o meio menos intrusivo necessário à correção da violação do direito Federal); ou, *(b) será mantida* se a Corte fizer achados escritos, baseados nos autos, de que a *cautelar prospectiva* permanece necessária para corrigir uma corrente e contínua violação do direito Federal, que se estende não além do necessário para corrigir a violação do direito Federal, e que a medida é o meio menos intrusivo para corrigir a violação[881].

---

[878] Cf. ESTADOS UNIDOS DA AMÉRICA. *Código dos Estados Unidos*. 18 U.S.C., §3626(a)(3)(F), idem.

[879] Cf. previsão do Código dos Estados Unidos, Título 42 (Saúde Pública e Bem-Estar), Capítulo 21 (Direitos Civis), Subcapítulo I-A (Pessoas Institucionalizadas), Seção 1997e. (Processos por Prisioneiros) (cf. ESTADOS UNIDOS DA AMÉRICA. *Código dos Estados Unidos*. 42 U.S.C., §1997e, op. cit.; e, cf. AMERICAN CIVIL LIBERTIES UNION. *Know Your Rights: The Prison Litigation Reform Act (PLRA)*. Disponível em: <https://www.aclu.org/sites/default/files/images/asset_upload_file79_25805.pdf>. Acesso em: 10 de maio de 2015).

[880] Cf. ESTADOS UNIDOS DA AMÉRICA. *Código dos Estados Unidos*. 18 U.S.C., §3626(b)(1)(A)(*i, ii, iii*), idem.

[881] Cf. ESTADOS UNIDOS DA AMÉRICA. *Código dos Estados Unidos*. 18 U.S.C., §3626(b)(1)(B)(2)(3)(4), idem.

No que se refere ao processamento das moções com vistas a alteração ou término de *cautelar prospectiva*, a lei assegura que sejam prontamente julgadas, o quanto, se não ocorrer, poderá ser remediado por *mandamus*. O Código também prevê que o ingresso de uma moção terá *efeito suspensivo automático* em relação a *cautelar prospectiva* se pretender que ela seja *imediatamente terminada* (em hipótese recém vista), com base, portanto, no próprio Código. Neste caso, a suspensão terá início 30 dias após o protocolo do pedido. Porém, se a moção tiver base em outra lei, a suspensão iniciará 180 dias após o protocolo. Em qualquer das circunstâncias, o fim do *efeito suspensivo automático* ocorrerá na data em que a Corte emitir a ordem final decidindo sobre a moção. Outrossim, a Corte poderá, por *boa causa* (desde já excluído como tal o congestionamento do calendário da Corte), prorrogar em não mais que 60 dias o início da suspensão, e, fora desta hipótese, qualquer tipo de bloqueio do *efeito suspensivo automático* será equiparado a uma decisão que se nega a dissolver ou modificar uma injunção e, assim, é apelável[882].

Para a operacionalização da fase dos remédios da ação, a lei dispõe que a Corte poderá indicar um *mestre especial* (*special master*), pessoa desinteressada e objetiva, que deverá consideração à segurança pública, e: *(a.)* poderá ser autorizada a conduzir oitivas e a preparar descobertas de fato propostas, sempre o fazendo nos autos; *(b)* não poderá realizar diligências ou comunicações à parte dos autos; *(c)* poderá ser autorizado a auxiliar no desenvolvimento de planos de remédios; e *(d)* poderá ser removido a qualquer tempo e, não sendo assim, permanecerá em atuação, no máximo, até o término da *cautelar*. É condição para o apontamento de um *mestre especial* que a Corte realize que a fase será complexa o suficiente para justificar a medida. Ele será escolhido a partir de duas listas de 5 nomes entregues por cada parte (instituição defendente e reclamante), com direito de recusa de até 3 nomes da lista do adversário, sendo que, dentre os restantes, a Corte fará a sua indicação. É garantido às partes o direito a uma apelação interlocutória para disputar, exclusivamente sob a alegação de parcialidade, a indicação feita pelos juízes[883].

---

[882] Cf. ESTADOS UNIDOS DA AMÉRICA. *Código dos Estados Unidos*. 18 U.S.C., §3626(e)(1)(2)(3)(4), idem.

[883] Cf. ESTADOS UNIDOS DA AMÉRICA. *Código dos Estados Unidos*. 18 U.S.C., §3626(f)(1)(A)(B)(2) (A)(B)(C)(3)(6)(A)(B)(C)(D), idem.

O trabalho do *mestre especial* será remunerado com fundos apropriados do Judiciário e, a cada seis meses, a Corte irá revisar o apontamento, a fim de avaliar se os seus serviços são ainda necessários, sendo certo que atuação do *mestre especial* nunca se estenderá para além do término da cautelar[884].

Aqui é importante que se compreenda o mínimo do histórico envolvido: somente a partir dos anos 1960 é que a Suprema Corte dos EUA começa a olhar para dentro do sistema penitenciário, passando a afirmar que nem tudo deveria permanecer à discricionariedade da administração prisional (noção, esta, de não intervenção, que era a prevalecente até ali[885]) e, pois, poderia ser trazido à Justiça.

---

[884] Cf. ESTADOS UNIDOS DA AMÉRICA. *Código dos Estados Unidos*. 18 U.S.C., §3626(f)(4)(5), idem.

[885] Merecem referência *v.g.*, os seguintes julgamentos: *Cooper vs. Pate* (1964): nele a Suprema Corte anulou julgamento da Corte de Apelação (que havia mantido decisão de primeiro grau) e determinou que o mérito do caso fosse analisado. O peticionário, enquanto preso no estado de Illinois, não tinha autorização, pela só condição de ser negro e muçulmano, para comprar determinadas publicações religiosas, sendo que também lhe eram negados outros privilégios disponíveis aos demais presos. Na primeira instância, a Corte Distrital havia decidido por acolher uma moção para o arquivamento do caso, sob a base de que o preso não havia apresentado uma reclamação em que pudesse ser concedido socorro, o que a Suprema Corte, portanto, afirmou como um erro (cf. ESTADOS UNIDOS DA AMÉRICA. SUPREMA CORTE DOS ESTADOS UNIDOS. *Cooper vs. Pate.* 378 U.S. 546 (1964). Disponível em: <http://supreme.vlex.com/vid/cooper-v-pate-19994399>. Acesso em: 10 de mar. de 2015); *Johnson vs. Avery* (1969): aqui a Suprema Corte anulou uma decisão da Corte de Apelação do estado do Tennessee, e restaurou a decisão de piso (da Corte Distrital), reafirmando que era completamente nula a proibição, em regulamento disciplinar (sob a escusa de manter a disciplina e reservar aos advogados a prática do direito), do auxílio jurídico de um preso a outro na elaboração de *habeas corpus*. A opinião da Corte assentou: "é fundamental que o acesso dos prisioneiros às cortes, para o propósito de apresentarem as suas reclamações, não seja denegado ou obstruído" (cf. ESTADOS UNIDOS DA AMÉRICA. SUPREMA CORTE DOS ESTADOS UNIDOS. *Johnson vs. Avery.* 393 U.S. 483 (1969). Disponível em: <https://supreme.justia.com/ cases/federal/us/393/483/case.html>. Acesso em: 10 de mar. de 2015); *Cruz vs. Beto* (1972): neste caso a Suprema Corte anulou decisão mantida pela Corte de Apelação, que havia negado, *in limine*, socorro a preso do estado do Texas sob o argumento de que não era possível fazê-lo, tendo em conta que a restrição reclamada estaria dentro da "saudável discricionariedade da administração prisional". Ocorre que o preso era budista e a administração do presídio não lhe permitia a correspondência com o seu conselheiro espiritual, tampouco o compartilhamento de material religioso com seus colegas de cela. A Suprema Corte, então, afirmando que o "Texas praticou discriminação contra o peticionário",

Entretanto, a partir dessa abertura, e com a realidade do aprisionamento em massa se impondo, houve, entre 1970 e 1996, apenas para que se tenha uma

---

determinou a volta do caso para a coleta de provas (oitivas e diligências) e apreciação do mérito (cf. ESTADOS UNIDOS DA AMÉRICA. SUPREMA CORTE DOS ESTADOS UNIDOS. *Cruz vs. Beto.* 405 U.S. 319 (1972). Disponível em: <https://supreme.justia.com/cases/ federal/ us/405/319/case.html>. Acesso em: 10 de mar. de 2015); *Estelle vs. Gamble* (1976): na hipótese a Suprema Corte condenou o arquivamento sumário determinado pela Corte Distrital, mantido pela Corte de Apelação do Texas, de ação de direitos civis apresentada por preso que alegava não ter recebido tratamento médico adequado para uma lesão em suas costas sofrida na execução de trabalho prisional. Sustentava, assim, que havia sofrido tratamento cruel e não usual, proibido pela Oitava Emenda. O Tribunal assentou que a "indiferença deliberada por parte do pessoal da prisão para um prisioneiro com doença séria ou lesão, constitui punição cruel e não usual, em contravenção a Oitava Emenda", e determinou que o caso fosse reexaminado (cf. ESTADOS UNIDOS DA AMÉRICA. SUPREMA CORTE DOS ESTADOS UNIDOS. *Estelle vs. Gamble.* 429 U.S. 97 (1972). Disponível em: <https://www.law.cornell.edu/supremecourt/ text/429/97>. Acesso em: 10 de mar. de 2015). Por todos, como síntese do avanço no controle judiciário referido sobre a efetividade dos direitos das pessoas privadas de liberdade nos EUA, segue parte da opinião da Corte proferida em *Wolff vs. McDonnell* (1974): "[o]s peticionários afirmam que o procedimento para a disciplina de internos em prisões por falta séria é um assunto de política que não levanta questão constitucional. Se a posição implica que prisioneiros em instituições estaduais estão inteiramente sem as proteções da Constituição e da Cláusula do Devido Processo, isso é plenamente insustentável. Aprisionamento legal necessariamente faz indisponíveis muitos direitos e privilégios dos cidadãos ordinários, uma 'retração justificada por considerações que subjazem em nosso sistema penal' *Price vs. Johnson*, 334 U.S. 266, 334 U.S. 285 (1948). Mas embora seus direitos possam ser diminuídos pelas necessidades e exigências do ambiente institucional, um prisioneiro não está totalmente despido de proteções constitucionais quando ele está aprisionado por crime. Não existe cortina de ferro desenhada entre a Constituição e as prisões deste país. Prisioneiros têm sido garantidos para desfrutar substancial liberdade religiosa sob a Primeira e Décima Quarta Emendas. *Cruz vs. Beto*, 405 U.S. 319 (1972); *Cooper vs. Pate,* 378 U.S 546 (1964). Eles mantêm direito de acesso às cortes. *Younger v. Gilmore*, 404 U.S. 15 (1971), *aff'g Gilmore v. Lynch*, 319 F. Supp. 105 (ND Cal. 1970); *Johnson v. Avery*, 393 U.S 483 (1969); *Ex parte Hull*, 312 U.S. 546 (1941). Prisioneiros são protegidos sob a Cláusula da Igual Proteção da Décima Quarta Emenda de odiosa discriminação baseada na raça. *Lee v. Washington*, 390 U.S. 333 (1968). Prisioneiros também podem reclamar as proteções da Cláusula do devido processo legal. *Haines v. Kerner*, 404 U.S. 519 (1972); *Wilwording v; Swenson*, 404 U.S. 249 (1971); *Screws v. United States*, 325 U.S. 91 (1945)" (cf. ESTADOS UNIDOS DA AMÉRICA. SUPREMA CORTE DOS ESTADOS UNIDOS. *Wolff vs. McDonnell.* 418 U.S. 539 (1974). Disponível em: <https://supreme.justia.com/cases/federal/us/418/539/case.html>. Acesso em: 10 de mar. de 2015).

ideia, um aumento de mais de 400% no volume de processos de presos em tramitação na Justiça norte-americana (obviamente emulado, sublinhe-se, pelo referido *boom* carcerário)[886].

É nesse contexto que surge o PLRA, como reação encetada pelo Congresso com o objetivo de reduzir o (grande) volume de ações judiciais propostas por presos nos EUA[887]. Vale observar o seu comando de abertura, sob o título "[*a*] *plicabilidade de remédios administrativos*", que encontra perfeitamente o objetivo procurado, ao estabelecer que não se admitirá a interposição de ação com respeito a condições prisionais, seja com base em privação de direitos (como prevista na Seção 1983 do Código), seja com base em qualquer outra lei federal, "por um prisioneiro confinado em qualquer cadeia, prisão, ou outra instalação correcional, até que tais remédios administrativos, enquanto disponíveis, sejam exauridos"[888]. Logo, o PLRA pretende garantir a redução do número de ações judiciais de presos estabelecendo obstáculos procedimentais, e o primeiro deles é o requisito do *exaurimento da via administrativa*.

A lei ainda prevê o arquivamento, provocado pela parte, ou por iniciativa da própria Corte, de qualquer ação de preso baseada em privação de direitos se ficar claro que a demanda é "frívola, maliciosa, falha em dispor uma queixa sobre a qual uma cautelar possa ser concedida, ou busca cautelar monetária de um defendente que é imune a tal cautelar", com duas possibilidades de desfecho: *(i)* fará o arquivamento indicando a necessidade de primeiro serem exauridos os remédios administrativos; ou, *(ii)* caso, diante da ação, perceba na sua face (*on its face*) que é frívola, maliciosa etc. (nos exatos termos acima), fará o arquivamento sem primeiro requerer a exaustão dos remédios administrativos[889] (o que significa dizer, arquivamento logo de início, isto é, antes mesmo de distribuir a ação, se possível; ou, o quanto antes praticável após a distribuição, em

---

[886] Cf. BORCHARDT, Derek. The Iron Curtain Redrawn Between Prisoners and the Constitution. 43.2 *Columbia Human Rights Law Review* 469-520 (2012), p. 470. Disponível em: <http://www3.law.columbia.edu/hrlr/ hrlr_journal/43.2/Borchardt.pdf>. Acesso em: 10 de maio de 2015.

[887] Cf. BORCHARDT, Derek, op. cit., p. 470.

[888] Cf. ESTADOS UNIDOS DA AMÉRICA. *Código dos Estados Unidos*. 42 U.S.C., §1997e. (a), idem.

[889] Cf. ESTADOS UNIDOS DA AMÉRICA. *Código dos Estados Unidos*. 42 U.S.C., §1997e. (c)(1)(2), idem.

procedimento que a lei intitula como "*blindagem*"[890]. É bom notar que isso pode ocorrer, portanto, em fase pré-processual, sem moção prévia, notícia ao autor ou chance de resposta[891]).

O PLRA também exige o pagamento de taxas em ações civis, desde que o preso tenha algum dinheiro (qualquer dinheiro) em sua conta prisional, e mesmo se se tratar de indigente, atuando *in forma pauperis*. A lei permite, nesses casos, o pagamento em parcelas, na frequência de 20% ao mês, deduzidos do valor mensal depositado na conta prisional. Indigentes atuando *in forma pauperis* apenas são dispensados de pagamento pelo serviço processual e de alguns custos na apelação[892]. Caso o preso tenha submetido três pedidos anteriores julgados frívolos, maliciosos, ou que não colocaram uma reclamação apropriada, ele fica proibido de ingressar *in forma pauperis* outra vez (terá de pagar taxas integrais e adiantadas se quiser acessar o sistema novamente, com uma única exceção que é a prova de estar sob risco de sofrer sério dano físico no futuro imediato)[893].

Em caso de derrota do preso, a norma também dispõe que ele deverá arcar com o pagamento da quantidade total das custas ordenadas, o que poderá ser cobrado parceladamente, na base de 20% das entradas mensais em sua conta prisional[894].

Noutras disposições o PLRA prevê: *(i)* que a Corte só notificará o reclamado para responder se acreditar que o reclamante tem uma oportunidade razoável de prevalecer no mérito; *(ii)* que nas oitivas pré-julgamento o preso deve ser ouvido na própria unidade, por telefone, videoconferência ou outros meios tecnológicos (sem ser removido, portanto); *(iii)* que as Cortes não atribuirão indenizações por danos mentais ou emocionais senão mediante a pré-demonstração de danos físicos

---

[890] Cf. ESTADOS UNIDOS DA AMÉRICA. *Código dos Estados Unidos*. 28 U.S.C., §1915A(a), op. cit.

[891] Cf. SCHLANGER, Margo. Inmate Litigation. 116, n. 6, *Harvard Law Review* 1555-1706 (2003), p. 1630 (Disponível em: <http://repository.law.umich.edu/cgi/viewcontent.cgi?article=2295&context=articles>. Acesso em: 10 de maio de 2015).

[892] Cf. ESTADOS UNIDOS DA AMÉRICA. *Código dos Estados Unidos*. 28 U.S.C., §1915(c)(d), idem.

[893] Cf. ESTADOS UNIDOS DA AMÉRICA. *Código dos Estados Unidos*. 28 U.S.C., §1915(g), idem.

[894] Cf. ESTADOS UNIDOS DA AMÉRICA. *Código dos Estados Unidos*. 28 U.S.C., §1915(b)(2)(f)(2)(A), idem.

ou de cometimento de um ato sexual[895] (o que tem sido interpretado de maneira restritiva pelos Tribunais, admitindo ações por violação da liberdade de discurso, de religião, por discriminação racial, todas, enfim, sem danos físicos[896]) etc.

Todo esse regramento levantou não poucas críticas, dentre as quais a que denuncia que a obrigação de exaurir a via administrativa fomentou a criação de um sistema de agravo administrativo (para o julgamento de violações de direitos reclamadas por presos) propositalmente complexo em muitas unidades, arquitetado de modo a reduzir as possibilidades de a reclamação chegar aos Tribunais, o que é favorecido pelo fato do PRLA não ter fixado qualquer parâmetro mínimo para conformação dos sistemas de agravo administrativo[897]. Também há a crítica que lamenta a não prevalência da interpretação inicial, no sentido de que um erro de boa-fé cometido pelo preso, que o tenha impedido de seguir até o exaurimento da instância administrativa, não bloquearia o seu acesso à fase da ação. Acabou prevalecendo no tema uma definição da própria Suprema Corte, que exigiu a "devida exaustão" (*proper exhaustion*) da via administrativa, *i.e.*, do obrigatório percurso de todas as fases previstas, sob pena de se autorizar os presos a "atalhar deliberadamente a revisão administrativa sem risco de sanção"[898]). Por conta dessa (dura) intepretação da Suprema Corte (que a doutrina reclama a urgente revisão), muitos presos ficaram, e ainda outros ficarão, longe dos Tribunais, retidos no emaranhado da burocracia administrativa que lhes é imposta[899].

Em suma, a se manter a ausência de regulamentação de um sistema de agravo administrativo dotado de simplicidade, rapidez e efetividade (renunciada pelo PLRA), em conjunto com a doutrina da "*devida exaustão*" (da Suprema Corte), simplesmente parece estar a redesenhar a cortina de ferro entre a Constituição e as prisões[900]. Ou algo se modifica nessa equação, ou não passarão, no próximo

---

[895] Cf. ESTADOS UNIDOS DA AMÉRICA. *Código dos Estados Unidos*. 42 U.S.C., §1997e.(g)(2)(f)(1)(2)(e), idem.

[896] Cf. SCHLANGER, Margo, op. cit., p. 1630.

[897] Nesse sentido: SCHLANGER, Margo, idem, p. 1649-1654; e, BORCHARDT, Derek, idem, p. 471.

[898] Cf. ESTADOS UNIDOS DA AMÉRICA. SUPREMA CORTE DOS ESTADOS UNIDOS. *Woodford vs. NGO*, 548 U.S. 81 (2006). Disponível em: <https://supreme.justia.com/cases/federal/us/548/81/>. Acesso em: 10 de mar. de 2015)

[899] Cf. SCHLANGER, Margo, idem, p. 1649-1654; e, cf. BORCHARDT, Derek, idem, p. 472.

[900] Vale enfatizar a máxima constante de *Wolff vs. McDonnell*: "... um prisioneiro não está totalmente

período, de inofensivo "tigre de papel" os quase 50 anos de jurisprudência afirmativa dos direitos fundamentais das pessoas privadas de liberdade nos EUA[901].

4.2.2.2 Antecedentes processuais em *Coleman vs. Brown e Plata vs. Brown*

Coleman vs. Brown e *Plata vs. Brown* chegaram à Suprema Corte mediante apelo do estado da Califórnia. A decisão recorrida foi a *ordem de soltura de presos*, antes do cumprimento integral de suas sentenças, emitida pela Corte Federal de Três-Juízes que julgou os casos, determinada, após longa tramitação, como única forma efetiva de remediar as sistemáticas violações à Oitava Emenda registradas no sistema penitenciário local (por tratamento cruel e não usual imposto aos presos, materializado nas deficiências do atendimento de saúde oferecido). A redução do número de presos ordenada foi de ao menos 46 mil pessoas, e teve lugar quando o estado possuía 156 mil indivíduos em suas instalações, que operavam, assim, com quase o dobro da capacidade instalada (que era pouco abaixo de 80 mil vagas – sendo que o sistema já funcionava em torno de 200% de sua capacidade havia, no mínimo, 11 anos). A decisão tinha por objetivo reduzir a ocupação para 137,5% da capacidade do sistema, mas deixava a escolha dos meios para obtê-la à discrição dos oficiais do estado e, portanto, não obrigava que fosse feita de uma forma indiscriminada (aliás, a alternância de remédios estava sugerida: pela política de créditos por bom tempo (*good time credits* – redução de pena por bom comportamento), ou pelo desvio de ofensores de baixo risco e de casos de violação técnica de *parole* para programas comunitários de base etc.). Na fase de tramitação do apelo perante a Suprema Corte o estado conseguiu reduzir a população em 9 mil presos, pelo que restava diminuir, à data do julgamento pelo Tribunal, mais 37 mil pessoas para aderir à decisão sob recurso[902].

---

despido de proteções constitucionais quando ele está aprisionado por crime. Não existe cortina de ferro desenhada entre a Constituição e as prisões deste país" (cf. ESTADOS UNIDOS DA AMÉRICA. SUPREMA CORTE DOS ESTADOS UNIDOS. *Wolff vs. McDonnell.* 418 U.S. 539 (1974), op. cit. Cf. BORCHARDT, Derek, idem, p. 520.

[901] Cf. BORCHARDT, Derek, idem, p. 520.

[902] Cf. ESTADOS UNIDOS DA AMÉRICA. SUPREMA CORTE DOS ESTADOS UNIDOS. *Brown et al. vs. Plata, Opinion of the Court*, idem, p. 1-4.

No foco de análise do Tribunal estavam os fatos: de que as altas taxas de reincidência funcionavam como alerta a respeito do risco de lesões e danos que a soltura prematura, ou equivocada, de um preso poderia colocar; de que não havia precedente de ordem tão ampla e extensa visando a reduzir população prisional; e, ainda, que também era sem precedente a continuidade das lesões e danos resultantes das sérias violações constitucionais na Califórnia[903].

Eis alguns dos achados de fato documentados, e que foram considerados na opinião da Corte: presos eram mantidos em lugares totalmente impróprios, como mais de 200 internos acomodados em um ginásio, sob a vigia de dois a três guardas; ou 54 presos dividindo um banheiro individual[904]; um Painel Independente de Revisão Correcional (*Corrections Independent Review Panel*), corpo criado pelo governador para análise do sistema, atestou severa superlotação, com sérios riscos à segurança dos funcionários e dos internos[905]; o então governador, Arnold Schwarzenneger, chegou ao ponto de decretar emergência, e, dentre as várias situações (antes examinadas) que fundamentam o documento, houve destaque para as referências à transmissão de doenças contagiosas e à taxa de suicídio de um preso por semana (a taxa de suicídio nas instalações californianas era 80% superior à média prisional no país), tudo devido à superlotação[906]; presos doentes mentais, com risco de suicídio, eram mantidos por períodos prolongados em celas do tamanho de cabines telefônicas, sem banheiro (havendo relato de psiquiatra que encontrou preso recolhido em tais condições por mais de 24 horas, irresponsivo e quase catatônico, "sobre uma piscina da sua própria urina"[907]; o atendimento psiquiátrico demorava até 12 meses para ser fornecido, sendo que

---

[903] Cf. ESTADOS UNIDOS DA AMÉRICA. SUPREMA CORTE DOS ESTADOS UNIDOS. *Brown et al. vs. Plata, et al.*, *Opinion of the Court*, idem, p. 2-5.

[904] Cf. ESTADOS UNIDOS DA AMÉRICA. SUPREMA CORTE DOS ESTADOS UNIDOS. *Brown et al. vs. Plata, et al.*, *Opinion of the Court*, idem, p. 4, 51 e 52 (nestas últimas com fotos ilustrativas como apêndice da decisão).

[905] Cf. ESTADOS UNIDOS DA AMÉRICA. SUPREMA CORTE DOS ESTADOS UNIDOS. *Brown et al. vs. Plata*, *Opinion of the Court*, idem, p. 4.

[906] Cf. TRIBE, Laurence, MATZ, Joshua, idem, p. 306. Sobre *Miranda vs. Arizona* (1966), ver, *supra*, nota 378, onde o caso está sumariado.

[907] Cf. ESTADOS UNIDOS DA AMÉRICA. SUPREMA CORTE DOS ESTADOS UNIDOS. *Brown et al. vs. Plata*, *Opinion of the Court*, idem, p. 5 e 52 (nesta última com foto ilustrativa como apêndice da decisão).

os cuidados limitados ao longo da espera eram feitos em prisões administrativas, em dura situação de isolamento[908]; o mestre especial designado para atuação na fase dos remédios do caso reportou que 72,1% dos suicídios poderia ser explicado por alguma dose de falta de assessoria adequada, tratamento ou intervenção, quando se tornariam mais previsíveis e preveníveis[909]; o estado, posto o contexto, contava com espaço para atendimento clínico de apenas metade da população carcerária, gerando situações registradas como, *v.g.*, *(i)* a da espera por consulta, por mais de cinco horas, em uma cela de 3,7m por 6,1m, de mais de 50 presos doentes juntos, *(ii)* a morte de um preso após cinco semanas de dor abdominal enquanto aguardava a consulta de um especialista, *(iii)* a morte de outro preso após oito horas de dores constantes e extremas no peito, aguardando avaliação do médico, *(iv)* a morte de um preso jovem após 17 meses de dores testiculares sem tratamento médico para o câncer[910]; o trabalho de ex-diretor médico do sistema prisional do estado de Illinois, que pesquisou as revisões de morte ocorridas no sistema californiano, concluindo pela disseminação de um extremo distanciamento dos padrões de cuidado, levando a uma proporção de mortes possivelmente preveníveis, e, preveníveis, extremamente alta[911]; e, por fim, a circunstância de que outros tantos presos, ainda que sem risco de morte, experienciam doenças prolongadas e dores desnecessárias nas instalações do estado[912].

Os antecedentes processuais também desempenharam papel central na composição das condições (suporte fático – juntamente com os achados referidos – da ponderação realizada pelo Tribunal para, ao fim e ao cabo, chegar ao seu veredito).

Coleman tratava-se de uma ação que havia sido proposta em 1990, versando sobre violações à classe de presos portadores de doença mental. Ela fora decidida em 1995, após 39 dias de julgamento, com a concessão de *cautelar prospectiva*

[908] Cf. ESTADOS UNIDOS DA AMÉRICA. SUPREMA CORTE DOS ESTADOS UNIDOS. *Brown et al. vs. Plata, Opinion of the Court*, idem, p. 6.

[909] Cf. ESTADOS UNIDOS DA AMÉRICA. SUPREMA CORTE DOS ESTADOS UNIDOS. *Brown et al. vs. Plata, Opinion of the Court*, idem, p. 6.

[910] Cf. ESTADOS UNIDOS DA AMÉRICA. SUPREMA CORTE DOS ESTADOS UNIDOS. *Brown et al. vs. Plata, Opinion of the Court*, idem, p. 6-7.

[911] Cf. ESTADOS UNIDOS DA AMÉRICA. SUPREMA CORTE DOS ESTADOS UNIDOS. *Brown et al. vs. Plata, Opinion of the Court*, idem, p. 7.

[912] Cf. ESTADOS UNIDOS DA AMÉRICA. SUPREMA CORTE DOS ESTADOS UNIDOS. *Brown et al. vs. Plata, Opinion of the Court*, idem, p. 7-8.

consistente na obrigação, por parte do estado, do desenvolvimento e da implementação de um *plano de ação de remédios (remedial plan of action)*, sob a supervisão de um *mestre especial* (*special master*) designado, tudo de modo a garantir que fosse atingido o trato constitucionalmente conforme a esses presos doentes. Na ocasião, a Corte Distrital anotou como surpreendente a evidência de falha na entrega do necessário cuidado aos presos doentes mentais, que aguardavam meses, ou até anos, para receber o atendimento de que precisavam. Também destacou a séria e crônica falta de funcionários, a ausência de um plano de treinamento efetivo para garantir a sua competência, e a incapacidade demonstrada por não conseguir levar a cabo um plano de prevenção de suicídios (em grande parte ligados à falta de pessoal)[913].

Passados 12 anos da sua indicação, em 2007, o *mestre especial* apresentou relatório indicando que, após anos de lenta melhora, o programa de atenção à saúde mental no sistema carcerário da Califórnia tornara a deteriorar. O motivo apontado: a crescente superlotação. Sem os espaços necessários para o atendimento (muitos deles em uso para abrigar novos presos), com um quadro de pessoal que, embora tivesse aumentado, não conseguia acompanhar a demanda, e um atraso entre quatro e cinco anos para atingir o número de camas exigido para o cuidado dos presos/doentes naquele instante, o *mestre especial* afirmou que os avanços feitos haviam sucumbido à maré inexorável do aumento da população, deixando apenas desespero, frustração e um elevado número de doentes confinados em níveis inferiores de tratamento (aquém, portanto, do que necessitavam)[914].

Plata vs. Brown, mais recente (proposta em 2001), com foco noutra classe de presos, os doentes graves, teve logo a adesão do estado da Califórnia, que reconheceu a violação da Oitava Emenda pelo nível deficiente de atendimento em curso (a colocar punição cruel e não usual aos internos dessa categoria). Foi, então, aprovado um decreto consensual e estipulada *cautelar injuntiva preliminar*, prevendo uma série de ações em remédio, que o estado falhou em implementar,

---

[913] Cf. ESTADOS UNIDOS DA AMÉRICA. SUPREMA CORTE DOS ESTADOS UNIDOS. *Brown et al. vs. Plata, Opinion of the Court*, idem, p. 8.

[914] Cf. ESTADOS UNIDOS DA AMÉRICA. SUPREMA CORTE DOS ESTADOS UNIDOS. *Brown et al. vs. Plata, Opinion of the Court*, idem, p. 8-9.

resultando que, em 2005, foi nomeado um interventor (*receiver*) para supervisionar os esforços para remediar a situação[915].

Ainda nessa decisão, foi dito que o sistema de cuidados médicos prisionais da Califórnia estava quebrado além da possibilidade de conserto, resultando em um injusto grau de sofrimento e morte. Falta de pessoal em número suficiente, falta de equipamentos, falta de sanitização dos ambientes de consulta na mínima frequência exigida, foram apontados, entre outros, como déficits constantes. Já a frequência de uma morte a cada seis ou sete dias, em algum presídio californiano, em razão de problemas de saúde, figurava como atestado dessa realidade[916].

Em 2008, três anos depois de sua indicação, o *interventor* relatou que o acesso tempestivo a atendimento não estava assegurado. Não havia pessoal médico suficiente, ou garantia de competência, ou equipamentos (ou mesmo o uso destes, quando existentes, não era garantido), a transmissão de doenças infecciosas havia subido pela superlotação, que também impedia/dificultava a distribuição adequada de medicamentos pelos guardas (que cada vez mais, pelo

[915] Cf. ESTADOS UNIDOS DA AMÉRICA. SUPREMA CORTE DOS ESTADOS UNIDOS. *Brown et al. vs. Plata, Opinion of the Court*, idem, p. 9. Vale esclarecer que tanto o apontamento de *mestre especial* (*special master*), quanto de *interventor* (receiver), são cautelares possíveis em ações civis buscando remédio em face de condições prisionais, embora tenham papéis distintos: "[u]m interventor, tal como o apontado pela Corte no caso *Plata*, difere dos mestres especiais que têm sido aprovados em outros casos legais afetando o Departamento de Correções e Reabilitação da Califórnia (CDCR). Um interventor tem autoridade executiva direta, e atua em lugar do Secretário do CDCR no que concerne ao gerenciamento do sistema de cuidado médico. Nós estamos ciente de apenas alguns poucos julgamentos de cortes federais, envolvendo sistemas prisionais, que envolveram o apontamento de um interventor. Eles incluem uma ordem de corte federal de 1979, que fez o Governador do Alabama o interventor do sistema prisional do estado, e, em 1995, a indicação por corte federal de um interventor para as cadeias de Washington, DC. Mestres especiais, tais como aquele apontado em um caso separado conhecido como *Coleman v. Schwarzenneger*, envolvendo melhorias no cuidado de saúde mental, é um remédio mais comum em tais casos. Mestres especiais monitoram as atividades de adesão de outras partes (no caso, o CDCR). Eles não têm, entretanto, autoridade executiva direta e precisam contar com as cortes federais para ordenar mudanças quando descobrem problemas na adesão com as ordens das cortes" (cf. ESTADOS UNIDOS DA AMÉRICA. ESTADO DA CALIFÓRNIA. LEGISLATIVE ANALYST'S OFFICE. *Analysis of the 2007-08 Budget Bill: Judicial and Criminal Justice*. Disponível em: <http://www.lao.ca.gov/analysis_2007/ crim_justice/cj_05_anl07.aspx>. Acesso em: 10 de maio de 2015).

[916] Cf. ESTADOS UNIDOS DA AMÉRICA. SUPREMA CORTE DOS ESTADOS UNIDOS. *Brown et al. vs. Plata, Opinion of the Court*, idem, p. 9-10.

receio na circulação, precisavam de grupos para realizar a simples tarefa de entregar um remédio). Deficientes e idosos não tinham lugar para serem abrigados e as instalações médicas, onde existiam, se encontravam em "abismal estado de desespero", sendo que, "a cada dia ... diretores de prisão e gerentes de cuidados de saúde fazem a difícil decisão sobre qual das ações de classe, *Coleman*... ou *Plata*, eles irão falhar em adimplir por conta da falta de pessoal e carga de pacientes"[917].

Nesse marco é que, em 8 de abril de 2009, depois de 14 dias de testemunhos colhidos, foi emitida a opinião da Corte de Três-Juízes, com 184 páginas e extensivos achados de fato a subsidiar o seu comando: a redução da população carcerária na Califórnia até 137,5% da capacidade de vagas projetada, a ser atingida dentro de dois anos, como único meio para garantir o atendimento de saúde dentro dos padrões constitucionais aos presos com doença mental e aos doentes graves. Portanto, caso o estado nada fizesse até o final do prazo, teria que soltar, antes do término de cumprimento da pena, entre 38 mil e 46 mil presos. Como já referido, a decisão nada estipulou sobre como a redução deveria se dar, mas ordenou que o Executivo apresentasse um plano para aderência ao quanto decidido, e o submetesse à Corte para aprovação. Nessa altura dos acontecimentos é que houve o recurso para a Suprema Corte[918].

4.2.2.3 Limite judicial à população carcerária: do apelo da Califórnia à opinião da Suprema Corte

4.2.2.3.1 A apelação do estado da Califórnia

O estado da Califórnia, à abertura da *declaração jurisdicional* submetida ao Tribunal, delimitou as três questões a serem julgadas pela Suprema Corte[919]:

---

[917] Cf. ESTADOS UNIDOS DA AMÉRICA. SUPREMA CORTE DOS ESTADOS UNIDOS. *Brown et al. vs. Plata, Opinion of the Court*, idem, p. 10-11.

[918] Cf. ESTADOS UNIDOS DA AMÉRICA. SUPREMA CORTE DOS ESTADOS UNIDOS. *Brown et al. vs. Plata, Opinion of the Court*, idem, p. 12.

[919] Cf. ESTADOS UNIDOS DA AMÉRICA. ESTADO DA CALIFÓRNIA. Apelação das Cortes Distritais dos Estados Unidos para o Distrito Leste e para o Distrito Norte da Califórnia. *Declaração Jurisdicional (Jurisdictional Statement)* (pelos apelantes), 12 de abr. de 2010, p. i (Disponível em: <http://www.scotusblog. com/wp-content/uploads/2010/06/09-1233_jurisdictional-statement. pdf>. Acesso em: 6 de mar. de 2015).

"1. Se a corte de três-juízes tem jurisdição para editar uma 'ordem de soltura de prisioneiro' nos termos do Ato de Reforma de Litigância Prisional (PLRA), 18 U.S.C. § 3626.

2. Se a corte inferior interpretou propriamente e aplicou a Seção 3626(a)(3)(E), a qual requer uma corte de três-juízes para encontrar, por clara e convincente evidência, que 'população é a causa primária da violação do direito Federal; e... nenhuma outra cautelar irá remediar a violação do direito Federal', em ordem a editar uma 'ordem de soltura de prisioneiro'.

3. Se a 'ordem de soltura de prisioneiro' da corte de três-juízes a qual foi passada para endereçar a alegadamente inconstitucional entrega de cuidados médicos e mentais de saúde para duas classes de internos da Califórnia, mas ordena um limite populacional sistemático-amplo dentro de dois anos, que irá requerer uma redução populacional de aproximadamente 46.000 internos, satisfaz os requerimentos de estreita delimitação e nexo do PLRA, dando peso suficiente aos efeitos potencialmente adversos sobre a segurança pública e a operação do Estado do seu sistema de justiça criminal"

O cerne da argumentação do apelante, que abre alegando ofensa ao princípio federalista, passou por três estações: 1ª – Pela afirmação de que a Corte de Três-Juízes não tinha jurisdição para editar a *ordem de soltura de prisioneiro*: porque a Corte Distrital não teria dado "uma razoável quantidade de tempo para cumprir com as ordens prévias da corte" (nos termos do texto legal) antes de convocar a Corte de Três-Juízes, porquanto teria contrariado o 18 U.S.C. §3626(a)(3)(A)(ii). Houvesse tempo bastante, o estado iria efetuar as medidas propostas pelo mestre especial e pelo interventor e resolveria o problema[920]; 2ª – Pela afirmação de que a intenção do Congresso, por meio do PLRA, era fazer da *ordem de soltura de prisioneiro* uma medida de último recurso, o que teria sido pervertido pela decisão da Corte de Três-Juízes, pela interpretação extensiva ao disposto na Seção 3626(a)(3)(E), do Código dos Estados Unidos. A prevalecer essa *interpretatio*, se expandiria enormemente a disponibilidade da *ordem de soltura de prisioneiro* (em perigoso efeito cascata). Na leitura do estado, a lei só autorizaria a *ordem*

---

[920] Cf. ESTADOS UNIDOS DA AMÉRICA. ESTADO DA CALIFÓRNIA. Apelação das Cortes Distritais dos Estados Unidos para o Distrito Leste e para o Distrito Norte da Califórnia. *Declaração Jurisdicional (Jurisdictional Statement)* (pelos apelantes), op. cit., p. 11-17.

de soltura de prisioneiro se isso removesse a *causa primária* do problema e, assim, o problema teria que ficar resolvido com a medida adotada. Para o estado, a própria decisão apelada afirma que a redução de presos até 137,5% da capacidade do sistema, sozinha, não resolverá o problema do atendimento de saúde dos grupos de internos apelados. Isto é, a própria decisão estaria admitindo que a superlotação não se trata da *causa primária* do problema. O estado também alega que não teriam sido apresentadas evidências *claras e convincentes*, como a lei também exige, de que *medidas menos intrusivas* não teriam a possibilidade de resolver o problema[921]; e 3ª – Pela afirmação de que a decisão recorrida, ao determinar um limite populacional que recai sobre todo o efetivo de presos, para tutela de dois grupos específicos, não teria sido *estreitamente delimitada* como a norma exige (porque se endereça também, portanto, a todos os demais presos), e não teria considerado o impacto da medida na segurança pública do estado, tampouco na administração do sistema prisional pelo estado, com isso também contrariando a lei (PLRA)[922].

4.2.2.3.2 A opinião do Tribunal pelo juiz Kennedy (e a afirmação da ordem da Corte de Três-Juízes): a Oitava Emenda e as posições do preso, do estado e do juiz em caso de violação

Como vimos mais cedo, o juiz Kennedy tem sido o fiel da balança em temas polêmicos levados a apreciação da Suprema Corte dos EUA. Em *Brown vs. Plata*, isso, mais uma vez, se confirmou.

Entregando a opinião da Corte, em 52 páginas, na companhia do juiz Breyer e das juízas Ginsburg, Sotomayor e Kagan (vencidos os juízes Roberts, Scalia, Thomas e Alito)[923], o juiz Kennedy inicia pelo que é a pedra fundamental em

---

[921] Cf. ESTADOS UNIDOS DA AMÉRICA. ESTADO DA CALIFÓRNIA. Apelação das Cortes Distritais dos Estados Unidos para o Distrito Leste e para o Distrito Norte da Califórnia. *Declaração Jurisdicional (Jurisdictional Statement)* (pelos apelantes), idem, p. 18-27.

[922] Cf. ESTADOS UNIDOS DA AMÉRICA. ESTADO DA CALIFÓRNIA. Apelação das Cortes Distritais dos Estados Unidos para o Distrito Leste e para o Distrito Norte da Califórnia. *Declaração Jurisdicional (Jurisdictional Statement)* (pelos apelantes), idem, p. 28-34.

[923] Aliás, recentemente, a exata mesma coalisão liberal (a dita asa esquerda da Corte), assentou que a Cláusula do Devido Processo da Décima Quarta Emenda garante o direito ao casamento como uma das liberdades fundamentais que protege, e se aplica tanto a casamentos entre pessoas

qualquer debate envolvendo alegação de inobservância de direitos fundamentais de pessoas privadas de liberdade. Ele abre recuperando as posições ocupadas pelo preso e pelo estado, no que disse:

> "Como consequência de suas próprias ações, prisioneiros podem ser privados de direitos que são fundamentais para a liberdade. No entanto, a lei e a Constituição demandam reconhecimento de certos outros direitos. Prisioneiros retêm a essência da dignidade humana inerente em todas as pessoas. O respeito por essa dignidade anima a proibição da Oitava Emenda contra punição cruel e não usual. " 'O conceito básico subjacente à Oitava Emenda é nada menos do que a dignidade do homem' Atkins v. Virginia, 536 U.S. 304, 311 (2002) (citando Trop. v. Dulles, 356 U.S. 86, 100 (1958) (opinião da pluralidade))". Para encarcerar, a sociedade toma dos prisioneiros os meios para proverem suas próprias necessidades. Prisioneiros são dependentes do Estado para comida, vestuário, e cuidados médicos necessários. A falha de uma prisão para prover o sustento para reclusos "pode realmente produzir física 'tortura ou uma morte prolongada.' " Estelle v. Gamble, 429 U.S. 97, 103 (1976) (citando In re Kemmler, 136 U.S. 436, 447 (1890)); ver em geral A. Elsner, Gates of Injustice: The Crisis in America's Prisons (2004). Assim como um prisioneiro pode morrer de fome se não for alimentado, ele ou ela podem sofrer ou morrer se não fornecido cuidado médico adequado. Uma prisão que prive prisioneiros de sustento básico, incluindo adequado cuidado médico, é incompatível com o conceito de dignidade humana e não tem lugar em sociedade civilizada"[924]

Ou seja: a proibição constitucional de punição cruel e não usual contém a consagração da dignidade da pessoa humana; um preso perde direitos de liberdade ao ser encarcerado, mas não perde, por óbvio, o direito a sua dignidade enquanto pessoa; o prisioneiro está em estado de sujeição frente ao estado (que lhe retira a

---

de sexos opostos, como entre pessoas do mesmo sexo. E a opinião da Corte, mais uma vez, foi entregue pelo Juiz Kennedy (cf. ESTADOS UNIDOS DA AMÉRICA. SUPREMA CORTE DOS ESTADOS UNIDOS. *Obergefell vs. Hodges*. 576 U.S. __ (2015). Disponível em: <https://supreme.justia.com/cases/federal/us/576/14-556/>. Acesso em 27 de jun. de 2015).

[924] Cf. ESTADOS UNIDOS DA AMÉRICA. SUPREMA CORTE DOS ESTADOS UNIDOS. *Brown et al. vs. Plata, Opinion of the Court*, idem, p. 12-13.

condição de buscar a sua própria subsistência); o estado é, por isso, garantidor do preso, *i.e.*, tem a obrigação de lhe prover o sustento (da alimentação, da saúde, da vestimenta); resultando que a falha do estado em fornecer essa providência ao recluso equivale à imposição de pena cruel e não usual, violadora da dignidade da pessoa humana, e se situa fora da sociedade civilizada.

A opinião avança, então, para a análise da posição do Judiciário no debate. Ou seja, o que pode/deve o Judiciário diante de um quadro de violações aos direitos das pessoas privadas de liberdade:

> "Se o governo falha em cumprir sua obrigação, as Cortes têm a responsabilidade de remediar a violação resultante da Oitava Emenda. Ver Hutto v. Finney, 437 U.S. 678, 687, n. 9 (1978). As cortes precisam ser sensíveis para com o interesse do Estado na punição, dissuasão e reabilitação, tão bem como para a necessidade de deferência aos experientes e *experts* administradores prisionais enfrentando a tarefa difícil e perigosa de abrigar grandes números de criminosos condenados. Ver Bell v. Wolfish, 441 U.S. 520, 547-548 (1979). As cortes, não obstante, não devem se retrair de sua obrigação de "dar cumprimento aos direitos constitucionais de todas as 'pessoas', incluindo prisioneiros" Cruz v. Beto, 405 U.S. 319, 321 (1972) (per curiam). Cortes não devem permitir violações constitucionais simplesmente porque um remédio envolveria intrusão dentro do reino dos administradores prisionais. Cortes enfrentando a tarefa sensível de remediar condições prisionais inconstitucionais devem considerar uma variedade de opções disponíveis, incluindo o apontamento de mestres especiais ou interventores e a possibilidade de decretos consensuais. Quanto necessário para garantir aderência com um mandato constitucional, as cortes podem editar ordens colocando limites à população de uma prisão."[925]

Ao dizer isso a Corte sublinhou que o Judiciário funciona como um garante dos direitos fundamentais das pessoas privadas de liberdade, que não pode negar a intervenção necessária para fazer cumprir a Constituição, no que, sempre, está implícito, deverá ter em conta todos os meios disponíveis (a significar, mesmo que não esteja dito, neste ponto, de forma expressa, que ao juiz incumbirá a

---

[925] Cf. ESTADOS UNIDOS DA AMÉRICA. SUPREMA CORTE DOS ESTADOS UNIDOS. *Brown et al. vs. Plata, Opinion of the Court*, idem, p. 12-13.

análise da proporcionalidade da medida que adotará para sanar a violação que vier a ser identificada).

Ainda em caráter inicial, a opinião também ressaltou que os reclamantes não estavam a basear o seu caso em deficiência de cuidado médico em uma determinada situação particular, o que levaria ao seu exame sob um certo foco de inconstitucionalidade. Na hipótese, os reclamantes alegavam deficiências sistêmicas na provisão de cuidados médicos e de saúde mental que, tomadas em conjunto, expõe os presos doentes graves e doentes mentais no sistema californiano "a 'risco substancial de dano sério' e fazem a entrega de cuidados nas prisões cair abaixo dos padrões evolutivos de decência que marcam o progresso de uma sociedade madura. Farmer v. Brennam, 511 U.S. 825, 834 (1994)"[926]. Logo, o julgamento da Corte avaliou a causa sob este prisma, *i.e.*, de alegado dano sistêmico, à luz dos padrões de decência dos nossos dias.

Assim, até aqui, o Tribunal posicionou todos os atores e disse que ordens como as emitidas na decisão sob recurso, da Corte de Três-Juízes, são possíveis *em geral*. A efetiva possibilidade no caso, porém, é o que a opinião, doravante, passa a avaliar.

Analisando a hipótese, o Tribunal fez as seguintes constatações:

1ª Constatação: a ordem apelada, no caso, não determina que, necessariamente, sejam soltos prisioneiros, mas apenas limita a população a um percentual da capacidade projetada, o que o estado pode atender, *v.g.*, aumentando a capacidade, transferindo presos para instalações dos condados ou de outros estados. Portanto, não há dúvida que se trata de uma decisão nos termos do PLRA (que tem "o propósito ou efeito de reduzir ou limitar a população prisional" – 18 U. S. C. §3626(g)(4))[927].

2ª Constatação: não cabe à Suprema Corte uma reanálise do conjunto fático-probatório, que apenas está sujeito a revisão nessa instância à vista de erro claro, em relação ao qual se tenha firme e definitiva convicção, na linha de vários precedentes. Assim, para não duplicar o papel da Corte de Julgamento (inferior),

---

[926] Cf. ESTADOS UNIDOS DA AMÉRICA. SUPREMA CORTE DOS ESTADOS UNIDOS. *Brown et al. vs. Plata, Opinion of the Court*, idem, p. 7.

[927] Cf. ESTADOS UNIDOS DA AMÉRICA. SUPREMA CORTE DOS ESTADOS UNIDOS. *Brown et al. vs. Plata, Opinion of the Court*, idem, p. 13-14.

o proceder do Tribunal é, por princípio, deferente ao trabalho produzido pelas instâncias inferiores no que toca à prova[928].

No caso em tela, a Suprema Corte não encontrou erro claro, ou mesmo erro algum, na coleta ou valoração da prova pela instância de piso. Percorreu algumas das principais evidências (aqui já anteriormente abordadas) comprobatórias da grave situação colocada pela superlotação, efetivamente impeditiva da dispensa dos cuidados de saúde exigidos constitucionalmente no sistema penitenciário da Califórnia, já concordando com o seu papel como causa primária do problema[929].

3ª Constatação: desde que a Corte Distrital *(a)* concedeu *cautelar injuntiva preliminar*, menos intrusiva, e que não conseguiu remediar a violação constitucional (18 U. S. C. §3626(a)(3)(A)(i)), *(b)* deu tempo razoável ao defendente para aderir as determinações exaradas (18 U.S.C. §3626(a)(3)(A)), *(c)* observou que a parte pediu a convocação de uma Corte de Três-Juízes para editar uma ordem de redução ou limitação da população prisional (18 U.S.C §3626(a)(3)(B)), *(d)* verificou que a parte, com este último pleito, submeteu material suficiente para demonstrar que cumpriu os requisitos demonstrativos da situação, *(e)* concluiu (a Corte Distrital, em vista de tudo isso) pela suficiência dos materiais (18 U.S.C. §3626(a)(3)(C)), uma Corte de Três-Juízes poderia ser, como foi, corretamente, convocada (*Idem* e 28 U. S. C. §2284(b)(1))[930].

Logo, no que toca à letra "a", *supra*, a Suprema Corte decidiu que o apelante não tem razão ao sustentar que não foram tentadas medidas anteriores, menos intrusivas, que não resolveram a violação. Isso fica claro pelo fato da nomeação de um mestre especial, em *Coleman*, em 1995 (sendo que a convocação da Corte de Três-Juízes só se deu doze anos depois); e, em *Plata*, pelo fato da aprovação de um decreto consensual, com injunções nele estipuladas, em 2002, cinco anos antes da convocação da Corte de Três-Juízes. Em acréscimo, o estado não disputa a evidência de que as violações não foram remediadas por tais intervenções[931].

---

[928] Cf. ESTADOS UNIDOS DA AMÉRICA. SUPREMA CORTE DOS ESTADOS UNIDOS. *Brown et al. vs. Plata, Opinion of the Court*, idem, p. 15; 19-20.

[929] Cf. ESTADOS UNIDOS DA AMÉRICA. SUPREMA CORTE DOS ESTADOS UNIDOS. *Brown et al. vs. Plata, Opinion of the Court*, idem, p. 20-24.

[930] Cf. ESTADOS UNIDOS DA AMÉRICA. SUPREMA CORTE DOS ESTADOS UNIDOS. *Brown et al. vs. Plata, Opinion of the Court*, idem, p. 14.

[931] Cf. ESTADOS UNIDOS DA AMÉRICA. SUPREMA CORTE DOS ESTADOS UNIDOS. *Brown et al. vs. Plata, Opinion of the Court*, idem, p. 17.

O apelante sustenta que estavam em marcha desenvolvimentos posteriores em ambos os casos, cujos efeitos deveriam ter sido aguardados (refere-se, especificamente, à indicação de um interventor, em *Plata*, que ingressara com um novo plano de ação preliminar pedindo por novas construções, contratação de pessoal adicional e outras reformas procedimentais; e, em *Coleman*, refere-se à aprovação de um plano revisado de ação também pedindo construções, contratação de pessoal e reformas procedimentais). O Tribunal referiu que tais desdobramentos se inseriam na contínua e adequada busca por remédios que, entretanto, não alteravam as linhas mestras dos planos originais que já haviam sido frustrados, ao longo dos anos, pela Califórnia. E nem o mestre especial, em *Coleman*, tampouco o interventor, em *Plata*, foram capazes de afirmar que as novas estratégias, substancialmente iguais às anteriores, teriam sucesso à falta de uma redução na população carcerária. Portanto, a Corte Distrital não tinha a obrigação de esperar, deixando de fazer a convocação da Corte de Três-Juízes, o que só geraria um irrazoável atraso, estendendo o envolvimento da Justiça no caso, não servindo ao estado ou aos prisioneiros, o quanto, por evidente, não era o objetivo do Congresso ao dispor no PLRA a locução "razoável quantidade de tempo" para adesão às ordens judiciais. Em suma "[a]s cortes em *Coleman* e *Plata* atuaram razoavelmente quando elas convocaram uma corte de três-juízes sem atraso adicional"[932].

4ª Constatação: toca ao fato de que a Corte de Três-Juízes, então, *(i)* precisa encontrar por prova clara e convincente que a concentração de presos é a causa primária da violação do direito federal (18 U. S. C.§3626(a)(3)(E)). Outrossim, remete à exigência de que toda a *cautelar prospectiva* sob o PLRA *(ii)* não pode se estender mais além do necessário para corrigir a violação da lei federal do reclamante, ou reclamantes, *(iii)* deve representar o meio menos intrusivo necessário para correção, e *(iv)* precisa ser uma cautelar estreitamente desenhada (18 U.S.C §3626(a)(1)(A)), sendo *(v)* dever da Corte de Três-Juízes dar peso substancial a qualquer impacto na segurança pública ou na operação do sistema de justiça criminal (18 U.S.C §3626(a)(1)). Essas previsões do PLRA, que visam a garantir que uma ordem de redução ou limitação de presos seja um remédio

---

[932] Cf. ESTADOS UNIDOS DA AMÉRICA. SUPREMA CORTE DOS ESTADOS UNIDOS. *Brown et al. vs. Plata, Opinion of the Court*, idem, p. 17-19.

de último recurso, e não o primeiro passo, foram inteiramente respeitadas na hipótese sob julgamento[933].

Sobre o requisito da causa primária (*supra, (i)*), o Tribunal chancelou a visão da Corte de Três-Juízes, no sentido de que, sem dúvida, a evidência produzida no julgamento comprovara que a superlotação levava a inadequadas instalações de saúde médica e mental, sobrecarregava o limitado pessoal clínico e de custódia, criava condições violentas, caóticas e insalubres que contribuíam para as violações constitucionais e frustravam os esforços projetados como remédio, de tal sorte que, até a resolução do problema da superlotação, não seria possível a adesão da Califórnia aos padrões de cuidado constitucionais devidos à população carcerária. Por isso a superlotação é, sim, causa primária da violação do direito federal, nos precisos termos do PLRA[934].

No ponto, o Tribunal considerou que o fato da Corte de Três-Juízes reconhecer que a só redução da superlotação não resolverá a violação constitucional em curso, que depende de esforços contínuos em treinamento de pessoal, e melhorias de instalações e procedimentos, de forma alguma desatende o previsto no PLRA. Ou seja, ao contrário do alegado pelo apelante (de que teria havido uma errônea interpretação extensiva), a "superlotação era a causa primária no sentido de ser a causa mais evidente da violação", sendo que a Suprema Corte afiançou que "Este entendimento do requisito da causa primária é consistente com o texto do PLRA" (porquanto não se pode confundir a exigência legislativa de identificação da *causa primária*, com a identificação da causa única – como sustentado pela Califórnia –, critério que, aliás, se o legislador quisesse, teria instituído, mas não o fez)[935].

No que se refere ao meio não poder ir mais além do necessário para solução da violação e precisar ser estreitamente desenhado (*supra, (ii* e *iv)*), o Tribunal rechaçou o argumento do estado de que, por beneficiar outros presos que não apenas os portadores de doença mental e os doentes graves, a ordem de limitação populacional teria ido mais além do necessário. Sobre isso a opinião registra que

[933] Cf. ESTADOS UNIDOS DA AMÉRICA. SUPREMA CORTE DOS ESTADOS UNIDOS. *Brown et al. vs. Plata, Opinion of the Court*, idem, p. 14-15, 19.

[934] Cf. ESTADOS UNIDOS DA AMÉRICA. SUPREMA CORTE DOS ESTADOS UNIDOS. *Brown et al. vs. Plata, Opinion of the Court*, idem, p. 19.

[935] Cf. ESTADOS UNIDOS DA AMÉRICA. SUPREMA CORTE DOS ESTADOS UNIDOS. *Brown et al. vs. Plata, Opinion of the Court*, idem, p. 27-28.

"O limite populacional imposto pela corte de três-juízes não falta com a exigência de estreita delimitação simplesmente porque ela terá efeitos positivos além das classes dos reclamantes"[936]. Mais ainda: a Suprema Corte esclarece que a exigência legal de *estreita delimitação* "requer um 'ajuste' entre os fins [do remédio] e os meios escolhidos para alcançar estes fins". Board of Trustees of State Univ. of N. Y. vs. Fox, 492 U. S. 469, 480 (1989)"[937], de modo que "O âmbito do remédio precisa ser proporcional ao âmbito da violação, e a ordem precisa se estender não além do necessário para remediar a violação"[938].

Trata-se, inequivocamente, da consideração da primeira parcial da proporcionalidade como proibição de excesso (antes examinada[939]), em torno à adequação, ou conformidade, do meio (que, pois, precisa ser idôneo, adequado) em face do fim (legítimo). Em síntese, é análise da "*relação de adequação medida-fim*"[940]. Vale notar que, no caso dos EUA, é a lei que comina essa verificação, e a comete ao Judiciário. Este, por sua vez, deve levá-la a termo, como fizeram os juízes da instância de origem, e, em grau de recurso, a Suprema Corte repetiu no julgado.

Na hipótese, disse o Tribunal, nada autoriza (nem os precedentes da Corte, nem o PLRA) a interpretação de que efeitos colaterais positivos, se existirem, estariam a indicar a inadequação do meio empregado[941]. Ademais, inclusive prisioneiros que hoje não apresentam doença física ou mental (que a Califórnia objeta que sejam também beneficiados) podem vir a ser afligidos no futuro, tornando-se membros de uma das classes de reclamantes, de sorte que todos estão em risco enquanto o estado continuar a prover cuidados de saúde impróprios por conta da superlotação[942].

---

[936] Cf. ESTADOS UNIDOS DA AMÉRICA. SUPREMA CORTE DOS ESTADOS UNIDOS. *Brown et al. vs. Plata, Opinion of the Court*, idem, p. 33.

[937] Cf. ESTADOS UNIDOS DA AMÉRICA. SUPREMA CORTE DOS ESTADOS UNIDOS. *Brown et al. vs. Plata, Opinion of the Court*, idem, p. 33-34.

[938] Cf. ESTADOS UNIDOS DA AMÉRICA. SUPREMA CORTE DOS ESTADOS UNIDOS. *Brown et al. vs. Plata, Opinion of the Court*, idem, p. 34.

[939] Ver, *supra*, o nosso item 3.2.2.2.1, letra *a*, intitulado "A adequação (ou idoneidade)".

[940] Cf. CANOTILHO, J.J. Gomes, idem, p. 269-270.

[941] Cf. ESTADOS UNIDOS DA AMÉRICA. SUPREMA CORTE DOS ESTADOS UNIDOS. *Brown et al. vs. Plata, Opinion of the Court*, idem, p. 34.

[942] Cf. ESTADOS UNIDOS DA AMÉRICA. SUPREMA CORTE DOS ESTADOS UNIDOS. *Brown et al. vs. Plata, Opinion of the Court*, idem, p. 34.

Ainda no foco da *estreita delimitação*, o Tribunal assentou que ao fixar o limite da população carcerária em 137,5%, e estabelecer dois anos para o seu atingimento (prazo com possibilidade de futura emenda pela própria Corte de Três-Juízes, que retém jurisdição e responsabilidade para os ajustes necessários), a decisão apoiou-se na prova técnica colhida, em sistema adversarial, resultando que andou dentro do seu espaço de discrição[943].

Já sobre o requisito da medida ordenada ser o meio menos intrusivo (*supra, (iii)*) (que, notemos, nada mais é que a consideração de outra parcial da proporcionalidade como proibição de excesso, a da *necessidade*, ou *exigibilidade*, estudada mais cedo[944], também cominada no PLRA para análise judicial) foi reconhecido que, realmente, não havia outra cautelar (outro meio), menos gravosa, capaz de remediar a violação do direito federal. A Suprema Corte anotou como adequada a abertura permitida pela Corte de Três-Juízes, relativa à forma de a administração atingir o percentual determinado de ocupação do sistema.

Do mesmo modo, o Tribunal refutou a alegação do apelante de que, *v.g.*, seria meio eficaz, e menos intrusivo, uma ordem limitada à transferência de presos (para outras instalações ou outros estados). Para a Suprema Corte, igualmente se estaria diante de uma medida qualificável como redução de população carcerária nos termos do PLRA e, assim, não seria menos intrusiva. Além disso, a simples transferência de presos pode não ser meio bastante, e menos intrusivo, para solucionar a violação sob exame, na medida em que pode representar simples diluição do problema, com a superlotação de outras unidades, em violação à Oitava Emenda (o que, aliás, foi bem observado pela Corte de piso, que exigiu do estado que mostrasse, por inspeções, adequação das unidades receptoras de presos a serem transferidos, o que reduziu a taxa de transferências por falta de prova pelo estado de que as unidades dispunham da estrutura necessária). Some-se a isso o fato de o estado também não ter apresentado planos para transferências em volume suficiente para enfrentar o problema[945].

---

[943] Cf. ESTADOS UNIDOS DA AMÉRICA. SUPREMA CORTE DOS ESTADOS UNIDOS. *Brown et al. vs. Plata, Opinion of the Court*, idem, p. 47-48.

[944] Ver, *supra*, o nosso item 3.2.2.2.1, letra *b*, intitulado "A necessidade (ou exigibilidade)".

[945] Cf. ESTADOS UNIDOS DA AMÉRICA. SUPREMA CORTE DOS ESTADOS UNIDOS. *Brown et al. vs. Plata, Opinion of the Court*, idem, p. 30.

De outra parte, a só construção de novas instalações também não se mostrava meio eficaz, e menos intrusivo, como alegado pelo estado, e que deveria ter sido escolhida pelos juízes de piso. A Suprema Corte concordou que não existiam evidências de que haveria recursos e tempo suficientes para sanar as violações por essa via exclusiva. Pelo contrário, a crise financeira do estado mostrava que esse não era um caminho realista[946].

O Tribunal também refutou o argumento de que a decisão dos juízes da origem seria excessiva (*i.e.*, mais intrusiva/gravosa do que deveria) por ter endereçado todo o sistema, deixando de estipular um limite de presos por cada instituição. Segundo a Suprema Corte, se os juízes tivessem decidido sobre o limite de capacidade em cada penitenciária do sistema, as dificuldades administrativas seriam maiores. Na conformação da ordem recorrida, o estado tem a liberdade de transferir presos entre as suas unidades, conforme a sua conveniência, evidenciando que não há excesso (a Corte chega a cogitar que em um presídio determinado, mais em condição de suportar superlotação, a capacidade ocupada pudesse superar os 137,5% incidentes no sistema, desde que, é claro, fossem cumpridos os padrões constitucionais de encarceramento, com isso abrindo espaço em unidades menos preparadas e, pois, melhorando, nestas, sem prejudicar a outra, o cuidado geral com a saúde dos internos. Afirma que essa flexibilidade, porque admitida/possível, vem em auxílio do estado, para que se mantenha em aderência (*compliance*) com a decisão recorrida)[947].

Igualmente, conforme o Tribunal, não haveria excesso pela suposta invasão, alegada pela Califórnia, do ramo Executivo pelo Judiciário, dada a limitação da autoridade do estado em administrar as suas prisões. Esse argumento não teve melhor acolhida. A Suprema Corte afirmou que, embora não se possa negar alguma modulação ou controle da autoridade do estado no reino da administração prisional a partir da ordem recorrida, há um amplo espaço restante que permite o exercício da discrição administrativa (o estado pode escolher como alocar prisioneiros entre instituições, pode escolher se vai aumentar a capacidade das prisões por construções ou redução de população, pode decidir que degraus

---

[946] Cf. ESTADOS UNIDOS DA AMÉRICA. SUPREMA CORTE DOS ESTADOS UNIDOS. *Brown et al. vs. Plata, Opinion of the Court*, idem, p. 30-33.

[947] Cf. ESTADOS UNIDOS DA AMÉRICA. SUPREMA CORTE DOS ESTADOS UNIDOS. *Brown et al. vs. Plata, Opinion of the Court*, idem, p. 35-36.

vai tomar para atingir a necessária redução). Outrossim, ainda sobre a defesa, no apelo, da supremacia da autoridade do estado, a opinião fez importante registro:

> "O desejo do estado de evitar um limite populacional, justificado em conformidade com o respeito da autoridade estatal, cria um determinado e inaceitável risco de continuidade das violações dos direitos dos prisioneiros doentes e mentalmente enfermos, com o resultado de que muitos mais irão morrer ou sofrer desnecessariamente. A Constituição não permite este erro."[948]

Por tudo isso, a amplitude limitada da ordem (que a revela como o meio menos gravoso/intrusivo) "é necessária para remediar a violação constitucional"[949] (ou seja, está aprovada, na parcial da necessidade, como medida proporcional).

Por fim, o Tribunal passou a avaliar o dever da Corte de dar peso substancial a qualquer impacto adverso na segurança pública ou na operação do sistema de justiça criminal (*supra, (v)*) (que, mais uma vez, não é outra coisa que o comando, pela lei, da análise da proporcionalidade em sentido estrito[950], determinando uma ponderação entre valores para a resolução do caso: de um lado a dignidade humana, na Oitava Emenda, de outro, a segurança pública/operação do sistema de justiça criminal, com provável extração a partir da Cláusula do Devido Processo, da Décima Quarta Emenda).

No ponto, o Tribunal advertiu que foram dedicados dez dias na fase de julgamento para a consideração especificamente desse requisito. Concluíram os juízes da origem, com a chancela da Suprema Corte, que seria possível a limitação da população prisional de uma forma que preservasse os valores que a lei manda ponderar. A opinião registrou que "O requisito do PLRA de que a corte dê 'peso substancial' para a segurança pública não requer da corte que certifique que sua ordem não tem possível impacto adverso sobre o público". Ou se lê assim o dispositivo, ou se estará partindo do texto legal em direção a outra coisa: se estaria trocando peso *substancial* (da lei), por peso *conclusivo* (algo que não está lá)[951].

[948] Cf. ESTADOS UNIDOS DA AMÉRICA. SUPREMA CORTE DOS ESTADOS UNIDOS. *Brown et al. vs. Plata, Opinion of the Court*, idem, p. 36.

[949] Cf. ESTADOS UNIDOS DA AMÉRICA. SUPREMA CORTE DOS ESTADOS UNIDOS. *Brown et al. vs. Plata, Opinion of the Court*, idem, p. 36.

[950] Ver, *supra*, o nosso item 3.2.2.2.1, letra *c*, intitulado "A proporcionalidade em sentido estrito (a exequibilidade humanitária do encarceramento como suporte fático da análise)".

[951] Cf. ESTADOS UNIDOS DA AMÉRICA. SUPREMA CORTE DOS ESTADOS UNIDOS.

Anotando que toda a decisão que ordena ao estado que ajuste as suas políticas de encarceramento e justiça criminal tem o potencial de causar algum impacto à segurança pública, o Tribunal sublinhou a ponderação que é chamado a fazer nos termos do PLRA (com olhos, sem dúvida, também para a proporcionalidade como proibição de insuficiência[952]): "[u]ma corte é requerida a considerar as consequências de suas ordens à segurança pública, e a estruturar, e monitorar, seus julgamentos de uma forma que mitigue essas consequências, enquanto ainda atinge um remédio efetivo da violação constitucional"[953].

A Corte ainda remarcou, sobre desenvolvimentos no caso ocorridos na pendência do apelo, que informações sobre transferências de milhares de presos das prisões estaduais para cadeias dos condados, modificações de pena (fatos puníveis com privação de liberdade em penitenciárias tiveram alteração para recolhimento nas cadeias dos condados) e alterações em casos de violação de *parole* (onde a pena restante a cumprir foi designada para as cadeias dos condados), entre outros, deixam claro que tem suporte a compreensão dos juízes de piso, de que é possível reduzir a população prisional de uma maneira calculada, evitando efeitos negativos indevidos sobre a segurança pública[954].

No epílogo, depois de cogitar uma série de modificações que ainda poderiam sobrevir, em ajustamento do decreto apelado, a Suprema Corte concluiu:

> "Estas observações refletem o fato de que ordens de cortes de três-juízes, como todos os decretos equitativos contínuos, precisam permanecer abertos a modificações apropriadas. Elas não têm a intenção de lançar dúvida sobre a validade da premissa básica da ordem existente. O cuidado médico e de saúde mental provido pelas prisões da Califórnia cai abaixo do padrão de decência inerente à Oitava Emenda. Esta extensiva e permanente violação constitucional requer um remédio, e um remédio não será atingido sem a redução da superlotação. A cautelar ordenada pela corte de três-juízes é requerida pela Constituição e

---

Brown et al. vs. Plata, Opinion of the Court, idem, p. 37.

[952] Ver, *supra*, o nosso item 3.2.2.2.2, intitulado "A exequibilidade humanitária do encarceramento e a proporcionalidade como proibição da proteção deficiente *(reprovação II)*".

[953] Cf. ESTADOS UNIDOS DA AMÉRICA. SUPREMA CORTE DOS ESTADOS UNIDOS. *Brown et al. vs. Plata, Opinion of the Court*, idem, p. 37.

[954] Cf. ESTADOS UNIDOS DA AMÉRICA. SUPREMA CORTE DOS ESTADOS UNIDOS. *Brown et al. vs. Plata, Opinion of the Court*, idem, p. 41.

foi autorizada pelo Congresso no PLRA. O Estado deve implementar a ordem sem mais atraso. O Julgamento da corte de três-juízes é confirmado."

Por todos os aspectos analisados, não há erro em afirmar que *Brown vs. Plata* é uma decisão inédita tomada pela Suprema Corte dos EUA, no enfrentamento de um problema grave e aflitivo da atual quadra histórica, mas que não é infenso à crítica, como deixam ver as razões que animaram as opiniões dissidentes no âmbito da própria Corte.

É preciso examiná-las.

4.2.2.3.3 A opinião da dissidência: federalismo, separação dos poderes e ativismo judicial

Houve duas opiniões apresentadas à parte, dissentido da opinião da maioria. O juiz Scalia é autor de uma delas, e foi acompanhado pelo juiz Thomas. A outra é da lavra do juiz Alito, e foi acompanhada pelo chefe de Justiça Roberts.

O juiz Scalia abriu a sua opinião com o registro de que, provavelmente, a decisão do caso se tratasse da injunção mais radical já emitida na história da nação, uma atordoante ordem de soltura de 46 mil infratores condenados. Disse que alguém deveria imaginar que o Tribunal devesse fazer todo o esforço possível em ler a lei de uma forma que não levasse a esse resultado ultrajante. Mas, não, a Corte fez o contrário, desconsiderou limites estritos da lei aplicável ao caso e as limitações constitucionais tradicionais, e tudo "em ordem a apoiar o absurdo". E ele resume: dissinto "porque a reforma institucional que a Corte Distrital empreendeu viola os termos do estatuto aplicável, ignora limitações alicerçadas aos poderes dos juízes do Artigo III, e levam cortes federais selvagemente além das suas capacidades institucionais"[955].

A seu turno, o juiz Alito iniciou a sua divergência afirmando que a decisão tomada é um perfeito exemplo daquilo que o Congresso quis evitar com a edição do PLRA[956].

---

[955] Cf. ESTADOS UNIDOS DA AMÉRICA. SUPREMA CORTE DOS ESTADOS UNIDOS. *Brown et al. vs. Plata et al.* 563 U.S. (2011), *Dissenting* (SCALIA, J.), p. 1. Disponível em: <https://supreme.justia.com/ cases/federal/us/563/09-1233/opinion.html>. Acesso em: 10 de mar. de 2015.

[956] Cf. ESTADOS UNIDOS DA AMÉRICA. SUPREMA CORTE DOS ESTADOS UNIDOS. *Brown et al. vs. Plata et al.* 563 U.S. (2011), *Dissenting* (ALITO, J.), p. 1. Disponível em: <https://supreme.justia.com/ cases/federal/us/563/09-1233/opinion.html>. Acesso em: 10 de mar. de 2015.

A partir do destaque dessas entradas, no mínimo, fortes, sistematizamos as considerações que a minoria apresentou para lastrear o seu dissenso:

1ª Consideração: as duas opiniões sustentaram que não havia razão para abandonar o entendimento que, até ali, era seguido pelo Tribunal, expresso em *Turner vs. Safley* (1987), com a seguinte orientação:

> "[C]ortes estão mal equipadas para lidar com os cada vez mais graves e urgentes problemas de reforma e administração prisional... [O]s problemas das prisões na América são complexos e intratáveis, e, mais no ponto, eles não são realmente suscetíveis de resolução por decreto... Administrar uma prisão é uma empresa excessivamente difícil, que requer *expertise*, planejamento e o comprometimento de recursos, todos os quais estão peculiarmente dentro da província dos ramos legislativo e executivo do governo. A prisão é, além disso, uma tarefa que tem sido cometida à responsabilidade destes ramos, e a separação dos poderes aconselha a política de contenção judicial [*judicial restraint*]. Se o sistema penal do estado está envolvido, as cortes federais têm ... razão adicional para acordar deferência as apropriadas autoridades prisionais."[957]

Portanto, ambas as opiniões pregaram a necessidade de respeito à separação dos poderes, via contenção judicial (*judicial restraint*) no tema, isto é, com deferência aos espaços do Legislativo e do Executivo, aos quais incumbe a tarefa de administrar o sistema carcerário, sob pena (embora não dito expressamente) de indevido ativismo pelo Tribunal[958];

2ª Consideração: desenvolvendo esse mesmo raciocínio, a dissidência repudiou as chamadas *injunções estruturais*[959], que, nos casos sob análise, compreendem

---

[957] Cf. BRASIL. Constituição da República Federativa do Brasil. *Diário Oficial da União*, Brasília, 5 de out. de 1988.

[958] Cf. ESTADOS UNIDOS DA AMÉRICA. SUPREMA CORTE DOS ESTADOS UNIDOS. *Brown et al. vs. Plata et al., Dissenting* (ALITO, J.), idem, p. 1-2.

[959] Pode-se dizer, em geral, com EASTON, que uma *injunção estrutural* pretende alterar amplas condições sociais pela reforma de estruturas internas de relacionamento de instituições públicas ou agências governamentais. E elas operam por meio de injunções mandatórias prospectivas, que assumem uma forma relativamente intrusiva, por ordens mais ou menos detalhadas cujas prescrições atingem áreas significantes da discrição do demandado (cf. EASTON, Robert. The Dual Role of de the Structural Injunction. 99, n. 8, *The Yale Law Journal* 1983-2002 (1990), p. 1983. Disponível em: <http://www.jstor.org/stable/796680?seq=1#page_scan_tab_contents>.

algumas das ações que os juízes da origem implementaram no escopo de ver o estado aderir aos termos decididos/consensuados para resolver o problema do atendimento de saúde, aí se incluindo não apenas a nomeação do interventor (*receiver*) em *Plata*[960], ou do mestre especial (*special master*) em *Brown*, mas a própria decisão pela *ordem de soltura de prisioneiros*, sob apelo, e mesmo as decisões futuras que ainda irão proferir no acertamento do objetivo (retendo, como já observado na opinião da maioria, a jurisdição a tanto necessária[961]). Para a minoria, as *injunções estruturais* excedem o poder judicial contido no Artigo III da Constituição e, portanto, são inconstitucionais e não deveriam ser admitidas:

> "Injunções estruturais abandonam aquela prática histórica, transformando juízes em administradores a longo prazo de instituições sociais complexas

Acesso em: 11 de maio de 2015). Refira-se, ainda, que as *injunções estruturais* são fruto de elaboração da jurisprudência nos EUA, com extração no poder judicial previsto no Artigo III da Constituição do EUA. Foram desenvolvidas nos desdobramentos de *Brown vs. Board of Education* (1954) para assessorar os juízes federais na efetivação dos mandados oriundos dos decretos de dessegregação nas escolas, *i.e.*, estabelecendo uma jurisdição estendida no tempo a fim de supervisionar a concreta adesão dos seus destinatários. Nos últimos 50 anos, têm sido utilizadas em decretos estruturais voltados à reforma de instituições penais, administração de sanatórios, abrigos públicos etc. (cf. FISS, Owen M. The Social and Political Foundations of Adjudication. 6, n. 2 *Law and Human Behavior* 121-128 (1982), p. 122. Disponível em: <http://www.law.yale.edu/documents/pdf/the_social_and _political_foundations_of_ajudication.pdf>. Acesso em: 12 de maio de 2015; cf. EASTON, Robert. The Dual Role of de the Structural Injunction. 99, n. 8, *The Yale Law Journal* 1983-2002 (1990), p. 1983. Disponível em: <http://www.jstor.org/stable/796680?seq=1#page_scan_tab_contents>. Acesso em: 11 de maio de 2015; cf. SUTHERLAND, Brian J. Killing Jim Crowand the Undead Nondelegation Doctrine with Privately Enforceable Federal Regulations. 29, n. 4 *Seattle University Law Review* 917-962 (2006), p. 936. Disponível em: <http://digitalcommons.law.seattleu.edu/sulr/vol29/iss4/4/>. Acesso em: 12 de maio de 2015. Sobre o caso *Brown vs. Board of Education* (1954), ver, *supra*, no nosso Capítulo 2, o subitem 2.2.2.2.4, intitulado "[o] banimento da segregação nas escolas nos anos 1950. Condenação do racismo e outros avanços na Corte Warren".

[960]Cf. BRADLEY, Catherine Megan. Old Remedies are New Again: deliberate indifference and the receivership in *Plata vs. Schwarzenegger*. 62 NYU *Annual Survey of American Law* 703-744 (2007), p. 703-704. Disponível em: <http://www.law.nyu.edu/sites/default/files/ecm_pro_064617.pdf>. Acesso em: 12 de maio de 2015.

[961] Cf. ESTADOS UNIDOS DA AMÉRICA. SUPREMA CORTE DOS ESTADOS UNIDOS. *Brown et al. vs. Plata et al. Opinion of the Court*, idem, p. 37.

tais como escolas, prisões e departamentos de polícia. De fato, elas requerem juízes para desempenhar um papel essencialmente não distinguível do papel ordinariamente desempenhado por oficiais executivos. A decisão de hoje não somente afirma a injunção estrutural, mas vastamente expande o seu uso, por sustentar que um sistema inteiro é inconstitucional porque ele pode produzir violações constitucionais (...) Este caso ilustra um de seus [das injunções estruturais] mais perniciosos aspectos: que ela força os juízes a se engajarem em uma forma de descoberta-de-fatos-como-elaboradores-de-política que está fora do tradicional papel judicial."[962]

De outra parte, os dissidentes cobraram a incoerência da maioria a partir de *habeas corpus* que haviam sido negados pela Corte a indivíduos determinados, ainda naquele mesmo período de julgamentos. Entre as bases então utilizadas para negar a ordem estavam a necessidade de preservação do interesse do estado de punir os autores de crime e, sobretudo, o dever de se respeitar a soberania do estado, que é sempre afetada em grau elevado pela concessão de *habeas*. Pois, conforme a minoria, ao conceder, de uma tacada, 46 mil *habeas corpus*, "[p] arece que a o respeito da Corte pela soberania do estado desapareceu quando mais importava"[963].

3ª Consideração: quanto ao requisito do PLRA de que é preciso encontrar prova clara e convincente de que a concentração de presos é a causa primária da violação do direito federal (18 U. S. C.§3626(a)(3)(E)), a minoria argumenta que a superpopulação pode ser uma das causas, mas não é possível afirmar que seja a causa primária. Removida, não produzirá a contratação de mais médicos, ou o conserto de instalações, ou a compra de equipamentos, ou a desinfecção de macas de atendimento etc., de modo que o requisito em tela não está satisfeito[964].

---

[962] Cf. ESTADOS UNIDOS DA AMÉRICA. SUPREMA CORTE DOS ESTADOS UNIDOS. *Brown et al. vs. Plata et al., Dissenting* (ALITO, J.), idem, p. 6-7. Disponível em: <https://supreme.justia.com/ cases/federal/us/563/09-1233/opinion.html>. Acesso em: 10 de mar. de 2015. A opinião também registra que os Juízes, de modo a delimitar a injunção estrutural, são chamados a fazer amplas predições empíricas, em larga medida apoiadas em visões políticas, o que é regularmente feito pelo Executivo e pelo Legislativo, "mas são inapropriadas para o Terceiro Ramo".

[963] Cf. ESTADOS UNIDOS DA AMÉRICA. SUPREMA CORTE DOS ESTADOS UNIDOS. *Brown et al. vs. Plata et al., Dissenting* (SCALIA, J.), idem, p. 11-12.

[964] Cf. ESTADOS UNIDOS DA AMÉRICA. SUPREMA CORTE DOS ESTADOS UNIDOS.

4ª Consideração: quanto às exigências do PLRA (em claro exame da adequação, como parcial da proporcionalidade, vale insistir) de que toda a *cautelar prospectiva* não pode se estender mais além do necessário para corrigir a "violação do direito Federal [*i.e.*, no caso, do direito consagrado na Oitava Emenda] de um reclamante particular ou reclamantes", e precisa ser "estreitamente desenhada" (18 U.S.C §3626(a)(1)(A)), a dissidência argumenta com o fato de que as ações não têm base em violações determinadas, onde teria havido negativa de cuidado ao reclamante, ou reclamantes. Por isso, porque não atendem ao requisito da especificação da vítima/situação da violação, exigidos pelo estatuto, as demandas não deveriam ter sido admitidas na origem: "...a mera existência do sistema inadequado não sujeita à punição cruel e não usual toda a população em necessidade de cuidados médicos, incluindo aqueles que o recebem"[965].

E, ainda no mesmo segmento da crítica, teria havido uma interpretação errônea da Oitava Emenda. Referem que uma ação de classe (*class action*) pressupõe, para estar dentro dos princípios procedimentais aceitos, que todos os autores tenham sido, em primeira pessoa, vitimados pela violação, e tenham conseguido provar isso. Porém, no caso isso não ocorre, na medida em que os autores só provam que foram atendidos (embora não considerem sequer isso como algo claro na hipótese) em um sistema de saúde deficitário. Não vão além, mostrando o dano sofrido por cada um, mas extraem desse atendimento geral insuficiente a prova de que receberam punição cruel e não usual, em violação da Oitava Emenda. "Uma tal teoria da Oitava Emenda é absurda", mas a maioria, aceitando-a, o fez em abandono substancial dos precedentes no tema[966].

Insistindo no ponto da desconformidade da intervenção chancelada, alegam que a decisão da maioria, aplicando a "jurisprudência do empoderamento-judicial pelos 'padrões de decência em evolução'", expande essa (discutível) orientação pretoriana, fazendo, no caso, o que até então não se havia feito: a prescrição de regras para a "decente" administração de escolas, prisões, e outras instituições governamentais. Ainda que se concebesse isso, a orientação estaria proibindo o

---

Brown et al. vs. Plata et al., *Dissenting* (ALITO, J.), idem, p. 9.

[965] Cf. ESTADOS UNIDOS DA AMÉRICA. SUPREMA CORTE DOS ESTADOS UNIDOS. *Brown et al. vs. Plata et al.*, *Dissenting* (SCALIA, J.), idem, p. 2.

[966] Cf. ESTADOS UNIDOS DA AMÉRICA. SUPREMA CORTE DOS ESTADOS UNIDOS. *Brown et al. vs. Plata et al.*, *Dissenting* (SCALIA, J.), idem, p. 4.

tratamento indecente, pela negativa de atendimento médico, daqueles em necessidade de cuidados, mas, nunca, "todos que enfrentam um 'risco substancial' (seja qual for) de terem negado cuidado médico" (como assentou a opinião majoritária)[967]. Em suma, é seguramente errada "a noção de que a classe de reclamantes pode alegar violação à Oitava Emenda baseada em 'deficiências sistêmicas'."[968].

Por fim, também alegam a desconsideração da exigência de estreito desenho da cautelar, uma vez que "[s]e (como é este caso) a única reclamação constitucional viável consiste em instâncias individuais de maus-tratos, então um remédio que reforme o sistema como um todo vai muito além do que o estatuto permite". Outrossim, muitos dos 46 mil que serão beneficiados com a ordem de soltura de presos sequer se encontrarão no grupo dos autores das ações, a enfatizar que a decisão não é adequada para atender aquele que deveria ser o público-alvo[969].

5ª Consideração: quanto à exigência do PLRA de que a *cautelar prospectiva* seja o meio menos intrusivo necessário para correção (no exame, pois, da necessidade/exigibilidade como parcial da proporcionalidade), extrai-se da opinião minoritária que tanto haviam meios menos agressivos ao alcance que a própria opinião da Corte, em seu fecho, dá algumas sugestões (embora tidas por vagas), como a extensão do prazo final para o estado atingir a redução de presos ordenada (para cinco anos), com precondições para garantir que as medidas para efetiva implementação dos planos sejam tomadas etc.[970]. No mesmo sentido, são indicadas pela minoria várias outras ações possíveis e menos drásticas que poderiam ter sido adotadas em lugar da ordem recorrida (*v.g.*, melhorias em procedimentos sanitários, alcance de suprimentos médicos e equipamentos suficientes, contratação de pessoal, aumento de salários, melhor treinamento e

---

[967] Cf. ESTADOS UNIDOS DA AMÉRICA. SUPREMA CORTE DOS ESTADOS UNIDOS. *Brown et al. vs. Plata et al.*, *Dissenting* (SCALIA, J.), idem, p. 2-3.

[968] Cf. ESTADOS UNIDOS DA AMÉRICA. SUPREMA CORTE DOS ESTADOS UNIDOS. *Brown et al. vs. Plata et al.*, *Dissenting* (SCALIA, J.), idem, p. 5.

[969] Cf. ESTADOS UNIDOS DA AMÉRICA. SUPREMA CORTE DOS ESTADOS UNIDOS. *Brown et al. vs. Plata et al.*, *Dissenting* (SCALIA, J.), idem, p. 5. Ainda segundo a opinião: muitos dos indevidos beneficiários serão "excelentes espécimes físicos que desenvolveram músculos intimidadores puxando ferro no ginásio da prisão".

[970] Cf. ESTADOS UNIDOS DA AMÉRICA. SUPREMA CORTE DOS ESTADOS UNIDOS. *Brown et al. vs. Plata et al.*, *Dissenting* (SCALIA, J.), idem, p. 12-13. Disponível em: <https://supreme.justia.com/cases/ federal/us/563/09-1233/opinion.html>. Acesso em: 10 de mar. de 2015.

monitoração de desempenho etc.). No extremo, consideram que uma ordem para soltura de presos até poderia ser avaliada, mas em número muito menor[971].

6ª Consideração: no que toca à previsão no PLRA do dever da Corte de Três-Juízes dar peso substancial a qualquer impacto na segurança pública, ou na operação do sistema de justiça criminal, na concessão de *cautelar prospectiva* (18 U.S.C §3626(a)(1)) (que, mais uma vez, não é outra coisa que o comando, pela lei, da análise da proporcionalidade em sentido estrito), a minoria prosseguiu na crítica ao modelo das injunções estruturais, destacando que a despeito dos juízes terem dedicado dez dias do julgamento na oitiva de especialistas e testemunhas compromissadas, para, então, valendo-se da credibilidade destes, concluir que a redução de presos poderia ser atingida sem arriscar a segurança pública, este pode ser um cenário fantasioso. Segundo os dissidentes, na verdade "É claro que eles [os juízes] estavam confiando largamente em suas próprias crenças sobre penologia e reincidência". Ou seja, fizeram achados de fato (*factual findings*) não como tradicionalmente se faz, mas, sim, "inserindo seus próprios julgamentos políticos". Disso resulta que a Suprema Corte, ao render deferência aos achados de fato, tal como constam da decisão apelada (porque o Tribunal, como já visto, salvo diante de erro manifesto, não reavalia o conjunto fático-probatório), garantiu que "as preferências políticas de três Juízes Distritais agora governem a operação do sistema penal da Califórnia"[972].

A minoria também afirma (com foco na má avaliação do impacto à segurança pública), analisando o material produzido no julgamento, que a arbitrada redução do efetivo prisional a 137,5% da capacidade do sistema é "completamente desqualificada", porque os juízes não são qualificados para essa análise e, assim, tiveram que contar com a opinião de terceiros. Terceiros como o interventor, ou o mestre especial, pessoas que não foram escolhidas pela Califórnia para administrar o seu sistema penitenciário, e que, portanto, não poderiam ter a sua visão imposta sobre o estado (que, segundo a dissidência, foi o que acabou ocorrendo porque, em última análise, os juízes se valeram dos relatórios/testemunhos desses

---

[971] Cf. ESTADOS UNIDOS DA AMÉRICA. SUPREMA CORTE DOS ESTADOS UNIDOS. *Brown et al. vs. Plata et al.*, *Dissenting* (ALITO, J.), idem, p. 11-13.

[972] Cf. ESTADOS UNIDOS DA AMÉRICA. SUPREMA CORTE DOS ESTADOS UNIDOS. *Brown et al. vs. Plata et al.*, *Dissenting* (SCALIA, J.), idem, p. 8-9.

agentes). Essa dinâmica, afirmaram, "não guarda semelhança com o processo de decisão judicial ordinário"[973].

Ainda no mesmo fulcro (errônea avaliação do impacto à segurança pública), a dissidência critica as já referidas sugestões dadas (ao fim da opinião da Corte) aos Três-Juízes, para o futuro ajuste da ordem, visando à melhor adesão pelo estado, como algo absolutamente impróprio: seja porque é claro que modificações poderão vir a ser feitas (já que o PLRA autoriza isso e, logo, não seria preciso dizê-lo), seja porque é inédito esse tipo de sugestionamento em grau de apelo. A minoria leu o gesto como uma discordância velada da maioria em relação a ordem sob recurso, que não comportava reparo na sistemática do apelo, porquanto resolveram deixar a indicação para que os juízes fizessem o conserto: "[t]al aviso, se tiver sucesso, deve atingir o benefício de uma redução marginal nos inevitáveis assassinatos, roubos e estupros a serem cometidos pelos internos soltos"[974]. E foi dito, ainda, que as sugestões dadas pela maioria não passaram de uma cerimônia de lavagem das mãos, de maneira a que o público visse e, assim, no futuro, se "as coisas terríveis que certamente acontecerão como consequência dessa ultrajante ordem efetivamente ocorrerem, não será responsabilidade de ninguém desta Corte. Afinal de contas, nós não queríamos, e inclusive até sugerimos, algo melhor?"[975]

* * * *

Ao cabo da sua opinião, o juiz Scalia apresentou a seguinte síntese, bem esclarecedora sobre a sua compreensão acerca dos limites do PLRA:

---

[973] Cf. ESTADOS UNIDOS DA AMÉRICA. SUPREMA CORTE DOS ESTADOS UNIDOS. *Brown et al. vs. Plata et al.*, *Dissenting* (SCALIA, J.), idem, p. 9-10.

[974] Cf. ESTADOS UNIDOS DA AMÉRICA. SUPREMA CORTE DOS ESTADOS UNIDOS. *Brown et al. vs. Plata et al.*, *Dissenting* (SCALIA, J.), idem, p. 13-15. A minoria ainda argumenta, com dados empíricos, como prova da concretude do risco à segurança pública ignorado pela maioria, com o caso da Philadelphia, no início dos anos 1990, a partir de um limite de presos judicialmente imposto. A ordem levou à soltura milhares de reclusos, resultando, no intervalo de 18 meses, em 9.732 novos crimes praticados por presos libertos (cf. ESTADOS UNIDOS DA AMÉRICA. SUPREMA CORTE DOS ESTADOS UNIDOS. *Brown et al. vs. Plata et al.*, *Dissenting* (ALITO, J.), idem, p. 11-13).

[975] Cf. ESTADOS UNIDOS DA AMÉRICA. SUPREMA CORTE DOS ESTADOS UNIDOS. *Brown et al. vs. Plata et al.*, *Dissenting* (SCALIA, J.), idem, p. 14.

> "Esta visão segue do texto do PLRA que eu discuti no início, 18 U. S. C. §3626(a)(1)(A). '[E]streitamente desenhada' significa que a cautelar se aplica somente ao 'particular [prisioneiro] ou [prisioneiros]' cujos direitos constitucionais são violados; 'estenda não mais do que o necessário' significa que prisioneiros cujos direitos não são violados não irão obter cautelar; e 'meio menos intrusivo necessário para corrigir a violação do direito Federal' significa que nenhuma outra cautelar está disponível. Eu reconheço que essa leitura do PLRA estaria limitando severamente as circunstâncias sob as quais uma corte poderia emitir injunções estruturais para remediar condições prisionais alegadamente inconstitucionais, entretanto não as eliminaria inteiramente."[976]

E, também a merecer destaque, segue o encerramento da opinião do juiz Alito, quando registrou:

> "A soltura de prisioneiro ordenada neste caso é sem precedente, imprevidente, e contrária ao PLRA. Em amplamente sustentando a decisão inferior, a maioria está apostando com a segurança da população da Califórnia. Antes de colocar a segurança pública em risco, cada precaução razoável deve ser tomada. A decisão inferior deveria ser revertida, e o caso deveria ser remetido para que isso fosse feito. Eu temo que a decisão de hoje, como ordens de soltura de prisioneiros anteriores, vá levar a uma indesejada lista de vítimas. Eu espero que eu esteja errado. Em alguns anos, nós vamos ver."[977]

Como podemos constatar, do início ao fim das suas opiniões, foi intensa a oposição da minoria, demarcando mais um julgamento polêmico na Suprema Corte dos EUA, que, novamente, se fecha sob um escore apertado de 5 votos contra 4.

Resta-nos discutir sobre se é possível classificar o resultado: ativista, ou não?

---

[976] Cf. ESTADOS UNIDOS DA AMÉRICA. SUPREMA CORTE DOS ESTADOS UNIDOS. *Brown et al. vs. Plata et al., Dissenting* (SCALIA, J.), idem, p. 15.

[977] Cf. ESTADOS UNIDOS DA AMÉRICA. SUPREMA CORTE DOS ESTADOS UNIDOS. *Brown et al. vs. Plata et al. Dissenting* (ALITO, J.), idem, p. 17.

4.2.3 Afinal, *Brown vs. Plata* é uma decisão ativista?

4.2.3.1 *Brown vs. Plata* pode ser uma decisão ativista

Percorrida, em linhas gerais, a trajetória da revisão judicial (*judicial review*) nos EUA, e aplicando ao caso os indicadores de ativismo que examinamos depois disso[978], encontramos vários elementos que falam em favor de *Brown* como um veredito ativista.

Considerando o primeiro caracter destacado por LINDQUIST e CROSS[979], *i.e.*, o *majoritarismo e a falta de deferência aos outros atores governamentais*[980], que encampa não só a anulação de leis por incompatibilidade com requisitos constitucionais[981], mas, igualmente, o desafio judicial de atos do legislativo (para além das leis editadas) e das ações do executivo por meio de suas agências administrativas, tanto no plano federal quanto estadual e local[982], é difícil não reconhecer o avanço que a ordem de libertação de prisioneiros emitida pela Corte de Três-Juízes produziu sobre o espaço de decisão/gestão dos ramos Executivo e Legislativo do governo da Califórnia.

Nesse sentido, é respeitável a opinião da dissidência em *Brown* quando afirma que as Cortes distritais são obrigadas a acessar por antecipação, sempre que estabelecem uma injunção estrutural, uma série de fatos como consequência de suas medidas (o que fica ainda mais evidente quando a injunção tem por objetivo reestruturar instituições sociais – como é o caso do sistema prisional californiano), e que esse tipo de julgamento preditivo não pertence ao Judiciário,

---

[978] A propósito, ver, *supra*, o nosso Capítulo 2, com ênfase para o subitem 2.2.2.3, sob o título "Síntese em Torno à Ideia de Ativismo Judicial: medições, outras formas de manifestação e considerações críticas".

[979] Cf. LINDQUIST, Stefanie A.; CROSS, Frank B. *Measuring judicial activism*. New York: Oxford University Press, 2009, p. 32.

[980] Ver, *supra*, o nosso item 2.2.2.3.2, subitem *a.*, intitulado "Majoritarismo e falta de deferência aos outros atores governamentais como manifestações ativistas".

[981] Cf. WHITTINGTON, Keith E. The Least Activist Supreme Court in History? The Roberts Court and the exercise of judicial review. *Notre Dame Law Review*, 89, 2219-2252 (2014), p. 2226. Disponível em: <http://scholarship. law.nd.edu/cgi/viewcontent.cgi?article=4562&context=ndlr>. Acesso em: 2 de mar. de 2015.

[982] Cf. LINDQUIST, Stefanie A.; CROSS, Frank B., op. cit., p. 34.

mas é alocado, pelo sistema de governo, a agentes dos outros ramos, porquanto a maioria teria faltado com a deferência devida a estes[983].

Emitida a injunção estrutural, não é menos digna a sustentação da minoria de que, em seus naturais desdobramentos, *i.e.*, nos ajustes subsequentes, pelo Judiciário, das medidas determinadas, os juízes acabam se transmutando em administradores: "[m]inhas preocupações gerais associadas com juízes administrando instituições sociais está ampliado quando eles administram sistemas prisionais, e duplamente ampliado quando eles forçam oficiais de prisão a soltar criminosos condenados"[984].

Da mesma forma, merece consideração a crítica da dissidência segundo a qual, ao cogitar e sugerir modificações que os juízes poderiam considerar no acertamento da injunção, a maioria excedeu os limites do que pode fazer uma corte de apelação: "Em fazendo isso a Corte está agigantando a si própria, agarrando autoridade que Cortes de apelação não têm, e a utilizando para decretar uma solução de compromisso sem outra base legal que não seja 'a Corte disse assim'."[985]. Também a doutrina aponta ativismo em decisões tais, que, em vez de equacionarem os casos nos termos estritamente necessários, expandem o ângulo da opinião da Corte para mais além[986].

Como vimos mais cedo, julgamentos que afetam direitos e obrigações de grandes grupos podem equivaler à chamada legislação desde a bancada, ou, simplesmente, legislação judicial, a reforçar a noção de maximalismo judicial (o que sempre pode ser agravado pela imposição de remédios expansivos e, às vezes, preclusivos de políticas alternativas que poderiam ser elaboradas por outros agentes políticos para o trato do mesmo problema)[987]. Todos esses possíveis traços ativistas, segundo a dissidência, são localizáveis em *Brown*.

Em suma, todas essas glosas referidas são consistentes com a acusação de ativismo sob a forma de *majoritarismo*, ou seja, pela falta de deferência ao (leia-se, pela invasão do) legítimo espaço de discricionariedade dos ramos eleitos do governo.

---

[983] Cf. ESTADOS UNIDOS DA AMÉRICA. SUPREMA CORTE DOS ESTADOS UNIDOS. *Brown et al. vs. Plata et al.*, *Dissenting* (SCALIA, J.), idem, p. 7 e 9.

[984] Cf. ESTADOS UNIDOS DA AMÉRICA. SUPREMA CORTE DOS ESTADOS UNIDOS. *Brown et al. vs. Plata et al.*, *Dissenting* (SCALIA, J.), idem, p. 11.

[985] Cf. ESTADOS UNIDOS DA AMÉRICA. SUPREMA CORTE DOS ESTADOS UNIDOS. *Brown et al. vs. Plata et al.*, *Dissenting* (SCALIA, J.), idem, p. 13-14.

[986] Cf. LINDQUIST, Stefanie A.; CROSS, Frank B., idem, p. 35.

[987] Cf. LINDQUIST, Stefanie A.; CROSS, Frank B., idem, p. 35.

Já no que toca a outro apontado traço ativista, que se dá por *instabilidade de precedentes e infidelidade legal*[988], mais uma vez é respeitável a visão da dissidência quando vê a sua presença em *Brown*.

Observamos, pouco antes, que, de fato, a decisão emitida no caso, mantendo a injunção estrutural da Corte de Três-Juízes, abandonou o precedente formado em *Turner vs. Safley* (1987)[989]. Tão somente por isso, em aplicando o critério ora em foco, é digna a conclusão por ativismo na hipótese.

Ainda, na leitura da maioria, se "[a] soltura de prisioneiro ordenada neste caso é ... contrária ao PLRA" [990], *Brown*, então, não foi fiel ao texto legal. Houvesse a estrita observância dos dispositivos do PLRA (18 U.S.C. §3626), o resultado teria sido o provimento do apelo da Califórnia e, assim, a reforma da injunção estrutural. Logo, *Brown* é um julgado ativista.

Por um terceiro critério identificador (examinado mais cedo[991]), o chamado *engrandecimento institucional ativista*, pode se identificar ativismo naquelas decisões em temas que demonstram a expansão da autoridade judicial institucional, *i.e.*, no sentido de ouvir casos e controvérsias com potencial de esvaziar

---

[988] Ver, *supra*, o nosso item 2.2.2.3.2, subitem *b*., intitulado "Ativismo por instabilidade de precedentes e infidelidade legal".

[989] Cf. ESTADOS UNIDOS DA AMÉRICA. SUPREMA CORTE DOS ESTADOS UNIDOS. *Turner vs. Safley*, op. cit.; e, cf. ESTADOS UNIDOS DA AMÉRICA. SUPREMA CORTE DOS ESTADOS UNIDOS. *Brown et al. vs. Plata et al., Dissenting* (SCALIA, J.), idem, p. 11; e, cf. ESTADOS UNIDOS DA AMÉRICA. SUPREMA CORTE DOS ESTADOS UNIDOS. *Brown et al. vs. Plata et al., Dissenting* (ALITO, J.), idem, p. 1. Repetimos, pelo relevo, a orientação do precedente aludido: "[C]ortes estão mal equipadas para lidar com os cada vez mais graves e urgentes problemas de reforma e administração prisional... [O]s problemas das prisões na América são complexos e intratáveis, e, mais no ponto, eles não são realmente suscetíveis de resolução por decreto... Administrar uma prisão é uma empresa excessivamente difícil, que requer *expertise*, planejamento, e o comprometimento de recursos, todos os quais estão peculiarmente dentro da província dos ramos legislativo e executivo do governo. A prisão é, além disso, uma tarefa que tem sido cometida à responsabilidade destes ramos, e a separação dos poderes aconselha a política de contenção judicial [*judicial restraint*]. Se o sistema penal do estado está envolvido, as Cortes federais têm ... razão adicional para acordar deferência as apropriadas autoridades prisionais".

[990] Cf. ESTADOS UNIDOS DA AMÉRICA. SUPREMA CORTE DOS ESTADOS UNIDOS. *Brown et al. vs. Plata et al., Dissenting* (ALITO, J.), idem, p. 17.

[991] Ver, *supra*, o nosso item 2.2.2.3.2, subitem *c*., sob o título "Engrandecimento institucional ativista".

os julgamentos do Legislativo e do Executivo em casos particulares[992], que se conecta às chamadas *doutrinas da justiciabilidade*[993] e, dentre elas, à *chamada doutrina da questão política* (que, seguindo o nome, proscreve a decisão de questões políticas pelos tribunais, desempenhando a função de separação dos poderes[994] – em especificação na qual é possível observar a intensa proximidade com o primeiro filtro de ativismo referido, o *majoritarismo e a falta de deferência aos outros atores governamentais*). Pois bem, é digna, mais uma vez, a opinião da minoria quando prega que as injunções estruturais, com ênfase para as ordens de soltura de prisioneiros, "levantam graves preocupações de separação-dos-poderes e se desviam significativamente do papel histórico e da capacidade institucional das cortes", razão pela qual é "apropriado construir o PLRA de um modo que previna as cortes de editar cautelar injuntiva que poderá exceder aqueles papel e capacidade"[995]. Ou seja, "'preocupações de separação dos poderes aconselham uma política de contenção judicial'"[996] no caso, e, como a maioria não se conteve/

[992] Cf. LINDQUIST, Stefanie A.; CROSS, Frank B., idem, p. 37.

[993] Cf. LINDQUIST, Stefanie A.; CROSS, Frank B., idem, p. 38.

[994] Cf. TRIBE, Laurence H. *American Constitutional Law*. Vol. One. 3. ed. Foundation Press: New York, 2000, p. 366. Ainda segundo o autor, a declaração alegadamente definitiva a respeito da doutrina em foco encontra-se em *Baker vs. Carr* (1962), e foi enunciada na opinião da Corte entregue pelo Juiz Brennan, que o fez nos seguintes termos: "[p]roeminente na superfície de qualquer caso decidido para envolver uma questão política é encontrado: [i] um compromisso constitucional textualmente demonstrável do problema para um departamento político coordenado; ou, [ii] a falta de padrões de descoberta e gerenciamento judicial para resolvê-lo; ou, [iii] a impossibilidade de decidir sem uma política de determinação inicial, de um tipo claramente de discricionariedade não judicial; ou, [iv] a impossibilidade de um empreendimento de resolução independente da Corte, sem expressar falta do respeito devido aos ramos coordenados de governo; ou, [v] uma não usual necessidade de aderência inquestionável para com uma decisão política já feita; ou, [vi] o potencial de embaraçamento desde pronunciamentos multifários de vários departamentos sobre uma questão". Desta construção surgiram ao menos três teorias no espaço constitucional norte-americano, para definir o papel das Cortes (bem como as Cortes Federais, geralmente) com respeito aos outros ramos do governo: uma *clássica*, outra *prudencial*, e, uma *funcional* [cf. TRIBE, Laurence H., idem, p. 366; cf. ESTADOS UNIDOS DA AMÉRICA. SUPREMA CORTE DOS ESTADOS UNIDOS. *Baker vs. Carr*, 369 U.S. 186 (1962). Disponível em: <https://supreme.justia.com/ cases/federal/us/369/186/case.html>. Acesso em: 15 de mar. de 2015].

[995] Cf. ESTADOS UNIDOS DA AMÉRICA. SUPREMA CORTE DOS ESTADOS UNIDOS. *Brown et al. vs. Plata et al.*, *Dissenting* (SCALIA, J.), idem, p. 16.

[996] Cf. ESTADOS UNIDOS DA AMÉRICA. SUPREMA CORTE DOS ESTADOS UNIDOS.

não interpretou o PLRA da forma mencionada, teria violado a separação dos poderes, vindo a emitir, assim, uma decisão ativista.

Teríamos, por derradeiro, nos julgamentos ditos *resultado-orientados* (em um quarto critério identificador), e exatamente por isso, uma expressão de ativismo[997]. Por conseguinte, quando se tratar de anulação de lei (mas que em tudo se aplica quando se tratar da intervenção judicial em atos/omissões de outros ramos), seria ativista a decisão se ela serve "para perseguir preferências políticas pessoais dos juízes"[998]. Merece vênia, doutra feita, o entendimento da minoria, na medida em que acusa os juízes de terem decidido "confiando largamente em suas próprias crenças sobre penologia e reincidência"[999], sendo que o modelo das injunções estruturais os convidou "para saciarem preferências políticas" e, mais até, "para saciarem preferências políticas incompetentes"[1000]. Portanto, é nítido, para a minoria, que a decisão em *Brown* é *resultado-orientada*, e, por isso, ativista.

4.2.3.2 *Brown vs. Plata* não é uma decisão ativista

Embora o respeito devido, e já anotado, à posição minoritária, acreditamos que *Brown* não é uma decisão ativista. É uma decisão inédita, sem dúvida, dada sua extensão, com importante interferência do Poder Judiciário federal sobre o estado da Califórnia. Mas uma decisão estritamente dentro dos marcos normativos aplicáveis.

Chama atenção na postura da dissidência o seu amplo repúdio à chamada injunção estrutural, classe de provimento na qual se insere a ordem de libertação de prisioneiros editada pela Corte de Três-Juízes na Califórnia. Importante notar, por conseguinte, que o dissenso reside, antes, no gênero, restando englobada, por

---

Brown et al. vs. Plata et al., *Dissenting* (SCALIA, J.), idem, p. 11; em trecho de citação de *Turner vs. Safley* (cf. ESTADOS UNIDOS DA AMÉRICA. SUPREMA CORTE DOS ESTADOS UNIDOS. *Turner vs. Safley*, idem).

[997] Ver, *supra*, o nosso item 2.2.2.3.2, subitem *d.*, intitulado "Ativismo em julgamentos resultado-orientados".

[998] Cf. LINDQUIST, Stefanie A.; CROSS, Frank B., idem, p. 39.

[999] Cf. ESTADOS UNIDOS DA AMÉRICA. SUPREMA CORTE DOS ESTADOS UNIDOS. *Brown et al. vs. Plata et al.*, *Dissenting* (SCALIA, J.), idem, p. 8 e 9.

[1000] Cf. ESTADOS UNIDOS DA AMÉRICA. SUPREMA CORTE DOS ESTADOS UNIDOS. *Brown, et al. vs. Plata et al.*, *Dissenting* (SCALIA, J.), idem, p. 9.

consequência, a espécie. A propósito, disse a minoria que "[i]njunções estruturais abandonam aquela prática histórica, transformando juízes em administradores de longo-termo de instituições sociais complexas tais como escolas, prisões e departamentos de polícia"[1001], porquanto "injunções estruturais, especialmente ordem de soltura-de-prisioneiros, levantam graves preocupações de separação--dos-poderes e se desviam significativamente do papel histórico e da capacidade institucional das cortes" [1002], levando juízes ao desempenho de um papel não distinguível, na essência, daquele desempenhado por oficiais executivos[1003]. Daí o repúdio mencionado, à decisão da maioria, pois ela "não somente afirma a injunção estrutural, mas vastamente expande o seu uso"[1004].

Assim, se as injunções estruturais, em si, representam um excesso ao poder judicial, e não estariam contempladas no Artigo III, da Constituição dos EUA, bem, isso é discussão que seguramente se pode fazer, mas *de lege ferenda*, *i.e.*, para convencer o Congresso a varrê-la do ordenamento jurídico norte-americano, porque, no caso, foi ele próprio que as instituiu como "remédios apropriados com respeito a condições prisionais", na Seção 3626 do Código dos Estados Unidos, por meio do PLRA[1005].

Portanto, a injunção estrutural objeto do apelo, ou seja, a ordem de soltura de prisioneiros, bem como as menores, que foram emitidas antes dela (como as indicações de interventor e de mestre especial), não foram uma criação da Corte de Três-Juízes, placitada pela maioria da Suprema Corte. Por isso que, atuando no espaço estabelecido pelo legislador, não há falar em ativismo por afronta à separação dos poderes (na cota do *engrandecimento institucional*).

No que diz respeito à leitura do PLRA sustentada pela minoria, cremos que, se tivesse prevalecido, aí sim teríamos uma decisão ativista a debater, assim caracterizada pelo traço da *infidelidade ao texto legal*.

[1001] Cf. ESTADOS UNIDOS DA AMÉRICA. SUPREMA CORTE DOS ESTADOS UNIDOS. *Brown, et al. vs. Plata et al.*, *Dissenting* (SCALIA, J.), idem, p. 6.

[1002] Cf. ESTADOS UNIDOS DA AMÉRICA. SUPREMA CORTE DOS ESTADOS UNIDOS. *Brown, et al. vs. Plata et al.*, *Dissenting* (SCALIA, J.), idem, p. 16.

[1003] Cf. ESTADOS UNIDOS DA AMÉRICA. SUPREMA CORTE DOS ESTADOS UNIDOS. *Brown et al. vs. Plata et al.*, *Dissenting* (SCALIA, J.), idem, p. 6.

[1004] Cf. ESTADOS UNIDOS DA AMÉRICA. SUPREMA CORTE DOS ESTADOS UNIDOS. *Brown et al. vs. Plata et al.*, *Dissenting* (SCALIA, J.), idem, p. 6.

[1005] Cf. ESTADOS UNIDOS DA AMÉRICA. Código dos Estados Unidos. 18 U.S.C., §3626, idem.

Para verificar isso, precisamos, primeiro, resgatar a interpretação oferecida pela dissidência: ela pregava uma compreensão do PLRA que limitasse "severamente as circunstâncias sob as quais uma corte poderia emitir injunções estruturais para remediar condições prisionais alegadamente inconstitucionais"[1006], sustentando, com tal desiderato, que uma cautelar emitida se aplicaria "somente ao 'particular [prisioneiro] ou [prisioneiros]' cujos direitos constitucionais são violados"[1007], de modo que qualquer outro preso não poderia ser beneficiado. Em segundo lugar, precisamos responder à pergunta óbvia: é isso mesmo que deflui da leitura do PLRA?

A resposta, de certa forma, já está dada pelo que desenvolvemos mais cedo, quando analisamos o cenário normativo aplicável ao caso[1008], e mesmo pelo que vimos na opinião da Corte[1009]. É o momento, porém, de enfatizarmos alguns pequenos (grandes) detalhes.

Impossível não começar direto pelo texto legal do PLRA, que garante, para remediar a violação de direito federal de um preso determinado, ou de presos determinados, que sejam adotadas cautelares. Primeiro cautelar injuntiva preliminar (18 U.S.C. §3626(2)), depois, cautelar prospectiva (18 U.S.C. §3626(a)(1)(A)(B)) e, até, ordem de soltura de prisioneiros (18 U.S.C. §3626(3)(A-F)). Em nenhuma delas a lei limita a aplicação das medidas previstas diretamente à(s) pessoa(s) do(s) reclamante(s). Dito por outro modo, dentre as limitações disciplinadas referentes à emissão e à conformação da cautelar, inexiste o fechamento sugerido pela minoria (de que, insistimos, só o(s) autor(es) da ação, de modo direto, em primeira pessoa, é que poderia(m) ser beneficiado(s)). Ou, invertendo a lente, se o meio disponível para socorrer o(s) reclamante(s) beneficiar outras pessoas, isso pouco importa, já que a lei não diz que, nesse caso, o meio ficaria descartado/proibido/não deveria ser aplicado.

[1006] Cf. ESTADOS UNIDOS DA AMÉRICA. SUPREMA CORTE DOS ESTADOS UNIDOS. *Brown et al. vs. Plata, et al., Dissenting* (SCALIA, J.), idem, p. 15.

[1007] Cf. ESTADOS UNIDOS DA AMÉRICA. SUPREMA CORTE DOS ESTADOS UNIDOS. *Brown et al. vs. Plata et al., Dissenting* (SCALIA, J.), idem, p. 15.

[1008] Ver, *supra*, o nosso subitem 4.2.2.1, sob o título "Entendendo a moldura legal".

[1009] Ver, *supra*, o nosso subitem 4.2.2.3.2, intitulado "A opinião do Tribunal pelo juiz Kennedy (e a afirmação da ordem da Corte de Três-Juízes): a Oitava Emenda e as posições do preso, do estado e do juiz em caso de violação".

Ainda em favor desta leitura, basta ver que o PLRA manda que os juízes realizem uma ponderação dando "peso substancial a qualquer impacto adverso na segurança pública ou na operação do sistema de justiça criminal" (18 U.S.C. §3626(a)(1)(A) – que, já anotamos, é o comando, pela lei, da análise da proporcionalidade em sentido estrito[1010]). Ou seja, se a lei estivesse operando numa lógica personalíssima, como quer a dissidência, não precisaria determinar o sopesamento numa escala totalmente hiperdimensionada (afinal, nem mesmo a cautelar mais contundente, se estivesse limitada à soltura de um preso, ou mesmo de alguns, teria o poder de colocar em xeque a "segurança pública" e a "operação do sistema de justiça criminal").

Também a possibilidade de nomeação de interventor e mestre especial dimensionam o que se quer (realmente muito) evitar, embora possa ser inevitável, que é a emissão de uma ordem de soltura, mas esta, por óbvio, em uma perspectiva *macro* (soltura de muitos prisioneiros), e não *micro* (de um, ou alguns presos), como quer ler a minoria em *Brown*.

Por fim, os dois requisitos dispostos na lei para a Corte de Três-Juízes poder emitir a ordem de soltura, quais sejam, que a população carcerária figure como "a causa primária da violação do direito Federal", e, que se perceba que "nenhuma outra cautelar irá remediar a violação do direito Federal" (18 U.S.C. §3626(a)(3)(E)), também deixam ver que a eventual ordem de soltura de prisioneiro a ser emitida pode significar a libertação de muitos presos, porque, por evidente, esta é a forma mais imediata de ver removida a causa primária da violação, e, pois, de garantir que ela cesse.

Reclama cuidado, porém, a seguinte referência da minoria:

> "[O] PLRA estabelece que '[n]ada nesta seção deve ser construído para ... revogar ou diminuir limitações de outra forma aplicáveis aos poderes de remediar das cortes.' §3626(a)(1)(C). O PLRA é, portanto, melhor entendido como uma tentativa de conter a discrição das cortes ao editarem injunções estruturais – não como um mandato para o seu uso."[1011]

[1010] Uma vez que determina uma ponderação entre valores para a resolução do caso: de um lado a dignidade humana, na Oitava Emenda, de outro, a segurança pública/operação do sistema de justiça criminal, com provável extração a partir da Cláusula do Devido Processo, da Décima Quarta Emenda.

[1011] Cf. ESTADOS UNIDOS DA AMÉRICA. SUPREMA CORTE DOS ESTADOS UNIDOS. *Brown et al. vs. Plata et al., Dissenting* (SCALIA, J.), idem, p. 16.

Embora respeitosa a conclusão da dissidência, o cuidado a que aludimos se deve ao fato de que não parece ser a melhor leitura nem do dispositivo isolado, tampouco dele no conjunto da lei. Tomando o texto completo do dispositivo em questão, lemos: "[n]ada nesta seção deve ser construído para autorizar as cortes, ao exercitar os seus poderes de remediar, a ordenar a construção de prisões ou aumento de taxas, ou a revogar ou diminuir limitações de outra forma aplicáveis aos poderes de remediar das cortes" (18 U.S.C. §3626(a)(1)(C)). Ora, como fica claro a partir do texto integral, trata-se de uma advertência para que as Cortes não avancem ao ponto de mandar que um estado edifique uma penitenciária, ou ao ponto de aumentar a tributação para prover recursos que possam ser necessários (dois exemplos claros de invasão de outros ramos, um do Executivo e, o outro, do Legislativo). O trecho final do dispositivo, deliberadamente genérico, serve, por consequência, para cobrir/coibir situações não especificadas que se insiram na linha de gravidade dos exemplos. Daí que (e, agora, olhando para o conjunto da lei), por muito evidente, a passagem não está interditando o uso dos instrumentos que a própria lei tratou de construir em detalhes, isto é, as espécies de injunções estruturais que consagra (cautelar injuntiva preliminar, cautelar prospectiva, apontamento de mestre especial, ordem de soltura de prisioneiros etc.).

De outra parte, respeitada a procedimentalidade disposta no PLRA para a coleta das evidências fáticas disponíveis, inclusive com a realização de várias oitivas (sendo que o estado da Califórnia interveio ao longo de todo o processo), não há espaço para se disputar o uso dessa prova pelos juízes para emitir a ordem de soltura. A minoria, porém, fez isso, disputando as visões contidas nos trabalhos e depoimentos do interventor, do mestre especial e de outras testemunhas, que foram bastante utilizados pelos juízes. Ao fazê-lo, contudo, agiu como que fabricando um "argumento", considerando que em nenhuma altura dos trâmites a Califórnia levantou qualquer espécie de suspeição em relação a eles, reconhecidos *experts* na área[1012].

[1012] Vale assinalar que, em *Coleman*, a contar de 1995, houve três mestres especiais atuando, Sr. John Hagar, Sr. J Michael Keating Jr e Sr. Matthew A. Lopes Jr. Os dois primeiros atuaram por mais de uma década, e, último, atua de 2009 até hoje. Todos os três, de reconhecida competência, formularam mais de duas dezenas de extensos relatórios sobre as violações e as medidas em implantação para solucioná-las, sem qualquer suspeição, frisamos, que tenha sido levantada pelo estado da Califórnia (cf. COHEN, David R. *Cohen's Special Master Case Reporter.* Disponível em: <http://specialmaster.biz/2011/0711.php>. Acesso em: 15 de maio de 2015; e, cf. ESTADOS UNIDOS DA

Aqui, no entanto, parece emergir o verdadeiro motivo da crítica, que reverbera da opinião da minoria, e que se resume à pura divergência ideológica. Quer dizer, se o interventor e o mestre especial tivessem criticado a superpopulação, mas sem relacioná-la como causa principal/primária dos déficits humanitários no atendimento de saúde, que o conduziu abaixo do mínimo exigido pela dignidade humana da Oitava Emenda, as suas posições seriam válidas? Como fizeram a conexão, isso significa que mostraram uma opção ideológica, uma postura política, que lhes suprime o valor e invalida a decisão dos juízes?! Vale sublinhar, então, o óbvio: a crítica só é possível porque o crítico tem uma dada (outra) postura ideológica/política, de onde fala para fazer a sua "desconstrução". Nesse marco, se a ordem apelada é uma peça com nota política, a posição minoritária, pela sua cassação, não é ato menos político.

Vale aqui a observação de ALEXY, quando, abordando a crítica da práxis jurisprudencial, refere que "[a] questão central, nessa dimensão, é, a partir do direito positivo válido, determinar qual a decisão correta em um caso concreto.

AMÉRICA. ESCRITÓRIO DE PUBLICAÇÕES DO GOVERNO DOS ESTADOS UNIDOS. *90-520 – (PC) Coleman et al. vs. Brown et al.* Disponível em: <http://www.gpo.gov/fdsys/granule/USCOURTS-caed-2_90-cv-00520/USCOURTS-caed-2_90-cv-00520-659/content-detail.html>. Acesso em: 15 de maio de 2015). Em *Plata,* o *interventor* inicialmente nomeado (em 2006), Sr. Robert Sillen (que era um experiente administrador na área hospitalar), foi substituído, partir de 2008, pelo Sr. J. Clark Kelso (professor de Direito na Pacific McGeorge Schcool of Law). Mais cedo, Kelso trabalhou como oficial-chefe de Informação do estado da Califórnia, sob o governador Davis (democrata) e, depois do seu *recall*, sob o governador Schwarzenneger (republicano), quem o manteve no cargo. Na carreira, Kelso também trabalhou, nos anos 1980, como assessor do então juiz federal Anthony M. Kennedy, na Corte Federal de Apelação dos Estados Unidos para o 9º Circuito, antes deste se tornar juiz associado da Suprema Corte. Os interventores que estiveram em *Plata* (sendo que o último, portanto, ainda permanece no posto) sempre mostraram a capacidade e o distanciamento necessários, pelo que, sublinhamos, também nunca sofreram qualquer objeção pelas partes do caso (cf. ESTADOS UNIDOS DA AMÉRICA. CORTE DISTRITAL DOS ESTADOS UNIDOS PARA O DISTRITO NORTE DA CALIFÓRNIA. *Order appointing receiver.* 14 de fev. de 2006. Disponível em: <http://www.cphcs.ca.gov/docs/court/plata/2006-02-14_Order_Appointing_Receiver.pdf> Acesso em: 6 de mar. de 2015; e, cf. ESTADOS UNIDOS DA AMÉRICA. CORTE DISTRITAL DOS ESTADOS UNIDOS PARA O DISTRITO NORTE DA CALIFÓRNIA. *Order appointing new receiver.* 23 de jan. de 2008. Disponível em: <http://www.cphcs.ca.gov/docs/court/plata/2008-01-23_Order_Appointing_New_Receiver.pdf> Acesso em: 6 de mar. de 2015).

Em todos os casos polêmicos a resposta a essa questão implica valorações de quem a responde"[1013]. E, de fato, se se trata de interpretar, parece que alguma carga ideológica é mesmo inerente ao processo.

Apenas para a ênfase merecida, não é preciso muita força para perceber a nenhuma empatia da dissidência com a situação dos presos, ora cotados como "ótimos espécimes físicos que desenvolveram músculos intimidadores puxando ferro no ginásio da prisão", ora como presos saudáveis que se tornariam capazes de reclamar – nessa absurda teoria da Oitava Emenda – "violação do seu direito constitucional a cuidado médico... simplesmente sobre a base de que as instalações médicas seriam inadequadas", o que transformaria juízes em administradores e tornaria "função das Cortes o asseguramento de adequado cuidado médico em prisões"[1014].

Pois bem, essa forma de ver o mundo, que assim pode ser contemplado, então, desde em uma cadeira da Suprema Corte, é totalmente diversa daquela proclamada pela maioria do Tribunal. Sim, esta afirmou, "como consequência de suas próprias ações prisioneiros podem ser privados de direitos que são fundamentais para liberdade", mas a Constituição e a lei demandam o reconhecimento de outros direitos, porque os "[p]risioneiros retêm a essência da dignidade humana inerente a todas as pessoas", sendo que o "[r]espeito por tal dignidade anima a proibição da Oitava Emenda contra punição cruel e não usual"[1015]. Por esta outra mundividência, sim, instalações médicas inadequadas, quando expõem os presos "a 'risco substancial de dano sério' e fazem a entrega de cuidados nas prisões cair abaixo dos padrões evolutivos de decência que marcam o progresso de uma sociedade madura. *Farmer v. Brennam*, 511 U.S. 825, 834 (1994)"[1016], representam violações à dignidade da pessoa humana incorporada na Oitava Emenda, e portanto, suscetíveis de amparo judiciário, inclusive pela Corte

---

[1013] Cf. ALEXY, Robert. *Teoria dos Direitos Fundamentais*. Trad. Virgílio Afonso da Silva. São Paulo: Malheiros, 2008, p. 36.

[1014] Cf. ESTADOS UNIDOS DA AMÉRICA. SUPREMA CORTE DOS ESTADOS UNIDOS. *Brown et al. vs. Plata et al.*, *Dissenting* (SCALIA, J.), idem, p. 5 e 4.

[1015] Cf. ESTADOS UNIDOS DA AMÉRICA. SUPREMA CORTE DOS ESTADOS UNIDOS. *Brown et al. vs. Plata et al. Opinion of the Court*, idem, p. 12.

[1016] Cf. ESTADOS UNIDOS DA AMÉRICA. SUPREMA CORTE DOS ESTADOS UNIDOS. *Brown et al. vs. Plata et al. Opinion of the Court*, idem, p. 7.

Constitucional, o quanto, ainda que no modelo norte-americano das injunções estruturais, não torna os juízes administradores.

Basta ver a sequência da história em *Brown* para confirmar que o nível mínimo de atendimento à saúde no sistema prisional, com instalações médicas adequadas, pessoal suficiente, treinado e equipado, padrão, doravante, para medir violações da Oitava Emenda, proclamado pela Suprema Corte (mais sensível aos direitos dos presos, não há dúvida), está sendo atingido no estado da Califórnia por ação direta dos atores políticos. A perspectiva de ter que soltar presos ao fim do prazo estipulado na decisão de *Brown*, reforçada depois da chancela da Suprema Corte, foi o combustível que faltava para a realização – insistimos, pelo Executivo e pelo Legislativo californianos, e não por juízes transformados em administradores – de melhorias que o sistema penitenciário exigia, seja por investimentos (em amplas reformas estruturais, também voltadas à saúde prisional etc.[1017]), seja por modi-

---

[1017] O último relatório anual do CDCR, referente ao ano de 2013, documenta uma lista de melhorias implementadas no que designa como período "pós-Realinhamento", isto é, a partir do chamado "Realinhamento de Segurança Pública", legislação bipartidária de 2011, cuja aprovação foi capitaneada pelo Executivo posteriormente à confirmação da decisão da Corte de Três-Juízes pela Suprema Corte dos EUA. A meta declarada do esforço conjunto é garantir que nenhum preso seja "solto mais cedo". O documento reporta: "[o] ano de 2013 representa o segundo ano do 'Projeto de cinco-anos do CDCR' [CDCR's five-year Blueprint], um plano desenvolvido pelo Departamento em 2012 para poupar aos contribuintes da Califórnia bilhões de dólares enquanto constrói sobre o sucesso do Realinhamento de Segurança Pública. Juntos, Realinhamento de Segurança Pública, o qual foi implementado em 2011, e o Projeto [Blueprint] proveem uma moldura para o departamento atingir o cumprimento com os referenciais de população da corte federal, mantendo um nível constitucional de cuidados de saúde no sistema prisional e provendo crescente acesso a programas de reabilitação efetivos – tudo enquanto garante que as instituições são um ambiente seguro para internos como para o pessoal (...) Para o ano-fiscal 2013-2014, o orçamento total do CDCR aumentou em 100 milhões, de 9 bilhões em 2012-2013 para 9,1 bilhões em 2013-2014. Este aumento de fundos permite ao Departamento continuar investindo em esforços reabilitativos de internos focados em reduzir a reincidência entre ofensores repetitivos em todo o Estado". No mesmo documento, merece ser destacado o seguinte reporte: "*Resultados dos esforços de redução de reincidência do CDCR começam a se pagar.* CDCR produziu dois relatórios em 2013 que acompanham internos soltos pré e pós-Realinhamento. Ambos relatórios mostram que as taxas de aprisionamento estão em queda e taxas de condenação estão estáticas para ofensores soltos depois de completar suas sentenças em prisões estaduais pós-Realinhamento. Os relatórios também encontraram ofensores pós-Realinhamento retornam a prisão em uma taxa significativamente menor do que ofensores pré-Realinhamento, um pretendido efeito do Realinhamento". (cf. ESTADOS

ficações legislativas que reduziram o recurso à "terapia" carcerária (ao menos no âmbito das prisões estaduais, com desvio, *v.g.*, de autores de delitos mais leves para o cumprimento de penas nas cadeias dos condados, ou, também para estas, de violadores de *parole* para servir o restante da pena etc.[1018]).

Quanto aos últimos números referentes à população prisional na Califórnia, em 8 de julho de 2015, nas 34 prisões estaduais, havia 111.168 presos abrigados, o que representa 134,4% da capacidade projetada, sendo que 7.277 presos

---

UNIDOS DA AMÉRICA. ESTADO DA CALIFÓRNIA. DEPARTAMENTO DE CORREÇÃO E REABILITAÇÃO DA CALIFÓRNIA (CDCR). *The Year in Accomplishments 2013*, p. 4 e 17. Disponível em: <http://www.cdcr.ca.gov/Reports/docs/CDCR_2013Accomplishments.pdf>. Acesso em: 9 de maio de 2015; e, ESTADOS UNIDOS DA AMÉRICA. ESTADO DA CALIFÓRNIA. DEPARTAMENTO DE CORREÇÃO E REABILITAÇÃO DA CALIFÓRNIA (CDCR). *The Cornerstone of California's Solution to Reduce Overcrowding, Costs, and Recidivism*. Disponível em: <http://www.cdcr.ca.gov/realignment/>. Acesso em: 9 de maio de 2015). Acrescente-se que, em 8 de jan. de 2013, o atual governador da Califórnia, Edmund G. Brown Jr., considerando o bom andamento de todas as estratégias encetadas para a redução da população prisional no sistema do Estado, revogou a Proclamação de Emergência de Superpopulação Prisional de 2006 (emitida, como visto, pelo ex-governador Schwarzzeneger), com efeito a partir de 31 de jul. de 2013, afirmando que "está agora claro que as circunstâncias que levaram à emergência não mais existem" (cf. ESTADOS UNIDOS DA AMÉRICA. ESTADO DA CALIFÓRNIA. GOVERNO DO ESTADO. ESCRITÓRIO DO GOVERNADOR EDWARD G. BROWN JR. *Terminating Prison Overcrowding State of Emergency Proclamation*. Sacramento, 8 de jan. de 2013. Disponível em: <http://www.cdcr.ca.gov/News /docs/3JP-docs-01-07-13/Terminating-Prison-Overcrowding-Emergency-Proclamation-10-4-06.pdf>. Acesso em: 9 de maio de 2015).

[1018] Cf. SIMON, Jonathan. *Mass Incarceration on Trial*. A remarkable court decision and the future of prisons in América. New York: The New Press, 2014, eBook Kindle, p. 134-135. Importante o cenário informado pelo autor: "[a]s consequências de *Brown* na Califórnia têm sido dramáticas. A população nas prisões estaduais caiu de 156 mil durante o julgamento, em 2009, para em torno de 120 mil hoje. Mais importante, um pacote de legislação adotado em 2011 expressamente para cumprir com *Brown* eliminou a prisão estadual como uma opção na sentença para uma vasta maioria de delitos não violentos, não sérios, não sexuais. A nova lei muda responsabilidade e novo financiamento para os condados. Condenados californianos destes delitos hoje podem ser sentenciados, à discrição dos juízes, a uma gama de opções, incluindo *probation*. Presos soltos em *parole* não mais serão supervisionados por oficiais estaduais de *parole*, que foi o caso por mais de setenta anos. Ao invés, oficiais de *probation* dos condados irão supervisioná-los, e se eles violarem os termos de sua *parole*, as suas sanções serão determinadas ao nível do condado. Cadeia permanece como opção, mas com prisão estadual não mais ordenada por leis rígidas e política, encarceramento em massa na Califórnia, por agora ao menos, está morto".

se encontram em unidades fora do estado. A população atual, portanto, está 2.554 internos abaixo da referência final ordenada pela Corte, em 137,5% da capacidade projetada de camas (ou, em 113.720 presos, aproximadamente, no encerramento do prazo em 28 de fevereiro de 2016), e está abaixo desta marca desde fevereiro de 2015[1019].

Por tudo isso, a validade da intervenção judicial no estado da Califórnia está posta, e deflui menos da moldura infraconstitucional, isto é, da disciplina do PLRA, e mais (muito mais) da dignidade da pessoa humana expressa na proibição da punição cruel e não usual da Oitava Emenda à Constituição dos EUA. Claro, jamais saberemos se decisão semelhante seria tida por conforme a Constituição, pela mesma Suprema Corte, à falta de uma lei ordinária que a dissesse possível. Mas, não temos dúvida, a cláusula constitucional em debate é, em si, pilar suficiente a autorizar a tutela judicial efetiva das vítimas de violação.

Ademais, em termos de privação de liberdade, a decisão em *Brown* representa importante reafirmação pela Suprema Corte (com ênfase para o *re*, no caso norte-americano, como se viu na opinião da maioria) da posição de sujeição do preso e, ao mesmo tempo, da condição do estado como seu garantidor. Tudo a conduzir à ideia, que defendemos mais cedo[1020], de necessária existência, para além do formal título de encarceramento, de condições materiais de sua possibilidade (*i.e.*, efetivo respeito, na unidade prisional onde se pretende fazer a reclusão, aos direitos fundamentais da pessoa privada de liberdade), o que chamamos *exequibilidade humanitária do encarceramento*. Ainda que para isso, no extremo, seja preciso ordenar a soltura de prisioneiros de modo a garantir aos remanescentes essa, diga-se, irrenunciável, condição.

[1019] Cf. ESTADOS UNIDOS DA AMÉRICA. CORTE DISTRITAL DOS ESTADOS UNIDOS PARA O DISTRITO LESTE DA CALIFÓRNIA E PARA O DISTRITO NORTE DA CALIFÓRNIA. CORTE DISTRITAL DOS ESTADOS UNIDOS COMPOSTA DE TRÊS JUÍZES. *Defendants' July 2015 Status Report in Response to February 10, 2014 Order*. Disponível em: <http://www.cdcr.ca.gov/News/docs/3JP-Jul-2015/July-2015-Status-Report.pdf> Acesso em: 20 de jul. de 2015; e, cf. ESTADOS UNIDOS DA AMÉRICA. ESTADO DA CALIFÓRNIA. DEPARTAMENTO DE CORREÇÃO E REABILITAÇÃO DA CALIFÓRNIA (CDCR). *Three-Judge Court Updates*. Disponível em: <http://www.cdcr.ca.gov/News/3JP-2015.html>. Acesso em: 20 de jul. de 2015.

[1020] Ver, *supra*, o nosso subitem 3.2.2, sob o título "Superação constitucional do olhar exclusivamente formalista: análise, como requisito material, da *exequibilidade humanitária do encarceramento*".

É preciso dizer, quanto ao desprezo, pela minoria, das condições fáticas desumanas expostas com clareza em ambas as ações coletivas, que isso representa genuína demissão do papel do Judiciário enquanto garante dos direitos fundamentais dos cidadãos, mesmo dos que estão presos. A dissidência simplesmente desprezou o suporte fático que subjazia ao julgamento da constitucionalidade da ordem de soltura de presos e, assim, renunciou à ponderação exigida pela Constituição (ponderação que, inclusive, de modo explícito, como visto, é ordenada pela própria lei – PLRA). Ademais, emitiu opinião que, tivesse prevalecido, permitiria o curso das omissões estatais na Califórnia e, portanto, deixaria se protrair no tempo nítida proteção deficiente aos direitos fundamentais das pessoas privadas de liberdade. Ou seja, levaria à permanência de um estado de coisas inválido/desproporcional/inconstitucional.

Uma última palavra ainda é necessária sobre o rótulo de ativismo. É preciso sublinhar que os critérios organizados pela doutrina para a sua identificação, embora úteis nas extremidades, são pouco esclarecedores naquela zona cinzenta, mais ao centro, em que os casos difíceis de localizam. Sobre *Brown*, em específico, resumimos: *(i)* não há falar em abandono de precedentes enquanto nota ativista, porque, assim como as compreensões em torno do conteúdo de um direito fundamental podem mudar (e tantas vezes mudam) ao longo do tempo, levando um mesmo Tribunal, em momentos distintos, a interpretações divergentes sobre ele, isso também pode acontecer com os precedentes sem que haja o extrapolar do espaço legítimo de atuação dos juízes; *(ii)* não houve infidelidade legal, seja sob a perspectiva da Oitava Emenda (a verdadeiramente mais importante diretriz que precisava ser observada, e foi), seja sob a perspectiva do PLRA (que também foi atendido); *(iii)* não existiu *engrandecimento institucional ativista*, na medida em que o Tribunal (sem se encolher, o que faria se deixasse de apontar a violação do direito fundamental) não tomou, como examinamos, o lugar dos agentes políticos, respeitando as fronteiras do mapa da organização do governo (que vem atuando concretamente para solução dos problemas, com notável aderência ao comando judiciário); e *(iv)* não houve julgamento resultado-orientado no sentido ativista, porque seria preciso chegar ao veredito sem a demonstração da sua justificação, ao arrepio das formas de interpretação comumente aceitas e por razões estritamente políticas. No caso, como observamos, o Tribunal interpretou por aplicação da proporcionalidade (determinada, interessantemente, no próprio PLRA), daí confirmando a decisão sob apelo, o que não autoriza qualquer reparo.

Então, com LINDQUIST e CROSS, insistimos, uma última volta, que a acusação de ativismo, ao fim e ao cabo, "depende de quem é o boi ideológico que está sendo chifrado"[1021], e, na zona *gres* de *Brown*, o boi era dos conservadores.

4.3 JUSTICIABILIDADE DA VIOLAÇÃO ESTATAL DE DIREITOS FUNDAMENTAIS DAS PESSOAS PRIVADAS DE LIBERDADE NO BRASIL

4.3.1 Um julgamento como o de *Brown* pode ter lugar no Brasil?

Como acabamos de ver até aqui, Brasil e EUA têm grandes semelhanças quando o tema é superencarceramento. Embora tenhamos diferenças substanciais em termos de capacidade para financiar as estruturas penitenciárias, com evidente desvantagem para nós, mesmo entre os norte-americanos o resultado do abuso da prisão pode ser, como foi na Califórnia, um cenário desolador de violações aos direitos fundamentais das pessoas privadas de liberdade nos presídios.

Observamos que a intervenção judicial em *Brown*, a partir das ferramentas peculiares disponíveis, e com a adesão dos ramos eleitos do governo local, colocou resultados concretos importantes, com várias melhorias no sistema carcerário da Califórnia. Assim, a experiência norte-americana deste caso lança a dúvida, e reclama a descoberta, no último segmento da presente investigação, sobre se é possível, no Brasil, nas violações perpetradas em nosso sistema prisional, um justiciamento ao estilo de *Brown*.

É o que esperamos esclarecer.

[1021] Cf. LINDQUIST, Stefanie A.; CROSS, Frank B., idem, p. 9.

4.3.1.1 Diferenças e semelhanças em justiciabilidade nos EUA e no Brasil

4.3.1.1.1 A *exequibilidade humanitária do encarceramento* como ponto de convergência dos países no compromisso com direitos fundamentais dos presos

Podemos dizer que o direito fundamental à humanidade das penas tem extração constitucional tanto no Brasil como nos EUA. Nestes, tem previsão na chamada Carta de Direitos (*Bill of Rights*), especificamente na Oitava Emenda à Constituição, sob o seguinte texto: "[f]iança excessiva não deve ser requerida, nem multas excessivas impostas, nem punições cruéis e não usuais infligidas"[1022].

A melhor descrição do conteúdo da garantia pode ser encontrada em *Furman vs. Georgia* (1972)[1023] – julgamento que gerou uma moratória de fato na aplicação da pena de morte nos EUA, só retomada em 1976[1024] –, na opinião do juiz Brennan, que afirmou: "[n]o fundo, então, a Cláusula da Punição Cruel e Não Usual [da Oitava Emenda] proíbe a inflição de punições incivilizadas e inumanas. O estado, mesmo quando pune, precisa tratar seus membros com respeito pelo seu intrínseco valor enquanto seres humanos", resultando que "É uma punição 'cruel e não usual', portanto, se ela não comporta com a dignidade humana"[1025]. Na mesma opinião, foram apontados quatro princípios decorrentes, organizados a partir da jurisprudência da Corte. São eles: *(i)* "uma punição precisa não ser tão severa a ponto de degradar a dignidade dos seres humanos", do que resulta que não apenas a dor está proibida, mas toda e qualquer punição que ameace (como as penas bárbaras de outrora) "membros da raça humana como não humanos, como objetos a se brincar

---

[1022] Cf. ESTADOS UNIDOS DA AMÉRICA. *The Constitution of the United States*. Washington: Senado Federal, 1789. Disponível em: <http://www.law.cornell.edu/constitution>. Acesso em: 26 de ago. de 2014.

[1023] Cf. SIMON, Jonathan, op. cit., p. 137.

[1024] Cf. SMITH, Stephen F. The Supreme Court and the Politics of Death, 94, n. 2, *Virginia Law Review* 283-383 (2008), p. 288-290. Disponível em: <http://scholarship.law.nd.edu/cgi/viewcontent.cgi?article=1375 &context=law_faculty_scholarship>. Acesso em: 15 de maio de 2015.

[1025] Cf. ESTADOS UNIDOS DA AMÉRICA. SUPREMA CORTE DOS ESTADOS UNIDOS. *Furman vs. Georgia*, 408 U.S. 238 (1972). Disponível em: <https://supreme.justia.com/cases/federal/us/408/238/ case.html>. Acesso em: 15 de maio de 2015.

e depois a serem descartados", a revelar penas "inconsistentes com a premissa fundamental da Cláusula, de que mesmo o criminoso mais vil permanece um ser humano possuidor de dignidade humana comum" (que é a acolhida do já debatido princípio ético kantiano, ou, antes, beccariano)[1026]; *(ii)* "O Estado não pode arbitrariamente infligir uma punição severa ... sobre algumas pessoas, que ele não inflige sobre outras", ou "não respeita a dignidade humana"[1027]; *(iii)* uma punição, mesmo severa, precisa ser aceitável "para a sociedade contemporânea" (no que deve haver uma determinação judicial o mais objetiva possível); e *(iv)* uma punição, mesmo severa, "não pode ser excessiva", de modo que "[s]e existe uma punição significativamente menos severa para atingir os propósitos pelos quais a punição foi infligida ... a punição infligida é desnecessária, e, portanto, excessiva", porque a punição "não pode comportar com a dignidade humana quando ela é nada mais que inflição de sofrimento sem sentido"[1028])[1029].

[1026] Sobre o princípio ético kantiano / beccariano, ver, *supra*, o nosso subitem 3.1.2.2, intitulado "Classificação dos direitos fundamentais das pessoas privadas de liberdade". Pela importância, vale a transcrição do trecho literal da opinião do juiz Brennan, no ponto: "[m]ais do que a presença de dor, contudo, é compreendido no julgamento que a extrema severidade de uma punição a faz degradante para a dignidade dos seres humanos. A punições bárbaras condenadas pela história, 'punições que infligiam tortura, tal como a mesa de estiramento, a chave de polegares, a bota de ferro... e similares' são, é claro, 'aplicadas com dor aguda e sofrimento'. *O'Neil vs. Vermont,* 144 U. S. 323, 144 U. S. 339 (1892) (Field, J., dissentindo). Quando nós consideramos o porquê elas foram condenadas, entretanto, nós percebemos que a dor envolvida não é a única razão. O verdadeiro significado destas punições é que elas ameaçam membros da raça humana como não humanos, como objetos a se brincar e depois a serem descartados. Elas são, assim, inconsistentes com a premissa fundamental da Cláusula, de que mesmo o criminoso mais vil permanece um ser humano possuidor de dignidade humana comum. A inflição de uma punição extremamente severa (...) pode refletir a atitude de que a pessoa punida não está intitulada ao reconhecimento como um companheiro ser humano" (cf. ESTADOS UNIDOS DA AMÉRICA. SUPREMA CORTE DOS ESTADOS UNIDOS. *Furman vs. Georgia*, 408 U.S. 238 (1972), op. cit.).

[1027] Que podemos ler como demanda do paradigma da igualdade – e que remete, no plano das normas, à necessária coerência endonormativa como um requisito da proporcionalidade (cf. FELDENS, Luciano, idem, p. 161-164), coerência que, atendida na lei, também exige observância no plano das sentenças.

[1028] Em referência que pode ser compreendida sob a perspectiva da necessidade/exigibilidade, enquanto dimensão da proporcionalidade.

[1029] Cf. ESTADOS UNIDOS DA AMÉRICA. SUPREMA CORTE DOS ESTADOS UNIDOS. *Furman vs. Georgia*, idem.

É curioso perceber que, enquanto nos EUA a dignidade da pessoa humana é, pois, inferida (e muito bem) da cláusula que proíbe as punições cruéis e não usuais, por aqui, além de termos assento expresso da dignidade como direito fundamental (CF, art. 1º, Inc. III: "[a] República Federativa do Brasil ... tem como fundamentos: ... a dignidade da pessoa humana"), temos previsão em conteúdo muito similar ao da cláusula em questão (CF, art. 5º, Inc. III: "ninguém será submetido a tortura nem a tratamento desumano ou degradante"), além de outros dispositivos que representam especificações da dignidade da pessoa humana e, pois, da irrenunciável humanidade das penas (CF, art. 5º, Incs. XLVII [("não haverá penas: a) de morte, salvo em caso de guerra declarada, nos termos do art. 84, XIX; b) de caráter perpétuo; c) de trabalhos forçados; d) de banimento; e) cruéis;"], XLVIII ["a pena será cumprida em estabelecimentos distintos, de acordo com a natureza do delito, a idade e o sexo do apenado"], XLIX ["é assegurado aos presos o respeito à integridade física e moral;"] e L ["às presidiárias serão asseguradas condições para que possam permanecer com seus filhos durante o período de amamentação"])[1030]. Por isso, embora em termos estritamente normativos, devemos anotar alguma vantagem do Brasil, em contraste com os EUA. Ou seja, é preciso menos esforço hermenêutico entre nós para se chegar aos diversos interditos a serem observados ao ensejo da punição, em um certo *plus* de garantia (formal, ao menos)[1031].

Portanto, da Oitava Emenda à Constituição dos EUA, da cláusula da punição cruel e não usual (onde lemos o direito fundamental à humanidade das penas), é

[1030] Cf. BRASIL. Constituição da República Federativa do Brasil. *Diário Oficial da União*, Brasília, 5 de out. de 1988.

[1031] Em favor dessa mesma leitura, gizamos a opinião do STF expressa no já mencionado recurso extraordinário n. 592.581: "[n]o Brasil, contudo, é importante salientar, temos uma clara vantagem em relação àquele histórico [dos EUA, inclusive com menção expressa ao caso Brown]: há toda uma sorte de instrumentos normativos aptos a assegurar essa proteção. Em outras palavras o Judiciário, aqui, não precisa partir do zero, construindo uma doutrina com base em princípios morais ou valores abstratos, eis que temos, repito, um robusto conjunto normativo, tanto no âmbito nacional como no internacional, que dá ampla guarida à ação judicial voltada à proteção dos direitos dos presos" (cf. BRASIL. SUPREMO TRIBUNAL FEDERAL. *Recurso Extraordinário* n. 592.581. Voto proferido pelo ministro Ricardo Lewandowski em sessão de julgamento do dia 13 de ago. de 2015. Disponível em: <http://www.stf.jus.br/arquivo/cms/noticiaNoticiaStf/anexo/Prisoes.pdf>. Acesso em: 14 de ago. de 2015).

extraído o direito fundamental à dignidade da pessoa humana, em compreensão que também aparece em *Brown*, como vimos na opinião da Suprema Corte, em passagem que, pela importância, repetimos nas exatas palavras do juiz Kennedy: "[p]risioneiros retêm a essência da dignidade humana inerente em todas as pessoas. O respeito por essa dignidade anima a proibição da Oitava Emenda contra punição cruel e não usual", porquanto "[u]ma prisão que prive prisioneiros de sustento básico, incluindo adequado cuidado médico, é incompatível com o conceito de dignidade humana e não tem lugar em sociedade civilizada"[1032].

Guardadas, então, as especificidades, fica claro o compromisso de ambos os países com aquilo que designamos *exequibilidade humanitária do encarceramento* (um conceito-síntese dos direitos fundamentais de uma pessoa que precisam, concretamente, ser protegidos no contexto da sua prisão, *i.e.*, a possibilidade de privação de liberdade de uma pessoa em consonância efetiva com o arcabouço de direitos fundamentais que lhe assistem, e que não são atingidos pela supressão do direito à liberdade de locomoção[1033])[1034], à ausência do qual, como destacado em *Brown*, mesmo que isso ocorra em nível sistêmico (*v.g.*, como na hipótese, em todo o sistema prisional do Estado da Califórnia), estará identificada violação passível de reconhecimento expresso, e, assim, intitulada a obtenção de remédios, na via judiciária.

[1032] Cf. ESTADOS UNIDOS DA AMÉRICA. SUPREMA CORTE DOS ESTADOS UNIDOS. *Brown et al. vs. Plata et al. Opinion of the Court*, idem, p. 12-13.

[1033] No que, mais uma vez, destacamos da opinião da Corte em *Brown*: "[c]omo consequência de suas próprias ações, prisioneiros podem ser privados de direitos que são fundamentais para a liberdade. No entanto, a lei e a Constituição demandam reconhecimento de certos outros direitos", que, obviamente, precisam ser respeitados durante o encarceramento (cf. ESTADOS UNIDOS DA AMÉRICA. SUPREMA CORTE DOS ESTADOS UNIDOS. *Brown et al. vs. Plata et al. Opinion of the Court*, idem, p. 12).

[1034] Sobre a *exequibilidade humanitária do encarceramento*, ver, *supra*, o subitem 3.2.2.2.1, letra *c*. ("A proporcionalidade em sentido estrito (a *exequibilidade humanitária do encarceramento* como suporte fático da análise)"), o subitem 3.2.2.2.2 ("A *exequibilidade humanitária do encarceramento* e a proporcionalidade como proibição da proteção deficiente (*reprovação II*)"), e, o subitem 3.3 ("Síntese e conclusões parciais").

4.3.1.1.2 O Poder Judiciário como garante dos direitos fundamentais: direito fundamental à proteção judicial efetiva nos EUA e no Brasil

Mais cedo ficou claro que o papel de revisão, pelo Poder Judiciário, dos atos emanados de outros ramos do governo, no quadro norte-americano, embora plenamente estabelecido, nunca esteve livre de resistência ao longo de mais de dois séculos e até os nossos dias.

A razão da polêmica é singela, como visto, e reside na falta de previsão Constitucional da aludida competência. De fato, o silêncio (ao menos explícito) da Carta colocou a necessidade de construção dessa competência, que remete ao famoso caso *Marbury vs. Madison* (1803)[1035]. Na oportunidade, a Suprema Corte dos primeiros dias dos EUA, em opinião histórica entregue pelo chefe de Justiça Marshall, elaborou a independência do Judiciário, e o seu poder de realizar a *revisão judicial* (*judicial review*), sob os seguintes argumentos centrais: *(i)* a Constituição está acima das leis ordinárias; *(ii)* sempre que estas contrariarem aquela, compete às Cortes dar aplicação à lei primordial[1036]; *(ii)* ao fazê-lo, cabe ao Judiciário interpretar as leis e, embora a Constituição não diga expressamente que este departamento possa fazer tal sorte de pronunciamentos, isso deflui do seu texto, principalmente das atribuições por ela cometidas a ele[1037]. Outrossim,

[1035] A propósito, ver, *supra*, no Capítulo 2, o subitem "2.2.1 – As origens históricas da *judicial review*: o caso *Marbury vs. Madison*".

[1036] Cf. o próprio MARSHALL, na decisão do caso: "[s]e, então, as Cortes devem considerar a Constituição, e a Constituição é superior a qualquer ato ordinário do Legislativo, a Constituição, e não estes atos ordinários, devem governar o caso ao qual ambos se aplicam" (cf. *Marbury vs. Madison*. 5 U.S. 137. In: *50 Most Cited US Supreme Court Decisions*. Historic Decisions of the US Supreme Court. US: Landmark Publications, 2011, eBook Kindle, pos. 4966).

[1037] Ou, mais uma vez nas palavras de MARSHALL: "[d]izer o que a lei é, esta, enfaticamente, é a província e o dever do Departamento Judiciário. Aqueles que aplicam a lei a casos particulares devem, por necessidade, expor e interpretar essa lei. Se duas leis conflitam entre si, as Cortes devem decidir sobre o funcionamento de cada uma delas." (...) "Assim, a fraseologia particular da Constituição dos Estados Unidos confirma e reforça o princípio, que deveria ser essencial a todas as constituições escritas, de que uma lei repugnante à Constituição é nula, e que os tribunais, bem como outros departamentos, estão vinculados por esse instrumento." (cf. *Marbury vs. Madison*, op. cit., pos. 4966 e 5015). Vale anotar a origem doutrinária de muitos destes fundamentos, que remetem aos escritos de HAMILTON: "É muito mais racional supor que as cortes foram projetadas para ser um corpo intermediário entre o povo e o legislativo em ordem, entre outras coisas, a

a decisão estabeleceu o momento a partir do qual a omissão de um ato pelo Executivo, cometido por lei, deixa de ser apenas politicamente examinável e passa a ser objeto de auditoria pelo Judiciário: sempre que a concretização dos direitos individuais depender da prática deste ato, o indivíduo tem o direito de buscar um remédio para tanto[1038].

Ao lado do debate sobre a legitimidade, ou não, da *judicial review*, corre um segundo, tão antigo quanto o primeiro, relativo à extensão do poder revisional, notadamente quanto aos limites que o Judiciário deve observar em ordem a não invadir os espaços legítimos de atuação/decisão dos ramos eleitos do governo. Este outro debate levou ao desenvolvimento da chamada contenção judicial (*judicial restraint*), defendida, desde o início, como postura adequada do Judiciário, em ordem a mantê-lo distante das decisões de conteúdo político[1039] (ou, longe da

---

manter o último dentro dos limites assinados a sua autoridade. A interpretação das leis é a própria e peculiar província das cortes. Uma constituição é, em fato, e precisa ser considerada pelos juízes, como uma lei fundamental. Isso, portanto, pertence a eles para ajustar seu significado tão bem quanto o significado de qualquer ato particular procedente do corpo legislativo. (...) Nem esta conclusão, por qualquer meio, supõe uma superioridade do judiciário sobre o poder legislativo. Isso apenas supõe que o poder do povo é superior a ambos; e que, quando a vontade do legislativo declarada em seus estatutos permanece em oposição àquilo que o povo declarou por meio da Constituição, os juízes deveriam ser regidos pela última em lugar da primeira." (HAMILTON, Alexander. The Judiciary Department, *Federalist*, New York, n. 78, 1788. Disponível em: <http://thomas.loc.gov/home/histdox/fed_78.html>. Acesso em: 26 de ago. de 2014). Cf. HAND "É interessante observar quanto próximas as razões de Marshall em *Marbury vs. Madison* seguiram as de Hamilton." (cf. HAND, Learned. *The Bill of Rights*. New York: Atheneum, 1964, p. 7-8).

[1038] Ainda, cf. MARSHALL: "[m]as quando o Legislativo passa a impor a esse oficial outros deveres; quando ele é dirigido peremptoriamente à prática de determinados atos; quando os direitos dos indivíduos são dependentes da prática de tais atos; ele é, até então, o oficial da lei, é favorável às leis por sua conduta, e não pode, a seu critério, alijar os direitos adquiridos dos outros. A conclusão deste raciocínio é que, quando os chefes de departamentos são os agentes políticos ou confidenciais do Executivo, apenas para executar a vontade do Presidente, ou melhor, para agir em casos em que o Executivo possui uma discricionariedade constitucional ou legal, nada pode ser mais perfeitamente claro do que seus atos são apenas politicamente examináveis. Mas onde um dever específico é atribuído por lei, e os direitos individuais dependem da realização deste dever, parece igualmente claro que o indivíduo que se considera lesado tem o direito de recorrer às leis de seu país para um remédio." (*Marbury vs. Madison*, idem, pos. 4817).

[1039] Ver, *supra*, o subitem 2.2.2, intitulado "A *judicial review* na Suprema Corte dos EUA a partir do Século XX".

espada e da bolsa, fazendo-o, assim, o *ramo menos perigoso* do governo, na lição de HAMILTON[1040]). Ou não, porque excessos ocorreram e, no final dos anos 1940, foram chamados de ativismo judicial[1041].

De qualquer sorte, à parte das divergências acima recuperadas, o certo é que a missão do Judiciário nos EUA está traçada desde os *pais fundadores* (*founding fathers*), ou os *framers*. A propósito, HAMILTON ensinava que "as Cortes de justiça devem ser consideradas como os baluartes de uma Constituição limitada contra usurpações legislativas", "por leis injustas e parciais", porquanto "a firmeza da magistratura judicial é de vasta importância em mitigar a severidade e confinar a operação de tais leis", que podem levar a "lesão dos direitos privados de classes particulares de cidadãos" [1042].

Já, MADISON, em defesa da incorporação da Carta de Direitos (*Bill of Rights*) à Constituição, argumentava que:

> "Se eles são incorporados na Constituição, tribunais de justiça independentes irão considerar-se em uma maneira peculiar os guardiões desses direitos; eles vão ser um baluarte impenetrável contra cada pretensão de poder no Legislativo ou Executivo; eles serão naturalmente levados a resistir a cada

---

[1040] Ou, na expressão do autor: "[q]uem considera atentamente os diferentes departamentos de poder deve perceber, que, em um governo em que são separados um do outro, o judiciário, a partir da natureza de suas funções, será sempre o menos perigoso para os direitos políticos da Constituição; porque ele será o menos capacitado para irritá-los ou prejudicá-los. O Executivo não só dispensa as honras, mas segura a espada da comunidade. A legislatura não só comanda a bolsa, mas prescreve as regras pelas quais os deveres e direitos de cada cidadão estão para ser regulados. O judiciário, ao contrário, não tem nenhuma influência tanto sobre a espada ou a bolsa; nenhuma direção tanto da força ou da riqueza da sociedade; e não pode tomar resolução ativa seja a que for. Pode-se dizer verdadeiramente que não têm nem FORÇA, nem VONTADE, mas apenas julgamento; e deve depender em última instância do auxílio do braço executivo mesmo para a eficácia das suas decisões" (cf. HAMILTON, Alexander. The Judiciary Department, *Federalist*, New York, n. 78, 1788. Disponível em: <http://thomas.loc.gov/home/histdox/fed_78.html>. Acesso em: 26 de ago. de 2014).

[1041] Ver, *supra*, o subitem 2.2.2.2, sob o título "Ativismo Judicial em Direitos Fundamentais na Suprema Corte da segunda parte do Século XX e início do Século XXI".

[1042] Cf. HAMILTON, Alexander, op. cit.

usurpação sobre direitos a tanto expressamente estipulados na Constituição pela declaração de direitos"[1043]

Atualmente, é incontroverso o papel do Judiciário norte-americano como garante dos direitos fundamentais. Ou, segundo a própria Suprema Corte, em recente decisão: "[a] identificação e a proteção de direitos fundamentais é uma parte estável do dever judicial de interpretar a Constituição". Envolve "respeitar a história e aprender dela, sem permitir ao passado sozinho que governe o presente", e "requer das Cortes que exercitem julgamento arrazoado na identificação de interesses da pessoa tão fundamentais que o estado deve conceder-lhes o seu respeito", sempre com o cuidado devido em identificar a injustiça, pois "[q]uando uma nova visão revela discórdia entre proteções centrais da Constituição e uma constrição legal recebida, uma reivindicação de liberdade deve ser tratada" [1044].

Claro isso em relação aos EUA, no Brasil, mais uma vez em certa vantagem do ponto de vista normativo, temos um direito fundamental à proteção judiciária efetiva devidamente inscrito em nosso inciso XXXV, do art. 5º da Constituição brasileira (onde se lê que: "a lei não excluirá da apreciação do Poder Judiciário lesão ou ameaça a direito")[1045]. Portanto, sempre que o cidadão estiver sofrendo, ou na ameaça de sofrer, uma indevida privação/restrição do seu direito, desimportando se por ação/omissão do estado (ou, até, de um terceiro), é possível a busca de socorro judicial, e o acesso pode se dar na contemporaneidade da lesão, ou mesmo ante a sua iminência. Portanto, porque protege não apenas diante de lesão concreta, mas, igualmente, em face de lesão potencial ou ameaça a direito, "a proteção judicial efetiva abrange também as medidas cautelares ou antecipatórias destinadas à proteção de direitos"[1046].

[1043] Cf. MADISON, James. In: *The Founders' Constitution*. Volume 1, Capítulo 14, Documento 50. The University of Chicago Press: 2000. Disponível em: <http://press-pubs.uchicago.edu/founders/documents/v1ch14s50.html>. Acesso em: 15 de maio de 2015.

[1044] Cf. ESTADOS UNIDOS DA AMÉRICA. SUPREMA CORTE DOS ESTADOS UNIDOS. *Obergefell vs. Hodges*, op. cit. Ainda sobre este caso, ver, *supra*, nota 923.

[1045] Cf. MENDES, Gilmar Ferreira; BRANCO, Paulo Gustavo Gonet. *Curso de Direito Constitucional.* 10. ed. São Paulo: Saraiva, 2015, p. 401; cf. SILVA, José Afonso. *Comentário Contextual à Constituição*. 9. ed. São Paulo: Malheiros, 2014, p. 133-134; e, cf. BRASIL. Constituição da República Federativa do Brasil. *Diário Oficial da União*, Brasília, 5 de out. de 1988.

[1046] Cf. MENDES, Gilmar Ferreira; BRANCO, Paulo Gustavo Gonet, op. cit., p. 402.

Segundo CANOTILHO, ao analisar preceito semelhante da Carta portuguesa, trata-se do "princípio da garantia de via judiciária", via cuja abertura está em conexão fundamental com a defesa dos direitos e, por isso, "[r]eforça o *princípio da efetividade dos direitos fundamentais*", proscrevendo a sua ineficácia ou inexequibilidade "por falta de meios judiciais". Plasma, desse modo, a meta de "proteção jurídico-judiciária individual", que não pode comportar "*lacunas*". A significar que os direitos fundamentais só estarão garantidos se, "no caso da violação destes, houver uma instância independente que restabeleça a sua integridade" (esse que é o núcleo, então, da proteção judicial dos direitos)[1047].

Na mesma linha, FERRAJOLI observa que os desníveis entre as normas, que constituem a base da existência de normas inválidas, bem como o fato da "incorporação dos direitos fundamentais no nível constitucional, mudam a relação entre o juiz e a lei e assinam à jurisdição uma função de garantia do cidadão frente às violações de qualquer nível da legalidade por parte dos poderes públicos"[1048]. Por isso, complementa o autor que o atual fundamento principal da legitimação da jurisdição e da independência do Poder Judiciário dos demais poderes eleitos (precisamente porque são poderes de maioria) está na "sujeição do juiz à Constituição, e, em consequência, em seu papel de garante dos direitos fundamentais constitucionalmente estabelecidos"[1049]. Trata-se, portanto, de um fundamento que radica no valor da igualdade como igualdade em direitos:

> "posto que os direitos fundamentais são de cada um e de todos, sua garantia exige um juiz imparcial e independente, subtraído a qualquer vínculo com os poderes de maioria e em condições de censurar, em seu caso, como inválidos ou como ilícitos, os atos através dos quais aqueles se exercem. Este é o sentido da frase '!Há juízes em Berlim!': deve haver um juiz independente que intervenha para reparar as injustiças sofridas, para tutelar os direitos de um indivíduo, ainda que a maioria, ou, inclusive, os demais em sua totalidade, tenham se unido contra ele; disposto a absolver por falta de provas ainda quando a opinião geral quisera a condenação, ou a condenar, se existem provas, ainda quando essa mesma opinião demandasse a absolvição"[1050]

1047 Cf. CANOTILHO, J. J. Gomes, idem, p. 273-276.

1048 Cf. FERRAJOLI, Luigi, op. cit., p. 26.

1049 Cf. FERRAJOLI, Luigi, idem, p. 26.

1050 Cf. FERRAJOLI, Luigi, idem, p. 27.

Perseguindo essa ideia é que, um pouco antes[1051], sustentamos que, embora o Poder Legislativo mostre deferência à proporcionalidade como proibição de proteção deficiente, pela configuração, no caso brasileiro, na Carta Política, das normas de direitos fundamentais, e, nos Códigos Penal e de Processo Penal e na Lei de Execução Penal, dos parâmetros para a sua concretização[1052] em nível carcerário, o Poder Executivo, de modo explícito, ao manter unidades prisionais em situação de miséria, negligencia a dita proibição. Ele omite, clarissimamente, as ações necessárias são materialização dos padrões de atendimento aos direitos fundamentais configurados pelo legislador para as pessoas privadas de liberdade. Ora, assim como não é dado a este, ao editar as leis, promover "uma retirada racionalmente injustificável da proteção (normativa) considerada *inequivocamente necessária* ao desenvolvimento e desfrute do direito fundamental"[1053], tampouco é lícito ao administrador (ao nível do concreto, por omissões) fazê-lo. Diante do cenário, abre-se um espaço de análise (para além da norma, ao nível mundano), para a filtragem constitucional da conformidade, não só das ações estatais, mas, também, das suas omissões de fato, com os direitos fundamentais, a ser, então, exercido pelo Poder Judiciário, enquanto garante desses direitos (para não encerrar, insistimos, a discussão da proibição de insuficiência no plano estritamente normativo, negando, assim, o próprio núcleo da ideia de uma tutela adequada e, portanto, eficaz dos direitos fundamentais[1054] das pessoas privadas de liberdade. Afinal, vale sublinhar, mais uma vez, com CANARIS, que "a eficácia da proteção integra, em princípio, logo o próprio conteúdo do dever de proteção, já que um dever de tomar medidas ineficazes não teria sentido"[1055], resultando que também

---

[1051] Ver, *supra*, o subitem 3.2.2.2.2, intitulado "A *exequibilidade humanitária do encarceramento* e a proporcionalidade como proibição da proteção deficiente *(reprovação II)*".

[1052] Vale insistir na lição de CANARIS, de que "a realização do dever de proteção verifica-se, em regra, de uma forma ou de outra, com o auxílio do direito infra-constitucional", o que pode, inclusive, embora não nos pareça ser o caso no âmbito da legislação brasileira de regência, colocar a necessidade de ampliação das leis ordinárias para garantir ajustamento e suficiente proteção dos direitos fundamentais das pessoas privadas de liberdade (cf. CANARIS, Claus-Wilhelm. *Direitos Fundamentais e Direito Privado*. Trad. Ingo Wolfgang Sarlet e Paulo Mota Pinto. Coimbra: Almedina, 2003, p. 125).

[1053] Cf. FELDENS, Luciano, idem, p. 165.

[1054] Cf. CANOTILHO, J. J. Gomes, idem, p. 273.

[1055] Cf. CANARIS, Claus-Wilhelm, op. cit., p. 123.

não teria sentido a impossibilidade da auditoria judiciária da aludida (in)eficácia. Portanto, ao dever de proteção eficaz ao nível normativo, corresponde um dever de proteção judicial efetiva (que se coloca a partir do quadro fático, em caso de ineficácia da norma posta).

Em suma, pode-se falar na existência de um direito fundamental à proteção judicial efetiva no Brasil (formal e materialmente) e nos EUA (ao menos materialmente), isto é, de um direito (fundamental) a proteger direitos (quaisquer que sejam).

4.3.1.1.3 A busca de proteção judicial efetiva em viés coletivo: *Brown* e as possibilidades de equivalência no quadro brasileiro

Ambos os casos examinados no contexto de *Brown* tratam-se de ações de classe (*class actions*). Por definição, a ação de classe é a via legal que permite reclamações de um número de pessoas contra o mesmo defendente, que serão julgadas, portanto, em um mesmo processo. Uma ou mais pessoas estarão à frente da ação (na qualidade de "querelante representativo"), processando em seu próprio nome e em nome de outras (que constituem "a classe"), com base em questões de fato e de direito comuns ("assuntos comuns"), buscando remédio para um erro que atingiu a todos. Os membros da classe, pois, "estão ligados pelo resultado da litigância sobre os assuntos comuns, se favoráveis ou adversos", embora a maioria não tenha tomado parte ativa no litígio[1056]. Trata-se, assim, de um dos mais importantes desenvolvimentos procedimentais do último século, que viabiliza às Cortes o gerenciamento de reclamações que, à falta da ação de classe, teriam que ser deduzidas em ações individuais (separadas) e, logo, dado o seu volume, não teriam condições de serem administradas[1057].

Merece atenção o fato de que no julgamento conjunto de *Coleman* e *Plata* (pela Corte de três-Juízes até o apelo perante a Suprema Corte), a classe de reclamantes ganhou contornos diversos do que normalmente ocorre nos EUA: "[m]esmo em grandes ações coletivas, juízes geralmente pensam em termos de grupos de

---

[1056] Cf. MULHERON, Rachel P. *The class action in common law legal systems:* a comparative perspective. Portland: Hart Publishing, 2004, p. 3.

[1057] Cf. MULHERON, Rachel P, op. cit., p. 4; cf. CORNELL UNIVERSITY LAW SCHOOL. LEGAL INFORMATION INSTITUTE – LII. *Class Action*. Disponível em: <https://www.law.cornell.edu/ wex/class_action>. Acesso em: 15 de mar. de 2015.

indivíduos, como em *Madrid, Coleman* e *Plata* [isoladamente consideradas estas ações]. Em *Coleman-Plata*, entretanto, a população prisional em massa finalmente teve o seu dia na corte"[1058]. E, de fato, como vimos, para remediar a violação dos direitos das classes que formalmente promoviam as ações (presos doentes mentais, em Coleman; e presos doentes graves, em *Plata*), foi necessário atacar/remover a sua causa primária, ou seja, a superlotação prisional, o quanto, pela redução do número de presos no sistema (a 137,5% da capacidade projetada), também beneficiou (via reflexa) o restante da massa carcerária (dimensão que, sem dúvida, esteve presente para a Corte).

Pois bem, no Brasil, o equivalente mais próximo da *class action* norte-americana é a ação civil pública (ACP)[1059]. Embora disponha o estatuto de regência (Lei n. 7.347/1985[1060]) que a "ação civil poderá ter por objeto a condenação em dinheiro ou o cumprimento de obrigação de fazer ou não fazer" (art. 3º), "por danos morais e patrimoniais" (art. 1º), há certo dissídio sobre a sua admissibilidade fora das hipóteses textualmente previstas (*i.e.*, de danos: ao meio ambiente; ao consumidor; a bens e direitos de valor artístico, estético, histórico, turístico e paisagístico; a qualquer outro interesse difuso ou coletivo; por infração da ordem econômica; à ordem urbanística; à honra e à dignidade de grupos raciais, étnicos ou religiosos; ao patrimônio público e social – incs. I a VIII, do art. 1º). MEIRELLES, WALD e MENDES defendem a inadmissibilidade da ação em situações fora do rol mencionado[1061], ao passo que o Supremo Tribunal Federal e

---

[1058] Cf. SIMON, Jonathan. *Mass Incarceration on Trial.* A remarkable court decision and the future of prisons in América. New York: The New Press, 2014, eBook Kindle, p. 111.

[1059] Cf. BARROSO, Luís Roberto. A proteção coletiva dos direitos no Brasil e alguns aspectos da *class action* norte-americana. In: *Boletim Científico da Escola Superior do Ministério Público da União* – ESMPU, Brasilia, n. 16, 2005, p. 117; e, cf. PINHO, Humberto Dalla Bernardino de. Ações de Classe. Direito comparado e aspectos processuais relevantes. In: *Revista da EMERJ*, v. 5, n. 18, 2002, p. 141.

[1060] Cf. BRASIL. Lei n. 7.347, de 24 de jul. de 1985. Disciplina a ação civil pública (...). *Diário Oficial da União*, Brasília, 25 de jul. de 1985.

[1061] No sentido do descabimento da ação fora das hipóteses referidas, eis a posição dos autores: "[e]ntendemos que, pela sua natureza, a ação civil pública só pode ser utilizada quando prevista legalmente, aplicando-se-lhe o princípio do *numerus clausus*. Assim, não cabe estender sua atuação fora dos limites fixados pelo legislador, que não admitem interpretações extensivas, nem analógicas". Por esta compreensão, descabe a ação civil pública "para a defesa de direitos individuais homogêneos fora das hipóteses previstas nos incisos do art. 1º da Lei da Ação Civil Pública (meio ambiente,

o Superior Tribunal de Justiça, no que respeita aos chamados direitos individuais homogêneos, tem admitido a ação desde que esteja configurado interesse social relevante, quando o Ministério Público poderá intentá-la sob a autorização do art. 127, da Constituição Federal[1062].

---

consumidor, patrimônio público e social e ordem econômica)" (cf. MEIRELLES, Hely Lopes, WALD, Arnoldo, MENDES, Gilmar Ferreira. *Mandado de Segurança e Ações Constitucionais*. 34. ed. São Paulo: Malheiros, 2012, p. 306).

[1062] Foram conhecidas ações civis públicas versando sobre direitos individuais homogêneos nas seguintes situações: *(i)* em defesa dos interesses dos segurados no seguro obrigatório DPVAT (Danos Pessoais Causados por Veículos Automotores de Via Terrestre), onde se afirmou: "1. Os direitos difusos e coletivos são transindividuais, indivisíveis e sem titular determinado, sendo, por isso mesmo, tutelados em juízo invariavelmente em regime de substituição processual, por iniciativa dos órgãos e entidades indicados pelo sistema normativo, entre os quais o Ministério Público, que tem, nessa legitimação ativa, uma de suas relevantes funções institucionais (CF art. 129, III). 2. Já os direitos individuais homogêneos pertencem à categoria dos direitos subjetivos, são divisíveis, tem titular determinado ou determinável e em geral são de natureza disponível. Sua tutela jurisdicional pode se dar (a) por iniciativa do próprio titular, em regime processual comum, ou (b) pelo procedimento especial da ação civil coletiva, em regime de substituição processual, por iniciativa de qualquer dos órgãos ou entidades para tanto legitimados pelo sistema normativo. (...) 4. O art. 127 da Constituição Federal atribui ao Ministério Público, entre outras, a incumbência de defender "interesses sociais". (...) Direitos individuais disponíveis, ainda que homogêneos, estão, em princípio, excluídos do âmbito da tutela pelo Ministério Público (CF, art. 127). 5. No entanto, há certos interesses individuais que, quando visualizados em seu conjunto, em forma coletiva e impessoal, têm a força de transcender a esfera de interesses puramente particulares, passando a representar, mais que a soma de interesses dos respectivos titulares, verdadeiros interesses da comunidade. Nessa perspectiva, a lesão desses interesses individuais acaba não apenas atingindo a esfera jurídica dos titulares do direito individualmente considerados, mas também comprometendo bens, institutos ou valores jurídicos superiores, cuja preservação é cara a uma comunidade maior de pessoas. Em casos tais, a tutela jurisdicional desses direitos se reveste de interesse social qualificado, o que legitima a propositura da ação pelo Ministério Público com base no art. 127 da Constituição Federal" (cf. BRASIL. SUPREMO TRIBUNAL FEDERAL. Recurso Extraordinário n. 631.111, J. 7 de ago. de 2014. *Diário da Justiça Eletrônico*, Brasília, 29 de out. de 2014); *(ii)* em defesa da principiologia a ser observada para o provimento de cargos públicos, quando restou assentado que: o "Ministério Público é parte legítima para ajuizar ação civil pública em defesa dos princípios que devem reger o acesso aos cargos públicos por meio de concurso, configurado o interesse social relevante" (cf. BRASIL. SUPERIOR TRIBUNAL DE JUSTIÇA. Embargos no Recurso Especial n. 547.704, J. 15 de fev. de 2006. *Diário da Justiça*, Brasília, 17 de abr. de 2006); *(iii)* em defesa dos usuários do sistema único de saúde, em razão de mortes de neonatos por

Direitos individuais homogêneos são "direitos divisíveis e com titulares certos" que, no direito brasileiro, exigem dois requisitos para a sua proteção coletiva "a origem comum e a homogeneidade". Origem comum "refere-se à causa que serve de fundamento para a pretensão veiculada, como, por exemplo, o acidente de avião, a contaminação de um medicamento, a colocação de água em um suco vendido como puro". Já a homogeneidade "refere-se à identidade ou proximidade de situações entre as pessoas integrantes da classe, de modo a justificar sua reunião no pólo ativo de uma única ação"[1063].

Consideremos, *v.g.*, o caso de um presídio determinado em situação de superlotação, ou, mais ao sentido de *Brown*, o sistema penitenciário de todo um estado da Federação com superpopulação prisional (ambos em amplo déficit em todas as prestações devidas aos internos). Ora, à evidência, estão adimplidos os requisitos de *origem comum* e *homogeneidade* em relação a todos os presos que estejam nestes locais.

---

septicemia, onde reconheceu-se que "[h]odiernamente, após a constatação da importância e dos inconvenientes da legitimação isolada do cidadão, não há mais lugar para o veto da *legitimatio ad causam* do MP para a Ação Popular, a Ação Civil Pública ou o Mandado de Segurança coletivo. (...) Em consequência, legitima-se o Parquet a toda e qualquer demanda que vise à defesa dos interesses difusos e coletivos, sob o ângulo material (perdas e danos) ou imaterial (lesão à moralidade) (...) Deveras, o Ministério Público está legitimado a defender os interesses transindividuais, quais sejam os difusos, os coletivos e os individuais homogêneos.(...) Nas ações que versam interesses individuais homogêneos, esses participam da ideologia das ações difusas, como sói ser a ação civil pública. A despersonalização desses interesses está na medida em que o Ministério Público não veicula pretensão pertencente a quem quer que seja individualmente, mas pretensão de natureza genérica, que, por via de prejudicialidade, resta por influir nas esferas individuais" (cf. BRASIL. SUPERIOR TRIBUNAL DE JUSTIÇA. Recurso Especial n. 637.332, J. 24 de nov. de 2004. *Diário da Justiça*, Brasília, 13 de dez. de 2004); e, *(iv)* em vista de acidentes de trabalho, quando restou definido que: "o direito positivo brasileiro agasalhou a legitimação ativa do Ministério Público para ajuizar ação civil pública em defesa de direitos individuais homogêneos, desde que esteja configurado interesse social relevante. E, sem sombra de dúvida, a situação dos trabalhadores submetidos a condições insalubres, acarretando danos à saúde, configura direito individual homogêneo revestido de interesse social relevante a justificar o ajuizamento da ação civil pública pelo Ministério Público" (cf. BRASIL. SUPERIOR TRIBUNAL DE JUSTIÇA. Recurso Especial n. 58.682-MG, J. em 8 de out. de 1996. *Diário da Justiça*, Brasília, 16 de dez de 1996). Ainda, cf. MEIRELLES, Hely Lopes; WALD, Arnoldo; MENDES, Gilmar Ferreira, op. cit., p. 208.

[1063] Cf. BARROSO, Luís Roberto, op. cit., p. 116-117.

Portanto, nas situações de violação colocadas, é o Ministério Público que deverá promover a ACP, uma vez que, sem dúvida, não só "está em melhor posição para o ajuizamento dessa ação, por sua independência institucional e atribuições funcionais"[1064], como, exatamente por isso, sob o pálio do art. 127 da CF, é o único que terá condições de fazê-lo (já que a atribuição de tutela dos interesses sociais não se coloca – ao menos não sem mais esforço hermenêutico, ainda não empreendido pelos Tribunais – para quaisquer dos outros legitimados[1065], que, em consequência, só poderiam propor a ação nas suas hipóteses textualmente previstas, o que exclui as violações sob análise).

Assim, vale sublinhar, acreditamos, tomando a posição dos Tribunais Superiores brasileiros, que o Ministério Público está, de fato, legitimado à propositura de ação civil pública em defesa das pessoas privadas de liberdade que se encontrem em tais situações de violação permanente/sistemática/sistêmica aos seus direitos fundamentais, *i.e.*, quando estiver verificada a ausência de exequibilidade humanitária do respectivo encarceramento. Ou, na exata gramática indicada pelas Cortes, desde que reconheçamos as violações aos direitos fundamentais das pessoas privadas de liberdade como violação de "bens, institutos ou valores jurídicos superiores, cuja preservação é cara a uma comunidade maior de pessoas" (e não vemos como escapar deste enquadramento), quando "a tutela jurisdicional desses direitos se reveste de interesse social qualificado", resta legitimada "a propositura da ação [civil pública] pelo Ministério Público com base no art. 127 da Constituição Federal"[1066].

[1064] Cf. MEIRELLES, Hely Lopes; WALD, Arnoldo; MENDES, Gilmar Ferreira, idem, p. 219-220.

[1065] São, em geral, legitimados para propor a ACP: "Art. 5º. Têm legitimidade para propor a ação principal e a ação cautelar: I – o Ministério Público; II – a Defensoria Pública; III – a União, os Estados, o Distrito Federal e os Municípios; IV – a autarquia, empresa pública, fundação ou sociedade de economia mista; V – a associação que, concomitantemente: a) esteja constituída há pelo menos 1 (um) ano nos termos da lei civil; b) inclua, entre suas finalidades institucionais, a proteção ao patrimônio público e social, ao meio ambiente, ao consumidor, à ordem econômica, à livre concorrência, aos direitos de grupos raciais, étnicos ou religiosos ou ao patrimônio artístico, estético, histórico, turístico e paisagístico" (cf. BRASIL. Lei n. 7.347, de 24 de jul. de 1985. Disciplina a ação civil pública (...). *Diário Oficial da União*, Brasília, 25 de jul. de 1985).

[1066] Cf. BRASIL. SUPREMO TRIBUNAL FEDERAL. Recurso Extraordinário n. 631.111, J. 7 de ago. de 2014. *Diário da Justiça Eletrônico*, Brasília, 29 de out. de 2014. Outrossim, a título de exemplo de uso da ACP, vale referir ação proposta pelo Ministério Público do Estado do Tocantins (TO), que recebeu liminar ordenando a "implantação de programa de internação e regime de

Antes de avançarmos para os provimentos possíveis, é importante que analisemos as outras vias de tutela coletiva existentes no Brasil e que, de certa forma, poderiam veicular uma solução mais ampla, como a de *Brown*.

Uma alternativa com contornos semelhantes a ação civil pública é o mandado de segurança coletivo. A Constituição consagra o mandado de segurança individual "para proteger direito líquido e certo, não amparado por *habeas corpus* ou *habeas data*, quando o responsável pela ilegalidade ou abuso de poder for autoridade pública ou agente de pessoa jurídica no exercício de atribuições do Poder Público" (CF, art. 5º, inc. LXIX), e assegura o seu conhecimento, com

---

semiliberdade, em unidade especializada (a ser construída), com prazo determinado de 12 meses", tendo em vista que o estado mantinha local totalmente inadequado (na cidade de Artaguaína) para executar tais medidas em desfavor de adolescentes infratores (em cela da cadeia, contígua a dos adultos, ao alcance de contato visual e verbal). O estado foi até o STF para requerer a suspensão da liminar, mas só obteve o afastamento da multa diária de R$3.000,00 em caso de desatendimento do prazo estipulado para execução da obra. Na decisão, proferida pelo ministro Gilmar Mendes, foram rechaçados os argumentos da separação dos poderes e da reserva possível, tidos por não oponíveis quando se trata intervenção judicial voltada a garantir direitos fundamentais (intercessão, pois, no espaço legítimo do Judiciário), direitos que não estão sujeitos a "juízo de simples conveniência ou de mera oportunidade" pela administração: "[n]ão há dúvida quanto à possibilidade jurídica de determinação judicial para o Poder Executivo concretizar políticas públicas constitucionalmente definidas, como no presente caso, em que o comando constitucional exige, com absoluta prioridade, a proteção dos direitos das crianças e dos adolescentes" (cf. BRASIL. SUPREMO TRIBUNAL FEDERAL. Suspensão de Liminar n. 235. J. em 8 de jul. de 2008. *Diário da Justiça Eletrônico*, Brasília, 1 de ago. de 2008). Mais atual, e com estrita aderência ao tema da exequibilidade humanitária do encarceramento, é preciso insistir na menção ao recurso extraordinário n. 592.581, também oriundo de uma ACP, onde assentada a seguinte tese de repercussão geral pelo STF: "É lícito ao Judiciário impor à Administração Pública obrigação de fazer, consistente na promoção de medidas ou na execução de obras emergenciais em estabelecimentos prisionais para dar efetividade ao postulado da dignidade da pessoa humana e assegurar aos detentos o respeito à sua integridade física e moral, nos termos do que preceitua o art. 5º, XLIX, da Constituição Federal, não sendo oponível à decisão o argumento da reserva do possível nem o princípio da separação dos poderes" (cf. BRASIL. SUPREMO TRIBUNAL FEDERAL. *Recurso Extraordinário n. 592.581*. Voto proferido pelo ministro Ricardo Lewandowski em sessão de julgamento do dia 13 de ago. de 2015. Disponível em: <http://www.stf.jus.br/arquivo/cms/noticiaNoticiaStf/anexo/Prisoes.pdf>. Acesso em: 14 de ago. de 2015). Para mais elementos, ver, *supra*, o subitem 3.2.2.2.2, sob o título "A *exequibilidade humanitária do encarceramento* e a proporcionalidade como proibição da proteção deficiente *(reprovação II)*".

o mesmo objetivo de tutela, sob a forma de "mandado de segurança coletivo", podendo ser impetrado por "partido político com representação no Congresso Nacional" ou por "organização sindical, entidade de classe ou associação legalmente constituída e em funcionamento há pelo menos um ano, em defesa dos interesses de seus membros ou associados" (CF, art. 5º, LXX, alíneas "a" e "b").

A diferença essencial em face da ACP é a exigência, no mandado de segurança, de demonstração do referido "direito líquido e certo", com duas possibilidades: ou se trata de uma discussão exclusivamente de direito e, pois, a demonstração do direito líquido e certo independe da análise de provas; ou, se demandar a apreciação de provas, elas devem acompanhar a petição inicial, ou seja, o direito líquido e certo deve emergir de prova pré-constituída, disponível de forma imediata, independente de produção posterior[1067].

Vemos, por conseguinte, duas dificuldades fundamentais na utilização do mandado de segurança coletivo: *(i)* nos casos de ausência de exequibilidade humanitária de encarceramento o debate nunca será apenas de direito, mas envolverá a análise de provas das violações que serão alegadas, o que, se não impede, no mínimo dificulta a sua veiculação pela via em debate (porquanto pré-constituir a prova é, aqui, mais complexo: estaria a depender de inspeções anteriores nas penitenciárias, por órgãos oficiais, com a produção de relatórios etc., o que, apresentado na ação, sempre ativaria, pelo contraditório, o reclamo por espaço para a produção de contraprovas pelo Estado, que, por certo, reclamaria a impossibilidade de fazê-lo em sede de mandado de segurança); e *(ii)* a segunda questão está na legitimidade para a propositura, na medida em que apenas partido político, ou sindicato/associação, com as especificações previstas em cada caso, pode impetrar a ação. De um lado, não se tem conhecimento da existência de sindicato/associação de presos e, de outro, em geral, partidos políticos têm pouco interesse na situação dos presos (haja vista o apoio popular, sempre intenso, em favor de punições mais e mais pesadas, das quais um cárcere desumano parece, lamentavelmente, fazer parte inseparável)[1068].

[1067] Cf. BARROSO, Luís Roberto, idem, p. 122.

[1068] Também é preciso registrar, no concernente ao mandado de segurança coletivo impetrado por partido político, a posição do STF no sentido de que só é admissível para defesa de direitos de seus filiados, e em vista de seu programa e objetivos institucionais. Nesse sentido: "[o] partido político não está, pois, autorizado a valer-se do mandado de segurança coletivo para, substituindo todos os cidadãos na defesa de interesses individuais" (cf. BRASIL. SUPREMO TRIBUNAL FEDERAL.

Anotada a complexidade do uso do mandado de segurança coletivo, é relevante o exame de um outro caminho que, embora não se destine imediatamente a proteger posições subjetivas[1069], pode representar uma forma de obtê-lą de um modo coletivo. Trata-se da ação de descumprimento de preceito fundamental (ADPF).

Inserida na Carta Política por mera referência no §1º, do art. 102[1070], pelo qual restou atribuído o seu julgamento ao Supremo Tribunal Federal, a ADPF veio a ser regulamentada posteriormente, pela Lei n. 9.882/1999, que dispôs sobre o seu processo e julgamento. De acordo com o art. 1º deste diploma, a ADPF "terá por objeto evitar ou reparar lesão a preceito fundamental, resultante de ato do Poder Público"[1071].

Se há alguma dificuldade para delimitar quais preceitos fundamentais admitem lesão suficientemente "grave que justifique o processo e julgamento da arguição de descumprimento (...), ninguém poderá negar a qualidade de preceitos fundamentais da ordem constitucional os direitos e garantias fundamentais (art. 5º, entre outros)"[1072]. Tendo visto mais cedo o quadro de direitos fundamentais das pessoas privadas de liberdade, não resta dúvida de que a sua violação pode ser objeto de uma ADPF.

Ademais, como adverte STRECK:

> "se o Estado Democrático de Direito é um *plus* normativo em relação às duas formas anteriores de Estado de Direito (Liberal e Social), a arguição de descumprimento de preceito fundamental é um *plus* normativo em relação

---

Recurso Extraordinário n. 196.184/AM. J. 27 de out. de 2004. Diário da Justiça Eletrônico, Brasília, 18 de fev. de 2005). A se considerar essa postura, tornar-se-ia inviável o uso do mandado de segurança coletivo no contexto da nossa discussão.

[1069] Cf. MENDES, Gilmar Ferreira; BRANCO, Paulo Gustavo Gonet, idem, p. 401.

[1070] Nos seguintes termos: "Art. 102. Compete ao Supremo Tribunal Federal, precipuamente, a guarda da Constituição, cabendo-lhe: (...) § 1.º A argüição de descumprimento de preceito fundamental, decorrente desta Constituição, será apreciada pelo Supremo Tribunal Federal, na forma da lei" (cf. BRASIL. Constituição da República Federativa do Brasil. *Diário Oficial da União*, Brasília, 5 de out. de 1988).

[1071] Cf. BRASIL. Lei n. 9.882, de 3 de dez. de 1999. Dispõe sobre o processo e julgamento da argüição de descumprimento de preceito fundamental, nos termos do § 1º do art. 102 da Constituição Federal. *Diário Oficial da União*, Brasília, 6 de dez. de 1999.

[1072] Cf. MENDES, Gilmar Ferreira. *Arguição de Descumprimento de Preceito Fundamental*. 2. ed. São Paulo: Saraiva, 2011, p. 148.

aos institutos de proteção aos direitos fundamentais previstos pelo texto constitucional"[1073]

Ou seja, a ADPF é instituto diverso das outras espécies de controle direto de constitucionalidade, com foco naturalmente distinto, até porque "não teria sentido um dispositivo constitucional que tivesse o mesmo objetivo dos demais existentes"[1074]. Sendo assim, é preciso admitir que a ação seja intentada mesmo contra ato/omissão concreto(a) do Poder Público, não se restringindo a discussão acerca da constitucionalidade, ou não, das leis. Nesse mesmo sentido, RODRIGUES entende que a Lei n. 9.882/99 permite o ajuizamento de ADPF "em face de ato de qualquer poder constituído, já que a Lei não faz restrição", porquanto "exigir que a ADPF seja usada apenas em face de atos normativos, esvazia totalmente o seu conteúdo, equiparando-a a uma ADIN, e tornando o seu uso medida inócua, o que evidentemente não foi o objetivo do constituinte"[1075].

Por seu turno, também se referindo a atos concretos, MENDES observa que "Eventual infringência de preceito fundamental por ato concreto – em caso singular ou isolado – pode não se mostrar apta a justificar a ADPF". E isso porque ainda serão necessários dois requisitos: *(i)* a demonstração da inexistência de outro meio eficaz disponível (que é demanda do §1º, do art. 4º da Lei n. 9.882/99 – que adota o princípio da subsidiariedade para a ADPF[1076]); e *(ii)* a comprovação "da

[1073] Cf. STRECK, Lenio. *Jurisdição Constitucional e Decisão Jurídica*. 4. ed. São Paulo: Thomson Reuters/Revista dos Tribunais, 2014, p. 903.

[1074] Cf. STRECK, Lenio, op. cit., p. 923.

[1075] Cf. RODRIGUES, Jefferson Ferreira. *Instrumentos processuais adequados para questionar a coisa julgada inconstitucional*. Disponível em: <http://jus.com.br/artigos/30207/instrumentos-processuais-adequados-para-questionar-a-coisa-julgada-inconstitucional#ixzz3hD8sX9iE>. Acesso em: 15 de maio de 2015.

[1076] Diz a lei, sobre os requisitos de admissibilidade da ADPF: "Art. 3º A petição inicial deverá conter: I – a indicação do preceito fundamental que se considera violado; II – a indicação do ato questionado; III – a prova da violação do preceito fundamental; IV – o pedido, com suas especificações; V – se for o caso, a comprovação da existência de controvérsia judicial relevante sobre a aplicação do preceito fundamental que se considera violado. Parágrafo único. A petição inicial, acompanhada de instrumento de mandato, se for o caso, será apresentada em duas vias, devendo conter cópias do ato questionado e dos documentos necessários para comprovar a impugnação. Art. 4º A petição inicial será indeferida liminarmente, pelo relator, quando não for o caso de argüição de descumprimento de preceito fundamental, faltar algum dos requisitos prescritos nesta

relevância da questão para o sistema constitucional ou de lesão de caráter grave e de difícil reparação ou superação"[1077]. O primeiro requisito não deve ser interpretado de maneira literalista, como a absoluta falta de outro meio, o que "acabaria por retirar desse instituto qualquer significado prático", mas, antes, requer a avaliação de subsidiariedade da ADPF na perspectiva de que "em muitos casos, o prosseguimento nas vias ordinárias *não teria efeitos úteis* para afastar a lesão a direitos fundamentais", e a ação, pelas suas feições marcadamente objetivas, dá condições de resolução ampla, geral e imediata da controvérsia constitucional[1078]. No que respeita à verificação do segundo requisito, deve-se adotar "a fórmula da relevância do interesse público", e haverá relevância do interesse público "toda a vez que o princípio da segurança jurídica restar ameaçado"[1079]. Em suma: se não for possível o socorro pelas ações diretas e inconstitucionalidade ou de constitucionalidade "isto é, não se verificando a existência de meio apto para solver a controvérsia constitucional relevante de forma ampla, e geral e imediata, há de se entender possível a utilização da arguição de descumprimento de preceito fundamental"[1080].

A propósito da legitimidade para o seu ajuizamento, os legitimados para a ação direta de inconstitucionalidade também poderão promover a ADPF (cf. art. 2º, inc. I, da Lei n. 9.882/99, c/c art. 103, da CF, e art. 2º, da Lei n. 9.868/99)[1081].

Lei ou for inepta. §1º Não será admitida argüição de descumprimento de preceito fundamental quando houver qualquer outro meio eficaz de sanar a lesividade" (cf. BRASIL. Lei n. 9.882, de 3 de dez. de 1999, op. cit.).

1077 Cf. MENDES, Gilmar Ferreira, op. cit., p. 186.

1078 Cf. MENDES, Gilmar Ferreira, idem, p. 181; 183-184.

1079 Cf. MENDES, Gilmar Ferreira, idem, p. 187.

1080 Cf. MENDES, Gilmar Ferreira, idem, p. 183.

1081 O art. 2º, inc. I, da Lei n. 9.882/99, dispõe que "[p]odem propor argüição de descumprimento de preceito fundamental (...) os legitimados para a ação direta de inconstitucionalidade". Eis o rol dos legitimados, segundo a CF: "Art. 103. Podem propor a ação direta de inconstitucionalidade e a ação declaratória de constitucionalidade: I – o Presidente da República; II – a Mesa do Senado Federal; III – a Mesa da Câmara dos Deputados; IV a Mesa de Assembléia Legislativa ou da Câmara Legislativa do Distrito Federal; V o Governador de Estado ou do Distrito Federal; VI – o Procurador-Geral da República; VII – o Conselho Federal da Ordem dos Advogados do Brasil; VIII – partido político com representação no Congresso Nacional; IX – confederação sindical ou entidade de classe de âmbito nacional". Este texto é idêntico ao do art. 2º, incs. I a IX, da Lei n. 9.868/99 (respectivamente, cf. BRASIL. Lei n. 9.882, de 3 de dez. de 1999, idem; cf. BRASIL. Lei n. 7.347, de 24 de jul. de 1985. Disciplina a ação civil pública (...). *Diário Oficial*

Com doze possíveis autores, é a via com mais chances de materialização dentre todas as visitadas até aqui.

Em tal moldura, as violações colocadas à falta de condições humanitárias de encarceramento, enquanto consequência de omissões (principalmente) e ações do Estado, porque lesam preceitos fundamentais (direitos fundamentais) das pessoas privadas de liberdade, e constituem uma controvérsia constitucional desde há muito estabelecida e jamais solucionada (entre o estatuto jurídico-constitucional dos presos e a realidade concreta das prisões brasileiras) – a demonstrar a sua relevância jurídica –, que clama por uma solução na via objetiva, já que os meios ordinários disponíveis não se afiguram úteis no sentido de afastar em tempo e forma hábeis as lesões referidas – o que garante a não aplicação do princípio da subsidiariedade –, autorizam a propositura da ADPF para direto enfrentamento da questão pelo Supremo Tribunal Federal[1082].

---

da União, Brasília, 25 de jul. de 1985; e, cf. BRASIL. Lei n. 9.868, de 10 de nov. de 1999. Dispõe sobre o processo e julgamento da ação direta de inconstitucionalidade e da ação declaratória de constitucionalidade perante o Supremo Tribunal Federal. *Diário Oficial da União*, Brasília, 11 de nov. de 1999).

[1082] É preciso referir, a título de exemplo, a ADPF n. 347, protocolada em 27 de maio de 2015, e distribuída para o relator, ministro Marco Aurélio, no dia subsequente. Trata-se de ação proposta pelo Partido Socialismo e Liberdade (PSOL), visando ao pronunciamento de um "estado de inconstitucionalidade" do sistema penitenciário do Estado Rio de Janeiro, e mais uma lista de outros provimentos direcionados a obter melhorias nas unidades prisionais daquele ente federativo. Dentre os pedidos estão: que o STF declare "o *estado de coisas inconstitucional* do sistema prisional brasileiro"; emissão de ordem para que os juízes do país fundamentem, de modo expresso, em decretos de prisão preventiva, o porquê não é possível a aplicação de medidas cautelares alternativas; a determinação, a todos os juízes e tribunais, que sejam realizadas as audiências de custódia, com observância do Pacto de Direitos Civis e Políticos e Convenção Interamericana de Direitos Humanos; emissão de ordem para que os juízes do país considerem, de maneira fundamentada, o dramático quadro fático dos presídios no momento da concessão de cautelares alternativas, aplicação da pena e nos processos de execução penal; reconhecimento, face à realidade prisional, que os juízes, em respeito a humanidade, proporcionalidade e porque os presos cumprem pena em condições mais severas que a admitida pela ordem jurídica, devem aplicar, sempre que possível, penas alternativas a prisão; reconhecimento de que os juízes da execução devem, em vista do quadro de violações e em respeito à proporcionalidade e humanidade, abrandar os requisitos temporais para progressão de regime, livramento condicional e suspensão condicional da pena; a fixação de um redutor da pena, por aplicação do princípio da proporcionalidade, em favor de todos os presos que estejam encarcerados em situação desumana ou degradante, para aplicação pelos juízes da execução penal

Percorremos, assim, três hipóteses de socorro coletivo no Brasil (ação civil pública, mandado de segurança coletivo e ação de descumprimento de preceito fundamental), em vista do formato das ações que levaram ao veredito em *Brown*. Em conclusão, resta claro que, também aqui, temos meios para buscar o amparo judicial de uma coletividade de presos eventualmente submetida a um regime de violações. É tempo, assim, de cogitarmos os tipos de provimento

---

(a exemplo da analogia com a remição penal proposta pelo ministro Luís Roberto Barroso, quando proferiu o seu voto no RE n. 580.252, cujo julgamento ainda não foi concluído – para mais detalhes, ver, *infra*, o subitem 4.3.3, intitulado "Temos juízes em Berlim? Ainda uma nota sobre justiciabilidade, ativismo e reserva do possível"); determine ao CNJ a realização de mutirão para rever as execuções penais de penas privativas de liberdade à luz dos novos referenciais dados pelo STF na ADPF; determine o descontingenciamento do Fundo Penitenciário Nacional – Funpen, e proíba novos contingenciamentos pela União, até que seja superado "o *estado de coisas inconstitucional* do sistema prisional brasileiro"; determine ao governo federal que elabore e encaminhe ao STF, no prazo máximo de 3 meses, um "Plano Nacional", "visando à superação do *estado de coisas inconstitucional* do sistema penitenciário brasileiro, dentro de um prazo de 3 anos"; determine ao Governo o rol de propostas que o "Plano Nacional" deve conter (que são detalhadas no pedido), a necessidade da previsão de recursos e de cronograma de execução; determine a submissão do "Plano Nacional" à consultas em diversos órgãos (que especifica) e em audiências públicas; decisão, pelo STF, sobre a homologação do "Plano Nacional", com a imposição de medidas alternativas ou complementares que o Tribunal julgar necessárias; homologado o "Plano Nacional", determinação, pelo STF, de que os Estados devem elaborar plano estadual (sujeito aos mesmos requisitos do nacional) em harmonia com o federal, a ser submetido, em 3 meses, ao Tribunal, que preveja "metas e propostas específicas para a superação do estado de coisas inconstitucional na respectiva unidade federativa, no prazo máximo de 2 anos"; determine a submissão dos plano estaduais à consultas em diversos órgãos (que especifica) e em audiências públicas; decisão, pelo STF, sobre a homologação de cada plano estadual, com a imposição de medidas alternativas ou complementares que o Tribunal julgar necessárias; homologado o "Plano Nacional" e os planos estaduais e distrital, "[m]onitorar [o STF] a implementação do Plano Nacional e dos planos estaduais e distrital, com o auxílio do Departamento de Monitoramento e Fiscalização do Sistema Carcerário e do Sistema de Execução de Medidas Socioeducativas do Conselho Nacional de Justiça, em processo público e transparente, aberto à participação colaborativa da sociedade civil, até que se considere sanado o estado de coisas inconstitucional do sistema prisional brasileiro". Diante do rol de providências e julgamentos requeridos, que o STF terá ocasião de enfrentar pela primeira vez em sua história, fica claro que esta ADPF tem grande potencial para geração de efeitos positivos no lamentável quadro carcerário brasileiro. Sua tramitação, até a decisão final, merece, portanto, a atenção e o acompanhamento de todos nós (cf. BRASIL. SUPREMO TRIBUNAL FEDERAL. *ADPF n. 347*, em tramitação).

que poderiam ter lugar por aqui, mais uma vez em presença das cominações da decisão norte-americana.

4.3.1.2 Uma versão de *Brown*, à brasileira, é possível?

Em ordem a permitir a descoberta da questão proposta, temos que considerar, à partida, algumas diferenças essenciais na aproximação com os EUA.

Em primeiro, lá, embora sob a crítica da minoria da Suprema Corte, existem as chamadas *injunções estruturais*, com cautelares diversas em uma fase inicial de remédios e, depois de emitida a ordem final, há uma extensão da jurisdição para fiscalização da aderência do destinatário, com eventuais ajustes pelo juízo em seu curso, tudo para fomentar que, ao fim, se cumpra o decidido.

Em segundo, todas essas *injunções estruturais* têm expressa previsão legal, inclusive a mais intensa delas, a "cautelar prospectiva" (*prospective relief*) consistente em "ordem de soltura de prisioneiro" (*prisoner release order*), que foi aquela aplicada e mantida em *Brown*.

Pois bem, aqui, não temos nada disso.

Aqui temos valores como a preservação da prova, a *efetividade* de um eventual pronunciamento condenatório, a *repressão* e a *prevenção* de delitos, o *cumprimento das leis* e das *decisões judiciais* (no que podemos localizar a ideia de segurança jurídica e, nela, a coisa julgada), a preservação da *ordem pública* e da *paz social*, reconduzíveis, todos, a direitos fundamentais (os que não previstos como tal) e, assim, dignos do *status* de direitos materialmente fundamentais (nem todos formalmente, portanto, porque alguns estão fora do catálogo).

Temos, ainda, aqui, um conjunto de direitos fundamentais das pessoas privadas de liberdade. E, já discutimos mais cedo[1083], vivemos uma espécie de automação do processo de aprisionamento de uma pessoa: o rito se exaure na averiguação sobre a existência do que chamamos título de encarceramento, isto é, verifica-se se estamos em presença de um decreto de prisão processual, ou de uma decisão condenatória com trânsito em julgado. Nada mais. Dissemos, outrossim, que isso não passa de uma análise de cariz formal e, pois, insuficiente, porque não perquire sobre o plano da vida, sobre a condição material, sobre a existência do

---

[1083] Ver, *supra*, os nossos subitens 3.2.2.2.1, sob o título "Aplicando as parciais da proporcionalidade como proibição de excesso *(reprovação I)*", e 3.2.2.2.2, intitulado "A *exequibilidade humanitária do encarceramento* e a proporcionalidade como proibição de proteção deficiente *(reprovação II)*".

que designamos por exequibilidade humanitária do encarceramento (ou seja, não se pergunta acerca da existência de estrutura prisional que respeite, de fato, os direitos fundamentais das pessoas privadas de liberdade), que é (ou deveria ser), enfim, a efetiva condição de possibilidade para a prisão de quem quer que seja.

Posto isso tudo à mesa, acreditamos que uma ordem de soltura de prisioneiro, como epílogo de ordem de redução de população carcerária a ser atingida em um certo intervalo de tempo, *v.g.*, em um estado brasileiro (para ficarmos em simetria com *Brown*), é possível no Brasil, com algumas adaptações que precisamos considerar.

Não houve nos EUA, e não é preciso ocorrer no Brasil (aliás, nem é possível que ocorra aqui), uma anistia de presos que viessem a exceder um teto determinado de população à data final estipulada. Em *Brown*, face a dita retenção da jurisdição pela Corte de Três-Juízes (para o acompanhamento da adesão (*compliance*) pelo estado da Califórnia ao plano aprovado de redução de presos), só diante da hipotética frustração da meta (o que só se saberá em 2016, mas tudo indica que será cumprida) é que vai se colocar o problema, e só então ele será decidido, do caráter da soltura (desde quais presos deverão ser soltos, até o *status* destes presos depois disso). Mas, insistimos, não está dito, em lugar algum da decisão, que os presos a serem soltos em cumprimento da cautelar estarão anistiados e, se soltura vier a ocorrer, é improvável que tal anistia seja sequer cogitada.

Bem considerado tudo isso, cremos que uma decisão judicial poderia ser emitida no Brasil, em desfavor, *v.g.*, de um estado da Federação[1084], via ACP, ou

[1084] Referimos, *v.g.*, e apenas para que se tenha uma ideia, os estados do Rio Grande do Sul e de São Paulo. O RS (cf. dados de jun. de 2014) tem 27.336 presos (dos quais 37%, ou 10.114, são presos processuais). O estado declara ter 21.063 vagas em seu sistema, e afirma ter um déficit de 6.273 vagas. Ou seja, o RS opera em 129,78% de sua capacidade. O estado também possui 3.177 presos em prisão domiciliar, os quais, porém, deveriam estar recolhidos no sistema (já estão, portanto, nesta condição, por conta da falta de vagas e por força de alguma decisão judicial). Se fossem considerados estes presos o déficit subiria para 9.450 vagas (cf. BRASIL. CONSELHO NACIONAL DE JUSTIÇA (CNJ). DEPARTAMENTO DE MONITORAMENTO E FISCALIZAÇÃO DO DISTEMA CARCERÁRIO E DO SISTEMA DE EXECUÇÃO DE MEDIDAS SOCIOEDUCATIVAS – DMF. *Novo Diagnóstico de Pessoas Presas no Brasil* (junho de 2014), p. 4. Disponível em: <http://www.cnj.jus.br/images/imprensa/pessoas_presas_no_brasil_final.pdf>. Acesso em: 5 de maio de 2015). Já o estado de São Paulo (SP) (cf. dados de junho de 2014) tem 204.946 presos (dos quais 35%, ou 71.731 são presos provisórios). O estado declara ter 114.498 vagas em seu sistema, com um déficit de 90.448 vagas. Isto é, SP opera em 179% de sua capacidade. O estado também

mandado de segurança coletivo, ou ADPF, desde que comprovada superlotação e/ou ausência de exequibilidade humanitária de encarceramento, de modo sistêmico, em suas unidades prisionais, com os seguintes comandos:

1º- Limitação da população carcerária do estado ao número de vagas projetadas para o sistema. Trata-se de implementação do chamado princípio supralegal da "capacidade prisional taxativa", cuja aplicação é advogada para toda a magistratura brasileira pelo Conselho Nacional de Justiça[1085].

2º- Suspensão de novos ingressos de presos condenados no sistema, a menos que se dê contra a saída de egressos no mesmo número. Com atenção para o seguinte: pessoas que forem detidas em cumprimento de mandados de prisão em decorrência de decisão condenatória, que responderam ao processo em liberdade (*i.e.*, que estavam livres no momento da condenação definitiva), devem, na hipótese de se verificar que não existe vaga no sistema, ter os seus nomes anotados em lista a ser mantida pela administração penitenciária e, mediante a assinatura de termo de compromisso (com a atualização de todos os seus dados cadastrais) de que irão comparecer quando acionadas pelo estado (sob pena de processo pelo crime de desobediência), deverão ser liberadas.

3º- Controle da situação dos presos processuais. Pessoas que forem detidas em flagrante delito, ou em cumprimento de mandados de prisão preventiva ou temporária deverão ser conduzidas à presença do juiz responsável pelas audiências de custódia, quem as ouvirá, sob o acompanhamento do ministério público e da defensoria pública, e decidirá sobre a prisão, mantendo-a, substituindo-a por

---

possui 92.150 presos em prisão domiciliar, os quais, porém, deveriam estar recolhidos no sistema (já estão, portanto, nesta condição, por conta da falta de vagas e por força de alguma decisão judicial). Se fossem considerados estes presos o déficit subiria para 182.598 vagas (cf. BRASIL. CONSELHO NACIONAL DE JUSTIÇA (CNJ). DEPARTAMENTO DE MONITORAMENTO E FISCALIZAÇÃO DO DISTEMA CARCERÁRIO E DO SISTEMA DE EXECUÇÃO DE MEDIDAS SOCIOEDUCATIVAS – DMF, op. cit., p. 4).

[1085] O princípio referido é mencionado pelo Conselho Nacional de Justiça ao expor, em detalhes, os objetivos do seu "*Projeto Cidadania nos Presídios*", especificamente em sua meta n. 9, que tem o seguinte texto: "[o]peracionalização do princípio supralegal da "capacidade prisional taxativa", interferindo, diretamente, na disciplina e regramento da qualidade da ambiência dos equipamentos prisionais" (cf. BRASIL. CONSELHO NACIONAL DE JUSTIÇA (CNJ). *Projeto Cidadania nos Presídios. Objetivos detalhados.* Disponível em: <http://www.cnj.jus.br/sistema-carcerario-e--execucao-penal/cidadania-nos-presidios/objetivos-detalhados>. Acesso em: 16 de maio de 2015).

cautelar alternativa, ou concedendo a liberdade ao detido (caso não subsistam motivos para prisão ou cautelar alternativa). Para os casos em que restar a necessidade de efetivar a prisão provisória, o estado reservará número suficiente de vagas (apurado em vista do número médio de detenções/dia nos últimos três meses), em cada unidade prisional, de modo a que não se coloque a hipótese de inexistência de vaga. Se, ainda assim, ocorrer a falta de vaga, caberá ao juízo da execução penal, em caráter de urgência, a apreciação de pedidos pendentes sob a sua jurisdição (*v.g.*, de progressão de regime, livramento condicional, indulto e comutação, transferência etc.) e/ou a realização de contato com os magistrados a frente de processos em que presos processuais possam ter a sua situação revisada (para que isso seja feito em favor de liberdade plena/cautelar alternativa), até que se obtenha a vaga necessária. Em último caso, não se obtendo vaga, o detido deve ser posto, em modo precário (até o surgimento da vaga), sob monitoração eletrônica (com o termo de compromisso correspondente) e liberado. Também terá o seu nome anotado em lista separada (para presos processuais) a ser mantida pela administração penitenciária, e a liberação ocorrerá mediante a assinatura de termo de compromisso próprio (com a atualização de todos os seus dados cadastrais) de que irá comparecer quando acionado pelo estado (sob pena de processo pelo crime de desobediência).

4º- Concessão de prazo (razoável) ao estado: para que, além de não aumentar o seu efetivo carcerário (o que obterá pela aderência às medidas anteriores), obtenha a progressiva redução do número de presos no sistema até a exclusiva ocupação das vagas projetadas/existentes. Esse prazo pode ser de dois anos, como em *Brown*, ou até de cinco anos (que soa razoável, e é o prazo que a opinião da Suprema Corte norte-americana chegou a cogitar para consideração pela Corte de Três-Juízes da Califórnia, como algo que poderiam conceder ao estado no acertamento da decisão original). O importante é que metas semestrais sejam estabelecidas, de sorte a viabilizar o acompanhamento (com inspeções e cobrança) pelo(s) autor(es) da ação/pelo(s) interessado(s). Assim, *v.g.*, em prazo de quatro anos, 12,5% do excesso deverá ser reduzido a cada seis meses; ou, em vez disso, poderá ser estabelecido um percentual em progressão, de um índice menor para um maior, para facilitar o cumprimento no início. O estado deve elaborar um programa de recuperação do sistema penitenciário, com todos os dados da situação atual, mais os detalhes/metas/cronogramas/orçamento/

custeio com todas as estratégias para o contorno da superlotação no prazo assinado, bem como das medidas que adotará para superar as violações aos direitos fundamentais dos seus presos (*v.g.*, pode construir novas unidades, ampliando a capacidade do seu sistema; pode – como forma de aliviar a superlotação onde ela ocorra com maior gravidade – realizar transferências de presos entre as suas unidades prisionais, respeitando o direito dos mesmos à proximidade com a sua família, que é faceta do direito fundamental a ressocialização; pode fazer a transferência de presos – que queiram ir – para outros estados – que os tenham aceito previamente – etc.). O programa deverá ser concluído em três meses, com disponibilização, via internet, à toda sociedade.

5º- Hipótese de descumprimento, pelo estado, das metas determinadas. Em caso de se verificar a não aderência do estado às reduções, dentro dos prazos, caberá ao juiz da execução penal, em primeiro lugar, em caráter de urgência, a apreciação de pedidos pendentes sob a sua jurisdição (*v.g.*, de progressão de regime, livramento condicional, indulto e comutação, transferência etc.) e a realização de contato com os magistrados a frente de processos em que presos processuais possam ter a sua situação revisada (para que isso seja feito em favor de liberdade plena/cautelar alternativa). Em segundo lugar, caso ainda falte redução para se atingir a meta, o juiz da execução penal deverá selecionar, em cada regime em que houver superlotação, os presos com condenações às menores penas, que tenham respondido ao processo em liberdade. Desse universo deverá liberar presos em quantidade suficiente para atender ao restante percentual de redução para o período, mediante a anotação dos seus nomes em lista a ser mantida pela administração penitenciária e, mediante a assinatura de termo de compromisso (com a atualização de todos os seus dados cadastrais) de que irão comparecer quando acionados pelo estado (sob pena de processo pelo crime de desobediência). Esses presos ingressarão na lista com prioridade de chamamento em relação aos demais condenados, e permanecerão, em modo precário (até o surgimento da vaga), sob monitoração eletrônica (com o termo de compromisso correspondente).

6º- Remédio, em regime de urgência, das violações em curso aos direitos fundamentais das pessoas privadas de liberdade. Até que o estado resolva, em caráter definitivo, por meio da concretização do seu programa de recuperação do sistema carcerário, os problemas estruturais existentes em suas unidades, deverá providenciar, em caráter emergencial, as seguintes ações: a contratação de médicos, enfermeiros, odontólogos, psicólogos e demais profissionais de saúde observando as quantidades previstas no Plano Nacional de Saúde no Sistema Penitenciário[1086]; a provisão de local adequado para o atendimento de saúde aos internos[1087] e locação/aquisição

---

[1086] Conforme o plano: "[n]as unidades prisionais com mais de 100 presos, a equipe técnica mínima, para atenção a até 500 pessoas presas, obedecerá a uma jornada de trabalho de 20 horas semanais e deverá ser composta por: Médico; Enfermeiro; Odontólogo; Psicólogo; Assistente social; Auxiliar de enfermagem; e, Auxiliar de consultório dentário (ACD). Os estabelecimentos com menos de 100 presos não terão equipes exclusivas. Os profissionais designados para atuarem nestes estabelecimentos, com pelo menos um atendimento semanal, podem atendê-los na rede pública de saúde" (cf. BRASIL. MINISTÉRIO DA SAÚDE. *Plano Nacional de Saúde no Sistema Penitenciário*, p. 16. Disponível em: <http://bvsms.saude.gov.br/bvs/publicacoes/ cartilha_ pnssp. pdf>. Acesso em: 2 de mar. de 2015).

[1087] Nos termos da Resolução n. 14/1994, do Conselho Nacional de Política Criminal e Penitenciária (CNPCP), que dispõe: "Art. 15. A assistência à saúde do preso, de caráter preventivo curativo, compreenderá atendimento médico, psicológico, farmacêutico e odontológico. Art. 16. Para assistência à saúde do preso, os estabelecimentos prisionais serão dotados de: I – enfermaria com cama, material clínico, instrumental adequado a produtos farmacêuticos indispensáveis para internação médica ou odontológica de urgência; II – dependência para observação psiquiátrica e cuidados toxicômanos; III – unidade de isolamento para doenças infecto-contagiosas. Parágrafo Único – Caso o estabelecimento prisional não esteja suficientemente aparelhado para prover assistência médica necessária ao doente, poderá ele ser transferido para unidade hospitalar apropriada. Art. 17. O estabelecimento prisional destinado a mulheres disporá de dependência dotada de material obstétrico. Para atender à grávida, à parturiente e à convalescente, sem condições de ser transferida a unidade hospitalar para tratamento apropriado, em caso de emergência. Art 18. O médico, obrigatoriamente, examinará o preso, quando do seu ingresso no estabelecimento e, posteriormente, se necessário, para: I – determinar a existência de enfermidade física ou mental, para isso, as medidas necessárias; II – assegurar o isolamento de presos suspeitos de sofrerem doença infecto-contagiosa; III – determinar a capacidade física de cada preso para o trabalho; IV – assinalar as deficiências físicas e mentais que possam constituir um obstáculo para sua reinserção social. Art. 19. Ao médico cumpre velar pela saúde física e mental do preso, devendo realizar visitas diárias àqueles que necessitem. Art. 20. O médico informará ao diretor do estabelecimento se a saúde física ou mental do preso foi ou poderá vir a ser afetada pelas condições do regime prisional. Parágrafo Único – Deve-se garantir a liberdade de contratar médico de confiança pessoal do preso ou de seus familiares, a fim de orientar e acompanhar seu tratamento" (cf. BRASIL. MINISTÉRIO DA JUSTIÇA. CONSELHO NACIONAL DE POLÍTICA CRIMINAL E PENITENCIÁRIA. *Resolução n. 14*, de 11 de nov. de 1994. *Fixa as Regras Mínimas para o Tratamento do Preso no Brasil.* Disponível em: <http://portal.mj.gov.br/services/DocumentManagement/FileDownload. EZTSvc.asp?DocumentID=%7B3F19373B-3AD2-4381-A3AE-DE18FD7DD67D%7D&ServiceInstUID=%7

de equipamentos, materiais e medicamentos necessários ao trabalho do pessoal de saúde em condições eficientes; a locação/aquisição do número suficiente de camas para que todos os presos abrigados no sistema tenham direito a uma, de modo a observar o art. 8º, §2º, da Resolução n. 14/1994, do Conselho Nacional de Política Criminal e Penitenciária[1088], e o art. 19 das Regras Mínimas Padrão para o Tratamento de Prisioneiros da Organização das Nações Unidas (ONU)[1089].

7º- Controle das unidades prisionais. Até que o estado resolva, em caráter definitivo, por meio da concretização do seu programa de recuperação do sistema carcerário, os problemas relativos à vigilância efetiva da população prisional, e com vistas ao aumento mais imediato possível dos níveis de segurança aos internos e ao pessoal em serviço nas unidades (com a redução/eliminação do espaço de poder delegado às facções de presos), deverá providenciar, em caráter emergencial, a contratação/treinamento/alocação de novos agentes penitenciários.

8º- Disposição de recursos financeiros. Considerando a situação de sujeição dos presos, e a posição do estado em relação a eles, como garantidor da sua subsistência em situação de exequibilidade humanitária de encarceramento (*i.e.*, ao nível constitucionalmente exigido, com respeito, portanto, aos seus direitos fundamentais), o estado deverá alocar, com prioridade, os recursos financeiros necessários a implementação das medidas retromencionadas. Para tanto, poderá apresentar projetos (dentro dos padrões exigidos), ao Departamento Penitenciário Nacional – DEPEN / Ministério da Justiça – MJ, que deverá apreciá-los em regime de urgência e de modo menos burocratizado possível, de forma a viabilizar a rápida execução dos respectivos objetos. O DEPEN/MJ, o Ministério da Fazenda

---

B4AB01622-7C49-420B-9F76-15A4137F1CCD%7D>. Acesso em: 2 de mar. de 2015).

[1088] Cf. BRASIL. MINISTÉRIO DA JUSTIÇA. CONSELHO NACIONAL DE POLÍTICA CRIMINAL E PENITENCIÁRIA. Resolução n. 14, de 11 de nov. de 1994, op. cit.

[1089] Cf. ORGANIZAÇÃO DAS NAÇÕES UNIDAS (ONU). Regras Mínimas Padrão para o Tratamento de Prisioneiros, adotadas pelo Primeiro Congresso das Nações Unidas para a Prevenção ao Crime e Tratamento de Presos, sediado em Genebra de 22 de agosto a 3 de setembro de 1955 [Resolução 1998/22, do Conselho Econômico e Social] e aprovadas pelo Conselho Econômico e Social em sua resolução 663 C (XXIV) de 31 de julho de 1957, e os procedimentos para a implementação efetiva das Regras Mínimas Padrão para o Tratamento de Prisioneiros, aprovadas pelo Conselho em sua Resolução 1984/47, de 25 de maio de 1984 e determinadas no seu anexo In: BRASIL. MINISTÉRIO DA JUSTIÇA. *Normas e Princípios das Nações Unidas sobre Prevenção ao Crime e Justiça Criminal.* Brasília: Secretaria Nacional de Justiça, 2009, p. 16).

e o Ministério do Planejamento, enfim, o governo federal, deverão providenciar o descontingenciamento das verbas do Fundo Penitenciário Nacional, garantindo o alcance imediato dos valores relativos aos projetos aprovados[1090].

9º- Responsabilidade cível e criminal em face do não atendimento das medidas determinadas. Caso os órgãos de fiscalização venham a perceber o não atendimento das ordens expedidas, devem, circunstanciadamente e com as comprovações que obtiverem, oficiar ao ministério público para que avalie a hipótese de denúncia pelo crime de prevaricação, ou a propositura de ação cível por improbidade administrativa, contra os agentes do estado que entender responsáveis.

[1090] Vale anotar que, em 2011, o Fundo Penitenciário Nacional (Funpen) teve uma dotação orçamentária inicial de R$ 269,9 milhões. Entretanto, sobre esta, foi aplicada "reserva de contingência" pelo Governo Federal, que reservou para si o valor de R$ 144,7 milhões, restando, como "dotação disponível", R$ 125,1 milhões. Porém, sobre esta, o Governo Federal editou "decreto de contingenciamento" de R$ 35,1 milhões, restando um "limite autorizado" para uso de R$ 90 milhões, com efetiva utilização de R$ 98,4 milhões (com algum excesso que se admitiu). Ou seja, em 2011, foram utilizados 36% do que, por lei, deveria ter sido aplicado em melhorias do sistema penitenciário nacional. Pior: destes 36%, apenas 29,7% corresponderam a gastos com projetos do exercício, e 61,39% foram alocados para quitação de restos a pagar, isto é, ao pagamento de projetos de anos anteriores (cf. BRASIL. MINISTÉRIO DA JUSTIÇA. DEPARTAMENTO PENITENCIÁRIO NACIONAL. *Fundo Penitenciário Nacional.* Funpen em Números. Disponível em: <http://portal.mj.gov.br/services/ DocumentManagement/FileDownload.EZTSvc.asp?DocumentID=%7B02FC1144-2B63-4415-BCE3-50A521 1B1FEE%7D&ServiceInstUID=%7B6DFDC062-4B57-4A53-827E-EA2682337399%7D>. Acesso em: 13 de mar. de 2015. No momento, perante o Senado da República, encontra-se em tramitação o Projeto de Lei do Senado n. 25/2014, de iniciativa da Senadora Ana Amélia Lemos, que propõe a seguinte alteração legislativa para pôr fim ao contingenciamento de verbas do Funpen: "Art. 1º O art. 3º da Lei Complementar n. 79, de 7 de janeiro de 1994, passa a vigorar acrescido dos seguintes parágrafos 5º, 6º e 7º: "Art. 3º(...) §5º Os créditos orçamentários programados no Funpen não serão alvos da limitação de empenho prevista no art. 9º da Lei Complementar n. 101, de 4 de maio de 2000. § 6º É vedada a imposição de quaisquer limites à execução da programação financeira relativa às fontes vinculadas do Funpen, exceto quando houver frustração na arrecadação das receitas correspondentes. § 7º É vedada a programação orçamentária dos créditos de fontes vinculadas do Funpen em reservas de contingência de natureza primária ou financeira." Art. 2º Esta Lei Complementar entra em vigor na data de sua publicação" (cf. BRASIL. SENADO FEDERAL. *Projeto de Lei do Senado n. 25, de 2014. Acrescenta parágrafos ao art. 3º da Lei Complementar n. 79, 7 de janeiro de 1994, que "cria o Fundo Penitenciário Nacional – Funpen e dá outras providências".* Disponível em: <http://www.senado.gov.br/atividade/materia/getPDF.asp?t=144621&tp=1>. Acesso em: 13 de mar. de 2015).

* * * *

Em todos os casos, é importante que façamos o destaque, essas determinações, que podem ter lugar em provimento judicial por uma das vias de tutela coletiva examinadas, não estão "anistiando" um único suspeito/condenado. As medidas respeitam a coisa julgada/autoridade dos títulos de encarceramento emitidos, apenas deferindo a sua concretização para momento posterior, quando o estado tiver as condições de levá-los a cabo sem o atropelo das garantias fundamentais dos seus cidadãos.

Cabe, entretanto, antes perquirir, sob os parâmetros investigados, sobre se tais provimentos seriam, ou não, eventualmente, ativistas, assim como sobre a existência, ou não, de condição financeira do estado em produzir a adesão esperada a eles, o enfoque da questão da justiciabilidade sob a perspectiva individual.

4.3.2 Há justiciabilidade individual na ausência de exequibilidade humanitária do encarceramento?

Imaginemos um condenado, em decisão definitiva, que respondeu ao processo em liberdade, e que reside na cidade de Porto Alegre. A sua pena haverá de iniciar, segundo decidido, no regime fechado. Ele abre o jornal, no dia 20 de julho de 2015, e se depara com uma matéria intitulada "Polícia. Superlotação. Presídio Central de Porto Alegre chegará em agosto a novo recorde negativo [pois alcançará] o mais alto índice de presos em proporção ao número de vagas desde a sua inauguração"[1091]. Pior, lendo-a, descobriu que "[n]a última semana a Secretaria de Segurança Pública, solicitou ao Judiciário que presos condenados possam ficar por até 60 dias no Central", após o que estaria inaugurada uma parte de uma penitenciária nova, na cidade de Canoas, para onde os presos condenados do Presídio Central de Porto Alegre (PCPA) seriam levados. A mesma matéria ainda veiculou informação fornecida por juiz de direito, responsável pela execução penal, de que a unidade de "Canoas 1", com 393 vagas "já vai abrir lotada"[1092].

[1091] Cf. COSTA, José Luís. Presídio Central chegará em agosto a novo recorde negativo. In: *Zero Hora*, 20 de jul. de 2015, p. 19.

[1092] Cf. COSTA, José Luís, op. cit.

Agora, consideremos que o PCPA tinha, ao final de 2012[1093], 4.591 presos para 1984 vagas, e, em julho de 2015[1094], possui 4.352 presos para 1.824 vagas. Conclui-se que a unidade operava com 231% de ocupação em 2012 e, em 2015, opera com 238% de ocupação.

Isto é, quando foi promovida a representação do Brasil, perante a Comissão Interamericana de Direitos Humanos / CIDH (em 10 de janeiro de 2013[1095]), por conta da coleção de vilipêndios aos direitos fundamentais das pessoas privadas de liberdade no PCPA, o presídio operava com um efetivo carcerário em 131% além de sua capacidade nominal/projetada. Diante da exuberância do quadro de violações, foram concedidas medidas cautelares pela Comissão, em 30 de dezembro de 2013, dentre as quais a determinação para que o Brasil "e) [tomasse] ações imediatas para reduzir substancialmente a lotação do interior do PCPA"[1096]. Pois bem, hoje, a unidade opera com 138% além de sua capacidade nominal/projetada, em condição pior do que a existente ao tempo da decisão cautelar da CIDH. Mais: como não há nada que o estado faça mal que ele não possa piorar, em agosto de 2015, segundo se projeta, o PCPA atingirá a marca histórica de 158,3% de ocupação além de suas condições físicas[1097].

[1093] Cf. BRASIL. FÓRUM DA QUESTÃO PENITENCIÁRIA (Associação dos Juízes do Rio Grande do Sul – Ajuris, Instituto Transdisciplinar de Estudos Criminais – !TEC, Conselho Regional de Medicina do Estado do Rio Grande do Sul – Cremers, Associação dos Defensores Públicos do Estado do Rio Grande do Sul – ADPERGS, Conselho da Comunidade para Assistência aos Apenados das Casas Prisionais de Porto Alegre, Themis Assessoria de Jurídica e Estudos de Gênero, Instituto Brasileiro de Avaliações e Perícias de Engenharia – Ibape, Ordem dos Advogados do Brasil Seção do Estado do Rio Grande do Sul – OABRS, Associação do Ministério Público do Estado do Rio Grande do Sul – AMPRS). *Representação*: *Pessoas Privadas de Liberdade no 'Presídio Central de Porto Alegre' – PCPA* – MC-8-13), p. 7. Disponível em: <http://www.ajuris.org.br/images/banners/representacao-pcpa-oea-internet-08-01-2013.pdf>. Acesso em: 17 de fev. de 2013;

[1094] Cf. COSTA, José Luís, idem.

[1095] Cf. BRASIL. FÓRUM DA QUESTÃO PENITENCIÁRIA, op. cit., p. 1.

[1096] Cf. ORGANIZAÇÃO DOS ESTADOS AMERICANOS (OEA). COMISSÃO INTERAMERICANA DE DIREITOS HUMANOS. *Resolução n. 14/2013.* Medida Cautelar n. 8-13, de 30 de dez. de 2013. Disponível em: <http://www.ajuris.org.br/sitenovo/wp-content/uploads/2014/01/Medida-Cautelar-Pres%C3%ADdio-Central-30-12-2013.pdf>. Acesso em: 9 de maio de 2015.

[1097] Cf. COSTA, José Luís, idem.

Voltando, depois disso, ao condenado de Porto Alegre, fica inviável crer que ele deva, mansamente, submeter-se ao recolhimento no PCPA, ou melhor, naquela que é tida como a pior unidade prisional brasileira[1098], genuína "masmorra do século XXI"[1099].

Assim, acreditamos, o caso é versável em *habeas corpus* (*HC*), sendo nítida a subsunção da hipótese ao permissivo constitucional: "conceder-se-á *habeas corpus* sempre que alguém sofrer ou se achar ameaçado de sofrer violência ou coação em sua liberdade de locomoção, por ilegalidade ou abuso de poder" (CF, art. 5º, Inc. LXVIII)[1100]. Logo, seja em caráter preventivo (porquanto o sujeito não precisa deixar-se prender para manejar a ação constitucional), ou em caráter repressivo, se já estiver preso e vivenciando as subcondições internacionalmente reconhecidas do PCPA (ou de outra congênere em que esteja no estado – há, aliás, várias), é livre de dúvidas que pode se utilizar do remédio heróico.

Se o estado não é capaz de garantir a execução de um título de encarceramento em conformidade constitucional, não há, insistimos, exequibilidade humanitária desse encarceramento e, portanto, está ausente a condição material de possibilidade para efetivar-se a prisão (não basta, então, a formal existência do título). A só tentativa de fazê-lo é clara ameaça, e a efetiva prisão é atentado à liberdade de locomoção por ilegalidade e abuso de poder.

O *HC*, nesse passo, coloca para o juiz a necessidade de avaliar a proporcionalidade da prisão. Atento à proibição de excesso, deve ponderar, no suporte fático (realidade prisional), os valores em colisão [que há pouco relembrávamos: preservação da prova, a *efetividade* de um eventual pronunciamento condenatório,

---

[1098] Cf. o *ranking* elaborado pela aludida CPI do Sistema Carcerário em seu relatório (Cf. BRASIL. CONGRESSO NACIONAL. CÂMARA DOS DEPUTADOS. *CPI DO SISTEMA CARCERÁRIO*. Comissão Parlamentar de Inquérito com a finalidade de investigar a realidade do Sistema Carcerário Brasileiro, com destaque para a superlotação dos presídios, custos sociais e econômicos desses estabelecimentos, a permanência de encarcerados que já cumpriram a pena, a violência dentro das instituições do sistema carcerário, corrupção, crime organizado e suas ramificações nos presídios e buscar soluções para o efetivo cumprimento da Lei de Execução Penal – LEP. Brasília: Câmara dos Deputados, Edições Câmara, 2009, p. 488.

[1099] Ainda cf. o relatório da mesma CPI (cf. BRASIL. CONGRESSO NACIONAL. CÂMARA DOS DEPUTADOS. *CPI DO SISTEMA CARCERÁRIO*, op. cit., p. 170).

[1100] Cf. BRASIL. Constituição da República Federativa do Brasil. *Diário Oficial da União*, Brasília, 5 de out. de 1988.

a *repressão* e a *prevenção* de delitos, o *cumprimento das leis* e das *decisões judiciais* (no que podemos localizar a ideia de segurança jurídica e, nela, a coisa julgada), a preservação da *ordem pública* e da *paz social*, todos com *status* de direitos (ao menos) materialmente fundamentais; *versus* o conjunto de direitos fundamentais das pessoas privadas de liberdade]. Deve, também, observar a proibição de insuficiência. O resultado, por ambas, não temos dúvida, é a concessão da ordem.

O pedido do *habeas corpus* poderia ser o da expedição de salvo-conduto, ou da concessão de liberdade, em qualquer caso mediante a assinatura de termo de compromisso pelo paciente (com a atualização de todos os dados cadastrais), no qual assumirá o dever de comparecer quando acionado pelo estado (sob pena de processo pelo crime de desobediência). Se for almejada a soltura, nada impede que o paciente também se ofereça para – ou que a concessão da ordem contemple – a monitoração eletrônica enquanto aguarda a abertura de vaga em condições materialmente constitucionais.

Outra possibilidade que devemos ter em vista, imaginando um preso que tenha o interesse de continuar o cumprimento de sua pena, ou que deseje/tenha que seguir em prisão processual (e, pois, não queira a interrupção viável pelo *HC*), é a propositura de um mandado de segurança individual (MS). Na hipótese, tem direito líquido e certo (CF, art. 5º. Inc. LXIX)[1101] à exequibilidade humanitária do encarceramento (forte na Constituição, nas Convenções e Tratados sobre Direitos Humanos, na LEP, nas Resoluções do CNPCP etc.), incumbindo-lhe a prova (pré-constituída, como vimos, o que pode se tornar dificultoso) da ausência de tais condições no local em que está recluso. A segurança, aqui, cuja concessão nos parece igualmente devida, tem que consistir em determinação de recolhimento do impetrante em local adequado, leia-se, mais uma vez, em condições materialmente constitucionais.

Em suma, acreditamos que por uma ação ou por outra (*HC* ou MS), conforme o melhor interesse do beneficiário, existe justiciabilidade individual diante da ausência de exequibilidade humanitária do encarceramento.

[1101] Cf. BRASIL. Constituição da República Federativa do Brasil. *Diário Oficial da União*, Brasília, 5 de out. de 1988.

4.3.3 Temos juízes em Berlim? Ainda uma nota sobre justiciabilidade, ativismo e reserva do possível

> "posto que os direitos fundamentais são de cada um e de todos, sua garantia exige um juiz imparcial e independente, subtraído a qualquer vínculo com os poderes de maioria e em condições de censurar, em seu caso, como inválidos ou como ilícitos, os atos através dos quais aqueles se exercem (...) deve haver um juiz independente que intervenha para reparar as injustiças sofridas, para tutelar os direitos de um indivíduo, ainda que a maioria, ou, inclusive, os demais em sua totalidade, tenham se unido contra ele"; "... em um estado de direito, os direitos exigem ser tutelados, ainda quando seus pressupostos legais sejam vagos e incertos; e o progresso da democracia se mede precisamente pela expansão dos direitos e de sua justiciabilidade."
>
> FERRAJOLI[1102]

> "...aos juízes não compete, substituindo-se ao legislador, decidir sobre a *melhor* opção política; compete-lhes, tão somente, afastar a decisão política *incompatível* com a Constituição. Agir diferentemente seria subverter o sistema de garantias, o princípio da legalidade e, com isso, o regime democrático."
>
> FELDENS[1103]

Diante de um contexto fático que transborda em evidências de violações de direitos fundamentais, que desvela um sistema penitenciário retrógrado, que só faz destruir as pessoas que lhe ganham as entranhas, enfatizando o desvio, embrutecendo-as e, enfim, alimentando a interminável ciranda da violência criminal pelo país, queremos acreditar que, sim, temos juízes no Brasil.

E não fazemos aqui, como a essa altura está muito claro, qualquer apologia a um atuar judicial que exceda o seu espaço legítimo, avançando sobre o Executivo ou sobre o Legislativo, em formato ativista[1104]. Ao contrário, buscamos o ponto

[1102] Cf. FERRAJOLI, Luigi. *Derechos y garantias.* La ley del más débil. Trad. Perfecto Andrés Ibáñez e Andrea Greppi. Madrid: Editorial Trotta, 1999, p. 27; e, cf. FERRAJOLI, Luigi. *Derecho y razón.* Teoría del garantismo penal. Trad. Perfecto Andrés Ibáñez et al. 2. ed. Madrid: Trotta, p. 918.

[1103] Cf. FELDENS, Luciano. *Direitos Fundamentais e Direito Penal.* A Constituição Penal. 2. ed. Porto Alegre: Livraria do Advogado, 2012, p. 170.

[1104] Sobre ativismo, ver, *supra,* o nosso Capítulo 2, com ênfase para o subitem 2.2.2.3, sob o título "Síntese em Torno à Ideia de Ativismo Judicial: medições, outras formas de manifestação e

ótimo em que o provimento judicial necessário é entregue, com efetividade, sem a nota do ativismo.

Nesse intuito, cremos que nenhum dos pronunciamentos judiciais cogitados implica anulação de lei, que é um dos primeiros parâmetros, ainda que suscetível à crítica, de identificação de um proceder ativista[1105].

Tampouco são decisões que abandonam precedentes (embora em nossa tradição eles não ocupem o mesmo espaço que na *common law*, a jurisprudência é reconhecida fonte de direito entre nós, sendo que as orientações dos nossos Tribunais Superiores têm grande e merecido prestígio). No caso, porém, não temos, pelo menos ainda não em escala e extensão que seriam necessárias para um exame de fundo, julgados anteriores no foco do debate. Por isso, não havendo precedentes a abandonar, não se cogita de ativismo por este traço. E também não se coloca o caracter da *infidelidade legal*, ativista ou não, porque a tutela judicial dos direitos *fundamentais* das pessoas privadas de liberdade é, como está dito/explícito, a própria defesa da Lei Fundamental. Só há falar, por conseguinte, em máxima fidelidade legal[1106].

Igualmente não se aplica a característica ativista dos chamados julgamentos *resultado-orientados*[1107], ou seja, aqueles dirigidos a certo desfecho por estrita preferência política do prolator, ao arrepio das formas de interpretação e da fundamentação legal e constitucional aceitas/exigidas. No caso, ao inverso, sobram fundamentos às decisões projetadas.

Outro sinal de ativismo, como vimos mais de uma vez, pode ser encontrado naqueles julgamentos que afetam direitos e obrigações de grandes grupos, pois podem equivaler à chamada legislação desde a bancada, ou, simplesmente, legislação judicial, a reforçar a noção de maximalismo judicial (o que sempre pode

---

considerações críticas".

[1105] Cf. WHITTINGTON, Keith E. The Least Activist Supreme Court in History? The Roberts Court and the exercise of judicial review. *Notre Dame Law Review*, 89, 2219-2252 (2014), p. 2226. Disponível em: <http://scholarship.law.nd.edu/cgi/viewcontent.cgi?article=4562&context=ndlr>. Acesso em: 2 de mar. de 2015, e cf. LINDQUIST, Stefanie A.; CROSS, Frank B. *Measuring judicial activism*. New York: Oxford University Press, 2009, p. 32.

[1106] A propósito, ver, *supra*, o nosso suitem 2.2.2.3.2, letra *b.*, intitulado "Ativismo por instabilidade de precedentes e infidelidade legal".

[1107] Cf. LINDQUIST, Stefanie A.; CROSS, Frank B., op. cit., p. 39. Ainda, ver, *supra*, o nosso subitem 2.2.2.3.2, letra *d.*, intitulado "Ativismo em julgamentos resultado-orientados".

ser agravado pela imposição de remédios expansivos e, às vezes, preclusivos de políticas alternativas que poderiam ser elaboradas por outros agentes políticos para o trato do mesmo problema)[1108].

Bem, aqui teríamos que considerar que os provimentos possíveis que avançamos apresentam a condição de serem versados em uma lei federal. Até mesmo algo na linha do PLRA norte-americano, embora a polêmica que cerca as injunções estruturais nos EUA poderia vir a ser legislado no Brasil (normatizando, inclusive, a emissão de decretos amplos de soltura de prisioneiros). Ao dizer isso, então, estaríamos admitindo que as decisões que antecipamos seriam ativistas?

A questão é relevante. Com a sua parcela de culpa bem delimitada pela edição de mais de trinta anos de direito penal máximo em forma de leis, que é causa direta da superlotação/violações em nossas prisões, o Poder Legislativo, de outra parte, também já editou leis (mais antigas) como a LEP, ou como a Lei Complementar n. 79/94 (que instituiu o Fundo Penitenciário Nacional/Funpen)[1109], que são normas que, junto com a Constituição, têm dado densidade às posições das pessoas presas para reclamar o respeito aos seus direitos fundamentais. Hoje, entretanto, estamos a viver tempos assustadores no Parlamento, com sério risco de aniquilação da juventude pobre, e, com ela, dos restos salváveis do aparato carcerário brasileiro, em caso de aprovação da redução da idade para imputabilidade penal. Disso resulta o óbvio, *i.e.*, que não existe qualquer espaço para a aprovação de leis que tenham por objetivo instrumentalizar possíveis decisões judiciais para melhoria do sistema prisional e, menos ainda, para a soltura de presos.

Retomando, pois, a questão, é preciso sublinhar que não se trata de defender uma atuação do juiz, no espaço exclusivo do legislador, porque não se crê que este possa movimentar-se no sentido necessário para legislar em favor da solução das violações postas nos presídios brasileiros. Absolutamente, não é isso! Se trata, isso sim, de defender a atuação do juiz como garantidor do arcabouço normativo-constitucional já legislado (CF, LEP, Funpen), em favor dos seus respectivos cidadãos-titulares. Não se está criando lei alguma da bancada, e nenhuma outra

---

[1108] Cf. LINDQUIST, Stefanie A.; CROSS, Frank B., idem, p. 35.

[1109] Cf. BRASIL. Lei complementar n. 79, de 7 de jan. de 1994. Cria o Fundo Penitenciário Nacional – Funpen, e dá outras providências. *Diário Oficial da União*, Brasília, 10 de jan. de 1994.

lei é necessária para fazer legítima a proteção dos direitos fundamentais das pessoas privadas de liberdade.

Logo, se é certo que o Legislativo pode, em determinado foco de tutela, editar uma lei mais abrangente, mais garantidora, mais bem redigida que as existentes, não é menos certo que o Judiciário deve, no mesmo foco, com base nas leis em vigor, dar a máxima efetividade à proteção, com o que não atua de modo ativista.

Por derradeiro, os provimentos cogitados de forma alguma transmutam os juízes em administradores do sistema penitenciário, o que poderia atrair a acusação de ativismo pela falta de deferência aos demais ramos do governo, principalmente pelo desafio judicial de atos do Poder Executivo no âmbito das suas prisões. Como visto, as decisões se limitam a definir linhas mestras de ação, bem gerais, que deverão ser levadas a termo diretamente pela administração, com ampla liberdade preservada para que ela decida (no aludido programa de recuperação do sistema prisional) que projetos fará, em que ordem etc. Além disso, tentam garantir os fundos necessários para as melhorias, determinando prioridade na alocação de recursos e facilitando o acesso às verbas com destinação definida do Funpen, mas sem sequestrar recursos no fundo, ou em conta única do estado, o quanto, mais uma vez, enfatiza a autonomia respeitada.

Em suma, sob o crivo dos principais índices de ativismo estudados, acreditamos que os provimentos que avançamos não implicam qualquer desvio ou excesso da função judicial e, pois, não são ativistas.

Referimos, apenas porque nos parece legítimo proceder ativista dos Tribunais superiores, ainda que produzido na melhor das intenções, o tratamento que vem sendo dado aos presos condenados à pena em regime semiaberto, ou aberto, ou os que recebem progressão para tais regimes, quando inexistem vagas para o correspondente recolhimento. Presos do regime semiaberto, sem vaga, são enviados para recolhimento junto com os do aberto e, à falta de vaga, para prisão domiciliar. Presos do aberto que não encontram vaga são enviados diretamente para prisão domiciliar[1110] (curiosamente, o mesmo critério não é aplicado para

[1110] Nesse sentido: "Pena – Cumprimento – Regime semiaberto. Incumbe ao Estado aparelhar-se visando à observância irrestrita das decisões judiciais. Se não houver sistema capaz de implicar o cumprimento da pena em regime semiaberto, dá-se a transformação em aberto e, inexistente a casa do albergado, a prisão domiciliar" (cf. BRASIL. SUPREMO TRIBUNAL FEDERAL. *Habeas Corpus* n. 96.169. J. 25 de ago. de 2009. *Diário da Justiça Eletrônico*, Brasília, 8 de out. de 2009); e, "*Habeas Corpus* substituto de recurso. Não cabimento. Execução penal. Progressão

presos do regime fechado, os quais, com ou sem vaga, mais ou menos deplorável o presídio, são sempre recolhidos). Pois bem, esse entendimento tem criado situações fantásticas, como a que está em curso no estado de São Paulo, onde 92.150 "presos" estão em domiciliar por falta de vagas nos regimes aberto e semiaberto[1111]. Acreditamos em ativismo porque o comando exarado na sentença condenatória, ou na decisão do juiz da execução (em caso de progressão), é simplesmente descumprido, mas com a manutenção da execução em curso, só que transformada em outra coisa, com a substituição do regime imposto por outro mais brando. A nosso ver, a decisão não ativista é a que sugerimos: existente o título de encarceramento, está verificada a possibilidade formal da prisão; inexistente a vaga e/ou ausente a condição humanitária de encarceramento, não há possibilidade material da prisão, e ela não pode ocorrer. Neste caso, em geral (porque cogitamos as exceções), a prisão – exatamente como definida no título de encarceramento – apenas fica deferida para um momento subsequente. Essa abordagem também tem o mérito de evitar as desigualdades de tratamento que a jurisprudência em tela, hoje, coloca (*v.g.*, preso em cidade que não tem vaga nos regimes semiaberto e aberto é beneficiado com domiciliar; enquanto outro preso, com menos pena, mas que está em cidade que tem vaga no regime aberto, vai cumprir a reclusão no albergue).

Também com sinais de ativismo, ainda que o julgamento seja cível e não tenha se encerrado, mas pelas possíveis repercussões negativas em termos de perpetuação das violações aos presos, a depender como será o desfecho, temos o Recurso Extraordinário (RE) n. 580.252, em apreciação pelo Plenário do

---

de regime. Inexistência de vaga no regime intermediário. Excesso de execução. Constrangimento ilegal evidenciado. (...) É assente nesta Corte o entendimento que, em caso de falta de vagas em estabelecimento prisional adequado ao cumprimento da pena no regime semiaberto, deve-se conceder ao apenado, em caráter excepcional, o cumprimento da pena em regime aberto, ou, na falta de vaga em casa de albergado, em regime domiciliar, até o surgimento de vagas no regime apropriado" (cf. BRASIL. SUPERIOR TRIBUNAL DE JUSTIÇA. *Habeas Corpus n.* 321.473. J. 9 de jun. de 2015. *Diário da Justiça Eletrônico*, Brasília, 17 de jun. de 2015).

[1111] Cf. BRASIL. CONSELHO NACIONAL DE JUSTIÇA (CNJ). DEPARTAMENTO DE MONITORAMENTO E FISCALIZAÇÃO DO DISTEMA CARCERÁRIO E DO SISTEMA DE EXECUÇÃO DE MEDIDAS SOCIOEDUCATIVAS – DMF. *Novo Diagnóstico de Pessoas Presas no Brasil* (Junho de 2014), p. 4. Disponível em: <http://www.cnj.jus.br/images/imprensa/pessoas_presas_no_brasil_final.pdf>. Acesso em: 5 de maio de 2015.

Supremo Tribunal Federal. O julgamento do recurso se iniciou em 3 de dezembro de 2014, quando o ministro Teori Zavascki, relator, proferiu o seu voto, e continuou em 6 de maio de 2015, com o voto-vista do ministro Luís Roberto Barroso, data em que novamente restou interrompido por pedido de vista, agora da ministra Rosa Weber.

O caso trata-se do recurso de um preso do estado do Mato Grosso do Sul (MS), representado pela defensoria pública, que pleiteia indenização por danos morais em razão das violações aos seus direitos fundamentais provocadas pelas condições da prisão em que se encontra recolhido, na cidade de Corumbá. Perdeu em primeiro grau, venceu no apelo, mas perdeu em embargos infringentes opostos pelo estado do MS, daí o Recurso Extraordinário para o STF, que lhe reconheceu a repercussão geral.

No Tribunal de Justiça do Estado do Mato Grosso do Sul (TJMS), prevaleceu o entendimento de que a indenização não era devida porque "a implementação das políticas públicas para o respeito aos direitos dos presos que são erigidos a nível constitucional e especialmente na Lei de Execuções Penais, encontram barreira ante os direitos de segunda geração", razão pela qual tem "certos limites para que se concretizem (...) devendo respeitar o 'princípio da reserva do possível', atendendo-se ao binômio: razoabilidade da pretensão e disponibilidade orçamentária do Estado"[1112]. E, assim, concluiu o acórdão:

> "Dessa forma, sem dúvida a solução para o caso encontra-se no referido "princípio da reserva do possível", mesmo diante de diretrizes legais (constitucional ou infraconstitucional) que amparem o direito pleiteado, se não estiver presente à condição fática, qual seja, a dotação orçamentária, resta impossibilitado o amparo ao pedido inicial, devendo ser preservados interesses maiores, atinentes a sociedade como um todo. Feitas essas considerações verifica-se não ser possível, diante da irrazoabilidade da pretensão, obrigar o poder público a disponibilizar um serviço além de sua capacidade material, seja financeira ou de infra-estrutura, ou ainda compeli-lo a pagar indenização

---

[1112] Cf. BRASIL. TRIBUNAL DE JUSTIÇA DO ESTADO DO MATO GROSSO DO SUL. Embargos Infringentes em Embargos de Declaração em Apelação Cível n. 2006.003179-7/0001-01. J. 21 de maio de 2007. *Diário da Justiça*, Campo Grande, 6 de jun. de 2007. Disponível em: <http://www.tjms.jus.br/cjsg/get Arquivo.do?cdAcordao=96006&cdForo=0&vlCaptcha=tRQVM>. Acesso em: 10 de maio de 2015.

por dano moral, o que acarretaria em uma dificuldade econômica ainda maior, prejudicando mais a atividade estatal e impedindo qualquer melhora no setor prisional."[1113]

Impressiona a inversão de valores promovida neste julgado. Primeiro porque os mais proeminentes direitos fundamentais de uma pessoa presa são os de liberdade, de resistência, ou de oposição ao estado, expressos no art. 5º da Constituição Federal e, portanto, são de primeira geração (ainda que outros sejam configurados como direitos sociais, a prestações positivas, ou de segunda geração). Em segundo, porque a reserva do possível não é argumento de utilização viável quando nos deparamos com a relação estabelecida entre o preso e o estado, aquele, em posição de sujeição, e, este, como seu garantidor. Vimos mais cedo[1114] que essa relação especial preso/estado permite classificar nas primeiras posições das preferências e disponibilidades orçamentárias da administração (para as quais sempre existem recursos) a edificação/recuperação do aparato penitenciário brasileiro (e não como fez o TJMS, que, aplicando a feliz expressão de CANOTILHO, relegou esse socorro à "reserva dos cofres cheios"[1115]). Outrossim, vimos também que a deficiência financeira do estado não tem força para alterar o suporte fático da operação de sopesamento ao ponto de conferir precedência ao direito de *cumprir as leis* e as *decisões judiciais*, mediante prisão, onde for ausente a *condição humanitária do encarceramento* (ou fraudaríamos o teste da proporcionalidade

---

[1113] Cf. BRASIL. TRIBUNAL DE JUSTIÇA DO ESTADO DO MATO GROSSO DO SUL. Embargos Infringentes em Embargos de Declaração em Apelação Cível n. 2006.003179-7/0001-01, op. cit.

[1114] Ver, *supra,* o subitem 3.2.2.2.1, letra *c.*, intitulado "A proporcionalidade em sentido estrito (a *exequibilidade humanitária do encarceramento* como suporte fático da análise)".

[1115] Cf. CANOTILHO, J. J. Gomes, *idem*, p. 481. Como havíamos examinado, o autor está a criticar a concepção dos direitos sociais como meramente programáticos, sempre a depender de uma configuração legislativa que lhes empreste forma e concretização, e, que, portanto, diferentemente dos direitos de liberdade, só existiriam na medida em que houvesse dinheiro nos cofres públicos. CANOTILHO afirma que essa visão, que adere a construção dogmática da reserva do possível, termina por conferir um "grau zero de garantia" para os direitos sociais. A atenuação do cenário, segundo afirma, remete à garantia do "mínimo social", que, por seu turno, pode ser densificado pelo dever do Estado de garantir e dignidade da pessoa humana e o livre desenvolvimento da personalidade. Portanto, sequer em tema de direitos sociais (de segunda geração) há consenso sobre a aplicabilidade da reserva do possível.

como proibição de excesso, na parcial da proporcionalidade em sentido estrito). Em terceiro, porque a reserva do possível aplicada no contexto do sistema carcerário implicaria a chancela da insuficiência do estado como algo aceitável nas circunstâncias, o que nada mais é que fraude à outra face da proporcionalidade, como proibição de proteção deficiente[1116].

O STF, pelos votos já proferidos no RE: *(i)* repudia a aplicação da reserva do possível promovida pelo TJMS[1117] (o que faz, aliás, na linha de precedentes[1118]);

[1116] Ver, *supra*, o subitem 3.2.2.2.2, sob o título "A *exequibilidade humanitária do encarceramento* e a proporcionalidade como proibição da proteção deficiente *(reprovação II)*".

[1117] Observemos, no ponto, trecho do voto do ministro Teori Zavascki: "... não há como acolher os argumentos que invocam, para negar o dever estatal de indenizar, o 'princípio da reserva do possível', nessa dimensão reducionista de significar a insuficiência de recursos financeiros. (...) Não há dúvida de que o Estado é responsável pela guarda e segurança das pessoas submetidas a encarceramento, enquanto ali permanecerem detidas. E é dever do Estado mantê-las em condições carcerárias com mínimos padrões de humanidade estabelecidos em lei, bem como, se for o caso, ressarcir os danos que daí decorrerem" (cf. BRASIL. SUPREMO TRIBUNAL FEDERAL. *Recurso Extraordinário n. 580.252.* Voto proferido pelo ministro Teori Zavascki em sessão de julgamento do dia 3 de dez. de 2014, p. 2-3. Disponível em: <http://www. stf.jus.br/arquivo/cms/noticiaNoticiaStf/anexo/RE580252.pdf>. Acesso em: 15 de maio de 2015). Também no foco da reserva do possível, disse o ministro Luís Roberto Barroso: "[n]ão é legítima a invocação da cláusula da reserva do possível para negar a uma minoria estigmatizada o direito à indenização por lesões evidentes aos seus direitos fundamentais. O dever de reparação de danos decorre de norma constitucional de aplicabilidade direta e imediata, que independe da execução de políticas públicas ou de qualquer outra providência estatal para sua efetivação. (...) Não se pode, porém, admitir a invocação da cláusula da reserva do possível como argumento meramente retórico, de modo a permitir que o poder público se exima de seus deveres legais, inclusive de reparação dos danos por ele causados" (cf. BRASIL. SUPREMO TRIBUNAL FEDERAL. *Recurso Extraordinário n. 580.252.* Voto proferido pelo ministro Luís Roberto Barroso em sessão de julgamento do dia 6 de maio de 2015, p. 1 e 40. Disponível em: <http://s.conjur.com.br/dl/indenizacao-barroso.pdf>. Acesso em: 15 de maio de 2015).

[1118] Dentre os quais, *v.g.*, vale repisar o seguinte: "[a] cláusula da reserva do possível – que não pode ser invocada, pelo Poder Público, com o propósito de fraudar, de frustrar e de inviabilizar a implementação de políticas públicas definidas na própria Constituição – encontra insuperável limitação na garantia constitucional do mínimo existencial, que representa, no contexto de nosso ordenamento positivo, emanação direta do postulado da essencial dignidade da pessoa humana. Doutrina. Precedentes. -A noção de "mínimo existencial", que resulta, por implicitude, de determinados preceitos constitucionais (CF, art. 1º, III, e art. 3º, III), compreende um complexo de prerrogativas cuja concretização revela-se capaz de garantir condições adequadas de existência *(ii)* reconhece a ausência de exequibilidade humanitária do encarceramento como uma constante no sistema penitenciário brasileiro, suscetível de causar danos, inclusive morais, aos presos, que são indenizáveis mediante comprovação (sendo que, a depender das circunstâncias, pode ser até presumido o dano)[1119]; e *(iii)* afirma a justiciabilidade das violações a direitos fundamentais dos presos[1120].

---

digna, em ordem a assegurar, à pessoa, acesso efetivo ao direito geral de liberdade e, também, a prestações positivas originárias do Estado, viabilizadoras da plena fruição de direitos sociais básicos, tais como o direito à educação, o direito à proteção integral da criança e do adolescente, o direito à saúde, o direito à assistência social, o direito à moradia, o direito à alimentação e o direito à segurança. Declaração Universal dos Direitos da Pessoa Humana, de 1948 (Artigo XXV)" (cf. BRASIL. SUPREMO TRIBUNAL FEDERAL. Agravo em Recurso Extraordinário n. 639.337. J. em 23 de ago. de 2011. *Diário da Justiça Eletrônico*, Brasília, 14 de set. de 2011). Ainda, em rumo idêntico: cf. BRASIL. SUPREMO TRIBUNAL FEDERAL. Suspensão de Tutela Antecipada n. 241. J. em 10 de out. de 2008. *Diário da Justiça Eletrônico*, Brasília, 15 de out. de 2008; e, cf. BRASIL. SUPREMO TRIBUNAL FEDERAL. Suspensão de Liminar n. 235. J. em 8 de jul. de 2008. *Diário da Justiça Eletrônico*, Brasília, 1 de ago. de 2008. Outrossim (embora em pronunciamento posterior ao sob análise), por importantíssimo – uma vez que em estrita conexão com o tema da exequibilidade humanitária do encarceramento (e, em rechaço a importação do discurso da reserva do possível) –, insistimos na tese de repercussão geral assentada no recurso extraordinário n. 592.581, no que proscreve o uso do argumento da reserva do possível como desculpa para negar eficácia à dignidade da pessoa humana no sistema carcerário (cf. BRASIL. SUPREMO TRIBUNAL FEDERAL. *Recurso Extraordinário n. 592.581*. Voto proferido pelo ministro Ricardo Lewandowski em sessão de julgamento do dia 13 de ago. de 2015. Disponível em: <http://www.stf.jus.br/arquivo/cms/noticiaNoticiaStf/ anexo/Prisoes.pdf>. Acesso em: 14 de ago. de 2015).

[1119] A propósito, disse o ministro Teori Zavascki: "...os fatos da causa são incontroversos: o recorrente, assim como os outros detentos do presídio de Corumbá/MS, cumpre pena privativa de liberdade em condições não só juridicamente ilegítimas (porque não atendem às mínimas condições de exigências impostas pelo sistema normativo), mas também humanamente ultrajantes, porque desrespeitosas a um padrão mínimo de dignidade. Também não se discute que, nessas condições, o encarceramento impõe ao detendo um dano moral, cuja configuração é, nessas circunstâncias, até mesmo presumida" (cf. BRASIL. SUPREMO TRIBUNAL FEDERAL. *Recurso Extraordinário n 580.252*. Voto proferido pelo ministro Teori Zavascki em sessão de julgamento do dia 3 de dez. de 2014, op. cit., p. 1-2).

[1120] É justo e necessário enfatizar todos esses aspectos, com o mais amplo destaque às incisivas considerações feitas por ambos os ministros. Assim, disse o ministro Teori Zavascki que: "[n]ão custa recordar que a garantia mínima de segurança pessoal, física e psíquica, dos detentos, constitui dever estatal que possui amplo lastro não apenas no ordenamento nacional (Constituição Federal, art. 5º, XLVII, "e"; XLVIII; XLIX; Lei n. 7.210/84 (LEP), arts. 10; 11; 12; 40; 85; 87;

88; Lei n. 9.455/97 – crime de tortura; Lei n. 12.874/13 – Sistema Nacional de Prevenção e Combate à Tortura), como também em fontes normativas internacionais adotadas pelo Brasil (Pacto Internacional de Direitos Civis e Políticos das Nações Unidas, de 1966, arts. 2; 7; 10; e 14; Convenção Americana de Direitos Humanos, de 1969, arts. 5º; 11; 25; Princípios e Boas Práticas para a Proteção de Pessoas Privadas de Liberdade nas Américas – Resolução 01/08, aprovada em 13 de março de 2008, pela Comissão Interamericana de Direitos Humanos; Convenção da ONU contra Tortura e Outros Tratamentos ou Penas Cruéis, Desumanos ou Degradantes, de 1984; e Regras Mínimas para o Tratamento de Prisioneiros – adotadas no 1º Congresso das Nações Unidas para a Prevenção ao Crime e Tratamento de Delinquentes, de 1955). (...) A despeito do alto grau de positivação jurídica, a efetivação desse direito básico ainda constitui um desafio mundial inacabado, cuja superação é especialmente deficitária em muitos países de desenvolvimento tardio, como nas nações da América Latina em geral e no Brasil em especial, uma das cinco nações com maior população carcerária no mundo. Não por outra razão, o Brasil, nos últimos 10 anos, foi seguidamente notificado pela Corte Internacional de Direitos Humanos (CIDH) para tomar medidas emergenciais em relação a pelo menos três presídios específicos, por conta de suas condições intoleráveis (Urso Branco, em Porto Velho/RO; Pedrinhas/MA; e Presídio Central, em Porto Alegre/RS) (...) A responsabilidade do Judiciário não se esgota no controle do processo penal, nem tampouco na fiscalização administrativa das condições dos estabelecimentos penitenciários, mas alcança, igualmente, o aspecto civil decorrente de eventuais violações aos direitos de personalidade dos detentos. Essa tutela chega a ser explicitamente garantida pela Constituição Federal em caso de erro judiciário (art. 5º, LXXV), e compreende, naturalmente, outras dimensões de violações aos direitos humanos dos custodiados. Caracterizada a atitude opressiva do estado, a ocorrência do dano material ou moral e o nexo causal, deve ser imposta a condenação correspondente. A criação de subterfúgios teóricos (tais como a separação dos Poderes, a reserva do possível e a natureza coletiva dos danos sofridos) para afastar a responsabilidade estatal pelas calamitosas condições da carceragem de Corumbá/MS, afronta não apenas o sentido do art. 37, § 6º, da Constituição Federal, como determina o esvaziamento das inúmeras cláusulas constitucionais e convencionais antes citadas, transformando o seu descumprimento reiterado em mero e inconsequente ato de fatalidade, o que não pode ser tolerado" (cf. BRASIL. SUPREMO TRIBUNAL FEDERAL. *Recurso Extraordinário n. 580.252*. Voto proferido pelo ministro Teori Zavascki em sessão de julgamento do dia 3 de dez. de 2014, idem, p. 5-6, 9). Já o ministro Luís Roberto Barroso, em longo e elaborado voto, que, inclusive, recupera o problema do encarceramento em massa no Brasil e no mundo, e chega a abordar o julgamento de *Brown* pela Suprema Corte dos EUA, registrou: "[e]sse quadro constitui grave afronta à Constituição Federal, envolvendo a violação a diversos direitos fundamentais dos presos, como a dignidade da pessoa humana (art. 1º, III), a integridade física e moral (art. 5º, XLIX), a vedação à tortura e ao tratamento desumano ou degradante (art. 5º, III), a proibição de sanções cruéis (art. 5º, XLVII, "e"), a intimidade e a honra (art. 5º, X) e os direitos sociais à educação, saúde, alimentação, trabalho e moradia (art. 6º). Tal estado de coisas vulnera,

O ponto que preocupa, e, como dito, parece revelar a nota do ativismo, encontra-se no voto do ministro Luís Roberto Barroso. Importante registrar que se trata de um voto de fôlego, que faz uma leitura ampla do problema prisional no Brasil e no mundo, aponta as causas principais (e interligadas) da crise do sistema carcerário brasileiro (*i.* superlotação; *ii.* lógica do hiperencarceramento; e *iii.* deficiências na estruturação e funcionamento dos presídios), e apresenta uma lista detalhada de sugestões, conclamando todos à reflexão para o encontro de um caminho de superação. Portanto, que fique claro, é uma das mais brilhantes e abrangentes leituras da tragédia do sistema penal brasileiro, e um esforço sem paradigma para romper com a paralisia asfixiante que impera no Brasil[1121].

A nota ativista está na parte final do voto, na qual o julgador propõe que se alcance ao preso-recorrente uma "reparação não pecuniária do dano moral", isto é, que ele não seja indenizado em dinheiro, mas com uma quantidade de redução da sua pena (remição) a ser arbitrada pelo juiz das execuções penais, em analogia com o art. 126 da LEP[1122]. É proposta, assim, uma remição penal como "meca-

ainda, a Lei de Execução Penal e diversos tratados internacionais sobre direitos humanos adotados pelo país, tais como o Pacto Internacional sobre Direitos Civis e Políticos, o Pacto de São José da Costa Rica e a Convenção contra a Tortura e Outros Tratamentos ou Penas Cruéis, Desumanos ou Degradantes. Diante dessa situação calamitosa, é evidente que, na esmagadora maioria dos casos, mandar uma pessoa para o sistema prisional é submetê-la a uma pena mais grave do que a que lhe foi efetivamente aplicada. Mais do que a privação de liberdade, impõe-se ao preso a perda da sua integridade, de aspectos essenciais de sua dignidade, assim como das perspectivas de reinserção na sociedade" (cf. BRASIL. SUPREMO TRIBUNAL FEDERAL. *Recurso Extraordinário n. 580.252.* Voto proferido pelo ministro Luís Roberto Barroso em sessão de julgamento do dia 6 de maio de 2015, op. cit., p. 14).

[1121] Cf. BRASIL. SUPREMO TRIBUNAL FEDERAL. *Recurso Extraordinário* n. 580.252. Voto proferido pelo ministro Luís Roberto Barroso em sessão de julgamento do dia 6 de maio de 2015, idem, p. 10-34.

[1122] Na letra da decisão: "[n]essa linha, a solução que se propõe é a de que os danos morais causados aos presos em função da superlotação e de condições degradantes sejam reparados, preferencialmente, pelo mecanismo da remição de parte do tempo de execução da pena, em analogia ao art. 126 da Lei de Execução Penal, que prevê que "[o] condenado que cumpre a pena em regime fechado ou semiaberto poderá remir, por trabalho ou por estudo, parte do tempo de execução da pena". Vale dizer: a cada "x" dias de cumprimento de pena em condições desumanas e degradantes, o detento terá direito à redução de 1 dia de sua pena. Como a "indenização mede-se pela extensão do dano", a variável "x", isto é, a razão entre dias cumpridos em condições adversas e dias remidos, será fixada pelo juiz, de forma individualizada, de acordo com os danos morais comprovadamente sofridos

nismo de reparação de danos". A postura tem inspiração em equacionamento encontrado pela Itália, após sofrer condenação pela Corte Europeia de Direitos Humanos – CEDH (em *Torreggiani et al. vs. Itália*[1123]), em caso envolvendo presos que postulavam, e obtiveram, indenização por dano moral em vista de estarem a cumprir pena em celas superlotadas. Como a CEDH determinou, para além do pagamento de indenização, que fossem adotas medidas de reforma estrutural (porque o problema da superlotação ocorria em todo o país) e, também, que o país implementasse medidas compensatórias, o Parlamento da Itália aprovou uma lei determinando o desconto de um dia de pena para cada dez dias de prisão em condições desumanas ou degradantes[1124].

A racionalidade da decisão é construída a partir da experiência do direito comparado, com atenção para orientações de Tribunais Internacionais de Direitos Humanos, da lógica estruturante do sistema normativo vigente (com aproximação da situação do preso àquela que anima a aposentadoria especial por condições insalubres e a outros casos da lei civil que admitem pagamento *in natura*), e da demonstração de que já se concedeu remição da pena por construção jurisprudencial (nos casos: *i.* da remição pelo estudo, algo que só foi transformado em lei em

pelo detento". O ministro reserva a possibilidade de indenização em dinheiro para os presos sem condições de obter a remição, porque já concluíram a sua pena, ou só estiveram no sistema como preso provisório. Assim, a indenização em espécie assumiria um caráter subsidiário nas violações de direitos de presos no sistema carcerário (cf. BRASIL. SUPREMO TRIBUNAL FEDERAL. *Recurso Extraordinário n. 580.252.* Voto proferido pelo ministro Luís Roberto Barroso em sessão de julgamento do dia 6 de maio de 2015, idem).

[1123] Cf. CORTE EUROPEIA DE DIREITOS HUMANOS. *Torreggiani et. al. vs. Itália.* Sentença de 8 de maio de 2013. Disponível em: <http://hudoc.echr.coe.int/eng#{"fulltext":["Torreggiani et. al. v. Itália"],"document collectionid2":["GRANDCHAMBER","CHAMBER"],"itemid":["001-116248"]}>. Acesso em: 16 de maio de 2015.

[1124] Cf. ITÁLIA. *Legge n. 117, de 11 de ago. de 2014.* Roma, Gazzetta Ufficiale, 20 de ago. de 2014. Disponível em: <http://www.normattiva.it/uri-res/N2Ls?urn:nir:stato:legge:2014-08-11;117>. Acesso em: 16 de maio de 2015; cf. BRASIL. SUPREMO TRIBUNAL FEDERAL. *Recurso Extraordinário n. 580.252.* Voto proferido pelo ministro Luís Roberto Barroso em sessão de julgamento do dia 6 de maio de 2015, idem, p. 20-21.

2013[1125], mas o STJ já a reconhecia desde 2003[1126]; e, atualmente, *ii.* da remição da pena pela leitura, com base na Portaria Conjunta DEPEN/CJF n. 276, de 2012, em parâmetros cuja observação foi indicada aos juízes estaduais por meio da Recomendação n. 44/2013, do Conselho Nacional de Justiça – CNJ[1127])[1128].

[1125] Cf. BRASIL. Lei n. 12.433, de 29 de jun. de 2011. Altera a Lei n. 7.210, de 11 de julho de 1984 (Lei de Execução Penal), para dispor sobre a remição de parte do tempo de execução da pena por estudo ou por trabalho. *Diário Oficial*, Brasília, 30 de jun. de 2011. O atual Art. 126 da LEP, modificado, tem a seguinte redação: "Art. 126. O condenado que cumpre a pena em regime fechado ou semiaberto poderá remir, por trabalho ou por estudo, parte do tempo de execução da pena" (cf. BRASIL. Lei n. 7.210, de 11 de jul. de 1984. Lei de Execução Penal. *Diário Oficial*, Brasília, 13 de jul. de 1984).

[1126] A remição da pena estava, inclusive, sumulada pelo STJ, desde o ano de 2007: "Súmula 341 – A frequência a curso de ensino formal é causa de remição de parte do tempo de execução de pena sob regime fechado ou semi-aberto" (cf. BRASIL. SUPERIOR TRIBUNAL DE JUSTIÇA. Súmula n. 341. J. 27 de jun. de 2007. *Diário da Justiça*, Brasília, 13 de ago. de 2007).

[1127] Cf. BRASIL. MINISTÉRIO DA JUSTIÇA. DEPARTAMENTO PENITENCIÁRIO NACIONAL / BRASIL. CONSELHO DA JUSTIÇA FEDERAL. *Portaria Conjunta* n. 276, de 20 de jun. de 2012. Disciplina o Projeto da Remição pela Leitura no Sistema Penitenciário Federal. Disponível em: <http://www.stj.jus.br/internet_docs/ biblioteca/clippinglegislacao/ POC_276_2012_DPE.pdf>. Acesso em: 16 de maio de 2015; e, cf. BRASIL. CONSELHO NACIONAL DE JUSTIÇA. Recomendação n. 44, de 26 de nov. de 2013. Diário da Justiça, Brasília, 27 de nov. de 2013. Disponível em: <https://www.google.com.br/url?sa=t&rct=j&-q=&esrc=s&source= web&cd=1&cad=rja&uact=8&ved=0CB4QFjAAahUKEwjz16Tuz8rHAh-XGgJAKHc-BA2w&url=http%3A% 2F%2Fwww.cnj.jus.br%2Ffiles%2Fatos_administrativos%-2Frecomendao-n44-26-11-2013-presidncia.pdf&ei= E7nfVbOCHMaBwgTPg47gBg&usg=AFQ jCNFV8VKLujwEcwe-CmQsDgpdniXkmQ>. Acesso em: 16 de maio de 2015. O art. 1º, in. V, alínea "e", dispõe "Art. 1. (...) V - estimular, no âmbito das unidades prisionais estaduais e federais, como forma de atividade complementar, a remição pela leitura, notadamente para apenados aos quais não sejam assegurados os direitos ao trabalho, educação e qualificação profissional, nos termos da Lei n. 7.210/84 (LEP – arts. 17, 28, 31, 36 e 41, incisos II, VI e VII), observando-se os seguintes aspectos: e) procurar estabelecer, como critério objetivo, que o preso terá o prazo de 21 (vinte e um) a 30 (trinta) dias para a leitura da obra, apresentando ao final do período resenha a respeito do assunto, possibilitando, segundo critério legal de avaliação, a remição de 4 (quatro) dias de sua pena e ao final de até 12 (doze) obras efetivamente lidas e avaliadas, a possibilidade de remir 48 (quarenta e oito) dias, no prazo de 12 (doze) meses, de acordo com a capacidade gerencial da unidade prisional".

[1128] Cf. BRASIL. SUPREMO TRIBUNAL FEDERAL. Recurso Extraordinário n. 580.252. Voto proferido pelo ministro Luís Roberto Barroso em sessão de julgamento do dia 6 de maio de 2015,

O voto ainda afirma que a solução proposta valoriza mais o preso, pois em vez de lhe alcançar um valor que seria pouco expressivo, minora o grau das violações ao permitir o cumprimento da sua pena em menor tempo ("aplacando o prejuízo moral a que é submetido diariamente"). Também melhora o sistema prisional, porque ao acelerar as penas contribui para uma redução da superlotação, assim também ajudando o estado (que, de outra parte, face à subsidiariedade da indenização em dinheiro, pode alocar os recursos financeiros poupados com a indenização por remição para melhorias no sistema – auxiliando, outrossim, na responsabilidade fiscal)[1129].

A decisão ainda fixa a competência para análise da novel remição pelo juiz da execução (por força da amplitude do art. 66 da LEP), estabelece o procedimento (o do art. 196 da LEP), o recurso cabível contra a decisão (o agravo do art. 197 da LEP), e que os presos provisórios podem pedir detração na mesma base (conforme o art. 42 da LEP), fixando a remição máxima em três dias de encarceramento inconstitucional para o desconto de 1 dia da pena, e a remição mínima em sete dias de encarceramento inconstitucional (na sua menor intensidade) por um dia de desconto da pena, tudo a ser avaliado caso a caso[1130].

Recolhidos todos os elementos do voto, temos que a decisão, a despeito de imbuída do mais elevado espírito cívico e democrático, apresenta traços ativistas evidentes.

---

idem, p. 17-21.

[1129] Cf. BRASIL. SUPREMO TRIBUNAL FEDERAL. *Recurso Extraordinário n. 580.252*. Voto proferido pelo ministro Luís Roberto Barroso em sessão de julgamento do dia 6 de maio de 2015, idem, p. 52-53.

[1130] Ou, segundo o voto: "[e]ntendo, porém, que é razoável – e mesmo desejável – que este Tribunal fixe quocientes mínimo e máximo de remição da pena, de modo a criar balizas para a atuação dos juízes e permitir que a redução da pena confira uma reparação efetiva ao detento, tendo um impacto mensurável sobre o tempo de prisão. (...) Nesse sentido, proponho, em primeiro lugar, que o quociente máximo, aplicável aos casos de maior violação à dignidade humana, seja de 1 dia de remição para cada 3 dias de cumprimento de pena em condições degradantes, em analogia ao art. 126 da LEP. (...) Proponho, assim, que a contagem do tempo de remição seja feita à razão de 1 dia de pena a cada 3 a 7 dias de encarceramento em condições degradantes, a depender da gravidade dos danos morais sofridos nessas circunstâncias" (cf. BRASIL. SUPREMO TRIBUNAL FEDERAL. *Recurso Extraordinário n 580.252*. Voto proferido pelo ministro Luís Roberto Barroso em sessão de julgamento do dia 6 de maio de 2015, idem, p. 57-58); e, cf. BRASIL. Lei n. 7.210, de 11 de jul. de 1984. Lei de Execução Penal. *Diário Oficial*, Brasília, 13 de jul. de 1984.

Em primeiro lugar, chama atenção que a inspiração no caso italiano sinaliza para o caminho que a ideia de uma remição de pena indenizatória teria que percorrer no Brasil. Ou seja, a via democrática do parlamento, observada a garantia do procedimento legislativo (como se deu na Itália).

De todos os argumentos oferecidos, o que mais impressiona, e pede reflexão, é o de que outras analogias já foram feitas em nível jurisprudencial envolvendo o instituto da remição. Parece-nos, entretanto, que na hipótese falta o *tertium comparationis*. Se olhamos para o instituto da remição da pena como criado na LEP, isto é, como "uma nova proposta ao sistema e tem, entre outros méritos, o de abreviar, pelo trabalho, parte do tempo da condenação. Três dias de trabalho correspondem a um dia de resgate"[1131], o que se vê é que se queria estimular o trabalho, na compreensão de que é um "dever social e condição de dignidade humana, [que] terá finalidade educativa e produtiva"[1132], coroado por "uma forma especial de remuneração: a antecipação da liberdade"[1133]. Quando o Judiciário foi instado a refletir sobre a hipótese de uma extensão do disposto no art. 126 da LEP ao caso da remição da pena pelo estudo, é de notar que o elemento de comparação estava ali, vivo, presente, ou seja, estimular a ocupação do preso de uma forma positiva, gratificante, por meio de um bônus consistente em redução de sua pena. Pode ser dita a mesma coisa sobre o processo de extensão do dispositivo para o caso da remição da pena pela leitura. Em suma, a LEP, e a jurisprudência nos exemplos, informa ao preso: trabalhe que a sua pena será reduzida, estude que a sua será reduzida. Se não houver trabalho, se não houver estudo, leia, que a sua pena será reduzida. Agora, se acolhido o voto sob exame, o STF estará a dizer ao preso: sofra, mas se conforte, pois sua pena será reduzida. Haverá uma espécie de estímulo à busca por um sofrimento, porém resignado,

---

[1131] Cf. BRASIL. EXPOSIÇÃO DE MOTIVOS À LEI DE EXECUÇÃO PENAL *Mensagem 242, de 29 de jun. de 1983*. Disponível em: <http://portal.mj.gov.br/services/DocumentManagement/FileDownload. EZTSvc.asp? DocumentID=%7BC116F62C-19FB-4F25-8625-E6D3D415537D%7D&ServiceInstUID=%7B4AB01622-7C 49-420B-9F76-15A4137F1CCD%7D>. Acesso em: 16 de maio de 2015.

[1132] De acordo com a redação do at. 28 da LEP (cf. BRASIL. Lei n. 7.210, de 11 de jul. de 1984. Lei de Execução Penal. *Diário Oficial*, Brasília, 13 de jul. de 1984).

[1133] Cf. REALE JR., Miguel; DOTTI, René Arial; ANDREUCCI, Ricardo Antunes; PITOMBO, Sérgio Marcos de Moraes. *Penas e Medidas de Segurança no Novo Código*. Rio de Janeiro: Forense, 1985, p. 110.

porque remunerado. Sobretudo, não há, como a nós parece claro, elemento possível de comparação.

Na realidade, o que se propõe é a criação de um novo instituto, próximo da remição, mas tão só porque implica uma redução da pena. Portanto, trabalho, estudo e leitura são bonificados com a redução da pena; e o sofrimento vivido no cárcere, pela negligência do estado, será reparável por uma redução da pena. Não temos, é fundamental sublinhar, qualquer oposição quanto a Justiça que habita a ideia de que os presos precisam ser indenizados pelos danos morais e materiais que sofrem no cárcerce. Apenas acreditamos que essa específica modalidade para o fazer (compensação com redução da pena) é, em primeiro, manifestação da ativista legislação desde a bancada (*judge made law*), e, em segundo, uma alternativa que encerra possíveis efeitos reversos/negativos preocupantes.

Ao encontro do especial traço ativista referido (da legislação judicial), o voto ainda oferece todo um detalhamento, que percorre várias estações: criação do instituto, definição dos seus critérios de aplicação, fixação da competência, estabelecimento do rito e do direito ao recurso. Tudo tipicamente legislativo (e, gize-se, criando um contencioso todo novo no âmbito da execução penal, para o qual as estruturas não foram pensadas e não estão preparadas para atender).

Ademais da já aludida situação perversa que estará criada para os presos (na qual eles se beneficiam do mau estado das penitenciárias em que estão recolhidos, e, quanto pior a situação fática em termos de violação aos seus direitos fundamentais, maior será a redução da pena a que terão direito, na proporcionalidade sugerida no voto), o fato é que também se estará assegurando ao estado algo como um "conforto na violação". Isto é, se abrirá ao governo um espaço para compreender que os presos em más-condições carcerárias já estão indenizados, tendo em vista o mecanismo de compensação criado pelo STF. Daí o eventual efeito reverso/negativo que poderá, ao fim e ao cabo, ser colhido: em vez de um estimulante, dar-se-á um anestésico ao já catatônico administrador.

À parte a nossa pontual dissidência com o desfecho desse voto proferido no RE n. 580.252, é indispensável que façamos a literal reprodução de duas passagens dele, com a paciência e a compreensão do leitor, seguidas de mais duas, pertencentes a dois outros julgados (o *Habeas Corpus* n. 107.701 e o recurso extraordinário n. 592.581), pelo relevo para o que, a final, será dito.

Afirmou o ministro Teori Zavascki:

"...certamente não se pode negar ao indivíduo encarcerado o direito de obter, inclusive judicialmente, pelo menos o atendimento de prestações inerentes ao que se denomina mínimo existencial, assim consideradas aquelas prestações que, à luz das normas constitucionais, podem ser desde logo identificadas como necessariamente presentes qualquer que seja o conteúdo da política pública a ser estabelecida. (...)

Convém enfatizar que a invocação seletiva de razões de estado para negar, especificamente a determinada categoria de sujeitos, o direito à integridade física e moral, não é compatível com o sentido e o alcance do princípio da jurisdição, já que, acolhidas essas razões, estar-se-ia recusando aos detentos os mecanismos de reparação judicial dos danos sofridos, deixando-os a descoberto de qualquer proteção estatal, numa condição de vulnerabilidade juridicamente desastrosa. Trata-se de uma dupla negativa, do direito e da jurisdição. Não pode a decisão judicial, que é o subproduto mais decantado da experiência jurídica, desfavorecer sistematicamente a um determinado grupo de sujeitos, sob pena de comprometer a sua própria legitimidade."[1134]

Disse o ministro Luiz Roberto Barroso:

"Mais recentemente, em 2011, o famoso caso Brown v. Plata, relativo ao sistema carcerário da Califórnia também foi decidido pela Suprema Corte norte-americana. No caso, a Suprema Corte declarou constitucional a ordem emitida por Corte distrital colegiada da Califórnia (Three-judge Court) no sentido de que o Estado limitasse a população prisional a até 137,5% da capacidade dos presídios, o que representaria a soltura de 46 mil detentos, por entender que a medida foi necessária para remediar as graves violações constitucionais constatadas. (...) a decisão permitiu considerável redução da população prisional do Estado e criou incentivos para a melhoria das condições de vida nos presídios locais. (...)

Nesse processo ["esforço conjunto e cooperativo no sentido de garantir aos presos os direitos mais básicos que lhes são assegurados pela Constituição"], entendo que a jurisdição constitucional não pode desempenhar o papel de

---

[1134] Cf. BRASIL. SUPREMO TRIBUNAL FEDERAL. *Recurso Extraordinário* n. 580.252. Voto proferido pelo ministro Teori Zavascki em sessão de julgamento do dia 3 de dez. de 2014, idem, p. 5-6, 9.

mero expectador. Ao contrário, o quadro crônico de omissão e descaso com a população carcerária exige que este Supremo Tribunal Federal assuma uma postura ativa na construção de soluções para a crise prisional, impulsionando o processo de superação do atual estado de inconstitucionalidade que envolve a política prisional no país. Sua intervenção estaria plenamente justificada na hipótese, porque se daria para proteger e promover os direitos fundamentais de uma minoria que, além de impopular e estigmatizada, não tem voto. Faltam, assim, incentivos para que as instâncias representativas promovam a melhoria das condições carcerárias."[1135]

Aduziu o ministro Gilmar Mendes:

"(...) queria lembrar que, recentemente, com críticas, é verdade, a Suprema Corte americana tomou uma de suas decisões importantes em relação ao regime prisional, determinando que a Califórnia – são decisões temperadas ou condicionadas –, num prazo determinado, reduza em um percentual significativo seu número de presos, tendo em vista exatamente essas condições. Eu já disse uma vez em sala de aula, mas agora repito aqui, nós temos esse problema sério do amontoado de presos em condições obviamente inconstitucionais, desumanas e ilegais. (...) E veja que é um tema hoje posto e está a demandar, então, reflexão de uma corte suprema líder no processo de jurisdição constitucional, como é a americana, que acaba, portanto, de tomar essa medida exatamente por não poder responder, individualmente, em relação aos abusos que se perpetram nessa área."[1136]

Averbou o ministro Ricardo Lewandowski:

"(...) Mais recentemente, em 2011, a orientação traçada na jurisprudência formada a partir de tal doutrina também pôde ser percebida no caso Brown v. Plata. A Suprema Corte americana, em votação majoritária, tendo igualmente

---

[1135] Cf. BRASIL. SUPREMO TRIBUNAL FEDERAL. *Recurso Extraordinário n. 580.252*. Voto proferido pelo ministro Luís Roberto Barroso em sessão de julgamento do dia 6 de maio de 2015, idem, p. 23-34.

[1136] Cf. BRASIL. SUPREMO TRIBUNAL FEDERAL. *Habeas Corpus* n. 96.169. J. 13 de set. de 2011. *Diário da Justiça Eletrônico*, Brasília, 23 de mar. de 2012.

por fundamento a Oitava Emenda, assentou o seguinte entendimento, consubstanciado na opinião do Justice Kennedy: (...)

Assim começou a reforma do sistema prisional dos EUA, que continua até os dias de hoje, com base em determinações judiciais, amparadas apenas em princípios de natureza moral e numa vaga proibição constitucional que proíbe sanções atrozes.

Em outras palavras o Judiciário, aqui, não precisa partir do zero, construindo uma doutrina com base em princípios morais ou valores abstratos, eis que temos, repito, um robusto conjunto normativo, tanto no âmbito nacional como no internacional, que dá ampla guarida à ação judicial voltada à proteção dos direitos dos presos.

Ainda que elas não existissem, bastaria para autorizar a intervenção do Judiciário, nessa seara, a sistemática violação ao princípio da dignidade humana, somada ao conceito mais do que assentado na criminologia de que a finalidade das sanções penais consiste primacialmente em promover a ressocialização do cidadão que violou a lei. (...)

[resultando afirmada a seguinte tese de repercussão geral, à unanimidade, pelo Plenário da Corte:]

"É lícito ao Judiciário impor à Administração Pública obrigação de fazer, consistente na promoção de medidas ou na execução de obras emergenciais em estabelecimentos prisionais para dar efetividade ao postulado da dignidade da pessoa humana e assegurar aos detentos o respeito à sua integridade física e moral, nos termos do que preceitua o art. 5º, XLIX, da Constituição Federal, não sendo oponível à decisão o argumento da reserva do possível nem o princípio da separação dos poderes."[1137]

As reproduções, eloquentes em si, servem ao só propósito de enfatizar que estamos sobre a hora de *Brown* no Brasil! Ultrapassamos, enfim, e já não era sem tempo, o ponto de não retorno.

[1137] Cf. BRASIL. SUPREMO TRIBUNAL FEDERAL. *Recurso Extraordinário n. 592.581*. Voto proferido pelo ministro Ricardo Lewandowski em sessão de julgamento do dia 13 de ago. de 2015. Disponível em: <http://www.stf.jus.br/arquivo/cms/noticiaNoticiaStf/ anexo/Prisoes.pdf>. Acesso em: 14 de ago. de 2015.

A ignomínia que a situação dos nossos presídios lança sobre toda a cidadania, uma vergonha que já não admite ser ignorada, agora está às barras da Suprema Corte brasileira. O esperançoso reclamo de FELDENS por um outro Brasil, que "rejeite a insuficiência e a letargia estatais, tomando a sério a proteção efetiva de direitos humanos e fundamentais"[1138], pode, agora, não são vãs as expectativas, ter vazão a partir do Judiciário. E, mais ainda, pode ocorrer sem ativismos, o que é crucial para a democracia.

Como ensina CANOTILHO, a incumbência dos agentes do estado em "proteger o direito à vida, no domínio das prestações existenciais mínimas, escolhendo um meio (ou diversos meios) que tornem efetivo este direito", pode não afastar a contingência "de só existir um meio de [lhe] dar efetividade prática", ocasião em que os agentes "devem escolher precisamente esse meio"[1139]. Fizemos, aqui, em humilde contributo, algumas sugestões de meios. Um deles, o mais intenso, que é o não prender alguém quando não se possa respeitá-lo enquanto ser humano no encarceramento, pode ser, no eco das lições doutrinárias, precisamente o meio de que necessitamos para rejeitar a insuficiência e a letargia, hoje, em nosso país.

Que tenhamos juízes em Berlim, e, também, no Brasil!

[1138] Cf. FELDENS, Luciano. Deveres de Proteção Penal na Perspectiva dos Tribunais Internacionais de Direitos Humanos. *Direitos Fundamentais e Justiça*, n. 1, out.-dez. de 2007, p. 229.

[1139] Cf. CANOTILHO, J. J. Gomes. *Tomemos a* Sério os Direitos Econômicos, Sociais e Culturais. Coimbra: Coimbra Editora, 1988, p. 34.

CONCLUSÕES

Ao cabo da investigação, acreditamos ser possível avançar as seguintes conclusões e proposições:

1. Há mais de 200 anos exercitando o poder de revisão judicial (*judicial review*), os EUA produziram centenas de precedentes e farta doutrina a respeito. Ainda assim, a própria legitimidade do poder de revisar atos dos ramos eleitos do governo permanece como um capítulo em aberto na história do constitucionalismo norte-americano. Mais intenso, também se desenvolve o debate sobre os limites do exercício da *judicial review*, à luz de valores caros à democracia como a separação dos poderes, federalismo e proteção judicial efetiva.

A cada intervenção da Suprema Corte em casos mais difíceis, proliferam os escritos analíticos, em apoio e em crítica. Critérios sugeridos e aplicados para a detecção de ativismo nos pronunciamentos, embora úteis em muitos casos, noutros, porém, revelam as suas limitações, principalmente quando se percebe que o resultado do seu manejo, crítico ou não, passa pelas convicções ideológicas do analista. Nada diverso, portanto, do que ocorre no próprio processo de decisão, e que se põe em mais evidência nos casos de maior complexidade.

Nesse quadro, que implica a permanente avaliação do atuar dos juízes – que se espera, por princípio, seja autocontido (*self-restraint*) – e, pois, do produto judicial, ganha a democracia em amadurecimento e vigilância dos limites de ação e omissão de todos os poderes do Estado. Projeta, também, que nenhuma decisão judicial é autoaplicável e, sempre, em todas as situações, depende do esforço dos outros poderes para uma efetiva aderência aos seus comandos. Dinâmica que, ao fim e ao cabo, reforça os laços entre os ramos do governo e conspira para a integridade do seu funcionamento em padrões constitucionalmente adequados.

Concluímos, assim, que a experiência norte-americana na jurisdição constitucional provou, em sua longa trajetória, a essencialidade do controle judicial independente (mas não supremo), livre das pressões do voto (mas não infenso ao escrutínio pelos fundamentos, sempre públicos e indispensáveis, de suas decisões), na defesa dos direitos assegurados a todos na Constituição e/ou dela deduzidos. Outrossim, temos que os EUA provaram, ainda, a importância da jurisdição constitucional para salvaguarda das minorias discretas e insulares, no palco democrático, contra a força, às vezes irracional, da maioria (como fez na condenação do racismo, na afirmação dos direitos dos defendentes em processos criminais, na afirmação da dignidade humana dos presos e de seus demais direitos, entre outros).

2. Para o exame da justiciabilidade de alegada violação a direito fundamental é preciso, antes de mais, perquirir sobre o quadro de direitos existente. No que toca às pessoas privadas de liberdade, tal perquirição informa as seguintes conclusões:

(i) Essas pessoas têm uma série de direitos fundamentais que necessitam ser respeitados pelo Estado, em ordem a que possa viabilizar e manter o seu encarceramento (direitos fundamentais classificáveis como: ativados pelo estado de privação de liberdade; restringidos pelo estado de privação de liberdade; e mantidos a pleno durante a privação de liberdade);

(ii) O Estado, no contexto do encarceramento, encontra-se na posição de garantidor das pessoas privadas de liberdade, e estas encontram-se em especial situação de sujeição. A vulnerabilidade artificial resultante da intervenção do Estado, cuja ação deve se limitar, em geral, à supressão do direito à liberdade de locomoção, densifica os direitos fundamentais dos presos, e, por isso, autoriza preferência (dentro da verba existente de fato/disponível no orçamento) para uma efetiva alocação de recursos voltados ao atendimento desses direitos;

(iii) A existência, meramente *formal*, de um *título de encarceramento*, é apenas metade da análise sobre a possibilidade da sua efetivação;

(iv) Impõe-se, na outra metade da análise, no marco do Estado Social e Democrático de Direito, em superação do olhar estritamente formalista, a verificação da condição *material* de possibilidade da prisão, *i.e.*, a *exequibilidade humanitária do encarceramento* (ou a possibilidade de respeito aos direitos fundamentais das pessoas privadas de liberdade, em concreto, no local da prisão), o que pode se dar pelo filtro da proporcionalidade, em sua dupla face, como proibição de excesso e de insuficiência;

(v) Por uma face, ou por outra, da proporcionalidade, se, em concreto, tomando o espaço ao qual o sujeito está destinado para ser recolhido, observar-se

excesso de ação do Estado brasileiro, punindo além da medida (*i.e.*, sacrificando outros direitos fundamentais não implicados com a perda da liberdade de locomoção), ou observar-se insuficiência/omissão (pela desídia no alcance de condições de vida, mesmo, às vezes, das mais básicas, inerentes à humanidade do encarceramento), dando lugar a violações de direitos fundamentais, o resultado só poderá ser um: o indivíduo não poderá ser recolhido àquela instalação. Não sendo assim, a prisão será flagrantemente desproporcional, alheia à *ausência de exequibilidade humanitária do encarceramento* e, pois, nada menos que um ato inconstitucional e autoritário.

3. Cabe ao Judiciário a auditoria da *exequibilidade humanitária do encarceramento*. Portanto, para além da forma, incumbe ao Estado a análise da substância e, quando isso não ocorrer, o cidadão está intitulado, pessoalmente, ou em conjunto com outros em posição idêntica, a buscar proteção judicial efetiva.

Entretanto, não assiste ao Judiciário, ao se desincumbir de sua missão de garante dos direitos fundamentais, o direito de transbordar do seu espaço legítimo de atuação, substituindo-se aos ramos eleitos do governo. Se o tema depender de lei, a resposta haverá de ser dada pelo parlamento, e não por legislação editada pelo juiz (*judge made law*). Se o assunto demanda decisão política por ação executiva, à administração cabe decidir e movimentar-se, descabendo a atuação do juiz em seu lugar, como gestor.

Mas em face do arcabouço normativo, *i.e.*, da lei posta, em forma de direitos fundamentais albergados na Constituição, ou de outros direitos, novas leis podem ser inconstitucionais e, até mesmo, a falta delas pode revelar inconstitucionalidade (por omissão legislativa). Atos de gestão do Executivo, ou mesmo omissões suas, podem, igualmente, revelar-se contrários à Carta Política.

É nesse perímetro, então, que a cidadania espera, e precisa, encontrar um juiz que lhe dê proteção (não excessiva – que avance e destrua o sistema de governo –, e nem deficiente – que signifique uma intercessão retórica, insuficiente a materializar a tutela devida).

No âmbito do sistema prisional, norte-americano ou brasileiro, ações e omissões inconstitucionais têm ocorrido. Interditos claros, legislados para garantir a dignidade das pessoas recolhidas, porém, desvanecem a cada dia à sombra do aparentemente inexorável encarceramento em massa. Administradores inertes, de partidos diversos, se sucedem no poder e descobriram-se não escrutináveis quanto ao tema das prisões. A pauta dos eleitores é, sempre, por mais segurança, o que tem implicado (embora sem necessária relação) em mais prisões, e é a estes, e "só" a estes, que parecem dever satisfação. A pauta da cidadania atrás das grades não rende votos, a acentuar o adjetivo de minoria discreta e insular, alijada do processo político, aplicável por inteiro às populações carcerárias em ambos os países.

Por isso a intervenção judicial em âmbito penitenciário, mais antiga no caso norte-americano, faz-se tão indispensável nestes dias. A desafiar, já está dito, os modos como pode ser eficaz, sem ser ativista. Nessa fronteira, de difícil visualização, se a inércia do Judiciário, numa ponta, e o ativismo, na outra, arriscam a sua própria legitimidade, medidas que não tenham a intensidade necessária para garantir efeitos concretos também podem desmoralizar a intervenção judicial. Não por outro motivo, nos EUA, por injunções estruturais (*structural injunctions*) previstas em lei, chegou-se ao ponto de ordenar a soltura de 46 mil prisioneiros no prazo de dois anos, pelo estado da Califórnia.

No Brasil, concluímos que, em resposta às violações de direitos fundamentais de pessoas privadas de liberdade, com os temperamentos necessários, pelas vias processuais disponíveis e trabalhando com as ideias de *exequibilidade humanitária do encarceramento* e *capacidade prisional taxativa*, é possível conformar uma intervenção judicial que leve à progressiva redução do efetivo carcerário em um estado, ou mesmo no País inteiro, sem ativismos e na intensidade reclamada pela tragédia dantesca do sistema penitenciário nacional.

4. Por fim, resta a conclusão óbvia. Não se reforma o sistema carcerário de um país por decreto. Como toda a decisão judicial, a que venha, porventura, a ser emitida no Brasil, com vistas a limitar a ocupação apenas das vagas efetivamente existentes nas penitenciárias, também dependerá, à evidência, da adesão (*compliance*) dos demais agentes públicos direta ou indiretamente envolvidos no problema. Mais que juízes dispostos ao exercício da competência que lhes foi conferida pela Constituição, sob os ônus da incompreensão popular à primeira hora, será preciso um amadurecimento institucional e da própria cidadania em torno do projeto.

Junto com outras estratégias, a violência poderá ser reduzida, dentro e fora das prisões, com vantagens que poderão ser reconhecidas por todos. O trabalho haverá de ser cooperativo, mas não há outra certeza no horizonte. Aliás, certeza, agora, só existe uma, a de que é preciso começar a trilhar o caminho.

REFERÊNCIAS

ACKERMAN, Bruce. *We The People.* Vol. 2. Transformations. Cambridge: The Belknap Press of Harvard University Press, 1998.

______. *We The People.* Vol. 3. The civil rigths revolution. Cambridge: The Belknap Press of Harvard University Press, 2014.

ALEMANHA. *Lei Fundamental da República Federal da Alemanha.* Trad. Assis Mendonça. Rev. Urbano Carvelli. Berlim: Parlamento Federal Alemão, 2011. Disponível em: <https://www.btg-bestellservice.de/pdf/80208000.pdf>. Acesso em: 9 de maio de 2015.

______. TRIBUNAL CONSTITUCIONAL. *BVerfGE* 38, 281 (302), *apud* ALEXY, Robert. *Teoria dos Direitos Fundamentais.* Trad. Virgílio Afonso da Silva. São Paulo: Malheiros, 2008.

______. TRIBUNAL CONSTITUCIONAL. *BVerfGE* 51, 324 (345), *apud* ALEXY, Robert. *Teoria dos Direitos Fundamentais.* Trad. Virgílio Afonso da Silva. São Paulo: Malheiros, 2008.

ALEXY, Robert. *Teoria dos Direitos Fundamentais.* Trad. Virgílio Afonso da Silva. São Paulo: Malheiros, 2008.

ALMEIDA, Gevan. *Modernos Movimentos de Política Criminal e Seus Reflexos na Legislação Brasileira.* 2. ed. Rio de Janeiro: Lumen Juris, 2004.

AMERICAN CIVIL LIBERTIES UNION. *Know Your Rights: The Prison Litigation Reform Act (PLRA).* Disponível em: <https://www.aclu.org/sites/default/files/images/asset_upload _file79_25805.pdf>. Acesso em: 10 de maio de 2015.

ANCEL, Marc. *A Nova Defesa Social.* Um movimento de política criminal humanista. Trad. Osvaldo Melo. Prefácio de Heleno Cláudio Fragoso. São Paulo: Forense, 1979.

ANDRADE, Carla Coelho de; OLIVEIRA JR., Almir de. *Estudos em Segurança Pública e Sistema de Justiça Criminal:* a reintegração social de indivíduos em privação de liberdade. Disponível em: <http://www.ipea.gov.br/agencia/images/stories/PDFs/boletim_analise_politico/141117_ boletim_analisepolitico_06_cap5>. Acesso em: 9 de maio de 2015.

ANDRADE, José Carlos Vieira de. *Os Direitos Fundamentais na Constituição Portuguesa de 1976*. 5. ed. Coimbra: Almedina, 2012.

ARAUJO JR., João Marcello de. Apresentação. In: *Sistema Penal Para o Terceiro Milênio. Atos do Colóquio Marc Ancel*. Org. João Marcello de Araújo Jr. Rio de Janeiro: Revan, 1991.

ÁVILA, Humberto Bergmann, *Teoria dos Princípios. Da definição à aplicação dos princípios jurídicos*. 4. ed. São Paulo: Malheiros, 2005.

AZEVEDO, Rodrigo Ghiringhelli de; AZEVEDO, Tupinambá Pinto de. Política Criminal e Legislação Penal no Brasil: Histórico e Tendências Contemporâneas. In: *Política Criminal Contemporânea. Criminologia, Direito Penal e Direito Processual Penal*. Org. Alexandre Wunderlich. Porto Alegre: Livraria do Advogado, 2008.

BARBOSA, Ana Paula Costa. Possibilidade de relativização do princípio da dignidade humana de acordo com a teoria dos direitos fundamentais de Robert Alexy. In: *Revista Diálogo Jurídico*, n. 17, 2008, Bahia, Brasil.

BARBOSA-FOHRMANN, Ana Paula; BADENHOOP, Nikolai. A dignidade humana e os novos direitos no direito comparado: a discussão sobre a clonagem no direito constitucional alemão. In: *Direitos Fundamentais Et Justiça* – Ano 5, n. 17, p. 227-243, out/dez 2011.

BARRETO, Tobias. *Estudos de Direito*. Bahia: Livraria Progresso, 1951.

BARROSO, Luís Roberto. A proteção coletiva dos direitos no Brasil e alguns aspectos da *class action* norte-americana. In: *Boletim Científico da Escola Superior do Ministério Público da União* – ESMPU, Brasilia, n. 16, 2005.

BATISTA, Nilo. *Matrizes Ibéricas do Sistema Penal Brasileiro – I*. Rio de Janeiro: Instituto Carioca de Criminologia: Freitas Bastos, 2000, p. 30-37.

______. *Mídia e Sistema Penal no Capitalismo Tardio*. Rio de Janeiro, 2003. Disponível em: <http://www.bocc.ubi.pt/_esp/autor.php?codautor=734>. Acesso em: 3 de out. de 2006.

______. Política Criminal com Derramamento de Sangue. *Revista Brasileira de Ciências Criminais*, São Paulo, v. 20, 1997.

BAUMAN, Zygmunt. *Capitalismo parasitário*. Rio de Janeiro: Jorge Zahar, 2009.

______. *O mal-estar da pós-modernidade*. Rio de Janeiro: Jorge Zahar, 1997.

BECCARIA, Cesare. *Dos Delitos e das Penas*. Trad. J. Cretella Jr. e Agnes Cretella. São Paulo: RT, 1999.

BENTHAM, Jeremias. *El Panoptico*. Madrid: Las Ediciones de La Piqueta, 1979.

BERG, Miriam. *King v. Burwell: a case that could roll back health care access for milions of americans*. Disponível em: <http://www.plannedparenthoodaction.org/elections-politics/blog/ king-v-burwell-case-could-roll-back-health-care-access-millions-americans/>. Acesso em: 8 de mar. de 2015.

BICKEL, Alexander M. *The Least Dangerous Branch*. The Supreme Court at the bar os politics. 2. ed. New Haven: Yale University Press, 1962.

BITENCOURT, Cezar Roberto. *Falência da Pena de Prisão*. Causas e Alternativas. São Paulo: RT, 1993.

______. *Tratado de Direito Penal*. Parte Geral 1. 17. ed. São Paulo: Saraiva, 2012.

BLACK, Conrad. *Franklin Delano Roosevelt*. Champion of Freedom. New York: Publicaffairs, 2003.

BOBBIO, Norberto. *Igualdade e Liberdade*. Trad. Carlos Nelson Coutinho. 3. ed. São Paulo: Ediouro, 1997.

BORCHARDT, Derek. The Iron Curtain Redrawn Between Prisoners and the Constitution. 43.2 *Columbia Human Rights Law Review* 469-520 (2012). Disponível em: <http://www3.law.columbia.edu/hrlr/hrlr_journal/43.2/Borchardt.pdf>. Acesso em: 10 de maio de 2015.

BOSCHI, José Antonio Paganella. *Das Penas e seus Critérios de Aplicação*. 5. ed. Porto Alegre: Livraria do Advogado Editora, 2011.

BRADLEY, Catherine Megan. Old Remedies are New Again: deliberate indifference and the receivership in *Plata vs. Schwarzenegger*. 62 NYU *Annual Survey of American Law* 703-744 (2007). Disponível em: <http://www.law.nyu.edu/sites/default/files/ ecm_pro_064617.pdf>. Acesso em: 12 de maio de 2015.

BRASIL. Código de Processo Civil. Lei n. 5.869 de 11 de jan. de 1973. *Diário Oficial da União*, Brasília, 17 de jan. de 1973, republicado em 27 de jul. de 2006.

______. Código de Processo Penal. Decreto-Lei n. 3.689 de 3 de out. de 1941. *Diário Oficial da União*, Rio de Janeiro, 13 de out. de 1941, retificado em 24 de out. de 1941.

______. Código Penal. Decreto-Lei n. 2.848 de 7 de dez. de 1940. *Diário Oficial da União*, Rio de Janeiro, 31 de dez. de 1940, retificado em 3 de jan. de 1941.

______. CONGRESSO NACIONAL. CÂMARA DOS DEPUTADOS. CPI DO SISTEMA CARCERÁRIO. Comissão Parlamentar de Inquérito com a finalidade de investigar a realidade do Sistema Carcerário Brasileiro, com destaque para a superlotação dos presídios, custos sociais e econômicos desses estabelecimentos, a permanência de encarcerados que já cumpriram a pena, a violência dentro das instituições do sistema carcerário, corrupção, crime organizado e suas ramificações nos presídios e buscar soluções para o efetivo cumprimento da Lei de Execução Penal – LEP. Brasília: Câmara dos Deputados, Edições Câmara, 2009.

______. CONSELHO NACIONAL DE JUSTIÇA (CNJ). DEPARTAMENTO DE MONITORAMENTO E FISCALIZAÇÃO DO SISTEMA CARCERÁRIO E DO SISTEMA DE EXECUÇÃO DE MEDIDAS SOCIOEDUCATIVAS – DMF. *Novo Diagnóstico de Pessoas Presas no Brasil* (Junho de 2014). Disponível em: <http://www.cnj.jus.br/images/imprensa/pessoas_presas_no_brasil_final.pdf>. Acesso em: 5 de maio de 2015.

______. CONSELHO NACIONAL DE JUSTIÇA (CNJ). *Projeto Cidadania nos Presídios. Objetivos detalhados.* Disponível em: <http://www.cnj.jus.br/sistema-carcerario-e-execucao-penal/cidadania-nos-presidios/objetivos-detalhados>. Acesso em: 16 de maio de 2015.

______. CONSELHO NACIONAL DE JUSTIÇA. *Audiência de Custódia.* Disponível em: <http://www.cnj.jus.br/sistema-carcerario-e-execucao-penal/audiencia-de-custodia>. Acesso em: 4 de maio de 2015.

______. CONSELHO NACIONAL DE JUSTIÇA. Recomendação n. 44, de 26 de nov. de 2013. *Diário da Justiça, Brasília*, 27 de nov. de 2013. Disponível em: <https://www.google.com.br/url?sa=t&rct=j&q=&esrc=s&source=web&cd=1&cad=rja&uact=8&ved=0CB4QFjAAahUKEwjz16Tuz8rHAhXGgJAKHc-BA2w&url=http%3A%2F%2Fwww.cnj.jus.br%2Ffiles%2Fatos_administrativos%2Frecomendao-n44-26-11-2013-presidncia. pdf&ei=E7nfVbOCHMaBwgTPg47gBg&usg=AFQjCNFV8VKLujwEcwe-CmQsDgpdniXk mQ>. Acesso em: 16 de maio de 2015.

______. CONSELHO NACIONAL DE JUSTIÇA. Resolução n. 137, de 13 de jul. de 2011. *Diário da Justiça Eletrônico*, Brasília, 15 de jul. de 2011.

______. Constituição da República Federativa do Brasil de 1988. *Diário Oficial da União*, 5 de out. de 1988.

______. *Constituição Politica do Império do Brazil*, de 25 de mar. de 1824. Registrada à fls. 17, do Livro 4º de Leis, Alvarás e Cartas Imperiaes, Rio de Janeiro, 22 de abr. de 1824. Disponível em: <http://www.planalto.gov.br/ccivil_03/Constituicao/Constituicao24.htm>. Acesso em: 2 de mar. de 2015.

______. Decreto n. 4.388, de 25 de set. de 2002. Promulga o Estatuto de Roma do Tribunal Penal Internacional. *Diário Oficial da União*, Brasília, 26 de set. de 2002.

______. Decreto n. 592, de 6 de jul. de 1992. Atos Internacionais. Pacto Internacional sobre Direitos Civis e Políticos. Promulgação. *Diário Oficial da União*, Brasília, 7 de jul. de 1992.

______. Decreto n. 678, de 6 de nov. de 1992. Promulga a Convenção Americana sobre Direitos Humanos (Pacto de San José da Costa Rica), de 22 de nov. de 1969. *Diário Oficial da União*, Brasília, 9 de nov. de 1992.

______. Decreto n. 7.626, de 24 de nov. de 2011. *Diário Oficial da União*, Brasília, 25 de nov. de 2011.

______. Decreto-Lei n. 3.689, de 3 de out. de 1941. Institui o Código de Processo Penal. *Diário Oficial da União*, Brasília, 13 de out. de 1941.

______. Decreto-Lei n. 2.848 de 7 de dez. de 1940. Institui o Código Penal brasileiro. *Diário Oficial da União*, Rio de Janeiro, 31 de dez. de 1940, retificado em 3 de jan. de 1941.

______. Emenda Constitucional n. 45, de 30 de dez. de 2004. Altera os arts. 5º (...), e dá outras providências. *Diário Oficial da União*, Brasília, 31 de dez. de 2004.

______. EXPOSIÇÃO DE MOTIVOS À LEI DE EXECUÇÃO PENAL *Mensagem 242, de 29 de jun. de 1983*. Disponível em: <http://portal.mj.gov.br/services/DocumentManagement/ FileDownload.EZTSvc.asp?DocumentID=%7BC116F62C-19FB-4F25-8625-E6D3D415537 D%7D&ServiceInstUID=%7B4AB01622-7C49-420B-9F76-15A4137F1CCD%7D>. Acesso em: 16 de maio de 2015.

______. FÓRUM DA QUESTÃO PENITENCIÁRIA (Associação dos Juízes do Rio Grande do Sul – Ajuris, Instituto Transdisciplinar de Estudos Criminais – !TEC, Conselho Regional de Medicina do Estado do Rio Grande do Sul – Cremers, Associação dos Defensores Públicos do Estado do Rio Grande do Sul – ADPERGS, Conselho da Comunidade para Assistência aos Apenados das Casas Prisionais de Porto Alegre, Themis Assessoria de Jurídica e Estudos de Gênero, Instituto Brasileiro de Avaliações e Perícias de Engenharia – Ibape, Ordem dos Advogados do Brasil Seção do Estado do Rio Grande do Sul – OABRS, Associação do Ministério Público do Estado do Rio Grande do Sul – AMPRS). *Representação: Pessoas Privadas de Liberdade no 'Presídio Central de Porto Alegre' – PCPA* – MC-8-13). Disponível em: <http://www.ajuris.org.br/images/banners/representacao-pcpa-oea-internet-08-01-2013. pdf>. Acesso em: 17 de fev. de 2013.

______. GOVERNO FEDERAL. SECRETARIA DE ASSUNTOS ESTRATÉGICOS DA PRESIDÊNCIA DA REPÚBLICA. INSTITUTO DE PESQUISA ECONÔMICA APLICADA (IPEA). *Reincidência Criminal no Brasil.* Relatório de Pesquisa. Rio de Janeiro: IPEA, 2015.

______. Lei n. 10.792, de 1 de dez. de 2003. *Diário Oficial da União*, Brasília, 2 de dez. de 2003.

______. Lei n. 11.343 de 23 de ago. de 2006. Institui o Sistema Nacional de Políticas Públicas sobre Drogas – Sisnad; prescreve medidas para prevenção do uso indevido, atenção e reinserção social de usuários e dependentes de drogas; estabelece normas para repressão à produção não autorizada e ao tráfico ilícito de drogas; define crimes e dá outras providências. *Diário Oficial da União*, Brasília, 24 de ago. de 2006.

______. Lei n. 11.464 de 28 de mar. de 2007. Dá nova redação ao art. 2º da Lei n. 8.072, de 25 de julho de 1990, que dispõe sobre os crimes hediondos, nos termos do inciso XLIII do art. 5º da Constituição Federal. *Diário Oficial da União*, Brasília, 29 de mar. de 2007.

______. Lei n. 12.245, de 24 de maio de 2010. *Diário Oficial da União*, Brasília, 25 de maio de 2010.

______. Lei n. 12.433, de 29 de jun. de 2011. Altera a Lei n. 7.210, de 11 de julho de 1984 (Lei de Execução Penal), para dispor sobre a remição de parte do tempo de execução da pena por estudo ou por trabalho. *Diário Oficial*, Brasília, 30 de jun. de 2011.

______. Lei n. 4.737, de 15 de jul. de 1965. Institui o Código Eleitoral. *Diário Oficial da União*, Brasília, 19 de jul. de 1965, retificado em 30 de jul. de 1965.

______. Lei n. 6.815 de 19 de ago. de 1980. Define a situação jurídica do estrangeiro no Brasil, cria o Conselho Nacional de Imigração. *Diário Oficial da União*, Brasília, 22 de ago. de 1981.

______. Lei n. 7.210 de 11 de jul. de 1984. Institui a Lei de Execução Penal. *Diário Oficial da União*, Brasília, 13 de jul. de 1984.

______. Lei n. 7.347, de 24 de jul. de 1985. Disciplina a ação civil pública (...). *Diário Oficial da União*, Brasília, 25 de jul. de 1985.

______. Lei n. 7.960 de 21 de dez. de 1989. Dispõe sobre prisão temporária. *Diário Oficial da União*, Brasília, 22 de dez. de 1989.

______. Lei n. 8.038 de 28 de maio de 1990. Institui normas procedimentais para os processos que especifica, perante o Superior Tribunal de Justiça e o Supremo Tribunal Federal. *Diário Oficial da União*, Brasília, 26 de jul. de 1990.

______. Lei n. 8.072 de 25 de jul. de 1990. Dispõe sobre os crimes hediondos, nos termos do art. 5º, XLIII, da Constituição Federal, e determina outras providências. *Diário Oficial da União*, Brasília, 26 de jul. de 1990.

______. Lei n. 8.625, de 12 de fev. de 1993. Institui a Lei Orgânica do Ministério Público. *Diário Oficial da União*, Brasília, 15 de fev. de 1993.

______. Lei n. 8.906, de 4 de jul. de 1994. Dispõe sobre o Estatuto da Advocacia e a Ordem dos Advogados do Brasil (OAB). *Diário Oficial da União*, Brasília, 5 de jul. de 1994.

______. Lei n. 9.099 de 26 de set. de 1995. Dispões sobre os Juizados Cíveis e Criminais e dá outras providências. *Diário Oficial da União,* Brasília, 27 de dez. de 1995.

______. Lei n. 9.868, de 10 de nov. de 1999. Dispõe sobre o processo e julgamento da ação direta de inconstitucionalidade e da ação declaratória de constitucionalidade perante o Supremo Tribunal Federal. *Diário Oficial da União*, Brasília, 11 de nov. de 1999.

______. Lei n. 9.882, de 3 de dez. de 1999. Dispõe sobre o processo e julgamento da arguição de descumprimento de preceito fundamental, nos termos do § 1º do art. 102 da Constituição Federal. *Diário Oficial da União*, Brasília, 6 de dez. de 1999.

______. Lei Complementar n. 35, de 14 de mar. de 1979. Dispõe sobre a Lei Orgânica da Magistratura Nacional. *Diário Oficial da União*, Brasília, 14 de mar. de 1979.

______. Lei Complementar n. 79, de 7 de janeiro de 1994. Cria o Fundo Penitenciário Nacional – Funpen, e dá outras providências. *Diário Oficial da União*, Brasília, 10 de jan. de 1994.

______. Lei de Execução Penal. Lei n. 7.210. *Diário Oficial da União*, Brasília, 13 de jul. de 1984.

______. Lei n. 12.403, de 4 de maio de 2011. *Diário Oficial da União*, Brasília, 5 de maio de 2011.

______. Lei n. 7.960 de 21 de dez. de 1989. *Diário Oficial da União*, Brasília, 22 de dez. de 1989.

______. MINISTÉRIO DA JUSTIÇA. CONSELHO NACIONAL DE POLÍTICA CRIMINAL E PENITENCIÁRIA. *PARECER–RDD*. Brasília, 10 de ago. de 2004.

Disponível em: <http://www.mj.gov.br/cnpcp/legislacao/pareceres/Parecer%20RDD%20_final_.pdf>. Acesso em: 8 de set. de 2005.

______. MINISTÉRIO DA JUSTIÇA. CONSELHO NACIONAL DE POLÍTICA CRIMINAL E PENITENCIÁRIA. Balanço das iniciativas de viabilização do voto do preso provisório e do adolescente internado no Brasil, de 10 de fev. de 2014. Disponível em: <http://portal.mj.gov.br/cnpcp/services/DocumentManagement/FileDownload.EZTSvc.asp?DocumentID={0FCBA487=8-B7A4-4CD9-F0B46-8A6B7431EF}&ServiceInstUID-{4AB0162 2-7C49-420B-9F76-15A4137F1CCD}>. Acesso em: 2 de mar. de 2015.

______. MINISTÉRIO DA JUSTIÇA. CONSELHO NACIONAL DE POLÍTICA CRIMINAL E PENITENCIÁRIA. *Resolução n. 14*, de 11 de nov. de 1994. *Fixa as Regras Mínimas para o Tratamento do Preso no Brasil*. Disponível em: <http://portal.mj.gov.br/services/DocumentManagement/FileDownload.EZTSvc.asp?DocumentID=%7B-3F19373B-3AD2-4381-A3AE-DE18FD7DD67D%7D&ServiceInstUID=%7B4AB01622-7C49-420B-9F76-15A4137F1CCD%7D>. Acesso em: 2 de mar. de 2015.

______. MINISTÉRIO DA JUSTIÇA. DEPARTAMENTO PENITENCIÁRIO NACIONAL. *Sistema Penitenciário no Brasil (2008-2009). Dados Consolidados*. Disponível em: <http://portal.mj.gov.br/data/Pages/MJD574E9CEITEMIDC37B2AE94C6840068B1624D28407509CPTBRNN.htm>. Acesso em: 20 de out. de 2010.

______. MINISTÉRIO DA JUSTIÇA. DEPARTAMENTO PENITENCIÁRIO NACIONAL. Sistema Integrado de Informações Penitenciárias – INFOPEN. *Formulário Categoria e Indicadores Preenchidos. Todas UF's. Jun. 2013* Disponível em: <http://portal.mj.gov.br/main.asp?View={FB3ADAA8-2180-4AC8-BF99-544D4CC507EA}&BrowserType=NN&LangID=pt-br¶ms=itemID%3D{680F516A-336D-431D-8F1A-86 4D701E53BA}%3B&UIPartUID={2218FAF9-5230-431C-A9E3-E780D3E67DFE}>. Aces-so em: 5 de jan. de 2013.

______. MINISTÉRIO DA JUSTIÇA. DEPARTAMENTO PENITENCIÁRIO NACIONAL. COMISSÃO DE MONITORAMENTO E AVALIAÇÃO. *População Carcerária Brasileira (Quinquênio 2003-2007). Evolução e Prognósticos*. Disponível em: <http://portal.mj.gov.br/data/Pages/MJE7CD13B5ITEMID2FEEC93DDE6345B4B1E45071A0091908PTBRNN.htm>. Acesso em: 20 de out. de 2010.

______. MINISTÉRIO DA JUSTIÇA. DEPARTAMENTO PENITENCIÁRIO NACIONAL. *Fundo Penitenciário Nacional*. Funpen em Números. Disponível em: <http://portal.mj.gov.br/services/DocumentManagement/FileDownload.EZTSvc.asp?DocumentID=%7B02FC1144-2B63-4415-BCE3-50A5211B1FEE%7D&ServiceInstUID=%7B-6DFD C062-4B57-4A53-827E-EA2682337399%7D>. Acesso em: 13 de mar. de 2015.

______. MINISTÉRIO DA JUSTIÇA. DEPARTAMENTO PENITENCIÁRIO NACIONAL / BRASIL. CONSELHO DA JUSTIÇA FEDERAL. *Portaria Conjunta n. 276*, de 20 de jun. de 2012. Disciplina o Projeto da Remição pela Leitura no Sistema Penitenciário Federal. Disponível em: <http://www.stj.jus.br/internet_docs/biblioteca/clippinglegislacao/POC_276_ 2012_DPE.pdf>. Acesso em: 16 de maio de 2015.

______. MINISTÉRIO DA JUSTIÇA. *Fundo Penitenciário Nacional bate recorde de arrecadação e dotação*. Disponível em: <http://portal.mj.gov.br/main.asp?View={-FB3ADAA 8-2180-4AC8-BF99-544D4CC507EA}&BrowserType=NN&LangID=pt-br¶ms=itemID%3D{680F516A-336D-431D-8F1A-864D701E53BA}%3B&UIPartUID={2218FAF9-5230-431C-A9E3-E780D3E67DFE}>. Acesso em: 4 de jan. de 2013.

______. MINISTÉRIO DA JUSTIÇA. *Penitenciárias Federais*. Disponível em: <http://www. justica.gov.br/seus-direitos/politica-penal/sistema-penitenciario-federal-1/penitenciarias-feder ais>. Acesso em: 8 de maio de 2015.

______. MINISTÉRIO DA SAÚDE. *Plano Nacional de Saúde no Sistema Penitenciário*. Disponível em: <http://bvsms.saude.gov.br/bvs/publicacoes/cartilha_pnssp.pdf>. Acesso em: 2 de mar. de 2015.

______. MINISTÉRIO DO PLANEJAMENTO, ORÇAMENTO E GESTÃO. INSTITUTO BRASILEIRO DE GEOGRAFIA E ESTATÍSTICA. *Características Étnico-Raciais da População*. Um Estudo das Categorias de Classificação de Cor ou Raça. Rio de Janeiro: IBGE, 2011.

______. MINISTÉRIO PÚBLICO DO RIO GRANDE DO SUL. *Ministério Público Gaúcho: Quem São e o Que Pensam os Promotores e Procuradores de Justiça Sobre os Desafios da Política Criminal*. Porto Alegre: MPRS, 2005.

______. Portaria Interministerial n. 4.226, de 31 de dezembro de 2010. Estabelece Diretrizes sobre o Uso da Força pelos Agentes de Segurança Pública. *Diário Oficial da União*, Brasília, 3 de jan. de 2011.

______. SENADO DA REPÚBLICA. *Projeto de Lei do Senado n. 554, de 2011*. Disponível em: <http://www.senado.gov.br/atividade/materia/getPDF.asp?t=95848&tp=1>. Acesso em: 4 de maio de 2015.

______. SENADO DA REPÚBLICA. *Parecer do Relator, Senador Humberto Costa, ao Projeto de Lei do Senado n. 554, de 2011*. Disponível em: <http://www.senado.gov.br/atividade/materia/getTexto.asp?t=166396&c=PDF&tp=1>. Acesso em: 4 de maio de 2015.

______. SENADO FEDERAL. *Projeto de Lei do Senado n. 25, de 2014*. Acrescenta parágrafos ao art. 3º da Lei Complementar n. 79, 7 de janeiro de 1994, que "cria o Fundo Penitenciário Nacional – Funpen e dá outras providências". Disponível em: <http://www.senado.gov.br/atividade/materia/getPDF.asp?t=144621&tp=1>. Acesso em: 13 de mar. de 2015.

______. SUPERIOR TRIBUNAL DE JUSTIÇA. Agravo Regimental no Agravo de Instrumento n. 986.208, J. 22 de abr. de 2008. *Diário da Justiça Eletrônico*, Brasília, 12 de maio de 2008.

______. SUPERIOR TRIBUNAL DE JUSTIÇA. Embargos no Recurso Especial n. 547.704, J. 15 de fev. de 2006. *Diário da Justiça*, Brasília, 17 de abr. de 2006.

______. SUPERIOR TRIBUNAL DE JUSTIÇA. *Habeas Corpus* n. 312.486, J. 9 de jun. de 2015. *Diário da Justiça Eletrônico*, Brasília, 22 de jun. de 2015.

______. SUPERIOR TRIBUNAL DE JUSTIÇA. *Habeas Corpus n.* 321.473. J. 9 de jun. de 2015. *Diário da Justiça Eletrônico*, Brasília, 17 de jun. de 2015.

______. SUPERIOR TRIBUNAL DE JUSTIÇA. *Habeas Corpus* n. 94.841, J. 17 de abr. de 2008. *Diário da Justiça eletrônico,* Brasília, 5 de maio de 2008.

______. SUPERIOR TRIBUNAL DE JUSTIÇA. Recurso Especial n. 58.682-MG, J. em 8 de out. de 1996. *Diário da Justiça*, Brasília, 16 de dez de 1996).

______. SUPERIOR TRIBUNAL DE JUSTIÇA. Recurso Especial n. 637.332, J. 24 de nov. de 2004. *Diário da Justiça,* Brasília, 13 de dez. de 2004.

______. SUPERIOR TRIBUNAL DE JUSTIÇA. Recurso Especial n. 944.884, J. 18 de out. de 2007. *Diário da Justiça Eletrônico*, Brasília, 17 de abr. de 2008.

______. SUPERIOR TRIBUNAL DE JUSTIÇA. Súmula n. 341. J. 27 de jun. de 2007. *Diário da Justiça*, Brasília, 13 de ago. de 2007.

______. SUPREMO TRIBUNAL FEDERAL. Ação Direita de Inconstitucionalidade n. 1.127. J. 17 de maio de 2006. *Diário da Justiça Eletrônico*, Brasília, 10 de jun. de 2010.

______. SUPREMO TRIBUNAL FEDERAL. Ação de Descrumprimento de Preceito Fundamental n. 347, *em tramitação.*

______. SUPREMO TRIBUNAL FEDERAL. Agravo de Instrumento n. 299.125, J. 5 de out. de 2009. *Diário da Justiça*, Rio de Janeiro, 18 de out. de 2013.

______. SUPREMO TRIBUNAL FEDERAL. Agravo em Recurso Extraordinário n. 639.337. J. em 23 de ago. de 2011. *Diário da Justiça eletrônico*, Brasília, 14 de set. de 2011.

______. SUPREMO TRIBUNAL FEDERAL. Extradição n. 986, J. 15 de ago. de 2007. *Diário da Justiça Eletrônico*, Brasília, 5 de out. de 2007.

______. SUPREMO TRIBUNAL FEDERAL. *Habeas Corpus* n. 104.339, J. 10 de maio de 2012. *Diário da Justiça Eletrônico,* Brasília, 06 de dez. de 2012.

______. SUPREMO TRIBUNAL FEDERAL. *Habeas Corpus* n. 105.175, J. 22 de mar. de 2011. *Diário da Justiça Eletrônico*, Brasília, 29 de jul. de 2011.

______. SUPREMO TRIBUNAL FEDERAL. *Habeas Corpus* n. 107.701, J. 13 de set. de 2011. *Diário da Justiça Eletrônico*, Brasília, 23 de fev. de 2012.

______. SUPREMO TRIBUNAL FEDERAL. *Habeas Corpus* n. 111.840, J. 27 de jun. de 2012. *Diário da Justiça Eletrônico,* Brasília, 16 de dez. de 2013.

______. SUPREMO TRIBUNAL FEDERAL. *Habeas Corpus* n. 70814. J. em 1 de mar. de 1994. *Diário da Justiça*, Brasília, 24 de jun. de 1994.

______. SUPREMO TRIBUNAL FEDERAL. *Habeas Corpus* n. 71.179, J. 19 de abr. de 1994. *Diário da Justiça*, Brasília, 3 de jun. de 1994.

______. SUPREMO TRIBUNAL FEDERAL. *Habeas Corpus* n. 72.366. J. em 13 de set. de 1995. *Diário da Justiça*, Brasília, 26 de nov. de 1999.

______. SUPREMO TRIBUNAL FEDERAL. *Habeas Corpus* n. 80.719, J. 26 de jun. de 2001. *Diário da Justiça*, Brasília, 28 de set. de 2001.

______. SUPREMO TRIBUNAL FEDERAL. *Habeas Corpus* n. 82.959, J. 23 de fev. de 2006. *Diário da Justiça Eletrônico*, Brasília, 1 de set. de 2006.

______. SUPREMO TRIBUNAL FEDERAL. *Habeas Corpus* n. 84.078, J. 05 de fev. de 2009. *Diário da Justiça Eletrônico,* Brasília, 25 de fev. de 2010.

______. SUPREMO TRIBUNAL FEDERAL. *Habeas Corpus* n. 85.677, J. 21 de mar. de 2006. *Diário da Justiça Eletrônico,* Brasília, 17 de ago. de 2007.

______. SUPREMO TRIBUNAL FEDERAL. *Habeas Corpus* n. 86.224, J. 7 de mar. de 2006. *Diário da Justiça Eletrônico*, Brasília, 23 de jun. de 2006.

______. SUPREMO TRIBUNAL FEDERAL. *Habeas Corpus* n. 88.702. J. 19 de set. de 2006. *Diário da Justiça*, Brasília, 24 de nov. de 2006.

______. SUPREMO TRIBUNAL FEDERAL. *Habeas Corpus* n. 90.262, J. 9 de out. de 2007. *Diário da Justiça Eletrônico*, Brasília, 22 de fev. de 2008.

______. SUPREMO TRIBUNAL FEDERAL. *Habeas Corpus* n. 91.952, J. 7 de ago. de 2008. *Diário da Justiça Eletrônico*, Brasília, 19 de dez. de 2008.

______. SUPREMO TRIBUNAL FEDERAL. *Habeas Corpus* n. 96.169, J. 25 de ago. de 2009. *Diário da Justiça eletrônico*, Brasília, 8 de out. de 2009.

______. SUPREMO TRIBUNAL FEDERAL. *Habeas Corpus* n. 97.256, J. 1 de set. de 2010. *Diário da Justiça Eletrônico*, Brasília, 16 de dez. de 2010.

______. SUPREMO TRIBUNAL FEDERAL. Reclamação n. 4.535. J. 7 de maio de 2007. *Diário da Justiça*, Brasília, 15 de jun. de 2007.

______. SUPREMO TRIBUNAL FEDERAL. Recurso em *Habeas Corpus* n. 62.411, J. 23 de nov. de 1984. *Diário da Justiça*, Brasília, 15 de fev. de 1985.

______. SUPREMO TRIBUNAL FEDERAL. *Recurso Extraordinário* n. 80.004, J. 1 de jun. de 1977. *Diário da Justiça*, Brasília, 29 de dez. de 1977.

______. SUPREMO TRIBUNAL FEDERAL. Recurso Extraordinário n. 196.184/AM. J. 27 de out. de 2004. *Diário da Justiça Eletrônico*, Brasília, 18 de fev. de 2005.

______. SUPREMO TRIBUNAL FEDERAL. Recurso Extraordinário n. 272.839, J. 1 de fev. de 2005. *Diário da Justiça*, Brasília, 8 de abr. de 2005.

______. SUPREMO TRIBUNAL FEDERAL. Recurso Extraordinário n. 466.343, J. 3 de dez. de 2008. *Diário da Justiça Eletrônico*, Brasília, 4 de jun. de 2009.

______. SUPREMO TRIBUNAL FEDERAL. *Recurso Extraordinário* n. 580.252. Voto proferido pelo ministro Teori Zavascki em sessão de julgamento do dia 3 de dez. de 2014. Disponível em: <http://www.stf.jus.br/arquivo/cms/noticiaNoticiaStf/anexo/RE580252.pdf>. Acesso em: 15 de maio de 2015.

______. SUPREMO TRIBUNAL FEDERAL. *Recurso Extraordinário* n. 580.252. Voto proferido pelo ministro Luís Roberto Barroso em sessão de julgamento do dia 6 de maio de 2015. Disponível em: <http://s.conjur.com.br/dl/indenizacao-barroso.pdf>. Acesso em: 15 de maio de 2015.

______. SUPREMO TRIBUNAL FEDERAL. *Recurso Extraordinário* n. 592.581. Voto proferido pelo ministro Ricardo Lewandowski em sessão de julgamento do dia 13 de ago. de 2015. Disponível em: <http://www.stf.jus.br/arquivo/cms/noticiaNoticiaStf/anexo/ Prisoes.pdf>. Acesso em: 14 de ago. de 2015.

______. SUPREMO TRIBUNAL FEDERAL. Súmula Vinculante n. 26. Aprovada em 16 de dez. de 2009. Publicada no *Diário da Justiça Eletrônico* de 23 de dez. de 2009.

______. SUPREMO TRIBUNAL FEDERAL. Súmula Vinculante n. 9. J. 12 de jun. de 2008. *Diário da Justiça Eletrônico*, Brasília, 12 de set. de 2008.

______. SUPREMO TRIBUNAL FEDERAL. Suspensão de Liminar n. 235. J. em 8 de jul. de 2008. *Diário da Justiça Eletrônico*, Brasília, 1 de ago. de 2008.

______. SUPREMO TRIBUNAL FEDERAL. Suspensão de Tutela Antecipada n. 241. J. em 10 de out. de 2008. *Diário da Justiça Eletrônico*, Brasília, 15 de out. de 2008.

______. SUPREMO TRIBUNAL FEDERAL. Recurso Extraordinário n. 631.111, J. 7 de ago. de 2014. *Diário da Justiça Eletrônico*, Brasília, 29 de out. de 2014.

______. TRIBUNAL DE JUSTIÇA DO ESTADO DE SÃO PAULO. *Provimento Conjunto n. 03/2015*. Disponível em: <http://www.tjsp.jus.br/Handlers/FileFetch.ashx?id_arquivo =65062>. Acesso em: 4 de maio de 2015.

______. TRIBUNAL DE JUSTIÇA DO ESTADO DO MATO GROSSO DO SUL. Embargos Infringentes em Embargos de Declaração em Apelação Cível n. 2006.003179-7/0001-01. J. 21 de maio de 2007. *Diário da Justiça*, Campo Grande, 6 de jun. de 2007. Disponível em: <http://www.tjms.jus.br/cjsg/getArquivo.do?cdAcordao=96006&cdFo-ro=0&vlCaptcha=tRQVM>. Acesso em: 10 de maio de 2015.

______. TRIBUNAL DE JUSTIÇA DO ESTADO DO RIO DE JANEIRO. Apelação n. 0331902-07.2011.8.19.0001 272.839, J. 15 de out. de 2013. *Diário da Justiça*, Brasília, 8 de abr. de 2005.

______. TRIBUNAL DE JUSTIÇA DO ESTADO DO RIO GRANDE DO SUL. Agravo de Instrumento Originário n. 296027980. Relator Desembargador Afredo Foerster. Julgado em 26 de set. de 1996.

______. TRIBUNAL DE JUSTIÇA DO ESTADO DO RIO GRANDE DO SUL. Agravo em Execução n. 70001867571. Relator Desembargador Tupinambá Pinto de Azevedo. Julgado em 4 de abr. de 2001.

______. TRIBUNAL DE JUSTIÇA DO ESTADO DO RIO GRANDE DO SUL. Agravo em Execução n. 70002628956. Relator Desembargador Amilton Bueno de Carvalho. Julgado em 6 de jun. de 2001.

______. TRIBUNAL DE JUSTIÇA DO ESTADO DO RIO GRANDE DO SUL. Agravo em Execução n. 70003645330. Relator Desembargador Tupinambá Pinto de Azevedo. Julgado em 15 de maio de 2002.

______. TRIBUNAL DE JUSTIÇA DO ESTADO DO RIO GRANDE DO SUL. Agravo em Execução n. 70021225313. Relator Desembargador Amilton Bueno de Carvalho. Julgado em 28 de jan. de 2009.

______. TRIBUNAL DE JUSTIÇA DO ESTADO DO RIO GRANDE DO SUL. Agravo em Execução n. 70028389815. Relator Desembargador Amilton Bueno de Carvalho. Julgado em 11 de mar. de 2009.

______. TRIBUNAL DE JUSTIÇA DO ESTADO DO RIO GRANDE DO SUL. Apelação n. 70063299341, J. 24 de jun. de 2015. *Diário da Justiça Eletrônico*, Porto Alegre, 29 de jun. de 2015.

______. TRIBUNAL DE JUSTIÇA DO ESTADO DO RIO GRANDE DO SUL. Recurso de Agravo n. 699128922. Relator Desembargador Tupinambá Pinto de Azevedo. Julgado em 10 de nov. de 1999.

______. TRIBUNAL SUPERIOR ELEITORAL. *Resolução* n. 23.399, de 17 de dez. de 2013. Disponível em: <http://www.tse.jus.br/eleicoes/eleicoes-2014/normas-e-documentacoes/ resolucao-no-23.399>. Acesso em: 3 de maio de 2015.

BUNG, Jochen. Direito Penal do Inimigo como Teoria da Vigência da Norma e da Pessoa. In: *Revista Brasileira de Ciências Criminais*, n. 62.

BUSATO, Paulo César. Quem é o Inimigo, Quem é Você? In: *Revista Brasileira de Ciências Criminais*, n. 66.

CABRAL, Lilian Alexandre. *A possibilidade do regime aberto nos casos de prisão alimentícia.* Disponível em: <http://www.oab-sc.org.br/artigos/possibilidade-do-regime-aberto-nos--casos-prisao-alimenticia/616>. Acesso em: 7 de maio de 2015.

CANARIS, Claus-Wilhelm. *Direitos Fundamentais e Direito Privado.* Trad. Ingo Wolfgang Sarlet e Paulo Mota Pinto. Coimbra: Almedina, 2003.

CANO, Ignacio. Execuções Sumárias no Brasil: o uso da força pelos agentes do Estado. In: CENTRO DE JUSTIÇA GLOBAL e NÚCLEO DE ESTUDOS NEGROS. *Execuções*

Sumárias no Brasil – 1997/2003. Org.: Sandra Carvalho. Rio de Janeiro: CJG: NEN, 2003. Disponível em: <*www.ovp-sp.org/relatorio_just_global_exec_97_03.pdf*>. Acesso em: 2 de set. de 2010.

CANOTILHO, J. J. Gomes. *O Direito Constitucional como Ciência de Direcção: o núcleo essencial de prestações sociais ou a localização incerta da socialidade* (Contributo para a reabilitação da força normativa da "constituição social"). Disponível em: <http://www.revistadoutrina.trf4.jus.br/index.htm?http://www.revistadoutrina.trf4.jus.br/artigos/edicao022/Jose_Canotilho.htm>. Acesso em: 6 de maio de 2015.

______. *Direito Constitucional e Teoria da Constituição*. 7. ed. Coimbra: Almedina, 2003.

______. *Tomemos a* Sério os Direitos Econômicos, Sociais e Culturais. Coimbra: Coimbra Editora, 1988.

CARDOZO, Benjamin N. *The Nature of the Judicial Process*. New Orleans: Quid Pro Books, 2010.

CARTER, John. *The Warren Court and The Constitution: A Critical Review of Judicial Activism*. Gretna: Pelican Publishing Company, 1973, eBook Kindle.

CARVALHO, Salo de. *Pena e Garantias*. 2. ed. Rio de Janeiro: Lumen Juris, 2003.

______. *Pena e Garantias*. 3. ed. Rio de Janeiro: Lumen Juris, 2008.

______. *Antimanual de Criminologia*. 5. ed. Rio de Janeiro: Lumen Juris, 2013.

______. *Penas e Medidas de Segurança no Direito Penal Brasileiro* (fundamentos e aplicação judicial). São Paulo: Saraiva, 2013, eBook Saraiva.

______. Práticas Inquisitivas na Execução Penal (Estudo do Vínculo do Juiz aos Laudos Criminológicos a partir da Jurisprudência Garantista do Tribunal de Justiça do RS) In: ______. (Org.). *Crítica à Execução Penal*. Doutrina, Jurisprudência e Projetos Legislativos. Rio de Janeiro: Lumen Juris, 2002.

CENTRO INTERNACIONAL PARA O ESTUDO DE PRISÕES (International Centre for Prison Studies – ICPS). *World Prison Brief. United States of America*. Disponível em: <http://www.prisonstudies.org/country/united-states-america>. Acesso em: 10 de maio de 2015.

______. *World Prison Brief. Brazil*. Disponível em: <http://www.prisonstudies.org/country/brazil>. Acesso em: 10 de maio de 2015.

CHEMERINSKY, Erwin. *Constitutional Law*. Principles and Policies. 4. ed. New York: Wolters Kluwer Law & Business, 2011.

CHOPER, Jesse H. *Judicial Review and The National Political Process: A Functional Reconsideration of The Role of The Supreme Court.* New Orleans: Quid Pro Books, 2013, eBook Kindle.

CLÉRICO, Laura. El Examen de proporcionalidade entre el excesso por acción y la insuficiencia por omisión o defecto. In: CARBONELL, Miguel (Coord.). *El Principio de Proporcionalidad en el Estado Constitucional.* Universidad Externado de Colombia: Bogotá, 2007.

COBO DEL ROSAL, Manuel; VIVES ANTON, Tomás S. *Derecho Penal – Parte General.* 4. ed. Valência: Tirant lo blanch, 1996.

COHEN, David R. *Cohen's Special Master Case Reporter.* Disponível em: <http://specialmaster.biz/2011/0711.php>. Acesso em: 15 de maio de 2015.

CONSELHO DA EUROPA. *Convenção para Proteção dos Direitos do Homem e das Liberdades Fundamentais (Convenção Europeia dos Direitos do Homem)*, 4 de nov. de 1950. Disponível em: <http://www.echr.coe.int/Documents/Convention_POR.pdf>. Acesso em: 1 de mar. de 2015.

______. CORTE EUROPEIA DE DIREITOS HUMANOS. *Aplicação* n. 21575/08, por Henrikas JANKOVSKIS contra Lithuania, distribuída em 7 de jan. de 2008. Disponível em: <http://hudoc.echr.coe.int/sites/fra/pages/search.aspx?i=001-111408>. Acesso em: 6 de maio de 2015.

______. CORTE EUROPEIA DE DIREITOS HUMANOS. *Cultural Rights in the Case-Law of the European Court of Human Rights.* Disponível em: <http://www.echr.coe.int/Documents/Research_report_cultural_rights_ENG.pdf>. Acesso em: 6 de maio de 2015.

CORNELL UNIVERSITY LAW SCHOOL. LEGAL INFORMATION INSTITUTE – LII. *Stare Decisis.* Disponível em: <https://www.law.cornell.edu/wex/stare_decisis>. Acesso em: 12 de mar. de 2015.

______. *Class Action.* Disponível em: <https://www.law.cornell.edu/ wex/class_action>. Acesso em: 15 de mar. de 2015.

CORTE EUROPEIA DE DIREITOS HUMANOS. *Torreggiani et al. vs. Itália.* Sentença de 8 de maio de 2013. Disponível em: <http://hudoc.echr.coe.int/eng#{"fulltext":["Torreggiani et. al. v. tália"],"documentcollectionid2":["GRANDCHAMBER","CHAMBER"],"itemid":["001-116248"]}>. Acesso em: 16 de maio de 2015.

COSTA, José Luís. Presídio Central chegará em agosto a novo recorde negativo. In: *Zero Hora*, 20 de jul. de 2015.

COUTINHO, Jacinto; CARVALHO, Edward. Teoria das Janelas Quebradas: e Se a Pedra Vem de Dentro? In: *Revista de Estudos Criminais*, n. 11. !TEC/PUCRS, 2003.

D'AVILA, Fabio Roberto. O Inimigo no Direito Penal Contemporâneo. Algumas Reflexões sobre o Contributo Crítico de um Direito Penal de Base Onto-Antropológica. In: *Sistema Penal e Violência*. Org. Ruth Gauer. Rio de Janeiro: Lumen Juris, 2006.

______. *Ofensividade em Direito Penal*. Escritos sobre a teoria do crime como ofensa a bens jurídicos. Porto Alegre: Livraria do Advogado Editora, 2009.

DAHL, Robert. Decision-Making in a Democracy: The Supreme Court as a National Policy-Maker. 6 *Journal of Public Law* 279-295 (1957).

DAVIS, Lois; BOZICK, Robert; STEELE, Jennifer L.; SAUNDERS, Jessica; MILES, Jeremy N. V. *Evaluating the Effectiveness of Correctional Education*. A Meta-Analysis of Programs That Provide Education to Incarcerated Adults. Santa Monica: Rand, 2013.

DE HERT, Paul; KLOZA, Dariusz. Internet (access) as a new fundamental right. Inflating the current rights framework? In: *European Journal of Law and Technology*, Vol. 3. n. 3, 2012 Disponível em: <http://ejlt.org/article/view/123/268>. Acesso em: 6 de maio de 2015.

DELMANTO, Celso et al. *Código Penal comentado:* acompanhado de comentários, jurisprudência, súmulas em matéria penal e legislação complementar. 8. ed. São Paulo: Saraiva, 2010.

DIMOULIS, Dimitri; MARTINS, Leonardo. *Teoria Geral dos Direitos Fundamentais*. 5. ed. São Paulo: Atlas, 2014.

DINIZ, Debora. *A Casa dos Mortos*. Documentário. Brasília: ImagensLivres, 2009.

DIONISOPOULOS, P. Allan. New Patterns of Judicial Control of the Presidency: 1950's to 1970's. *Akron Law Review*, 1, 1-38 (1976). Disponível em: <https://www.uakron.edu/dotAsset/59cdd1b3-1b95-4070-83db-340c1c925929.pdf>. Acesso em: 1 de mar. de 2015.

DÜRIG, Günter. In: MAUNZ, Theodor; DÜRIG, Günter (orgs.). *Kommentar zum Grundgesetz*. Vol. I. München: C. H. Beck'sche, 2003 (*Versões de 1973 e 1976*).

______. Der Grundsatz der Menschenwürde. Entwurf eines praktikablen Wertsystems der Grundrechte aus Art. 1 Abs. I in Verbindung mit Art. 19, Abs. II der Grundgesetzes.

In: *Archiv des Öffentlichen Rechts (AÖR)*, n. 81 (1956) *apud* SARLET, Ingo Wolfgang. *Dignidade (da Pessoa) Humana e Direitos Fundamentais na Constituição Federal de 1988.* 10. ed. Porto Alegre: Livraria do Advogado, 2015.

______. Direitos Fundamentais e Jurisdição Civil. In: *Direitos Fundamentais e Direito Privado*. Org./Rev. Luís Afonso Heck. Porto Alegre: Sergio Antonio Fabris, 2012.

EASTERBROOK, Frank H. Do Liberal and Conservatives Differs in Judicial Activism? 73 *University of Colorado Law Review* 1403-1416 (2002). Disponível em: <http://chicagounbound.uchicago.edu/cgi/viewcontent.cgi?article=2135&context=journal_articles>. Acesso em: 16 de mar. de 2015.

EASTON, Robert. The Dual Role of de the Structural Injunction. 99, n. 8, *The Yale Law Journal* 1983-2002 (1990). Disponível em: <http://www.jstor.org/stable/796680?seq =1#page_scan_tab_contents>. Acesso em: 11 de maio de 2015.

ELMUNDO.ES ESPAÑA. *De Juana Chaos, em greve de fome em protesto pela polémica sobre sua propriedade*. Bilbao/Madrid, 16 de jul. de 2008. Disponível em: <http://www.elmundo.es/elmundo/2008/07/16/espana/1216226277.html>. Acesso em: 8 de maio de 2015.

ESPANHA. AUDIÊNCIA NACIONAL. SALA DO PENAL PLENO. Procedimento: Rolo de Sala 8/05. Seção Primeira. *Julgado Central de Instrução* n. 1. Sumário 5/05. J. 25 de jan. de 2007. Disponível em: <http://estaticos.elmundo.es/documentos/2007/01/25/autodejuana.pdf>. Acesso em: 7 de maio de 2015.

ESTADOS UNIDOS DA AMÉRICA. AGÊNCIA FEDERAL DE PRISÕES (FEDERAL BUREAU OF PRISONS). *Our Locations*. Disponível em: <http://www.bop.gov/locations/list.jsp>. Acesso em: 9 de maio de 2015.

______. AGÊNCIA FEDERAL DE PRISÕES (FEDERAL BUREAU OF PRISONS). *Statistics*. Disponível em: <http://www.bop.gov/about/statistics/population_statistics.jsp>. Acesso em: 9 de maio de 2015.

______. BIBLIOTECA DO CONGRESSO. *The Constitution of the United States of America: Analysis and Interpretation*. Prepared by the Congressional Research Service, Library of Congress. Co-Editors: Johnny H. Killian, George A. Costello and Kenneth R. Thomas. Contributors: David M. Ackerman, Henry Cohen and Robert Meltz. Washington: U.S. Government Printing Office, 2004.

______. CASA BRANCA. *Statement from The Presidente on Today's Supreme Court Decision*. Disponível em: <https://www.whitehouse.gov/the-press-office/statement-president-todays-supreme-court-decision-0>. Acesso em: 8 de mar. de 2015.

______. Código dos Estados Unidos. Disponível em: <http://uscode.house.gov/>. Acesso em: 2 de mar. de 2015.

______. CONGRESSO DOS ESTADOS UNIDOS. SENADO. Committee on the Judiciary. *Reorganization of the Federal Judiciary. Adverse Report*. Disponível em: <http://newdeal.feri.org/court/king.htm#1>. Acesso em: 18 de fevereiro de 2015.

______. CONGRESSO DOS ESTADOS UNIDOS. SENADO. Committee on the Judiciary. *Reorganization of the Federal Judiciary. Adverse Report*. Disponível em: <http://newdeal.feri.org/court/king.htm#1>. Acesso em: 18 de fevereiro de 2015.

______. CORTE DISTRITAL DOS ESTADOS UNIDOS PARA O DISTRITO NORTE DA CALIFÓRNIA. *Order appointing receiver*. 14 de fev. de 2006. Disponível em: <http://www.cphcs.ca.gov/docs/court/plata/2006-02-14_Order_Appointing_ Receiver.pdf> Acesso em: 6 de mar. de 2015.

______. CORTE DISTRITAL DOS ESTADOS UNIDOS PARA O DISTRITO NORTE DA CALIFÓRNIA. *Order appointing new receiver*. 23 de jan. de 2008. Disponível em: <http://www.cphcs.ca.gov/docs/court/plata/2008-01-23_Order_Appointing_ New_ Receiver.pdf> Acesso em: 6 de mar. de 2015.

______. CORTE DISTRITAL DOS ESTADOS UNIDOS PARA O DISTRITO LESTE DA CALIFÓRNIA E PARA O DISTRITO NORTE DA CALIFÓRNIA. CORTE DISTRITAL DOS ESTADOS UNIDOS COMPOSTA DE TRÊS JUÍZES. *Defendants' July 2015 Status Report in Response to February 10, 2014 Order*. Disponível em: <http://www.cdcr.ca.gov/News/docs/3JP-Jul-2015/July-2015-Status-Report.pdf> Acesso em: 20 de jul. de 2015.

______. CORTES DISTRITAIS DOS ESTADOS UNIDOS PARA O DISTRITO LESTE E PARA O DISTRITO NORTE DA CALIFÓRNIA. CORTE DISTRITAL DOS ESTADOS UNIDOS COMPOSTA DE TRÊS JUÍZES, CONFORME A SEÇÃO 2284, TÍTULO 28, CÓDIGO DOS ESTADOS UNIDOS. Ralph *Coleman et al. vs. Arnold Schwarzenneger et al.*, docket n. Civ S-90-0520-LKK-JFMP e *Marciano Plata et al. vs. Arnold Schwarzenneger et al.*, docket n. 3:01-cv-01351-TEH. *Opinion and Order*. 8 de abr. de 2009, p. 44. Disponível em: <http://cdn.ca9.uscourts.gov/

datastore/general/2009/08/04/ Opinion%20&%20Order%20FINAL.pdf> Acesso em: 6 de mar. de 2015.

______. DEPARTAMENTO DE COMÉRCIO DOS ESTADOS UNIDOS. AGÊNCIA DE *CENSUS* DOS ESTADOS UNIDOS. *Annual Estimates of the Resident Population by Sex, Race and Hispanic Origin for the United States, States and Counties: April 1, 2010 to July 1, 2013. Population Estimates.* Disponível em: <http://factfinder.census.gov/faces/tableservices/jsf/pages/productview.xhtml?src=bkmk>. Acesso em: 7 de maio de 2015.

______. DEPARTAMENTO DE JUSTIÇA DOS ESTADOS UNIDOS. ESCRITÓRIO DE PROGRAMAS DE JUSTIÇA. AGÊNCIA DE ESTATÍSTICAS JUDICIAIS. *Bulletin. Prisoners in 2013.* Disponível em: <http://www.bjs.gov/content/ pub/pdf/p13.pdf>. Acesso em: 9 de maio de 2015.

______. DEPARTAMENTO DE JUSTIÇA DOS ESTADOS UNIDOS. ESCRITÓRIO DE PROGRAMAS DE JUSTIÇA. AGÊNCIA DE ESTATÍSTICAS JUDICIAIS. *Special Report. Education and Correctional Populations.* Disponível em: <http://www.bjs.gov/content/pub/pdf/p13.pdf>. Acesso em: 9 de maio de 2015.

______. DEPARTAMENTO DE JUSTIÇA DOS ESTADOS UNIDOS. ESCRITÓRIO DE PROGRAMAS DE JUSTIÇA. AGÊNCIA DE ESTATÍSTICAS JUDICIAIS. *Bulletin. Correctional Populations in The United States, 2013.* Disponível em: <http://www.bjs.gov/content/pub/pdf/cpus13.pdf>. Acesso em: 9 de maio de 2015.

______. ESCRITÓRIO DE PUBLICAÇÕES DO GOVERNO DOS ESTADOS UNIDOS. *90-520 – (PC) Coleman et al. vs. Brown et al.* Disponível em: <http://www.gpo.gov/fdsys/granule/USCOURTS-caed-2_90-cv-00520/USCOURTS-caed-2_ 90-cv-00520-659/content-detail.html>. Acesso em: 15 de maio de 2015.

______. ESTADO DA CALIFÓRNIA. Apelação das Cortes Distritais dos Estados Unidos para o Distrito Leste e para o Distrito Norte da Califórnia. *Declaração Jurisdicional (Jurisdictional Statement)* (pelos apelantes), 12 de abr. de 2010. Disponível em: <http://www.scotusblog.com/wp-content/uploads/2010/06/09-1233_jurisdic tional-statement.pdf>. Acesso em: 6 de mar. de 2015.

______. ESTADO DA CALIFÓRNIA. DEPARTAMENTO DE CORREÇÃO E REABILITAÇÃO DA CALIFÓRNIA (CDCR). *The Year in Accomplishments 2013.* Disponível em: <http://www.cdcr.ca.gov/Reports/docs/CDCR_2013Accomplishments .pdf>. Acesso em: 9 de maio de 2015.

______. ESTADO DA CALIFÓRNIA. DEPARTAMENTO DE CORREÇÃO E REABILITAÇÃO DA CALIFÓRNIA (CDCR). *The Cornerstone of California's Solution to Reduce Overcrowding, Costs, and Recidivism.* Disponível em: <http://www.cdcr.ca.gov/realignment/>. Acesso em: 9 de maio de 2015.

______. ESTADO DA CALIFÓRNIA. DEPARTAMENTO DE CORREÇÃO E REABILITAÇÃO DA CALIFÓRNIA (CDCR). *Three-Judge Court* Updates. Disponível em: <http://www.cdcr.ca.gov/News/3JP-2015.html>. Acesso em: 20 de jul. de 2015.

______. ESTADO DA CALIFÓRNIA. GOVERNO DO ESTADO. ESCRITÓRIO DO GOVERNADOR ARNOLD SCHWARZENNEGER. *Prison Overcrowding State of Emergency Proclamation.* Sacramento, 4 de out. de 2006. Disponível em: <http://gov.ca.gov/news.php?id=4278>. Acesso em: 9 de maio de 2015.

______. ESTADO DA CALIFÓRNIA. GOVERNO DO ESTADO. ESCRITÓRIO DO GOVERNADOR EDWARD G. BROWN JR.. *Terminating Prison Overcrowding State of Emergency Proclamation.* Sacramento, 8 de jan. de 2013. Disponível em: <http://www.cdcr.ca.gov/News /docs/3JP-docs-01-07-13/Terminating-Prison-Overcrowding-Emergency-Proclamation-10-4-06.pdf>. Acesso em: 9 de maio de 2015.

______. ESTADO DA CALIFÓRNIA. LEGISLATIVE ANALYST'S OFFICE. *Analysis of the 2007-08 Budget Bill: Judicial and Criminal Justice.* Disponível em: <http://www.lao.ca.gov/analysis_2007/crim_justice/cj_05_anl07.aspx>. Acesso em: 10 de maio de 2015.

______. SUPREMA CORTE DOS ESTADOS UNIDOS. *A. L. A. Schechter Poultry Corp. vs. United States,* 295 U.S. 495 (1935). Disponível em: <https://supreme.justia.com/cases/federal/us/295/495/case.html>. Acesso em: 21 de jan. de 2015.

______. SUPREMA CORTE DOS ESTADOS UNIDOS. *Adkins vs. Children's Hospital,* 261 U.S. 525 (1923). Disponível em: <https://supreme.justia. com/cases/federal/us/261/525/case.html>. Acesso em: 26 de ago. de 2014.

______. SUPREMA CORTE DOS ESTADOS UNIDOS. *American Federation of Labor vs. Swing,* 312 U.S. 321 (1941). Disponível em: <https:// supreme.justia.com/cases/federal/us/312/321/case.html>. Acesso em: 2 de mar. de 2015.

______. SUPREMA CORTE DOS ESTADOS UNIDOS. Argumento Oral n. 14-114. *David King et al. vs. Sylvia Burwell, Secretary of Health and Human Services, et al.* Disponível em: <http://www.supremecourt.gov/oral_arguments/argument_ transcripts/14-114_lkhn.pdf>. Acesso em: 8 de mar. de 2015.

______. SUPREMA CORTE DOS ESTADOS UNIDOS. *Bailey vs. Drexel Furniture Co.*, 259 U.S. 20 (1922). Disponível em: <https://supreme. justia.com/cases/federal/us/259/20/>. Acesso em: 26 de ago. de 2014.

ESTADOS UNIDOS DA AMÉRICA. SUPREMA CORTE DOS ESTADOS UNIDOS. *Baker vs. Carr*, 369 U.S. 186 (1962). Disponível em: <https://supreme.justia.com/cases/federal/us/369/186/case.html>. Acesso em: 15 de mar. de 2015.

______. SUPREMA CORTE DOS ESTADOS UNIDOS. *Bell vs. Ohio*, 438 U.S. 637 (1978). Disponível em: <https://www.law.cornell.edu/supreme court/text/438/637>. Acesso em: 6 de mar. de 1978.

______. SUPREMA CORTE DOS ESTADOS UNIDOS. *Berghuis vs. Thompkins*, 560 U.S. __ (2010). Disponível em: <https://supreme.justia.com/cases /federal/us/560/08-1470/opinion.html>. Acesso em: 9 de mar. de 2015.

______. SUPREMA CORTE DOS ESTADOS UNIDOS. *Branzburg vs. Hayes*, 408 U.S. 665 (1972). Disponível em: <https://www.law.cornell.edu/ supremecourt/text/408/665>. Acesso em: 6 de mar. de 2015.

______. SUPREMA CORTE DOS ESTADOS UNIDOS. *Brown vs. Missisipi*, 297 U.S. 278 (1936). Disponível em: <https://supreme.justia.com/cases/ federal/us/297/278/case.html>. Acesso em: 2 de mar. de 2015.

______. SUPREMA CORTE DOS ESTADOS UNIDOS. *Brown vs. Board of Education of Topeka*, 347 U.S. 483 (1954). Disponível em: <https://supreme. justia.com/cases/federal/us/347/483/case.html>. Acesso em: 2 de mar. de 2015.

______. SUPREMA CORTE DOS ESTADOS UNIDOS. *Brown et al. vs. Plata et al.* 563 U.S. __ (2011). *Opinion of the Court*. Disponível em: <https://supreme.justia.com/cases/federal/us/563/09-1233/opinion.html>. Acesso em: 10 de mar. de 2015.

______. SUPREMA CORTE DOS ESTADOS UNIDOS. *Brown et al. vs. Plata et al.* 563 U.S. __ (2011), *Dissenting* (SCALIA, J.). Disponível em: <https://supreme.justia.com/cases/federal/us/563/09-1233/opinion.html>. Acesso em: 10 de mar. de 2015.

______. SUPREMA CORTE DOS ESTADOS UNIDOS. *Brown et al. vs. Plata et al.* 563 U.S. __ (2011), *Dissenting* (ALITO, J.). Disponível em: <https://supreme.justia.com/cases/federal/us/563/09-1233/opinion.html>. Acesso em: 10 de mar. de 2015.

______. SUPREMA CORTE DOS ESTADOS UNIDOS. *Buck vs. Thaler*, 132 S. Ct. 32 (2011). Disponível em: <http://www.supremecourt.gov/ opinions/11pdf/11-6391Sotomayor.pdf>. Acesso em: 15 de mar. de 2015.

______. SUPREMA CORTE DOS ESTADOS UNIDOS. *Bunting vs. Oregon*, 243 U.S. 426 (1917). Disponível em: <https://supreme.justia.com/ cases/federal/us/243/426/>. Acesso em: 26 de ago. de 2014.

______. SUPREMA CORTE DOS ESTADOS UNIDOS. *Burwell vs. Hobby Lobby Stores, Inc. et al.*, 573 U.S. (2014). Disponível em: <https://supreme.justia.com/cases/federal/us/573/13-354/>. Acesso em: 8 de mar. de 2015.

______. SUPREMA CORTE DOS ESTADOS UNIDOS. *Bush vs. Gore*, 531 U.S. 98 (2000). Disponível em: <https://supreme.justia.com/cases/ federal/us/531/98/case.html>. Acesso em: 7 de mar. de 2015.

______. SUPREMA CORTE DOS ESTADOS UNIDOS. *Carlson vs. California*, 310 U.S. 106 (1940). Disponível em: <https://supreme.justia.com/ cases/federal/us/310/106/case.html>. Acesso em: 2 de mar. de 2015.

______. SUPREMA CORTE DOS ESTADOS UNIDOS. *Citizens United vs. Federal Election Commission*, *558* U.S. 310 (2010). *Disponível em: <https://supreme.justia.com/cases/federal/us/558/08-205/cdinpart.html>*; e em <https://supreme.justia.com/cases/federal/us/558/08-205/>. Acesso em: 8 de mar. de 2015.

______. SUPREMA CORTE DOS ESTADOS UNIDOS. *Coker vs. Georgia*, 433 U.S. 584 (1977). Disponível em: <https://supreme.justia.com/cases/federal/ us/433/584/>. Acesso em: 6 de mar. de 2015.

______. SUPREMA CORTE DOS ESTADOS UNIDOS. *Coleman vs. Miller*, 307 U.S. 433 (1939). Disponível em: <https://www.law.cornell.edu/ supremecourt/text/307/433>. Acesso em: 25 de fev. de 2015.

______. SUPREMA CORTE DOS ESTADOS UNIDOS. *Cooper vs. Aaron*, 358 U.S. 1 (1958). Disponível em: <https://supreme.justia.com/cases/ federal/us/358/1/>. Acesso em: 2 de mar. de 2015.

______. SUPREMA CORTE DOS ESTADOS UNIDOS. *Cooper vs. Pate.* 378 U.S. 546 (1964). Disponível em: <http://supreme.vlex.com/vid/cooper-v-pate-19994399>. Acesso em: 10 de mar. de 2015.

______. SUPREMA CORTE DOS ESTADOS UNIDOS. *Crooker vs. California*, 357 U.S. 433 (1958). Disponível em: <https://supreme.justia.com/ cases/federal/us/357/433/case.html>. Acesso em: 2 de mar. de 2015.

______. SUPREMA CORTE DOS ESTADOS UNIDOS. *Cruz vs. Beto.* 405 U.S. 319 (1972). Disponível em: <https://supreme.justia.com/cases/ federal/us/405/319/case.html>. Acesso em: 10 de mar. de 2015.

______. SUPREMA CORTE DOS ESTADOS UNIDOS. *Douglas vs. Califórnia*, 372 U.S. 353 (1963). Disponível em: <https://supreme. justia.com/cases/federal/us/372/353/case.html>. Acesso em: 2 de mar. de 2015).

______. SUPREMA CORTE DOS ESTADOS UNIDOS. *Erie Railroad Co. vs. Tompkins*, 304 U.S. 64 (1938). Disponível em: <https://supreme.justia. com/cases/federal/us/304/64/case.html>. Acesso em: 25 de fev. de 2015.

______. SUPREMA CORTE DOS ESTADOS UNIDOS. *Estelle vs. Gamble.* 429 U.S. 97 (1972). Disponível em: <https://www.law.cornell.edu/supreme court/text/429/97>. Acesso em: 10 de mar. de 2015.

______. SUPREMA CORTE DOS ESTADOS UNIDOS. *Fletcher vs. Peck*, 10 U.S. 87 (1810). Disponível em: <https://supreme.justia.com/cases/ federal/us/10/87/case.html>. Acesso em: 26 de ago. de 2014.

______. SUPREMA CORTE DOS ESTADOS UNIDOS. *Furman vs. Georgia*, 408 U.S. 238 (1972). Disponível em: <https://supreme.justia.com/cases/ federal/us/408/238/case.html>. Acesso em: 15 de maio de 2015.

______. SUPREMA CORTE DOS ESTADOS UNIDOS. *Gagnon vs. Scarpelli*, 411 U.S. 778 (1973). Disponível em: <https://supreme.justia.com /cases/federal/us/411/778/>. Acesso em: 6 de mar. de 2015.

______. SUPREMA CORTE DOS ESTADOS UNIDOS. *Grovey vs. Townsend*, 295 U.S. 45 (1935). Disponível em: <https://supreme.justia.com/cases/federal/ us/295/45/case.html>. Acesso em: 2 de mar. de 2015.

______. SUPREMA CORTE DOS ESTADOS UNIDOS. *Grutter vs. Bollinger*, 539 U.S. 306 (2003). Disponível em: <https://supreme.justia.com/cases/ federal/us/539/306/case.html>. Acesso em: 7 de mar. de 2015.

______. SUPREMA CORTE DOS ESTADOS UNIDOS. *Hamdi vs. Rumsfeld*, 542 U.S. 507 (2004). Disponível em: <https://supreme.justia.com/cases/federal/ us/542/507/ opinion.html>. Acesso em: 6 de mar. de 2015.

______. SUPREMA CORTE DOS ESTADOS UNIDOS. *Hamer vs. Dagenhart*, 247 U.S. 251 (1918). Disponível em: <https://supreme.justia.com/cases/ federal/us/247/251/ case.html>. Acesso em: 26 de ago. de 2014.

______. SUPREMA CORTE DOS ESTADOS UNIDOS. *Healy vs. James*, 408 U.S. 169 (1972). Disponível em: <https://supreme.justia.com/cases/ federal/us/408/169/ case.html>. Acesso em: 6 de mar. de 2015.

______. SUPREMA CORTE DOS ESTADOS UNIDOS. *Helvering* vs. *Davis.*, 301 U.S. 619 (1937). Disponível em: <https://supreme.justia.com/cases/ federal/us/301/619/>. Acesso em: 18 de fev. de 2015.

______. SUPREMA CORTE DOS ESTADOS UNIDOS. *Herring vs. United States*, 555 U.S. __ (2009). Disponível em: <https://supreme.justia.com/ cases/federal/us/555/135/ opinion.html>. Acesso em: 9 de mar. de 2015.

______. SUPREMA CORTE DOS ESTADOS UNIDOS. *Hodge vs. Kentucky*, 133 S. Ct 506 (2012). Disponível em: <http://www.leagle.com/decision/In% 20SCO%20 20121203B67>. Acesso em: 15 de mar. de 2015.

______. SUPREMA CORTE DOS ESTADOS UNIDOS. *Home Bldg. & Loan Ass'n vs. Blaisdell*, 290 U.S. 398 (1934). Disponível em: <http://caselaw.lp. findlaw.com/scripts/ getcase.pl?court=US&vol=290&invol=398>. Acesso em: 26 de ago. de 2014.

______. SUPREMA CORTE DOS ESTADOS UNIDOS. *Houchins vs. KQED*, 438 U.S. 1 (1978). Disponível em: <https://supreme.justia.com/cases/ federal/us/438/1/>. Acesso em: 6 de mar. de 2015.

______. SUPREMA CORTE DOS ESTADOS UNIDOS. *Humphrey's Executor vs. United States*, 295 U.S. 602 (1935). Disponível em: <https://supreme. justia.com/cases/ federal/us/295/602/case.html>. Acesso em: 21 de jan. de 2015.

______. SUPREMA CORTE DOS ESTADOS UNIDOS. *Johnson vs. Zerbst*, 304 U.S. 458 (1938). Disponível em: <https://supreme.justia.com/cases/ federal/us/304/458/case. html>. Acesso em: 2 de mar. de 2015.

______. SUPREMA CORTE DOS ESTADOS UNIDOS. *Johnson vs. Avery.* 393 U.S. 483 (1969). Disponível em: <https://supreme.justia.com/cases/ federal/us/393/483/ case.html>. Acesso em: 10 de mar. de 2015.

______. SUPREMA CORTE DOS ESTADOS UNIDOS. *Landmark Communications, Inc. vs. Virginia*, 435 U.S. 829 (1978). Disponível em: <https://supreme.justia.com/ cases/federal/us/435/829/case.html>. Acesso em: 6 de mar. de 2015.

______. SUPREMA CORTE DOS ESTADOS UNIDOS. *Lawrence vs. Texas*, 539 U.S. 558 (2003). Disponível em: <https://supreme.justia.com/ cases/federal/us/539/558/case. html>. Acesso em: 6 de mar. de 2015.

______. SUPREMA CORTE DOS ESTADOS UNIDOS. Lewis *vs.* United States, 445 U. S. 55 (1980), Disponível em: <https://supreme.justia.com/cases/ federal/us/445/55/>. Acesso em: 8 de mar. de 2015.

______. SUPREMA CORTE DOS ESTADOS UNIDOS. *Lochner vs. New York*, 198 U.S. 45 (1905). Disponível em: <https://supreme.justia.com/cases/ federal/us/198/45/ case.html>. Acesso em: 26 de ago. de 2014.

______. SUPREMA CORTE DOS ESTADOS UNIDOS. *Lockett vs. Ohio*, 438 U.S. 586 (1978). Disponível em: <https://supreme.justia.com/cases/ federal/us/438/586/>. Acesso em: 6 de mar. de 2015.

______. SUPREMA CORTE DOS ESTADOS UNIDOS. *Louisville Joint Stock Land Bank vs. Radford*, 295 U.S. 555 (1935). Disponível em: <https://supreme.justia.com/ cases/federal/us/295/555/case.html>. Acesso em: 21 de jan. de 2015.

______. SUPREMA CORTE DOS ESTADOS UNIDOS. *Lovell vs. City of Griffin*, 303 U.S. 444 (1938). Disponível em: <https://supreme.justia.com/cases/ federal/us/303/444/ case.html>. Acesso em: 2 de mar. de 2015.

______. SUPREMA CORTE DOS ESTADOS UNIDOS. *Mapp vs. Ohio*, 367 U.S. 643 (1961). Disponível em: <https://supreme.justia.com/cases/ federal/us/367/643/>. Acesso em: 6 de mar. de 2015.

______. SUPREMA CORTE DOS ESTADOS UNIDOS. *Marbury vs. Madison*. 5 U.S. 137. In: *50 Most Cited US Supreme Court Decisions*. Historic Decisions of the US Supreme Court. US: Landmark Publications, 2011, eBook Kindle.

______. SUPREMA CORTE DOS ESTADOS UNIDOS. *McLaurin vs. Oklahoma State Regents*, 339 U.S. 637 (1950). Disponível em: <https://supreme. justia.com/cases/federal/us/339/637/case.html>. Acesso em: 2 de mar. de 2015.

______. SUPREMA CORTE DOS ESTADOS UNIDOS. *Members of the Supreme Court of United States*. Disponível em: <http://www.supreme court.gov/about/members.aspx>. Acesso em: 8 de mar. de 2015.

______. SUPREMA CORTE DOS ESTADOS UNIDOS. *Miami Herald Publishing Co. vs. Tornillo*, 418 U.S. 241 (1974). Disponível em: <https://supreme.justia.com/cases/federal/us/418/241/>. Acesso em: 6 de mar. de 2015.

______. SUPREMA CORTE DOS ESTADOS UNIDOS. *Miranda vs. Arizona*, 384 U.S. 436 (1966). Disponível em: <https://supreme. justia.com/cases/federal/us/384/436/case.html>. Acesso em: 6 de mar. de 2015.

______. SUPREMA CORTE DOS ESTADOS UNIDOS. *Missouri ex rel. Gaines vs. Canada*, 305 U.S. 337 (1938). Disponível em: <https://supreme. justia.com/cases/federal/us/305/337/case.html>. Acesso em: 2 de mar. de 2015.

______. SUPREMA CORTE DOS ESTADOS UNIDOS. *Morehead vs. New York ex rel Tipaldo*, 298 U.S. 587 (1936). Disponível em: <https://supreme. justia.com/cases/federal/us/298/587/>. Acesso em: 8 de jan. de 2015.

______. SUPREMA CORTE DOS ESTADOS UNIDOS. *Morrissey vs. Brewer*, 408 U.S. 471 (1972). Disponível em: <https://supreme. justia.com/cases/federal/us/408/471/>. Acesso em: 6 de mar. de 2015.

______. SUPREMA CORTE DOS ESTADOS UNIDOS. *National Labor Relations Board vs. Jones & Laughlin Steel Corp.*, 301 U.S. 1 (1937). Disponível em: <https://supreme.justia.com/cases/federal/us/301/1/case.html>. Acesso em: 16 de fev. de 2015.

______. SUPREMA CORTE DOS ESTADOS UNIDOS. *National Federation of Independent Business vs. Sebellius*, 567 U.S. __ (2012). Disponível em: <https://supreme.justia.com/cases/federal/us/567/11-393/>. Acesso em: 8 de mar. de 2015.

______. SUPREMA CORTE DOS ESTADOS UNIDOS. *Nebbia vs. New York*, 291 U.S. 502 (1934). Disponível em: <https://supreme.justia.com/cases/ federal/us/291/502/>. Acesso em: 26 de ago. de 2014.

______. SUPREMA CORTE DOS ESTADOS UNIDOS. *Nebraska Press Ass'n vs. Stuart*, 427 U.S. 539 (1976). Disponível em: <https://supreme.justia. com/cases/federal/ us/427/539/>. Acesso em: 6 de mar. de 2015.

______. SUPREMA CORTE DOS ESTADOS UNIDOS. *New York Times Co. vs. United States*, 403 U.S. 713 (1971). Disponível em: <https://supreme.justia. com/cases/ federal/us/403/713/case.html>. Acesso em: 6 de mar. de 2015.

______. SUPREMA CORTE DOS ESTADOS UNIDOS. *Northwest Austin Municipal Util. Dist. No. One vs. Holder*, 557, U.S. 193 (2009). Disponível em: <https://supreme. justia.com/cases/federal/us/557/193/>. Acesso em: 9 de mar. de 2015.

______. SUPREMA CORTE DOS ESTADOS UNIDOS. *Obergefell vs. Hodges*. 576 U.S. __ (2015). Disponível em: <https://supreme.justia.com/ cases/federal/us/576/14-556/>. Acesso em: 27 de jun. de 2015.

______. SUPREMA CORTE DOS ESTADOS UNIDOS. *Panama Refining Co. vs. Ryan*, 293 U.S. 388 (1935). Disponível em: <https://supreme. justia.com/cases/federal/ us/293/388/case.html>. Acesso em: 12 de jan. de 2015.

______. SUPREMA CORTE DOS ESTADOS UNIDOS. *Parents Involved in Community Schools vs. Seattle School District No. 1 et al.*, 551 U.S. 701 (2007). Disponível em: <https://supreme.justia.com/cases/federal/us/551/701/>. Acesso em: 8 de mar. de 2015.

______. SUPREMA CORTE DOS ESTADOS UNIDOS. *Pell vs. Procunier*, 417 U.S. 817 (1974). Disponível em: <https://supreme.justia.com/cases/ federal/us/417/817/>. Acesso em: 6 de mar. de 2015.

______. SUPREMA CORTE DOS ESTADOS UNIDOS. *Pitre vs. Cain*, 131 S. Ct. 8 (2010). Disponível em: <http://www.supremecourt.gov/ opinions/10pdf/09-9515. pdf>. Acesso em: 15 de mar. de 2015.

______. SUPREMA CORTE DOS ESTADOS UNIDOS. *Planned Parenthood of Southeastern Pennsylvania vs. Casey*, 505 U.S. 833 (1992). Disponível em: <https:// supreme.justia.com/cases/federal/us/505/833/>. Acesso em: 7 de mar. de 2015.

______. SUPREMA CORTE DOS ESTADOS UNIDOS. *Plessy vs. Ferguson*, 163 U.S. 537 (1896). Disponível em: <https://supreme.justia.com/cases/ federal/us/163/537/>. Acesso em: 2 de mar. de 2015.

______. SUPREMA CORTE DOS ESTADOS UNIDOS. *Railroad Retirement Board vs. Alton Railroad Co*, 295 U.S. 330 (1935). Disponível em: <https://supreme.justia.com/cases/federal/us/295/330/>. Acesso em: 21 de jan. de 2015.

______. SUPREMA CORTE DOS ESTADOS UNIDOS. *Rasul vs. Bush*, 542 U.S. 466 (2004). Disponível em: <https://supreme.justia.com/cases/federal/ us/542/466/>. Acesso em: 7 de mar. de 2015.

______. SUPREMA CORTE DOS ESTADOS UNIDOS. *Roberts vs. Louisiana*, 428 U.S. 325 (1976). Disponível em: <https://supreme.justia.com/ cases/federal/us/428/325/case.html>. Acesso em: 6 de mar. de 2015.

______. SUPREMA CORTE DOS ESTADOS UNIDOS. *Roberts vs. Louisiana*, 431 U.S. 633 (1977). Disponível em: <https://supreme.justia.com/ cases/federal/us/431/633/case.html>. Acesso em: 6 de mar. de 2015.

______. SUPREMA CORTE DOS ESTADOS UNIDOS. *Roe vs. Wade*, 410 U.S. 113 (1973). Disponível em: <https://supreme.justia.com/cases/ federal/us/410/113/case.html>. Acesso em: 6 de mar. de 2015.

______. SUPREMA CORTE DOS ESTADOS UNIDOS. *Schneider vs. State*, 308 U.S. 147 (1939). Disponível em: <https://supreme.justia.com/cases/ federal/us/308/147/case.html>. Acesso em: 2 de mar. de 2015.

______. SUPREMA CORTE DOS ESTADOS UNIDOS. *Shelby County vs. Holder*, 570 U.S. __ (2013). Disponível em: <https://supreme.justia.com/cases/ federal/us/570/12-96/>. Acesso em: 9 de mar. de 2015.

______. SUPREMA CORTE DOS ESTADOS UNIDOS. *Smith vs. Allwright*, 321 U.S. 649 (1944). Disponível em: <https://supreme.justia.com/cases/ federal/us/321/649/case.html>. Acesso em: 2 de mar. de 2015.

______. SUPREMA CORTE DOS ESTADOS UNIDOS. *Smith vs. Goguen*, 415 U.S. 566 (1974). Disponível em: <https://supreme.justia.com/cases/ federal/us/415/566/>. Acesso em: 4 de mar. de 2015.

______. SUPREMA CORTE DOS ESTADOS UNIDOS. *South Carolina vs. Katzenbach*, 383 U.S. 301 (1966). Disponível em: <https://supreme.justia.com/ cases/federal/us/383/301/case.html>. Acesso em: 2 de mar. de 2015.

______. SUPREMA CORTE DOS ESTADOS UNIDOS. *Spence vs. Washington*, 418 U.S. 405 (1974). Disponível em: <https://supreme.justia.com/cases/ federal/us/418/405/>. Acesso em: 4 de mar. de 2015.

______. SUPREMA CORTE DOS ESTADOS UNIDOS. *Steward Machine Co. vs. Davis.*, 301 U.S. 548 (1937). Disponível em: <https://supreme. justia.com/cases/federal/us/301/548/case.html>. Acesso em: 18 de fev. de 2015.

______. SUPREMA CORTE DOS ESTADOS UNIDOS. *Sweatt vs. Painter*, 339 U.S. 629 (1950). Disponível em: <https://supreme.justia.com/ cases/federal/us/339/629/case.html>. Acesso em: 2 de mar. de 2015.

______. SUPREMA CORTE DOS ESTADOS UNIDOS. *Swift & Co. vs. United States*, 286 U.S. 106 (1932). Disponível em: <https://supreme.justia.com/ cases/federal/us/286/106/>. Acesso em: 26 de ago. de 2014.

ESTADOS UNIDOS DA AMÉRICA. SUPREMA CORTE DOS ESTADOS UNIDOS. *Tate vs. Short*, 401 U.S. 395 (1971). Disponível em: <https://supreme.justia.com/cases/federal/ us/401/395/case.html>. Acesso em: 4 de mar. de 2015.

______. SUPREMA CORTE DOS ESTADOS UNIDOS. *Thornhill vs. Alabama*, 310 U.S. 88 (1940). Disponível em: <https://supreme.justia.com/ cases/federal/us/310/88/>. Acesso em: 2 de mar. de 2015.

______. SUPREMA CORTE DOS ESTADOS UNIDOS. *Turner vs.* Safley 482 U.S. 78 (1987). Disponível em: <https://supreme.justia.com/cases/ federal/us/482/78/case.html>. Acesso em: 11 de maio de 2015.

______. SUPREMA CORTE DOS ESTADOS UNIDOS. *United States vs. E. C. Knight Co.*, 156 U.S. 1 (1895). Disponível em: <https://supreme.justia.com/ cases/federal/us/156/1/case.html>. Acesso em: 26 de ago. de 2014.

______. SUPREMA CORTE DOS ESTADOS UNIDOS. *United States vs. Butler*, 297 U.S. 1 (1936). Disponível em: <https://supreme.justia.com/cases/ federal/us/297/1/>. Acesso em: 13 de jan. de 2015.

______. SUPREMA CORTE DOS ESTADOS UNIDOS. *United States vs. Carolene Products. Co.*, 304 U.S. 144 (1938). Disponível em: <https://supreme. justia.com/cases/federal/us/304/144/case.html>. Acesso em: 25 de fev. de 2015.

______. SUPREMA CORTE DOS ESTADOS UNIDOS. *United* States vs. Miller, 307 U. S. 174 (1939). Disponível em: <https://supreme.justia.com/ cases/federal/us/307/174/ case.html>. Acesso em: 8 de mar. de 2015.

______. SUPREMA CORTE DOS ESTADOS UNIDOS. *Walker vs. Johnston*, 312 U.S. 275, (1941). Disponível em: <https://supreme.justia.com/ cases/federal/us/304/458/ case.html>. Acesso em: 2 de mar. de 2015.

______. SUPREMA CORTE DOS ESTADOS UNIDOS. *West Cost Hotel* vs. *Parrish*, 300 U.S. 379 (1937). Disponível em: <https://supreme.justia. com/cases/federal/us/300/379/ case.html>. Acesso em: 10 de fev. de 2015.

______. SUPREMA CORTE DOS ESTADOS UNIDOS. *West Virginia State Board of Education vs. Barnette*, 319 U.S. 624 (1943). Disponível em: <https://supreme.justia. com/cases/federal/us/319/624/>. Acesso em: 2 de mar. de 2015.

______. SUPREMA CORTE DOS ESTADOS UNIDOS. *White vs. Maryland*, 373 U.S. 59 (1963). Disponível em: <https://supreme.justia.com/cases/ federal/us/373/59/ case.html>. Acesso em: 2 de mar. de 2015.

______. SUPREMA CORTE DOS ESTADOS UNIDOS. *Wisconsin vs. Yoder*, 406 U.S. 205 (1972). Disponível em: <https://supreme.justia.com/cases/ federal/us/406/205/case. html>. Acesso em: 6 de mar. de 2015.

ESTADOS UNIDOS DA AMÉRICA. SUPREMA CORTE DOS ESTADOS UNIDOS. *Wolff vs. McDonnell.* 418 U.S. 539 (1974). Disponível em: <https://supreme.justia.com/ cases/ federal/us/418/539/case.html>. Acesso em: 10 de mar. de 2015.

______. SUPREMA CORTE DOS ESTADOS UNIDOS. *Woodson vs. North Carolina*, 428 U.S. 280 (1976). Disponível em: <https://supreme. justia.com/cases/federal/ us/428/280/case.html>. Acesso em: 6 de mar. de 2015.

______. SUPREMA CORTE DOS ESTADOS UNIDOS. *Woodford* vs. *NGO*, 548 U.S. 81 (2006). Disponível em: <https://supreme.justia.com/ cases/federal/us/548/81/>. Acesso em: 10 de mar. de 2015.

______. SUPREMA CORTE DOS ESTADOS UNIDOS. *Wooley* vs. *Maynard*, 430 U.S. 705 (1977). Disponível em: <https://supreme.justia. com/cases/federal/us/430/705/ case.html>. Acesso em: 4 de mar. de 2015.

______. *The Constitution of the United States*. Washington: Senado Federal, 1789. Disponível em: <http://www.law.cornell.edu/constitution>. Acesso em: 26 de ago. de 2014.

EWERT. Stephanie; WILDHAGEN, Tara. *Educational Characteristics of Prisoners: Data from the ACS* (2011). Disponível em: <https://www.google.com.br/url?sa=t&rct=-j&q=&esrc= s&source=web&cd=6&ved=0CE0QFjAFahUKEwiRj83kkODGA-hUFeD4KHS9oAEQ&url=https%3A%2F%2Fwww.census.gov%2Fhhes%2Fsoc-demo%2Feducation%2Fdata%2Facs%2FEwert_Wildhagen_prisoner_education_4-6-11.doc&ei=2-OnVdG1G4Xw-QGv0IGgBA&us g=AFQjCNExYHYRlx_qpgxmMsu6D-W5AoLSsNw&bvm=bv.97949915,d.cWw&cad=rja>. Acesso em: 8 de maio de 2015.

FARIA COSTA, José de. *Linhas de Direito Penal e de Filosofia*: alguns cruzamentos reflexivos. Coimbra: Coimbra, 2005.

______. José Francisco de. *O Perigo em Direito Penal.* (Contributo para a sua fundamentação e compreensão dogmáticas). Coimbra: Coimbra Editora, 1992.

FAYET JR. Ney; MARINHO JR., Inezil Penna. Complexidade, Insegurança e Globalização: Repercussões no Sistema Penal Contemporâneo In: *Ciências Penais e Sociedade Complexa II.* Orgs.: Ney Fayet Jr. e André Machado Maya. Porto Alegre: Nuria Fabris, 2009.

FELDENS, Luciano. Deveres de Proteção Penal na Perspectiva dos Tribunais Internacionais de Direitos Humanos. *Direitos Fundamentais e Justiça*, n. 1, out.-dez. de 2007.

______. *Direitos Fundamentais e Direito Penal.* A Constituição Penal. 2. ed. Porto Alegre: Livraria do Advogado, 2012.

______. Luciano. *Direitos Fundamentais e Direito Penal.* Garantismo, Deveres de Proteção, Princípio da Proporcionalidade, Jurisprudência Constitucional Penal, Jurisprudência dos Tribunais Superiores. Porto Alegre: Livraria do Advogado, 2008.

FERRAJOLI, Luigi. *Derecho y razón.* Teoría del garantismo penal. Trad. Perfecto Andrés Ibáñez et al. 2. ed. Madrid: Trotta, 1997.

______. *Derechos y garantias. La ley del más débil.* Trad. Perfecto Andrés Ibáñez e Andrea Greppi. Madrid: Trotta, 1999.

FERRI, Enrico. *Princípios de Direito Criminal.* O Criminoso e o Crime. Trad. Luiz de Lemos D'Oliveira. São Paulo: Saraiva, 1931.

FISS, Owen M. The Social and Political Foundations of Adjudication. 6, n. 2 *Law and Human Behavior* 121-128 (1982). Disponível em: <http://www.law.yale.edu/documents/pdf/the_ social_and_political_foundations_of_ajudication.pdf>. Acesso em: 12 de maio de 2015.

FÓRUM BRASILEIRO DE SEGURANÇA PÚBLICA. *Anuário Brasileiro de Segurança Pública 2012*. Disponível em: <http://www2.forumseguranca.org.br/node/32131>. Acesso em: 7 de jan. de 2013.

FRAGOSO, Heleno Cláudio, CATÃO, Yolanda, SUSSEKIND, Elisabeth. *Direitos dos Presos*. Rio de Janeiro: Forense, 1980.

FRANCO, Alberto Silva et al. *Código Penal e sua Interpretação*. Doutrina e Jurisprudência. 8. ed. São Paulo: RT, 2007.

______. *Código Penal e sua Interpretação Jurisprudencial*. 4. ed. São Paulo: RT, 1993.

FRANCO, Alberto Silva. *Crimes hediondos*. 6. ed. São Paulo: RT, 2007.

FRIEDMAN, Barry. *The Will of The People. How public opinion has influenced the Supreme Court and shaped the meaning of the Constitution*. New York: Farrar, Straus and Giroux, 2009, eBook Kindle.

GARLAND. David. *A Cultura do Controle. Crime e Ordem Social na Sociedade Contemporânea*. Trad. André Nascimento. Rio de Janeiro: Revan, 2008.

GARÓFALO, Raffaelle. *Criminologia*. Trad. Julio de Mattos. Porto: Magalhães & Figueiredo, 1908.

GAUER, Ruth. A Ilusão Totalizadora e a Violência da Fragmentação In: *Sistema Penal e Violência*. Org. Ruth Gauer. Rio de Janeiro: Lumen Juris, 2006.

GLASSNER Barry. *Cultura do Medo*. Trad. Laura Knapp. São Paulo: Francis, 2003.

GOMES, Luiz Flávio. *A Lei Formal como Fonte Única* do Direito Penal (Incriminador) In: *Revista dos Tribunais*, n. 656, junho de 1990.

GROLMAN, Karl. *Grundsätze der Kriminalrechtswissenschaft nebst einer systematischen Darstellung der Geistes der deutschen Kriminalgesetze* [1798], reimp., DetlevAuvermann KG, Glashütten i. T., 1970. 108-110 *apud* FERRAJOLI, Luigi. *Derecho y Razón*. Teoría del garantismo penal. Trad. Perfecto Andrés Ibáñez et al. 2. ed. Madrid: Trotta, 1997.

HAMILTON, Alexander. The Duration in Office of the Executive, *Federalist*, New York, n. 71, 1788. Disponível em: <http://thomas.loc.gov/home/histdox/fed_71.html>. Acesso em: 2 de set. de 2014.

______. The Judiciary Department, *Federalist*, New York, n. 78, 1788. Disponível em: <http://thomas.loc.gov/home/histdox/fed_78.html>. Acesso em: 26 de ago. de 2014.

HAND, Learned. *The Bill of Rights*. New York: Atheneum, 1964.

HOBSBAWM, Eric J. *A Era dos Extremos. O Breve Século XX. 1914-1991*. São Paulo: Companhia das Letras, 1995.

HUMAN RIGHTS WATCH. *Força Letal. Violência Policial e Segurança Pública no Rio de Janeiro e em São Paulo.* New York: HRW, 2009, p. 22. Disponível em: <http://www.hrw.org/en/reports/2009/12/08/letal-0>. Acesso em: 8 de set. de 2010.

______. *Na Escuridão. Abusos Ocultos Contra Jovens Internos no Rio de Janeiro.* New York: HRW, 2005. Disponível em: <http://www.hrw.org/en/reports/2005/06/08/dark-0>. Acesso em: 30 de out. de 2010.

HUNT, Kasie. *John McCain, Russ Feingold diverge on court ruling*. Disponível em: <http://www.politico.com/news/stories/0110/31810.html>. Acesso em: 8 de mar. de 2015.

IIT CHICAGO-KENT COLLEGE OF LAW. *Oyez Project. U.S. Supreme Court Media.* Disponível em: <http://www.oyez.org/justices/frank_murphy>; <http://www.oyez.org/justices /tom_c_clark>; <http://www.oyez.org/justices/wiley_b_rutledge>; <http://www.oyez.org/ justices/sherman_minton> Acesso em: 1 de mar. de 2015.

INSTITUTO BRASILEIRO DE CIÊNCIAS CRIMINAIS – IBCCRIM (editorial). Na guerra entre a polícia e o crime a vítima é o povo pobre. *Boletim IBCCRIM*, São Paulo, Ano 20, n. 241, Dez. 2012.

______. Audiência de custódia no Brasil, ainda que tardia. *Boletim IBCCRIM*, São Paulo, Ano 23, n. 268. Mar. 2015.

INSTITUTO LATINO-AMERICANO DAS NAÇÕES UNIDAS PARA PREVENÇÃO DO DELITO E TRATAMENTO DO DELINQUENTE (ILANUD). *A Lei de Crimes Hediondos Como Instrumento de Política Criminal.* São Paulo: ILANUD, 2005. Disponível em: <http://www.prsp.mpf.gov.br/prdc/area-de-atuacao/torviolpolsist/RelILANUD.pdf>. Acesso em: 1 de set. de 2010.

INSTITUTO TRANSDISCIPLINAR DE ESTUDOS CRIMINAIS – !TEC. Carta de Princípios do Movimento Antiterror. *Revista de Estudos Criminais*, n. 10, !TEC/PUCRS, 2003.

ITÁLIA. *Legge N. 117, de 11 de ago. de 2014*. Roma, Gazzetta Ufficiale, 20 de ago. de 2014. Disponível em: <http://www.normattiva.it/uri-res/N2Ls?urn:nir:stato:legge:2014-08-11;117>. Acesso em: 16 de maio de 2015.

JAKOBS, Günther; CANCIO MELIÁ, Manuel. *Direito Penal do Inimigo*. Noções e Críticas. Trad. André Luís Callegari e Nereu José Giacomolli. Porto Alegre: Livraria do Advogado, 2005.

JIMÉNEZ CAMPO, Javier. *Derechos fundamentales*. Concepto y garantias. Madrid: Trotta, 1999.

JIMÉNEZ DE ASÚA, Luis. *Crónica del crimen*. 5. ed. Buenos Aires: Pannedille, 1970.

______. *Psicoanálisis Criminal*. 5. ed. Buenos Aires: Losada, 1959.

______. *Tratado de Derecho Penal. Tomo II. Filosofía y Ley Penal*. Buenos Aires: Losada, 1950.

JUSTIA. *Parole & Probation*. Disponível em: <https://www.justia.com/criminal/parole-and-probation/>. Acesso em: 6 de mar. de 2015.

KANT, Immanuel. *La metafísica de las Constumbres*. Trad. Adela Cortina Orts e Jesus Conill Sancho. Madrid: Tecnos, 1989.

______. *Metafísica dos Costumes*. Trad. Edson Bini. Bauru: Edipro, 2003.

KARAM, Maria Lúcia. A Privação da Liberdade: o violento, danoso, doloroso e inútil sofrimento da pena. In: *Coleção Escritos sobre a Liberdade*, v. 7, Rio de Janeiro: Lumen Juris, 2009.

KARST, Kenneth. Foreword: Equal Citizenship Under the Fourteenth Amendment. 91 *Harvard Law Review* 1-68 (1977).

______. The Liberties of Equal Citizens: grupos e a cláusula do devido processo. 55 *UCLA Law Review* 99 (2007).

KECK, Thomas M. *The Most Activist Supreme Court in History*. The Road to Modern Judicial Cnservatism. Chicago: The University of Chicago Press, 2004, eBook Kindle, pos. 129.

KMIEC, Keenan D. The Origin and Current Meanings of "Judicial Activism". *California Law Review*, 92, 1441-1478 (2004). Disponível em: <http://scholarship.law.berkeley.edu/cgi/ viewcontent.cgi?article=1324&context=californialawreview>. Acesso em: 16 de mar. de 2015.

LEUCHTENBURG, William E. *The Supreme Court Reborn*. The Constitutional Revolution in the Age of Roosevelt. New York: Oxford University Press, 1995, eBook Kindle.

______. FDR's Court-Packing Plan: A Second Life, a Second Death, *Duke Law Journal* 673-689 (1985). Disponível em: <http://scholarship.law.duke.edu/dlj/vol34/iss3/4>. Acesso em: 17 de jan. de 2015.

LIMONCIC, Flávio. *Os Inventores do New Deal.* Estado e sindicato nos Estados Unidos dos anos 1930. Disponível em: <http://www1.capes.gov.br/teses/pt/2003_dout_ufrj_flavio_ limoncic.pdf>. Acesso em: 6 de jan. de 2015.

LINDQUIST, Stefanie A.; CROSS, Frank B. *Measuring judicial activism.* New York: Oxford University Press, 2009.

LINDQUIST, Stefanie A.; SOLBERG, Rorie Spill. *Judicial Review by The Burger and Rehnquist Courts: Explaining Justice's Responses to Constitutional Challenges.* Disponível em: <http://www.utexas.edu/law/wp/wp-content/uploads/centers/clbe/lindquist_judicial_review_ by_burger_and_rehnquist_courts.pdf>. Acesso em: 5 de mar. de 2015.

LIPTAK, Adam. *Court Is "One of Most Activist", Ginsburg Says, Vowing to Stay.* New York Times, 25 de ago. de 2013. Disponível em: <http://www.nytimes.com/2013/08/25/us/court-is-one-of-most-activist-ginsburg-says-vowing-to-stay.html?_r=0>. Acesso em: 10 de mar. de 2015.

LISZT, Franz Von. *La Idea de Fin en el Derecho Penal.* [O Programa de Marburgo (1882)]. Estudo preliminar de Luis Jimenez de Asúa. Prólogo de Manuel de Rivacoba y Rivacoba. Valparaíso: Edeval, 1994.

______. *Tratado de Direito Penal Alemão. Tomo I.* Trad. José Hygino Duarte Pereira. Rio de Janeiro: Briguiet, 1899.

LOMBROSO, Cesare. *O Homem Delinquente.* Trad. e notas Maristela Bleggi Tomasini e Oscar Antonio Corbo Garcia. Porto Alegre: Ricardo Lenz, 2001.

LOPES JR., Aury. *Direito Processual Penal e sua Conformidade Constitucional.* Vol. I. 3. ed. Rio de Janeiro: Lumen Juris, 2008.

______. *Direito Processual Penal e sua Conformidade Constitucional.* 9. ed. São Paulo: Saraiva, 2012.

______. *Direito Processual Penal.* 11. ed. São Paulo: Saraiva, 2014.

______. *Nulidades e ilicitudes do Inquérito não contaminam o Processo Penal?* Disponível em: <http://www.conjur.com.br/2014-dez-19/limite-penal-nulidades-ilicitudes-inquerito-nao-contaminam-processo-penal>. Acesso em: 4 de maio de 2015.

______. *Sistema de nulidades "a la carte" precisa ser superado no processo penal.* Disponível em: <http://www.conjur.com.br/2014-set-05/limite-penal-sistema-nulidades-la-carte--superado-processo-penal>. Acesso em: 4 de maio de 2015.

______. Teoria Geral do Processo é danosa para a boa saúde de Processo Penal. Disponível em: <http://www.conjur.com.br/2014-jun-27/teoria-geral-processo-danosa-boa-saude--processo-penal>. Acesso em: 4 de maio de 2015.

LUISI, Luiz. Prefácio à edição brasileira. In: FERRI, Enrico. *Os Criminosos na Arte e na Literatura.* Trad. Dagma Zimmermann. Porto Alegre: Ricardo Lenz, 2001.

MACEDO JR., Ronaldo Porto. *Carl Schmitt e a Fundamentação do Direito.* São Paulo: Max Limonad, 2001.

MADISON, James. *The Founders' Constitution.* Volume 1, Capítulo 14, Documento 50. The University of Chicago Press: 2000. Disponível em: <http://press-pubs.uchicago.edu/founders/documents/v1ch14s50.html>. Acesso em: 15 de maio de 2015.

McCLOSKEY, Robert G. *The American Supreme Court.* 5. ed. Chicago: The University of Chicago Press, 2010, eBook Kindle.

MCKENNA, Marian C. *Franklin Roosevelt and the Great Constitutional War:* The Court-packing Crisis of 1937. New York: Fordham University Press, 2002.

MEIRELLES, Hely Lopes; WALD, Arnoldo; MENDES, Gilmar Ferreira. *Mandado de Segurança e Ações Constitucionais.* 34. ed. São Paulo: Malheiros, 2012.

MENDES, Gilmar Ferreira; BRANCO, Paulo Gustavo Gonet. *Curso de Direito Constitucional.* 10. ed. São Paulo: Saraiva, 2015.

MENDES, Gilmar Ferreira. *Arguição de Descumprimento de Preceito Fundamental.* 2. ed. São Paulo: Saraiva, 2011.

MORETSZOHN, Sylvia. *Imprensa e Criminologia:* o papel do jornalismo nas políticas de exclusão social. Rio de Janeiro, 2003. Disponível em: <http://www.bocc.ubi.pt/pag/moretzsohn-sylvia-imprensa-criminologia.pdf>. Acesso em: 3 de out. de 2006.

______. *O Caso Tim Lopes:* o Mito da Mídia Cidadã. Rio de Janeiro, 2003. Disponível em: <http://www.bocc.ubi.pt/pag/moretzsohn-sylvia-tim-lopes.pdf>. Acesso em: 3 de out. de 2006.

MULHERON, Rachel P. *The class action in common law legal systems:* a comparative perspective. Portland: Hart Publishing, 2004.

MUÑOZ CONDE, Francisco. *Edmund Mezger e o Direito Penal de Seu Tempo. Estudos Sobre o Direito Penal no Nacional-Socialismo.* Trad. Paulo Sésar Busato. Rio de Janeiro: Lumen Juris, 2005.

MURARO, Rosemarie. Breve Introdução Histórica In: *Malleus Maleficarum. O Martelo das Feiticeiras.* Trad. Paulo Fróes. 14. ed. Rio de Janeiro: Rosa dos Tempos, 2001.

NATALINO, Marco Antonio Carvalho. *O Discurso do Telejornalismo de Referência:* Criminalidade Violenta e Controle Punitivo. São Paulo: Método.

NEVES, Sheila Maria da Graça Coitinho. A Criminalidade na Sociedade Pós-Moderna: Globalização e Tendências Expansionistas do Direito Penal. In: *Revista Brasileira de Ciências Criminais*, n. 5.

NIPPERDEY, Hans Carl. Livre Desenvolvimento da Personalidade. In: *Direitos Fundamentais e Direito Privado.* Org./Rev. Luís Afonso Heck. Porto Alegre: Sergio Antonio Fabris, 2012.

Obamacare Facts. Disponível em: <http://obamacarefacts.com/affordablecareact--summary/>. Acesso em: 8 de mar. de 2015.

OLIVEIRA, Mariana; RAMALHO, Renan. *CNJ nega pedido de juízes para frear implantação da audiência de custódia.* Disponível em: <http://g1.globo.com/politica/noticia/2015/05/cnj-nega-pedido-de-juizes-para-suspender-audiencias-de-custodia.html>. Acesso em: 6 de maio de 2015.

OLIVEIRA, Rodrigo Moraes de. *Fatores Subjetivos na Medição da Pena.* Uma abordagem crítica. Dissertação apresentada ao Curso de Pós-Graduação em Ciências Criminais da Pontifícia Universidade Católica do Rio Grande do Sul para obtenção do título de Mestre. Porto Alegre, 1999.

ORFIELD, Lester B. Criminal Rules of Criminal Procedure. *California Law Review*, Vol. 33, 543-599 (1945), p. 587.

ORGANIZAÇÃO DAS NAÇÕES UNIDAS (ONU). *Princípios Básicos sobre o Uso da Força e Armas de Fogo pelos Funcionários Responsáveis pela Aplicação da Lei*, adotados por consenso em 7 de setembro de 1990, por ocasião do Oitavo Congresso das Nações Unidas sobre a Prevenção do Crime e o Tratamento dos Delinquentes. Disponível em: <http://www.unodc.org/pdf/compendium/compendium_2006_part_04_01.pdf>. Acesso em: 10 de jan. de 2013.

______. Resolução 34/169. *Código de Conduta para Funcionários Encarregados de Fazer Cumprir a Lei.* Aprovado na 106ª sessão plenária, em 17 de dezembro de 1979. Disponível em: <http://daccess-dds-ny.un.org/doc/ RESOLUTION/GEN/NR0/384/98/IMG/ NR038498.pdf?OpenElement>. Acesso em: 10 de jan. de 2013.

______. Regras Mínimas Padrão para o Tratamento de Prisioneiros, adotadas pelo Primeiro Congresso das Nações Unidas para a Prevenção ao Crime e Tratamento de Presos, sediado em Genebra de 22 de agosto a 3 de setembro de 1955 [Resolução 1998/22, do Conselho Econômico e Social] e aprovadas pelo Conselho Econômico e Social em sua resolução 663 C (XXIV) de 31 de julho de 1957, e os procedimentos para a implementação efetiva das Regras Mínimas Padrão para o Tratamento de Prisioneiros, aprovadas pelo Conselho em sua Resolução 1984/47, de 25 de maio de 1984 e determinadas no seu anexo In: BRASIL. MINISTÉRIO DA JUSTIÇA. *Normas e Princípios das Nações Unidas sobre Prevenção ao Crime e Justiça Criminal.* Brasília: Secretaria Nacional de Justiça, 2009.

______. Declaração Universal dos Direitos Humanos, 10 de dez. de 1948. In: SENADO FEDERAL. *Direitos Humanos.* Atos internacionais e normas correlatas. 4. ed. Brasília: Senado Federal, Coordenação de Edições Técnicas, 2013.

ORGANIZAÇÃO DOS ESTADOS AMERICANOS (OEA). Convenção Americana de Direitos Humanos: Pacto de San José da Costa Rica, 22 de nov. de 1969. In: SENADO FEDERAL. *Direitos Humanos.* Atos internacionais e normas correlatas. 4. ed. Brasília: Senado Federal, Coordenação de Edições Técnicas, 2013.

______. Declaração Americana dos Direitos e Deveres do Homem, abr. de 1948. In: SENADO FEDERAL. *Direitos Humanos.* Atos internacionais e normas correlatas. 4. ed. Brasília: Senado Federal, Coordenação de Edições Técnicas, 2013.

______. Pacto Internacional sobre Direitos Civis e Políticos, 19 de dez. de 1966. In: SENADO FEDERAL. *Direitos Humanos.* Atos internacionais e normas correlatas. 4. ed. Brasília: Senado Federal, Coordenação de Edições Técnicas, 2013.

______. COMISSÃO INTERAMERICANA DE DIREITOS HUMANOS (CIDH). *Ofício da OEA na MC-8-13*, datado de 11 de fev. de 2013. Disponível em: <http://www.itecrs.org/mc8-13_reCIDH.pdf>. Acesso em: 17 de Fev. de 2013.

______. COMISSÃO INTERAMERICANA DE DIREITOS HUMANOS (CIDH). *Resolução n. 14/2013.* Medida Cautelar n. 8-13, de 30 de dez. de 2013. Disponível em: <http://www.ajuris.org.br/sitenovo/wp-content/uploads/2014/01/Medida-Cautelar-Pres%C3%ADdio-Central-30-12-2013.pdf>. Acesso em: 9 de maio de 2015.

______. Convenção sobre os Direitos da Criança, 20 de nov. 1989. In: SENADO FEDERAL. *Direitos Humanos*. Atos internacionais e normas correlatas. 4. ed. Brasília: Senado Federal, Coordenação de Edições Técnicas, 2013.

______. CORTE INTERAMERICANA DE DIREITOS HUMANOS (CIDH). *Neira Alegría y otros vs. Perú*. Sentença de 19 de jan. de 1995 (Mérito). Disponível em: <http://www.corteidh. or.cr/docs/casos/articulos/seriec_20_esp.pdf>. Acesso em: 7 de maio de 2015.

______. CORTE INTERAMERICANA DE DIREITOS HUMANOS (CIDH). *Resolución de La Corte Interamericana de Derechos Humanos*, de 18 de jun. de 2002. Medidas Provisionales Solicitadas por la Comisión Interamericana de Derechos Humanos respecto de la República Federativa del Brasil. Caso de la Cárcel de Urso Branco. Disponível em: <http://www.corteidh.or.cr/docs/medidas/urso_se_01.pdf>. Acesso em: 6 de maio de 2015.

______. CORTE INTERAMERICANA DE DIREITOS HUMANOS (CIDH). *"Instituto de Reeducación del Menor" vs. Paraguay*. Sentença de 2 de set. de 2004 (Exceções Preliminares, Mérito, Reparações e Custas). Disponível em: <http://www.corteidh.or.cr/docs/casos/articulos/seriec_112_esp.pdf>. Acesso em: 7 de maio de 2015.

______. *Informe sobre los derechos de las personas privadas de libertad en las Américas*. Washington: Comissão Interamericana de Direitos Humanos (CIDH), 2011. Disponível em: <http://www.oas.org/es/cidh/ppl/docs/pdf/ppl2011esp.pdf>. Acesso em: 6 de maio de 2015.

______. *Informe sobre los derechos de las personas privadas de libertad en las Américas*. Washington: Comissão Interamericana de Direitos Humanos (CIDH), 2011. Disponível em: <http://www.oas.org/es/cidh/ppl/docs/pdf/ ppl2011esp.pdf>. Acesso em: 6 de maio de 2015.

______. Princípios e Boas Práticas para a Proteção das Pessoas Privadas de Liberdade nas Américas. *Resolução 1/08*, de 13 de mar. de 2008. Washington: Comissão Interamericana de Direitos Humanos (CIDH), 2009. Disponível em: <http://www.cidh.org/pdf%20 files/ PRINCIPIOS%20PORT.pdf>. Acesso em: 6 de maio de 2015.

______. Protocolo Adicional à Convenção Americana sobre Direitos Humanos Referente à Abolição da Pena de Morte, 8 de jun. de 1990. In: SENADO FEDERAL. *Direitos Humanos*. Atos internacionais e normas correlatas. 4. ed. Brasília: Senado Federal, Coordenação de Edições Técnicas, 2013.

PASTANA, Débora Regina. *Cultura do Medo. Reflexões Sobre Violência Criminal, Controle Social e Cidadania no Brasil.* São Paulo: Método, 2003.

PINHO, Humberto Dalla Bernardino de. Ações de Classe. Direito comparado e aspectos processuais relevantes. In: *Revista da EMERJ*, v. 5, n. 18, 2002.

PIOVESAN, Flávia. *Temas de Direitos Humanos.* 5. ed. São Paulo: Saraiva. 2012.

PRESIDÊNCIA DA REPÚBLICA. Secretaria Especial dos Direitos Humanos da Presidência da República. – SEDH/PR/Subsecretaria de Promoção dos Direitos da Criança e do Adolescente – SPDCA. *Levantamento nacional do atendimento socioeducativo ao adolescente em conflito com a lei 2008 e 2009. Fórum Brasileiro de Segurança Pública.* Disponível em: <http://www2.forumseguranca.org.br/lista/estatisticas>. Acesso em: 7 de jan. de 2013.

PRIETO SANCHÍS, Luis. *Apuntes de teoria del Derecho.* 6. ed. Madrid: Trotta, 2011.

PRITTWITZ, Cornelius. O Direito Penal entre Direito Penal do Risco e Direito Penal do Inimigo: Tendências Atuais Em Direito Penal e Política Criminal. In: *Revista Brasileira de Ciências Criminais*, n. 47.

R7 Notícias. *Juristas estimam em 70% a reincidência nos presídios brasileiros.* Presidentes do CNJ destacam percentual há anos, mas conselho ainda busca estimativa oficial. Disponível em: <http://noticias.r7.com/cidades/juristas-estimam-em-70-a-reinciden-cia-nos-presidios-brasilei ros-21012014>. Acesso em: 8 de maio de 2015.

RADBRUCH, Gustav. *Introducción a la Filosofía del Derecho.* Trad. Wenceslao Roces. (primeira edição em alemão, 1948; primeira edição em espanhol, 1951). 1. ed. 9. reimp.. México: Fondo de Cultura Económica, 2005.

RAMOS, Maria Augusta. *Juízo. O maior exige do menor.* Documentário. São Paulo: VideoFilmes, 2007.

REALE JR., Miguel; DOTTI, René Arial; ANDREUCCI, Ricardo Antunes; PITOMBO, Sérgio Marcos de Moraes. *Penas e Medidas de Segurança no Novo Código.* Rio de Janeiro: Forense, 1985.

REHNQUIST, William H. *The Supreme Court.* New York: Vintage Books, 2002, eBook Kindle.

______. *2004 Year-end Report on The Federal Judiciary.* Disponível em: <http://www.supremecourt.gov/publicinfo/year-end/2004year-endreport.pdf>. Acesso em: 8 de mar. de 2015.

REINO UNIDO DA GRÃ-BRETANHA. MINISTÉRIO DA JUSTIÇA. SERVIÇO NACIONAL DE GERENCIAMENTO DE OFENSORES. *PSI 49/*2011. Disponível em: <https://www.justice.gov.uk/downloads/offenders/psipso/psi-2011/psi-49-2011-prisoner-com ms-services.doc>. Acesso em: 6 de maio de 2015.

REVISTA CONSULTOR JURÍDICO. *Chega ao Senado o projeto de lei que permite a prisão após condenação em segunda instância.* Edição de 30 de jun. de 2015. Disponível em: <http://www.conjur.com.br/2015-jun-29/ajufe-apresenta-pl-permite-prisao-condenados-instancia>. Acesso em: 7 de maio de 2015.

ROBINSON, Edgar Eugene. *The Presidential Vote*. 1896-1932. Stanford University Press: Palo Alto, 1934.

RODRIGUES, Jefferson Ferreira. *Instrumentos processuais adequados para questionar a coisa julgada inconstitucional.* Disponível em: <http://jus.com.br/artigos/30207/instrumentos-processuais-adequados-para-questionar-a-coisa-julgada-inconstitucional#ixzz3hD8sX9iE>. Acesso em: 15 de maio de 2015.

SACRAMENTO, Paulo. *O prisioneiro da grade de ferro*. Auto-retratos. São Paulo: Califórnia Filmes, 2004.

SARLET, Ingo Wolfgang. *A Eficácia dos Direitos Fundamentais*. Uma teoria geral dos direitos fundamentais na perspectiva constitucional. 12. ed. Porto Alegre: Livraria do Advogado, 2015.

______. As dimensões da Dignidade da Pessoa Humana: construindo uma compreensão jurídico-constitucional necessária e possível. *Revista Brasileira de Direito Constitucional – RBDC*, n. 9, jan-jun 2007.

______. *Dignidade (da Pessoa) Humana e Direitos Fundamentais na Constituição Federal de 1988*. 10. ed. Porto Alegre: Livraria do Advogado, 2015.

SCHLANGER, Margo. Inmate Litigation. 116, n. 6, *Harvard Law Review* 1555-1706 (2003). Disponível em: <http://repository.law.umich.edu/cgi/viewcontent.cgi?article=2295&context= articles>. Acesso em: 10 de maio de 2015.

SCHLESINGER JR., Arthur M. The Supreme Court: 1947, XXXV *Fortune 73*, (Jan. 1947).

SHAPIRO, Steven R. The Thompkins Decision: A Threat to Civil Liberties. The Supreme Court has undermined our Miranda protections. *The Wall Street Journal*, 8 de jun. de 2010.

Disponível em: <http://www.wsj.com/articles/SB10001424052748704764404575286931630242298>. Acesso em: 10 de mar. de 2015.

SHERRY, Suzanna. Why We Need More Judicial Activism. Vanderbilt University Law School. Public Law and Legal Theory. *Working Paper Number* 13-3 (2014). Disponível em: <http://ssrn.com/abstract=2213372>. Acesso em: 16 de mar. de 2015.

SILVA SÁNCHEZ, Jesús-María. *A expansão do direito penal.* São Paulo: RT, 2002.

SILVA, Evandro Lins e. De Beccaria a Filippo Gramatica. In: *Sistema Penal Para o Terceiro Milênio. Atos do Colóquio Marc Ancel.* Org. João Marcello de Araújo Jr. Rio de Janeiro: Revan, 1991.

SILVA, José Afonso da. *Comentário Contextual à Constituição*. 9. ed. São Paulo: Malheiros, 2014.

______. *Curso de Direito Constitucional* Positivo. 25. ed. Malheiros: São Paulo, 2005.

SILVA, Virgílio Afonso da. *Direitos Fundamentais*. Conteúdo essencial, restrições e eficácia. 2. ed. São Paulo: Malheiros, 2009.

SIMON, Jonathan. *Mass Incarceration on Trial.* A remarkable court decision and the future of prisons in América. New York: The New Press, 2014, eBook Kindle.

SMITH, Stephen F. The Supreme Court and the Politics of Death, 94, n. 2, *Virgínia Law Review* 283-383 (2008). Disponível em: <http://scholarship.law.nd.edu/cgi/viewcontent.cgi? article=1375&context=law_faculty_scholarship>. Acesso em: 15 de maio de 2015.

SOARES, Luiz Eduardo; BATISTA, André; PIMENTEL, Rodrigo. *Elite da Tropa*. Rio de Janeiro: Objetiva, 2006.

SOARES, Luiz Eduardo; BILL, MV; ATHAYDE, Celso. *Cabeça de Porco*. Rio de Janeiro: Objetiva, 2005.

SOU DA PAZ. SDP ANALISA. NÚCLEO DE ANÁLISE DE DADOS DO INSTITUTO SOU DA PAZ. Dados divulgados pela Secretaria da Segurança Pública de São Paulo. 3º Trimestre de 2012. Disponível em: <http://www.soudapaz.org/Portals/0/Downloads/Conhecimento-SDP-RELATORIO-terceiro-trimestre-2012_07_11_2012_baixa.pdf>. Acesso em: 15 de jan. de 2013.

SOUZA, Giselle. *Juízes estaduais criticam projeto Audiência de Custódia*. Disponível em: <http://www.conjur.com.br/2015-fev-07/juizes-estaduais-criticam-projeto-audiencia--custodia>. Acesso em: 4 de maio de 2015.

STRECK, Lenio. *Jurisdição Constitucional e Decisão Jurídica*. 4. ed. São Paulo: Thomson Reuters/Revista dos Tribunais, 2014.

SUTHERLAND, Brian J. Killing Jim Crowand the Undead Nondelegation Doctrine with Pirvately Enforceable Federal Regulations. 29, n. 4 *Seattle University Law Review* 917-962 (2006). Disponível em: <http://digitalcommons.law.seattleu.edu/sulr/vol29/iss4/4/>. Acesso em: 12 de maio de 2015.

TREZZI, Humberto. *Presos em flagrante vão depor no Presídio Central para reduzir superlotação*. Disponível em: <http://zh.clicrbs.com.br/rs/noticias/noticia/2015/06/presos-em-flagrante-vao-depor-no-presidio-central-para-reduzir-superlotacao-4789476.html>. Acesso em: 26 de jun. de 2015.

TRIBE, Laurence H. *American Constitutional Law*. Vol. One. 3. ed. Foundation Press: New York, 2000.

______. MATZ, Joshua. *Uncertain Justice*. The Roberts Court and the Constitution. New York: Henry Holt and Company, 2014.

TRINDADE, Antônio Augusto Cançado. A interação entre o Direito Internacional e o Direito Interno na proteção dos direitos humanos. In: *Arquivos do Ministério da Justiça*. Ano 46, n. 12, jul-dez. de 1993.

______. A proteção dos direitos humanos nos planos nacional e internacional: perspectivas brasileiras. San José da Costa Rica/Brasília; Instituto Interamericano de Direitos Humanos, 1992.

TUSHNET, Mark. *In The Balance*. Law and Politics on the Roberts Court. New York: W. W. Norton & Company, 2013.

______. The New Law of Standing: a Plea for Abandonment. *Cornell Law Review*, 62, 663-700 (1977), p. 699-700. Disponível em: <http://scholarship.law.cornell.edu/cgi/viewcontent.cgi?article= 4114&context=clr>. Acesso em: 16 de mar. de 2015.

UNIVERSO ONLINE – UOL. *"Para coronel, Polícia Militar é o 'melhor inseticida social' no Rio de Janeiro"*. Disponível em: <http://www1.folha.uol.com.br/folha/ cotidiano/ult95u392620.shtml>. Acesso em: 12 de ago. de 2009.

WACQUANT, Loïc. *As Prisões da Miséria*. Rio de Janeiro: Jorge Zahar, 2001.

______. *Punir os Pobres*. A Nova Gestão da Miséria nos Estados Unidos. [a onda punitiva]. 3. ed. Rio de Janeiro: Instituto Carioca de Criminologia: Revan, 2007.

WECHSLER, Herbert. *Principles, Politics and Fundamental* Law. Selected Essays. Cambridge: Harvard University Press, 1961.

WELLINGTON, Harry H. New Haven: Yale University Press, 1990.

WHITTINGTON, Keith E. The Least Activist Supreme Court in History? The Roberts Court and the Exercise of Judicial Review. *Notre Dame Law Review*, 89, 2219-2252 (2014). Disponível em: <http://scholarship.law.nd.edu/cgi/viewcontent.cgi?article=4562&context= ndlr>. Acesso em: 9 de mar. de 2015.

WILKINSON III, J. Harvie. Of guns, abortions, and the unraveling rule of law. *Virginia Law Review*, 95, 253-323 (2009). Disponível em: <http://papers.ssrn.com/sol3/papers.cfm?abstract _id=1265118>. Acesso em: 8 de mar. de 2015.

WILSON, James Q. Penalties and Opportunities. In: *A Reader On Punishment*. Orgs. Antony Duff e David Garland. New York: Oxford, 1994.

WOLFE, Christopher. *The Rise of Modern Judicial Review.* From Judicial Interpretation to Judge-Made Law. US: Rowman & Littlefield Publishers, 1994, eBook Kindle.

WUNDERLICH, Alexandre; OLIVEIRA, Rodrigo Moraes de. Resistência, Prática de Transformação Social e Limitação do Poder Punitivo a partir do Sistema de Garantias: pela (Re)Afirmação do Garantismo Penal na Contemporaneidade. In: *Política Criminal Contemporânea. Criminologia, Direito Penal e Direito Processual Penal.* Org. Alexandre Wunderlich. Porto Alegre: Livraria do Advogado, 2008.

ZAFFARONI, Eugenio Raúl; BATISTA, Nilo; ALAGIA, Alejandro; SLOKAR, Alejandro. *Direito Penal Brasileiro*. Vol. 1. 2. ed. Rio de Janeiro: Revan, 2003.

ZAFFARONI, Eugenio Raúl. *Em busca das penas perdidas.* A perda de legitimidade do sistema penal. Trad. Vânia Romano Pedrosa e Amir Lopes da Conceição. Rio de Janeiro: Revan, 1991.

______. Globalização, Sistema Penal e Ameaças ao Estado Democrático de Direito. In: *Globalização, Sistema Penal e Ameaças ao Estado Democrático de Direito*. Org. Maria Lúcia Karam. Rio de Janeiro: Lumen Juris, 2005.

______. *O Inimigo no Direito Penal.* Trad. Sérgio Lamarão. Rio de Janeiro: Revan, 2007.

ZAFFARONI, Eugenio Raúl; PIERANGELI, José Henrique. *Manual de Direito Penal Brasileiro*. Parte Geral. 2. ed. São Paulo: RT, 1999.Namus, arumqui andante sin ressimus dolorum quaspel et ut alicia ex et explibus.

BOUTIQUE
JURÍDICA